Gestion financière, 2e éd.

Denis Morissette

École de gestion
Département de finance et économique
Université du Québec à Trois-Rivières

Les Éditions SMG
5365 boulevard Jean XXIII
Trois-Rivières (Québec) G8Z 4A6
Téléphone : (819) 376-5650
Télécopieur : (819) 373-2904
www.editionssmg.ca

Distributeur pour tous les pays
(sauf le Canada)
Lavoisier
14, rue de Provigny
F-94236 Cachan cedex France
www.lavoisier.fr

Coordination éditoriale et
responsable de la production : Gérald Baillargeon
Traitement de texte et mise en pages : Gérald Baillargeon
Préparation des fichiers pdf : Richard Gagné
Illustrations et graphiques : Guy Jetté
Conception du couvert : Guy Jetté

Gestion financière, 2ᵉ éd.

**Bibliothèque et Archives nationales du Québec
Bibliothèque et Archives du Canada**

ISBN 978-2-89094-267-7

Cet ouvrage a été imprimé sur du papier
écologique Rolland Hitech50.

Tirage : août 2020

Avant-propos

Structure de l'ouvrage

Le présent ouvrage traite principalement des décisions financières à long terme que sont amenés à prendre les gestionnaires en milieu corporatif. Ces décisions financières concernent le choix des projets d'investissement, des modes de financement et d'une politique de dividende. Dans ce volume, nous insistons particulièrement sur la décision d'investissement à long terme, compte tenu que celle-ci constitue la décision financière la plus importante parmi celles énumérées ci-dessus.

L'ouvrage se divise en quatre parties et comporte, au total, quatorze chapitres. Dans la première partie – *L'objectif financier de l'entreprise et la fonction finance* – (chapitre 1), nous décrivons brièvement les principales décisions financières auxquelles sont confrontés les gestionnaires financiers en milieu corporatif et nous rappellons l'objectif fondamental de l'entreprise dans une économie capitaliste.

Dans la deuxième partie – *Les concepts fondamentaux de la gestion financière* – (chapitres 2 à 5), nous abordons certaines notions financières fondamentales (le calcul des valeurs actualisées et des valeurs capitalisées, l'évaluation des actifs financiers et la relation risque-rendement) qui constituent un préalable essentiel pour bien assimiler la suite de l'ouvrage consacrée aux décisions d'investissement et de financement à long terme. En pratique, les gestionnaires et les investisseurs doivent régulièrement prendre des décisions qui impliquent la prise en considération de la valeur temporelle de l'argent et du risque. Il va de soi que les concepts étudiés aux chapitres 2 à 5 leurs seront particulièrement utiles à cette fin.

Quant à la troisième partie de l'ouvrage – *La décision d'investissement à long terme* – (chapitres 6 à 8), elle traite du choix des projets d'investissement à long terme en tenant compte des spécificités de l'environnement fiscal canadien et expose les principales méthodes utilisées en pratique pour incorporer le facteur risque dans les études de rentabilité de projets.

Finalement, la quatrième partie du volume – *La décision de financement à long terme* – (chapitres 9 à 14), porte sur les marchés financiers, les modes de financement à long terme, le choix d'une structure optimale de capital, la relation entre les décisions d'investissement et de financement et la sélection d'une politique de dividende.

Approche pédagogique

L'approche pédagogique utilisée se caractérise par les particularités suivantes :

1. Le texte est rédigé dans un langage simple et facilement accessible à des non-spécialistes de la discipline.

2. Dans le but d'illustrer les concepts théoriques présentés, nous avons recours, tout au long de l'ouvrage, à de nombreux exemples pratiques.

3. Nous présentons les différents sujets étudiés dans une séquence qui facilitera grandement leur compréhension et leur intégration.

4. Les objectifs pédagogiques énoncés au début de chaque chapitre donnent une vue d'ensemble des notions importantes à maîtriser.

5. À la fin de chaque chapitre, une section est consacrée à la révision des concepts fondamentaux.

6. De façon à bien faire ressortir certains points importants ou complémentaires, des remarques figurent à plusieurs endroits dans le texte.

7. Un sommaire des principales formules est présenté à la fin de chaque chapitre.

8. La plupart des définitions importantes sont mises en exergue.

9. Dans plusieurs chapitres, notamment aux chapitres 2 à 6, nous décrivons en détail la démarche à suivre pour effectuer les calculs demandés à l'aide de la calculatrice financière SHARP EL-738.

10. Les exercices proposés à la fin de chaque chapitre permettent au lecteur de vérifier son degré de compréhension des sujets étudiés et d'approfondir ses connaissances de la matière. Dans plusieurs chapitres où les exercices sont nombreux, nous avons jugé bon de les répartir en deux séries (série A et série B). De façon générale, les exercices de la série B sont plus difficiles que ceux de la série A. Les réponses aux exercices suggérés sont fournies à la fin de l'ouvrage.

11. Plusieurs annexes montrent comment utiliser le tableur Excel pour résoudre des problèmes courants de gestion financière (tableau d'amortissement d'un prêt, évaluation des actifs financiers, choix des investissements, analyse de sensibilité, choix entre l'achat et la location d'un actif, décision de refinancement et analyse d'indifférence BAII-BPA). On trouve à la page *xxi* la démarche à suivre pour télécharger les fichiers concernant la gestion financière avec Excel.

12. Les tables financières requises et une table de la loi normale centrée réduite figurent à la fin du volume.

Matériel pédagogique complémentaire disponible auprès des Éditions SMG

1. Un corrigé complet des exercices.
2. Un corrigé d'exercices choisis.

Clientèle visée

Ce volume s'adresse aussi bien aux praticiens de la finance qu'aux étudiants et étudiantes en administration, en comptabilité, en finance et en gestion de projet. Grâce à sa grande versatilité, il permet de rencontrer les besoins spécifiques de formation dans les cours de base et intermédiaires en finance corporative offerts dans les établissements d'enseignement supérieur.

Remerciements

En terminant, l'auteur voudrait particulièrement remercier Monsieur Gérald Baillargeon pour ses nombreuses suggestions et remarques pertinentes, mais surtout pour son appui constant tout au long de ce projet. En outre, il lui est reconnaissant pour sa collaboration à la rédaction de la section traitant de la programmamtion linéaire et pour son implication dans le développement de certaines annexes de fin de chapitre portant sur l'utilisation du tableur Excel en gestion financière.

Denis Morissette
Août 2020

Gestion financière
2e édition

Denis Morissette

Département des sciences de la gestion
Université du Québec à Trois-Rivières

Les Éditions SMG
Trois-Rivières,Qc

Distributeur exclusif pour tous les pays (sauf le Canada) :
Lavoisier
14 rue de Provigny
F-94236 Cachan cedex France
www.Lavoisier.fr

Autres ouvrages de Denis Morissette

- **Corrigé des exercices - Gestion financière,** 2e éd. Les Éditions SMG, 2011, 126 pages.

- **Introduction à la finance corporative,** Les Éditions SMG, 2011, 584 pages.

- **Corrigé des exercices - Introduction à la finance corporative,** Les Éditions SMG, 2011, 102 pages.

- **Diagnostic financier et gestion du fonds de roulement,** Les Éditions SMG, 2011, 272 pages.

- **Corrigé des exercices - Diagnostic financier et gestion du fonds de roulement,** Les Éditions SMG, 2011, 50 pages.

- **Introduction à la gestion financière,** 3e éd., Les Éditions SMG, 2011, 362 pages.

- **Corrigé des exercices - Introduction à la gestion financière,** 3e éd., Les Éditions SMG, 2011, 58 pages.

- **Initiation au marché boursier,** Les Éditions SMG, 2011, 84 pages.

- **Corrigé des exercices - Initiation au marché boursier,** Les Éditions SMG, 2011, 10 pages.

- **Analyse financière et gestion du fonds de roulement,** 2e éd. Les Éditions SMG, 2008, 434 pages.

- **Corrigé des exercices - Analyse financière et gestion du fonds de roulement,** 2e éd. Les Éditions SMG, 2008, 74 pages.

- **Valeurs mobilières et gestion de portefeuille,** 4e édition, Les Éditions SMG, 2005, 754 pages.

- **Corrigé des exercices - Valeurs mobilières et gestion de portefeuille,** 4e édition, Les Éditions SMG, 2005, 120 pages.

- **Initiation aux mathématiques financières,** Les Éditions SMG, 2001, 57 pages.

- **Cas en valeurs mobilières et gestion de portefeuille,** Les Éditions SMG, 1999, 94 pages.

- **Décisions financières à long terme,** 3e édition, Les Éditions SMG, 1994, 546 pages (avec la collaboration de Wilson O'Shaugnessy). (Épuisé).

- **Corrigé d'exercices choisis - Décisions financières à long terme,** 3e édition, Les Éditions SMG, 1994, 84 pages. (Épuisé).

Table des matières

3 Mathématiques financières II : les annuités

4 L'évaluation des actifs financiers

5 La relation risque-rendement

Partie III : La décision d'investissement à long terme

6 Choix des investissements à long terme I : calcul des flux monétaires et critères de rentabilité

7 Choix des investissements à long terme II : impact fiscal et sujets particuliers

8 Choix des investissements à long terme III : analyse du risque

Partie IV : La décision de financement à long terme

9 Les marchés financiers

10 Les modes de financement à long terme

11 Le coût du capital

12 La structure de capital

13 La relation entre les décisions d'investissement et de financement

Gestion financière avec Excel

Fichiers à télécharger

Sur le site

www.editionssmg.ca

cliquez sur *Documents à télécharger*. Tapez le nom d'utilisateur **FINANCE**

ainsi que le mot de passe **267-7**

Cela permet de télécharger les fichiers concernant la gestion financière avec Excel.

La liste des chapitres dont apparaissent les différents fichiers Excel est indiquée ci-après.

PRENDRE NOTE

Par l'entremise du site, vous pouvez faire des recherches par ISBN et si vous avez votre mot de passe, télécharger de la documentation.

RECHERCHE PAR ISBN

Documents à télécharger

Chapitre 2 - Mathématiques financières : l'intérêt composé

- Valeur actualisée d'une série de versements inégaux (exercice 12, page 43).

Chapitre 3 - Mathématiques financières : les annuités

- Calcul du taux d'intérêt chargé par le prêteur lorsque les versements exigés sont inégaux (exercice 17, page 85).
- Calcul du taux d'intérêt dans un problème d'annuité différée (exercice 25, page 87).
- Calcul du taux d'intérêt pour lequel la valeur actualisée de deux séries de flux monétaires est identique (exercice 45, page 92).
- Établissement du tableau d'amortissement d'un prêt (annexe 2, page 96).

Chapitre 4 - L'évaluation des actifs financiers

- Courbe prix-rendement d'une obligation (annexe 1, page 143).
- Modèle de croissance en deux étapes (annexe 2, page 146).

Chapitre 6 - Choix des investissements à long terme I

- Calcul de la VAN, du TRI standard, du TRI marginal et du TRI corrigé (annexe, page 275).

Chapitre 7 - Choix des investissements à long terme II

- Calcul de la VAN d'une décision de remplacement d'un actif en contexte fiscal canadien (exercice 6, page 323).
- Calcul de la VAN d'une décision d'expansion en contexte fiscal canadien (exercice 16, page 326).

Chapitre 8 - Choix des investissements à long terme III

- Analyse de sensibilité de la VAN d'un projet d'investissement (annexe, page 400).

Chapitre 10 - Les modes de financement à long terme

- Analyse de la décision achat-location (annexe 1, page 511).
- Analyse de la décision de refinancement (annexe 2, page 515).

Chapitre 12 - La structure de capital

- Analyse d'indifférence BAII-BPA (annexe, page 625).

Partie I : Introduction

Chapitre 1 : L'objectif financier de l'entreprise et la fonction finance

Chapitre 1

L'objectif financier de l'entreprise et la fonction finance

Sommaire

1

Objectifs pédagogiques

Lorsque vous aurez complété l'étude du chapitre 1,

1. vous connaîtrez les trois décisions financières à long terme (décision d'investissement, décision de financement et décision relative à la politique de dividende) auxquelles sont confrontés les gestionnaires de l'entreprise ainsi que les caractéristiques essentielles de ces décisions;

2. vous pourrez identifier les principales variables qui exercent une influence sur la valeur boursière de l'action de l'entreprise;

3. vous saurez que les décisions financières de l'entreprise devraient viser à maximiser la richesse des actionnaires;

4. vous serez sensibilisé au fait que les objectifs des gestionnaires de l'entreprise ne sont pas nécessairement les mêmes que ceux des actionnaires;

5. vous connaîtrez les principaux moyens dont disposent les actionnaires afin d'accroître les chances que les gestionnaires agissent dans leur intérêt;

6. vous saurez que la maximisation des bénéfices n'est pas l'objectif à viser lors de la prise de décisions financières;

7. vous connaîtrez le rôle de la fonction finance dans l'entreprise.

1.1 Les décisions financières de l'entreprise

Dans un contexte pratique, le gestionnaire est confronté à trois décisions financières importantes, soit le choix des investissements à court et long termes, le choix des modes de financement à court et long termes et le choix d'une politique de distribution des dividendes. Comme l'illustre la figure 1.1, le gestionnaire financier prend ces décisions en tenant compte des données internes disponibles (information comptable et autres), des particularités de l'environnement dans lequel l'entreprise opère et de son degré d'aversion à l'égard du risque[1]. Il va de soi que les décisions liées à l'investissement, au financement et à la distribution des dividendes sont très importantes, puisque ce sont elles qui déterminent les flux monétaires[2] anticipés de l'entreprise, leur chronologie et leur

---

[1] Un individu a de l'aversion à l'égard du risque si, entre deux flux monétaires dont les valeurs espérées sont identiques, il préfère celui dont le risque (l'écart-type) est le plus faible. Ainsi, un individu ayant de l'aversion à l'égard du risque préfère un flux monétaire certain de 100 $ plutôt qu'un flux monétaire dont la distribution de probabilité est la suivante :

Probabilité	Flux monétaire
1/2	0
1/2	200 $

[2] Le flux monétaire de l'entreprise pour une période donnée est défini comme étant la différence entre les rentrées et les sorties de fonds de cette période. La notion de flux monétaire est discutée plus en profondeur au chapitre 6.

Figure 1.2

Lien entre les décisions financières de l'entreprise et le prix de l'action en Bourse

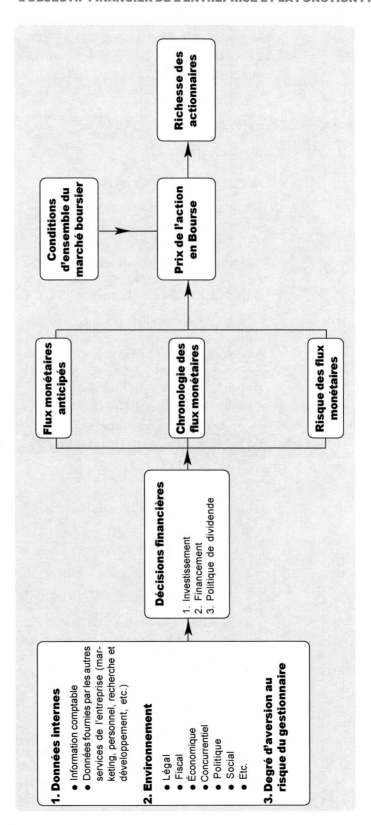

degré de risque. En plus des décisions prises par le gestionnaire financier, on constate, à la figure 1.1, que les conditions prévalant sur le marché boursier exercent également une influence sur la valeur marchande de l'action d'une entreprise. En effet, comme nous le verrons au chapitre 5, les actions de la très grande majorité des entreprises ont tendance à fluctuer dans la même direction.

Ci-dessous, nous décrivons brièvement chacune des trois décisions financières de l'entreprise. Chacune d'entre elles fera l'objet d'un traitement détaillé dans les chapitres ultérieurs.

1.1.1 La décision d'investissement

. . . .
Décision d'investissement
Choix concernant les actifs à acquérir de façon à assurer la croissance de l'entreprise

La décision d'investissement constitue la décision financière la plus importante parmi les trois énumérées précédemment. D'ailleurs, dans le cadre d'un marché des capitaux parfait[3] (pas d'impôt, pas de frais de transaction, rationalité des individus, information gratuite et accessible à tous simultanément, etc.), on peut démontrer qu'il s'agit de la seule décision financière ayant un impact sur la valeur de l'entreprise.

Cette décision détermine les sommes d'argent qui seront investies par l'entreprise de même que les actifs spécifiques qui seront retenus. Au bilan d'une entreprise, la décision d'investissement, c'est-à-dire l'acquisition d'actifs réels corporels (stocks, terrains, bâtiments, équipements, etc.) ou incorporels (brevets d'invention, marques de commerce, etc.) détermine la composition de son actif (voir la figure 1.2).

Figure 1.2

Les décisions financières et le bilan de l'entreprise

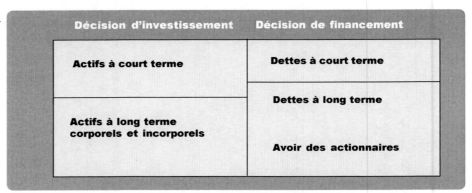

Décision d'investissement	Décision de financement
Actifs à court terme	Dettes à court terme
Actifs à long terme corporels et incorporels	Dettes à long terme
	Avoir des actionnaires

Ces décisions sont abordées dans la troisième partie de l'ouvrage (chapitres 6 à 8). Les chapitres 6 et 7 portent sur le choix des investissements dans un contexte de pétendu certitude en tenant compte des particularités de l'environnement fiscal canadien. Pour sa part, le chapitre 8 traite des principales méthodes disponibles pour analyser les propositions d'investissement dans une situation où les flux monétaires des projets sont risqués.

Avant d'aborder l'analyse des propositions d'investissement à long terme, il s'avère essentiel de bien assimiler les concepts fondamentaux de la gestion

[3] Une liste plus complète des hypothèses sous-jacentes à la notion de marché parfait est fournie au chapitre 9.

financière - principalement la notion de valeur temporelle de l'argent et la relation entre le risque et le rendement espéré - qui sont abordés dans la seconde partie de l'ouvrage (chapitres 2 à 5). Nous aurons recours à ces concepts fondamentaux tout au long de cet ouvrage.

1.1.2 La décision de financement

Décision de financement
Détermination des sources de fonds les plus appropriées pour acquérir des actifs réels

La seconde décision d'importance pour l'entreprise est la décision de financement. Cette dernière a trait à la façon dont seront recueillis les fonds dans le but de financer les projets d'investissement jugés rentables. Il s'agit pour le gestionnaire financier de déterminer la façon optimale (obligations, actions privilégiées, actions ordinaires, titres convertibles, etc.) d'amasser les fonds nécessaires au développement de l'entreprise. Il est à noter que, dans le cadre d'un marché parfait, la décision d'investissement est dissociable de la décision de financement, c'est-à-dire que dans ce contexte idéal le gestionnaire financier n'a pas, lors de l'analyse de la rentabilité d'un investissement, à tenir compte de la façon dont celui-ci sera financé. Toutefois, dans une situation réelle - notamment à cause de l'existence des impôts -, les décisions d'investissement et de financement ne peuvent être séparées, puisque la façon dont l'entreprise se finance a un certain impact sur la valeur de ses projets d'investissement.

Au bilan d'une entreprise (voir la figure 1.2), la décision de financement, c'est-à-dire la vente d'actifs financiers ou valeurs mobilières (papier commercial, obligations, actions, etc.) aux investisseurs détermine la composition de son passif.

La matière se rapportant à la décision de financement est couverte dans la quatrième partie (chapitres 9 à 13) de cet ouvrage. Le chapitre 9 est consacré aux marchés financiers canadiens alors que le chapitre 10 traite des principaux modes de financement à long terme utilisés par les entreprises. Le chapitre 11 porte exclusivement sur le calcul du coût moyen pondéré du capital. Par la suite, nous discutons, au chapitre 12, des facteurs à considérer lors du choix d'une structure de capital et de l'impact de l'utlisation de l'endettement sur le risque et la rentabilité du capital-actions ordinaire. Finalement, le chapitre 13 aborde la relation existant entre les décisions d'investissement et de financement dans un contexte de marché imparfait.

1.1.3 La décision relative à la politique de dividende

Décision relative à la politique de dividende
Choix entre le réinvestissement des bénéfices de l'entreprise et leur distribution en espèces aux actionnaires

La décision relative à la politique de dividende détermine le pourcentage des bénéfices qui seront versés en argent aux actionnaires, la stabilité temporelle des dividendes, les dividendes en actions et le rachat d'actions. À l'instar de la décision de financement, la décision relative à la politique de dividende n'influence pas la valeur de l'entreprise dans le cadre d'un marché des capitaux parfait. Toutefois, à cause de certaines imperfections du marché des capitaux, il est possible, qu'en pratique, il existe une politique de dividende optimale, c'est-à-dire une politique qui maximise le prix de l'action de l'entreprise. Dans le dernier chapitre du volume (chapitre 14), nous abordons plus en détail cette question.

1.1.4 Les décisions financières à long terme versus les décisions financières à court terme

Comme nous l'avons indiqué précédemment, le présent ouvrage porte exclusivement sur les décisions financières à long terme. Afin de bien faire ressortir les caractéristiques essentielles des décisions financières à long terme, on peut les opposer aux décisions financières à court terme sur plusieurs aspects :

1. Les décisions financières à long terme touchent les postes à long terme du bilan de l'entreprise, c'est-à-dire les immobilisations, les dettes à long terme et l'avoir des actionnaires. Les décisions financières à court terme exercent, pour leur part, un impact sur les postes à court terme de son bilan, c'est-à-dire les espèces et les quasi-espèces, les placements à court terme, les comptes clients, les stocks et les dettes à court terme.

2. Les décisions financières à long terme sont analysées de façon discontinue ou sporadique alors que les décisions financières à court terme sont prises quotidiennement. En pratique, le gestionnaire financier passe la majorité de son temps à analyser des décisions à court terme.

3. Contrairement aux décisions financières à court terme qui peuvent habituellement être corrigées rapidement, les décisions financières à long terme engagent l'avenir de l'entreprise et sont, dans la plupart des cas, difficilement réversibles.

4. Pour analyser les décisions financières à long terme (c.-à-d. les décisions dont les flux monétaires s'étalent sur plusieurs périodes), on doit, la plupart du temps, recourir aux méthodes basées sur l'actualisation des flux monétaires alors que de telles méthodes ne sont pas nécessaires pour analyser les décisions financières à court terme (c.-à-d. les décisions dont l'horizon est d'une seule période). Les décisions financières à court terme font plutôt parfois appel aux techniques de la recherche opérationnelle (dans le cas de la gestion de l'encaisse et des stocks) ou à l'analyse discriminante (dans le cas de la gestion des comptes clients).

1.1.5 Les décisions financières et la relation risque-rendement

Comme nous le verrons en détail dans les chapitres à venir, la plupart des décisions financières d'une entreprise ou d'un investisseur implique un arbitrage entre le risque et le rendement espéré. En général, plus l'entreprise ou l'investisseur est disposé à supporter un risque élevé, plus le rendement espéré est élevé. Par exemple, dans le domaine du choix des investissements, une entreprise qui décide de se lancer dans la fabrication d'un nouveau produit prend un risque beaucoup plus élevé qu'en plaçant les fonds disponibles dans des obligations fédérales. Toutefois, selon la relation risque-rendement, le rendement que peut espérer en retirer l'entreprise est beaucoup plus élevé dans le premier cas que dans le second. De même, un investisseur qui place ses liquidités dans des actions ordinaires d'une compagnie cotée en Bourse peut espérer réaliser un rendement plus élevé qu'en investissant les fonds disponibles dans des bons du Trésor du gouvernement. Cela est attribuable au fait que les actions ordinaires comportent, en général, un risque relativement élevé et que les bons du Trésor constituent un placement dénué de risque.

1.2 L'objectif financier de l'entreprise

1.2.1 La maximisation de la richesse des actionnaires

Dans la première partie du chapitre, nous avons discuté des décisions financières fondamentales de l'entreprise, soit la décision d'investissement, la décision de financement et la décision relative à la politique de dividende. Maintenant, nous tentons de répondre à l'importante question suivante : sur quel critère devraient se baser les gestionnaires pour prendre de telles décisions? En principe, la réponse à cette question est simple. En effet, comme les actionnaires ordinaires sont les véritables propriétaires de l'entreprise, les décisions financières devraient normalement viser à maximiser la richesse de ces derniers. Concrètement, cette richesse peut se définir comme étant la somme des dividendes versés et de la valeur marchande des actions ordinaires de l'entreprise. Ainsi, dans l'intérêt des actionnaires, les gestionnaires devraient retenir tous les projets d'investissement qui, d'après les estimations, feraient augmenter la valeur marchande des actions ordinaires. De même, en ce qui a trait à la décision de financement, les gestionnaires devraient choisir le ratio d'endettement permettant de minimiser le coût global du financement de l'entreprise.

Bien entendu, dans l'exercice de leurs fonctions, les gestionnaires doivent régulièrement négociés des ententes avec d'autres parties prenantes de l'entreprise (créanciers, clients, employés, fournisseurs, sous-traitants, gouvernement, etc.) dont les objectifs spécifiques divergent de ceux des actionnaires. Dans un tel contexte, certains soutiennent que les décisions financières devraient être prises en tenant compte des intérêts de toutes les parties prenantes (*stakeholders*) de l'entreprise et non seulement de ceux des actionnaires.

Pour notre part, nous estimons, qu'il s'avère difficile, voire impossible, de tenter d'atteindre simultanément les objectifs disparates des différents groupes préoccupés par la gestion de l'entreprise. En conséquence, nous considérons, dans nos ouvrages de base en finance corporative, que la maximisation de la richesse des actionnaires est l'objectif à prioriser lors de la prise de décisions d'investissement et de financement.

1.2.2 Les incitatifs à la maximisation de la richesse des actionnaires

Les objectifs des gestionnaires de l'entreprise ne sont pas nécessairement identiques à ceux des actionnaires. Ainsi, les gestionnaires peuvent être portés à prendre des décisions d'investissement et de financement plutôt conservatrices afin de minimiser le risque de faillite de l'entreprise et ainsi s'assurer de conserver leurs emplois. Toutefois, des décisions financières possédant cette caractéristique ne sont pas nécessairement optimales du point de vue des actionnaires, car en agissant ainsi les gestionnaires seront tentés de rejeter de bonnes occasions d'investissement qui présentent un certain risque - même si ce risque est parfaitement tolérable pour un actionnaire qui détient un portefeuille d'actions bien diversifié et dont les titres de l'entreprise inclus dans ce portefeuille ne représentent qu'une faible proportion de sa richesse - et à limiter le recours à l'endettement qui est pourtant un mode de financement beaucoup moins onéreux que les fonds propres.

Les actionnaires disposent cependant de certains moyens afin d'accroître les chances que les gestionnaires agissent dans leur intérêt. Ainsi, plusieurs entreprises ont mis sur pied des régimes de rémunération à base d'options d'achat d'actions[4] permettant aux gestionnaires d'acquérir des actions de la compagnie à un prix fixé à l'avance et ce, pendant une certaine période de temps. En admettant que le cours boursier de l'action de la compagnie se situe actuellement à 10 $, un gestionnaire peut, par exemple, se voir offrir la possibilité d'acquérir 25 000 actions de la société à ce prix pendant les quatre prochaines années. Dans un tel contexte, il apparaît clairement qu'il a avantage à prendre les décisions financières permettant de maximiser la valeur boursière de l'action. En effet, si l'on suppose que le cours de l'action sera de 15 $ dans trois ans, il pourra alors en acheter 25 000 à 10 $ l'unité et les revendre à 15 $ chacune sur le marché secondaire. Une telle transaction lui permettra de réaliser un gain en capital de 125 000 $, soit 25 000 (15 $ - 10 $).

Un autre facteur qui incite les gestionnaires à agir dans l'intérêt des actionnaires est la menace d'une prise de contrôle externe qui plane lorsque l'action de l'entreprise est sous-évaluée parce que les décisions prises par les gestionnaires en place ne permettent pas de maximiser la valeur boursière de l'action. Dans une telle situation, une autre société pourrait être disposée à payer pour les actions de l'entreprise un prix plus élevé que leur cours boursier actuel et, par la suite, congédier les gestionnaires en place pour les remplacer par des gestionnaires plus performants. En agissant ainsi, cela devrait permettre aux actionnaires de l'acquéreur de réaliser un gain en capital intéressant, suite à la hausse de la valeur marchande de la société acquise engendrée par la prise de meilleures décisions financières.

Régime de rémunération à base d'options d'achat d'actions
Régime de rémunération variable permettant aux cadres supérieurs d'acquérir des actions de l'entreprise à un prix fixé d'avance - appelé prix d'exercice - et ce, au cours d'une certaine période de temps

---

[4] Suite aux abus des dirigeants de certaines entreprises bien connues - Nortel, Enron et Worldcom en sont des exemples probants - qui, par l'entremise d'artifices comptables, présentaient un portrait financier plutôt flatteur, mais déformé, de leur société et, par la suite, en retiraient des avantages pécuniers substanciels en levant leurs options d'achat avant que les investisseurs ne découvrent après coup que la situation financière de la compagnie était pour le moins précaire et les perspectives à long terme plutôt sombres, ces régimes de rémunération ont été l'objet de nombreuses critiques récemment.

1.2.3 La maximisation des bénéfices versus la maximisation de la richesse des actionnaires

Supposons que les gestionnaires prennent les décisions ayant pour conséquence de maximiser les bénéfices de l'entreprise. En résultera-t-il pour autant une richesse maximale pour les actionnaires de l'entreprise? La réponse à cette question est négative. Pour bien comprendre pourquoi il en est ainsi, supposons le cas d'une entreprise ayant actuellement 1 000 000 d'actions en circulation et dont les bénéfices totaux s'élèvent à 2 000 000 $, soit 2 $ par action. Cette entreprise décide d'émettre 1 000 000 de nouvelles actions et investit les fonds reçus dans des projets d'investissement provoquent une augmentation des bénéfices totaux de 1 000 000 $. Le bénéfice par action passera alors à 1,50 $ (soit

$$\frac{2\,000\,000\,\$ + 1\,000\,000\,\$}{1\,000\,000 + 1\,000\,000}$$

) et il en résultera vraisemblable ment une baisse de

la valeur marchande de l'action ordinaire et, par conséquent, de la richesse des actionnaires. Par exemple, si les actions ordinaires de l'entreprise se transigent normalement à un ratio cours-bénéfice de 10, on peut en déduire que leur prix initial était de 20 $ (soit 2 $ × 10) et que, suite à l'acceptation des nouveaux projets d'investissement (et en supposant que le ratio cours-bénéfice demeurera inchangé), leur prix passera à 15 $ (soit 1,50 $ × 10).

L'exemple précédent illustre clairement que la maximisation des bénéfices totaux n'est pas l'objectif à viser lors de la prise de décisions financières. On peut alors se demander si la maximisation du bénéfice par action conduit nécessairement à la maximisation de la richesse des actionnaires. La réponse à cette question est également négative puisque ce critère ne tient pas compte du risque des bénéfices et de la valeur temporelle de l'argent. De plus, le bénéfice par action dépend, en partie, des méthodes comptables utilisées par l'entreprise. Ci-dessous, nous discutons, à tour de rôle, de chacune des lacunes de ce critère.

1. **Le risque.** Supposons deux projets d'investissement mutuellement exclusifs[5], A et B. Le projet A est très risqué et aurait pour conséquence d'accroître le bénéfice espéré par action de 1 $ alors que le projet B est beaucoup moins risqué et aurait pour effet de le hausser de seulement 0,50 $. Si l'objectif est de maximiser le bénéfice espéré par action, il est clair que l'on doit retenir le projet A, puisque ce dernier permet d'accroître de façon plus marquée le bénéfice espéré par action de l'entreprise. Toutefois, tout dépendant du degré d'aversion à l'égard du risque des actionnaires de l'entreprise, le projet B peut être préférable au projet A. Le meilleur de ces deux projets est en fait celui qui aurait l'impact le plus positif sur le cours de l'action de l'entreprise.

2. **La valeur temporelle de l'argent.** Un second problème associé à la maximisation du bénéfice par action a trait à la valeur temporelle de l'argent. Ainsi, un projet qui aurait pour effet d'accroître le bénéfice espéré par action de

Ratio cours-bénéfice
La valeur marchande de l'action divisée par le bénéfice par action

Risque
Probabilité que le résultat réel s'écarte du résultat espéré. Plus l'éventail des résultats possibles est large, plus le projet d'investissement comporte un risque substantiel

Valeur temporelle de l'argent
Valeur d'une certaine somme d'argent en considérant le moment où elle sera reçue

---

[5] Deux projets d'investissement sont mutuellement exclusifs si on ne peut les réaliser en même temps. Cette notion est discutée plus en détail au chapitre 6.

0,50 $ par année pendant 4 ans n'est pas nécessairement préférable à un autre projet qui aurait pour effet de le hausser de 1,75 $ lors de la première année seulement. Dans un tel contexte, le meilleur projet dépend du taux d'actualisation retenu par l'entreprise pour tenir compte de la valeur de l'argent dans le temps.

3. **Les méthodes comptables utilisées par l'entreprise.** Une dernière difficulté inhérente à la maximisation du bénéfice par action est attribuable au fait que celui-ci est notamment fonction des choix effectués par l'entreprise en ce qui concerne ses méthodes comptables. Ainsi, les choix relatifs à la méthode d'amortissement des immobilisations et à la méthode d'évaluation des stocks influencent le bénéfice par action de l'entreprise et ce, même s'ils n'ont aucun impact sur les flux monétaires de cette dernière et ne devraient pas, par conséquent, affecter la richesse des actionnaires[6].

1.2.4 Résumé

Le point important à retenir, suite à la lecture de la seconde partie de ce chapitre, est que les gestionnaires de l'entreprise devraient, dans l'intérêt des actionnaires, prendre les décisions permettant de maximiser le prix de l'action ordinaire (les actionnaires disposent d'ailleurs de certains moyens afin de les inciter à agir ainsi). La qualité des décisions financières prises par les gestionnaires déteminera les flux monétaires anticipés de l'entreprise, leur degré de risque, leur chronologie et, par conséquent, le prix de l'action ordinaire sur les marchés boursiers. Du point de vue des actionnaires, plus ce prix est élevé, meilleure est l'équipe de gestionnaires en place.

1.3 La fonction finance dans l'entreprise

La figure 1.3 représente la structure organisationnelle d'une grande entreprise en mettant surtout l'emphase sur la fonction finance. On y observe que le responsable de la gestion financière dans l'entreprise est le vice-président finance. Ce dernier, qui relève du président, coordonne les activités du trésorier et du contrôleur. Le trésorier est habituellement responsable de la gestion des postes du fonds de roulement (espèces et quasi-espèces, placements à court terme, comptes clients et stocks), de l'obtention du financement, de la gestion des investissements, du paiement des dividendes et de l'administration des assurances et du régime de retraite. Le contrôleur, pour sa part, est notamment responsable de la comptabilité générale, du prix de revient, des questions fiscales et de la vérification interne. En résumé, on peut dire que le trésorier s'occupe de la fonction finance externe alors que le contrôleur dirige la fonction finance interne. Il va de soi que la matière couverte dans le présent ouvrage concerne davantage les tâches du trésorier que celles du contrôleur.

---

[6] À ce sujet, la plupart des études empiriques réalisées à ce jour indiquent que le prix de l'action n'est pas affecté par des changements de méthodes comptables qui ont pour effet d'augmenter le bénéfice net.

Figure 1.3

La structure organisationnelle de l'entreprise et la fonction finance

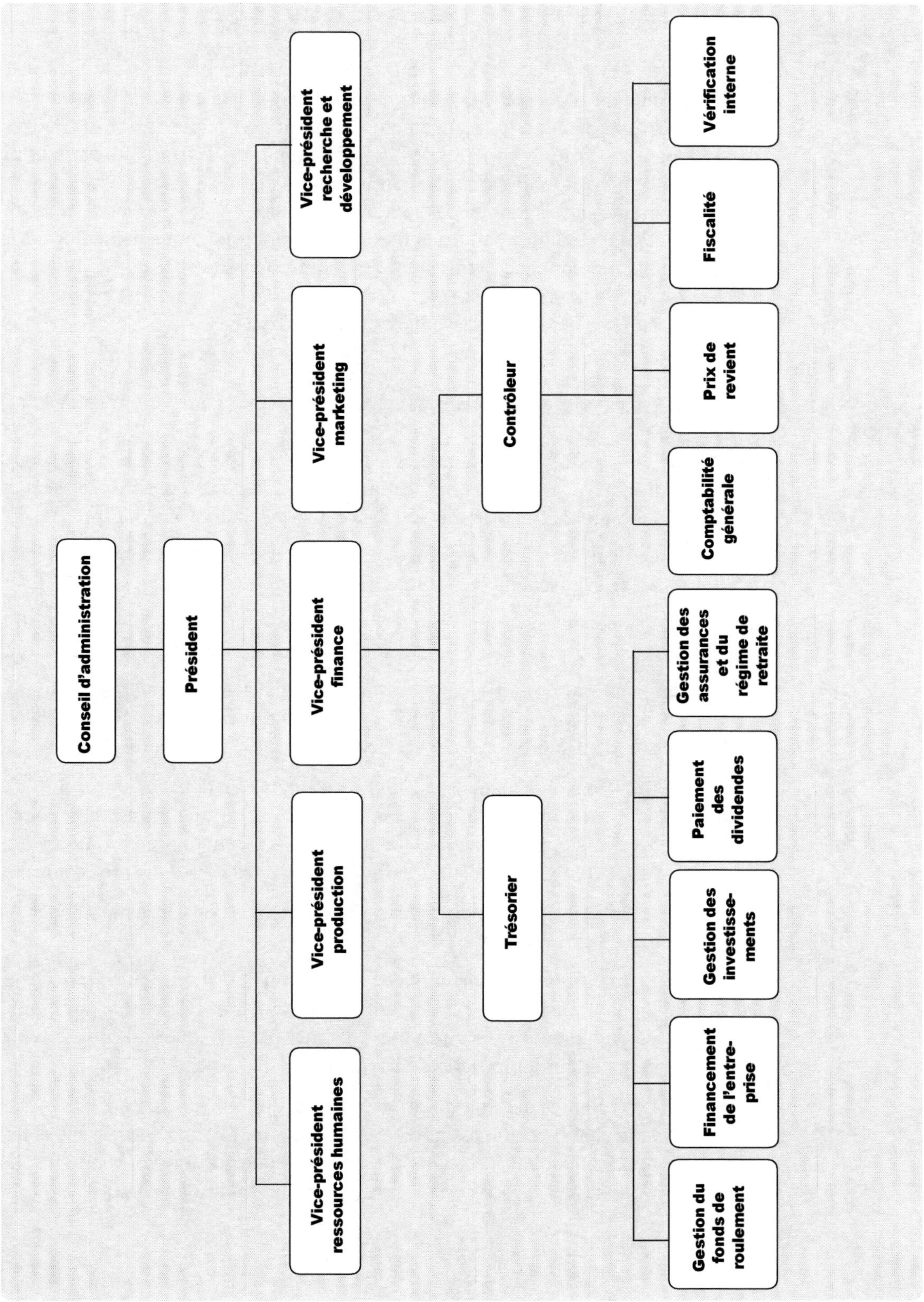

1.4 Les objectifs visés par cet ouvrage

Les objectifs de cet ouvrage consistent à présenter de façon simple les principaux concepts liés aux trois grands axes de décision de l'entreprise que sont l'investissement, le financement et la politique de dividende, de démystifier en quelque sorte les principales théories que nous retrouvons dans la littérature financière sur ces sujets et de rendre, dans la mesure du possible, ces théories opérationnelles pour le gestionnaire financier. Pour y parvenir, nous utiliserons un dosage équilibré entre la théorie et la pratique, nous présenterons les sujets dans une séquence favorisant leur compréhension et leur intégration et, finalement, plusieurs problèmes de fin de chapitre comportant les réponses viendront compléter l'approfondissement des sujets traités.

1.5 Concepts fondamentaux

- Les trois décisions financières fondamentales auxquelles est confronté le gestionnaire en milieu corporatif sont : (1) la décision d'investissement, (2) la décision de financement et (3) la décision relative à la politique de dividende.

- La décision d'investissement consiste à affecter les ressources disponibles aux projets présentant le meilleur profil risque-rendement.

- La décision de financement concerne la façon optimale de recueillir les capitaux nécessaires pour démarrer les projets d'investissement jugés rentables.

- La décision relative à la politique de dividende a trait à l'arbitrage entre le réinvestissement des bénéfices dans de nouveaux projets d'investissement ou leur distribution en espèces aux détenteurs d'actions ordinaires.

- Les décisions financières à long terme génèrent des flux monétaires s'échelonnant sur plusieurs années et engagent l'avenir de l'entreprise. Pour leur part les décisions financières à court terme exercent un impact sur les flux monétaires (rentrées et sorties de fonds) de l'entreprise de la prochaine année.

- L'objectif financier primordial de l'entreprise consiste à maximiser la richesse de ses actionnaires.

- La maximisation du bénéfice par action (BPA) n'entraîne pas nécessairement la maximisation de la richesse des actionnaires. Ce critère comporte comme inconvénients majeurs de faire abstraction du risque et de ne pas tenir compte de la valeur temporelle de l'argent.

- Les régimes de rémunération à base d'options d'achat d'actions accroissent la probabilité que les gestionnaires agissent dans l'intérêt des actionnaires, mais sont sujets à certains abus de la part de gestionnaires opportunistes s'ils ne sont pas assortis de mesures incitatives à long terme.

1.6 Mots clés

1.7 Exercice

1. Vrai ou faux.

   a) Les décisions financières de l'entreprise devraient viser à maximiser les bénéfices totaux.

   b) Dans un marché des capitaux parfait, la décision de financement exerce une influence déterminante sur la valeur au marché de l'entreprise.

   c) Une obligation gouvernementale représente un actif réel.

   d) Une hypothèque constitue un actif financier.

   e) Un terrain représente un actif réel.

   f) Le gestionnaire financier devrait prendre les décisions qui ont pour effet de maximiser la richesse des actionnaires.

   g) Un projet d'investissement qui aurait pour effet d'augmenter le bénéfice par action de l'entreprise pour les trois années à venir devrait nécessairement être accepté.

   h) Le gestionnaire financier prend des décisions concernant l'acquisition d'actifs réels et le financement de ces actifs.

   i) Habituellement, plus un projet d'investissement est risqué, plus son taux de rendement espéré est élevé.

   j) Contrairement aux décisions financières à court terme, les décisions financières à long terme entraînent des retombées sur l'entreprise pendant plusieurs années.

k) Habituellement, pour une période donnée, le flux monétaire de l'entreprise correspond à son bénéfice comptable.

l) Dans l'intérêt des actionnaires, le gestionnaire financier ne devrait jamais accepter un projet d'investissement risqué.

m) Dans l'intérêt des actionnaires, le gestionnaire financier devrait toujours financer les nouveaux projets d'investissement par fonds propres.

n) Dans un contexte réel, des conflits d'intérêts peuvent surgir entre les gestionnaires et les actionnaires de l'entreprise.

Partie II

Les concepts fondamentaux de la gestion financière

Chapitre 2
Mathématiques financières I : l'intérêt composé

Sommaire

2

2.1 Introduction

Dans ce premier chapitre consacré aux mathématiques financières, nous montrons comment calculer la valeur capitalisée (c.-à-d. ce que vaudra à un moment donné dans le futur une somme investie aujourd'hui) et la valeur actualisée (c.-à-d. ce que vaut en dollars d'aujourd'hui une somme à recevoir à un moment donné dans le futur) dans le cas d'un flux monétaire unique. Nous discutons également des différents types de taux d'intérêt (taux nominal, taux périodique et taux effectif annuel) et montrons comment ramener ces taux sur une base commune et ce, afin d'être en mesure d'effectuer des comparaisons valables lorsque la fréquence de capitalisation des intérêts est autre qu'annuelle. Au chapitre suivant, nous verrons comment déterminer la valeur capitalisée et la valeur actualisée d'une suite de flux monétaires égaux ou en croissance à taux constant.

Les mathématiques financières jouent un rôle essentiel dans la prise de décisions financières. En effet, la plupart des décisions financières à long terme de l'entreprise abordées plus loin dans cet ouvrage (décision d'investir en actifs réels, décision achat-location, décision de refinancement, etc.) et de l'investisseur (décision d'acheter ou de vendre des titres) exigent la comparaison de flux monétaires dont la chronologie diverge. Afin d'effectuer des comparaisons valables, on doit être en mesure de transformer les flux monétaires prévus en dollars d'une même période. Il est donc essentiel pour le futur gestionnaire financier de bien maîtriser les notions fondamentales d'actualisation et de capitalisation abordées dans cette partie de l'ouvrage.

Par ailleurs, les concepts présentés sont également très utilisés à des fins de décision en matière de finance personnelle. En effet, une bonne compréhension des mathématiques financières permet de répondre à des questions du genre suivant: (1) quel montant doit investir un particulier à chaque année en vue de recevoir une rente annuelle d'un certain montant lorsqu'il atteindra l'âge de la retraite (problème de planification de retraite)? (2) Quel versement mensuel un particulier devra-t-il effectuer pour rembourser son prêt hypothécaire? (3) Quel sera le solde d'un prêt personnel à une date donnée dans le futur? (4) Est-il préférable de rembourser une dette dont les intérêts sont non déductibles d'impôt ou investir les liquidités disponibles dans un placement générant des revenus qui peuvent être sous forme d'intérêts - donc entièrement imposables - ou se présenter sous forme de gains en capital - les revenus générés bénéficient alors d'un traitement fiscal préférentiel? (5) Vaut-il mieux utiliser les liquidités disponibles pour réduire le solde de son prêt hypothécaire ou contribuer à un REÉR?

2.2 Définition de l'intérêt

On peut considérer l'intérêt comme étant une dépense ou un revenu. Pour l'emprunteur, il s'agit d'une dépense qui correspond au loyer à payer pour l'utilisation d'une somme d'argent que le prêteur a mise à sa disposition. Pour le prêteur, l'intérêt est un revenu qu'il retire en guise de compensation pour s'être privé de la somme prêtée.

Pour calculer l'intérêt, on doit connaître le pourcentage à prélever sur le capital initial ainsi que la durée du prêt ou de l'emprunt. Le pourcentage à utiliser est défini comme étant le taux d'intérêt. Il existe deux sortes d'intérêt : l'intérêt simple et l'intérêt composé.

2.3 L'intérêt simple

Identifions les différents termes utilisés comme suit :
P : Principal ou capital initial
i : Taux d'intérêt par période
n : Nombre de périodes
I_n : Montant en dollars des intérêts
S_n : Valeur définitive, finale ou accumulée au terme de n périodes.

L'intérêt rapporté par le capital P au cours de n périodes vaut :

$$I_n = P \cdot i \cdot n \qquad (2.1)$$

Intérêt simple
Les intérêts sont encaissés à la fin de chaque période et le capital initial demeure inchangé

La valeur définitive d'un placement au terme de n périodes est définie comme étant le total du capital investi et des intérêts gagnés. On peut donc écrire :

$$S_n = P + I_n$$
$$S_n = P + P \times i \times n$$
$$S_n = P(1 + in) \qquad (2.2)$$

L'équation (2.2) indique que, dans le cas de l'intérêt simple, la valeur accumulée d'un capital croît linéairement avec le temps. Comme l'illustre la figure (2.1), plus le taux d'intérêt est élevé, plus la croissance est accentuée.

Figure 2.1

Valeur accumulée au terme de n périodes d'un capital de 1 000 $ à différents taux d'intérêt

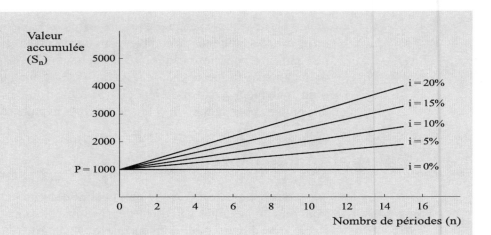

Valeur accumulée au terme de n périodes d'un capital de 1 000 $ (intérêt simple)

Taux d'intérêt (i)	Nombre de périodes (n)			
	1	**5**	**10**	**15**
0%	1 000,00 $	1 000,00 $	1 000,00 $	1 000,00 $
5%	1 050,00 $	1 250,00 $	1 500,00 $	1 750,00 $
10%	1 100,00 $	1 500,00 $	2 000,00 $	2 500,00 $
15%	1 150,00 $	1 750,00 $	2 500,00 $	3 250,00 $
20%	1 200,00 $	2 000,00 $	3 000,00 $	4 000,00 $

Exemple 2.1

Calcul des intérêts périodiques et de la valeur accumulée

On vous prête une somme de 10 000 $ pour une durée de 4 ans au taux d'intérêt simple de 8% par année.

a) Quel sera le montant d'intérêt que vous aurez à payer pour les deux premières années?

b) Calculez le montant total que vous devrez remettre pendant la durée du prêt.

Solution

a) En utilisant l'expression (2.1), on obtient :

$I_2 = (10\ 000)(0,08)(2) = 1\ 600\ \$$

b) À l'aide de l'expression (2.2), on trouve :

$S_4 = 10\ 000\ [1 + (4)(0,08)] = 13\ 200\ \$$

Il est à noter que, dans le cas de l'intérêt simple, le capital initial reste invariable et que les intérêts sont les mêmes d'une période à l'autre. Ainsi, dans l'exemple précédent, les intérêts sont de 800 $ pour chacune des quatre années. Soulignons, en outre, que la fréquence de versement des intérêts n'exerce aucune influence sur le montant total des intérêts qui devra être payé au cours d'une année. Dans l'exemple ci-dessus, si les intérêts étaient versés trimestriellement, il faudrait alors effectuer 4 versements de 200 $ à chaque année.

Exemple 2.2

Calcul du taux d'intérêt simple

Après avoir investi 100 000 $ pendant 150 jours, un épargnant peut retirer une somme de 104 000 $. À quel taux d'intérêt annuel simple a-t-il placé son argent?

Solution

Le taux d'intérêt cherché est le taux i qui permet de satisfaire l'égalité suivante :

$$104\ 000 = 100\ 000\left[1 + i\left(\frac{150}{365}\right)\right]$$

$$\frac{104\ 000}{100\ 000} = 1 + \frac{150\ i}{365}$$

$$1,04 - 1 = \frac{150\ i}{365}$$

d'où : $i = (0,04)\left(\frac{365}{150}\right) = 9,73\%$

2.4   L'intérêt composé

Intérêt composé
Les intérêts gagnés au cours d'une période s'ajoutent au capital pour constituer un nouveau capital qui, à son tour, générera des intérêts pendant la période subséquente

Dans le cas de l'intérêt composé, le montant d'intérêt simple gagné au cours d'une période s'ajoute au capital à la fin de chacune des périodes d'intérêt pour former un nouveau capital. Cela implique, qu'en plus du capital initial, les intérêts simples de la période précédente porteront intérêt la période suivante, d'où la notion d'intérêt composé qui peut s'exprimer comme étant de l'intérêt sur l'intérêt. Par exemple, si vous placez 1 000 $ pour 3 ans à un taux d'intérêt annuel de 10%, la valeur accumulée dans un an sera égale à 1 100 $, soit 1 000 + (0,10)(1 000). À la fin de l'année 2, elle correspondra à 1 210 $, soit 1 100 + (0,10)(1 100). Dans 3 ans, on aura 1 331 $, soit 1 210 + (0,10)(1 210). En finance, à moins d'avis contraire, les calculs sont effectués en supposant que les intérêts sont composés.

2.4.1 Calcul de l'intérêt composé

Dans le but d'en arriver à une expression mathématique permettant de calculer directement la valeur accumulée d'un capital unique, nous aurons recours à la notation suivante :

S_n : Valeur accumulée à la fin de la période n
P : Capital initial
i : Taux d'intérêt par période de capitalisation des intérêts (taux périodique)
n : Nombre de périodes de capitalisation des intérêts.

La valeur accumulée à la fin de chacune des périodes peut se calculer ainsi :

Période 1

$$S_1 = \text{Principal} + \left(\begin{array}{c}\text{Intérêts gagnés au cours}\\ \text{de la période 1}\end{array}\right)$$

$$S_1 = P + Pi$$

$$S_1 = P(1 + i)$$

Période 2

$$S_2 = \left(\begin{array}{c}\text{Valeur accumulée à la fin}\\ \text{de la période 1}\end{array}\right) + \left(\begin{array}{c}\text{Intérêts gagnés au cours}\\ \text{de la période 2}\end{array}\right)$$

$$S_2 = P(1 + i) + P(1 + i)i$$

$$S_2 = P(1 + i)(1 + i)$$

$$S_2 = P(1 + i)^2$$

Période 3

$$S_3 = \left(\begin{array}{c}\text{Valeur accumulée à la fin}\\ \text{de la période 2}\end{array}\right) + \left(\begin{array}{c}\text{Intérêts gagnés au cours}\\ \text{de la période 3}\end{array}\right)$$

$$S_3 = P(1 + i)^2 + P(1 + i)^2 i$$

$$S_3 = P(1 + i)^2 (1 + i)$$

$$S_3 = P(1 + i)^3$$

Période n

On constate que, de façon générale, la valeur accumulée d'un capital à la fin de la période n (S_n) s'établit ainsi :

$$S_n = P(1 + i)^n \tag{2.3}$$

L'équation (2.3) représente l'équation fondamentale de l'intérêt composé. Elle indique que la valeur accumulée d'un capital croît exponentiellement avec le temps. Comme l'illustre la figure 2.2, plus le taux d'intérêt est élevé, plus la croissance est rapide.

Figure 2.2

Valeur accumulée au terme de n périodes d'un capital de 1 000 $ à différents taux d'intérêt

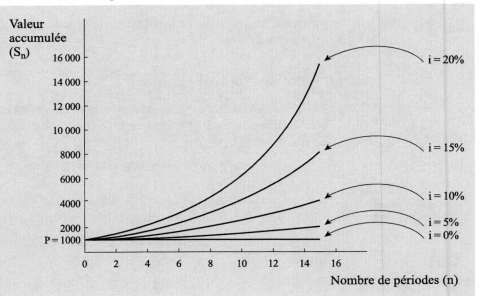

**Valeur accumulée au terme de n périodes
d'un capital de 1 000 $ (intérêt composé)**

Taux d'intérêt (i)	Nombre de périodes (n)			
	1	5	10	15
0%	1 000,00 $	1 000,00 $	1 000,00 $	1 000,00 $
5%	1 050,00 $	1 276,28 $	1 628,89 $	2 078,93 $
10%	1 100,00 $	1 610,51 $	2 593,74 $	4 177,25 $
15%	1 150,00 $	2 011,36 $	4 045,56 $	8 137,06 $
20%	1 200,00 $	2 488,32 $	6 191,74 $	15 407,02 $

Remarque. La table 1 (annexe A, à la fin de l'ouvrage) donne la valeur du facteur $(1+i)^n$ pour différentes valeurs de i et de n. Il est à noter cependant que les tables financières sont de moins en moins utilisées depuis l'introduction sur le marché de calculatrices financières permettant d'effectuer rapidement et précisément le calcul des valeurs capitalisées et des valeurs actualisées. Dans ce chapitre, nous supposons que le lecteur a en sa possession une calculatrice financière.

Exemple 2.3

Calcul de la valeur définitive d'un placement

Un investisseur place 1 000 $ pour 5 ans dans un certificat de placement garanti à un taux d'intérêt de 6% composé annuellement. De quelle somme disposera-t-il dans 5 ans si les intérêts sont réinvestis à 6%?

Solution

En utilisant l'expression (2.3), on obtient :

$$S_5 = 1\ 000(1 + 0,06)^5 = 1\ 338,23\ \$$$

Le résultat précédent peut s'obtenir directement à l'aide de la calculatrice financière SHARP EL-738 en procédant comme suit :

Calculatrice				
1000	+/-	• •	PV	PV : Valeur présente
6		• •	I/Y	I/Y : Taux d'intérêt périodique
5		• •	N	N : Nombre de périodes
COMP		• •	FV	FV : Valeur future

L'écran montre le résultat cherché, soit FV = 1 338,23 $.

Remarque. Un investissement ou une sortie de fonds (le placement de 1 000 $ dans l'exemple ci-dessus) est précédé d'un signe négatif sur la calculatrice SHARP EL-738.

Exemple 2.4

Calcul du taux d'intérêt nécessaire pour doubler un capital en dix ans

À quel taux d'intérêt composé annuellement un capital double-t-il en 10 ans?

Solution

Soit : P = Capital

Algébriquement, il s'agit de trouver la valeur de i qui permet de satisfaire l'équation suivante :

$$P(1+i)^{10} = 2P$$
$$(1+i)^{10} = 2$$

d'où : $i = 2^{1/10} - 1 = 7,18\%$

Avec la SHARP EL-738, on procède comme suit :

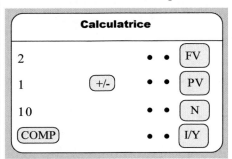

Note: le nombre 1 doit être précédé d'un signe négatif car il s'agit d'un investissement.

La calculatrice affiche alors le taux d'intérêt cherché, soit i = 7,18%.

Remarque. Il existe une vieille règle empirique qui est souvent utilisée pour déterminer le nombre d'années nécessaires pour doubler le capital investi ou encore pour calculer le taux d'intérêt auquel le capital doit être placé afin que sa valeur initiale double sur un certain nombre d'années. Cette règle est la suivante :

$$\text{Nombre d'années nécessaires pour doubler un investissement (n)} \approx \frac{72}{i}$$

En utilisant les données de l'exemple précédent, on obtient :

$$n \approx \frac{72}{i}$$

d'où : $i \approx \frac{72}{n} \approx \frac{72}{10} \approx 7,20\%$

Exemple 2.5

Calcul du nombre d'années nécessaires pour quadrupler un investissement

Combien d'années seront nécessaires pour quadrupler un placement de 1 000 $ si le taux d'intérêt est de 8% annuellement?

Solution

En utilisant l'expression (2.3), on peut écrire :

$$4\,000 = 1000(1+0,08)^{n}$$

Pour déterminer la valeur de n, on peut notamment avoir recours aux logarithmes népériens :

$$\frac{4\,000}{1\,000} = (1+0,08)^{n}$$

$$4 = (1+0,08)^n$$

$$ln\,4 = n \cdot ln\,(1+0,08)$$

d'où : $n = \dfrac{ln\,4}{ln\,(1+0,08)} = \dfrac{1,38629}{0,07696} = 18,01$ années.

Compte tenu d'un taux d'intérêt annuel de 8%, il faut donc environ 18 ans pour quadrupler un investissement quelconque.

On peut cependant obtenir beaucoup plus aisément ce dernier résultat en utilisant les fonctions financières de la calculatrice SHARP EL-738. La démarche à suivre est la suivante :

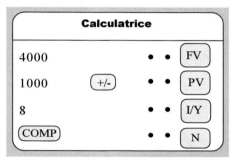

FV : Valeur future

PV : Valeur présente

I/Y : Taux d'intérêt périodique

N : Nombre de périodes

L'écran montre le résultat cherché, soit n = 18,01.

Exemple 2.6 | **Calcul des intérêts gagnés pendant un certain nombre de périodes**

Audrey place une somme de 10 000 $ pendant 15 ans au taux d'intérêt de 7% composé annuellement. Calculez le montant total des intérêts gagnés au cours des 5 dernières années, soit entre le début de l'année 11 et la fin de l'année 15.

Solution

Les intérêts gagnés pendant la période concernée correspondent à la différence entre la valeur accumulée du placement à la fin de l'année 15 (S_{15}) et sa valeur accumulée à la fin de l'année 10 (S_{10}). On peut donc écrire :

Intérêts gagnés au cours
des 5 dernières années

$$\begin{aligned}
&= S_{15} - S_{10} \\
&= 10\ 000(1+0,07)^{15} - 10\ 000(1+0,07)^{10} \\
&= 27\ 590,32 - 19\ 671,51 \\
&= 7\ 918,81\ \$
\end{aligned}$$

2.4.2 Taux nominal, taux périodique et taux effectif

Il arrive fréquemment, en pratique, que la capitalisation des intérêts s'effectue sur une base autre qu'annuelle. Ainsi, les intérêts peuvent être capitalisés deux fois au cours d'une année (c.-à-d. semestriellement), quatre fois au cours d'une année (c.-à-d. trimestriellement) ou douze fois au cours d'une année (c.-à-d. mensuellement). Dans un tel contexte, il convient de distinguer entre le taux nominal, le taux périodique et le taux effectif annuel.

Taux nominal

Taux nominal
Taux d'intérêt exprimé sur une base annuelle capitalisé plusieurs fois dans l'année

On utilise l'expression taux nominal lorsque les intérêts sont capitalisés plusieurs fois au cours d'une année. Le taux nominal est un taux d'intérêt qui est toujours exprimé sur une base annuelle. Il est symbolisé par i_c, où c indique le nombre de périodes de capitalisation des intérêts au cours d'une année (c.-à-d. le nombre de fois où les intérêts sont versés et ajoutés au capital au cours d'une année). Ainsi, i_2 représente un taux nominal capitalisé semestriellement, i_4 un taux nominal capitalisé trimestriellement, i_{12} un taux nominal capitalisé mensuellement, i_{365} un taux nominal capitalisé quotidiennement, etc.

Taux périodique

Taux périodique
Taux d'intérêt nominal divisé par le nombre de périodes de capitalisation des intérêts dans l'année

Le taux périodique est celui qui est appliqué à chaque période de capitalisation. Ce taux, symbolisé par la lettre i, se calcule de la façon suivante :

$$i = \frac{\text{Taux nominal}}{\text{Nombre de périodes de capitalisation des intérêts dans une année}}$$

$$i = \frac{i_c}{c} \tag{2.4}$$

Ainsi, un taux nominal annuel de 10% capitalisé semestriellement est équivalent à un taux périodique semestriel de 5%. De même, un taux nominal de 10% capitalisé trimestriellement équivaut à un taux périodique trimestriel de 2,5%.

Lorsque les intérêts sont capitalisés plusieurs fois au cours d'une année, l'exposant n apparaissant dans la formule $S_n = P(1+i)^n$ (équation 2.3) doit être ajusté en conséquence selon la convention suivante :

$$n = (\text{Durée en années de la transaction}) \times c \tag{2.5}$$

De plus, le taux d'intérêt i qui doit apparaître dans l'équation (2.3) est nécessairement le taux d'intérêt périodique, soit i_c/c.

Exemple 2.7

Calcul de la valeur définitive d'un capital lorsque les intérêts sont capitalisés plusieurs fois dans l'année

Une banque offre un taux d'intérêt nominal de 12% sur un dépôt de 1 000 $.

a) Quelle sera la valeur de ce dépôt après 5 ans si la capitalisation des intérêts est semestrielle?

b) Quelle sera la valeur de ce dépôt après 5 ans si la capitalisation des intérêts est mensuelle?

Solution

a) Ici, on a :
   n = 5 × 2 = 10 périodes de capitalisation

et i = Taux d'intérêt semestriel équivalent = $\dfrac{12\%}{2}$ = 6%

La valeur du dépôt dans 10 semestres sera donc égale à :

$$S_{10} = 1\,000(1+0,06)^{10} = 1\,790,85\ \$$$

b) Dans ce contexte, on a :

$n = 5 \times 12 = 60$ périodes de capitalisation

et i = Taux d'intérêt mensuel équivalent = $\dfrac{12\%}{12}$ = 1%

Par conséquent :

$$S_{60} = 1\,000(1+0,01)^{60} = 1\,816,70\ \$$$

Du point de vue de l'épargnant, on observe que la capitalisation mensuelle des intérêts s'avère plus avantageuse que la capitalisation semestrielle.

Taux effectif annuel

Taux effectif annuel
Taux d'intérêt capitalisé une seule fois dans l'année qui génère le même montant d'intérêts annuels qu'un taux nominal i_c capitalisé c fois dans l'année

Le taux effectif annuel est symbolisé par la lettre r. Il s'agit du taux d'intérêt que l'on trouve en ramenant le taux d'intérêt périodique sur une base annuelle. On peut également définir le taux effectif annuel comme étant le taux d'intérêt obtenu en divisant l'intérêt composé gagné au cours d'une année par le capital initial placé au début de l'année. Par exemple, si vous placez 1 000 $ pour un an à un taux nominal de 10% capitalisé semestriellement, les intérêts gagnés au cours de l'année seront de :

$$\begin{matrix} \text{Intérêts gagnés pendant} \\ \text{le premier semestre} \\ \text{de l'année} \end{matrix} = \begin{pmatrix} \text{Capital investi au} \\ \text{début de l'année} \end{pmatrix}\begin{pmatrix} \text{Taux d'intérêt} \\ \text{périodique équivalent} \end{pmatrix}$$

$$= \text{Pi}$$

$$= (1\,000)\left(\dfrac{0,10}{2}\right)$$

$$= 50\ \$$$

$$\begin{matrix} \text{Intérêts gagnés pendant} \\ \text{le second semestre} \\ \text{de l'année} \end{matrix} = \begin{pmatrix} \text{Capital investi au début} \\ \text{du second semestre} \end{pmatrix}\begin{pmatrix} \text{Taux d'intérêt} \\ \text{périodique équivalent} \end{pmatrix}$$

$$= \begin{pmatrix} \text{Capital investi} & \text{Intérêts gagnés} \\ \text{au début de} & + \text{pendant le premier} \\ \text{l'année} & \text{semestre de l'année} \end{pmatrix}\begin{pmatrix} \text{Taux d'intérêt} \\ \text{périodique} \\ \text{équivalent} \end{pmatrix}$$

$$= (\text{P} + \text{Pi})\text{i}$$

$$= (1\,000 + 50)\left(\dfrac{0,10}{2}\right) = 52,50\ \$$$

Intérêts gagnés pendant l'année = 50 + 52,50 = 102,50 $

d'où : r = Taux effectif annuel = $\dfrac{\text{Intérêts gagnés pendant l'année}}{\text{Somme investie au début de l'année}}$

$$= \dfrac{102,50}{1000}$$

$$= 10,25\%$$

Le fait de capitaliser les intérêts sur une base semestrielle a pour conséquence de faire passer le taux de rendement réel ou effectif annuel du placement à 10,25%. Cela signifie qu'un taux d'intérêt annuel de 10% capitalisé semestriellement correspond en réalité à un taux d'intérêt effectif annuel de 10,25%. En effet, dans les deux cas, un placement de 1 000 $ rapporte en intérêts 102,50 $ au terme d'une année.

Relation d'équivalence entre les différents taux d'intérêt

Le nombre de fois où les intérêts sont capitalisés dans une année influence le taux de rendement d'un placement ou le coût d'un emprunt. Dans ce contexte, il est essentiel de pouvoir ramener sur une base commune des taux d'intérêt qui ne sont pas capitalisés le même nombre de fois au cours d'une année.

Passage d'un taux nominal à un taux effectif annuel

Si l'on veut déterminer le taux effectif annuel (r) correspondant à un taux nominal (i_c) capitalisé c fois l'an, on utilise la relation d'équivalence suivante :

$$\left(1+\frac{i_c}{c}\right)^c = (1+r) \tag{2.6}$$

$$\text{d'où}: r = \left(1+\frac{i_c}{c}\right)^c - 1 \tag{2.6a}$$

Exemple 2.8 — **Calcul du taux périodique et du taux effectif annuel à partir du taux nominal**

Votre ami vous prête pour 5 ans une somme de 10 000 $ au taux de 21% par année composé mensuellement.

a) Quel est le taux nominal?
b) Quel est le taux périodique?
c) Quel est le taux effectif annuel?
d) Quel montant devrez-vous rembourser dans 5 ans?

Solution

a) Taux nominal = $i_{12} = 21\%$

b) Taux périodique = $i = \dfrac{i_{12}}{12} = \dfrac{0,21}{12} = 1,75\%$

c) Le taux effectif annuel équivalent vaut selon l'expression (2.6) :

$$r = \left(1+\frac{0,21}{12}\right)^{12} - 1 = 23,14\%$$

À l'aide de la calculatrice SHARP EL-738, le taux effectif annuel peut se calculer comme suit :

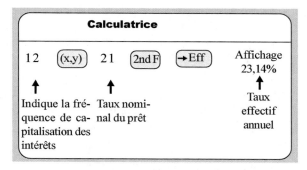

d) Ici, on a : $n = 5 \times 12 = 60$ et $i = 1,75\%$. Par conséquent, le capital à rembourser dans 5 ans ou 60 mois est :

$$S_{60} = 10\,000(1+0,0175)^{60} = 28\,318,16\ \$$$

Exemple 2.9

Choix entre effectuer un placement ou rembourser une dette

Pour rembourser son prêt automobile, Louise effectue des versements mensuels de 700 \$. Le taux d'intérêt nominal, capitalisé mensuellement, chargé par le prêteur s'élève à 7%. La semaine dernière, elle a gagné 10 000 \$ à la Loto Nationale. Elle envisage d'utiliser cette somme à l'une ou l'autre des fins suivantes : (1) rembourser son prêt automobile, (2) l'investir dans un certificat de placement garanti (CPG) dont le taux de rendement effectif annuel s'élève à 7,50% ou (3) l'investir dans un fonds commun de placement qui génère exclusivement des revenus sous forme de gains en capital (fonds d'actions contenant surtout des titres de haute technologie) et dont le taux de rendement espéré est de 14%. Louise est imposée au taux marginal de 48%.

a) Que lui conseillez-vous?

b) Pour quel taux de rendement annuel du CPG Louise serait-elle indifférente entre placer son argent dans ce véhicule de placement et rembourser son prêt automobile?

c) Pour quel taux de rendement annuel du fonds commun de placement Louise serait-elle indifférente entre placer son argent dans ce véhicule de placement et rembourser sa dette?

Solution

a) À l'aide de l'expression (2.6a), calculons, dans un premier temps, le taux d'intérêt effectif annuel (r) de l'emprunt :

$$r = \left(1 + \frac{0,07}{12}\right)^{12} - 1 = 7,23\%$$

Étant donné que les intérêts payés sur ce prêt ne sont pas déductibles d'impôt, le taux d'intérêt après impôt est identique au taux d'intérêt avant impôt.

En ce qui a trait au CPG, ce dernier ne rapporte que 3,90% après impôt, soit 7,50% (1 − 0,48) = 3,90%. Le remboursement du prêt automobile s'avère donc nettement plus avantageux.

Finalement, le taux de rendement espéré après impôt du fonds commun de placement s'élève à 10,64%, soit 14% [1 − (0,50) (0,48)] = 10,64%. Ce dernier calcul tient compte du traitement fiscal avantageux qui est réservé aux revenus sous forme de gains en capital. En effet, depuis octobre 2000, la proportion du gain en capital assujettie à l'impôt au Canada s'élève à 50%. Louise est donc imposée au taux marginal de 24% (soit, 50% × 48% = 24%) sur ses gains en capital.

Compte tenu que le taux de rendement espéré après impôt du fonds commun de placement dépasse le taux d'intérêt effectif annuel de l'emprunt, on pourrait être tenté de conclure, a priori, qu'il serait plus avantageux pour Louise de placer son argent à la Bourse. Toutefois, pour en arriver à une décision éclairée, il faut également considérer le fait que le rendement du fonds de commun de placement s'avère incertain alors que les économies d'intérêt sur la dette comportent un risque nul. Les deux taux de rendement ne sont donc pas directement comparables. Dans ce contexte, la décision finale sera fonction du degré de tolérance au risque de Louise.

b) Soit,

R : Taux de rendement effectif annuel avant impôt du placement

T_p : Taux d'imposition marginal de l'investisseur

r : Taux d'intérêt effectif annuel de l'emprunt.

Les deux possibilités sont équivalentes si l'égalité suivante est satisfaite :

$$R(1 - T_p) = r$$

d'où : $R = \dfrac{r}{1 - T_p} = \dfrac{0,0723}{1 - 0,48} = 13,90\%$

Le CPG devait donc générer un taux de rendement effectif annuel de 13,90% afin que les deux options s'équivalent.

c) Soit,

α : Proportion du gain en capital assujettie à l'impôt. Actuellement, la valeur à attribuer à α au Canada est de 0,50 ou 50%.

Pour que Louise soit indifférente entre les deux options, le taux de rendement annuel avant impôt du fonds commun de placement (R) doit vérifier l'égalité suivante :

$$R(1 - \alpha \cdot T_p) = r$$

d'où : $R = \dfrac{r}{1 - \alpha \cdot T_p} = \dfrac{0,0723}{1 - (0,50)(0,48)} = 9,51\%$

Remarque. Cet exemple permet de relativiser l'importance de la fréquence de capitalisation du rendement lorsque l'on doit comparer différentes utilisations possibles des fonds. En règle générale, la fiscalité et le risque ont une incidence plus importante que la fréquence de capitalisation du rendement sur la décision finale qui sera prise dans un contexte similaire à celui de l'exemple ci-dessus.

Passage d'un taux effectif annuel à un taux nominal

Afin de calculer le taux nominal (i_c) capitalisé c fois l'an qui équivaut à un taux effectif annuel (r) donné, il s'agit d'isoler i_c dans l'expression (2.6). Pour ce faire, on procède ainsi :

$$\left(1+\frac{i_c}{c}\right)^c = (1+r)$$

$$\left(1+\frac{i_c}{c}\right) = (1+r)^{1/c}$$

$$\frac{i_c}{c} = (1+r)^{1/c} - 1$$

d'où : $i_c = c[(1+r)^{1/c} - 1]$ (2.6b)

Exemple 2.10 **Calcul du taux nominal à partir du taux effectif annuel**

Quel est le taux nominal capitalisé mensuellement équivalent à un taux effectif annuel de 10%?

Solution

En ayant recours à l'équation (2.6b), on trouve :

$$i_{12} = 12[(1+0,10)^{1/12} - 1] = 9,57\%$$

À l'aide de la calculatrice SHARP EL-738, le taux effectif annuel peut se calculer comme suit :

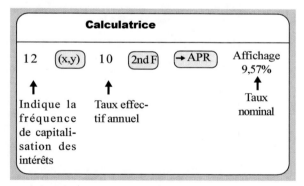

Équivalence entre deux taux nominaux

Si l'on cherche à déterminer le taux nominal (i_c) capitalisé c fois l'an équivalent à un taux nominal ($i_{c'}$) capitalisé c' fois l'an, on utilise alors la relation d'équivalence suivante :

$$\left(1+\frac{i_c}{c}\right)^c = \left(1+\frac{i_{c'}}{c'}\right)^{c'}$$

$$\left(1+\frac{i_c}{c}\right) = \left(1+\frac{i_{c'}}{c'}\right)^{c'/c}$$

$$\frac{i_c}{c} = \left(1 + \frac{i_{c'}}{c'}\right)^{c'/c} - 1$$

$$\text{d'où : } i_c = c\left[\left(1 + \frac{i_{c'}}{c'}\right)^{c'/c} - 1\right] \tag{2.7}$$

Exemple 2.11 **Équivalence entre deux taux nominaux**

Quel est le taux nominal capitalisé mensuellement qui est équivalent à un taux nominal de 9% capitalisé semestriellement?

Solution

Ici, on a :

$i_{c'} = i_2 = 9\%$

$c' = 2$

$c = 12$

et $i_c = i_{12} = ?$

À partir de l'expression (2.7), on obtient :

$$i_{12} = 12\left[\left(1 + \frac{0,09}{2}\right)^{2/12} - 1\right] = 8,84\%$$

La calculatrice SHARP EL-738 permet d'obtenir directement le taux nominal cherché en procédant comme suit :

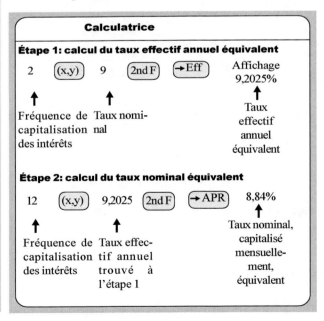

Remarques. 1. Lorsque les intérêts sont capitalisés une fois l'an, on a :
Taux nominal = Taux périodique = Taux effectif annuel

$$i_c = \frac{i_c}{c} = i = r \text{ puisque } c = 1.$$

2. Pour un taux nominal donné, plus c est grand, plus r sera grand. Par exemple, il est plus avantageux de placer son argent à un taux nominal de 14% capitalisé trimestriellement qu'à un taux nominal de 14% semestriellement. C'est l'inverse lors d'un emprunt.

2.4.3 La valeur actuelle ou présente

Actualisation
Processus visant à ramener en dollars d'aujourd'hui une (ou des) somme(s) d'argent à recevoir dans le futur

Le calcul de la valeur actuelle permet de répondre à la question suivante : quelle somme P dois-je investir aujourd'hui pendant n périodes au taux d'intérêt stipulé pour obtenir la somme S_n. Par exemple, la valeur actuelle d'une somme de 125 000 $ à recevoir dans 3 ans est de 93 914,35 $ si le taux d'intérêt annuel est de 10%. Ce résultat signifie qu'il faudrait placer 93 914,35 $ aujourd'hui pour obtenir 125 000 $ dans 3 ans. En effet, on a :

93 914,35 $(1 + 0,10)^3 = 125 000 \$.$

La valeur actuelle n'est en fait que l'inverse de la valeur accumulée. Comme l'illustre le schéma ci-dessous, lorsque l'on détermine la valeur accumulée d'une somme on avance dans le temps, tandis que lorsque l'on calcule la valeur actuelle d'une somme on se trouve à reculer dans le temps.

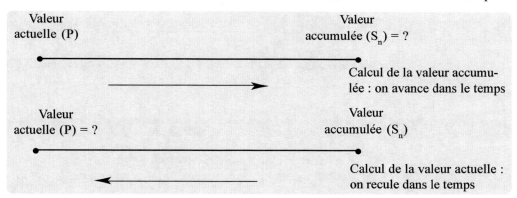

Pour calculer la valeur actuelle d'une somme S_n à recevoir dans n périodes, il suffit d'isoler P dans l'expression (2.3). On obtient alors :

$$S_n = P(1 + i)^n$$

$$\text{d'où : } P = \frac{S_n}{(1 + i)^n} = S_n(1 + i)^{-n} \tag{2.8}$$

Figure 2.3

Valeur actuali- sée au temps 0 d'une somme de 1 000 $ à recevoir dans n périodes à différents taux d'intérêt

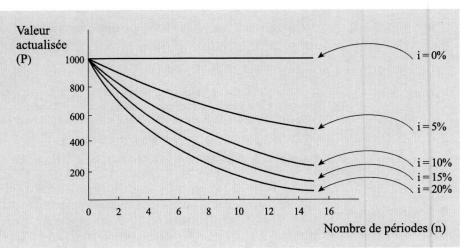

Valeur actualisée au temps 0 d'une somme de 1 000 $ à recevoir dans n périodes

Taux d'intérêt (i)	Nombre de périodes (n)			
	1	**5**	**10**	**15**
0%	1 000,00 $	1 000,00 $	1 000,00 $	1 000,00 $
5%	952,38 $	783,53 $	613,91 $	481,02 $
10%	909,09 $	620,92 $	385,54 $	239,39 $
15%	869,57 $	497,18 $	247,18 $	122,89 $
20%	833,33 $	401,88 $	161,51 $	64,91 $

Remarque. La table 2 (annexe A, à la fin de l'ouvrage) donne la valeur du facteur $(1+i)^{-n}$ pour différentes valeurs de i et de n.

Exemple 2.12   **Actualisation d'une somme d'argent à recevoir dans le futur**

Vous avez le choix entre recevoir une somme P maintenant ou une somme de 20 000 $ dans 8,5 ans. Sachant que vous pouvez placer votre argent au taux nominal de 10% capitalisé trimestriellement, pour quelle valeur de P êtes-vous indifférent entre les deux possibilités?

Solution

Ici, on a :

$n = (8,5)(4) = 34$

et

$i = \dfrac{10\%}{4} = 2,5\%$

Par conséquent : $P = 20\,000(1 + 0,025)^{-34} = 8\,638,11\ \$$.

Compte tenu d'un taux d'intérêt nominal de 10% capitalisé trimestriellement, recevoir aujourd'hui une somme de 8 638,11 $ équivaut donc à recevoir une

une somme de 20 000 $ dans 8,5 ans. En effet, si l'on recevait aujourd'hui un montant de 8 638,11 $, ce dernier montant pourrait être investi dès maintenant au taux nominal de 10% capitalisé trimestriellement, ce qui permettrait de disposer d'une somme de 20 000 $ dans 8,5 ans.

Le montant de 8 638,11$ peut également s'obtenir directement en procédant comme suit avec la calculatrice SHARP EL-738 :

```
┌─────────────────────────────────────┐
│            Calculatrice              │
│                                      │
│  20 000            • •  [ FV ]       │
│                                      │
│  2.5               • •  [ I/Y ]      │
│                                      │
│  34                • •  [ N ]        │
│                                      │
│  (COMP)            • •  [ PV ]       │
└─────────────────────────────────────┘
```

La calculatrice affiche alors la valeur présente d'une somme de 20 000 $ à recevoir dans 34 périodes, soit PV = 8 638,11 $.

2.4.4 La capitalisation continue

Capitalisation continue ou instantannée
La capitalisation des intérêts s'effectue à chaque instant

À la section 2.4.2, nous avons mentionné que, pour un taux d'intérêt nominal donné, plus les intérêts sont capitalisés fréquemment, plus le taux effectif annuel correspondant sera élevé. Par exemple, pour un taux nominal de 10%, le taux effectif annuel évolue ainsi en fonction du nombre de périodes de capitalisation des intérêts dans une année :

Nombre de périodes de capitalisation des intérêts dans une année = c	Taux périodique équivalent = i_c/c	Taux effectif annuel correspondant = r
c = 1	10,0%	10%
c = 2	5,0%	10,25%
c = 4	2,5%	10,381%
c = 12	10%/12	10,471%
c = 24	10%/24	10,494%
c = 365	10%/365	10,516%
.	.	.
.	.	.
.	.	.
$c \to \infty$	$10\% / \infty$	10,517%

Lorsque les intérêts sont capitalisés et ajoutés au capital à tous les instants, on obtient donc un taux effectif annuel de 10,517%. Il s'agit du taux effectif annuel maximal que l'on peut obtenir à partir d'un taux nominal de 10%. Pour obtenir ce taux, il s'agit de faire tendre c vers l'infini dans l'expression (2.6). On obtient alors :

$$(1+r) = \lim_{c \to \infty} \left(1 + \frac{i_c}{c}\right)^c$$

En ayant recours aux concepts du calcul différentiel, on peut prouver que :

$$\lim_{c \to \infty} \left(1 + \frac{i_c}{c}\right)^c = e^{\delta}$$

où $\quad$ $e = 2,718...$ (constante d'Euler)
et

$$\delta = \frac{\text{Taux d'intérêt nominal à}}{\text{capitalisation continue}} = \lim_{c \to \infty} i_c$$

Par conséquent : $r = e^{\delta} - 1 = e^{0,10} - 1 = 10,517\%$.

Il est à noter que, dans le cas particulier de la capitalisation continue ou instantannée, le nombre de périodes de capitalisation des intérêts dans une année tend vers l'infini alors que la longueur des périodes s'approche de zéro.

Calcul de la valeur accumulée

Lorsque les intérêts sont capitalisés continuellement, la valeur accumulée au bout de t années d'une somme P investie maintenant se calcule ainsi :

$$S_t = Pe^{t\delta} \tag{2.9}$$

Exemple 2.13 — **Calcul de la valeur accumulée d'un placement en contexte de capitalisation instantannée**

Vous placez 5 000 $ dans une banque. Le taux d'intérêt annuel à capitalisation continue est 12%. Quelle sera la valeur de ce dépôt après 5 ans?

Solution

Elle sera égale à :

$S_5 = 5000 \ e^{(5)(0,12)} = 9110,59$ $

Il est à noter que ce résultat est très voisin de celui que l'on obtient lorsque les intérêts sont capitalisés quotidiennement. En effet, dans le cas où les intérêts sont capitalisés à tous les jours, la valeur accumulée au bout de 5 ans est :

$$5000\left(1 + \frac{0,12}{365}\right)^{(5)(365)} = 9109,70 \text{ \$}$$

Calcul de la valeur actuelle

Pour déterminer la valeur actuelle d'une somme d'argent à recevoir dans t années dans un contexte où les intérêts sont capitalisés à tous les instants, il suffit d'isoler P dans l'expression (2.9). On obtient alors :

$$S_t = Pe^{t\delta}$$

$$\text{d'où : } P = \frac{S_t}{e^{t\delta}} = S_t e^{-t\delta} \tag{2.10}$$

Exemple 2.14 — **Calcul de la valeur actualisée d'une somme d'argent à recevoir dans l'avenir en contexte de capitalisation instantannée**

Quelle est la valeur actuelle d'une somme de 1 000 $ à recevoir dans 3 ans si le taux nominal à capitalisation continue est de 8%?

Solution

La valeur actuelle est :

$$P = 1000 \ e^{-(3)(0,08)} = 786,63 \ \$$$

Passage d'un taux effectif annuel à un taux nominal à capitalisation continue

Pour calculer le taux nominal à capitalisation continue (δ) équivalent à un taux effectif annuel (r), il s'agit d'isoler δ dans l'équation ci-dessous :

$$e^{\delta} = 1 + r$$

Par conséquent :

$$ln \ e^{\delta} = ln(1 + r)$$

$$\delta ln \ e = ln(1 + r)$$

Puisque $ln \ e = 1$, on obtient :

$$\delta = ln(1 + r) \tag{2.11}$$

Exemple 2.15 — **Équivalence de taux d'intérêt en contexte de capitalisation instantannée**

Quel est le taux nominal à capitalisation continue équivalent à un taux effectif annuel de 15%?

Solution

L'expression (2.11) nous permet d'écrire :

$$\delta = ln(1 + 0,15) = 13,98\%$$

2.5 Concepts fondamentaux

- Le concept de valeur temporelle de l'argent signifie qu'un dollar aujourd'hui vaut davantage qu'un dollar à encaisser à une date future.

- Dans le cas de l'intérêt simple, les intérêts sont payés à la fin de chaque période et le capital initial ne varie pas.

- Lorsqu'un placement est effectué à intérêt composé, les intérêts de la période sont ajoutés au capital pour former un nouveau capital qui, à son tour, générera des intérêts plus élevés la période suivante.

- Les deux opérations fondamentales que l'on peut effectuer en mathématiques financières sont la capitalisation et l'actualisation.

- La capitalisation permet de déterminer ce que vaudra à une date future un placement effectué aujourd'hui à un certain taux d'intérêt. Inversement, l'actualisation vise à ramener en dollars d'aujourd'hui une somme d'argent à recevoir à une date future.

- Lorsque les intérêts sont capitalisés plusieurs fois dans l'année, il s'avère alors nécessaire d'apporter une distinction entre le taux nominal, le taux périodique et le taux effectif annuel. Le taux nominal réfère à un taux exprimé sur une base annuelle qui se capitalise plusieurs fois dans l'année. Pour sa part, le taux périodique est celui qui est appliqué à chaque période de capitalisation. On obtient sa valeur en divisant le taux nominal par le nombre de périodes de capitalisation des intérêts dans l'année. Finalement, le taux effectif annuel est un taux qui se capitalise une seule fois dans l'année. Ce dernier taux représente le rendement annuel exact d'un placement ou le vrai coût annuel d'un emprunt.

- Pour établir une comparaison valable entre plusieurs taux d'intérêt qui ne sont pas capitalisés le même nombre de fois dans l'année, il s'agit simplement d'exprimer les différents taux offerts sur une base effective annuelle.

- Toutes choses étant égales par ailleurs, plus la fréquence de capitalisation des intérêts est élevée, plus la valeur capitalisée de l'investissement sera élevée au terme de l'horizon fixé.

- Les calculs financiers effectués en régime continu supposent que les intérêts sont capitalisés instantannément.

2.6 Mots clés

Actualisation (p. 20)
Capitalisation (p. 20)
Capitalisation continue
ou instantanée (p. 37)
Capitalisation des intérêts (p. 27)
Équivalence de taux d'intérêt (p. 30)
Intérêt composé (p. 23)
Intérêt simple (p. 21)

Taux effectif annuel (p. 29)
Taux nominal (p. 28)
Taux périodique (p. 28)
Valeur accumulée (p. 23)
Valeur actuelle (p. 35)

2.7 Sommaire des principales formules

Intérêt simple

(2.2) $S_n = P(1 + in)$

où P : Capital initial

   i : Taux d'intérêt par période

   n : Nombre de périodes

   S_n : Valeur définitive, finale ou accumulée.

Intérêt composé

Valeur accumulée ou définitive

$$(2.3) \qquad S_n = P(1+i)^n$$

où P : Capital initial

i : Taux d'intérêt par période de capitalisation

n : Nombre de périodes

S_n : Valeur définitive, finale ou accumulée.

Valeur actuelle ou présente

$$(2.8) \qquad P = S_n(1+i)^{-n}$$

Équivalences de taux d'intérêt

Passage d'un taux nominal à un taux effectif annuel

$$(2.6a) \qquad r = \left(1 + \frac{i_c}{c}\right)^c - 1$$

où i_c : Taux nominal capitalisé c fois l'an

c : Fréquence de capitalisation des intérêts

r : Taux effectif annuel.

Passage d'un taux effectif annuel à un taux nominal

$$(2.6b) \qquad i_c = c[(1+r)^{1/c} - 1]$$

Équivalence entre deux taux nominaux

$$(2.7) \qquad i_c = c\left[\left(1 + \frac{i_c}{c'}\right)^{c'/c} - 1\right]$$

Capitalisation continue

Valeur accumulée ou définitive

$$(2.9) \qquad S_t = Pe^{t\delta}$$

où P : Capital initial

e : Base des logarithmes népériens

t : Nombre d'années

δ : Taux nominal à capitalisation continue

S_t : Valeur accumulée ou définitive.

Valeur actuelle ou présente

$$(2.10) \qquad P = S_t e^{-t\delta}$$

Équivalence de taux d'intérêt

1. Passage d'un taux nominal à capitalisation continue (δ) à un taux effectif annuel (r)

$$r = e^{\delta} - 1$$

2. Passage d'un taux effectif annuel (r) à un taux nominal à capitalisation continue (δ)

(2.11) $\delta = ln(1 + r)$

2.8   Exercices

Remarque. Les exercices sont répartis en deux catégories (série A et série B). De façon générale, les exercices appartenant à la série B sont plus difficiles que ceux de la série A.

Série A

1. Un investisseur de 30 ans veut disposer d'une somme de 1 000 000 $ lorsqu'il atteindra l'âge de 65 ans. Quel montant doit-il investir maintenant à un taux nominal de 16% capitalisé trimestriellement pour accumuler cette somme?

2. Combien doit-on investir maintenant à un taux effectif annuel de 12% pour disposer de 10 000 $ dans 5 ans et 3 mois?

3. Combien d'années faut-il pour quadrupler un investissement quelconque si le taux nominal capitalisé trimestriellement est de 16%?

4. Lequel des taux suivants est préférable pour l'emprunteur :
a) Taux nominal de 24% capitalisé semestriellement;
b) Taux nominal de 24% capitalisé mensuellement;
c) Taux nominal de 24% capitalisé trimestriellement;
d) Taux effectif annuel de 25%;
e) Taux nominal de 23% capitalisé mensuellement.
f) Taux nominal de 22,5% à capitalisation continue.

5. Pour le prêteur, lequel des taux de la question précédente est le plus avantageux?

6. Complétez le tableau suivant :

Capital placé	Nombre de fois où les intérêts sont capitalisés dans l'année	Durée du placement en années	Taux d'intérêt périodique	Taux d'intérêt nominal	Taux d'intérêt effectif annuel	Valeur définitive du capital	Intérêts de la 3e période
200$	2	4	6%	(a)	(b)	(c)	(d)
(e)	4	5	(f)	(g)	12,55%	180,61$	(h)
500$	(i)	(j)	10%	(k)	10%	1 071,79$	(l)

7. Sur une propriété mise en vente, M. X offre 18 000 $ payables comptant, Mme Y 25 000 $ exigibles dans 8 ans et M. Z 20 000 $ payables dans 5 ans. Quelle est la meilleure offre si le taux nominal capitalisé trimestriellement est de 8%?

8. Quel est le taux nominal capitalisé à tous les cinq jours équivalent à un taux nominal de 8% capitalisé semestriellement?

9. Vous placez une somme de 30 000 $ au taux nominal de 7% capitalisé trimestriellement pour une période de 10 ans. Déterminez le montant total des intérêts gagnés entre le début de l'année 7 et la fin de l'année 9.

10. Karine envisage investir 100 000 $ dans l'un des deux placements suivants :

- un certificat de placement garanti (CPG) de 5 ans qui offre un taux de rendement nominal de 4% capitalisé semestriellement;

- une obligation d'épargne du Canada à intérêts composés qui arrive à échéance dans cinq ans et dont les taux de rendement annuels successifs s'élèvent à 1,50%, 3,50%, 4%, 6% et 7%.

Que lui conseillez-vous de faire?

Série B

11. Combien d'années faut-il pour quintupler un investissement de 5 000 $ si les taux d'intérêt nominaux successifs sont les suivants?

- Années 1 à 4 : 9% (capitalisé semestriellement)

- Années 5 à 7 : 6% (capitalisé trimestriellement)

- À partir de l'année 8 : 7% (capitalisé annuellement)

 12. Quelle est la valeur actuelle, au temps 0, de la série de versements suivants?

- 1 000 $ à verser 2 ans;

- 1 000 $ à verser 2,5 ans;

- 2 500 $ à verser dans 3 ans et 3 mois.

Le taux d'intérêt effectif annuel est de 14%.

13. Quelle sera la valeur accumulée dans 10 ans de la série de versements suivants?

- 1 000 $ à verser à la fin de l'année 2;

- 2 000 $ à verser dans 3 ans et 4 mois;

- 3 000 $ à verser dans 7 ans et 2 mois;

Le taux d'intérêt effectif annuel est de 12%.

14. Quel est le taux nominal capitalisé à tous les trois ans équivalent à un taux effectif annuel de 4%?

15. Un investisseur place une somme de 10 000 $ pour 3 ans. Le taux nominal capitalisé semestriellement offert est de 11% pour la première année. Pour la seconde année, le taux nominal capitalisé semestriellement offert est de 15%. Finalement, pour la troisième année, le taux effectif annuel offert est de 8%. Quel est le taux effectif annuel correspondant à ces trois taux successifs?

16. Déterminez la valeur actuelle d'une somme de 50 000 $ payable dans 10 ans en supposant que le taux nominal capitalisé trimestriellement est de 12% pour les 4 premières années et de 18% pour les 6 dernières années.

17. Quel montant doit-on placer pour accumuler 1 000 $ dans 4 ans? On reçoit 6% d'intérêt par année, mais ce revenu est réinvesti à 3%.

18. Déterminez le taux nominal capitalisé à toutes les semaines correspondant à un taux nominal de 10% à capitalisation continue.

19. Pendant combien d'années doit-on placer une somme de 18 000 $ pour constituer un capital de 50 000 $ lorsque le taux d'intérêt nominal à capitalisation continue s'élève à 12%?

20. Vrai ou faux.

a) Un taux d'intérêt de 2% par mois correspond à un taux effectif annuel de 24%.

b) Un taux nominal de 14% capitalisé semestriellement équivaut à un taux effectif annuel de 14,49%.

c) Un taux nominal de 14% capitalisé sur une base hebdomadaire équivaut à un taux effectif annuel de 15,01%.

d) Un taux nominal de 14% à capitalisation continue équivaut à un taux effectif annuel de 15,03%.

e) Si l'on actualise une certaine somme d'argent en utilisant un taux d'intérêt nominal capitalisé mensuellement, la valeur obtenue sera plus petite que si l'on utilise le même taux d'intérêt nominal mais que ce taux est capitalisé semestriellement.

f) Le concept de valeur actualisée traduit l'idée que l'argent comporte un coût de renonciation.

g) Dans le cas où les intérêts sont capitalisés plus d'une fois l'an, il existe un écart entre le taux d'intérêt affiché et le taux effectif annuel.

h) Lorsque les intérêts sont capitalisés annuellement, le taux nominal annuel est identique au taux effectif annuel.

Sommaire

3

Lorsque vous aurez complété l'étude du chapitre 3,

1. vous connaîtrez les différents types d'annuités que l'on rencontre en pratique;

2. vous serez capable de calculer la valeur accumulée et la valeur actualisée d'une annuité à versements égaux de fin de période ou de début de période;

3. vous serez en mesure de calculer la valeur accumulée et la valeur actualisée d'une annuité différée;

4. vous pourrez calculer le versement périodique à effectuer pour rembourser une dette;

5. vous saurez comment déterminer le solde d'une dette à un moment donné dans le temps;

6. vous serez en mesure de construire le tableau d'amortissement d'un prêt de façon conventionnelle ou en utilisant le tableur Excel;

7. vous serez capable de déterminer la valeur accumulée et la valeur actualisée d'une annuité en progression géométrique;

8. vous serez apte à calculer la valeur accumulée et la valeur actualisée d'une annuité générale;

9. vous serez en mesure de déterminer la valeur actualisée d'une perpétuité;

10. vous serez sensibilisé au fait que la formule utilisée pour établir la valeur définitive d'une annuité de fin de période en progression géométrique peut servir à déterminer la valeur temporelle de n'importe quel type d'annuités et que les nombreuses formules présentées dans ce chapitre ne sont en fait que des cas particuliers de cette dernière;

11. vous serez en mesure d'appliquer les concepts abordés dans ce chapitre à diverses situations de la vie courante (prêt personnel, prêt hypothécaire, planification de la retraite, etc.;

12. vous serez capable de calculer directement la valeur capitalisée et la valeur actualisée d'une annuité à versements égaux ou en progression géométrique à l'aide de la calculatrice financière SHARP EL-738.

3.1   Introduction

Annuité
Paiements habituellement égaux faits à des intervalles de temps réguliers

Une annuité est une suite de versements généralement égaux effectués à des intervalles de temps égaux. On appelle période de paiement l'intervalle de temps qui s'écoule entre deux versements consécutifs. Dans la plupart des situations rencontrées en pratique, cette période est d'un an, un semestre, un trimeste, un mois ou même une semaine. Les versements périodiques qu'un particulier doit effectuer pour rembourser un prêt hypothécaire ou un prêt personnel constituent un exemple courant d'annuité.

En pratique, on rencontre différents types d'annuités. Le tableau 3.1 présente une classification des annuités sur la base de quatre paramètres.

Dans la prochaine section (3.2), nous ne traitons que des annuités simples. À la section suivante (3.3), nous abordons le cas des annuités à versements variables (annuités en progression géométrique). Pour leur part, les annuités générales font l'objet de la section 3.4. Finalement, les perpétuités sont discutées à la section 3.5.

| **Tableau 3.1** | **Classification des annuités** |

Paramètres	Types d'annuités et brève description
1. La date prévue du premier versement	**a)** Annuité de fin de période : le premier versement sera effectué à la fin de la première période. Habituellement, ce genre d'annuité a comme objectif de rembourser une dette. **b)** Annuité de début de période : le premier versement a lieu dès aujourd'hui. Généralement, ce genre d'annuité vise à accumuler un certain capital, par exemple pour la retraite. **c)** Annuité différée : le premier versement n'a pas lieu aujourd'hui ni à la fin de la première période.
2. Le montant de chacun des versements	**a)** Annuité simple : le montant du versement périodique ne varie pas. Il s'agit, de loin, de la situation la plus fréquente en pratique. **b)** Annuité en progression géométrique : le montant du versement périodique s'accroît à chaque période d'un pourcentage fixe.
3. La coïncidence entre la période de paiement et la période de capitalisation des intérêts	**a)** Annuité simple : la période de paiement est identique à la période de capitalisation des intérêts. **b)** Annuité générale : la période de paiement diffère de la période de capitalisation des intérêts.
4. Le nombre total de versements à effectuer	**a)** Annuité simple : il y a un nombre déterminé de versements à effectuer. **b)** Annuité perpétuelle ou perpétuité : le nombre de versements à effectuer est illimité.

3.2 Les annuités simples

Dans cette section, nous abordons les calculs financiers inhérents aux annuités qui peuvent être caractérisées d'après la date prévue du premier versement (annuités de fin de période, annuités de début de période et annuités différées). Par la suite, nous montrons comment la notion d'annuité peut notamment servir à déterminer le versement périodique à effectuer pour rembourser un prêt. Tout au long de cette section, nous supposons que les versements successifs sont égaux et que la fréquence de paiement concorde avec celle de capitalisation des intérêts.

3.2.1 Les annuités simples de fin de période

Comme c'est le cas pour un versement unique, on peut être intéressé à calculer la valeur définitive ou la valeur actuelle d'une série de versements périodiques.

Calcul de la valeur définitive ou accumulée

Définissons d'abord les symboles suivants :

V_d : Valeur définitive ou accumulée d'une annuité simple de fin de période de R \$

R : Versement périodique

n : Nombre de périodes de capitalisation des intérêts. Dans le cas de l'annuité simple, n correspond également au nombre de versements effectués.

i : Taux d'intérêt par période de capitalisation, soit i_c/c.

$S_{\overline{n}|i}$: Valeur définitive ou accumulée d'une annuité simple de fin de période de 1 \$. Dans le cas particulier où R = 1 \$, on a évidemment $V_d = S_{\overline{n}|i}$.

Pour déterminer la valeur accumulée d'une annuité, il s'agit de calculer la valeur accumulée de chacun des versements R (voir le schéma ci-dessous) à la fin de la période n et d'en faire la somme.

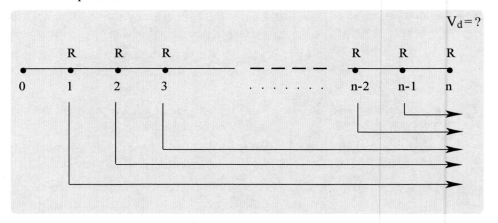

On observe, à partir du schéma précédent, que le premier versement (c.-à-d. celui effectué à la fin de la période 1) rapportera des intérêts pendant n−1 périodes. Sa valeur définitive sera donc de $R(1+i)^{n-1}$ à la fin de la période n. Le second versement rapportera des intérêts pendant n−2 périodes et aura une valeur définitive de $R(1+i)^{n-2}$ à la fin de la période n, etc. Finalement, le dernier versement, qui aura lieu à la fin de la période n, ne rapportera évidemment aucun intérêt et sa valeur définitive sera donc de $R(1+i)^0$ ou, plus simplement, R. Par conséquent, V_d, la valeur définitive d'une annuité de fin de période, peut se calculer ainsi :

$$V_d = R(1+i)^{n-1} + R(1+i)^{n-2} + R(1+i)^{n-3}$$
$$+ ... + R(1+i)^2 + R(1+i)^1 + R(1+i)^0$$

$$V_d = \sum_{t=1}^{n} R(1+i)^{n-t}$$

On pourrait utiliser l'expression ci-dessus pour évaluer V_d. Toutefois, si n est grand, les calculs risquent d'être laborieux. Il est préférable de reconnaître que cette expression est la somme des termes d'une progression géométrique, dont la raison est le facteur $(1+i)^{-1}$. L'expression mathématique suivante permet de cumuler tous ces termes[1] :

$$\frac{a(r^n - 1)}{r - 1} \tag{3.1}$$

où   a : Premier terme de la progression géométrique. Ici, $a = R(1+i)^{n-1}$.

     r : Raison de la progression géométrique, c.-à-d. le quotient de deux termes successifs. Ici, $r = \dfrac{R(1+i)^{n-2}}{R(1+i)^{n-1}} = (1+i)^{-1}$.

     n : Nombre de termes.

En effectuant les substitutions appropriées dans l'expression (3.1), on trouve :

$$V_d = R(1+i)^{n-1} \left[\frac{(1+i)^{-1 \times n} - 1}{(1+i)^{-1} - 1} \right]$$

$$V_d = R(1+i)^{n-1} \left[\frac{(1+i)^{-n} - 1}{\dfrac{1 - (1+i)}{1+i}} \right]$$

$$V_d = R(1+i)^{n} \left[\frac{(1+i)^{-n} - 1}{-i} \right]$$

$$V_d = R \left[\frac{1 - (1+i)^{n}}{-i} \right]$$

$$V_d = R \left[\frac{(1+i)^{n} - 1}{i} \right] \tag{3.2}$$

ou, en fonction de $S_{\overline{n}|i}$:

$$V_d = R \, S_{\overline{n}|i} \tag{3.2a}$$

Remarques. 1. La différence entre V_d et $n \cdot R$ représente le total des intérêts gagnés.

2. La table 3 (annexe A, à la fin de l'ouvrage) donne la valeur du facteur $S_{\overline{n}|i} = \left[\dfrac{(1+i)^{n} - 1}{i} \right]$ pour différentes valeurs de i et de n.

---

[1] Pour une révision des progressions géométriques, le lecteur peut consulter l'annexe 1 à la fin du chapitre.

Exemple 3.1

Calcul de la valeur accumulée d'une annuité de fin de période

Un individu place dans un REÉR une somme de 200 $ à la fin de chaque mois pendant 5 ans. De quelle somme disposera-t-il à la fin de cette période si le taux de rendement nominal capitalisé mensuellement est de 6%?

Solution

La somme totale (capital plus intérêts) dont disposera l'épargnant dans 5 ans se calcule en utilisant l'équation (3.2). En utilisant un taux d'intérêt périodique équivalent de 0,50% (soit 6%/12), on trouve :

$$V_d = 200\left[\frac{(1+0,0050)^{60}-1}{0,0050}\right] = 200\,S_{\overline{60}|0,50\%} = 13\,954,01\ \$$$

Le résultat ci-dessus peut également s'obtenir directement en ayant recours à la calculatrice SHARP EL-738. La procédure à suivre est la suivante :

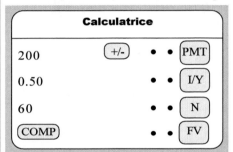

(PMT : versement périodique ou montant de l'annuité).

L'écran affiche alors la valeur définitive des versements effectués, soit FV = 13 954,01 $.

Calcul de la valeur actuelle ou présente

Posons :

V_p : Valeur actuelle ou présente d'une annuité simple de fin de période de R $

$A_{\overline{n}|i}$: Valeur actuelle ou présente d'une annuité simple de fin de période de 1 $.

Pour déterminer la valeur actuelle d'une annuité, il s'agit de trouver la valeur actuelle de chacun des versements R (voir le schéma ci-dessous) et d'en faire la somme.

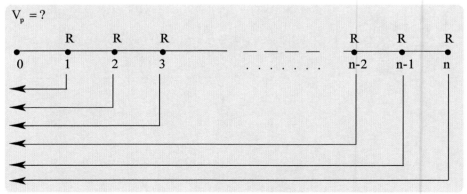

On constate, à partir du schéma précédent, que la valeur actuelle du premier versement est $R(1+i)^{-1}$, que celle du second versement est $R(1+i)^{-2}$, etc. Finalement, on note que la valeur actualisée du dernier versement est $R(1+i)^{-n}$. La valeur actuelle d'une annuité de fin de période, V_p, peut donc se calculer ainsi :

$$V_p = R(1+i)^{-1} + R(1+i)^{-2} + R(1+i)^{-3} + ... + R(1+i)^{-n+2} + R(1+i)^{-n+1} + R(1+i)^{-n}$$

$$V_p = \sum_{t=1}^{n} R(1+i)^{-t}$$

L'expression précédente est une progression géométrique, dont le premier terme est $R(1+i)^{-1}$, la raison $(1+i)^{-1}$ et le nombre de termes n. En utilisant la formule donnant la somme des termes d'une telle progression, on peut écrire :

$$V_p = R(1+i)^{-1}\left[\frac{(1+i)^{-1\times n}-1}{(1+i)^{-1}-1}\right]$$

En simplifiant, on trouve :

$$V_p = R\left[\frac{1-(1+i)^{-n}}{i}\right] \tag{3.3}$$

ou, en fonction de $A_{\overline{n}|i}$:

$$V_p = RA_{\overline{n}|i} \tag{3.3a}$$

Remarque. La table 4 (annexe A, à la fin de l'ouvrage) donne la valeur de $A_{\overline{n}|i} = \left[\frac{1-(1+i)^{-n}}{i}\right]$ pour différentes valeurs de i et de n.

Exemple 3.2   **Calcul de la valeur actualisée d'une annuité de fin de période**

Un épargnant est en mesure d'investir son argent au taux annuel de 10% et désire recevoir 10 000 $ à la fin de chaque année pendant 3 ans. Déterminez le montant qu'il doit placer maintenant.

Solution

Le montant qu'il doit placer maintenant correspond à la valeur actualisée, au temps 0, des sommes d'argent qu'il désire recevoir au cours des trois prochaines années. À partir de l'expression (3.3), la valeur présente des paiements se calcule comme suit :

$$V_p = 10\ 000\left[\frac{1-(1+0,10)^{-3}}{0,10}\right] = 10\ 000\ A_{\overline{3}|10\%} = 24\ 868,52\ \$$$

Ce résultat signifie qu'il doit placer maintenant 24 868,52 $ afin de recevoir 10 000 $ à la fin de chaque année pendant 3 ans.

Preuve

Somme disponible à la fin de l'année 1
en plaçant maintenant 24 868,52 $ à 10% =
(24 868,52) (1 + 0,10)   27 355,37 $
Moins : retrait à la fin de l'année 1   10 000,00
                                                               17 355,37 $

Somme disponible à la fin de l'année 2 =
(17 355,37) (1 + 0,10)   19 090,91 $
Moins : retrait à la fin de l'année 2   10 000,00
                                                                9 090,91 $

Somme disponible à la fin de l'année 3 =
(9 090,91) (1 + 0,10)   10 000,00 $
Moins : retrait à la fin de l'année 3   10 000,00
                                                                   0,00 $

Exemple 3.3 **Calcul du taux d'intérêt chargé par un prêteur**

Une banque vous prête une somme de 10 000 $. En retour, vous vous engagez à effectuer 60 versements de fin de mois de 200 $ pour rembourser cette somme.

a) Quel est le taux d'intérêt nominal capitalisé mensuellement exigé par la banque?
b) Quel est le taux d'intérêt effectif annuel exigé par la banque?

Solution

a) Le montant emprunté correspond à la valeur actualisée des 60 versements mensuels qui seront nécessaires pour rembourser complètement la dette. On peut donc écrire :

$$10\ 000 = 200 \left[\frac{1-(1+i)^{-60}}{i} \right]$$

À l'aide de la calculatrice financière SHARP EL-738, on trouve rapidement le taux d'intérêt mensuel (i) en procédant comme suit :

Calculatrice

10 000	• •	PV
200	+/- • •	PMT
60	• •	N
COMP	• •	I/Y

L'écran affiche alors le résultat cherché, soit i = 0,6183%. Le taux d'intérêt nominal, capitalisé mensuellement, chargé par la banque s'élève donc à 7,42%, soit 12 × 0,6183%.

Le calcul du taux d'intérêt est cependant beaucoup plus fastidieux lorsque l'on ne dispose pas d'une calculatrice financière. Dans un tel cas, on doit procéder par approximations successives et, par la suite, utiliser l'interpolation linéaire. Cette façon de procéder est décrite ci-après.

À un taux de 0,50%, on obtient :

$$200\left[\frac{1-(1+0{,}0050)^{-60}}{0{,}0050}\right]=10\,345{,}11 > 10\,000$$

Par conséquent, le taux d'intérêt mensuel cherché est supérieur à 0,50% (car il existe une relation inverse entre la valeur présente des versements et le taux d'actualisation utilisé). Essayons maintenant un taux un peu plus élevé, soit 0,70%. À ce taux, on trouve :

$$200\left[\frac{1-(1+0{,}0070)^{-60}}{0{,}0070}\right]=9\,777{,}17 < 10\,000$$

Nous savons maintenant que le taux d'intérêt cherché est nécessairement compris entre 0,50% et 0,70%. De façon à obtenir une meilleure approximation, nous aurons maintenant recours à la méthode de l'interpolation linéaire.

Les résultats précédents nous indiquent que, si le taux d'intérêt augmente de 0,20%, la valeur actualisée des versements diminue de 573,94 $, soit 10 345,11 $ - 9 771,17 $. Cependant, nous voulons obtenir le taux d'intérêt pour lequel la valeur actualisée des versements décroît de 345,11 $, soit 10 345,11 $ - 10 000 $. En posant l'hypothèse commode - mais non conforme à la réalité - qu'il existe une relation linéaire entre le taux d'intérêt et la valeur actualisée des versements, le taux d'intérêt cherché peut être approximé comme suit :

$$0{,}0050 + \left(\frac{10\,345{,}11 \text{ - } 10\,000}{10\,345{,}11 \text{ - } 9\,771{,}14}\right)(0{,}0020) \approx 0{,}6203\%.$$

Remarque. Plus les taux d'intérêt utilisés pour effectuer l'interpolation linéaire sont rapprochés, plus le résultat trouvé sera voisin du résultat exact.

Le taux d'intérêt nominal, capitalisé mensuellement, correspondant est donc :

$$i_{12} \approx (12)(0{,}6203\%) \approx 7{,}44\%$$

b) Le taux d'intérêt effectif annuel exigé se calcule ainsi :

$$r = (1 + 0{,}006183)^{12} - 1 = 7{,}68\%$$

3.2.2 Les annuités simples de début de période

• • •
Annuité de début de période
Le premier versement a lieu dès aujourd'hui

À la section 3.2.1, nous avons supposé que les versements étaient effectués en fin de période. Toutefois, dans certaines situations rencontrées en pratique - c'est généralement le cas des versements exigibles en vertu d'un contrat de location -, les versements ont lieu en début de période plutôt qu'en fin de période. Dans ce contexte, il convient d'expliquer comment calculer la valeur accumulée et la valeur actuelle d'une annuité de début de période.

Calcul de la valeur accumulée ou définitive

Définissons :

$\ddot{V}_d$: Valeur accumulée ou définitive d'une annuité simple de début de période de R \$. Dans la suite du texte, les trémas indiquent qu'il s'agit d'une annuité de début de période.

$\ddot{S}_{\overline{n}|i}$: Valeur accumulée ou définitive d'une annuité simple de début de période de 1 \$.

Le schéma ci-dessous compare les versements à effectuer dans le cas d'une annuité de fin de période et dans celui d'une annuité de début de période.

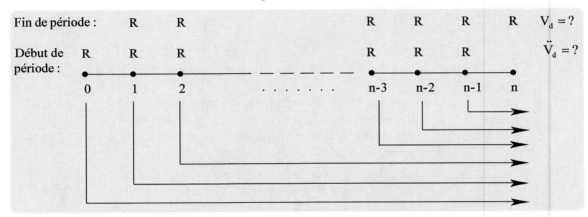

Comme le schéma précédent permet de le constater, dans le cas d'une annuité de début de période, chaque versement a lieu une période plus tôt et, par conséquent, porte intérêt une période de plus que dans le cas de l'annuité de fin de période. Par conséquent, la valeur définitive d'une annuité simple de début de période ($\ddot{V}_d$) devrait égaler la valeur définitive d'une annuité de fin de période (V_d) multipliée par le facteur $(1 + i)$. On peut donc écrire :

$$\ddot{V}_d = V_d(1+i)$$

ou

$$\ddot{V}_d = R \left[\frac{(1+i)^n - 1}{i} \right](1+i) \tag{3.4}$$

ou

$$\ddot{V}_d = R\, S_{\overline{n}|i}(1+i) \tag{3.4a}$$

ou

$$\ddot{V}_d = R\, \ddot{S}_{\overline{n}|i} \tag{3.4b}$$

Exemple 3.4

Comparaison entre la valeur accumulée d'une annuité de début de période et la valeur accumulée d'une annuité de fin de période

Jean place 5 000 \$ dans son REÉR à la fin de chaque année pendant 20 ans. Pour sa part, Marie-Josée effectue le même versement au début de chaque année pendant la même période de temps (20 versements au total). En supposant un taux de rendement annuel de 10%, calculez le montant total dont disposera chacun des deux investisseurs dans 20 ans.

Solution

Le montant total dont disposera Jean dans 20 ans correspond à la valeur accumulée d'une annuité de fin de période de 5 000 $ comportant au total 20 versements. L'expression (3.2) permet de trouver cette valeur :

$$V_d = 5\,000\left[\frac{(1+0,10)^{20}-1}{0,10}\right] = 5\,000S_{\overline{20}|10\%} = 286\,375\ \$$$

Avec la calculatrice SHARP EL-738, le calcul s'effectue comme suit :

Calculatrice
5000   +/-   • • PMT
20   • • N
10   • • I/Y
COMP   • • FV

La calculatrice affiche alors la valeur définitive de l'annuité de fin de période, soit FV = 286 375 $.

Dans le cas de Marie-Josée, le résultat cherché correspond à la valeur définitive dans 20 ans d'une annuité de début de période comportant au total 20 versements. À partir de l'équation (3.4), on obtient :

$$\ddot{V}_d = 5\,000\left[\frac{(1+0,10)^{20}-1}{0,10}\right](1+0,10) = 5\,000\ddot{S}_{\overline{20}|10\%} = 315\,012,50\ \$$$

Le même résultat peut s'obtenir plus rapidement avec la calculatrice SHARP EL-738 en procédant de la façon suivante :

Calculatrice
2nd F   FV
5000   +/-   • • PMT
20   • • N
10   • • I/Y
COMP   • • FV

En appuyant sur les touches 2nd F et FV, BGN devrait apparaître à l'écran. Cela permet d'indiquer à la calculatrice qu'il s'agit d'une annuité de début de période.

La calculatrice affiche alors la valeur définitive de l'annuité de début de période, soit FV = 315 012,50 $.

En effectuant un an plus tôt des versements identiques à ceux de Jean, Marie-Josée pourra donc bénéficier dans 20 ans d'un montant additionnel de 28 662,50 $, soit 315 012,50 $ - 286 350 $. Il s'agit là d'une différence non négligeable. C'est d'ailleurs pour cette raison que les experts en planification financière recommandent à leurs clients de contribuer au REÉR en début d'année plutôt que d'attendre vers la fin de l'année.

Calcul de la valeur actuelle ou présente

Soit :

$\ddot{V}_p$: Valeur actuelle ou présente d'une annuité simple de début de période de R $

$\ddot{A}_{\overline{n}|i}$: Valeur actuelle ou présente d'une annuité simple de début de période de 1 $.

Puisque dans le cas d'une annuité de début de période les versements sont actualisés une période de moins que dans le cas d'une annuité de fin de période, la valeur actuelle d'une annuité de début de période ($\ddot{V}_p$) devrait correspondre à la valeur actuelle d'une annuité de fin de période (V_p) multipliée par le facteur $(1 + i)$. On obtient alors les expressions suivantes :

$$\ddot{V}_p = V_p(1+i)$$

ou

$$\ddot{V}_p = R\left[\frac{1-(1+i)^{-n}}{i}\right](1+i) \tag{3.5}$$

ou

$$\ddot{V}_p = R\ A_{\overline{n}|i}(1+i) \tag{3.5a}$$

ou

$$\ddot{V}_p = R\ \ddot{A}_{\overline{n}|i} \tag{3.5b}$$

Exemple 3.5

Calcul du montant à investir aujourd'hui pour être en mesure de recevoir une rente pendant un certain nombre d'années

Vous désirez recevoir une rente certaine de 25 000 $ payable en début d'année pendant 20 ans. De quel capital devez-vous disposer aujourd'hui pour acquérir cette rente si le taux de rendement effectif annuel offert s'élève à 8%?

Solution

Le capital dont vous devez disposer aujourd'hui correspond à la valeur actualisée d'une annuité de début de période comportant au total 20 versements. Le recours à l'équation (3.5) permet d'obtenir le résultat suivant :

$$\ddot{V}_p = 25\ 000\left[\frac{1-(1+0,08)^{-20}}{0,08}\right](1+0,08) = 25\ 000\ \ddot{A}_{\overline{20}|8\%} = 265\ 089,98\ \$$$

Avec la calculatrice financière, on procède ainsi :

Calculatrice		
2nd F	FV	
25000	• •	PMT
8	• •	I/Y
20	• •	N
COMP	• •	PV

La calculatrice affiche alors le montant que l'on doit investir maintenant, soit PV = 265 089,98 $ (le signe négatif indique qu'il s'agit d'une sortie de fonds ou d'un flux monétaire négatif).

3.2.3 Les annuités différées

Annuité différée
Le premier versement n'a pas lieu aujourd'hui ni à la fin de la première période

Une annuité différée est une suite de versements qui ne devient due ou payable qu'après une certaine période d'attente. Au lieu d'être immédiat, le début des versements est reporté à une date ultérieure. Le schéma ci-dessous permet de visualiser une annuité différée de h périodes.

Pour calculer la valeur actuelle d'une telle annuité au temps 0, il existe deux façons de procéder.

Méthode 1

Il s'agit de considérer les n versements périodiques comme étant une annuité de fin de période. Dans ce cas, l'expression $RA_{\overline{n}|i}$ représente la valeur présente de l'annuité au temps h. Par la suite, on ramène au temps 0 la valeur calculée précédemment en la multipliant par le facteur $(1+i)^{-h}$. Algébriquement, on a :

$$V_p = R\, A_{\overline{n}|i}\,(1+i)^{-h} \tag{3.6}$$

Méthode 2

Une seconde façon de calculer la valeur actuelle d'une annuité différée est de supposer des versements fictifs au cours de la période d'attente. Dans ce cas, la valeur actuelle de l'annuité différée correspond à la différence entre la valeur actuelle de deux annuités de fin de période, la première constituée de h versements fictifs et n versements réels (h + n versements au total) et la seconde de versements fictifs (h versements). Le schéma ci-dessous montre les versements en cause.

Le calcul de la valeur présente de l'annuité différée s'effectue comme suit :

$$V_p = \begin{pmatrix} \text{Valeur actuelle des} \\ \text{versements réels} \end{pmatrix}$$

$$V_p = \begin{pmatrix} \text{Valeur actuelle des} \\ \text{versements fictifs et réels} \end{pmatrix} - \begin{pmatrix} \text{Valeur actuelle des} \\ \text{versements fictifs} \end{pmatrix}$$

$$V_p = R \ A_{\overline{h+n}|i} - R \ A_{\overline{h}|i}$$

$$V_p = R \left[A_{\overline{h+n}|i} - A_{\overline{h}|i} \right] \tag{3.7}$$

Remarque. $A_{\overline{h+n}|i} - A_{\overline{h}|i} \neq A_{\overline{n}|i}$.

Exemple 3.6   **Calcul de la valeur actualisée d'une annuité différée**

Quelle est la valeur actualisée d'une série de 8 paiements annuels de 200 $
commençant dans 4 ans si le taux d'intérêt effectif annuel est de 10%?

Solution

Méthode 1

Les versements en cause sont représentés sur le schéma ci-dessous :

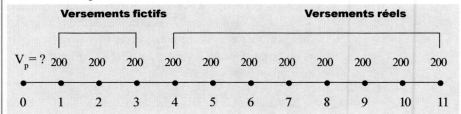

Selon cette méthode, on calcule, dans un premier temps, la valeur actuelle de
l'annuité au temps 3. Par la suite, il s'agit de multiplier le résultat obtenu par
le facteur $(1 + 0,10)^{-3}$. En suivant ce raisonnement, on peut écrire l'équation
suivante :

$$V_p = 200A_{\overline{8}|10\%}(1 + 0,10)^{-3} = 801,64\$$$

Méthode 2

Le schéma se présente comme suit :

| **Versements fictifs** | | | | **Versements réels** | | | | | |

$V_p = ?$ 200   200   200   200   200   200   200   200   200   200   200

0   1   2   3   4   5   6   7   8   9   10   11

Selon cette méthode, on a :

$$V_p = \begin{pmatrix} \text{Valeur actuelle des} \\ \text{versements fictifs et réels} \end{pmatrix} - \begin{pmatrix} \text{Valeur actuelle des} \\ \text{versements fictifs} \end{pmatrix}$$

$$V_p = 200A_{\overline{11}|10\%} - 200A_{\overline{3}|10\%} = 801,64\$$$

Annuités multiples

Dans certaines situations rencontrées en pratique, on doit déterminer la
valeur actualisée d'une suite d'annuités. L'exemple présenté ci-après illustre la
démarche à suivre.

Exemple 3.7

Calcul de la valeur actualisée d'une suite d'annuités

Suite à de longues négociations, un jeune joueur de hockey professionnel signe avec son équipe une entente à long terme (soit 10 ans) prévoyant qu'il sera rémunéré de la façon suivante :

- 5 000 000 $ à la fin de chaque année (années 1 à 4)
- 7 000 000 $ à la fin de chaque année (années 5 à 7)
- 9 000 000 $ à la fin de chaque année (années 8 à 10)

Calculez la valeur actualisée, au temps 0, des paiements prévus selon ce contrat. Supposez que les versements ont lieu en fin d'année et utilisez un taux d'actualisation de 6%.

Solution

Les versements prévus sont représentés sur le schéma ci-dessous.

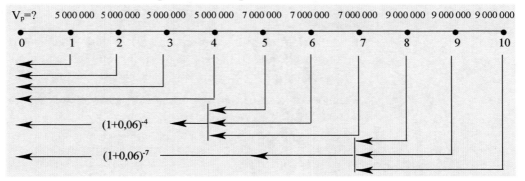

Comme l'illustre le schéma précédent, la valeur actualisée des paiements concernés correspond à la somme des valeurs actualisées de trois annuités, soit une annuité simple de fin de période comportant quatre versements et deux annuités différées comportant chacune trois versements. Algébriquement, la valeur actualisée de ces paiements peut s'exprimer ainsi :

$$V_p = 5\ 000\ 000 A_{\overline{4}|6\%} + 7\ 000\ 000 A_{\overline{3}|6\%}(1+0,06)^{-4} + 9\ 000\ 000 A_{\overline{3}|6\%}(1+0,06)^{-7}$$

$$V_p = 17\ 325\ 528,06 + 14\ 820\ 930,79 + 15\ 999\ 350,50$$

$$V_p = 48\ 145\ 809,35\ \$$$

Compte tenu de la valeur temporelle de l'argent, la valeur de ce contrat s'élève donc à 48 145 809,35 $.

3.2.4 Remboursements de prêts

Plusieurs prêts (prêt automobile, prêt aux entreprises, prêt hypothécaire, prêt personnel, etc.) doivent être remboursés par une série de versements périodiques uniformes. Chaque versement périodique comporte une partie intérêt et une partie remboursement de capital. Pour diverses raisons, il peut être utile de déterminer la partie intérêt et la partie remise de capital de chaque versement. Ainsi, d'un point de vue fiscal, pour les entreprises et les individus en affaires, seuls les intérêts constituent une dépense admissible, d'où la nécessité de pouvoir

identifier la partie intérêt de chaque versement. D'autre part, au niveau comptable, on doit, lors de l'établissement des états financiers d'une entreprise ou d'un
particulier, déterminer le capital restant à rembourser sur les emprunts contractés.

L'établissement du tableau d'amortissement d'un prêt est illustré à partir
des données de l'exemple suivant.

Exemple 3.8

Établissement du tableau d'amortissement d'un prêt et calcul du solde d'une dette à une date donnée

Une entreprise de construction emprunte 100 000 $ au taux nominal de 12%
capitalisé semestriellement. Cet emprunt est remboursable par une série de 8
versements semestriels égaux de fin de période.

a) Quel versement semestriel devra-t-elle effectuer pour rembourser sa dette?
b) Quel sera le solde de la dette immédiatement après le 5e versement?
c) Dressez le tableau d'amortissement du prêt.

Solution

a) Le montant emprunté correspond à la valeur actualisée des 8 versements
semestriels qui seront nécessaires pour rembourser complètement la dette.
Étant donné que les versements sont identiques et de fin de période, on peut écrire :

$$100\,000 = R(1+0{,}06)^{-1} + R(1+0{,}06)^{-2} + R(1+0{,}06)^{-3} + \ldots + R(1+0{,}06)^{-8}$$

$$100\,000 = R\,A_{\overline{8}|6\%}$$

Le versement semestriel s'élèvera donc à :

$$R = \frac{100\,000}{A_{\overline{8}|6\%}} = 16\,103{,}59\ \$$$

Avec la calculatrice, on obtient rapidement ce résultat en procédant ainsi :

Calculatrice	
100 000	• • PV
6	• • I/Y
8	• • N
COMP	• • PMT
Résultat affiché :	16 103,59

b) Le solde d'une dette à une date donnée doit nécessairement égaler la valeur
actualisée des versements qui restent à effectuer à cette date. Pour obtenir
le solde de la dette immédiatement après le 5e versement, il s'agit donc de
calculer, au début du 6e semestre, la valeur actualisée des trois versements
de 16 103,59 $ qui n'ont pas encore été effectués. On trouve :

$$\text{Solde de la dette après 5 versements} = 16\,103{,}59\,A_{\overline{3}|6\%} = 43\,045{,}09\ \$$$

Un paiement comptant de 43 045,09 $, au début du 6e semestre, acquitterait donc complètement la dette de l'entreprise à ce moment-là.

En utilisant les données déjà en mémoire, on obtient le même résultat avec la calculatrice SHARP EL-738 en procédant comme suit :

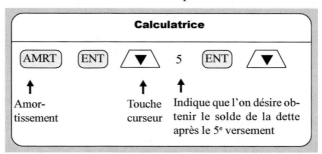

La calculatrice affiche alors le solde de la dette immédiatement après le 5e versement, soit 43 045,10 $.

Remarque. De façon générale, le solde d'une dette à une date donnée peut se calculer ainsi :

$$\text{Solde de la dette à } t = m = R\,A_{\overline{n-m}|i}$$

où n : Nombre total de versements à effectuer pour rembourser le capital emprunté au temps 0. Dans l'exemple ci-dessus, n = 8.

m : Nombre de versements qui ont déjà été effectués pour rembourser le capital emprunté au temps 0. Dans l'exemple ci-dessus, m = 5.

c) Tableau d'amortissement du prêt

(1)	(2)	(3)	$(4) = (2) \times 6\%$	$(5) = (3) - (4)$	$(6) = (2) - (5)$
Période	Solde en début de période	Versement de fin de période	Intérêt sur le solde	Remboursement de capital	Solde en fin de période
1	100 000,00	16 103,59	6000,00	10 103,59	89 896,41
2	89 896,41	16 103,59	5393,78	10 709,81	79 186,60
3	79 186,60	16 103,59	4751,20	11 352,39	67 834,21
4	67 834,21	16 103,59	4070,05	12 033,54	55 800,67
5	55 800,67	16 103,59	3348,04	12 755,55	43 045,12
6	43 045,12	16 103,59	2582,71	13 520,88	29 524,24
7	29 524,24	16 103,59	1771,45	14 332,14	15 192,10
8	15 192,10	16 103,59	911,53	15 192,06	≈ 0

Remarques. 1. L'intérêt décroît de période en période puisqu'il est calculé sur un solde décroissant.
2. Le capital remboursé augmente de période en période selon une progression géométrique dont la raison est le facteur (1+i). Par exemple, le remboursement de capital inclus dans le 2e versement (RC_2) peut se calculer à partir du remboursement de capital inclus dans le 1er versement (RC_1) de la façon suivante :

$$RC_2 = RC_1(1 + i)^{2-1}$$
$$10\ 709,81 = 10\ 103,59(1 + 0,06)^{2-1}$$

De même, on a :
$$RC_3 = RC_2(1 + i)^{3-2} = RC_1(1 + i)^{3-1} = 10\ 103,59(1 + 0,06)^{3-1}$$
$$RC_4 = RC_3(1 + i) = RC_2(1 + i)^{4-2} = RC_1(1 + i)^{4-1} = 10\ 103,59(1 + 0,06)^{4-1}$$
...
$$RC_n = RC_1(1 + i)^{n-1}$$

3. L'amortissement total sur n périodes (c.-à-d. le capital total remboursé dans les n premiers versements) peut se calculer ainsi :

$$\text{Capital remboursé dans les n premiers versements} = RC_1 + RC_2 + RC_3 + ... + RC_n$$

$$= RC_1 + RC_1(1+i)^1 + RC_1(1+i)^2 + ... + RC_1(1+i)^{n-1}$$

En utilisant la formule donnant la somme des termes d'une progression géométrique, on peut écrire :

$$\text{Capital remboursé dans les n premiers versements} = RC_1\left[\frac{(1+i)^n - 1}{(1+i) - 1}\right] = RC_1\left[\frac{(1+i)^n - 1}{i}\right] = RC_1\, S_{\overline{n}|i}$$

Par exemple, le capital remboursé dans les 5 premiers versements est :

$$\text{Capital remboursé dans les 5 premiers versements} = 10\,103,59\, S_{\overline{5}|6\%} = 56\,954,88\,\$$$

Le lecteur peut vérifier ce dernier résultat en additionnant les 5 premiers nombres apparaissant à la 5e colonne du tableau d'amortissement du prêt, soit :

$10\,103,59 + 10\,709,81 + 11\,352,39 + 12\,033,54 + 12\,755,55 = 56\,954,88\,\$$.

À l'aide des données déjà en mémoire dans la calculatrice SHARP EL-738, on trouve ce résultat ainsi que le total des intérêts payés dans les 5 premiers versements en procédant ainsi :

4. À l'annexe 2, nous montrons comment établir le tableau d'amortissement du prêt avec Excel.

3.3   Les annuités en progression géométrique

. . .
Annuité en progression géométrique
Annuité qui s'accroît à chaque période d'un pourcentage fixe

Jusqu'à maintenant, nous avons supposé des versements constants d'une période à l'autre. Toutefois, en pratique, on peut facilement concevoir des situations où les versements augmentent ou diminuent avec le temps. Ainsi, dans le but de préserver son pouvoir d'achat, un individu peut désirer recevoir une rente qui augmente périodiquement d'un certain pourcentage.

Dans cette section, nous étudierons particulièrement le cas où les versements augmentent ou diminuent d'un pourcentage constant d'une période à l'autre. Ce genre d'annuité constitue une annuité en progression géométrique. Comme dans le cas d'une annuité à versements uniformes, on peut être intéressé à calculer la valeur définitive ou la valeur présente.

Calcul de la valeur définitive

Supposons que l'on désire calculer la valeur définitive d'une annuité de fin de période, dont les versements augmentent ou diminuent d'un pourcentage constant (appelé g) d'une période à l'autre. On a alors le schéma suivant :

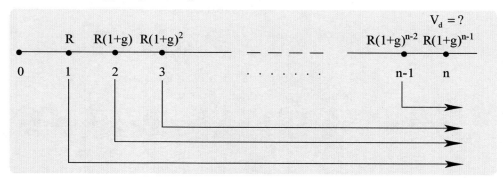

Pour déterminer la valeur définitive d'une telle annuité, il s'agit de calculer la valeur accumulée à la fin de la période n de chacun des versements apparaissant sur le schéma précédent et d'en faire la somme. On observe, sur ce schéma, que le premier versement (c.-à-d. celui effectué à la fin de la période 1) rapportera des intérêts pendant n-1 périodes. Sa valeur définitive sera donc de $R(1+i)^{n-1}$ à la fin de la période n. Le second versement rapportera des intérêts pendant n-2 périodes et aura une valeur définitive égale à $R(1+g)(1+i)^{n-2}$ à la fin de la période n, etc. Finalement, le dernier versement, qui a lieu à la fin de la période n, ne rapportera évidemment aucun intérêt et sa valeur définitive correspondra alors au montant du versement effectué, c'est-à-dire $R(1+g)^{n-1}$. Par conséquent, la valeur définitive d'une annuité de fin de période en progression géométrique peut se calculer ainsi :

$$V_d = R(1+i)^{n-1} + R(1+g)(1+i)^{n-2} + R(1+g)^2(1+i)^{n-3} + ... + R(1+g)^{n-2}(1+i)$$
$$+ R(1+g)^{n-1}$$

$$V_d = \sum_{t=0}^{n-1} R(1+g)^t(1+i)^{n-1-t}$$

On peut simplifier cette dernière équation en observant que celle-ci représente la somme des termes d'une progression géométrique, dont le premier terme est $R(1+i)^{n-1}$, la raison $\left(\dfrac{1+g}{1+i}\right)$ et le nombre de termes n. En utilisant l'équation (expression 3.1) donnant la somme des termes d'une telle progression, on peut écrire :

$$V_d = R(1+i)^{n-1} \left[\frac{\left(\dfrac{1+g}{1+i}\right)^n - 1}{\left(\dfrac{1+g}{1+i}\right) - 1} \right]$$

Après quelques manipulations algébriques, on aboutit à l'expression (3.8) :

$$V_d = R(1+i)^n \left[\frac{\left(\frac{1+g}{1+i}\right)^n - 1}{g - i} \right] \qquad (3.8)$$

Notons que si $g = 0$ (c.-à-d. si les versements périodiques sont constants), l'expression précédente devient :

$$V_d = R \left[\frac{(1+i)^n - 1}{i} \right]$$

L'équation (3.2) n'est donc qu'un cas particulier de l'expression (3.8). Nous reviendrons sur ce point à la section 3.6.

Exemple 3.9

Calcul de la valeur accumulée d'une annuité de fin de période en progression géométrique

Anne a comme objectif d'accumuler dans son REÉR une somme minimale de 70 000 $ d'ici 12 ans. À cette fin, elle prévoit investir les montants suivants : 3 000 $ dans un an, 3 150 $ [soit, 3 000(1 + 0,05)] dans deux ans, 3 307,50 $ [soit, 3 000 (1 + 0,05)^2] dans trois ans et ainsi de suite pendant douze ans. En supposant qu'elle réalisera un taux de rendement effectif annuel de 8% sur ses placements, les dépôts qu'elle prévoit effectuer seront-ils suffisants pour atteindre l'objectif fixé?

Solution

La valeur définitive prévue dans 12 ans des cotisations annuelles croissantes au REÉR qu'effectuera Anne au cours des prochaines années se calcule à partir de l'expression (3.8). Les valeurs des différents paramètres à insérer dans cette équation sont respectivement :

$g = 5\%$

$i = 8\%$

$n = 12$ et R = Première cotisation = 3 000 $

d'où :

$$V_d = 3\,000(1+0,08)^{12} \left[\frac{\left(\frac{1+0,05}{1+0,08}\right)^{12} - 1}{0,05 - 0,08} \right] = 72\,231,38\ \$$$

En effectuant les cotisations aux dates prévues, Anne atteindra donc son objectif et disposera d'une somme globale de 72 231,38 $ dans 12 ans.

Calcul de la valeur présente

Comme l'illustre le schéma ci-dessous, la valeur présente d'une annuité correspond à sa valeur définitive multipliée par le facteur $(1 + i)^{-n}$.

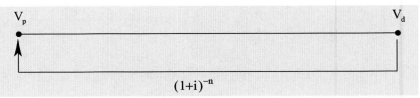

Dans le cas particulier d'une annuité en progression géométrique, on a :

$$V_p = V_d(1+i)^{-n}$$

$$V_p = R(1+i)^n \left[\frac{\left(\dfrac{1+g}{1+i}\right)^n - 1}{g-i} \right] (1+i)^{-n}$$

En simplifiant, on obtient :

$$V_p = R \left[\frac{1 - \left(\dfrac{1+g}{1+i}\right)^n}{i-g} \right] \tag{3.9}$$

Exemple 3.10 | **Calcul du montant à investir aujourd'hui afin de recevoir une rente indexée pendant un certain nombre d'années**

Annie, qui est présentement âgée de 48 ans, envisage prendre sa retraite à l'âge de 55 ans. Elle désirerait recevoir à ce moment-là une première prestation annuelle d'un montant de 30 000 $. Par la suite, à la date de chacun de ses anniversaires de naissance, elle souhaiterait, dans le but de préserver son pouvoir d'achat, recevoir des prestations annuelles indexées au taux de 4% et ce, jusqu'à l'âge de 80 ans inclusivement. Compte tenu d'un taux de rendement effectif annuel de 10%, quelle somme doit-elle investir maintenant dans le but de recevoir les prestations désirées?

Solution

Le montant que Annie doit investir maintenant correspond à la valeur actualisée à l'âge de 48 ans des 26 prestations annuelles indexées qu'elle désire recevoir à partir de 55 ans. Il s'agit en fait de calculer la valeur actualisée d'une annuité différée en progression géométrique (V_p) en procédant comme suit :

$$V_p = \begin{pmatrix} \text{Valeur actualisée,} \\ \text{à l'âge de 54 ans,} \\ \text{des prestations désirées} \end{pmatrix} (1+0,10)^{-6}$$

$$V_p = 30\ 000 \left[\frac{1 - \left(\dfrac{1+0,04}{1+0,10}\right)^{26}}{0,10 - 0,04} \right] (1+0,10)^{-6}$$

$$V_p = 216\ 581,50\ \$$$

Annie doit donc investir dès maintenant une somme globale de 216 581,50 $.

Cas particulier : i = g

Lorsque le taux d'intérêt (i) est identique au taux de croissance (g), l'application des expressions (3.8) et (3.9) donne des résultats indéterminés (0/0). Dans ce contexte particulier, il convient de procéder comme suit pour déterminer la valeur définitive et la valeur présente d'une annuité en progression géométrique.

Calcul de la valeur définitive

Nous avons vu précédemment que la valeur définitive d'une annuité de fin de période en progression géométrique se calculait comme suit :

$$V_d = R(1+i)^{n-1} + R(1+g)(1+i)^{n-2} + R(1+g)^2(1+i)^{n-3} + \ldots +$$
$$R(1+g)^{n-2}(1+i) + R(1+g)^{n-1}$$

Si $i = g$, on obtient alors :

$$V_d = R(1+i)^{n-1} + R(1+i)(1+i)^{n-2} + R(1+i)^2(1+i)^{n-3} + \ldots +$$
$$R(1+i)^{n-2}(1+i) + R(1+i)^{n-1}$$

En simplifiant, on arrive au résultat suivant :

$$V_d = R(1+i)^{n-1} + R(1+i)^{n-1} + R(1+i)^{n-1} + \ldots + R(1+i)^{n-1}$$

$$V_d = n \cdot R(1+i)^{n-1} \tag{3.8a}$$

Calcul de la valeur présente

Comme nous l'avons déjà mentionné, la valeur présente d'une annuité correspond à sa valeur définitive multipliée par le facteur $(1+i)^{-n}$, soit :

$$V_p = V_d(1+i)^{-n}$$

En remplaçant V_d par $n \cdot R(1+i)^{n-1}$ dans l'équation ci-dessus, on trouve :

$$V_p = n \cdot R(1+i)^{n-1}(1+i)^{-n}$$

Finalement, en simplifiant, on obtient :

$$V_p = n \cdot R(1+i)^{-1} \tag{3.9a}$$

Exemple 3.11

Calcul de la valeur définitive et de la valeur présente d'une annuité en progression géométrique lorsque i = g

Considérez une annuité de fin de période en progression géométrique comportant au total 15 versements. Les versements augmentent au rythme de 8% par année, le taux d'intérêt effectif annuel est aussi de 8% et le montant du premier versement s'élève à 10 000 $.

a) Déterminez la valeur définitive de cette annuité dans 15 ans.
b) Déterminez la valeur présente (au temps 0) de cette annuité.

Solution

a) À l'aide de l'expression (3.8a), on trouve :

$$V_d = (15)(10\,000)(1 + 0{,}08)^{15-1} = 440\,579{,}04 \text{ \$}$$

b) L'équation (3.9a) permet d'obtenir le résultat suivant :

$$V_p = (15)(10\,000)(1 + 0{,}08)^{-1} = 138\,888{,}89 \text{ \$}$$

Calcul de la valeur définitive et de la valeur présente d'une annuité en progression géométrique à l'aide de la méthode du taux d'actualisation rajusté

Compte tenu que la calculatrice financière ne comporte pas de touche équivalente au symbole « g », on ne peut s'en servir pour déterminer directement la valeur définitive ou la valeur présente d'une annuité en progression géométrique. Afin d'être en mesure d'utiliser les touches financières de la calculatrice pour établir la valeur temporelle d'une annuité en progression géométrique, définissons le symbole « y » comme étant le taux d'actualisation rajusté.

Soit :

$$y : \text{Taux d'actualisation rajusté} = \left(\frac{1+i}{1+g}\right) - 1 \qquad (3.10)$$

De façon équivalente, on peut écrire :

$(1 + y)(1 + g) = (1 + i)$

En réorganisant les différents termes, on trouve :

$1 + g + y + y \cdot g = 1 + i$

$g + y + y \cdot g = i$

$g - i = -y - y \cdot g$

$g - i = -y(1 + g)$

Pour obtenir directement la valeur définitive d'une annuité en progression géométrique à l'aide des touches financières, il s'agit maintenant d'effectuer les substitutions appropriées dans l'équation (3.8). Sachant que :

(1) $(1 + i)^n = (1 + y)^n (1 + g)^n$,

(2) $g - i = - y(1 + g)$ et

(3) $\left(\frac{1+g}{1+i}\right)^n = (1+y)^{-n}$, on obtient alors :

$$V_d = R(1+y)^n (1+g)^n \left[\frac{(1+y)^{-n} - 1}{-y(1+g)}\right]$$

$$V_d = R(1+g)^n \left[\frac{1 - (1+y)^n}{-y(1+g)}\right]$$

$$V_d = R(1+g)^{n-1} \left[\frac{(1+y)^n - 1}{y}\right] \qquad (3.11)$$

Pour illustrer la démarche à suivre avec la calculatrice financière, reprenons les données de l'exemple (3.9). Dans ce dernier cas, on a :

$g = 5\%$

$i = 8\%$

$$y = \left(\frac{1+0,08}{1+0,05}\right) - 1 = 0,0285714$$

$n = 12$

et

$R(1+g)^{n-1}$ = Dernière cotisation = $3\ 000(1 + 0,05)^{11} = 5\ 131,02$ \$.

Avec la calculatrice SHARP EL-738, il s'agit de procéder comme suit :

Calculatrice	
5131,02	• • PMT
2,85714	• • I/Y
12	• • N
COMP	• • FV
Résultat affiché : 72 231,39	

Bien entendu, ce résultat est identique à celui que nous avons trouvé précédemment à l'exemple (3.9) en appliquant l'équation (3.8).

À l'aide de la calculatrice financière, on peut également apporter rapidement une réponse à la question suivante : quel taux de rendement effectif annuel Anne doit-elle réaliser sur ses placements afin d'atteindre son objectif? Pour ce faire, on procède ainsi :

Calculatrice	
5131,02 +/-	• • PMT
72000	• • FV
12	• • N
COMP	• • I/Y
Résultat affiché : 2,80	

Par conséquent, le taux cherché (i) est égal à :

$i = (1 + y)(1 + g) - 1 = (1 + 0,0280)(1 + 0,05) - 1 = 7,94\%$.

Finalement, notons, qu'en présence de versements de début de période, l'équation (3.11) devient :

$$\ddot{V}_d = R(1+g)^{n-1}\left[\frac{(1+y)^n - 1}{y}\right](1+y)(1+g)$$

$$\ddot{V}_d = R(1+g)^n\left[\frac{(1+y)^n - 1}{y}\right](1+y) \qquad (3.12)$$

Dans l'exemple ci-dessus, il s'ensuit, qu'en cotisant en début d'année, Anne accumulerait une somme globale de 78 009,89 $ au terme de la douzième année. À l'aide de la calculatrice financière, ce résultat s'obtient de la façon suivante :

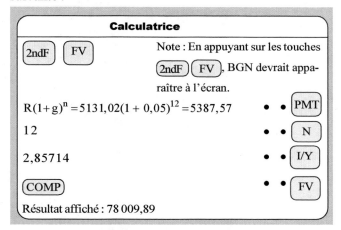

Calcul de la valeur présente

Comme nous l'avons déjà mentionné, la valeur présente d'une annuité correspond à sa valeur définitive multipliée par le facteur $(1 + i)^{-n}$. On peut donc écrire :

$$V_p = V_d(1+i)^{-n} = V_d(1+y)^{-n}(1+g)^{-n}$$

$$V_p = R(1+g)^{n-1}\left[\frac{(1+y)^n - 1}{y}\right](1+y)^{-n}(1+g)^{-n}$$

$$V_p = \left(\frac{R}{1+g}\right)\left[\frac{1-(1+y)^{-n}}{y}\right] \qquad (3.13)$$

Exemple 3.12 | **Calcul de la valeur présente d'une annuité de fin de période en progression géométrique à l'aide de la méthode du taux d'actualisation rajusté**

Déterminez la valeur présente (au temps 0) d'une annuité en progression géométrique dont les deux premiers versements sont respectivement de 1 000 $ et de 1 050 $. Supposez que le taux d'intérêt effectif annuel s'élève à 12% et que le premier d'une série de 20 versements aura lieu dans un an.

Solution

Ici, on a :

$$g = \frac{1050}{1000} - 1 = 5\%$$

$$y = \frac{(1+0,12)}{(1+0,05)} - 1 = 6,6666\%$$

$$\frac{R}{1+g} = \frac{1000}{1+0,05} = 952,38\ \$$$

et

n = 20.

À l'aide de la calculatrice financière, on procède comme suit :

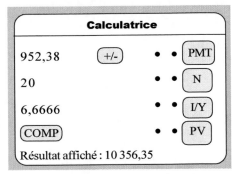

Le lecteur peut aisément vérifier que ce dernier résultat correspond à celui obtenu en appliquant l'équation (3.9).

3.4 Les annuités générales

Annuité générale
Suite de paiements habituellement égaux effectués à des intervalles de temps réguliers dans un contexte où la période de capitalisation des intérêts diffère de la période de paiement

À l'instar d'une annuité simple, une annuité générale est une suite de versements généralement égaux reçus ou versés à des intervalles réguliers et ce, pendant un nombre déterminé de périodes. Toutefois, contrairement à une annuité simple, l'annuité générale se caractérise par une fréquence de paiement qui diffère de la fréquence de capitalisation des intérêts. Un exemple courant est un emprunt hypothécaire. Dans ce cas particulier, les intérêts sont généralement capitalisés semestriellement et les versements sont effectués en fin de mois.

Principe pour calculer une annuité générale

Il s'agit de ramener le taux d'intérêt annoncé sur une même base que la fréquence des versements. Ainsi, si les intérêts sont capitalisés semestriellement et les versements effectués mensuellement, comme c'est généralement le cas en pratique pour un emprunt hypothécaire, on devra, dans un premier temps, trouver le taux d'intérêt mensuel équivalent au taux nominal annoncé. Par la suite, il s'agit de procéder de la même façon que pour une annuité simple.

Posons :

v : Nombre de versements dans une année

c : Nombre de périodes de capitalisation des intérêts dans une année

i : Taux d'intérêt périodique, soit $\dfrac{i_c}{c}$

j : Taux d'intérêt équivalent par période de versement.

Selon la relation d'équivalence entre les différents taux d'intérêt, on doit avoir :

$$(1 + j)^v = (1 + i)^c$$

d'où : $j = (1+i)^{c/v} - 1 = \left(1 + \dfrac{i_c}{c}\right)^{c/v} - 1$ (3.14)

Par exemple, dans le cas où les versements sont effectués mensuellement et les intérêts capitalisés semestriellement, on a :

$$j = \left(1 + \dfrac{i_2}{2}\right)^{2/12} - 1$$

Le taux j ainsi calculé est le taux d'intérêt mensuel qui équivaut à un taux d'intérêt nominal i_2 capitalisé semestriellement.

Exemple 3.13   **Remboursement d'un prêt hypothécaire**

Vous empruntez une somme de 100 000 $ pour acquérir une maison unifamiliale. La période d'amortissement du prêt (c.-à-d. le temps nécessaire pour rembourser l'emprunt au complet) est de 25 ans et le terme du prêt (c.-à-d. la période pendant laquelle le taux d'intérêt est fixe) est de 5 ans. De plus, le taux hypothécaire s'élève à 10% capitalisé semestriellement et les versements sont effectués à la fin de chaque mois.

a) Déterminez le versement mensuel que vous devrez effectuer.
b) Quel sera le solde de l'hypothèque immédiatement après le 60e versement?
c) Calculez les intérêts inclus dans le 61e versement.
d) Si, dans 5 ans, au moment du renouvellement du prêt, le taux hypothécaire s'élève à 12% capitalisé semestriellement, quelle sera alors votre nouvelle mensualité?

Solution

a) On doit, en premier lieu, trouver le taux d'intérêt mensuel j. Pour ce faire, on utilise l'équation (3.14) :

$$j = \left(1 + \dfrac{0,10}{2}\right)^{2/12} - 1 = 0,008164846$$

Par la suite, on pose :

$$\text{Montant du prêt} = \left(\begin{array}{c}\text{Valeur actualisée de tous les} \\ \text{versements qui seront nécessaires} \\ \text{pour rembourser complètement le prêt}\end{array}\right)$$

$$100\ 000 = R\ A_{\overline{300}|0,008164846}$$

d'où : R = Versement mensuel = 894,49 $

b) $\begin{array}{l}\text{Solde de l'hypothèque} \\ \text{immédiatement après} \\ \text{le } 60^e \text{ versement}\end{array} = \left(\begin{array}{c}\text{Valeur actuelle des versements} \\ \text{restants à effectuer} \\ (25)(12) - 60 = 240 \text{ versements}\end{array}\right)$

$$= 894,49 \text{ A}_{\overline{240}|0,008164846} = 93\,992,17\ \$$$

c) $\begin{array}{l}\text{Intérêts compris} \\ \text{dans le } 61^e \text{ versement}\end{array} = \left(\begin{array}{c}\text{Solde de l'hypothèque} \\ \text{après le } 60^e \text{ versement}\end{array}\right) \cdot j$

$$= (93\,992,17)(0,008164846) = 767,43\ \$$$

d) On détermine d'abord le nouveau taux d'intérêt mensuel (j) équivalent à un taux nominal (i_2) de 12% capitalisé semestriellement. À l'aide de l'expression (3.14), on obtient :

$$j = \left(1 + \frac{0,12}{2}\right)^{2/12} - 1 = 0,009758794$$

Par la suite, on pose :

$\begin{array}{l}\text{Solde de l'hypothèque} \\ \text{immédiatement après} \\ \text{le } 60^e \text{ versement}\end{array} = \left(\begin{array}{c}\text{Valeur actuelle, au taux mensuel} \\ \text{équivalent de } 0,9758794\%, \text{ des } 240 \\ \text{versements mensuels restants à effectuer}\end{array}\right)$

$$93\,992,17 = \text{R A}_{\overline{240}|0,009758794}$$

d'où : R = Nouveau versement mensuel = 1 016,03 \$

Comme il fallait s'y attendre, suite à la hausse des taux hypothécaires, le versement mensuel à effectuer se trouve à augmenter.

Exemple 3.14 **Calcul de la valeur définitive d'une annuité générale**

Vous déposez dans une institution financière 800 \$ au début de chaque trimestre et ce, pendant 40 trimestres. De quelle somme disposerez-vous dans 10 ans si le taux d'intérêt nominal capitalisé semestriellement offert est de 8%?

Solution

Selon l'expression (3.14), le taux trimestriel équivalent (j) vaut :

$$j = \text{Taux trimestriel équivalent} = \left(1 + \frac{0,08}{2}\right)^{2/4} - 1 = 0,0198$$

Par conséquent :

$$V_d = 800\left[\frac{(1+0,0198)^{40}-1}{0,0198}\right](1+0,0198) = 800\,\ddot{S}_{\overline{40}|1,98\%} = 49\,065,27\ \$$$

3.5   Les perpétuités

Perpétuité
Paiements habituellement égaux faits à des intervalles de temps réguliers et ce, indéfiniment

    Une perpétuité est une annuité dont les versements débutent à une date précise et se poursuivent indéfiniment. On ne peut calculer la valeur accumulée d'une perpétuité, puisque celle-ci tend vers l'infini. Par contre, il est très facile de déterminer sa valeur présente.

    Comme c'est le cas pour les annuités, il existe plusieurs genres de perpétuités. Ci-dessous, nous montrons comment calculer la valeur actuelle d'une perpétuité dans les situations suivantes :

1. lorsque les versements sont uniformes et ont lieu en fin de période;
2. lorsque les versements sont uniformes et ont lieu en début de période;
3. lorsque les versements constituent une progression géométrique et ont lieu en fin de période.

    Les autres situations pouvant se présenter ne devraient pas causer de difficultés particulières si l'on maîtrise bien l'ensemble de la matière se rapportant aux annuités.

Valeur actuelle d'une perpétuité de fin de période

    Le schéma ci-dessous illustre une perpétuité de fin de période.

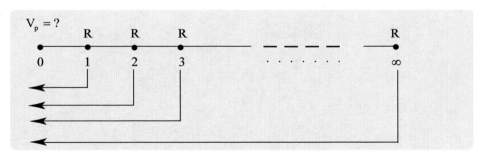

    Pour calculer la valeur actuelle, au temps 0, des versements montrés sur le schéma précédent, il s'agit de faire tendre n (c.-à-d. le nombre de versements) vers l'infini dans la formule donnant la valeur présente d'une annuité simple de fin de période (équation 3.3). On obtient alors :

$$V_p = \lim_{n \to \infty} R \left[\frac{1-(1+i)^{-n}}{i} \right]$$

$$V_p = \frac{R}{i} \qquad (3.15)$$

puisque $(1+i)^{-n}$ tend vers 0 lorsque n est grand.

    Comme l'indique l'expression (3.15), le calcul de la valeur actuelle d'une perpétuité de fin de période est très facile à effectuer. En effet, il s'agit simplement de diviser le montant du versement régulier par le taux d'intérêt périodique.

Exemple 3.15 | **Calcul de la valeur actualisée d'une perpétuité de fin de période**

Trouvez la valeur actuelle d'une perpétuité de 800 $ payable à la fin de chaque trimestre si le taux nominal capitalisé trimestriellement est de 10%.

Solution

La valeur actuelle est :

$$V_p = \frac{800}{0,025} = 32\ 000\ \$$$

Valeur actuelle d'une perpétuité de début de période

Dans une situation où les versements sont effectués en début de période, il s'agit, comme dans le cas d'une annuité, de multiplier V_p par $(1 + i)$. On obtient alors :

$$\ddot{V}_p = \frac{R(1+i)}{i} \tag{3.16}$$

Exemple 3.16 | **Calcul de la valeur actualisée d'une perpétuité de début de période**

En utilisant les données de l'exemple précédent, calculez la valeur actuelle de la perpétuité en supposant cette fois que les versements ont lieu au début de chaque trimestre.

Solution

À l'aide de l'équation (3.16) on obtient :

$$\ddot{V}_p = \frac{800(1+0,025)}{0,025} = 32\ 800\ \$$$

On constate que la valeur actuelle d'une perpétuité de début de période excède celle d'une perpétuité de fin de période d'un montant équivalent à celui d'un versement.

Valeur actuelle d'une perpétuité de fin de période en progression géométrique

Nous avons vu à la section 3.3 que la valeur actuelle d'une annuité de fin de période en progression géométrique se calculait ainsi :

$$V_p = R \left[\frac{1 - \left(\frac{1+g}{1+i}\right)^n}{i - g} \right]$$

En supposant que $g < i$, on peut déterminer la valeur actuelle d'une perpétuité de fin de période en progression géométrique en faisant tendre n vers l'infini dans l'expression ci-dessus. On obtient alors :

$$V_p = \lim_{n \to \infty} R \left[\frac{1 - \left(\frac{1+g}{1+i}\right)^n}{i - g} \right]$$

$$V_p = \frac{R}{i-g} \qquad (3.17)$$

puisque $\left(\dfrac{1+g}{1+i}\right)^n$ tend vers 0 lorsque $n \to \infty$ et si $g < i$.

Exemple 3.17

Calcul du montant à investir aujourd'hui afin de recevoir une rente indexée indéfiniment

Quelle somme doit-on investir maintenant pour être en mesure de retirer à compter de la fin de la première année et ce, indéfiniment des prestations annuelles indexées à 6% (c.-à-d. que chaque prestation est de 6% supérieure à la précédente). Le taux d'intérêt effectif annuel est de 11% et la première prestation que l'on veut retirer est de 10 000 $.

Solution

Ici, on a :

R = 10 000 $

i = 11%

et

g = 6%.

Par conséquent :

Montant à investir au temps 0 = $\begin{pmatrix} \text{Valeur actuelle, au temps 0,} \\ \text{des prestations que l'on veut retirer} \end{pmatrix}$

$$V_p = \frac{10\ 000}{0,11 - 0,06} = 200\ 000\ \$$$

3.6 Synthèse à partir de la formule utilisée pour calculer la valeur définitive d'une annuité de fin de période en progression géométrique

La formule permettant de déterminer la valeur définitive d'une annuité de fin de période en progression géométrique (expression 3.8) représente irréfutablement l'équation fondamentale du présent chapitre. En effet, comme on peut le constater au tableau 3.2, il est possible, à partir de l'équation (3.8), de générer la formule requise pour déterminer la valeur temporelle de n'importe quel type d'annuités ou de perpétuités. En d'autres termes, les nombreuses expressions mathématiques expliquées précédemment ainsi que bien d'autres ne constituent, en fait, que des cas particuliers de l'équation (3.8). Ce chapitre se résume donc à une seule formule, soit l'expression (3.8).

La synthèse des formules présentées au tableau 3.2 est basée sur les trois principes fondamentaux suivants :

1. L'expression permettant de déterminer la valeur définitive ($\ddot{V}_d$) ou la valeur présente ($\ddot{V}_p$) d'une annuité de début de période est obtenue à partir de celle utilisée pour calculer la valeur définitive (V_d) ou la valeur présente (V_p) d'une annuité de fin de période en multipliant V_d ou V_p par le facteur $(1+i)$. Dans le cas de la valeur définitive d'une annuité, on a donc la relation suivante : $\ddot{V}_d = V_d(1+i)$. En ce qui concerne la valeur présente d'une annuité, on peut écrire : $\ddot{V}_p = V_p(1+i)$.

2. Dans tous les cas, la valeur présente d'une annuité correspond à sa valeur définitive multipliée par le facteur $(1+i)^{-n}$.

3. Lorsqu'il s'agit d'une annuité à versements constants, la valeur attribuée à g (soit le pourcentage d'augmentation ou de diminution périodique du versement) est nulle.

Tableau 3.2 — **Synthèse des formules permettant de déterminer la valeur temporelle des différents types d'annuités et de perpétuités à partir de l'expression (3.8)**

Problème à résoudre	Formule requise	Démarche à suivre pour obtenir cette formule à partir de l'équation (3.8)
1. Valeur définitive d'une annuité de début de période en progression géométrique	$\ddot{V}_d = R(1+i)^n \left[\dfrac{\left(\dfrac{1+g}{1+i}\right)^n - 1}{g-i} \right](1+i)$	On multiplie l'équation (3.8) par le facteur $(1+i)$.
2. Valeur présente d'une annuité de fin de période en progression géométrique	$V_p = R \left[\dfrac{1 - \left(\dfrac{1+g}{1+i}\right)^n}{i-g} \right]$	1. On multiplie l'équation (3.8) par le facteur $(1+i)^n$. 2. On réarrange les différents termes.
3. Valeur présente d'une annuité de début de période en progression géométrique	$\ddot{V}_p = R \left[\dfrac{1 - \left(\dfrac{1+g}{1+i}\right)^n}{i-g} \right](1+i)$	1. On multiplie l'équation (3.8) par le facteur $(1+i)^{-n}(1+i)$. 2. On réarrange les différents termes.
4. Valeur définitive d'une annuité de fin de période à versements constants	$V_d = R \left[\dfrac{(1+i)^n - 1}{i} \right]$	1. On remplace g par 0 dans l'équation (3.8). 2. On simplifie.
5. Valeur définitive d'une annuité de début de période à versements constants	$\ddot{V}_d = R \left[\dfrac{(1+i)^n - 1}{i} \right](1+i)$	1. On remplace g par 0 dans l'équation (3.8). 2. On multiplie le résultat par le facteur $(1+i)$. 3. On simplifie.

Tableau 3.2 (suite) | **Synthèse des formules permettant de déterminer la valeur temporelle des différents types d'annuités et de perpétuités à partir de l'expression (3.8)**

Problème à résoudre	Formule requise	Démarche à suivre pour obtenir cette formule à partir de l'équation (3.8)
6. Valeur présente d'une annuité de fin de période à versements constants	$V_p = R\left[\dfrac{1-(1+i)^{-n}}{i}\right]$	1. On remplace g par 0 dans l'équation (3.8). 2. On multiplie le résultat par le facteur $(1+i)^{-n}$. 3. On réarrange les différents termes.
7. Valeur présente d'une annuité de début de période à versements constants	$\ddot{V}_p = R\left[\dfrac{1-(1+i)^{-n}}{i}\right](1+i)$	1. On remplace g par 0 dans l'équation (3.8). 2. On multiplie le résultat par le facteur $(1+i)^{-n}(1+i)$. 3. On simplifie.
8. Valeur présente d'une perpétuité de fin de période en progression géométrique	$V_p = \dfrac{R}{i-g}$	1. On multiplie l'équation (3.8) par le facteur $(1+i)^{-n}$. 2. On réarrange les différents termes de l'équation. 3. On fait tendre n vers l'infini dans l'équation. 4. On simplifie.
9. Valeur présente d'une perpétuité de début de période en progression géométrique	$\ddot{V}_p = \dfrac{R(1+i)}{i-g}$	1. On multiplie l'équation (3.8) par le facteur $(1+i)^{-n}(1+i)$. 2. On réarrange les différents termes de l'équation. 3. On fait tendre n vers l'infini dans l'équation. 4. On simplifie.
10. Valeur présente d'une perpétuité de fin de période à versements constants	$V_p = \dfrac{R}{i}$	1. On remplace g par 0 dans l'équation (3.8). 2. On multiplie le résultat par le facteur $(1+i)^{-n}$. 3. On réarrange les différents termes de l'équation. 4. On fait tendre n vers l'infini dans l'équation. 5. On simplifie.
11. Valeur présente d'une perpétuité de début de période à versements constants	$\ddot{V}_p = \dfrac{R(1+i)}{i-g}$	1. On pose $g = 0$ dans l'équation (3.8). 2. On multiplie le résultat par le facteur $(1+i)^{-n}(1+i)$. 3. On réarrange les différents termes de l'équation. 4. On fait tendre n vers l'infini dans l'équation. 5. On simplifie.

À titre indicatif, nous montrons, ci-dessous, la démarche détaillée à suivre pour obtenir l'expression permettant de calculer la valeur présente d'une perpétuité de début de période (soit la 11e formule du tableau précédent) à partir de l'éqaution (3.8).

Selon l'expression (3.8), on a :

$$V_d = R(1+i)^n \left[\frac{\left(\frac{1+g}{1+i}\right)^n - 1}{g-i} \right]$$

Puisque l'on désire déterminer la valeur présente d'une perpétuité de début de période à versements constants ($\ddot{V}_p$), on remplace g par 0 dans l'équation (3.8) et on multiplie le résultat par le facteur $(1+i)^{-n}(1+i)$. On obtient alors :

$$\ddot{V}_p = R(1+i)^n \left[\frac{\left(\frac{1+0}{1+i}\right)^n - 1}{0-i} \right] (1+i)^{-n}(1+i)$$

$$\ddot{V}_p = R(1+i) \left[\frac{\left(\frac{1}{1+i}\right)^n - 1}{-i} \right]$$

$$\ddot{V}_p = R(1+i) \left[\frac{1-(1+i)^{-n}}{i} \right]$$

Par la suite, en faisant tendre n vers l'infini dans l'équation précédente, on obtient le résultat cherché, soit :

$$\ddot{V}_p = \lim_{n \to \infty} R(1+i) \left[\frac{1-(1+i)^{-n}}{i} \right] = \frac{R(1+i)}{i}$$

puisque $(1+i)^{-n}$ tend vers 0 lorsque n est grand.

3.7 Concepts fondamentaux

- Une annuité constitue une suite de versements généralement égaux effectués à des intervalles de temps réguliers.

- La valeur définitive d'une annuité correspond à la somme des valeurs capitalisées des versements périodiques effectués.

- La valeur présente d'une annuité est égale à la somme des valeurs actualisées des versements périodiques effectués.

- L'annuité simple possède les caractéristiques suivantes : (1) les versements périodiques sont égaux, (2) la période de paiement correspond à la période de capitalisation des intérêts et (3) le nombre total de versements à effectuer est fixé à l'avance.

- Dans le cas de l'annuité de fin de période, les versements sont effectués à la fin de chaque période sur un horizon temporel donné. Pour sa part, l'annuité de début de période prévoit un paiement au début de chaque période et ce, pendant une durée limitée. Finalement, l'annuité différée suppose que le premier versement n'aura lieu qu'après une certaine période d'attente.

- L'annuité en progression géométrique se caractérise par un versement qui augmente (ou diminue) à chaque période d'un pourcentage fixe.

- La méthode du taux d'actualisation rajusté permet d'établir rapidement, à l'aide de la calculatrice financière, la valeur temporelle d'une annuité.

- Dans le cas de l'annuité générale, la période de paiement ne correspond pas à la période de capitalisation des intérêts. Il s'agit là de la différence fondamentale entre ce type d'annuité et l'annuité simple.

- Une annuité perpétuelle ou perpétuité comporte un nombre illimité de versements périodiques.

- Pour obtenir la valeur définitive (ou la valeur présente) d'une annuité de début de période, il s'agit simplement de multiplier la valeur définitive (ou la valeur présente) de l'annuité de fin de période par le facteur $(1 + i)$.

- Le calcul de la valeur actualisée d'une annuité différée s'effectue en deux étapes. Dans un premier temps, on détermine la valeur présente de l'annuité une période avant la date anticipée du premier versement en procédant de la même façon que dans le cas de l'annuité simple de fin de période. Par la suite, on ramène le résultat obtenu en date d'aujourd'hui en le multipliant par le facteur utilisé pour actualiser un versement unique.

- Le montant d'un prêt correspond nécessairement à la valeur actualisée des versements périodiques qui devront être effectués pour le rembourser complètement.

- Le solde d'une dette à une date donnée est égal à la valeur actualisée des versements qui n'ont pas encore été faits à cette date.

- Pour déterminer la valeur définitive ou la valeur présente d'une annuité générale, on doit, dans un premier temps, convertir le taux d'intérêt stipulé sur la même base que la fréquence des versements. Par la suite, il s'agit d'utiliser, selon le contexte, l'une ou l'autre des équations applicables aux annuités simples.

- La valeur actualisée d'une perpétuité de fin de période s'obtient simplement en divisant le montant du versement périodique par le taux d'intérêt périodique.

- À partir de la formule utilisée pour déterminer la valeur définitive d'une annuité de fin de période en progression géométrique, il est possible de générer l'expression mathématique permettant d'établir la valeur temporelle de n'importe quel type d'annuités ou de perpétuités.

3.8   Mots clés

Annuité (p. 46)
Annuité de début de période (p. 53)
Annuité de fin de période (p. 47)
Annuité différée (p. 57)
Annuité en progression
géométrique (p. 62)
Annuité générale (p. 70)
Annuité multiple (p. 58)
Période de capitalisation
des intérêts (p. 47)
Période de paiement (p. 47)

Perpétuité (p. 73)
Progression géométrique (p. 48)
Remboursement d'un prêt (p. 59)
Solde d'une dette (p. 60)
Taux d'actualisation rajusté (p. 67)
Valeur accumulée ou définitive d'une
annuité (p. 48)
Valeur actuelle ou présente d'une
annuité (p. 50)
Versement périodique (p. 47)

3.9   Sommaire des principales formules

Annuités simples

Valeur accumulée ou définitive (fin de période)

(3.2)
et
(3.2a)

$$V_d = R \left[\frac{(1+i)^n - 1}{i} \right] = R \, S_{\overline{n}|i}$$

où   R   :   Versement périodique
     i   :   Taux d'intérêt par période de capitalisation
     n   :   Nombre de périodes de capitalisation des intérêts
            (ou nombre de versements)
   $S_{\overline{n}|i}$:   Valeur accumulée ou définitive d'une annuité simple de fin
            de période de 1 $
   V_d :   Valeur accumulée ou définitive d'une annuité simple de fin
            de période de R $.

Valeur actuelle ou présente (fin de période)

(3.3)
et
(3.3a)

$$V_p = R \left[\frac{1 - (1+i)^{-n}}{i} \right] = R \, A_{\overline{n}|i}$$

où V_p :   Valeur actuelle ou présente d'une annuité simple de fin de
        période de R $
   $A_{\overline{n}|i}$:   Valeur actuelle ou présente d'une annuité simple de fin de
        période de 1 $.

Valeur accumulée ou définitive (début de période)

(3.4)
et
(3.4a)

$$\ddot{V}_d = R \left[\frac{(1+i)^n - 1}{i} \right] (1+i) = R \, \ddot{S}_{\overline{n}|i}$$

où $\ddot{V}_d$:   Valeur accumulée ou définitive d'une annuité simple de
         début de période de R $
   $\ddot{S}_{\overline{n}|i}$:   Valeur accumulée ou définitive d'une annuité simple de dé-
         but de période de 1 $.

Valeur actuelle ou présente (début de période)

$$\text{(3.5)} \quad \ddot{V}_p = R \left[\frac{1-(1+i)^{-n}}{i} \right] (1+i) = R \; \ddot{A}_{\overline{n}|i}$$

(3.5a)

Valeur actuelle ou présente d'une annuité différée de h périodes

$$\text{(3.6)} \quad V_p = R \; A_{\overline{n}|i}(1+i)^{-h}$$

ou

$$\text{(3.7)} \quad V_p = R \left[A_{\overline{h+n}|i} - A_{\overline{h}|i} \right]$$

Remboursements de prêts

Solde d'une dette à une date donnée

$$\begin{array}{c} \text{Solde de la dette} \\ \text{à } t = m \end{array} = A_{\overline{n-m}|i}$$

où n : Nombre total de versements à effectuer pour rembourser le capital emprunté au temps 0

  m : Nombre de versements qui ont déjà été effectués pour rembourser le capital emprunté au temps 0.

ou

$$\begin{array}{c} \text{Solde de la dette} \\ \text{à } t = m \end{array} = P(1+i)^m - R \, S_{\overline{m}|i}$$

Remboursement de capital inclus dans le n ième versement

$$RC_n = RC_1(1+i)^{n-1}$$

où RC_1 : Remboursement de capital inclus dans le premier versement.

Capital total remboursé dans les n premiers versements

$$\begin{array}{c} \text{Capital remboursé dans les} \\ \text{n premiers versements} \end{array} = \sum_{t=1}^{n} RC_t = RC_1 S_{\overline{n}|i}$$

Annuités en progression géométrique

Valeur accumulée ou définitive (fin de période)

$$\text{(3.8)}$$
et
$$\text{(3.11)} \quad V_d = R(1+i)^n \left[\frac{\left(\dfrac{1+g}{1+i} \right)^n - 1}{g-i} \right] = R(1+g)^{n-1} \left[\frac{(1+y)^n - 1}{y} \right]$$

où g : Taux d'augmentation (ou de diminution) constant du versement.

  y : Taux d'actualisation rajusté $= \left(\dfrac{1+i}{1+g} \right) - 1.$

Cas particulier i = g

$$\text{(3.8a)} \quad V_d = n \cdot R(1+i)^{n-1}$$

Valeur accumulée ou définitive (début de période)

$$(3.12) \qquad V_d = R(1+g)^n \left[\frac{(1+y)^n - 1}{y} \right](1+y)$$

Valeur actuelle ou présente (fin de période)

$$(3.9) \text{ et } (3.13) \qquad V_p = R \left[\frac{1 - \left(\dfrac{1+g}{1+i}\right)^n}{i-g} \right] = \left(\frac{R}{1+g} \right) \left[\frac{1 - (1+y)^{-n}}{y} \right]$$

Cas particulier i = g

$$(3.9a) \qquad V_p = n \cdot R(1+i)^{-1}$$

Annuités générales

1. Convertir le taux d'intérêt de la transaction sur la même base que la fréquence des versements à l'aide de l'expression suivante :

$$(3.14) \qquad j = \left(1 + \frac{i_c}{c} \right)^{c/v} - 1$$

où j : Taux d'intérêt équivalent par période de versement

i_c : Taux d'intérêt nominal capitalisé c fois l'an

c : Fréquence de capitalisation des intérêts

v : Nombre de versements effectués dans l'année.

2. Utiliser, par la suite, la formule appropriée portant sur les annuités simples.

Perpétuités

Valeur actuelle ou présente (fin de période)

$$(3.15) \qquad V_p = \frac{R}{i}$$

Valeur actuelle ou présente (début de période)

$$(3.16) \qquad \ddot{V}_p = \frac{R(1+i)}{i}$$

Valeur actuelle ou présente (fin de période en progression géométrique)

$$(3.17) \qquad V_p = \frac{R}{i-g}$$

3.10   Exercices

Série A

1. Un emprunt de 10 000 $ est remboursable par des paiements de 400 $ effectués au début de chaque trimestre pendant 10 ans. Déterminez :
a) le taux nominal capitalisé trimestriellement de l'emprunt;
b) le taux effectif annuel de l'emprunt.

2. Votre associé vous prête une somme de 10 000 $ pour 10 ans. Vous devez rembourser cet emprunt par des versements de 398,36 $ à la fin de chaque trimestre. Déterminez :
a) le taux trimestriel de l'emprunt;
b) le taux effectif annuel de l'emprunt.

3. Vous désirez emprunter 20 000 $ pour acheter une nouvelle voiture. On vous fait les deux propositions suivantes :

Banque A :   Taux nominal de 13% capitalisé mensuellement. L'emprunt de 20 000 $ est remboursable par une série de 60 versements mensuels de fin de période.
Concessionnaire XYZ : L'emprunt de 20 000 $ est remboursable par une série de 60 versements mensuels de fin de période de 415 $. Le concessionnaire a « oublié » de vous mentionner le taux d'intérêt chargé.

Quelle est la meilleure offre? Justifiez votre réponse.

4. Sabrina possède un montant de 30 000 $ dans son REÉR aujourd'hui. Elle prévoit effectuer des versements de 12 000 $ au début de chaque année au cours des 16 prochaines années. Déterminez la somme totale qu'elle aura accumulée dans son REÉR dans 16 ans en supposant que le taux de rendement annuel de ses placements s'élève à 7%.

5. Déterminez la valeur accumulée dans 10 ans d'une série de 4 paiements annuels de 300 $ débutant dans un an, suivis de 6 autres paiements annuels de 500 $. Le taux d'intérêt effectif annuel est de 12%.

6. Un prêt de 25 000 $, effectué au taux d'intérêt annuel de 14%, est remboursable au moyen de 5 versements annuels de fin d'année.
a) Quel est le versement annuel?
b) Dressez un tableau montrant la partie capital et la partie intérêt de chacun des versements.

7. Pour acquérir une nouvelle voiture, vous empruntez à la banque une certaine somme X. On sait que cet emprunt est remboursable au moyen d'une série de 10 versements annuels égaux de fin de période. De plus, l'amortissement du 1er versement est de 5 500 $ alors que celui du 5e versement est de 8 052,55 $.
a) Déterminez le taux d'intérêt effectif annuel chargé par la banque.
b) Déterminez le montant emprunté.
c) Déterminez le solde de la dette immédiatement après le 3e versement.
d) Déterminez le total des intérêts que vous devrez payer pendant la durée de l'emprunt.

8. La compagnie AKC inc. emprunte 400 000 $ à une institution financière remboursable à l'aide de 240 mensualités constantes de fin de période. Le taux d'intérêt nominal est de 6% capitalisé mensuellement.

a) Quel est le versement mensuel qui permettra de rembourser cet emprunt?

b) Quel est le remboursement de capital inclus dans le 16e versement?

c) Complétez la 10e ligne du tableau d'amortissement du prêt.

Mois	Solde au début du mois	Versement mensuel	Intérêts	Remboursement de capital	Solde à la fin du mois
10					

d) Déterminez le total des intérêts payés au cours de la septième et de la huitième années.

e) Déterminez le total des intérêts payés dans les versements impairs.

9. Vous déposez dans une institution financière un montant de 2 000 $ à la fin de chaque année pendant 10 ans. Le taux d'intérêt effectif annuel est de 8% pour les 4 premières années et de 10% par la suite. De quelle somme disposerez-vous dans 10 ans?

10. Un prêt de 2 000 $, effectué à un taux effectif annuel de 10%, est remboursable au moyen d'une série de 10 versements croissants de fin d'année. Sachant que le montant du versement augmente au rythme annuel de 5%, déterminez le montant du premier versement.

11. Quelle sera la valeur accumulée dans 12 ans d'une annuité en progression géométrique dont le premier versement annuel est de 800 $ et le troisième de 933,12 $. Supposez que :

1. il y a au total 12 versements à effectuer;

2. le premier versement aura lieu dans exactement un an et le dernier dans 12 ans;

3. le taux d'intérêt effectif annuel s'élève à 10%.

12. Un prêt de 100 000 $ doit être remboursé au moyen d'une série de 20 versements croissants effectués en fin d'année. Sachant que le montant du premier versement sera de 4 000 $ et que ce dernier augmentera au taux annuel de 6%, déterminez le taux d'intérêt effectif annuel chargé par le prêteur.

13. Vous empruntez 200 $ au début de chaque mois pendant 4 ans. Quelle sera votre dette au bout de 4 ans si le taux d'intérêt effectif annuel s'élève à 10%?

14. En supposant un taux d'intérêt nominal de 19% capitalisé mensuellement, déterminez la valeur présente de 24 versements semestriels de 300 $ dont le premier aura lieu dans 3 ans.

15. En supposant un taux d'intérêt nominal de 12% capitalisé trimestriellement, déterminez la valeur actualisée d'une perpétuité trimestrielle de 500 $
a) de fin de période;
b) de début de période;
c) dont le 1er versement aura lieu dans 4 ans et 6 mois.

16. Vrai ou faux.

a) En supposant que $i > i'$, on a $A_{\overline{n}|i} > A_{\overline{n}|i'}$.

b) La valeur définitive d'une perpétuité est infinie.

c) En supposant que $i > i'$, on a $S_{\overline{n}|i} > S_{\overline{n}|i'}$.

d) La valeur actualisée d'une série de 10 paiements de fin d'année faits dans le but d'accumuler 1 000 $ dans 10 ans est $1\ 000(1 + i)^{-10}$.

e) L'expression $A_{\overline{14}|i} - A_{\overline{4}|i}$ est équivalente à $A_{\overline{10}|i}$.

f) Dans le cas particulier où $i = 0\%$, on a $A_{\overline{n}|i} = n$.

g) $\ddot{A}_{\overline{n}|i} = 1 + A_{\overline{n-1}|i}$.

h) $\ddot{S}_{\overline{n}|i} = S_{\overline{n+1}|i} - 1$.

i) $A_{\overline{7}|i} = A_{\overline{4}|i} + A_{\overline{3}|i}(1 + i)^{-4}$

j) Toutes choses étant égales par ailleurs, la valeur actualisée d'une annuité de début de période est supérieure à la valeur actualisée d'une annuité de fin de période.

k) Le solde d'une dette, à un moment donné dans le temps, correspond à la valeur actualisée des versements restants à effectuer.

Série B

17. Lise emprunte 5 000 $ aujourd'hui et s'engage à effectuer les versements suivants : 1 500 $ dans un an, 3 000 $ dans 2 ans et 8 mois et 3 500 $ dans 4 ans et 3 mois. Déterminez le taux d'intérêt effectif annuel chargé par le prêteur.

18. Si vous prêtez 4 000 $ à votre oncle maintenant, ce dernier s'engage à vous verser un premier montant de 2 000 $ dans 46 semaines et un second montant de 1 500 $ dans 81 semaines. Quel taux de rendement effectif annuel réaliserez-vous sur ce prêt?

19. La valeur présente, au temps 0, des versements suivants est égale à :

$V_p = ?$

	2	2	0	0	2	2	2	2	2	2
0	1	2	3	4	5	6	7	8	9	10

a) $2\ A_{\overline{10}|i}$

b) $2\ A_{\overline{10}|i} - 2\ A_{\overline{2}|i}$

c) $2\ A_{\overline{6}|i}(1 + i)^{-4} + 2\ A_{\overline{2}|i}$

d) $2\ A_{\overline{10}|i} - 2\ A_{\overline{2}|i}(1 + i)^{-1}$

e) b et c sont vrais

f) b, c et d sont vrais

20. La valeur présente, au temps 0, des versements suivants est égale à :

$V_p = ?$

	3	3	3	3	2	2	2	1	1	1
0	1	2	3	4	5	6	7	8	9	10

a) $3\,A_{\overline{4}|i} + 2\,A_{\overline{3}|i}(1+i)^{-4} + A_{\overline{3}|i}(1+i)^{-7}$

b) $3\,A_{\overline{4}|i} + 2\,A_{\overline{3}|i} + A_{\overline{3}|i}$

c) $3\,A_{\overline{4}|i} + 2\,A_{\overline{3}|i}(1+i)^{-5} + A_{\overline{3}|i}(1+i)^{-8}$

d) $3\,A_{\overline{10}|i} - A_{\overline{3}|i}(1+i)^{-4} - 2\,A_{\overline{3}|i}(1+i)^{-7}$

e) a et d sont vrais

f) c et d sont vrais

21. Quelle est la valeur présente, au temps 0, des versements suivants?

$V_p = ?$

		1	1		1	1	1	1
0	1	2	3	4	5	6	7	8

a) $A_{\overline{2}|i} + A_{\overline{4}|i}$ b) $A_{\overline{2}|i}(1+i)^{-1} + A_{\overline{4}|i}(1+i)^{-5}$

c) $[S_{\overline{2}|i} \cdot (1+i)^5 + S_{\overline{4}|i}](1+i)^{-8}$ d) $A_{\overline{8}|i} - (1+i)^{-4}$

e) $A_{\overline{2}|i} + A_{\overline{4}|i}(1+i)^{-4}$ f) aucune de ces réponses

22. Quelle sera la valeur accumulée, au temps 10, des versements suivants?

$V_d = ?$

	3	3	3	3		4	4	4	4	
0	1	2	3	4	5	6	7	8	9	10

a) $3S_{\overline{4}|i}(1+i)^5 + 4S_{\overline{4}|i}(1+i)$ b) $4S_{\overline{10}|i} - S_{\overline{4}|i}(1+i)^6 - 4(1+i)^5 - 4$

c) $[3A_{\overline{4}|i} + 4A_{\overline{4}|i}(1+i)^{-5}](1+i)^9$ d) $3S_{\overline{4}|i}(1+i)^5 + 4S_{\overline{4}|i}$

e) aucune de ces réponses

23. Quelle est la valeur actualisée, au temps 0, des versements suivants?

$V_p = ?$

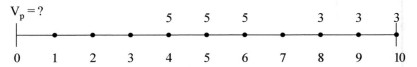

				5	5	5		3	3	3
0	1	2	3	4	5	6	7	8	9	10

a) $5A_{\overline{10}|i} - 5A_{\overline{3}|i} - 5(1+i)^{-7} - 2A_{\overline{3}|i}(1+i)^{-7}$

b) $5A_{\overline{3}|i}(1+i)^{-4} + 3A_{\overline{3}|i}(1+i)^{-8}$

c) $5A_{\overline{3}|i} + 3A_{\overline{3}|i}$

d) $\left[5S_{\overline{3}|i}(1+i)^3 + 3S_{\overline{3}|i}\right] \cdot (1+i)^{-10}$

e) a et d sont vrais

24. Quelle est la valeur actualisée, au temps 0, des versements suivants?

$V_p = ?$

```
            3     3     3     5     5     5     5
 |----•-----•-----•-----•-----•-----•-----•---------
      1     2     3     4     5     6     7     8
 0
```

a) $5A_{\overline{4}|i} + 3A_{\overline{3}|i}$

b) $3\ddot{A}_{\overline{3}|i}(1+i)^{-2} + 5A_{\overline{4}|i}(1+i)^{-4}$

c) $3\ddot{A}_{\overline{3}|i}(1+i)^{-1} + 5A_{\overline{4}|i}(1+i)^{-5}$

d) $\left[5S_{\overline{8}|i} - 5(1+i)^7 - 2S_{\overline{3}|i}(1+i)^4\right] \cdot (1+i)^{-8}$

e) b et d sont exacts

f) c et d sont exacts.

 25. Un emprunt de 5 000 $ est remboursable par une série de 15 versements semestriels uniformes de 1 400 $, le premier étant exigible dans 6,5 ans. Quel est le taux d'intérêt nominal capitalisé semestriellement exigé par le prêteur?

26. Un investisseur veut accumuler 100 000 $ dans 10 ans en effectuant des des dépôts annuels égaux de début de période. Les dépôts sont investis à 15% par année, mais l'intérêt annuel des dépôts est réinvesti à 8%. Déterminez le dépôt annuel que cet investisseur devra effectuer.

27. Albertine, qui est présentement âgée de 57 ans, envisage prendre sa retraite à l'âge de 60 ans. Elle désirerait recevoir à ce moment-là une première prestation d'un montant de 25 000 $. Par la suite, à la date de chacun de ses anniversaires de naissance, elle souhaiterait, dans le but de préserver son pouvoir d'achat, recevoir des prestations annuelles indexées aux taux de 6% et ce, jusqu'à l'âge de 70 ans inclusivement. Compte tenu qu'elle peut placer son argent au taux effectif annuel de 10%, quelle somme doit-elle investir maintenant dans le but d'être en mesure de recevoir les prestations désirées?

28. Trouvez le versement X à effectuer à la fin de chaque trimestre, pendant 17 ans, pour être en mesure de retirer à compter de la fin de la 18e année et ce, pendant 16 ans, des prestations annuelles indexées à 8% (c.-à-d. que chaque prestation est de 8% supérieure à la précédente). Le taux d'intérêt effectif annuel est de 8% et la première prestation sera de 11 000 $. Refaites les calculs en supposant cette fois que chaque prestation annuelle sera indexée au taux annuel de 6%.

29. On veut faire un paiement au début de chaque mois pendant 4 ans (48 paiements au total) dans le but de constituer un fonds qui permettra de faire 5 paiements annuels de 10 000 $ à partir du début de la 6e année. En supposant que le taux d'intérêt est de 7% par semestre, quel paiement mensuel devra-t-on effectuer?

30. Vous envisagez l'achat d'une maison de 100 000 $ et vous ne disposez que de 25 000 $. Lors de vos démarches en vue de négocier une hypothèque, vous vous trouvez en face de deux propositions :

Proposition 1 :   Emprunt de 75 000 $, remboursable par 300 versements mensuels de 960 $.

Proposition 2 :   Emprunt de 75 000 $ au taux nominal de 14% capitalisé semestriellement, renégociable dans 5 ans jusqu'à l'échéance 20 ans plus tard.

Il existe cependant une troisième possibilité. En effet, vous pouvez placer vos 25 000 $ dans un compte offrant un taux d'intérêt annuel de 12% capitalisé mensuellement et acheter la maison dans 5 ans. Son prix va cependant augmenter au taux d'inflation, soit 6% par année. Vous êtes convaincu que le taux d'intérêt hypothécaire capitalisé semestriellement sera de 11% dans 5 ans. Déterminez :

a) le taux effectif annuel de la proposition 1;

b) le taux nominal capitalisé semestriellement de la proposition 1;

c) le versement mensuel pour les 5 premières années si vous adoptez la proposition 2;

d) le montant à renégocier dans 5 ans;

e) le taux mensuel qui sera en vigueur dans 5 ans;

f) le montant des versements mensuels qui devront alors être effectués;

g) le montant des versements mensuels à effectuer si l'on utilise la troisième possibilité et que l'on emprunte pour 20 ans.

31. Il y a cinq ans, Jean a contracté un emprunt hypothécaire de 125 000 $ au taux nominal de 8,50% capitalisé semestriellement. Il lui reste actuellement 180 versements mensuels à effectuer pour amortir entièrement cette dette. Jean devra renouveler son hypothèque dans quelques jours. Les taux hypothécaires se situent toujours à 8,50% (taux nominal, capitalisé semestriellement). Il prévoit continuer à rembourser sa dette par des versements mensuels de fin de période.

a) Calculez le solde actuel du prêt hypothécaire de Jean.

b) En supposant qu'il rembourse le solde actuel de sa dette sur 10 ans (plutôt que sur 15 ans), déterminez le montant total des intérêts qu'il pourra économiser.

32. Anne-Marie possède une maison acquise il y a 6 ans au coût de 120 000 $. Au moment de l'achat, elle a effectué un versement initial de 12 000 $ et a financé le solde (soit 108 000 $) par l'intermédiaire d'une hypothèque conventionnelle de 20 ans. Actuellement, il reste encore 168 versements mensuels de 830,86 $ à effectuer pour amortir complètement la dette. Depuis que l'emprunt a été contracté, le taux d'intérêt nominal, capitalisé semestriellement, chargé par le prêteur s'est toujours élevé à 7%. Anne-Marie considère actuellement la possibilité de rembourser le solde de sa dette par des versements hebdomadaires (le montant du versement hebdomadaire serait alors égal au versement mensuel actuel divisé par quatre).

a) Déterminez le solde actuel de son prêt hypothécaire.

b) En effectuant des versements hebdomadaires plutôt que mensuels, de combien d'années Anne-Marie pourrait-elle raccourcir la période d'amortissement de son prêt hypothécaire?

33. Pierre, qui est présentement âgé de 48 ans, envisage prendre sa retraite dans 7 ans. À partir de l'âge de 55 ans, il voudrait recevoir une rente annuelle comportant le même pouvoir d'achat qu'un montant de 50 000 $ aujourd'hui et ce, pendant 30 ans. Sachant que le taux de rendement annuel de ses placements s'élève à 10% et que le taux d'inflation prévu est de 4%, de quelle somme globale devra-t-il disposer à l'âge de 55 ans pour recevoir la rente annuelle indexée sur l'inflation?

34. Sylvie, qui est présentement âgée de 47 ans, détient à l'intérieur de son REÉR des parts de fonds communs de placement valant au total 270 000 $. De plus, elle verse à la fin de chaque année 4 000 $ dans son REÉR. Elle envisage prendre sa retraite dans 8 ans et recevoir à partir de l'âge de 55 ans une rente annuelle de 50 000 $ (avant impôt) indexée au taux annuel de 3% et ce, de façon à maintenir constant son pouvoir d'achat. Sylvie voudrait recevoir cette rente au début de chaque année pendant une période de 30 ans.

a) En supposant que le taux de rendement (avant impôt) de ses placements s'élève à 10%, déterminez la valeur anticipée du portefeuille de Sylvie lorsqu'elle atteindra l'âge de 55 ans?

b) Sylvie sera-t-elle en mesure de recevoir les prestations désirées à partir de l'âge de 55 ans? Sinon, quel montant devrait-elle investir à la fin de chaque année dans son REÉR pendant 8 ans pour atteindre son objectif?

35. Votre client a actuellement 80 000 $ dans son REÉR. Il prévoit cotiser 5 000 $ à la fin de chacune des 25 prochaines années. En supposant que son taux de rendement effectif annuel sera de 6% pour les 10 prochaines années et de 8% par la suite, quelle sera la valeur capitalisée de son REÉR dans 25 ans?

36. Josée considère la possibilité d'acquérir une maison coûtant 150 000 $. Elle prévoit effectuer une mise de fonds initiale de 25 000 $ et financer le solde (soit 125 000 $) auprès d'une banque au moyen d'une hypothèque conventionnelle de 20 ans. Le taux d'intérêt nominal, capitalisé semestriellement, chargé par l'institution prêteuse serait de 8%. Les informations suivantes sont disponibles concernant les revenus de Josée et ses engagements financiers actuels et potentiels :

- Revenus annuels bruts : 75 000 $
- Taux d'imposition marginal : 48%
- Mensualité du prêt auto : 475 $
- Solde de la carte de crédit : 5 000 $ (la limite autorisée est de 8 000 $ et le paiement mensuel minimal à effectuer correspond à 3% du solde)
- Taxes municipales et scolaires sur la résidence : 2 500 $/année
- Frais de chauffage : 1 000 $/année

Croyez-vous que la banque accordera le prêt à Josée?

Indice : Pour en arriver à une décision, les institutions financières calculent le ratio d'amortissement total de la dette (ATD) du particulier. Ce ratio se calcule ainsi :

$$ATD = \frac{\text{Versement hypothécaire mensuel (incluant les taxes et le chauffage)} + \text{Mensualité du prêt auto} + \text{Frais mensuels des cartes de crédit (on suppose l'utilisation maximale des limites autorisées)} + \text{Autres engagements (ex.: pension alimentaire, impôts en retard à payer)}}{\text{Revenus mensuels bruts}}$$

En règle générale, l'ATD ne doit pas excéder 40% pour que le prêt soit octroyé. Pour en apprendre davantage sur ce ratio, vous pouvez notamment consulter le site Internet de la Banque Royale (http://www.banqueroyale.com).

37. Karine dispose d'une somme de 1 000 $ par mois qu'elle peut utiliser pour rembourser plus rapidement son prêt hypothécaire ou encore maintenir à son niveau actuel son versement hypothécaire et investir l'excédent dans son REÉR. Les caractéristiques de son prêt hypothécaire peuvent se résumer ainsi :

- Solde de la dette : 80 000 $
- Taux nominal, capitalisé semestriellement : 8%
- Période d'amortissement : 15 ans

Selon les prévisions disponibles, elle peut s'attendre à réaliser un taux de rendement effectif annuel de 8% sur les placements détenus à l'intérieur de son REÉR. Karine est assujettie à un taux d'imposition marginal de 48%.

a) Déterminez le versement mensuel qu'elle doit actuellement effectuer pour rembourser son hypothèque.

b) En tenant compte de son taux d'imposition marginal et de son paiement hypothécaire actuel, calculez la somme mensuelle que Karine peut placer dans son REÉR. Déterminez également la valeur accumulée de ses cotisations mensuelles de fin de période au REÉR dans 15 ans.

c) En supposant que Karine utilise la totalité des 1 000 $ dont elle dispose mensuellement pour rembourser le solde de son hypothèque, calculez la nouvelle période d'amortissement du prêt ainsi que la valeur définitive dans 15 ans des contributions mensuelles qu'elle pourra par la suite effectuer dans son REÉR. (Arrondissez le nombre de versements nécessaires à l'entier le plus près.)

d) Compte tenu des résultats obtenus précédemment, que devrait faire Karine avec ses 1 000 $ dont elle dispose mensuellement? Discutez brièvement.

38. Un prêt de 10 000 $ est remboursable par une série de 12 versements annuels de fin d'année. Les 5 premiers versements seront de X $ et les 7 derniers de 2X $. Le taux d'intérêt nominal capitalisé semestriellement est de 11%. Trouvez le solde de la dette immédiatement après le 8e versement.

39. Un prêt de 5 000 $ est remboursable par une série de 21 versements annuels de fin d'année. Les versements prévus sont les suivants :

Année	Versement
1 à 10	500 $ par année
11 à 20	800 $ par année
21	Montant nécessaire pour liquider le prêt

Le taux d'intérêt effectif annuel est de 10%. Déterminez le remboursement de capital inclus dans le 12e versement.

40. Quelle est la valeur actualisée, au temps 0, de la perpétuité en croissance suivante :

- Premier versement : 3 000 $ (ce versement aura lieu dans un an)
- Taux de croissance annuel du versement : 10%
- Taux d'intérêt nominal capitalisé semestriellement : 10%.

41. Quelle est la valeur actualisée (au temps 0) de la série de versements suivants :

Année	Versement annuel ($)	Année	Versement annuel ($)
1	0	6	100
2	0	7	0
3	0	8	200
4	100	9	200
5	100	10	200

Tous les versements ont lieu en fin d'année. Le taux d'intérêt effectif annuel est de 12%.

42. Quelle est la valeur actualisée (au temps 0) de la perpétuité en croissance suivante :

Année	Versement
1	-
2	-
3	-
4	100 \$
5	$100 \cdot (1{,}08)$
6	$100 \cdot (1{,}08)^2$
7	$100 \cdot (1{,}08)^3$
.	.
.	.
.	.
∞	$100 \cdot (1{,}08)^\infty$

Le taux d'intérêt effectif annuel est de 14% et les versements ont lieu en fin d'année.

43. Un versement de 1 000 \$ est effectué maintenant et des versements du même montant seront faits perpétuellement par la suite chaque trois ans. Sachant que le taux d'intérêt effectif annuel est de 14%, déterminez la valeur actualisée (au temps 0) de ces versements?

44. Vous déposez dans une institution financière 500 \$ à la fin de chaque mois pendant 15 ans. De quelle somme disposerez-vous dans 15 ans si les taux d'intérêt annuels successifs offerts sont les suivants :
- 10% capitalisé semestriellement pour les 5 premières années;
- 8% capitalisé trimestriellement pour les 5 années suivantes;
- 12% capitalisé mensuellement pour les 5 dernières années.

 45. Vous venez de gagner à la Loto Nationale. On vous offre le choix entre les deux prix suivants :
- Prix A : 60 000 \$ à la fin de chaque année pendant 10 ans.
- Prix B : 70 000 \$ à la fin de chaque année pendant 8 ans.

Pour quel taux d'intérêt effectif annuel êtes-vous indifférent entre ces deux prix?

46. Déterminez la valeur actualisée (au temps 0) d'une annuité en progression géométrique dont les deux premiers versements sont respectivement de 2 000 \$ et de 2 300 \$. Supposez que le taux d'intérêt effectif annuel est de 15%, que le premier versement aura lieu dans 4 ans et qu'il y a au total 20 versements à effectuer.

47. Nancy place à la banque de Trois-Rivières une somme de 25 000 \$. À la fin de chaque semestre, la banque lui verse des intérêts de 1 000 \$. Ces intérêts sont immédiatement réinvestis au taux nominal de 12% capitalisé semestriellement. Dans 5 ans, la banque remboursera à Nancy la somme qu'elle a investie initialement, soit 25 000 \$. Déterminez le taux de rendement effectif annuel réalisé par Nancy au cours de cette période de 5 ans.

48. À quel taux d'intérêt nominal, capitalisé semestriellement, doit-on investir maintenant une somme de 100 000 $ pour être en mesure d'effectuer des versements de 10 000 $ au début de chaque année et ce, indéfiniment?

49. Un emprunt de 5 000 $, contracté au taux effectif annuel de 6%, est remboursable par une série de 25 versements croissants de fin de période. Le second paiement correspond à 107% du premier; le troisième à 107% du second, etc. Calculez le montant total déboursé pour rembourser cet emprunt.

50. Déterminez la valeur de $\sum\limits_{t=1}^{20} S_{\overline{t}|12\%}$.

Annexe 1 - Les progressions géométriques

Définition

On peut définir une progression géométrique comme étant une suite de termes possédant la propriété suivante: un terme donné correspond au précédent multiplié par un facteur constant appelé raison (r). Lorsque la raison est supérieure à 1, on dit de la progression qu'elle est croissante. Inversement, lorsque $r < 1$, on parle d'une progression décroissante.

Somme des termes d'une progression géométrique

Posons :

a : Premier terme de la progression géométrique
n : Nombre de termes que comporte la progression géométrique
r : Raison de la progression géométrique ou quotient de deux termes successifs
S : Somme des termes de la progression géométrique.

La somme des termes d'une progression géométrique se calcule ainsi :

(1) $\quad S = a + ar + ar^2 + ar^3 + ... + ar^{n-2} + ar^{n-1}$

En multipliant l'équation (1) par r, on obtient :

(2) $\quad rS = ar + ar^2 + ar^3 + ar^4 + ... + ar^{n-1} + ar^n$

Par la suite, en soustrayant l'équation (2) de l'équation (1), on trouve :

$$S - rS = a - ar^n$$
$$S(1-r) = a(1-r^n)$$

$$S = \frac{a(1-r^n)}{1-r} = \frac{a(r^n-1)}{r-1} \qquad (3.18)$$

Exemple 3.18 | **Calcul de la somme des termes d'une progression géométrique comportant un nombre déterminé de termes**

Déterminez la somme des termes suivants : $64 + 32 + 16 + 8 + 4 + 2 + 1$

Solution

Ici, on a :
a = 64
r = 32/64 = 1/2
et
n = 7
Par conséquent :

$$S = \frac{64[(1/2)^7 - 1]}{\frac{1}{2} - 1} = 127$$

Exemple 3.19 **Calcul de la valeur accumulée d'une annuité de fin de période de 1 $**

Calculez la somme des termes suivants :

$$1 + (1+i)^1 + (1+i)^2 + (1+i)^3 + ... + (1+i)^{24}$$

Solution

Ici, on a :

a = 1

r = (1 + i)

et

n = 25

Par conséquent :

$$S = \frac{1[(1+i)^{25} - 1]}{(1+i) - 1} = \frac{(1+i)^{25} - 1}{i}$$

Somme des termes d'une progression géométrique illimitée

Si |r| < 1 et que n → ∞, alors r^n → 0. Dans un tel cas, la somme des termes d'une progression géométrique se calcule ainsi :

$$S = \lim_{n \to \infty} \frac{a(r^n - 1)}{r - 1}$$

$$S = \frac{-a}{r - 1} = \frac{a}{1 - r} \qquad (3.18a)$$

Exemple 3.20 **Calcul de la valeur actualisée d'une perpétuité de fin de période de 1 $**

Déterminez la somme des termes suivants : $(1+i)^{-1} + (1+i)^{-2} + ... + (1+i)^{-\infty}$

Solution

Ici, on a :

a = (1 + i)⁻¹

et

r = (1 + i)⁻¹

Par conséquent :

$$S = \frac{(1+i)^{-1}}{1 - (1+i)^{-1}}$$

$$S = \frac{\dfrac{1}{1+i}}{1 - \dfrac{1}{1+i}}$$

$$S = \frac{\dfrac{1}{1+i}}{\dfrac{1+i-1}{1+i}}$$

$$S = \frac{1}{i}$$

Annexe 2 - Gestion financière avec Excel

Le tableau d'amortissement d'un prêt avec Excel

Dans cette annexe, nous montrons la démarche à suivre pour générer, à l'aide d'Excel, le tableau d'amortissement du prêt dont il est question à la section 3.2.4. Ce tableau est reproduit ci-dessous.

	A	B	C	D	E	F	G
1	**Établissement d'un tableau d'amortissement**						
2	**Caractéristiques du prêt**						
3	Taux d'intérêt périodique	6%					
4	Nombre de versements	8					
5	Montant du prêt	100 000 $					
6	Versement semestriel	16 103,59 $					
7							
8	**Tableau d'amortissement du prêt**						
9							
10	**Période**	**Nombre de versements restants à effectuer**	**Solde en début de période**	**Versement de fin de période**	**Intérêts sur le solde**	**Remboursement de capital**	**Solde en fin de période**
11	1	8	100 000,00 $	16 103,59 $	6 000,00 $	10 103,59 $	89 896,41 $
12	2	7	89 896,41 $	16 103,59 $	5 393,78 $	10 709,81 $	79 186,60 $
13	3	6	79 186,60 $	16 103,59 $	4 751,20 $	11 352,40 $	67 834,20 $
14	4	5	67 834,20 $	16 103,59 $	4 070,05 $	12 033,54 $	55 800,65 $
15	5	4	55 800,65 $	16 103,59 $	3 348,04 $	12 755,55 $	43 045,10 $
16	6	3	43 045,10 $	16 103,59 $	2 582,71 $	13 520,89 $	29 524,21 $
17	7	2	29 524,21 $	16 103,59 $	1 771,45 $	14 332,14 $	15 192,07 $
18	8	1	15 192,07 $	16 103,59 $	911,52 $	15 192,07 $	0,00 $

Étape 1 : Calcul du versement semestriel nécessaire pour rembourser la dette

Dans un premier temps, nous entrons dans les cellules de la colonne A (A3 à A6) les différentes variables impliquées, soit le taux d'intérêt périodique, le nombre de versements nécessaires pour rembourser la dette, le montant du prêt et le versement semestriel. Les valeurs associées aux trois premières variables apparaissent dans les cellules de la colonne B (B3 = taux d'intérêt périodique, B4 = nombre de versements et B5 = montant du prêt). Par la suite, nous avons recours à la fonction VPM afin de calculer le versement périodique nécessaire pour rembourser la dette contractée (cellule B6). Pour obtenir cette fonction, cliquez sur *fx*, sélectionnez la catégorie *finances* et choisissez VPM. Cliquez sur OK.

· · · · ·

Les valeurs que nous devons entrer sont B3 (le taux d'actualisation), B4 (le nombre de versements) et -B5 (le signe - doit précéder le montant du prêt si l'on veut que le résultat cherché (c.-à-d. le versement périodique) soit positif.

Cliquez sur OK.

Le résultat obtenu est 16 103,59 $. Il apparaît dans la cellule B6.

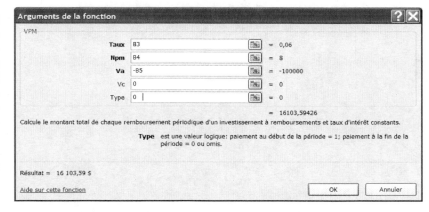

Étape 2 : Établissement du tableau d'amortissement du prêt

1. Nous entrons dans les cellules A11 à A18 les périodes et dans les cellules B11 à B18 le nombre de versements restants à effectuer. Après avoir entré les deux premières valeurs, il suffit d'utiliser l'*Incrémentation d'une série* pour générer rapidement les valeurs subséquentes.

2. On détermine le solde de la dette au début de la période 1 (soit 100 000 $) à l'aide de l'expression VA (0,06; B11; -$B$6). Les autres valeurs de cette colonne sont obtenues à l'aide de l'*Incrémentation d'une série*.

3. Le versement périodique (16 103,59 $) apparaît dans les cellules D11 à D18.

4. Les intérêts sur le solde, le remboursement de capital et le solde en fin de période correspondent aux expressions suivantes : C11*0,06 (intérêts sur le solde), D11 - E11 (remboursement de capital) et C11 - F11 (solde en fin de période). L'*Incrémentation d'une série* permet de générer rapidement toutes les valeurs du tableau.

Chapitre 4
L'évaluation des actifs financiers

Sommaire

4

4.1 Introduction

Dans ce chapitre, nous montrons comment estimer la valeur des actifs financiers tels que les bons du Trésor, les obligations, les actions privilégiées et les actions ordinaires. À cette fin, la notion de valeur actualisée étudiée aux chapitres 2 et 3 nous sera particulièrement utile. En effet, comme nous le verrons en détail plus loin, la valeur de tout actif financier n'est en fait que la valeur actualisée des flux monétaires qu'il générera.

La matière couverte dans le présent chapitre est susceptible d'intéresser l'épargnant qui désire placer son argent dans des valeurs mobilières (titres à revenu fixe et actions). Pour le gestionnaire financier en milieu corporatif, elle revêt également une très grande importance. En effet, compte tenu que l'objectif financier de l'entreprise est de maximiser le prix de ses actions, il nous apparaît essentiel que ce dernier sache comment les analystes et les investisseurs s'y prennent pour établir la valeur d'un titre, en particulier celle d'une action.

4.2 L'évaluation des bons du Trésor

• • •
Bon du Trésor
Titre à court terme émis à escompte par le gouvernement canadien

Les bons du Trésor sont des titres à court terme échéant dans 91, 182 ou 364 jours et qui sont vendus par adjudication à toutes les semaines par le gouvernement fédéral[1]. Ils sont toujours émis à escompte et remboursés à leur

---

[1] Les gouvernements provinciaux émettent également des bons du Trésor pour combler leurs besoins de financement. Par contre, les entreprises n'utilisent jamais ce mode de financement à court terme.

valeur nominale au moment de l'échéance. La différence entre la valeur nominale et le prix d'émission (ou le prix d'achat sur le marché secondaire) constitue le rendement de l'investisseur. Il n'y a donc pas de taux d'intérêt comme tel sur ce genre de titre. D'un point de vue fiscal, la différence entre la valeur nominale et le prix payé est traitée comme un revenu d'intérêt et non comme un gain en capital.

Le taux de rendement annuel d'un bon du Trésor canadien peut se calculer comme suit :

$$\text{Taux de rendement nominal annuel} = \left(\frac{VN - P}{P}\right)\left(\frac{365}{n}\right) \tag{4.1}$$

où VN : Valeur nominale

P : Prix payé

n : Échéance du titre, exprimée en jours.

Pour illustrer, considérons l'exemple suivant.

Exemple 4.1   **Calcul du taux de rendement d'un bon du Trésor**

Un bon du Trésor d'une valeur nominale de 10 000 $, échéant dans 91 jours, se vend 9 825 $ sur le marché secondaire.
a) Quel est son taux de rendement nominal annuel?
b) Quel est son taux de rendement effectif annuel?

Solution

a) À partir de l'expression (4.1), on obtient :

$$\text{Taux de rendement nominal annuel} = \left(\frac{10\ 000 - 9\ 825}{9\ 825}\right)\left(\frac{365}{91}\right) = 7,14\%$$

b) Le taux de rendement effectif annuel du titre se calcule ainsi :

$$\text{Taux de rendement périodique (pour 91 jours)} = \left(\frac{10\ 000 - 9\ 825}{9\ 825}\right) = 1,78\%$$

d'où : taux de rendement effectif annuel $= (1 + 0{,}0178)^{365/91} - 1 = 7{,}33\%$.

Remarques. 1. Dans la presse financière, le taux de rendement annoncé d'un bon du Trésor est un taux nominal, soit le taux calculé à l'aide de l'expression (4.1).

2. Sur le marché américain, le taux de rendement est calculé en divisant l'escompte par la valeur nominale du bon du Trésor (méthode de l'escompte). De plus, le calcul suppose que l'année financière comporte 360 jours, plutôt que 365 à l'instar de l'année civile. La formule utilisée est la suivante :

$$\text{Taux de rendement annuel} = \left(\frac{VN - P}{VN}\right)\left(\frac{360}{n}\right) \tag{4.1a}$$

Les rendements des bons du Trésor américains ne sont donc pas directement comparables à ceux des bons du Trésor canadiens, car la méthode de calcul utilisée est différente.

4.3 L'évaluation des obligations

Une obligation est un titre d'emprunt à long terme. L'investisseur qui acquiert une obligation se trouve à prêter de l'argent à une entreprise ou à un gouvernement. En retour, l'émetteur du titre s'engage à lui verser, généralement sur une base semestrielle, des intérêts à un taux fixe pendant toute la durée du prêt et à lui rembourser au moment de l'échéance la valeur nominale (habituellement 1 000 $) du titre. Le certificat d'obligation constitue la preuve physique du prêt. Il en indique les conditions, notamment le taux de coupon, la date d'échéance et la valeur nominale.

Exemple 4.2

Calcul des flux monétaires périodiques que recevra le détenteur d'une obligation émise par le gouvernement fédéral

Le détenteur d'une obligation à 5,75% de 1 000 $ du gouvernement fédéral, échéant le 1er juin 2029, recevra 28,75 $ (c.-à-d. $\frac{1\,000 \times 5,75\%}{2}$) d'intérêt en juin et en décembre de chaque année et ce, jusqu'en juin 2029 inclusivement. Le 1er juin 2029, l'emprunteur, c'est-à-dire le gouvernement canadien, lui remboursera son capital en échange du certificat émis initialement.

4.3.1 Définitions

Afin de faciliter la compréhension du marché obligataire, il nous semble utile, en premier lieu, de définir les termes suivants.

1. **Valeur nominale.** C'est généralement le montant qui sera remboursé à la date d'échéance de l'obligation. Habituellement, ce montant est de 1 000 $ ou un multiple de ce montant.

2. **Date d'émission.** Date à partir de laquelle les intérêts commencent à courir.

3. **Date d'échéance.** Date à laquelle les intérêts cessent de courir. À cette date, on rembourse à l'obligataire la valeur nominale ou de rachat de l'obligation. La date d'échéance d'une obligation peut varier entre un an et trente ans.

4. **Obligation à court terme.** C'est une obligation qui vient à échéance dans 3 ans ou moins.

5. **Obligation à moyen terme.** C'est une obligation qui vient à échéance dans plus de 3 ans, mais dans 10 ans ou moins.

6. **Obligation à long terme.** C'est une obligation dont la date d'échéance se situe dans plus de 10 ans.

7. **Émission au pair.** Lorsque les obligations sont vendues à leur valeur nominale, elles sont dites émises au pair.

8. **Émission à escompte.** Lorsque les obligations sont vendues à un prix inférieur à leur valeur nominale, elles sont dites émises à escompte.

9. **Émission à prime.** Lorsque les obligations sont vendues à un prix supérieur à leur valeur nominale, elles sont dites émises à prime.

10. **Taux de coupon.** C'est le pourcentage qui sert à calculer le montant des intérêts qui seront versés périodiquement au prêteur. Ainsi, si le taux de coupon annuel est de 10% et la valeur nominale de l'obligation de 1000 $, l'obligataire recevra à tous les six mois 50 $ d'intérêts, soit $\dfrac{1\,000 \times 10\%}{2}$. Il est à noter que le taux de coupon est fixe et ne varie pas selon la conjoncture économique.

11. **Taux de rendement exigé.** C'est le taux de rendement que désire obtenir l'investisseur sur son placement. Ce taux, contrairement au taux de coupon, varie en fonction de la conjoncture économique. Essentiellement, ce taux est fonction du taux sans risque (taux de rendement des obligations du gouvernement fédéral) auquel il faut ajouter une prime de risque. Ainsi, on peut s'attendre à ce que le taux de rendement exigé par les investisseurs sur une obligation de compagnie soit supérieur à celui demandé sur une obligation de la province de Québec car la première obligation comporte un degré de risque plus élevé que la seconde.

12. **Obligation au porteur.** Une obligation est dite « au porteur » si le certificat n'indique pas le nom de son titulaire. Dans ce cas, celui qui détient l'obligation est réputé en être le propriétaire. Il peut donc encaisser les coupons d'intérêt en les détachant du certificat de l'obligation.

13. **Obligation nominative.** Une obligation nominative indique le nom de son titulaire. Dans ce cas, les versements d'intérêt sont effectués par chèque au nom de l'obligataire ou déposés directement dans le compte bancaire de ce dernier.

14. **Contrat d'émission (acte de fiducie).** Le contrat d'émission est le document légal qui lie l'émetteur d'obligations et les prêteurs. On retrouve dans ce document des renseignements concernant notamment :

   - Le montant de l'émission.
   - Les échéances.
   - Les dates prévues de versements des intérêts.
   - Le taux de coupon.
   - Les clauses relatives au fonds d'amortissement.
   - Les actifs donnés en garantie.
   - Les restrictions concernant les emprunts futurs de l'émetteur, les versements de dividendes qu'il pourra effectuer, le ratio du fonds de roulement minimal à maintenir, le ratio d'endettement maximal, etc.

   Le contrat d'émission est administré par un fiduciaire (*trust*) qui doit veiller à ce que les clauses qui y apparaissent soient respectées. Si l'émetteur ne respecte pas ses engagements, c'est au fiduciaire que reviendra la tâche de prendre, au nom des créanciers, les mesures appropriées (saisir les actifs, gérer l'entreprise, etc.).

15. Obligations nouvellement émises vs obligations en circulation. Les obligations nouvellement émises sont vendues aux investisseurs sur le marché primaire à un prix égal ou voisin de la valeur nominale des titres. Dans ce cas, c'est l'émetteur des titres qui reçoit le produit net de l'émission. Par ailleurs, les obligations en circulation désignent l'ensemble des obligations qui ont été émises précédemment et qui sont toujours en circulation. Ces obligations se transigent sur le marché secondaire et leur prix peut s'éloigner sensiblement de leur valeur nominale si les conditions économiques ont changé depuis la date où elles ont été émises. Lorsqu'une transaction entre deux investisseurs a lieu sur le marché secondaire, cela n'affecte en rien le bilan de l'émetteur initial des obligations.

4.3.2 La valeur d'une obligation à une date d'intérêt

Définissons d'abord certains symboles qui nous seront utiles dans la suite du texte :

V :   Valeur de l'obligation

VN : Valeur nominale de l'obligation. À moins d'avis contraire, nous supposons que la valeur de rachat de l'obligation correspond à sa valeur nominale.

C :   Valeur du coupon d'intérêt périodique

i :   Taux de rendement périodique exigé par le marché

n :   Nombre de versements d'intérêt restant à effectuer d'ici l'échéance de l'obligation.

L'achat d'une obligation constitue en quelque sorte un échange de flux monétaires. En effet, l'investisseur qui acquiert maintenant une obligation doit débourser un certain montant d'argent (soit la valeur de l'obligation) et percevra plus tard une série de flux monétaires (soit les intérêts périodiques et le remboursement de capital l'échéance du titre). Les flux monétaires en cause sont représentés sur le schéma ci-dessous :

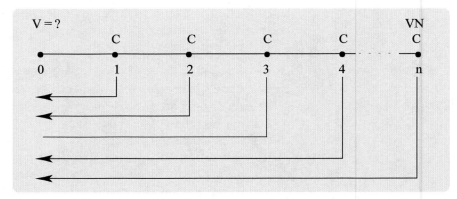

Pour déterminer la valeur d'une obligation (ou celle de tout autre actif financier), il s'agit simplement d'actualiser, au taux de rendement exigé, les flux monétaires (intérêts périodiques et remboursement de capital) que peut espérer recevoir le détenteur du titre.

Le schéma précédent montre que les coupons d'intérêt constituent une annuité simple de fin de période. La valeur actualisée de ces versements périodiques uniformes est donc égale à :

$$CA_{\overline{n}|i} = C\left[\frac{1-(1+i)^{-n}}{i}\right]$$

Quant à la valeur actualisée du remboursement de capital, elle est donnée par l'expression $VN(1+i)^{-n}$. Par conséquent, la valeur d'une obligation, à une date d'intérêt, peut se calculer ainsi :

$$V = \left(\begin{array}{c}\text{Valeur actualisée des}\\ \text{versements d'intérêt}\end{array}\right) + \left(\begin{array}{c}\text{Valeur actualisée du}\\ \text{remboursement de capital}\end{array}\right)$$

$$V = CA_{\overline{n}|i} + VN(1+i)^{-n} \qquad\qquad (4.2)$$

L'équation (4.2) indique que la valeur d'une obligation est fonction du coupon d'intérêt périodique, de sa valeur nominale, de sa date d'échéance et du taux de rendement courant exigé par le marché.

Compte tenu que les intérêts versés périodiquement aux obligataires sont fixes, une hausse du taux de rendement courant du marché entraînera une baisse de la valeur des obligations actuellement en circulation afin que ces dernières puissent offrir un rendement comparable aux obligations nouvellement émises comportant un même degré de risque. À l'inverse, une baisse du taux de rendement courant du marché provoquera une hausse de la valeur des obligations actuellement en circulation afin que leur rendement soit ramené à un niveau comparable au taux de coupon actuellement exigé par les investisseurs sur de nouvelles émissions d'obligations.

Exemple 4.3

Calcul de la valeur d'une obligation sous diverses hypothèses concernant le taux de rendement exigé

Une entreprise a émis, il y a 8 ans, des obligations dont le taux de coupon annuel est de 9% et la valeur nominale de 1 000 $. Les coupons sont semi-annuels et l'échéance, lors de l'émission, était de 20 ans.

a) Si le taux de rendement nominal capitalisé semestriellement exigé est de 10%, quelle est actuellement la valeur de ces obligations?

b) Si le taux de rendement nominal capitalisé semestriellement exigé passait à 12%, quelle serait alors la valeur de ces obligations?

c) Si le taux de rendement nominal capitalisé semestriellement exigé passait à 8%, quelle serait alors la valeur de ces obligations?

d) Représentez graphiquement l'évolution de la valeur de l'obligation en fonction du taux de rendement exigé par le marché.

Solution

a) Il s'agit d'actualiser, au taux de rendement exigé, les flux monétaires que recevra le détenteur d'ici la date d'échéance des obligations. À partir de l'expression (4.2), on obtient :

$$V = 45A_{\overline{24}|5\%} + 1\,000(1+0,05)^{-24} = 931,01\$$$

On note que la valeur des obligations est inférieure à leur valeur nominale (c.-à-d. que les obligations se vendent à escompte) car le taux de rendement annuel exigé excède le taux de coupon annuel.

De façon à obtenir rapidement la valeur d'une obligation, on peut procéder comme suit à l'aide de la calculatrice financière SHARP EL-738 :

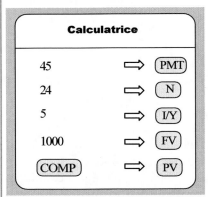

PMT : versement d'intérêt périodique ou montant de l'annuité

N : nombre de versements d'intérêt à effectuer d'ici la date d'échéance de l'obligation

I/Y : taux de rendement périodique exigé par le marché

FV : valeur future ou somme d'argent que recevra l'investisseur dans n périodes

PV : valeur présente des flux monétaires que recevra l'investisseur

L'écran affiche alors 931,01$. La présence d'un signe négatif s'explique par le fait que l'investisseur doit effectuer un déboursé (flux monétaire négatif) pour acquérir le titre en cause.

b) Dans ce cas, la valeur d'une obligation passerait à :

$$V = 45A_{\overline{24}|6\%} + 1\,000(1+0,06)^{-24} = 811,74\ \$$$

On observe qu'une augmentation du taux de rendement exigé provoquerait une baisse de la valeur des obligations afin qu'elles puissent offrir un taux de rendement nominal de 12% capitalisé semestriellement.

c) L'obligation verrait son cours augmenter à :

$$V = 45A_{\overline{24}|4\%} + 1\,000(1+0,04)^{-24} = 1\,076,23\ \$$$

On constate que la valeur des obligations excéderait leur valeur nominale (c.-à-d. que les obligations se vendraient à prime) car le taux de rendement annuel exigé serait inférieur au taux de coupon annuel.

d) La figure 4.1 illustre le comportement de la valeur de l'obligation en fonction du taux de rendement exigé par le marché. Cette courbe est souvent appelée la courbe prix-rendement. À l'annexe 1, nous montrons comment la tracer avec Excel.

Figure 4.1 — Relation entre la valeur de l'obligation et le taux de rendement exigé par le marché (courbe prix - rendement)

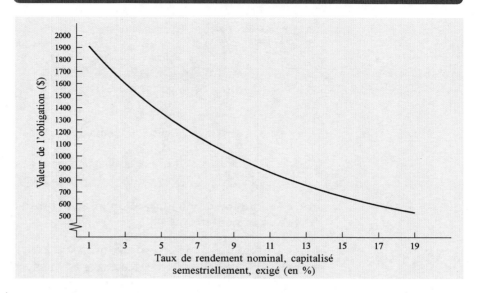

On constate, à la figure 4.1, qu'il existe une relation inverse entre le taux de rendement exigé par le marché et la valeur de l'obligation. De plus, la relation entre la valeur de l'obligation et le taux de rendement exigé est connexe (plutôt que linéaire). Cela implique, qu'advenant une diminution du rendement exigé par le marché, l'augmentation de valeur de l'obligation sera plus substantielle que la baisse de valeur qui résulterait d'une hausse équivalente du rendement exigé par le marché.

Échéance d'une obligation et sensibilité de la valeur aux fluctuations des taux d'intérêt

Comme nous l'avons indiqué précédemment, lorsque le taux de rendement exigé par les investisseurs change, la valeur des obligations actuellement en circulation fluctue également. De plus, on observe que les obligations à long terme sont plus affectées par les variations du taux de rendement exigé que les obligations à court terme. Le tableau 4.1, qui compare trois obligations identiques (à l'exception de leur date d'échéance), permet d'illustrer ce fait. On y constate que si le taux de rendement exigé par le marché passe de 10% à 8%, c'est l'obligation C (c.-à-d. l'obligation dont l'échéance est la plus lointaine) qui verra sa valeur augmenter le plus. D'autre part, si le taux de rendement exigé par le marché passe de 10% à 12%, c'est également l'obligation C qui subira la perte de valeur la plus importante.

Tableau 4.1	**Impact de la date d'échéance sur la sensibilité de la valeur aux fluctuations des taux d'intérêt**

Taux de rendement annuel exigé par le marché	Valeur d'une obligation échéant dans un an (obligation A)	Valeur d'une obligation échéant dans 5 ans (obligation B)	Valeur d'une obligation échéant dans 10 ans (obligation C)
8%	1018,52 $	1079,85 $	1134,20 $
10%	1000,00	1000,00	1000,00
12%	982,14	927,90	887,00

Notes explicatives :
1. La valeur nominale de chacune des trois obligations est de 1 000 $.
2. Le taux de coupon annuel de chacune des trois obligations est de 10% et les intérêts sont versés annuellement.

Taux de coupon d'une obligation et sensibilité de la valeur aux fluctuations des taux d'intérêt

De façon générale, on constate que, plus le taux de coupon d'une obligation est faible, plus sa valeur sera affectée par les fluctuations du taux de rendement exigé par les investisseurs[2]. Pour illustrer, considérons deux obligations identiques (A et B) à l'exception de leur taux de coupon annuel :

	Obligation A	**Obligation B**
Taux de coupon annuel (intérêts versés annuellement)	8%	12%
Valeur nominale	1000,00 $	1000,00 $
Échéance	10 ans	10 ans
Valeur lorsque le taux de rendement exigé par les investisseurs est de 12%	773,99 $	1 000,00 $
Valeur si le taux de rendement exigé par les investisseurs passe à 15%	648,69 $	849,44 $
$\dfrac{\text{Changement de valeur}}{\text{Valeur initiale}} = \dfrac{\Delta V}{V}$	-16,19%	-15,06%

On observe que c'est l'obligation dont le taux de coupon annuel est le moins élevé (obligation A) qui subit la perte de valeur la plus élevée (en pourcentage) lorsque le taux de rendement exigé passe de 12% à 15%.

4.3.3 Le taux de rendement à l'échéance d'une obligation

Supposons qu'un investisseur se porte acquéreur, au prix de 950 $, d'une obligation d'une valeur nominale de 1 000 $, échéant dans 18 ans et dont le taux de coupon annuel est de 14% (les intérêts sont payés semestriellement). Quel sera son taux de rendement annuel s'il conserve le titre jusqu'à sa date d'échéance?

---

[2] Cette proposition ne s'applique pas aux obligations dont l'échéance est inférieure à 1 an ni aux obligations perpétuelles (c.-à-d. aux obligations qui ne comportent pas de date d'échéance et qui permettent de recevoir des intérêts indéfiniment).

Rendement à l'échéance
Taux d'actualisation pour lequel le prix actuel d'une obligation correspond à la valeur actualisée des flux monétaires (intérêts périodiques et remboursement de capital) que peut espérer recevoir l'investisseur en détenant le titre jusqu'à sa date d'échéance

Pour répondre à cette question, il s'agit, dans un premier temps, de déterminer le taux de rendement périodique (i) qui permet de vérifier l'équation suivante :

$$P = C\left[\frac{1-(1+i)^{-n}}{i}\right] + VN(1+i)^{-n} \qquad (4.2a)$$

En effectuant les substitutions appropriées, on obtient :

$$950 = 70\left[\frac{1-(1+i)^{-36}}{i}\right] + 1000(1+i)^{-36}$$

À l'aide de la calculatrice financière SHARP EL-738, le taux de rendement semestriel équivalent (i) de l'obligation se calcule comme suit :

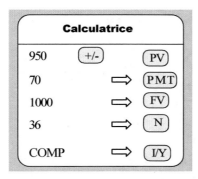

La présence d'un signe négatif s'explique par le fait que le prix payé pour le titre constitue un flux monétaire négatif du point de vue de l'investisseur.

La calculatrice affiche alors le résultat cherché, soit i = 7,40%. Par conséquent, le taux de rendement nominal, capitalisé semestriellement, s'élève à 14,80% (2 × 7,40%).

Le calcul du taux de rendement à l'échéance : méthodes approximatives

Le taux de rendement à l'échéance d'une obligation est cependant beaucoup plus fastidieux lorsqu'on ne dispose pas d'une calculatrice financière. Dans un tel cas, une première approche possible consiste à résoudre l'équation (4.2a) par approximations successives et à utiliser l'interpolation linéaire. On peut également obtenir rapidement une approximation du taux de rendement à l'échéance d'une obligation en ayant recours à l'une des formules algébriques (il en existe plusieurs) basée sur le taux de rendement moyen. Ces diverses méthodes approximatives sont discutées, à tour de rôle, ci-après.

Résolution de l'équation (4.2a) par approximations successives et utilisation de l'interpolation linéaire

On sait que le problème consiste à déterminer la valeur du taux de rendement semestriel (i) qui permet de satisfaire l'équation suivante :

$$950 = 70\left[\frac{1-(1+i)^{-36}}{i}\right] + 1000(1+i)^{-36}$$

Comme l'obligation se vend à escompte par rapport à sa valeur nominale (950 \$ < 1 000 \$), le taux de rendement semestriel sera alors supérieur au taux de coupon semestriel ($7\% = \dfrac{14\%}{2}$). Dans ces conditions, essayons, en premier lieu un taux de 7,3%.

Si i = 7,3%, la valeur actualisée des flux monétaires espérés est égale à :

$$70\left[\frac{1-(1+0,073)^{-36}}{0,073}\right]+1\,000(1+0,073)^{-36}=962,16\ \$ > 950\ \$$$

D'autre part, si i = 7,5%, la valeur actualisée des flux monétaires espérés correspond à :

$$70\left[\frac{1-(1+0,075)^{-36}}{0,075}\right]+1\,000(1+0,075)^{-36}=938,27\ \$ < 950\ \$$$

Il s'ensuit que le taux de rendement périodique est nécessairement compris entre 7,3% et 7,5%. De façon à obtenir une meilleure approximation, nous aurons maintenant recours à la méthode de l'interpolation linéaire.

Les résultats précédents nous indiquent que si le taux périodique augmente de 0,20%, la valeur de l'obligation décroît de 23,89 \$, soit 962,16 \$ - 938,27 \$. Cependant, nous cherchons à déterminer le taux périodique pour lequel la valeur de l'obligation diminue de 12,16 \$, soit 962,16 \$ - 950 \$. En posant l'hypothèse commode - mais non conforme à la réalité - qu'il existe une relation linéaire entre le taux de rendement exigé et la valeur de l'obligation, le taux d'actualisation cherché peut être approximé comme suit :

$$i \approx 0,0730 + \left(\frac{962,16 - 950}{962,16 - 938,27}\right)(0,0020) \approx 7,4\%$$

Ramenons maintenant le taux de rendement périodique (i) sur une base annuelle. On obtient alors :

r   =   Taux de rendement effectif annuel de l'obligation
     = $(1 + i)^2$ - 1
     = $(1 + 0,074)^2$ - 1
     =   15,35%
     et
i_2 =   Taux de rendement nominal capitalisé semestriellement
     =   2 i
     =   (2)(0,074)
     =   14,80%

Méthodes basées sur le taux de rendement moyen

La formule classique permettant d'obtenir une approximation du taux de rendement à l'échéance d'une obligation est la suivante :

$$\text{Taux de rendement à l'échéance (approximatif)} = \frac{\left(\begin{array}{c}\text{Gain (ou perte) en capital}\\\text{moyen par période}\end{array}\right) + \left(\begin{array}{c}\text{Intérêts}\\\text{périodiques}\end{array}\right)}{\text{Investissement moyen}}$$

$$= \frac{\text{Revenu périodique moyen}}{\text{Investissement moyen}}$$

$$= \frac{\dfrac{VN - P}{n} + C}{\dfrac{P + VN}{2}} \qquad (4.3)$$

En utilisant les données de l'exemple précédent, on trouve :

$$\text{Taux de rendement à l'échéance (approximatif)} = \frac{\dfrac{1000 - 950}{36} + 70}{\dfrac{950 + 1000}{2}}$$

$$= 7{,}32\%$$

Le taux calculé à l'aide de l'expression (4.3) est un taux périodique. Puisque dans notre exemple les intérêts sont versés semestriellement, on doit, de façon à obtenir le taux de rendement nominal capitalisé semestriellement qui lui est équivalent, multiplier ce résultat par deux. On obtient alors :

i_2 = Taux nominal capitalisé semestriellement
   = 2i
   = (2)(7,32%)
   = 14,64%

La valeur exacte du taux de rendement nominal capitalisé semestriellement étant de 14,80%, l'erreur commise en utilisant l'expression (4.3) est donc de 0,16% ou de 16 points de base (note : sur le marché obligataire, 1 point de base équivaut à 1/100 de 1%).

Plus récemment, Hawawini et Vora[3] (1982) ont suggéré une formule qui, de façon générale, permet d'obtenir une approximation plus juste du véritable taux de rendement à l'échéance d'une obligation que l'expression (4.3). Cette formule est la suivante :

$$\text{Taux de rendement à l'échéance (approximatif)} = \frac{\dfrac{VN - P}{n} + C}{0{,}6P + 0{,}4VN} \qquad (4.4)$$

On notera que les numérateurs des expressions (4.3) et (4.4) sont identiques. Toutefois, contrairement au dénominateur de l'équation (4.3), celui de l'équation (4.4) accorde une pondération plus importante au prix de l'obligation qu'à sa valeur nominale.

[3] Hawawini, G.A. et A. Vora, « Yield Approximations : A Historical Perspective », *Journal of Finance*, mars 1982, pp. 145-156.

En reprenant les données du même exemple, on obtient, à l'aide de l'expression (4.4), les résultats suivants :

$$\text{Taux de rendement à l'échéance (approximatif)} = \frac{\dfrac{1000 - 950}{36} + 70}{(0,6)(950) + (0,4)(1000)}$$

et

$$\begin{aligned}
i_2 &= \text{Taux nominal capitalisé semestriellement} \\
&= 2i \\
&= (2)(7,36\%) \\
&= 14,72\%
\end{aligned}$$

L'erreur attribuable à l'utilisation de cette formule approximative n'est que de 8 points de base ou (0,08%), ce qui est plutôt minime.

Hypothèses sous-jacentes au calcul du taux de rendement à l'échéance d'une obligation

Le calcul du taux de rendement à l'échéance d'une obligation est basé sur trois hypothèses fondamentales : (1) les intérêts peuvent être réinvestis à un taux correspondant au rendement à l'échéance de l'obligation, (2) l'investisseur détiendra l'obligation jusqu'à sa date d'échéance et (3) l'émetteur des titres effectuera les paiements d'intérêt et remboursera le capital aux dates convenues. Si les intérêts sont réinvestis à un taux inférieur au rendement à l'échéance, le rendement que réalisera l'obligataire sur son placement sera inférieur au rendement à l'échéance. Inversement, lorsque les intérêts sont réinvestis à un taux supérieur au rendement à l'échéance, le rendement que réalisera l'obligataire sera supérieur au rendement à l'échéance du titre. Pour illustrer cette importante notion, considérons l'exemple suivant.

Exemple 4.4　**Calcul du taux de rendement sur l'horizon de placement**

Un investisseur achète une obligation dont les caractéristiques sont les suivantes :

- Valeur nominale : 1 000 $
- Échéance : 3 ans
- Taux de rendement effectif annuel exigé par le marché : 12%
- Taux de coupon annuel : 10% (les intérêts sont versés annuellement)

Montrez que, si les intérêts sont réinvestis au taux annuel de 9%, le rendement annuel que réalisera l'investisseur sur son horizon de placement de trois ans sera inférieur à 12%.

Solution

Calculons, en premier lieu, le prix que devrait normalement payer l'investisseur pour acquérir cette obligation. À l'aide de l'expression (4.2a), on obtient :

$$P = 100\, A_{\overline{3}|12\%} + 1\,000(1 + 0,12)^{-3} = 951,96\ \$$$

Deuxièmement, déterminons le capital accumulé à la fin de la troisième année en supposant que les coupons d'intérêt reçus sont réinvestis dès leur réception au taux annuel de 9% (voir le schéma ci-dessous).

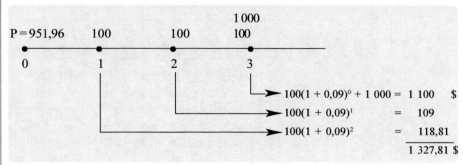

$$100(1 + 0,09)^0 + 1\,000 = 1\,100 \quad \$$$
$$100(1 + 0,09)^1 \quad = \quad 109$$
$$100(1 + 0,09)^2 \quad = \quad 118,81$$
$$\overline{1\,327,81\ \$}$$

Dans ce contexte, le taux de rendement annuel réalisé par l'investisseur est le taux qui permet de vérifier l'équation suivante :

$$\text{(Montant investi)}\left(1+\frac{\text{Taux de rendement}}{\text{annuel réalisé}}\right)^3 = \left(\begin{array}{c}\text{Valeur accumulée dans 3 ans}\\\text{des intérêts et du remboursement}\\\text{de capital si les intérêts sont}\\\text{réinvestis au taux de 9\%}\end{array}\right)$$

$$951,56\left(1+\frac{\text{Taux de rendement}}{\text{annuel réalisé}}\right)^3 = \underbrace{100(1+0,09)^2 + 100(1+0,09) + 100}_{\substack{\text{Valeur accumulée dans 3 ans d'une}\\\text{annuité de fin de période de 100\$}}} + 1\,000$$

$$951,96\left(1+\frac{\text{Taux de rendement}}{\text{annuel réalisé}}\right)^3 = 100\,\mathrm{S}_{\overline{3}|9\%} + 1\,000$$

$$951,96\left(1+\frac{\text{Taux de rendement}}{\text{annuel réalisé}}\right)^3 = 1\,327,81$$

À l'aide de la calculatrice financière SHARP EL-738, le taux de rendement annuel réalisé se calcule ainsi :

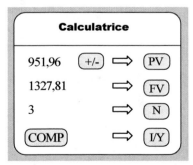

La calculatrice affiche alors le résultat cherché, soit 11,73%. On constate que ce dernier taux de rendement est inférieur à 12%. En fait, pour obtenir un taux de rendement de 12%, les intérêts devraient être réinvestis au taux annuel de 12%. Par ailleurs, si les intérêts sont réinvestis à un taux supérieur à 12%, le taux de rendement annuel que réalisera l'investisseur sur son placement sera plus élevé que 12%. À titre indicatif, le lecteur peut vérifier que, si les intérêts sont réinvestis à 14%, le taux de rendement annuel que réalisera l'investisseur sera de 12,18%.

> **Remarque.** Le taux de rendement sur l'horizon de placement est nécessairement compris entre le taux auquel sont réinvestis les intérêts et le taux de rendement à l'échéance de l'obligation.

4.3.4 L'évaluation d'une obligation entre deux dates d'intérêt

L'expression (4.2) ne peut être utilisée pour évaluer une obligation que lorsque les calculs sont effectués à une date d'intérêt ou au moment de l'émission des titres. En effet, cette dernière équation suppose que tous les versements d'intérêt à venir, de même que le remboursement du principal, se situent à un nombre entier de périodes de la date d'évaluation.

Étant donné, qu'en pratique, un investisseur a la possibilité d'acquérir une obligation n'importe quel jour de l'année, il convient de décrire une procédure permettant d'évaluer une obligation entre deux dates d'intérêt. Essentiellement, la procédure suggérée en est une en deux étapes :

1. On détermine d'abord la valeur de l'obligation à la date du dernier versement d'intérêt en ayant recours à l'expression (4.2).

2. Par la suite, on accumule la valeur trouvée à l'étape 1 jusqu'à la date d'achat de l'obligation en utilisant l'intérêt composé (très souvent, en pratique, on a cependant recours à l'intérêt simple plutôt qu'à l'intérêt composé). Le résultat obtenu représente le montant total que devra débourser l'investisseur qui achète une obligation entre deux dates d'intérêt. Il tient compte des intérêts courus à la date d'acquisition de l'obligation, c'est-à-dire des intérêts qui devront être payés au vendeur du titre.

Pour illustrer, analysons l'exemple suivant.

Exemple 4.5

Évaluation d'une obligation entre deux dates d'intérêt

Une obligation de 1 000 $, comportant un taux de coupon annuel de 10% (les intérêts sont versés le 1er mars et le 1er septembre de chaque année), est rachetable au pair le 1er septembre 2017. Un investisseur achète cette obligation le 1er novembre 2011. Déterminez le montant total de la transaction si le taux de rendement nominal capitalisé semestriellement exigé est de 12%.

Solution

Le schéma se présente ainsi :

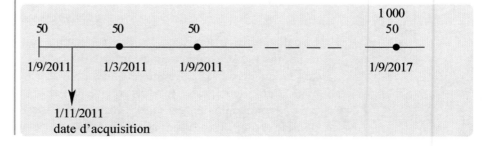

Déterminons, en premier lieu, la valeur de l'obligation à la date du dernier versement d'intérêt, c'est-à-dire au 1/9/2011. Pour ce faire, on utilise l'expression (4.2).

Ici, on a :

$$C = \frac{(1\ 000)(10\%)}{2} = 50\ \$$$

$$n = (6)(2) = 12$$

$$i = \frac{12\%}{2} = 6\%$$

et

$$VN = 1\ 000\ \$$$

Par conséquent :

$$\underset{\text{au } 1/9/2011}{\text{Valeur}} = 50\ A_{\overline{12}|6\%} + 1\ 000(1+0,06)^{-12} = 916,16\ \$$$

En accumulant cette valeur jusqu'au 1/11/2011, on trouve :

$$\underset{\text{transaction le } 1/11/2011}{\text{Montant total de la}} = 916,16(1+0,06)^{1/3} = 934,13\ \$$$

Remarques. 1. Le montant de 934,13 $ comprend les intérêts courus pour deux mois (1/3 de période). Ces intérêts courus se calculent comme suit :

$$\text{Intérêts courus pour deux mois} = (1\ 000)\ (0,05)\ (1/3) = 16,67\ \$$$

2. La valeur au marché ou le cours de l'obligation le 1/11/2011 est de 917,46 $. Cette valeur s'obtient ainsi :

$$\underset{\text{le } 1/11/2011}{\text{Valeur au marché}} = \begin{pmatrix} \text{Montant total à} \\ \text{débourser pour acquérir} \\ \text{une obligation} \end{pmatrix} - \begin{pmatrix} \text{Intérêts} \\ \text{courus} \end{pmatrix}$$

$$= 934,13 - 16,67$$

$$= 917,46\ \$$$

4.4   L'évaluation des actions privilégiées

$\mathbf{L}$'action privilégiée est un titre se situant à mi-chemin entre l'obligation et l'action ordinaire. Le terme « privilégié » fait référence au fait que l'actionnaire privilégié a priorité sur l'actionnaire ordinaire en ce qui a trait aux versements de dividendes et en cas de liquidation de la compagnie. Dans la plupart des cas, le détenteur de ce genre de titre n'a pas, contrairement à l'actionnaire ordinaire, droit de vote. De plus, il reçoit un dividende fixe dont l'importance ne dépend pas des bénéfices de l'entreprise, mais plutôt des conditions qui prévalaient sur les marchés financiers au moment où les actions ont été émises. Au sujet des dividendes privilégiés, il faut noter que l'entreprise a la possibilité, lorsqu'elle éprouve des problèmes de liquidités, d'en omettre le versement sans pour autant risquer la faillite. Ajoutons également que la plupart des actions privilégiées canadiennes sont à dividendes cumulatifs. Cela signifie qu'un dividende privilégié omis lors d'un exercice financier est reporté aux exercices subséquents jusqu'à ce qu'il soit versé.

Comme autres caractéristiques, les actions privilégiées peuvent être non rachetables (on parle alors d'actions privilégiées classiques) ou rachetables à certaines conditions mentionnées dans le prospectus d'émission. Dans ce qui suit, nous montrons comment évaluer ces deux types d'actions privilégiées.

4.4.1 Actions privilégiées non rachetables ou classiques

Action privilégiée classique
Action privilégié qui ne comporte pas de date d'échéance déterminée et dont le cours évolue en sens inverse avec le niveau des taux d'intérêt

Valeur intrinsèque
Prix auquel l'action devrait normalement se négocier sur le marché secondaire. Il s'agit de la « vraie valeur » de l'action.

L'action privilégiée non rachetable ou classique ne comporte pas de date d'échéance déterminée et permet aux investisseurs de recevoir des dividendes périodiques d'un montant fixe et ce, indéfiniment. La valeur de ce type d'action peut donc se calculer de façon analogue à celle d'une perpétuité.

Posons :
V : Valeur intrinsèque de l'action privilégiée
D_p : Dividende privilégié versé par la compagnie
k : Taux de rendement requis par les actionnaires privilégiés.

Pour déterminer la valeur intrinsèque d'une action privilégiée, il s'agit d'actualiser, au taux de rendement requis (k), les flux monétaires (dividendes) prévus. Ces flux monétaires sont montrés sur le schéma ci-dessous :

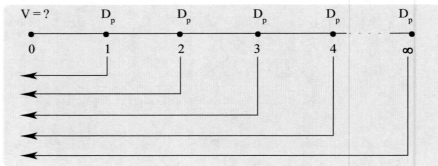

En actualisant les dividendes montrés au schéma précédent, on obtient :

$$V = D_p(1+k)^{-1} + D_p(1+k)^{-2} + D_p(1+k)^{-3} + ... + D_p(1+k)^{-\infty}$$

$$V = \sum_{t=1}^{\infty} D_p(1+k)^{-t}$$

Puisqu'il s'agit d'une perpétuité de fin de période, l'expression précédente se simplifie ainsi :

$$V = \frac{D_p}{k} \tag{4.5}$$

L'équation (4.5) indique que la valeur d'une action privilégiée est liée directement au dividende versé et, inversement, au taux de rendement requis par les investisseurs. De plus, elle suppose implicitement que le prochain dividende sera versé dans exactement une période. Ainsi, lorsque les dividendes sont annuels, l'équation (4.5) suppose que le prochain dividende sera payé dans exactement un an d'ici.

Exemple 4.6 **Estimation de la valeur intrinsèque d'une action privilégiée à une date de dividende**

L'action privilégiée de la compagnie BMX inc. possède les caractéristiques suivantes :

- Dividende annuel : 2 $ (le prochain dividende sera versé dans un an)
- Elle est non rachetable.
- Taux de rendement effectif annuel requis par les investisseurs compte tenu du risque : 15%.

Estimez sa valeur intrinsèque.

Solution

En appliquant directement l'équation (4.5), on obtient :

$$V = \frac{2}{0,15} = 13,33 \ \$$$

Exemple 4.7 **Estimation de la valeur intrinsèque d'une action privilégiée entre deux dates de dividende (dividendes trimestriels)**

Que vaut, le 1er février, une action privilégiée possédant les caractéristiques suivantes :

- Dividende trimestriel : 2 $ (le dividende est versé le 1er mars, le 1er juin, le 1er septembre et le 1er décembre)
- Le taux de rendement effectif annuel exigé par les investisseurs est de 14%.
- L'action est sans échéance.

Solution

Étant donné que les dividendes sont versés trimestriellement, il faut, en premier lieu, déterminer un taux de rendement trimestriel équivalent. Pour ce faire, on procède ainsi :

Taux de rendement trimestriel équivalent : $k = (1 + 0,14)^{1/4} - 1 = 0,0333$.

Par la suite, il s'agit d'actualiser, au 1er février, les dividendes prévus. Ces dividendes sont montrés sur le schéma ci-dessous :

La valeur actualisée, au 1er mars, des dividendes anticipés correspond à la valeur présente d'une perpétuité générale de début de période, soit $\dfrac{D_p(1+k)}{k}$.

En effectuant les substitutions appropriées, on obtient la valeur de l'action au 1er mars :

$$\text{Valeur de l'action au 1}^{\text{er}}\text{ mars} = \frac{2(1+0,0333)}{0,0333} = 62,04 \ \$.$$

En actualisant cette dernière valeur au 1er février, on trouve :

$$V = \text{Valeur de l'action au 1}^{\text{er}}\text{ février} = 62,04(1 + 0,0333)^{-1/3} = 61,37 \ \$.$$

4.4.2 Actions privilégiées rachetables

Très souvent, au Canada, les actions privilégiées peuvent être rachetées par l'émetteur à une date déterminée et à un prix spécifique. La plupart du temps, le prix de rachat (P_r) est légèrement supérieur au prix d'émission. Dans un tel cas, les flux monétaires que peut espérer recevoir le détenteur du titre sont les suivants :

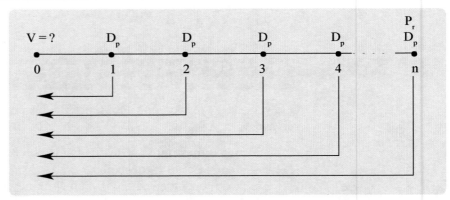

La valeur de ce type d'action peut donc se calculer ainsi :

$$V = VA\,(\text{Flux monétaires espérés})$$

$$V = \begin{pmatrix} \text{Valeur actualisée des} \\ \text{versements de dividendes} \end{pmatrix} + \begin{pmatrix} \text{Valeur actualisée du} \\ \text{prix de rachat} \end{pmatrix}$$

$$V = D_p(1+k)^{-1} + D_p(1+k)^{-2} + D_p(1+k)^{-3} + ... + D_p(1+k)^{-n} + P_r(1+k)^{-n}$$

Puisque les dividendes versés constituent une annuité de fin de période comportant au total n versements, l'équation précédente peut se reformuler ainsi :

$$V = D_p A_{\overline{n}|k} + P_r(1+k)^{-n} \tag{4.6}$$

Le calcul de la valeur d'une action privilégiée rachetable est donc similaire à celui d'une obligation.

Exemple 4.8 | **Estimation de la valeur intrinsèque d'une action privilégiée rachetable par anticipation**

Les actions privilégiées de l'entreprise Augimac inc. possèdent les caractéristiques suivantes :
- Dividende trimestriel : 2 $/action
- Prochain dividende : dans 3 mois
- On anticipe que ces actions seront rachetées par la compagnie au prix de 102 $ dans 10 ans.

Quel prix maximum devrait payer un investisseur pour une action privilégiée de cette compagnie s'il peut obtenir un taux de rendement effectif annuel de 12% sur un placement de risque comparable?

Solution

Compte tenu que les dividendes sont versés trimestriellement, on doit, en premier lieu, déterminer le taux de rendement exigé sur une base trimestrielle :

Taux de rendement trimestriel équivalent : $k = (1 + 0,12)^{1/4} - 1 = 2,87\%$.

Le prix maximum à payer se calcule en actualisant les dividendes trimestriels prévus et le prix de rachat anticipé. À l'aide de l'expression (4.6), on obtient alors :

$$\text{Prix maximum à payer} = 2\,A_{\overline{40}|2,87\%} + 102\,(1 + 0,0287)^{-40}$$
$$= 80,11\ \$$$

À l'aide de la calculatrice financière, on trouve rapidement ce dernier résultat en procédant ainsi :

Calculatrice	
2	⟹ PMT
2.87	⟹ I/Y
102	⟹ FV
40	⟹ N
COMP	⟹ PV

La calculatrice affiche alors la valeur de l'action, soit 80,11 $.

4.5 L'évaluation des actions ordinaires

Action ordinaire
Titre représentatif d'une part de propriété dans la compagnie. Une action ordinaire ne comporte pas d'échéance et confère à l'investisseur le droit de voter.

L'action ordinaire est un actif financier sans date d'échéance. Elle permet à son détenteur de participer à la croissance de l'entreprise par l'entremise des dividendes et/ou de l'appréciation du prix de l'action. L'entreprise n'est pas contrainte de verser des dividendes ordinaires à ses actionnaires. De plus, si le Conseil d'administration de l'entreprise juge qu'il est approprié de déclarer des dividendes ordinaires, ces derniers ne pourront être versés qu'après le paiement des intérêts aux obligataires et des dividendes aux actionnaires privilégiés.

La valeur d'une action ordinaire, à l'instar de celle d'une obligation ou d'une action privilégiée, correspond à la valeur actualisée des flux monétaires que recevra le détenteur du titre. Comme dans le cas d'une action privilégiée, les flux monétaires pertinents sont les dividendes. Toutefois, il convient de souligner que l'estimation de la valeur intrinsèque d'une action ordinaire constitue un processus beaucoup plus complexe que l'évaluation d'une action privilégiée ou d'une obligation étant donné que les dividendes ordinaires ne sont pas fixés à l'avance et augmentent, de façon générale, avec le temps. À cette fin, définissons d'abord les symboles qui seront utilisés dans la suite du texte.

Soit,

D_t: Dividende ordinaire qui sera versé par l'entreprise à la fin de l'année t[4]. Ainsi, D_0 représente le dividende qui vient tout juste d'être versé par l'entreprise, D_1 celui qui sera payé dans un an, D_2 celui qui sera distribué dans deux ans, etc.

g : Taux de croissance annuel du dividende versé.

k : Taux de rendement requis par les actionnaires ordinaires. Ce taux correspond au taux de rendement d'un titre sans risque (par exemple, le taux de rendement des bons du Trésor) auquel il faut ajouter une prime de risque. Plus l'action comporte un risque substantiel, plus le taux de rendement exigé par les investisseurs sera élevé. La notion de taux de rendement requis est discutée au prochain chapitre.

V : Valeur intrinsèque de l'action ordinaire. On entend par valeur intrinsèque d'une action ordinaire sa « vraie valeur » c'est-à-dire le prix auquel le titre devrait normalement se négocier dans le cadre d'un marché efficient. La notion d'efficience des marchés est abordée brièvement au chapitre 9.

Pour estimer la valeur intrinsèque d'une action ordinaire, il s'agit d'actualiser, au taux de rendement requis, les dividendes montrés au schéma ci-dessous :

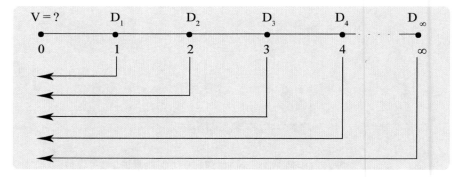

---

[4] En pratique, les entreprises distribuent le plus souvent à leurs actionnaires ordinaires des dividendes sur une base trimestrielle. Idéalement, nos modèles d'évaluation d'actions ordinaires devraient donc tenir compte de cette réalité. Toutefois, les données relatives aux actions ordinaires n'étant, en général, pas suffisamment précises pour justifier un tel raffinement, les analystes et les investisseurs ont coutume d'évaluer les actions ordinaires comme si les dividendes étaient versés annuellement. Pour une discussion de l'évaluation des actions ordinaires dans un contexte où les dividendes sont versés trimestriellement, le lecteur peut notamment consulter l'annexe 1 au chapitre 7 du volume de D. Morissette intitulé « Valeurs mobilières et gestion de portefeuille » publié chez le même éditeur.

Compte tenu que le taux de rendement exigé par les actionnaires ordinaires s'élève à k% par période, la valeur actualisée, au temps 0, des dividendes futurs correspond à :

$$V = D_1(1+k)^{-1} + D_2(1+k)^{-2} + D_3(1+k)^{-3} + ... + D_\infty(1+k)^{-\infty}$$
$$= \sum_{t=1}^{\infty} D_t(1+k)^{-t} \qquad (4.7)$$

> **Règles de décision**
> Valeur intrinsèque > Valeur marchande $\Rightarrow$ Acheter le titre
> Valeur intrinsèque < Valeur marchande $\Rightarrow$ Vendre ou vendre à découvert le titre

Une fois estimée la valeur intrinsèque de l'action, l'investisseur comparera cette valeur avec son cours actuel sur le marché secondaire afin d'établir si elle est correctement évaluée, sous-évaluée ou surévaluée. Ainsi, lorsque la valeur intrinsèque de l'action excède son cours, il en conclura qu'elle est sous-évaluée et qu'elle représente, par conséquent, une occasion d'achat intéressante. Dans le cas contraire, il en déduira que l'action est surévaluée et qu'il devrait, par conséquent, s'abstenir de l'acheter ou la vendre à découvert. Bien entendu, l'investisseur mettra en application la conclusion de son analyse en autant qu'il ait suffisamment confiance aux estimations qu'il a dû effectuer relativement aux dividendes futurs de l'entreprise et au taux de rendement exigé par le marché (k) sur le titre en cause. De plus, l'écart entre la valeur intrinsèque de l'action et son prix doit être suffisamment important pour couvrir au moins les frais de transaction.

Il est important de noter que le modèle précédent, qui tient compte de tous les dividendes que l'entreprise distribuera dans l'avenir, demeure applicable même dans le cas où l'investisseur envisage revendre son action à un moment spécifique. Ainsi, dans le cas où l'investisseur achète une action au temps 0 avec l'intention de la revendre dans deux ans, on a :

(i) $\quad$ V = VA (Flux monétaires espérés)

$\quad$ $V = D_1(1+k)^{-1} + D_2(1+k)^{-2} + V_2(1+k)^{-2}$

Mais, puisque V_2 (la valeur de l'action dans 2 ans) tient compte des dividendes qui seront versés à partir de l'année 3, on peut écrire :

(ii) $\quad$ $V_2 = D_3(1+k)^{-1} + D_4(1+k)^{-2} + ... + D_\infty(1+k)^{-\infty}$

En substituant V_2 dans l'équation (i), on obtient :

$$V = D_1(1+k)^{-1} + D_2(1+k)^{-2} + (1+k)^{-2}[D_3(1+k)^{-1} + D_4(1+k)^{-2} + ... + D_\infty(1+k)^{-\infty}]$$
$$V = D_1(1+k)^{-1} + D_2(1+k)^{-2} + D_3(1+k)^{-3} + D_4(1+k)^{-4} + ... + D_\infty(1+k)^{-\infty}$$

$$V = \sum_{t=1}^{\infty} D_t(1+k)^{-t} \qquad (4.7)$$

Comme nous l'avons mentionné précédemment, l'équation (4.7) est un modèle général permettant d'estimer la valeur d'une action ordinaire et ce, peu importe le comportement temporel anticipé des dividendes qui seront versés par l'entreprise ou les transactions de vente qui pourraient avoir lieu. On peut donc, en principe, avoir recours à l'équation (4.7) lorsque les dividendes augmentent avec le temps, diminuent avec le temps, sont stables temporellement ou fluctuent aléatoirement d'une année à l'autre.

L'inconvénient majeur de cette équation est qu'elle exige de l'analyste que ce dernier fournisse des estimations des dividendes annuels pour chacune des années à venir et ce, jusqu'à l'infini. En pratique, cet exercice peut s'avérer difficile, voir impossible à réaliser. Dans ces conditions, on doit, afin d'obtenir une estimation de la valeur d'une action ordinaire, poser certaines hypothèses restrictives sur le comportement temporel des dividendes. Trois cas particuliers de l'équation (4.7) sont examinés ci-dessous.

1. On suppose que le taux de croissance annuel du dividende sera nul

Dans ce cas particulier, peu susceptible d'être rencontré en pratique, on a $D_1 = D_2 = D_3 = D_\infty$. L'équation (4.7) peut donc s'écrire de la façon suivante :

$$V = D_1(1+k)^{-1} + D_1(1+k)^{-2} + ... + D_1(1+k)^{-\infty} = \sum_{t=1}^{\infty} D_1(1+k)^{-t}$$

Puisqu'il s'agit d'une perpétuité de fin de période, on obtient :

$$V = \frac{D_1}{k} \tag{4.8}$$

L'évaluation d'une action ordinaire, dont la croissance est nulle, est donc semblable à celle d'une action privilégiée.

2. On suppose que le taux de croissance annuel du dividende (g) demeurera constant indéfiniment

Pour la plupart des entreprises, il est raisonnable de supposer que les dividendes versés aux actionnaires ordinaires croîtront avec le temps, ce qui a pour conséquence de rendre inapplicable l'équation (4.8).

Dans le but d'en arriver à un modèle mathématique facile à utiliser, on va supposer que les dividendes augmenteront indéfiniment à un taux annuel constant g. On peut alors anticiper les dividendes suivants :

$$D_1 = D_0(1+g)$$
$$D_2 = D_0(1+g)^2 = D_1(1+g)^1$$
$$D_3 = D_0(1+g)^3 = D_1(1+g)^2 = D_2(1+g)$$
$$. . .$$
$$D_\infty = D_0(1+g)^\infty$$

Dans ces conditions, l'équation (4.7) peut s'écrire :

$$V = \frac{D_0(1+g)^1}{(1+k)^1} + \frac{D_0(1+g)^2}{(1+k)^2} + ... + \frac{D_0(1+g)^\infty}{(1+k)^\infty}$$

$$V = \sum_{t=1}^{\infty} \frac{D_0(1+g)^t}{(1+k)^t}$$

L'expression précédente représente la valeur actualisée d'une perpétuité en croissance à taux constant. Nous avons démontré au chapitre 3 que la valeur actualisée d'une perpétuité de ce genre peut être calculée ainsi :

$$\text{Valeur actualisée d'une perpétuité en croissance à taux constant} = \frac{\text{Prochain flux monétaire}}{\text{Taux d'actualisation} - \text{Taux de croissance}}$$

Remarque. L'expression précédente peut être utilisée en autant que le taux d'actualisation excède le taux de croissance anticipé.

Ici, on a :

Prochain flux monétaire $= D_0(1+g) = D_1$
Taux d'actualisation $= k$
Taux de croissance $= g$

Par conséquent :

$$V = \frac{D_1}{k - g} \tag{4.9}$$

Modèle de Gordon
Modèle permettant d'estimer la valeur intrinsèque d'une action ordinaire en supposant que le taux de croissance annuel du dividende sera constant indéfiniment

Cette équation est souvent appelée « formule de Gordon » dans la littérature financière. Elle indique que la valeur d'une action est liée directement au dividende (D_1) et au taux de croissance (g) et, de façon inverse, au taux de rendement requis par les actionnaires (k).

Il est à noter que l'expression (4.9) suppose que le dividende va augmenter d'un pourcentage constant d'une année à l'autre. C'est là une hypothèse peu susceptible d'être rigoureusement vérifiée en pratique pour la plupart des entreprises. Toutefois, le modèle de Gordon peut servir d'approximation valable pour déterminer la valeur des actions des entreprises dont la croissance des dividendes sera relativement stable (par exemple, les actions des grandes banques canadiennes).

Exemple 4.9

Estimation de la valeur intrinsèque d'une action ordinaire à l'aide du modèle de Gordon

Au cours des années passées, BMC inc. a versé, à la fin de chaque année, les dividendes suivants à ses actionnaires ordinaires :

Années	Dividendes
XX+1	1,18 $
XX+2	1,40 $
XX+3	1,52 $
XX+4	1,70 $
XX+5	1,92 $
XX+6	2,14 $
XX+7	2,40 $

a) En admettant que le rythme moyen de croissance des dividendes observé lors des derniers exercices financiers se poursuivra indéfiniment, donnez une estimation de la valeur de l'action de BMC inc. au début de l'année

XX+8. Les investisseurs exigent un taux de rendement annuel de 18% sur une action comportant un degré de risque équivalent.

b) L'action ordinaire de BMC inc. se transige actuellement (au début de XX+8) à 55 $ sur les marchés boursiers. Est-elle sous-évaluée ou surévaluée?

c) Quelle est la valeur intrinsèque prévue de l'action de BMC inc. au début de l'année XX+11? (Supposez que les valeurs des paramètres k et g seront identiques aux valeurs observées au début de l'année XX+8.)

Solution

a) Il faut, en premier lieu, estimer la valeur de g (le taux de croissance annuel des dividendes). Pour ce faire, on doit résoudre l'équation suivante :

$$D_{XX+7} = D_{XX+1}(1 + g)^6$$
$$2,40 = 1,18(1 + g)^6$$

d'où : $g = \left(\dfrac{2,40}{1,18}\right)^{1/6} - 1 = 12,56\%$

Le dividende versé par BMC inc. a donc augmenté au taux annuel moyen de 12,56% au cours des six dernières années.

En utilisant la formule de Gordon, on obtient par la suite :

$$V_{\text{au début de l'année XX+8}} = \frac{2,40(1 + 0,1256)}{0,18 - 0,1256} = 49,66\ \$$$

b) Puisque son prix est supérieur à sa valeur intrinsèque, on peut en conclure que l'action de BMC inc. est présentement surévaluée. En conséquence, l'acquisition de ce titre à son cours actuel serait un mauvais placement, c'est-à-dire un placement comportant une valeur actuelle nette (VAN) négative :

$$VAN = \begin{pmatrix} \text{Valeur} \\ \text{intrinsèque} \end{pmatrix} - \begin{pmatrix} \text{Valeur} \\ \text{marchande} \end{pmatrix}$$

$$VAN = \sum_{t=1}^{\infty} \frac{D_t}{(1 + k)^t} - \begin{pmatrix} \text{Valeur} \\ \text{marchande} \end{pmatrix}$$

$$VAN = 49,66 - 55$$

$$VAN = -5,34\ \$$$

Remarque. Comme nous le verrons au chapitre 6, une VAN négative signifie que le taux de rendement attendu sur un investissement est inférieur au taux de rendement minimal acceptable. En remplaçant V par P (c.-à-d. le prix auquel se négocie l'action de BMC inc. sur le marché boursier) dans l'équation (4.9) et en réarrangeant les différents termes, on peut écrire :

$$\text{Taux de rendement espéré} = \frac{D_1}{P} + g \tag{4.9a}$$

$$= \frac{2,40(1 + 0,1256)}{55} + 0,1256$$

$$= 17,47\%$$

L'investisseur qui se porterait acquéreur d'actions de BMC inc. au prix de 55 $ pourrait donc s'attendre à réaliser un taux de rendement de 17,47% sur son placement. Ce dernier taux de rendement est inférieur au taux de rendement minimal acceptable qui s'élève à **18%**.

c) À l'aide du modèle de Gordon, on trouve :

$$V_{\text{au début de l'année XX+11}} = \frac{D_{XX+11}}{k-g} = \frac{2,40(1+0,1256)^4}{0,18-0,1256} = 70,82\ \$$$

Remarque. Étant donné que le modèle de Gordon suppose implicitement que la valeur de l'action croîtra au rythme de $g\%$ par année, la valeur intrinsèque du titre dans trois ans peut également se calculer ainsi :

$$V_{XX+11} = V_{XX+8}(1+g)^3 = 49,66(1+0,1256)^3 = 70,82\ \$.$$

La valeur actualisée des occasions de croissance

Valeur actualisée des occasions de croissance (VAOC)
Différence entre la valeur de l'action de l'entreprise et celle que lui attribuerait le marché si tous les bénéfices étaient versés en dividendes aux actionnaires

Le modèle de croissance à taux constant du dividende peut également s'avérer utile pour se faire une idée de la perception du marché en ce qui concerne les occasions de croissance de l'entreprise. Ainsi, en admettant que l'entreprise juge inintéressantes toutes les nouvelles occasions d'investissement disponibles, elle versera alors la totalité de ses bénéfices sous forme de dividendes à ses actionnaires. Dans ces conditions, on aura $D_1 = BPA_1$ (c'est-à-dire que le dividende par action correspondra au bénéfice par action) et $g = 0$ (c.-à-d. que la croissance de l'entreprise sera nulle). Compte tenu de ces suppositions, le modèle de croissance à taux constant se simplifie ainsi :

$$V = \frac{D_1}{k-g} = \frac{BPA_1}{k} \qquad (4.10)$$

Cette dernière équation représente la valeur de l'action d'une entreprise à croissance nulle. Évidemment, il s'agit là d'une situation particulière que l'on observe rarement dans un contexte réel. Dans le cas d'une entreprise en croissance à taux constant, la valeur de l'action peut être scindée en deux composantes et s'exprimer ainsi :

$$V = \frac{BPA_1}{k} + VAOC \qquad (4.11)$$

où VAOC : Valeur actualisée des occasions de croissance.

L'expression (4.11) indique que la valeur de l'action d'une entreprise en croissance correspond à la valeur que le marché accorderait au titre si la totalité des bénéfices réalisés étaient distribués sous forme de dividendes aux actionnaires (équation 4.10) plus la valeur actualisée de ses occasions de croissance (VAOC).

Pour illustrer, considérons l'exemple suivant.

Exemple 4.10 | **Calcul de la valeur actualisée des occasions de croissance**

Les renseignements suivants sont disponibles concernant la compagnie ADSX inc. :

- Dividende par action prévu pour la prochaine année : 1,50 $
- Bénéfice par action prévu pour la prochaine année : 3,20 $
- Taux de croissance annuel prévu des bénéfices et des dividendes : 12%
- Taux de rendement requis par les investisseurs sur ce genre de titre : 16%.

a) Déterminez la valeur intrinsèque de l'action de ADSX inc.

b) Déterminez la partie de la valeur de l'action de la compagnie qui est attribuable à ses occasions de croissance.

Solution

a) À partir du modèle de Gordon, on trouve :

$$V = \frac{1,50}{0,16 - 0,12} = 37,50 \ \$$$

b) En utilisant l'expression (4.11), on obtient :

$$37,50 = \frac{3,20}{0,16} + \text{VAOC}$$

d'où : $\text{VAOC} = 37,50 - \frac{3,20}{0,16} = 17,50 \ \$$

Le résultat obtenu indique que 46,7 % (soit $\frac{17,50 \ \$}{37,50 \ \$}$) de la valeur de l'action de ADSX inc. est attribuable à la valeur actualisée de ses occasions de croissance.

3. On suppose que le taux de croissance annuel du dividende sera g_a pendant N années et g_n par la suite

Modèle de croissance en deux étapes
Modèle servant à estimer la valeur intrinsèque d'une action ordinaire lorsqu'on anticipe une forte croissance du dividende au cours des N prochaines années et une croissance normale par la suite (c.-à-d. à partir de l'année N + 1)

Dans plusieurs situations rencontrées en pratique, le modèle de Gordon, qui suppose un taux de croissance annuel constant du dividende jusqu'à l'infini, ne permet pas de caractériser adéquatement le comportement temporel anticipé des dividendes et de fournir, par conséquent, une approximation raisonnable de la valeur d'une action. Dans ces conditions, plusieurs auteurs et analystes préconisent l'utilisation d'un modèle de croissance en deux étapes. Ce modèle suppose que le dividende va croître au taux annuel g_a (taux de croissance supérieur à la normale ou anormal) pendant N années et que, par la suite, le taux de croissance annuel du dividende sera g_n (taux de croissance normal). La figure 4.2 illustre cette situation, tandis que la figure 4.3 permet de visualiser une des hypothèses implicites à la base du modèle de Gordon.

Figure 4.2 — **Modèle de croissance en deux étapes**

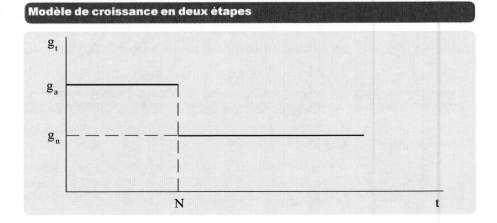

Figure 4.3   Taux de croissance annuel constant (modèle de Gordon)

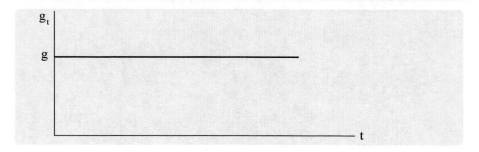

Compte tenu des hypothèses sous-jacentes au modèle de croissance en deux étapes, on peut anticiper les dividendes suivants :

$$D_1 = D_0(1+g_a)$$
$$D_2 = D_0(1+g_a)^2$$
$$\dots$$
$$D_N = D_0(1+g_a)^N$$
$$D_{N+1} = D_0(1+g_a)^N(1+g_n) = D_N(1+g_n)$$
$$D_{N+2} = D_0(1+g_a)^N(1+g_n)^2 = D_N(1+g_n)^2$$
$$\dots$$
$$D_\infty = D_0(1+g_a)^N(1+g_n)^\infty = D_N(1+g_n)^\infty$$

La valeur d'une action peut alors se calculer en additionnant la valeur actualisée de deux séries de dividendes espérés : (1) la valeur actualisée des dividendes espérés entre la période 1 et la période N (V_1) et (2) la valeur actualisée des dividendes espérés de la période N+1 jusqu'à l'infini (V_2). On peut donc écrire :

V = VA (Dividendes espérés)

V = V_1 + V_2

La valeur actualisée, au temps 0, des dividendes espérés pendant la période de croissance supérieure à la normale (V_1) peut se calculer à l'aide de l'expression suivante :

$$V_1 = \frac{D_0(1+g_a)}{(1+k)^1} + \frac{D_0(1+g_a)^2}{(1+k)^2} + \dots + \frac{D_0(1+g_a)^N}{(1+k)^N}$$
$$V_1 = \sum_{t=1}^{N} \frac{D_0(1+g_a)^t}{(1+k)^t}$$

En observant que les dividendes successifs constituent une annuité de fin de période en progression géométrique et en utilisant la formule donnant la valeur actualisée de ce genre d'annuité (voir l'équation 3.9 du chapitre 3), on obtient alors :

$$V_1 = D_1 \left[\frac{1 - \left(\frac{1 + g_a}{1 + k} \right)^N}{k - g_a} \right]$$

Quant à V_2, la valeur actualisée au temps 0 des dividendes espérés pendant la période de croissance normale (c.-à-d. de la période N+1 jusqu'à l'infini), elle se calcule ainsi :

$$V_2 = \frac{D_N(1 + g_n)}{(1 + k)^{N+1}} + \frac{D_N(1 + g_n)^2}{(1 + k)^{N+2}} + ... + \frac{D_N(1 + g_n)^\infty}{(1 + k)^\infty}$$

$$V_2 = (1 + k)^{-N} \left[\frac{D_N(1 + g_n)}{(1 + k)} + \frac{D_N(1 + g_n)^2}{(1 + k)^2} + ... + \frac{D_N(1 + g_n)^\infty}{(1 + k)^\infty} \right]$$

L'expression entre crochets représente la valeur actualisée d'une perpétuité de fin de période en progression géométrique. En ayant recours à la formule donnant la valeur actualisée de ce genre de perpétuité (voir l'équation 3.13 du chapitre 3), on trouve :

$$V_2 = (1 + k)^{-N} \left[\frac{D_N(1 + g_n)}{k - g_n} \right]$$

$$V_2 = \frac{(1 + k)^{-N} D_{N+1}}{k - g_n}$$

Par conséquent, V (c'est-à-dire la valeur actualisée au temps 0, des dividendes espérés de la période 1 jusqu'à l'infini) se calcule à l'aide de l'expression suivante :

$$V = \begin{pmatrix} \text{Valeur actualisée} \\ \text{d'une annuité de} \\ \text{fin de période en} \\ \text{progression géométrique} \end{pmatrix} + \begin{pmatrix} \text{Valeur actualisée} \\ \text{d'une perpétuité différée} \\ \text{de N périodes en} \\ \text{progression géométrique} \end{pmatrix}$$

$$V = D_1 \left[\frac{1 - \left(\frac{1 + g_a}{1 + k} \right)^N}{k - g_a} \right] + \frac{(1 + k)^{-N} D_{N+1}}{k - g_n} \qquad (4.12)$$

Exemple 4.11 | **Application du modèle de croissance en deux étapes**

L'action ordinaire de Infotek inc. se transige actuellement à 35 $ à la Bourse. Le dernier dividende (D_0) versé par cette compagnie à ses actionnaires ordinaires a été de 1 $ par action. Pour l'avenir, les analystes financiers sont optimistes concernant cette entreprise. En effet, ils estiment que le dividende de Infotek devrait croître au taux annuel de 25% pour les 5 prochaines années et que, par la suite, il augmentera au taux annuel de 10% et ce, indéfiniment.

Le taux de rendement annuel exigé par les investisseurs sur ce genre de titre est de 15%. Compte tenu des prévisions des analystes, l'action de Infotek est-elle surévaluée, sous-évaluée ou correctement évaluée par les investisseurs?

Solution

Il s'agit, dans un premier temps, de déterminer la valeur intrinsèque de l'action d'Infotek à l'aide de l'expression (4.12). Par la suite, on compare cette valeur avec le prix en Bourse.

Ici, on a :

g_a $= 25\%$
g_n $= 10\%$
k $= 15\%$
D_0 $= 1\ \$$
D_1 $= 1(1 + 0,25) = 1,25\ \$$
$D_{N+1} = D_6 = 1(1 + 0,25)^5 (1 + 0,10) = 3,36\ \$$

Par conséquent, la valeur intrinsèque de cette action au temps 0 est :

$$V = 1,25 \left[\frac{1 - \left(\dfrac{1+0,25}{1+0,15} \right)^5}{0,15 - 0,25} \right] + \frac{(1+0,15)^{-5}(3,36)}{0,15 - 0,10} = 39,88\ \$$$

Son prix étant inférieur à sa valeur intrinsèque, on peut en conclure que ce titre est présentement sous-évalué. L'acquisition de cette action à son cours actuel constitue un bon placement, car la VAN (c.-à-d. 39,88 \$ - 35 \$ = 4,88 \$) excède 0. Nous montrons, ci-dessous, comment obtenir directement la valeur intrinsèque de l'action à l'aide de la calculatrice SHARP EL-738 en présence de deux taux de croissance du dividende. Pour sa part, l'annexe 2 présente la démarche à suivre pour déterminer avec Excel la valeur intrinsèque de l'action ainsi que le taux de rendement exigé (k) pour lequel la VAN de l'investissement est nulle.

Détermination de la valeur intrinsèque de l'action à l'aide des touches financières de la calculatrice SHARP EL-738

Dans un premier temps, on doit reformuler l'expression (4.12) en ayant recours à la notion de taux d'actualisation rajusté décrite à la section 3.3 au chapitre précédent. Rappelons que le taux d'actualisation rajusté (y) peut se calculer ainsi :

$$y = \left(\frac{1+k}{1+g_a} \right) - 1 \qquad (4.13)$$

Notons aussi que :

$$(1 + k) = (1 + y)(1 + g_a) \qquad (4.13a)$$
$$\text{ou}$$
$$k = (1 + y)(1 + g_a) - 1 \qquad (4.13b)$$

En remplaçant dans l'équation (4.12) le facteur $(1 + k)$ par $(1 + y)(1 + g_a)$ et en effectuant, par la suite, les substitutions appropriées, on obtient alors :

$$V = D_1 \left[\frac{1 - \left(\dfrac{(1+g_a)^N}{(1+y)^N(1+g_a)^N} \right)}{((1+y)(1+g_a)-1)-g_a} \right] + \frac{\left[(1+y)(+g_a) \right]^{-N} D_{N+1}}{k-g_n}$$

$$V = D_1 \left[\frac{1-(1+y)^{-N}}{1+g_a+y+y \cdot g_a - 1 - g_a} \right] + \frac{(1+y)^{-N}(1+g_a)^{-N} D_{N+1}}{k-g_n}$$

$$V = D_1 \left[\frac{1-(1+y)^{-N}}{y(1+g_a)} \right] + \frac{(1+y)^{-N}(1+g_a)^{-N}(1+g_a)^N(1+g_n)D_0}{k-g_n}$$

Finalement, puisque $D_0 = \dfrac{D_1}{1+g_a}$, on trouve :

$$V = D_0 \left[\frac{1-(1+y)^{-N}}{y} \right] + \frac{(1+y)^{-N}(1+g_n)D_0}{k-g_n} \tag{4.14}$$

Pour obtenir directement la valeur intrinsèque de l'action ordinaire à partir de la calculatrice SHARP EL-738, il s'agit d'avoir recours aux mêmes touches financières que celles utlisées pour déterminer la valeur d'une obligation. La démarche précise à suivre est expliquée dans l'encadré de la page suivante.

4.6   Concepts fondamentaux

- Les bons du Trésor sont des titres à court terme, émis à escompte par le gouvernement fédéral ou une province et remboursable à leur valeur nominale à l'échéance.

- Une obligation permet à son détenteur de recevoir des versements d'intérêt fixes - habituellement sur une base semestrielle - et le remboursement du capital prêté à la date d'échéance du titre.

- La valeur de n'importe quel actif financier s'obtient en actualisant, au taux de rendement exigé par les investisseurs, les flux monétaires qu'il est censé générer.

- La valeur d'une obligation correspond à la valeur actualisée des flux monétaires (versements d'intérêt et remboursement de capital) que recevra le détenteur du titre.

- Le rendement à l'échéance d'une obligation est le rendement que réalisera l'investisseur s'il détient le titre jusqu'à sa date d'échéance et que les coupons d'intérêt sont réinvestis à ce taux. De plus, ce calcul pose l'hypothèse implicite que l'émetteur des titres effectuera les versements d'intérêt et remboursera le capital aux dates convenues.

Calculatrice

Durée (en années) de la
croissance anormale = 5 •• $\boxed{\text{N}}$

$$y = \left(\frac{1+k}{1+g_a}\right) - 1 = \left(\frac{1+0,15}{1+0,25}\right) - 1 = -8\%$$

On doit donc entrer -8 comme taux
d'actualisation.

-8 •• $\boxed{\text{I/Y}}$

Dans le présent contexte, D_0 correspond
à la touche $\boxed{\text{PMT}}$ de la calculatrice. Par
conséquent :

1 •• $\boxed{\text{PMT}}$

Selon l'équation (4.14), $\boxed{\text{FV}}$ doit
équivaloir à

$$\frac{(1+g_n)D_0}{k-g_n} = \frac{(1+0,10)(1)}{0,15-0,10} = 22.$$

Par conséquent :

22 •• $\boxed{\text{FV}}$

$\boxed{\text{PV}}$ représente la valeur de l'action.

Par conséquent :

$\boxed{\text{COMP}}$ $\boxed{\text{PV}}$

Résultat affiché : 39,85. Ce dernier résultat est semblable à celui obtenu
à l'aide de l'expression (4.14).

- Contrairement au rendement à l'échéance, le rendement sur l'horizon de placement tient compte du taux auquel seront réellement réinvestis les intérêts reçus périodiquement.

- Le cours d'une obligation fluctue en sens inverse avec le niveau des taux d'intérêt. De plus, la sensibilité du cours d'une obligation aux mouvements des taux d'intérêt est liée directement à son échéance et inversement à son taux de coupon.

- Une action privilégiée est un titre hybride qui, comme un titre de créance, permet à l'investisseur de recevoir des revenus fixes (les dividendes) dont le montant est habituellement indépendant des bénéfices réalisés par l'entreprise.

- La valeur intrinsèque d'une action privilégiée classique s'obtient en divisant le dividende périodique par le taux de rendement requis par les investisseurs.

- La valeur intrinsèque d'une action privilégiée rachetable se calcule en ajoutant à la valeur actualisée des dividendes prévues d'ici la date de rachat du titre la valeur actualisée du prix de rachat.

- Une action ordinaire représente une part de propriété dans une compagnie. Ce titre ne comporte pas d'échéance prédéterminée et confère à son détenteur le droit de voter sur diverses questions.

- Selon le modèle d'évaluation basé sur les dividendes anticipés, on détermine la valeur intrinsèque d'une action ordinaire en actualisant ces derniers au taux de rendement exigé par les investisseurs.

- Le modèle de Gordon suppose que le dividende croîtra à un taux annuel constant et ce, jusqu'à l'infini. Selon ce modèle, on obtient la valeur intrinsèque d'une action ordinaire en divisant le dividende qui sera versé dans un an par l'écart entre le taux de rendement exigé sur le titre et le taux de croissance prévisionnel du dividende.

- Le calcul de la valeur actualisée des occasions de croissance (VAOC) permet d'apprécier la perception des investisseurs à l'égard de la rentabilité des projets d'investissement futurs de l'entreprise.

- Le modèle de croissance en deux étapes prévoit deux taux de croissance du dividende : (1) un taux de croissance supérieur à la normale (g_a) pendant N années et (2) un taux de croissance normal (g_n) à partir de l'année N + 1 et ce, jusqu'à l'infini.

4.7 Mots clés

4.8   Sommaire des principales formules

Taux de rendement d'un bon du Trésor

(4.1) $\text{Taux de rendement nominal annuel} = \left(\dfrac{VN - P}{P} \right) \left(\dfrac{365}{n} \right)$

où VN : Valeur nominale
      P : Prix payé
      n : Échéance du titre, exprimé en jours.

Évaluation des obligations

Valeur d'une obligation à une date d'intérêt

(4.2) $V = CA_{\overline{n}|i} + VN(1 + i)^{-n}$

où V :   Valeur de l'obligation
      C :   Coupon d'intérêt périodique
      $A_{\overline{n}|i}$: Valeur actualisée d'une annuité simple de fin de période de 1 \$
      n :   Nombre de versements d'intérêt restant à effectuer d'ici la date d'échéance de l'obligation
      i :   Taux de rendement périodique exigé par le marché
      VN : Valeur nominale de l'obligation.

Calcul du taux de rendement à l'échéance : formules approximatives

1. Formule classique

(4.3) $\text{Taux de rendement à l'échéance} = \dfrac{\dfrac{VN - P}{n} + C}{\dfrac{P + VN}{2}}$

où P : Prix de l'obligation.

2. Formule de Hawawini et Vora

(4.4) $\text{Taux de rendement à l'échéance} = \dfrac{\dfrac{VN - P}{n} + C}{0,6P + 0,4VN}$

Évaluation des actions privilégiées

Actions privilégiées non rachetables ou classiques

(4.5) $V = \dfrac{D_p}{k}$

où V :   Valeur de l'action privilégiée
      D_p : Dividende privilégié
      k :   Taux de rendement requis par les actionnaires privilégiés.

Actions privilégiées rachetables dans n périodes

$$(4.6) \quad V = D_p \, A_{\overline{n}|k} + P_r (1+k)^{-n}$$

où P_r : Prix de rachat de l'action privilégiée.

Évaluation des actions ordinaires

Modèle général d'évaluation

$$(4.7) \quad V = \sum_{t=1}^{\infty} D_t (1+k)^{-t}$$

où V : Valeur de l'action ordinaire

D_t : Dividende ordinaire qui sera versé à la fin de la période t

k : Taux de rendement requis par les actionnaires ordinaires.

Cas particuliers de l'équation (4.7)

1. Dividende fixe

$$(4.8) \quad V = \frac{D_1}{k}$$

2. Taux de croissance annuel du dividende (g) constant

$$(4.9) \quad V = \frac{D_1}{k-g}$$

où D_1 : Dividende qui sera versé dans un an.

3. Croissance en deux étapes

$$(4.12) \text{ et } (4.14) \quad V = D_1 \left[\frac{1 - \left(\dfrac{1+g_a}{1+k}\right)^N}{k - g_a} \right] + \frac{(1+k)^{-N} D_{N+1}}{k - g_n}$$

$$= D_0 \left[\frac{1 - (1+y)^{-N}}{y} \right] + \frac{(1+y)^{-N}(1+g_n)D_0}{k - g_n}$$

où g_a : Taux de croissance supérieur à la normale du dividende

g_n : Taux de croissance normal du dividende

N : Durée de la période de croissance supérieure à la normale

D_{N+1} : Dividende qui sera versé à la fin de l'année N + 1

y : Taux d'actualisation rajusté $= \dfrac{1+k}{1+g_a} - 1$.

Valeur actualisée des occasions de croissance

$$(4.11) \quad VAOC = V - \frac{BPA_1}{k}$$

4.9   **Exercices**

1.   Vrai ou faux.

a) Si le taux de rendement annuel exigé par les investisseurs est de 14% et que le taux de coupon annuel de l'obligation est de 12%, cette obligation sera vendue à prime.

b) La valeur d'une obligation correspond à la valeur actualisée des paiements d'intérêt.

c) La valeur d'un actif financier correspond à la valeur actualisée des flux monétaires qu'il générera.

d) Le calcul du taux de rendement à l'échéance d'une obligation suppose implicitement que les versements d'intérêt seront, dès leur réception, réinvestis au taux de coupon annuel de l'obligation.

e) La sensibilité du prix d'une obligation aux fluctuations du taux d'intérêt du marché est liée inversement à son échéance.

f) Toutes choses étant égales par ailleurs, plus le taux de coupon d'une obligation est élevé, plus sa valeur est sensible aux fluctuations du taux d'intérêt du marché.

g) Le taux de rendement exigé sur un actif financier est lié inversement au degré de risque qu'il comporte.

h) La valeur d'une action privilégiée classique est directement proportionnelle au taux de rendement exigé par les investisseurs.

i) Si $g = 10\%$, $k = 15\%$ et $D_1 = 2$ \$, la valeur de cette action ordinaire sera alors égale à $2/0,15$.

j) La valeur d'une action ordinaire correspond à la valeur actualisée des dividendes espérés.

k) Le modèle de Gordon suppose que les dividendes sont versés trimestriellement.

l) Le modèle de Gordon suppose que le taux de rendement exigé par les investisseurs (k) est constant et inférieur au taux de croissance anticipé des dividendes (g).

m) Si l'on pose $g_a = g_n$ dans le modèle de croissance en deux étapes (équation 4.12), on obtiendra alors un modèle d'évaluation d'actions identique à celui de Gordon (équation 4.9).

n) Toutes choses étant égales par ailleurs, suite à une hausse du taux de rendement exigé par les investisseurs sur une action, il faut s'attendre à ce que le prix de cette action diminue.

o) Le modèle de croissance en deux étapes ne peut être utilisé pour évaluer une action lorsque $g_a < g_n$.

p) La valeur actualisée des occasions de croissance (VOAC) peut prendre une valeur négative.

2. Quel est le taux de rendement nominal annuel d'un bon du Trésor canadien d'une valeur nominale de 10 000 $ échéant dans 10 semaines si la valeur marchande du titre s'élève à 9 875 $?

3. À quel prix devrait se vendre un bon du Trésor canadien de 10 000 $ échéant dans 80 jours, si le taux de rendement annuel publié dans la presse financière est de 5%?

4. Il y a deux ans, une entreprise a émis des obligations dont le taux de coupon annuel est de 12% et la valeur nominale de 1 000 $. Les intérêts sont payés semestriellement et l'échéance au moment de l'émission des titres était de vingt ans. Présentement, le marché exige un taux de rendement nominal de 16% capitalisé semestriellement sur une obligation de ce genre. Déterminez la valeur du titre.

5. La compagnie Sintek inc. a émis des obligations d'une valeur nominale de 1 000 $ qui viennent à échéance dans 20 ans. Le taux de coupon annuel est de 9% et les intérêts sont payables semestriellement. Si le prix au marché de l'obligation est de 890 $, quel est le taux de rendement effectif annuel exigé par les obligataires?

6. La compagnie Dubuc inc. a actuellement en circulation des obligations possédant les caractéristiques suivantes :

• Valeur nominale : 1 000 $
• Taux de coupon annuel : 10% (les intérêts sont versés semestriellement)
• Échéance : dans 12 ans
• Valeur au marché : 874,50 $

a) Si vous exigez un taux de rendement effectif annuel minimum de 14%, devez-vous acheter des obligations de la compagnie Dubuc inc. à son cours actuel sur le marché?

b) Compte tenu du taux de rendement que vous exigez, quel prix maximum devez-vous payer pour une obligation de la compagnie Dubuc inc.?

c) À quel prix les obligations de la compagnie Dubuc inc. se négocie-ront-elles sur le marché le jour précédant leur date d'échéance?

7. Un investisseur acquiert au prix de 1 000 $ une obligation échéant dans 20 ans, d'une valeur nominale de 1 000 $ et offrant un taux de coupon annuel de 10% (les intérêts sont versés annuellement). Quel taux de rendement (effectif annuel) réalisera-t-il sur son horizon de placement s'il garde le titre jusqu'à sa date d'échéance et réinvestit les intérêts au taux effectif annuel de 10%?

8. Une obligation de 1 000 $, portant intérêt à 12% (les intérêts sont versés le 1er avril et le 1er octobre de chaque année), échoit le 1er octobre 2016. Un investisseur se porte acquéreur de cette obligation le 1er août 2011. Sachant que le taux de rendement nominal capitalisé semestriellement exigé est de 14% et que l'obligation est rachetable à sa valeur nominale, déterminez le montant total de la transaction.

9. Quel est le taux de rendement effectif annuel exigé sur une action privilégiée non rachetable d'une valeur marchande de 32 $ et qui paie un dividende trimestriel de 75 cents (le prochain dividende sera versé dans 3 mois d'ici)?

10. Vous détenez un lot de 100 actions privilégiées de la compagnie Progestion inc. Ces actions sont rachetables dans 5 ans au prix unitaire de 104 $ et le dividende annuel versé s'élève à 10 $. Quel montant total pourriez-vous obtenir aujourd'hui en liquidant ces actions si les investisseurs exigent un rendement annuel de 12% sur ce genre de titre?

11. La compagnie Alpha inc. vient tout juste de verser à ses actionnaires ordinaires un dividende de 2,50 $ par action. En supposant que le taux de rendement annuel exigé par le marché sur ce genre de titre s'élève à 17%, déterminez la valeur de l'action ordinaire de cette compagnie dans chacun des cas suivants :

a) le dividende annuel de 2,50 $ demeurera stable indéfiniment;

b) le dividende augmentera au taux annuel de 10% et ce, indéfiniment;

c) le dividende diminuera de 3% par année et ce, indéfiniment;

d) le dividende croîtra au taux annuel de 14% au cours des 5 prochaines années et, par la suite, il augmentera au taux annuel de 6% et ce, indéfiniment;

e) le dividende croîtra au taux annuel de 17% au cours des 5 prochaines années et, par la suite, il augmentera au taux annuel de 8% et ce, indéfiniment.

12. Vous envisagez l'achat d'actions de la compagnie Iano inc. Vous prévoyez recevoir un dividende de 1,25 $ par action dans un an, de 1,40 $ dans deux ans et de 1,60 $ dans trois ans. Dans trois ans, vous pensez être en mesure de revendre l'action de cette compagnie à 28 $. Compte tenu du risque impliqué, vous exigez un taux de rendement annuel de 16% sur ce genre de titre. Quel prix maximum devriez-vous payer maintenant pour une action de Iano inc.?

13. Il y a 5 ans, Hélène a acheté 100 actions de la compagnie GRW inc. au prix unitaire de 20 $ et les a revendues hier à 38 $ chacune à la Bourse de Toronto. En supposant que cette compagnie ne lui a versé aucun dividende au cours des 5 dernières années, quel taux de rendement effectif annuel a-t-elle réalisé?

14. Il y a 7 ans, vous avez acheté au prix unitaire de 15 $ des actions de la compagnie BXK inc. Aujourd'hui, vous pourriez revendre ces actions au prix unitaire de 25 $. Sachant que la compagnie vient tout juste de vous verser un dividende de 1,50 $ par action, calculez le taux de rendement effectif annuel de votre placement.

15. Les données suivantes sont disponibles concernant la compagnie ANAD inc. :

- Dividende par action prévu pour la prochaine année : 1,30 $
- Bénéfice par action prévu pour la prochaine année : 3 $
- Taux de croissance annuel anticipé des dividendes et des bénéfices : 9%
- Taux de rendement exigé par les investisseurs : 14%.

a) À l'aide du modèle de Gordon, déterminez la valeur intrinsèque de l'action ordinaire de cette compagnie.

b) Déterminez la partie de la valeur de l'action qui est attribuable à la valeur actualisée des occasions de croissance.

c) Toutes choses étant égales par ailleurs, si la croissance anticipée de l'entreprise passait de 9% à 11%, quel serait l'impact de ce changement sur le résultat obtenu en (b)?

Série B

16. Un investisseur achète simultanément deux obligations d'une valeur nominale de 1 000 $ chacune, de même risque et de même échéance. Le taux de rendement exigé par le maché sur ce genre de titre est de 12% capitalisé semestriellement. Le taux de coupon annuel de la première obligation est de 10% (les intérêts sont versés semestriellement) et le prix payé pour le titre est de 849,54 $. Quant à la seconde obligation, son taux de coupon annuel est de 8% (les intérêts sont versés semestriellement). Déterminez le prix payé pour la seconde obligation.

17. Un investisseur achète pour 1 000 $ une obligation échéant dans 20 ans, d'une valeur nominale de 1 000 $ et offrant un taux de coupon annuel de 10% (les intérêts sont versés semestriellement). Quel taux de rendement (effectif annuel) réalisera-t-il sur son horizon de placement s'il garde le titre jusqu'à l'échéance et réinvestit les intérêts à 4% par semestre?

18. Un investisseur acquiert au prix de 970 $ une obligation échéant dans 12 ans, d'une valeur nominale de 1 000 $ et offrant un taux de coupon annuel de 7% (les intérêts sont versés semestriellement). Quel taux de rendement (effectif annuel) réalisera-t-il sur son horizon de placement s'il garde le titre jusqu'à l'échéance et réinvestit les intérêts au taux semestriel de 2% pour les trois premières années et à 4% par semestre par la suite?

19. Il y a six mois, Karine a suivi les recommandations de son courtier et a acquis 30 débentures de SWK inc. au prix unitaire de 978 $ USD. Au moment de l'achat, le taux de change était 1$ CDN = 0,68 $ USD (ce taux n'a pas varié depuis 6 mois). Les principales caractéristiques des titres achetés peuvent se résumer ainsi :

1. Valeur nominale : 1 000 $
2. Taux de coupon annuel : 9% (les intérêts sont versés semestriellement)

3. Échéance au moment de la date d'achat : 2 ans

4. Valeur marchande actuelle : 928,88 $ USD

5. Karine estime être en mesure de réinvestir les intérêts reçus de la compagnie SWK inc. dans des véhicules de placement canadiens dont le taux de rendement effectif annuel s'élève à 7%. Elle vient tout juste de recevoir son premier versement d'intérêts.

Selon un analyste réputé, le taux de change devrait évoluer ainsi au cours des prochains semestres :

- Dans 6 mois :   1 $ CDN = 0,70 $ USD
- Dans un an :   1 $ CDN = 0,71 $ USD
- Dans 18 mois :   1 $ CDN = 0,72 $ USD
- Dans deux ans :   1 $ CDN = 0,74 $ USD

Déterminez le rendement annuel prévu sur l'horizon de placement de deux ans des débentures de Karine.

20. Vous venez d'acheter un lot de 100 actions privilégiées de la compagnie SIP inc. au prix unitaire de 20 $. Cette compagnie verse habituellement à ses actionnaires privilégiés un dividende trimestriel de 0,50 $ par action. Le prochain dividende sera versé dans 3 mois d'ici. En supposant que ces actions seront revendues dans 3 ans au prix unitaire de 22 $ et que les dividendes seront réinvestis à un taux d'intérêt trimestriel de 2%, quel taux de rendement (effectif annuel) réaliserez-vous sur l'ensemble de ces transactions?

21. Les actions ordinaires de la compagnie Beauclair inc. se transigent actuellement à 20 $ à la Bourse de Toronto. La compagnie vient tout juste de distribuer à ses actionnaires un dividende annuel par action de 1,50 $. La plupart des analystes financiers s'attendent à ce que cette compagnie versent les dividendes suivants au cours des prochaines années :

$$D_1 = 1,50 \cdot (1 + 0,10)$$
$$D_2 = D_1 \cdot (1 + 0,08)$$
$$D_3 = D_2 \cdot (1 + 0,06)$$
$$D_4 = D_3 \cdot (1 + 0,04)$$

À partir de la cinquième année, le dividende de fin d'année sera de $D_4 \cdot (1+0,02)$ et ce, jusqu'à l'infini. Compte tenu du risque impliqué, le rendement annuel exigé par les investisseurs sur ce genre de titre est de 14%. Présentement, l'action ordinaire de Beauclair inc. est-elle surévaluée, sous-évaluée ou correctement évaluée par le marché?

22. Les actionnaires ordinaires de l'entreprise Arima inc. exigent un rendement annuel de 14%. Le dernier dividende versé par cette compagnie à ses actionnaires ordinaires a été de 2 $ par action. Quelle est la valeur de l'action si l'on prévoit que les deux prochains dividendes annuels seront respectivement de 2,20 $ et de 2,42 $ par action et que, par la suite, le dividende annuel se maintiendra indéfiniment à 2,50 $ par action?

23. Amusatex inc. vient tout juste de verser à ses actionnaires ordinaires un dividende de 1,70 $ par action. Selon les analystes financiers, le dividende devrait croître indéfiniment à un taux annuel compris entre 6% et 7%. Ces mêmes analystes pensent que les investisseurs exigent un rendement annuel compris entre 12% et 14% sur les actions ordinaires de cette compagnie. En se basant sur les anticipations des analystes, quels prix minimum et maximum peut-on s'attendre à payer pour les actions de la compagnie Amusatex inc.?

24. Les actionnaires ordinaires de la compagnie TEC inc. exigent un taux de rendement annuel de 15%. TEC inc. vient tout juste de verser un dividende de 2 $ par action. Que vaut une action de cette compagnie si l'on prévoit que les trois prochains dividendes annuels seront de 2,20 $ par action et que, par la suite, le dividende annuel augmentera au rythme de 8% par année et ce, indéfiniment?

25. Les actions ordinaires de la compagnie BMK inc. se transigent actuellement à 30 $ l'unité à la Bourse de Toronto. La compagnie vient tout juste de distribuer à ses actionnaires ordinaires un dividende annuel de 2 $ par action. Pour les années à venir, les dividendes prévus sont les suivants :

$$D_1 = 2 \cdot (1 + 0,15)$$

$$D_2 = D_1 \cdot (1 + 0,12)$$

$$D_3 = D_2 \cdot (1 + 0,09)$$

À partir de la quatrième année, le dividende de fin d'année sera $D_3(1+0,06)$ et ce, jusqu'à l'année 10 inclusivement. Finalement, à partir de l'année 11, on estime que le dividende de fin d'année sera de 2,50 $ et ce, jusqu'à l'infini. Le rendement annuel exigé par les investisseurs sur ce genre de titre est de 15%. Présentement, l'action ordinaire de BMK est-elle surévaluée, sous-évaluée ou correctement évaluée par le marché?

26. Le 1er septembre 2011, un investisseur achète 10 actions au prix unitaire de 80 $. Il recevra à la fin de chaque trimestre, à partir du 30 novembre 2011, un dividende de 2 $ par action et ce, jusqu'au 31 août 2015. Ces dividendes seront, dès leur réception, réinvestis dans un fonds rapportant un taux nominal de 10% capitalisé semestriellement. De façon à réaliser un taux de rendement effectif annuel de 12%, à quel prix doit-il revendre ses actions le 1er septembre 2015?

27. La compagnie ABI inc. vient de verser à ses actionnaires ordinaires un dividende de 0,80 $ par action. La plupart des analystes financiers prévoient pour cette compagnie trois étapes de croissance qui se caractérisent ainsi (voir le tableau de la page suivante) :

Étape	Durée (en années)	Taux de croissance du dividende (%/année)	Taux de rendement annuel exigé par les investisseurs
1	6	20%	15%
2	8	15%	15%
3	infinie	6%	15%

Sur les marchés boursiers, l'action de cette compagnie se transige actuellement à 20 $. Est-elle surévaluée ou sous-évaluée? Justifiez votre réponse.

28. Il y a quelques jours, la compagnie ADP inc. a versé à ses actionnaires ordinaires un dividende de 0,60 $ par action. La plupart des analystes financiers anticipent que le dividende par action de cette compagnie devrait croître au taux annuel de 20% au cours des 6 prochaines années. À partir de l'année 7, le dividende par action est susceptible d'augmenter au taux annuel de 15% et ce, jusqu'à l'année 14 inclusivement. Finalement, à partir de l'année 15, le dividende par action devrait s'apprécier au rythme annuel de 4% et ce, indéfiniment. En ce qui a trait au taux de rendement exigé par les actionnaires, les analystes suggèrent d'utiliser un taux annuel de 15% pour les 6 prochaines années et de 8% à partir de l'année 7 et ce, jusqu'à l'infini. Sur les marchés boursiers, l'action de ADP inc. se négocie à 25 $. S'agit-il d'un placement intéressant?

29. La compagnie MAD inc. vient de distribuer à ses actionnaires ordinaires un dividende de 0,70 $ par action. La plupart des analystes financiers prévoient pour cette compagnie quatre étapes de croissance qui peuvent se résumer comme suit :

Étape	Durée (en années)	Taux de croissance du dividende (%/année)	Taux de rendement annuel exigé par les investisseurs
1	6	-6%	15%
2	5	0%	15%
3	9	10%	15%
4	infinie	14%	15%

a) L'action de cette compagnie se transige actuellement à 15 $ sur les marchés financiers. Est-elle surévaluée ou sous-évaluée? Justifiez votre réponse.

b) Toutes choses étant égales par ailleurs, quel serait l'impact (augmentation, diminution, aucun effet) de chacun des faits suivants sur la valeur de l'action :

1. le taux de rendement exigé par les investisseurs passe à 17%;
2. pour la deuxième étape de croissance, le dividende croîtra au rythme annuel de 5%;

3. pour la quatrième étape de croissance, le dividende augmentera de 15% par année.

Annexe 1 - Gestion financière avec Excel

La courbe prix-rendement d'une obligation

En utilisant les données de l'exemple 4.3 de la page 105, nous montrons, dans la présente annexe, comment déterminer la valeur d'une obligation en ayant recours au tableur Excel. Nous indiquons également la démarche à suivre pour générer la courbe prix-rendement d'une obligation.

Caractéristiques d'une obligation

Les variables qui exercent une influence sur la valeur du titre apparaissent dans les cellules de la colonne A (taux de coupon semestriel (A3), valeur nominale (A4), échéance (A5) et taux de rendement périodique exigé (A6)). Pour leur part, les cellules de la colonne B (B3 à B6) indiquent les valeurs que prennent les variables impliquées.

	A	B
1	**La courbe prix-rendement d'une obligation**	
2	**Exemple 4.3 de la page 105**	
3	Coupon semestriel de l'obligation	45 $
4	Valeur nominale	1 000 $
5	Échéance (en semestres)	24
6	Taux de rendement périodique exigé	0,05
7	Valeur de l'obligation (question a)	931,01 $

Calcul de la valeur de l'obligation

La valeur de ce titre (931,01$) est indiquée dans la cellule B7. Elle s'obtient à l'aide de la formule suivante: VA(B6; B5; -B3) + B4 * (1 + B6) ^ - B5. L'expression VA (B6; B5; -B3) correspond à la valeur actualisée des coupons d'intérêt de l'obligation, soit $45A_{\overline{24}|5\%}$. Quant à l'expression B4 * (1 + B6) ^ -5, elle représente la valeur actualisée du remboursement de capital, soit $1000(1 + 0,05)^{-24}$.

	A	B
1	**La courbe prix-rendement d'une obligation**	
2	**Exemple 4.3 de la page 105**	
3	Coupon semestriel de l'obligation	45 $
4	Valeur nominale	1 000 $
5	Échéance (en semestres)	24
6	Taux de rendement périodique exigé	0,05
7	Valeur de l'obligation (question a)	=VA(B6;B5;-B3)+B4*(1+B6)^-B5

Valeur de l'obligation en fonction du taux d'actualisation

Le tableau ci-dessous montre la valeur de l'obligation en fonction du taux de rendement exigé par les investisseurs.

	A	B
9	**Taux de rendement nominal, capitalisé semestriellement, exigé**	**Valeur de l'obligation**
10	1%	1 902,51 $
11	2%	1 743,52 $
12	3%	1 600,91 $
13	4%	1 472,85 $
14	5%	1 357,70 $
15	6%	1 254,03 $
16	7%	1 160,58 $
17	8%	1 076,23 $
18	9%	1 000,00 $
19	10%	931,01 $
20	11%	868,48 $
21	12%	811,74 $
22	13%	760,19 $
23	14%	713,27 $
24	15%	670,51 $
25	16%	631,49 $
26	17%	595,84 $
27	18%	563,20 $
28	19%	533,29 $

Pour générer rapidement ces différentes valeurs, il s'agit simplement de suivre les étapes suivantes :

1. Entrer, dans la cellule A10, la valeur du premier taux d'actualisation utilisé, soit 1%.

2. Calculer, à l'aide de l'expression apparaissant dans la cellule B10, la valeur de l'obligation en supposant que le taux de rendement nominal, capitalisé semestriellement, exigé par les investisseurs s'élève à 1%.

	A	B
9	**Taux de rendement nominal, capitalisé semestriellement, exigé**	**Valeur de l'obligation**
10	0,01	=VA(A10/2;$B$5;-$B$3)+$B$4*(1+A10/2)^-$B$5
11	0,02	1 743,52 $
12	0,03	1 600,91 $
13	0,04	1 472,85 $
14	0,05	1 357,70 $
15	0,06	1 254,03 $

3. Entrer, dans la cellule A11, un taux d'actualisation de 2%. Les valeurs subséquentes du taux d'actualisation sont obtenues à l'aide de l'*Incrémentation d'une série*.

4. L'*Incrémentation d'une série* permet de générer la valeur de l'obligation pour tous les taux d'actualisation indiqués dans la colonne A.

Courbe prix-rendement

En utilisant les données du tableau précédent, nous avons représenté l'évolution du prix de l'obligation en fonction du taux de rendement exigé par les investisseurs. Pour créer cette courbe avec Excel, vous devez d'abord sélectionner les données (cellules A10 à B28). Cliquez sur l'onglet *Insertion* et par la suite, choisir le type de graphique désiré (nous avons sélectionné *Nuage de points avec courbes lissées et marqueurs*).

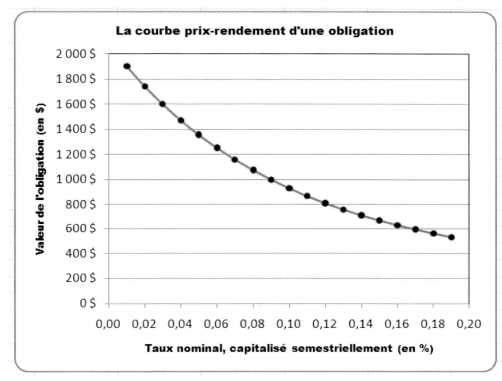

Annexe 2 - Gestion financière avec Excel

Le modèle de croissance en deux étapes

À partir des données de l'exemple 4.11 de la page 128, nous montrons, dans un premier temps, comment déterminer la valeur d'une action ordinaire à l'aide du tableur Excel lorsque la croissance des dividendes s'effectue en deux étapes. Par la suite, en activant l'onglet *Données* et en choisissant la fonctionnalité *Valeur cible* dans le menu déroulant *Analyse des scénarios*, nous indiquons la démarche à suivre pour déterminer la valeur du taux de rendement exigé par les investisseurs qui rend nulle la VAN de l'investissement.

Calcul de la valeur intrinsèque de l'action et de la VAN de l'investissement

La feuille de calcul Excel servant au calcul de la valeur intrinsèque de l'action ordinaire et de la VAN de l'investissement est présentée ci-après. Nous indiquons plus loin les formules requises pour générer ces résultats.

	A	B
1	**Modèle de croissance en deux étapes**	
2	**Exemple 4.11 de la page 128**	
3	Dividende le plus récent versé par la compagnie (D_0)	1,00 $
4	Taux de croissance supérieur à la normale du dividende (g_a)	0,25
5	Dividende prévu dans un an	1,25 $
6	Taux de croissance normal du dividende (g_n)	0,1
7	Période de croissance anormale (en années)	5
8	Dividende prévu au début de l'année N + 1	3,36 $
9	Taux de rendement annuel exigé par les investisseurs (k)	0,15
10	Valeur actualisée des dividendes versés pendant la période de croissance anormale	6,47 $
11	Valeur actualisée des dividendes versés pendant la période de croissance normale	33,38 $
12	Valeur intrinsèque de l'action	39,85 $
13	Cours actuel de l'action à la Bourse	35 $
14	VAN de l'investissement	4,85 $

Les variables qui déterminent la valeur intrinsèque de l'action apparaissent dans les cellules A3 à A9 (dividende le plus récent versé par la compagnie (A3), taux de croissance supérieur à la normale du dividende (A4), dividende prévu dans un an (A5), taux de croissance normal du dividende (A6), période de croissance anormale (A7), dividende prévu au début de l'année N + 1 (A8) et taux de rendement annuel exigé par les investisseurs (A9)). Pour leur part, les cellules B3 à B9 indiquent les valeurs des variables concernées.

Formules requises

	A	B
1	**Modèle de croissance en deux étapes**	
2	**Exemple 4.11 de la page 128**	
3	Dividende le plus récent versé par la compagnie (D_0)	1,00 $
4	Taux de croissance supérieur à la normale du dividende (g_a)	0,25
5	Dividende prévu dans un an	=$B$3*(1+$B$4)
6	Taux de croissance normal du dividende (g_n)	0,1
7	Période de croissance anormale (en années)	5
8	Dividende prévu au début de l'année N + 1	=$B$3*(1+$B$4)^$B$7*(1+$B$6)
9	Taux de rendement annuel exigé par les investisseurs (k)	0,15
10	Valeur actualisée des dividendes versés pendant la période de croissance anormale	=$B$5*(((1-((1+$B$4)/(1+$B$9))^5)/($B$9-$B$4)))
11	Valeur actualisée des dividendes versés pendant la période de croissance normale	=((1+$B$9)^-$B$7*$B$8)/($B$9-$B$6)
12	Valeur intrinsèque de l'action	=$B$10+$B$11
13	Cours actuel de l'action à la Bourse	35 $
14	VAN de l'investissement	=$B$12-$B$13

Le calcul de la valeur intrinsèque de l'action (39,85 $) est effectué dans la cellule B12. Ce résultat correspond à la somme des valeurs indiquées dans les cellules B10 et B11. L'expression qui apparaît dans la cellule B10 équivaut à la valeur actualisée des dividendes qui seront versés pendant la période de croissance anormale, soit

$$D_1 \left[\frac{1 - \left(\dfrac{1+g_a}{1+k} \right)^N}{k - g_a} \right].$$ Quant à la formule figurant dans la cellule B11, elle permet de calculer la valeur actualisée au temps 0 des dividendes qui seront distribués pendant la période de croissance normale. Elle équivaut à $\dfrac{(1+k)^{-N} D_{N+1}}{k - g_n}$. Finalement, la VAN de l'investissement (B12 - B13) représente l'écart entre la valeur intrinsèque de l'action et son cours boursier actuel.

Recherche d'une valeur spécifique à l'aide de la fonctionnalité Valeur cible

La fonctionnalité *Valeur cible* permet de spécifier un résultat pour une cellule contenant une formule (la cible, ici, c'est la VAN de l'investissement) ainsi qu'une cellule d'entrée qui doit être modifiée (dans cet exemple, cette cellule correspond au taux de rendement annuel exigé par les investisseurs) afin que la cible atteigne la valeur souhaitée.

Étapes à suivre

1. Sélectionnez la cellule cible B14 (cellule qui contient la formule de la VAN de l'investissement).

2. Activez l'onglet *Données*, cliquez sur *Analyse des scénarios* et sélectionnez dans le menu déroulant *Valeur cible*. La boîte de dialogue s'affiche alors à l'écran. Il est à noter que la zone *Cellule à définir* contient la cellule sélectionnée en 1.

3. Dans la zone *Valeur à atteindre*, entrez la valeur que vous désirez obtenir. Dans cet exemple, on veut que la VAN de l'investissement soit nulle. On doit, par conséquent, taper 0.

4. Dans la zone *Cellule à modifier*, sélectionnez la référence de la cellule d'entrée (ici, il s'agit de la cellule contenant le taux de rendement annuel exigé par les investisseurs, soit B9).

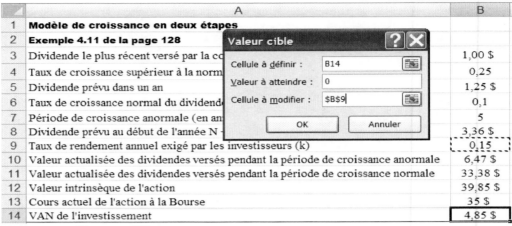

	A	B
1	**Modèle de croissance en deux étapes**	
2	**Exemple 4.11 de la page 128**	
3	Dividende le plus récent versé par la co	1,00 $
4	Taux de croissance supérieur à la norm	0,25
5	Dividende prévu dans un an	1,25 $
6	Taux de croissance normal du dividend	0,1
7	Période de croissance anormale (en an	5
8	Dividende prévu au début de l'année N	3,36 $
9	Taux de rendement annuel exigé par les investisseurs (k)	0,15
10	Valeur actualisée des dividendes versés pendant la période de croissance anormale	6,47 $
11	Valeur actualisée des dividendes versés pendant la période de croissance normale	33,38 $
12	Valeur intrinsèque de l'action	39,85 $
13	Cours actuel de l'action à la Bourse	35 $
14	VAN de l'investissement	4,85 $

5. Cliquez sur OK

La fonctionnalité *Valeur cible* se met à substituer les valeurs d'entrée dans la cellule B9 pour atteindre la valeur cible la plus proche de celle que vous avez demandée. Une fois que la *Valeur cible* a trouvé une solution, cliquez sur OK pour remplacer les valeurs dans la feuille de calcul d'origine par les nouvelles valeurs. Si vous voulez arrêter le processus d'itérations, cliquez sur *Annuler*. Les résultats obtenus sont présentés ci-dessous. On observe que le taux de rendement exigé par les actionnaires pour lequel la valeur intrinsèque de l'action correspond à son prix en Bourse s'élève à 15,66%.

Pour obtenir des précisions additionelles concernant l'utilisation de la fonctionnalité *Valeur cible*, consultez, au besoin, l'annexe au chapitre 8.

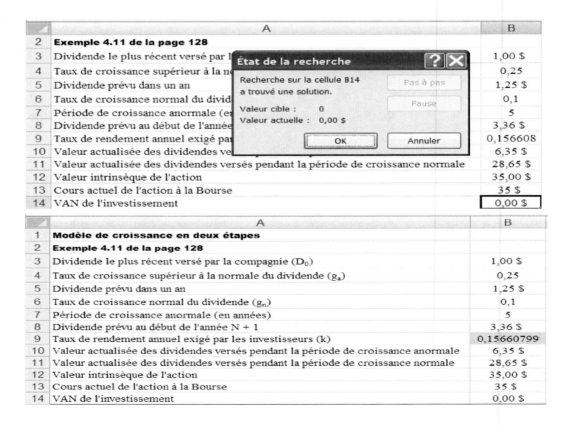

	A	B
2	**Exemple 4.11 de la page 128**	
3	Dividende le plus récent versé par l	1,00 $
4	Taux de croissance supérieur à la n	0,25
5	Dividende prévu dans un an	1,25 $
6	Taux de croissance normal du divid	0,1
7	Période de croissance anormale (e	5
8	Dividende prévu au début de l'anné	3,36 $
9	Taux de rendement annuel exigé pa	0,156608
10	Valeur actualisée des dividendes ve	6,35 $
11	Valeur actualisée des dividendes versés pendant la période de croissance normale	28,65 $
12	Valeur intrinsèque de l'action	35,00 $
13	Cours actuel de l'action à la Bourse	35 $
14	VAN de l'investissement	0,00 $

	A	B
1	**Modèle de croissance en deux étapes**	
2	**Exemple 4.11 de la page 128**	
3	Dividende le plus récent versé par la compagnie (D_0)	1,00 $
4	Taux de croissance supérieur à la normale du dividende (g_a)	0,25
5	Dividende prévu dans un an	1,25 $
6	Taux de croissance normal du dividende (g_n)	0,1
7	Période de croissance anormale (en années)	5
8	Dividende prévu au début de l'année N + 1	3,36 $
9	Taux de rendement annuel exigé par les investisseurs (k)	0,15660799
10	Valeur actualisée des dividendes versés pendant la période de croissance anormale	6,35 $
11	Valeur actualisée des dividendes versés pendant la période de croissance normale	28,65 $
12	Valeur intrinsèque de l'action	35,00 $
13	Cours actuel de l'action à la Bourse	35 $
14	VAN de l'investissement	0,00 $

Chapitre 5
La relation risque-rendement

Sommaire

5

Lorsque vous aurez complété l'étude du chapitre 5,

1. vous serez apte à calculer le rendement périodique d'un titre;

2. vous pourrez estimer le rendement espéré et le risque d'un titre à partir des probabilités subjectives ou des rendements passés;

3. vous serez en mesure de calculer et d'interpréter la covariance et le coefficient de corrélation entre les rendements de deux titres;

4. vous serez capable de déterminer le rendement espéré et le risque d'un portefeuille composé de deux ou plusieurs titres;

5. vous pourrez calculer et interpréter la valeur à risque (VaR) d'un portefeuille d'actifs;

6. vous saurez ce qu'est un portefeuille efficient;

7. vous serez sensibilisé à l'importance de la diversification et saurez que, plus le coefficient de corrélation entre les rendements des titres est petit, plus l'effet de diversification est prononcé;

8. vous aurez compris de quelle façon s'effectue le choix d'un portefeuille optimal dans les deux contextes suivants : (1) l'investisseur ne peut placer ses capitaux que dans des titres risqués et (2) l'investisseur a la possibilité de placer une partie des fonds disponibles dans un titre sans risque;

9. vous connaîtrez l'équation de la CML (*Capital Market Line*) et pourrez l'appliquer aux portefeuilles parfaitement diversifiés;

10. vous serez capable de faire la distinction entre le risque systématique et le risque non systématique d'un titre ou d'un portefeuille;

11. vous serez en mesure d'estimer le coefficient bêta d'un titre ou d'un portefeuille;

12. vous serez apte à déterminer le rendement espéré, à l'équilibre, d'un titre ou d'un portefeuille à l'aide du modèle d'équilibre des actifs financiers (CAPM) et à identifier les titres incorrectement évalués selon ce modèle;

13. vous aurez compris que dans le contexte du CAPM la mesure pertinente du risque est le risque systématique;

14. vous saurez utiliser la calculatrice SHARP EL-738 pour effectuer certains calculs statistiques (rendement espéré, risque total et coefficient bêta d'un titre, covariance et coefficient de corrélation entre les rendements de deux titres).

5.1   Introduction

Dans la plupart des décisions d'investissement d'une entreprise ou d'un épargnant, le facteur risque est présent. Ainsi, lorsqu'une entreprise décide de lancer un nouveau produit sur le marché, on ne peut prévoir avec certitude, au départ, quels seront les flux monétaires annuels générés par cet investissement. De même, un épargnant qui acquiert des actions d'une compagnie s'expose à un risque, puisqu'il n'est pas certain que le taux de rendement qu'il réalisera sur son placement sera conforme à ses anticipations.

Dans ce chapitre, nous abordons la notion de risque du point de vue d'un investisseur détenant des valeurs mobilières. Dans un premier temps, nous discutons des différentes mesures de rendement et de risque applicables aux titres individuels et aux portefeuilles d'actifs financiers. Par la suite, nous montrons que, par l'intermédiaire de la diversification (c.-à-d. la détention d'un certain nombre de titres dont les rendements sont imparfaitement synchronisés), un investisseur peut réduire de façon importante le risque associé aux titres individuels. En troisième lieu, nous abordons la sélection d'un portefeuille optimal de valeurs mobilières, en insistant particulièrement sur ce qu'il est convenu d'appeler dans la littérature financière le modèle moyenne-variance ou modèle de Markowitz. Finalement, nous présentons la relation qui devrait exister, dans des conditions idéales, entre le risque et le rendement espéré des actifs financiers. Cette relation d'équilibre est connue dans la littérature financière sous le nom de CAPM ou *Capital Asset Pricing Model*.

Plusieurs des notions discutées dans ce chapitre seront utilisées au chapitre 8 lorsqu'on abordera la décision d'investissement en actifs réels de l'entreprise en contexte de risque et au chapitre 11 où l'on procédera à l'estimation de son coût du capital.

5.2   Mesure du rendement

5.2.1 Rendement périodique d'un titre

Rendement périodique
Une mesure du changement relatif de la richesse de l'investisseur au cours d'une certaine période de temps

Le rendement périodique (quotidien, hebdomadaire, mensuel, annuel, etc.) d'un titre (R_t) se calcule ainsi :

$$R_t = \frac{(P_t - P_{t-1}) + D_t}{P_{t-1}} \tag{5.1}$$

où P_t : Prix du titre à la fin de la période t
     P_{t-1} : Prix du titre à la fin de la période t - 1
     D_t : Dividende (s'il s'agit d'une action) ou intérêt (s'il s'agit d'une obligation) reçu pendant la période t.

L'expression (5.1) suppose que le titre est acheté à la fin de la période t-1, vendu à la fin de la période t et que les dividendes ou intérêts sont perçus à la fin de la période t. De plus, les frais de transaction et les impôts sont ignorés dans le calcul.

Exemple 5.1   **Calcul du rendement périodique d'une action**

Les renseignements suivants sont disponibles concernant l'action ordinaire de la Banque Nationale :
• Prix à la fin de l'année 2008 : 18,50 $
• Prix à la fin de l'année 2009 : 26,60 $
• Dividende par action versé pendant l'année 2009 : 0,75 $.

Déterminez le taux de rendement de cette action pour l'année 2009.

Solution

À l'aide de l'expression (5.1), on obtient :

$$R_{2009} = \frac{(26,60 - 18,50) + 0,75}{18,50} = 47,84\%$$

L'expression (5.1) sert à mesurer le rendement passé (ou ex post) d'un titre au cours d'une période donnée. Toutefois, ce qui intéresse surtout l'investisseur qui acquiert maintenant des actions d'une certaine compagnie, c'est le rendement auquel il peut s'attendre pour l'avenir et la dispersion possible autour du rendement espéré. Dans ces conditions, il convient de discuter des approches auxquelles on peut avoir recours pour évaluer le rendement espéré d'un titre (voir la section suivante) et le risque d'un titre (voir la section 5.3.1).

5.2.2 Rendement espéré d'un titre

Le rendement que réalisera un investisseur sur un placement donné est généralement incertain. Par exemple, on ne peut prévoir avec certitude le rendement que réalisera au cours de la prochaine année celui qui achète maintenant un lot de 100 actions de Bombardier. En fait, les taux de rendement possibles sont très nombreux. Dans ces conditions, on peut vouloir résumer l'éventail des rendements possibles par une mesure de tendance centrale (l'espérance mathématique) et une mesure de dispersion (l'écart-type). En posant l'hypothèse que les rendements des titres sont normalement distribués, ces deux paramètres résument adéquatement l'information contenue dans la distribution de probabilité associée aux rendements possibles.

Pour évaluer le rendement espéré d'un titre [E(R)], il existe deux façons de procéder. Une première approche consiste à attribuer à chacun des rendements possibles (R_k) une probabilité d'occurence (P_k). Dans ce cas, la formule à utiliser est la suivante :

$$E(R) = P_1R_1 + P_2R_2 + ... + P_nR_n = \sum_{k=1}^{n} P_kR_k \tag{5.2}$$

où　R_k : Rendement du titre selon la conjoncture économique k
　　P_k : Probabilité d'occurence de la conjoncture k
　　n　: Nombre de conjonctures possibles.

Le rendement espéré d'un titre est donc la moyenne pondérée des différents rendements possibles où les facteurs de pondération sont les probabilités.

Remarque. Comme il s'agit d'une distribution de probabilité, on doit s'assurer que la somme des probabilités (c.-à-d. $\sum_{k=1}^{n} P_k$) donne 1.

Si l'on s'attend à ce que la distribution des taux de rendement passés soit maintenue dans le futur, le rendement espéré peut être estimé par la moyenne arithmétique des rendements réalisés au cours des périodes précédentes. La formule à utiliser est alors :

$$E(R) = \overline{R} = \frac{R_1 + R_2 + ... + R_n}{n} = \frac{\sum_{t=1}^{n} R_t}{n} \tag{5.3}$$

où $\overline{R}$: Moyenne arithmétique des rendements espérés

       R_t : Rendement observé du titre à la période t (t varie de 1 à n)

       n   : Nombre de rendements considérés dans l'échantillon pour calculer $\overline{R}$ et estimer E(R).

Remarque. Pour estimer E(R) à l'aide des données historiques, il est de pratique courante d'utiliser des suites de 60 rendements mensuels (c.-à-d. 5 années d'expérience boursière). Toutefois, pour simplifier nos exemples, nous n'aurons recours qu'à 5 ou 6 observations annuelles.

5.2.3 Rendement espéré d'un portefeuille

Plutôt que d'investir la totalité de leur richesse dans un seul titre, les épargnants ont coutume de la répartir dans plusieurs valeurs mobilières dont les rendements ne sont pas parfaitement synchronisés et ce, afin de réduire de façon importante le risque associé à la détention d'un seul actif. Dans un tel contexte, il convient de montrer comment calculer le rendement espéré d'un portefeuille de valeurs mobilières.

Le rendement espéré d'un portefeuille ($E(R_p)$) correspond simplement à la moyenne pondérée des rendements espérés des titres inclus dans le portefeuille, soit :

$$E(R_p) = x_1 E(R_1) + x_2 E(R_2) + ... + x_n E(R_n) = \sum_{i=1}^{n} x_i E(R_i) \tag{5.4}$$

où x_i :   Proportion des fonds investis dans le titre i

       n :   Nombre de titres inclus dans le portefeuille

       $E(R_i)$: Rendement espéré du titre i.

Remarques. 1. La somme des pondérations (c.-à-d. $\sum_{i=1}^{n} x_i$) doit toujours égaler 1.

2. La valeur de x_i peut être positive ou négative. Lorsqu'un investisseur achète un titre, la valeur de x_i est positive. Dans le cas d'un emprunt, x_i prend une valeur négative. Pour un achat, la valeur de x_i est obtenue de la façon suivante :

$$x_i = \frac{\text{Montant investi dans le titre i}}{\text{Capital de l'investisseur placé dans le portefeuille}}$$

S'il s'agit d'un emprunt, x_i vaut : $x_i = \dfrac{-\text{Montant emprunté}}{\text{Capital de l'investisseur placé dans le portefeuille}}$

3. Lorsqu'un investisseur n'achète qu'un seul titre (le titre i) et que celui-ci est acheté sur marge (c.-à-d. en partie avec de l'argent emprunté), la valeur de x_i sera alors supérieure à 1, puisque le montant placé dans le titre i sera supérieur à la mise de fonds personnelle de l'investisseur.

Exemple 5.2 | **Calcul du rendement espéré d'un portefeuille**

Un investisseur, disposant d'un capital de 10 000 $, désire se constituer un portefeuille à partir des titres A et B. Pour la période à venir, les estimations suivantes sont disponibles relativement aux rendements espérés des titres :

$E(R_A) = 10\%$, $E(R_B) = 25\%$ et

$$r = \frac{\text{Taux auquel l'investisseur peut emprunter de}}{\text{son courtier en donnant les titres en garantie}} = 12\%$$

Déterminez, dans chacun des cas suivants, le rendement espéré du portefeuille :

a) l'investisseur place 4 000 $ dans le titre A et 6 000 $ dans le titre B;
b) l'investisseur emprunte 5 000 $ à son courtier et place 15 000 $ dans le titre B.

Solution

a) À l'aide de l'expression (5.4), le rendement espéré du portefeuille se calcule ainsi :

$$E(R_p) = x_A \cdot E(R_A) + x_B \cdot E(R_B)$$

$$E(R_p) = \left(\frac{4\ 000}{10\ 000}\right)(0,10) + \left(\frac{6\ 000}{10\ 000}\right)(0,25) = 19\%$$

b) Dans ce cas, il faut considérér dans le calcul le coût des fonds empruntés. Le rendement espéré du portefeuille correspond alors à la moyenne pondérée du taux de rendement du tire B et du taux auquel les fonds sont empruntés au courtier. On peut donc écrire :

$$E(R_p) = x_B E(R_B) + x_s \cdot r$$

$$\text{où } x_s = \frac{-\text{Montant emprunté au courtier}}{\text{Capital de l'investisseur placé dans le portefeuille}}$$

En effectuant les substitutions appropriées, on obtient :

$$E(R_p) = \left(\frac{15\ 000}{10\ 000}\right)(0,25) + \left(\frac{-5\ 000}{10\ 000}\right)(0,12) = 31,50\%$$

5.3   Mesure du risque

5.3.1   Mesure du risque d'un titre

Risque
Probabilité que le rendement réel d'un placement s'écarte de celui espéré. Plus l'éventail des rendements possibles d'un placement est large, plus ce dernier comporte un risque élevé.

Le taux de rendement espéré ne suffit pas, à lui seul, à caractériser une occasion d'investissement. Il faut également considérer la dispersion possible autour du rendement espéré. L'écart-type (ou son carré, la variance) constitue la mesure de dispersion la plus utilisée en finance. Ce paramètre statistique est symbolisé par la lettre grecque σ.

Pour déterminer la variance du taux de rendement d'un titre, on peut, sur une base subjective, attribuer à chacun des rendements possibles une probabilité de réalisation ou utiliser une suite de rendements historiques. Si l'on procède à partir des probabilités subjectives, la formule à utiliser est alors :

$$\sigma^2(R) = P_1[R_1 - E(R)]^2 + P_2[R_2 - E(R)]^2 + \dots + P_n[R_n - E(R)]^2$$

$$= \sum_{k=1}^{n} P_k[R_k - E(R)]^2 \qquad (5.5)$$

où $\sigma^2(R)$: Variance du taux de rendement du titre

R_k : Rendement du titre selon la conjoncture k

P_k : Probabilité d'occurence de la conjoncture k

n : Nombre de conjonctures possibles.

Une faible valeur de la variance indique que la plupart des rendements possibles d'un placement sont concentrés à proximité de l'espérance mathématique et que, par conséquent, il comporte un faible risque (voir la figure 5.1a). Inversement, une variance élevée indique que la plupart des rendements possibles d'un placement sont éloignés de l'espérance mathématique et que, par conséquent, il présente un risque élevé (voir la figure 5.1b). Notons finalement que lorsque la variable est nulle, cela signifie que le placement en cause est exempt de risque (voir la figure 5.1c).

Figure 5.1 **Distributions du rendement de différents types de placement**

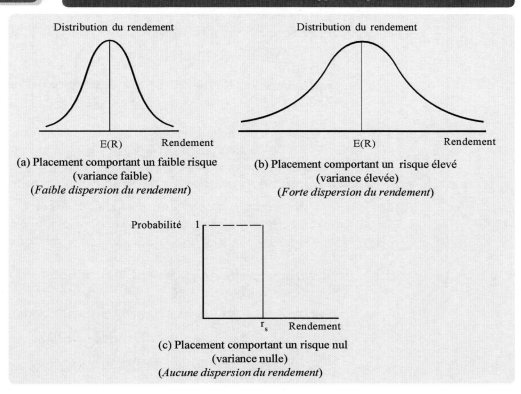

(a) Placement comportant un faible risque
(variance faible)
(*Faible dispersion du rendement*)

(b) Placement comportant un risque élevé
(variance élevée)
(*Forte dispersion du rendement*)

(c) Placement comportant un risque nul
(variance nulle)
(*Aucune dispersion du rendement*)

Exemple 5.3 | **Calcul du risque d'une action**

Supposons la distribution de probabilité suivante associée aux rendements possibles d'une action pour l'an prochain :

Conjoncture k	Rendement	Probabilité
1	-0,10	0,20
2	0,00	0,30
3	0,15	0,25
4	0,20	0,15
5	0,25	0,10

a) Calculez le rendement espéré de l'action.
b) Calculez la variance et l'écart-type du rendement de l'action.

Solution

a) À partir de l'expression (5.2), on obtient :

$$E(R) = (0,20)(-0,10) + (0,30)(0) + (0,25)(0,15) + (0,15)(0,20) + (0,10)(0,25) = 7,25\%$$

b) À l'aide de l'expression (5.5), on trouve :

$$\sigma^2(R) = 0,20(-0,10 - 0,0725)^2 + 0,30(0 - 0,0725)^2$$
$$+ 0,25(0,15 - 0,0725)^2 + 0,15(0,20 - 0,0725)^2$$
$$+ 0,10(0,25 - 0,0725)^2$$
$$= 0,0146$$

L'écart-type correspond à la racine carrée de la variance, soit :

$$\sigma(R) = \sqrt{0,0146} = 0,1208 \text{ ou } 12,08\%.$$

Il est également possible d'obtenir ce dernier résultat en utilisant la calculatrice SHARP EL-738. La procédure à suivre est indiquée à la page suivante.

L'écart-type est plus facile à interpréter que la variance étant donné qu'il est exprimé dans les mêmes unités que le rendement espéré. Ainsi, en supposant que les rendements obéissent à une distribution normale, on peut notamment tirer les conclusions suivantes :

1. En ayant recours à la table de la loi normale centrée réduite (table 5 à la fin de l'ouvrage), on constate qu'il existe une probabilité d'environ 68 % (soit, $0,3413 + 0,3413 \approx 0,68$ ou 68 %) que le rendement du titre pour la période à venir soit situé dans un intervalle de plus ou moins un écart-type par rapport à l'espérance mathématique du rendement. À l'aide des données précédentes, on obtient :

$$[E(R) - \sigma(R), E(R) + \sigma(R)] = [0,0725 - 0,1208, 0,0725 + 0,1208]$$
$$= [-0,0483, 0,1933]$$

On peut donc conclure qu'il y a environ 68 chances sur 100 que le rende-

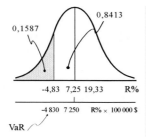

-4 830   7 250   R% × 100 000 $

VaR

ment du titre pour la prochaine période soit compris entre - 4,83% et 19,33%. De plus, compte tenu que la distribution normale est symétrique, la probabilité que le rendement du titre pour la prochaine période soit inférieur à - 4,83% est égale à (1 - 0,6826)/2 = 15,87% ou, de façon équivalente à 50% - 34,13% = 15,87%. Il s'ensuit, qu'en plaçant maintenant un montant de 100 000 $ dans le titre concerné, la perte potentielle maximale que peut subir un investisseur pour la période à venir ne peut excéder 100 000 $ × - 4,83% = - 4 830 $ avec une probabilité de 84,13%. Ce dernier montant (- 4 830 $) s'appelle la valeur à risque (VaR). Nous abordons plus en profondeur cet important concept à la section 5.3.2.

Calcul de l'écart-type des rendements de l'action à l'aide de la calculatrice SHARP EL-738

Calculatrice		
	Affichage et commentaires	
Appuyez sur (MODE)	NORMAL	STAT
	0	1
Choisissez STAT en appuyant sur (1)	SD LINE	QUAD
	0 1	2
Sélectionnez SD en appuyant sur (0)	Stat 0	

Lorsqu'on désire effectuer un calcul statistique n'impliquant qu'une seule variable, on doit appuyer sur (0).

Appuyez sur (2ndF) (CA) pour effacer les données déjà en mémoire.
Entrez les données de la façon suivante :

0.10	(+/-)	(x,y)	0.2	(ENT)	DATA SET =1
0		(x,y)	0.3	(ENT)	DATA SET =2
0.15		(x,y)	0.25	(ENT)	DATA SET =3
0.20		(x,y)	0.15	(ENT)	DATA SET =4
0.25		(x,y)	0.10	(ENT)	DATA SET =5

Les différents rendements possibles sont entrés dans (x,y) et les probabilités d'occurence dans (ENT).

Appuyez sur (RCL) (σx)   0,1209

La valeur affichée correspond à l'écart-type des rendements du titre, soit 12,09%.

2. La probabilité d'obtenir, pour une période future, un rendement qui se situe à plus ou moins deux écarts-types de la moyenne est approximativement égale à 95%. En utilisant les données précédentes, on trouve :

$$[E(R) - 2\sigma(R), E(R) + 2\sigma(R)] = [0,0725 - (2)(0,1208), 0,0725 +$$
$$(2)(0,1208)] = [-0,1691, 0,3141]$$

3. Finalement, il y a environ 99,7 chances sur 100 que l'intervalle suivant englobe le rendement du titre pour la période à venir :

$$[E(R) - 3\sigma(R), E(R) + 3\sigma(R)] = [0,0725 - (3)(0,1208), 0,0725 +$$
$$(3)(0,1208)] = [-0,2899, 0,4349]$$

La figure 5.2 permet de visualiser les conclusions précédentes.

Figure 5.2

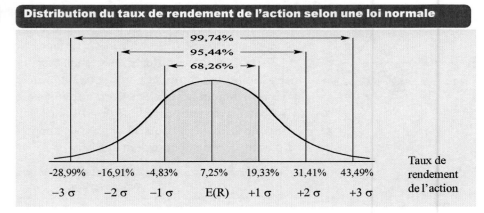

Distribution du taux de rendement de l'action selon une loi normale

Si l'on dispose d'une suite de rendements historiques pour un titre donné, on peut alors estimer la variance comme suit :

$$\sigma^2(R) = \frac{(R_1 - \overline{R})^2 + (R_2 - \overline{R})^2 + ... + (R_n - \overline{R})^2}{n-1} = \sum_{t=1}^{n} \frac{(R_t - \overline{R})^2}{n-1} \qquad (5.6)$$

où $\overline{R}$: Moyenne des rendements passés

R_t : Rendement observé du titre à la période t

n : Nombre de rendements historiques considérés pour calculer $\overline{R}$.

Remarque. Étant donné que $\overline{R}$ est déterminé à partir des mêmes rendements historiques que ceux utilisés pour estimer $\sigma^2(R)$, il y a, sur le plan statistique, perte d'un degré de liberté. Pour obtenir une estimation non biaisée de la variance, on doit donc diviser $\sum_{t=1}^{n}(R_t - \overline{R})^2$ par $n-1$ (et non par n).

Le tableau 5.1 présente la volatilité historique, calculée à partir des rendements des trente derniers jours, de certaines actions canadiennes bien connues.

Tableau 5.1

Estimation de l'écart-type annuel de certaines actions canadiennes

Nom de la compagnie	Estimation de l'écart-type annuel
Alimentation Couche Tard	22,14%
Ballard Power Systems	46,01%
Banque de Montréal	15,98%
Banque de Nouvelle-Écosse	13,76%
Banque Royale	14,11%
Banque Toronto-Dominion	12,98%
BCE	16,60%
Eldorado Gold	38,12%
Encana Corporation	14,81%
Financière Sun Life	22,86%
Power Corporation	16,96%
Potash Corporation of Saskatchewan	34,69%
Research in Motion	27,12%
Rogers Communications	23,30%

Tableau 5.1

Estimation de l'écart-type annuel de certaines actions canadiennes (suite)

Nom de la compagnie	Estimation de l'écart-type annuel
Silver Wheaton	41,71%
Société Aurifère Barrick	33,82%
Société Financière Manuvie	18,89%
Theratechnologies	37,43%
Yamana Gold	40,23%
Indice composé S&P/TSX	9,94%

Source des données : www.m-x.ca (mars 2010).

On constate, au tableau 5.1, que l'écart-type de tous les titres concernés est supérieur à celui du marché (indice composé S&P/TSX 60). Comme nous le verrons plus loin dans le présent chapitre, cela s'explique par le fait que les rendements des 300 titres composant l'indice boursier sont imparfaitement corrélés. Dans un tel contexte, en détenant un portefeuille composé de nombreux titres, on élimine la partie diversifiable ou non systématique du risque, c'est-à-dire le risque qui est attribuable à des facteurs dont l'influence se fait sentir sur une ou, tout au plus, quelques entreprises (voir la section 5.6.2 pour une description plus détaillée du risque non systématique).

Exemple 5.4

Calcul de la volatilité historique d'une action

Pour la période 2005-2010, le prix de l'action de l'entreprise OGV inc. s'est comporté de la façon suivante :

Années	Prix de l'action en fin d'année
2005	28 $
2006	31 $
2007	36 $
2008	33 $
2009	35 $
2010	14 $

Aucun dividende n'a été versé pendant la période concernée. Cependant, l'action a été fractionnée dans un rapport 3 pour 1 en juin 2010.

a) Estimez le rendement espéré de l'action de OGV inc. pour l'année 2011 en utilisant les données historiques.

b) Estimez la variance et l'écart-type du rendement de l'action à partir des données historiques.

Solution

a) Il s'agit, en premier lieu, de calculer le rendement observé de l'action pour chacune des années. Par la suite, on applique l'expression (5.3). On obtient alors les résultats suivants :

$R_{2006} = (31 - 28)/28 = 0,1071$
$R_{2007} = (36 - 31)/31 = 0,1613$

$R_{2008} = (33 - 36)/36 = -0,0833$
$R_{2009} = (35 - 33)/33 = 0,0606$
$R_{2010} = [(3)(14) - 35]/35 = 0,20$

Une estimation du rendement espéré est donc :

$$\overline{R} = \frac{0,1071+0,1613 - 0,0833+0,0606+0,20}{5} = 8,91\%$$

Remarque. Lorsque survient un fractionnement d'actions au cours de la période t, le rendement d'une action peut se mesurer à l'aide de l'expression suivante :

$$\frac{(F_t P_t - P_{t-1}) + F_t D_t}{P_{t-1}} \tag{5.1a}$$

où F_t : Facteur de fractionnement au cours de la période t. Dans l'exemple ci-dessus, F_t vaut 3. En conséquence, le prix de l'action sur le marché boursier à la fin de l'année 2010 doit être multiplié par 3.

b) En ayant recours à l'expression (5.6), on obtient :

$$\sigma^2(R) = [(0,107 - 0,0891)^2 + (0,1613 - 0,0891)^2 + (-0,0833 - 0,0891)^2$$
$$+ (0,0606 - 0,0891)^2 + (0,20 - 0,0891)^2] / 4$$
$$= 0,0121$$

La volatilité historique des rendements annuels est donc égale à :

$$\sigma(R) = \sqrt{0,0121} = 11\%$$

En utilisant la calculatrice SHARP EL-738, on peut déterminer la volatilité historique de l'action en suivant la précédure décrite à la page suivante.

5.3.2 Mesure du risque d'un portefeuille

Le calcul du risque d'un portefeuille est beaucoup plus complexe que le calcul du rendement espéré. En effet, dans le calcul du risque, on doit tenir compte, en plus de la variabilité du rendement de chacun des titres, du degré de dépendance existant entre les rendements des titres inclus dans le portefeuille. D'un point de vue statistique, le degré de dépendance existant entre les rendements des titres se mesure au moyen de la covariance ou du coefficient de corrélation. Ces deux concepts statistiques sont discutés ci-dessous.

Notion de covariance

Covariance
Une mesure du degré de dépendance entre les rendements de deux titres

La covariance entre les taux de rendement de deux titres peut être positive, négative ou nulle. Dans le cas où les taux de rendement de deux titres ont tendance à varier dans la même direction, la covariance est positive. Lorsque les taux de rendement de deux titres varient indépendamment l'un de l'autre, la covariance est nulle (à noter que l'inverse n'est pas nécessairement vrai). Finalement, si les taux de rendement de deux titres ont tendance à varier en sens contraire, la covariance prend une valeur négative. Notons que, dans le cas des titres boursiers, la covariance est, la plupart du temps, positive.

Lorsque l'on procède à partir des probabilités subjectives pour calculer la covariance entre les rendements des titres i et j [$Cov(R_i, R_j)$], la formule à

Calculatrice

Calcul de la volatilité historique d'une action à l'aide de la calculatrice SHARP EL-738

	Affichage et commentaires

Appuyez sur (MODE)

	NORMAL		STAT
	0		1

Choisissez STAT en appuyant sur (1)

SD	LINE	QUAD
0	1	2

Sélectionnez SD en appuyant sur (0)

Stat 0

Appuyez sur (2ndF) (CA) pour effacer les données déjà en mémoire.

Entrez les rendements historiques de la façon suivante :

0.1071 (x,y)   1   (ENT)   DATA SET =1

0,1613 (x,y)   1   (ENT)   DATA SET =2

0.0833 (+/-) (x,y) 1   (ENT)   DATA SET =3

0.0606 (x,y)   1   (ENT)   DATA SET =4

0.20 (x,y)   1   (ENT)   DATA SET =5

Appuyez sur (RCL) (Sx)   0,109965

L'écran affiche alors la volatilité historique du titre, soit 11%.

Les différents rendements historiques sont entrés dans (x,y) et les fréquences observées dans (ENT). Ainsi, en effectuant la séquence 0.1071 (x,y) 1 (ENT), on indique à la calculatrice qu'un rendement de 10,71% a été observé une fois. Notons que, si le rendement réalisé était identique pour les années 2005 et 2006, on procéderait alors ainsi : 0.1071 (x,y) 2 (ENT).

utiliser est la suivante :

$$\begin{aligned}
\text{Cov}(R_i, R_j) &= P_1[R_{i1} - E(R_i)][R_{j1} - E(R_j)] \\
&\quad + P_2[R_{i2} - E(R_i)][R_{j2} - E(R_j)] \\
&\quad + ... + P_n[R_{in} - E(R_i)][R_{jn} - E(R_j)] \\
&= \sum_{k=1}^{n} P_k[R_{ik} - E(R_i)][R_{jk} - E(R_j)]
\end{aligned} \tag{5.7}$$

où R_{ik} : Rendement du titre i selon la conjoncture économique k

   R_{jk} : Rendement du titre j selon la conjoncture économique k

   P_k : Probabilité d'occurence de la conjoncture économique k. Par exemple, si $P_1 = 0,10$, $R_{i1} = 8\%$ et $R_{j1} = 12\%$, cela signifie qu'il y a 10 chances sur 100 que le rendement du titre i soit de 8% et que simultanément le rendement du titre j s'élève à 12%.

L'expression (5.7) nous indique que si R_{ik} et R_{jk} ont tendance à être simultanément soit inférieurs, soit supérieurs à leur espérance mathématique respective, alors $R_{ik} - E(R_i)$ et $R_{jk} - E(R_j)$ sont de même signe et $\text{Cov}(R_i, R_j) > 0$. Inversement, s'ils ont tendance à être de signes contraires, alors $\text{Cov}(R_i, R_j) < 0$.

Exemple 5.5 | **Calcul de la covariance entre les rendements de deux actions**

On dispose des renseignements suivants concernant les rendements possibles des titres i et j pour la période à venir :

Conjoncture k	P_k	R_{ik}	R_{jk}
1	0,10	0,08	0,12
2	0,20	0	0,04
3	0,30	0,20	0,40
4	0,40	− 0,12	− 0,24

Calculez $Cov(R_i, R_j)$.

Solution

On détermine d'abord $E(R_i)$ et $E(R_j)$:

$$E(R_i) = (0,10)(0,08) + (0,20)(0) + (0,30)(0,20) + (0,40)(- 0,12) = 0,02$$

$$E(R_j) = (0,10)(0,12) + (0,20)(0,04) + (0,30)(0,40) + (0,40)(- 0,24) = 0,044$$

d'où :
$$\begin{aligned} Cov(R_i, R_j) = &(0,10)(0,08 - 0,02)(0,12 - 0,044) \\ &+ (0,20)(0 - 0,02)(0,04 - 0,044) \\ &+ (0,30)(0,20 - 0,02)(0,40 - 0,044) \\ &+ (0,40)(-0,12 - 0,02)(-0,24 - 0,044) \\ = &\ 0,0356 \end{aligned}$$

Étant donné que la covariance est positive, on peut conclure que les taux de rendement des titres i et j ont tendance à varier dans le même sens.

À l'aide de la calculatrice SHARP EL-738, le calcul de la covariance peut s'effectuer selon la démarche présentée à la page suivante.

Si l'on dispose d'une suite de n rendements historiques pour les titres i et j, on peut alors estimer la covariance entre les rendements de ces titres au moyen de l'expression suivante :

$$Cov(R_i, R_j) = \sum_{t=1}^{n} \frac{(R_{it} - \overline{R}_i)(R_{jt} - \overline{R}_j)}{n - 1} \tag{5.8}$$

où R_{it} : Rendement observé du titre i à la période t

   R_{jt} : Rendement du titre j à la période t

   $\overline{R}_i$: Moyenne arithmétique des rendements historiques du titre i

   $\overline{R}_j$: Moyenne arithmétique des rendements historiques du titre j

   n : Nombre de rendements historiques considérés pour estimer la covariance entre les rendements des titres i et j.

Détermination de la covariance entre les rendements des titres i et j à l'aide de la calculatrice SHARP EL-738

Calculatrice

Étape 1 : Calcul du coefficient de corrélation linéaire entre les rendements des titres i et j $\left[\rho(R_i, R_j)\right]$

Comme nous l'indiquons plus loin dans le texte, le coefficient de corrélation $\left[\rho(R_i, R_j)\right]$ est égal à la covariance divisée par le produit des écarts-types respectifs des titres i et j. On peut donc écrire :

$$\rho(R_i, R_j) = \frac{\text{Cov}(R_i, R_j)}{\sigma(R_i)\sigma(R_j)}$$

En isolant la covariance, on obtient : $\text{Cov}(R_i, R_j) = \rho(R_i, R_j)\sigma(R_i)\sigma(R_j)$.

Étant donné que la calculatrice ne permet pas d'obtenir directement la valeur de la covariance, on doit, dans un premier temps, effectuer le calcul du coefficient de corrélation de la manière suivante :

Appuyez sur (MODE)

Choisissez STAT en appuyant sur (1)

Sélectionnez LINE en appuyant sur (1)

	NORMAL		STAT
	0		1
	SD	LINE	QUAD
	0	1	2
		Stat 1	

Appuyez sur (2ndF) (CA) pour effacer, le cas échéant, les données déjà en mémoire. Entrez les données de la façon suivante :

0.08 (x,y)	0.12 (x,y)	0.10 (ENT)	DATA SET=1
0 (x,y)	0.04 (x,y)	0.20 (ENT)	DATA SET=2
0.20 (x,y)	0.40 (x,y)	0.30 (ENT)	DATA SET=3
0.12 (+/-) (x,y)	0.24 (+/-)	0.40 (ENT)	DATA SET=4

Lorsqu'on désire effectuer un calcul statistique impliquant deux variables - ce qui est le cas du coefficient de corrélation - on doit appuyer sur (1).

Les différents rendements possibles des titres i et j sont entrés dans (x,y) et les probabilités d'occurence dans (ENT).

Appuyez sur (RCL) (r)   0,996784

L'écran affiche alors la valeur du coefficient de corrélation entre les rendements des deux titres, soit 0,996784.

Étape 2 : Calcul de l'écart-type du rendement du titre i $\left[\sigma(R_i)\right]$

Appuyez sur (RCL) (σx)   0,134164

Étape 3 : Calcul de l'écart-type du rendement du titre j $\left[\sigma(R_j)\right]$

Appuyez sur (RCL) (σy)   0,266203

Étape 4 : Calcul de la covariance entre les rendements des titres i et j $\left[\text{Cov}(R_i, R_j)\right]$

$$\text{Cov}(R_i, R_j) = (0,996784)(0,134164)(0,266203) = 0,0356$$

Exemple 5.6 **Estimation de la covariance entre les rendements de deux actions**

Supposons que les rendements observés des titres i et j au cours des 6 dernières années ont été les suivants :

Année	R_{it}	R_{jt}
2005	0,10	0,08
2006	0,32	0,17
2007	−0,08	0,02
2008	0,18	0,10
2009	0,09	0,40
2010	0,17	0,13

Estimez la covariance entre les rendements de ces deux titres.

Solution

On calcule d'abord $\overline{R}_i$ et $\overline{R}_j$:

$$\overline{R}_i = (0,10 + 0,32 - 0,08 + 0,18 + 0,09 + 0,17)/6 = 0,13$$

$$\overline{R}_j = (0,08 + 0,17 + 0,02 + 0,10 + 0,40 + 0,13)/6 = 0,15$$

d'où :

$$\begin{aligned}
\mathrm{Cov}(R_i, R_j) = [&(0,10 - 0,13)(0,08 - 0,15) \\
&+ (0,32 - 0,13)(0,17 - 0,15) \\
&+ (-0,08 - 0,13)(0,02 - 0,15) \\
&+ (0,18 - 0,13)(0,10 - 0,15) \\
&+ (0,09 - 0,13)(0,40 - 0,15) \\
&+ (0,17 - 0,13)(0,13 - 0,15)] / 5 \\
= &\; 0,0040
\end{aligned}$$

Remarques. 1. Pour effectuer ce genre d'estimation dans un contexte réel, on utiliserait un nombre beaucoup plus élevé d'observations (par exemple, 60 rendements mensuels).

2. Dans le cas de la covariance, l'ordre de grandeur de cette mesure ne nous permet pas de conclure quant à l'ampleur de la dépendance entre les rendements des titres. Le coefficient de corrélation - qui est une quantité indépendante des unités de mesure - nous permettra de répondre à cette question.

La démarche à suivre pour estimer la covariance à l'aide de la calculatrice SHARP EL-738 est présentée à la page suivante.

Calculatrice

Étape 1 : Estimation du coefficient de corrélation linéaire

	Affichage

Appuyez sur (MODE)

	NORMAL		STAT
	0		1

Choisissez STAT en appuyant sur (1)

	SD	LINE	QUAD
	0	1	2

Sélectionnez LINE en appuyant sur (1)

Stat 1

Appuyez sur (2ndF) (CA) pour effacer, le cas échéant, les données déjà en mémoire.

Entrez les données de la façon suivante :

0.10 (x,y)	0.08 (x,y) 1	(ENT) DATA SET = 1
0,32 (x,y)	0.17 (x,y) 1	(ENT) DATA SET = 2
0.08 (+/-) (x,y)	0.02 (x,y) 1	(ENT) DATA SET = 3
0.18 (x,y)	0.10 (x,y) 1	(ENT) DATA SET = 4
0.09 (x,y)	0.40 (x,y) 1	(ENT) DATA SET = 5
0.17 (x,y)	0.13 (x,y) 1	(ENT) DATA SET = 6

Appuyez sur (RCL) (r)   0,228213

L'écran affiche alors la valeur du coefficient de corrélation entre les rendements des deux titres, soit 0,228213.

Étape 2 : Estimation de l'écart-type du rendement du titre i

Appuyez sur (RCL) (Sx)   0,131757

Étape 3 : Estimation de l'écart-type du rendement du titre j

Appuyez sur (RCL) (Sy)   0,132363

Étape 4 : Calcul de la covariance entre les rendements des titres i et j

La covariance correspond au coefficient de corrélation multiplié par le produit des écarts-types, soit :

$$\mathrm{Cov}(R_i, R_j) = (0{,}228213)\ 0{,}131757)(\ 0{,}132363)$$

$$\approx 0{,}004$$

Coefficient de corrélation
Une mesure relative du degré d'association entre les rendements de deux titres

Coefficient de corrélation linéaire

Le coefficient de corrélation est une seconde mesure du degré de dépendance existant entre les rendements de deux titres. Pour le calculer, il s'agit simplement de diviser la covariance par le produit des écarts-types.

L'expression suivante permet d'effectuer le calcul du coefficient de corrélation :

$$\rho(R_i, R_j) = \frac{Cov(R_i, R_j)}{\sigma(R_i)\sigma(R_j)}$$

(5.9)

Le coefficient de corrélation est toujours du même signe que la covariance. Toutefois, ce coefficient est beaucoup plus facile à interpréter que la covariance puisqu'il varie nécessairement entre -1 et +1. Ainsi, s'il existe une liaison positive parfaite entre les mouvements de deux taux de rendement, le coefficient de corrélation sera égal à +1. D'autre part, s'il existe une liaison négative parfaite entre les mouvements de deux taux de rendement, le coefficient de corrélation vaudra -1. Enfin, si les mouvements de deux taux de rendement sont indépendants, le coefficient de corrélation prendra une valeur nulle. La figure 5.3 permet de visualiser différents coefficients de corrélation entre les taux de rendement de deux titres. La figure 5.3b (corrélation positive imparfaite) est celle qui reflète le mieux la réalité boursière.

Figure 5.3

Différents coefficients de corrélation linéaire entre les taux de rendement des titres i et j

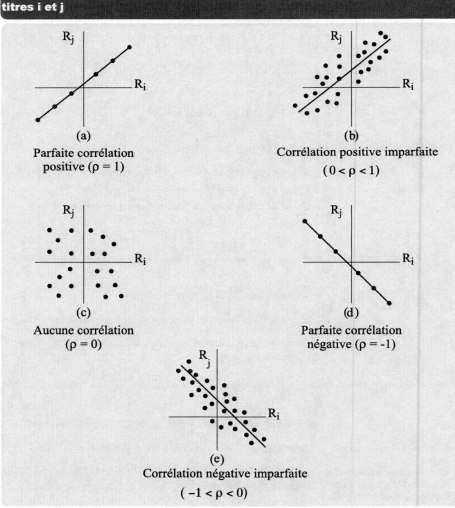

(a)
Parfaite corrélation
positive ($\rho = 1$)

(b)
Corrélation positive imparfaite
($0 < \rho < 1$)

(c)
Aucune corrélation
($\rho = 0$)

(d)
Parfaite corrélation
négative ($\rho = -1$)

(e)
Corrélation négative imparfaite
($-1 < \rho < 0$)

Risque d'un portefeuille composé de deux titres

La variance du taux de rendement d'un portefeuille composé de deux titres (i et j) se calcule ainsi :

$$\sigma^2(R_p) = x_i^2\,\sigma^2(R_i) + x_j^2\,\sigma^2(R_j) + 2x_i x_j\,Cov(R_i, R_j) \qquad (5.10)$$

Cette dernière équation montre que le risque total (la variance) du taux de rendement d'un portefeuille composé de deux titres est déterminé par trois facteurs :

- la variance du taux de rendement de chaque titre, $\sigma^2(R_i)$ et $\sigma^2(R_j)$;
- la covariance entre les rendements des titres i et j, $Cov(R_i,R_j)$;
- la part (proportion) du portefeuille représentée par chaque titre, x_i et x_j.

Puisque la covariance correspond au coefficient de corrélation multiplié par le produit des écarts-types (c.-à-d. $Cov(R_i,R_j) = \rho(R_i,R_j)\sigma(R_i)\sigma(R_j)$), l'équation de la variance du portefeuille peut également s'écrire ainsi :

$$\sigma^2(R_p) = x_i^2\,\sigma^2(R_i) + x_j^2\,\sigma^2(R_j) + 2x_i x_j\,\sigma(R_i)\,\sigma(R_j)\,\rho(R_i, R_j) \qquad (5.10a)$$

L'équation (5.10a) indique que, plus le coefficient de corrélation entre les rendements des titres i et j est petit, plus la variabilité du taux de rendement du portefeuille est réduite. Ainsi, le risque du portefeuille est plus faible lorsque $\rho(R_i,R_j) = 0$ que dans une situation où $\rho(R_i,R_j) = 0,50$.

Exemple 5.7 **Calcul du risque d'un portefeuille composé de deux titres**

Pour l'an prochain, un analyste a effectué les prévisions suivantes concernant les titres i et j :

$$E(R_i) = 15\% \qquad \sigma(R_i) = 20\%$$
$$E(R_j) = 18\% \qquad \sigma(R_j) = 30\% \qquad Cov(R_i,R_j) = -0,004$$

Vous disposez d'un capital de 1 000 $.

a) Calculez l'écart-type de votre portefeuille si vous investissez 40% de vos fonds dans le titre i et le reste dans le titre j.

b) Calculez le rendement espéré et l'écart-type de votre portefeuille si vous empruntez 1 500 $ à la banque à 10% et investissez cette somme, ainsi que votre avoir initial, dans le titre i.

Solution

a) À partir de l'expression (5.10), on obtient :

$$\sigma^2(R_p) = \left(\frac{400}{1\,000}\right)^2 (0,20)^2 + \left(\frac{600}{1\,000}\right)^2 (0,30)^2 + 2\left(\frac{400}{1\,000}\right)\left(\frac{600}{1\,000}\right)(-0,004)$$

$$= 0,0369$$

d'où : $\sigma(R_p) = 19,21\%$

Ce dernier résultat permet d'apprécier la dispersion des rendements du portefeuille.

b) $E(R_p) = \left(\dfrac{2\ 500}{1\ 000}\right)(0,15) + \left(\dfrac{-1\ 500}{1\ 000}\right)(0,10) = 22,50\%$

L'emprunt étant effectué à un taux d'intérêt fixe, on a $\sigma(r) = 0$. Par conséquent, la variance se calcule ainsi :

$\sigma^2(R_p) = \left(\dfrac{2\ 500}{1\ 000}\right)^2 (0,20)^2 + \left(\dfrac{-1\ 500}{1\ 000}\right)^2 (0)^2 + (2)\left(\dfrac{2\ 500}{1\ 000}\right)\left(\dfrac{-1\ 500}{1\ 000}\right)(0) = 0,25$

d'où : $\sigma(R_p) = 50\%$

On constate que le recours à l'emprunt permet à l'investisseur d'accroître le rendement espéré de son portefeuille, mais a également pour effet d'augmenter de façon importante la variabilité des rendements du portefeuille et par le fait même son degré de risque.

Risque d'un portefeuille composé de trois titres

Dans le cas où le portefeuille comprend trois titres, le risque total se mesure ainsi :

$$\begin{aligned}
\sigma^2(R_p) = {} & x_1^2\ \sigma^2(R_1) + x_2^2\ \sigma^2(R_2) + x_3^2\ \sigma^2(R_3) \\
& + 2x_1x_2\mathrm{Cov}(R_1,R_2) + 2x_1x_3\mathrm{Cov}(R_1,R_3) \\
& + 2x_2x_3\mathrm{Cov}(R_2,R_3)
\end{aligned} \qquad (5.11)$$

L'expression précédente indique que la variance d'un portefeuille constitué de trois titres correspond à la somme de trois variances pondérées et de trois covariances pondérées.

Exemple 5.8

Calcul du risque d'un portefeuille composé de trois titres

Vous disposez des renseignements suivants relativement aux titres 1, 2 et 3 :

$\sigma^2(R_1) = 0,002$	$\mathrm{Cov}(R_1,R_2) = -0,0008$
$\sigma^2(R_2) = 0,001$	$\mathrm{Cov}(R_2,R_3) = 0,0006$
$\sigma^2(R_3) = 0,004$	$\mathrm{Cov}(R_1,R_3) = 0,0004$

Calculez la variance du taux de rendement d'un portefeuille constitué de la façon suivante :

$x_1 = 0,20, \quad x_2 = 0,30 \quad \text{et} \quad x_3 = 0,50.$

Solution

À l'aide de l'expression (5.11), on obtient :

$$\begin{aligned}
\sigma^2(R_p) = {} & (0,2)^2 (0,002) + (0,3)^2 (0,001) + (0,5)^2 (0,004) \\
& + (2)(0,2)(0,3)(-0,0008) + (2)(0,2)(0,5)(0,0004) \\
& + (2)(0,3)(0,5)(0,0006) = 0,00133
\end{aligned}$$

L'écart-type est $\sigma(R_p) = \sqrt{0,00133} = 0,036$ ou 3,6%, ce qui signifie que ce portefeuille comporte un degré de risque très faible.

Risque d'un portefeuille composé de n titres

La formule générale permettant de déterminer le risque total d'un portefeuille composé de n titres comporte, au total, n termes de variances et [n(n-1)/2] termes distincts de covariance. Elle peut s'écrire ainsi :

$$\sigma^2(R_p) = x_1^2 \sigma^2(R_1) + x_2^2 \sigma^2(R_2) + \cdots + x_n^2 \sigma^2(R_n)$$
$$+ x_1 x_2 \text{Cov}(R_1, R_2) + x_1 x_3 \text{Cov}(R_1, R_3)$$
$$+ \cdots + x_2 x_1 \text{Cov}(R_1, R_2) + \cdots + x_n x_{n-1} \text{Cov}(R_n, R_{n-1})$$

$$\sigma^2(R_p) = \underbrace{\sum_{i=1}^{n} x_i^2 \sigma^2(R_i)}_{n \text{ termes de variance}} + \underbrace{\sum_{i=1}^{n} \sum_{\substack{j=1 \\ i \neq j}}^{n} x_i x_j \text{Cov}(R_i, R_j)}_{n(n-1)/2 \text{ termes distincts de covariance}} \quad (5.12)$$

Risque d'un portefeuille très diversifié

Le tableau 5.2 nous indique le nombre de termes de variance et de covariance à considérer pour calculer le risque d'un portefeuille en fonction du nombre de titres qui y sont inclus.

Tableau 5.2

Nombre de termes de variance et de covariance à considérer dans le calcul du risque d'un portefeuille en fonction du nombre de titres qu'il comporte		
Nombre de titres que comporte le portefeuille = n	**Nombre de termes de variance = n**	**Nombre de termes distincts de covariance = [n(n-1)]/2**
1	1	0
2	2	1
3	3	3
5	5	10
10	10	45
20	20	190
30	30	435
50	50	1 225
100	100	4 950
1000	1000	499 500

On constate, à la lecture du tableau précédent que, pour un portefeuille composé d'une dizaine de titres ou plus, le nombre de termes de covariance à considérer dans le calcul du risque du portefeuille est largement supérieur au nombre de termes de variance que l'on doit additionner. Par exemple, pour calculer le risque d'un portefeuille constitué de 20 titres, il faut tenir compte de 20 termes de variance et d'un nombre beaucoup plus important de termes de covariance, soit 190. Les résultats du tableau 5.2 permettent donc de dégager l'importante conclusion suivante : le risque d'un portefeuille bien diversifié est, dans une très forte proportion, déterminé par les termes de covariance (c.-à-d. le degré de dépendance statistique qui existe entre les rendements des titres qui y sont inclus) et non par les termes de variance (c.-à-d. le risque de chacun des titres, pris individuellement). D'ailleurs, en supposant un portefeuille équipondéré composé de n titres (c.-à-d. $x_i = x_j = \dfrac{1}{n}$), on arrive aisément à démontrer que, dans le cas limite où n tend vers l'infini, seuls les termes de covariance influent sur le risque du portefeuille[1].

La valeur à risque (VaR)

Proposée au début des années 1990 par le prestigieuse banque d'affaires américaine JP Morgan, la valeur à risque (VaR) constitue de nos jours un outil couramment utilisé par les institutions financières pour apprécier le risque de marché d'un portefeuille d'actifs ou d'un actif individuel[2]. La valeur à risque (en anglais, *Value at Risk*) représente la perte potentielle maximale que peut subir un portefeuille d'actifs sur un horizon temporel spécifique et à un niveau de confiance prédéfini. Elle est exprimée en dollars et est fonction des trois éléments suivants :

1. **Le niveau de confiance.** Cet élément représente la probabilité que la perte de valeur d'un portefeuille d'instruments financiers n'excède pas la VaR sur un intervalle de temps donné. Très souvent, on retient dans les calculs une valeur de 99%. Dans des conditions normales, la probabilité que la perte réelle dépasse la VaR est donc très faible.

2. **La période de détention du portefeuille.** Plus la période de détention du portefeuille est longue, plus la perte de valeur peut s'avérer substantielle. En posant l'hypothèse commode que les rendements quotidiens successifs du portefeuille sont indépendants, la valeur à risque sur t jours correspond à la VaR à un jour multipliée par $\sqrt{t}$.

3. **La distribution de probabilité des rendements.** Très souvent, les utilisateurs de la VaR supposent que les rendements du portefeuille d'instruments financiers suivent une distribution normale. Il est également possible, en se basant sur un échantillon de rendements historiques, d'inférer la distribution de probabilité des rendements du portefeuille.

Exemple 5.9 **Calcul de la valeur à risque d'un portefeuille**

Les renseignements suivants sont disponibles concernant un portefeuille d'actifs financiers :

- Valeur du portefeuille : 10 000 000 $ $
- Gain quotidien espéré symbolisé par E(G) : 7 000 $
- Écart-type du gain quotidien symbolisé par σ(G) : 100 000 $

a) Calculez la VaR à un jour à un niveau de confiance de 99% (VaR(99%, 1 jour) en supposant que les rendements du portefeuille suivent une distribution normale.

b) Calculez la VaR à 10 jours à un niveau de confiance de 99% (VaR(99%, 10 jours).

---

[1] À ce sujet, le lecteur intéressé peut consulter notre autre ouvrage intitulé « Valeurs mobilières et gestion de portefeuille », 4e éd. publié chez le même éditeur.

[2] Pour un traitement plus en profondeur de la VaR, on peut notamment consulter : Jorion, P. « Value at Risk : The New Benchmark for Managing Financial Risk », McGrawHill, 2001.

Solution

a) En ayant recours à la table de la loi normale centrée réduite (table 5 à la fin du volume), on trouve que la VaR à 99% se situe à -2,33 écarts-types de l'espérance mathématique du gain quotidien. On peut donc écrire :

VaR(99%, 1 jour) = 7 000 - (2,33)(100 000) = -226 000 $.

Ce dernier résultat signifie, qu'une fois sur cent, la perte quotidienne de valeur du portefeuille sera au moins égale à 226 000 $.

La figure 5.4 permet de visualiser la distribution de probabilité des fluctuations quotidiennes de la valeur du portefeuille sous l'hypothèse de normalité. On constate notamment que, dans 95% des cas, la perte potentielle maximale de valeur du portefeuille sur un horizon de placement d'un jour s'élève 157 000 $. De même, la perte de valeur quotidienne du portefeuille ne dépassera pas 226 000 $ avec une probabilité de 99%.

Figure 5.4

Densité de probabilité des changements quotidiens de la valeur du portefeuille

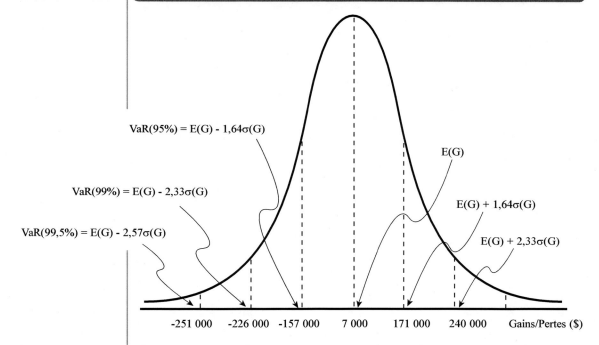

VaR(95%) = E(G) - 1,64σ(G)

VaR(99%) = E(G) - 2,33σ(G)

VaR(99,5%) = E(G) - 2,57σ(G)

E(G)

E(G) + 1,64σ(G)

E(G) + 2,33σ(G)

-251 000   -226 000   -157 000   7 000   171 000   240 000   Gains/Pertes ($)

b) À un niveau de confiance de 99%, la VaR à 10 jours se calcule ainsi :

$$\text{VaR(99\%, 10 jours)} = \sqrt{10} \cdot (-226\,000) = -714\,675 \text{ \$}$$

Sur un horizon temporel de 10 jours, on peut donc s'attendre à une perte d'au moins à 714 675 $ dans 1% des cas.

5.4 L'ensemble des portefeuilles accessibles, la frontière efficiente et l'effet de diversification

À partir de deux titres, il est possible de constituer une infinité de portefeuilles en faisant varier la proportion des fonds investis dans chacun des titres. La forme précise que prend l'ensemble des combinaisons possibles dans l'espace risque-rendement dépend du coefficient de corrélation entre les rendements des titres. À titre indicatif, nous discutons, ci-dessous, des combinaisons possibles de risque et de rendement lorsque le coefficient de corrélation vaut +1, 0 et -1. Ces trois situations particulières permettent notamment de mettre en relief l'incidence de la valeur prise par le coefficient de corrélation sur les bénéfices inhérents à la diversification.

Pour faciliter la présentation, nous utilisons les données suivantes concernant les titres i et j :

$$E(R_i) = 5\% \qquad E(R_j) = 8\%$$

$$\sigma(R_i) = 4\% \qquad \sigma(R_j) = 10\%$$

En combinant dans des proportions variables ces deux titres, il est possible de construire une infinité de portefeuilles. Ces portefeuilles sont appelés l'ensemble des portefeuilles accessibles. Le profil risque-rendement de certains d'entre eux, en fonction de la valeur prise par le coefficient de corrélation, est indiqué au tableau 5.3. de la page suivante.

Le rendement espéré et le risque des portefeuilles décrits au tableau 5.3 ont été respectivement calculés à l'aide des expressions (5.4) et (5.10a). Ainsi, pour un portefeuille équipondéré (c.-à-d. $x_i = x_j = 0,50$), on obtient les résultats suivants, lorsque les rendements des deux titrees sont parfaitement et négativement corrélés [$\rho(R_i, R_j) = -1$] :

$$E(R_p) = (0,50)(0,05) + (0,50)(0,08) = 0,0650 \text{ ou } 6,50\%$$

$$\sigma(R_p) = [(0,50)^2(0,04)^2 + (0,50)^2(0,10)^2 + 2(0,50)(0,50)(-1)(0,04)(0,10)]^{1/2}$$

$$= 0,03 \text{ ou } 3\%$$

Le tableau 5.3 fait notamment ressortir le fait que le rendement espéré du portefeuille n'est aucunement influencé par le degré de corrélation existant entre les rendements des titres concernés. Par contre, on constate que la valeur du coefficient de corrélation exerce une influence notable sur le risque du portefeuille (sauf dans le cas des portefeuilles constitués d'un seul titre). En effet, les résultats de ce tableau montrent que, plus le coefficient de corrélation entre les rendements des titres est bas et s'approche de -1, plus il s'avère avantageux pour l'investisseur de detenir un portefeuille contenant les deux titres et ce, afin de minimiser son risque pour un niveau de rendement donné. Ainsi, dans le cas d'un portefeuille équipondéré, l'écart-type du taux de rendement s'élève à 7% si les rendements des titres sont parfaitement et positivement

Tableau 5.3 L'impact de la valeur du coefficent de corrélation sur le profil risque-rendement du portefeuille

Proportion des fonds investis dans le titre i (x_i)	Proportion des fonds investis dans le titre j (x_j)	Rendement espéré du portefeuille $E(R_p)$	Risque du portefeuille $[\sigma(R_p)]$ lorsque la corrélation entre les rendements des titres est parfaite et positive $[\rho(R_i,R_j) = +1]$	Risque du portefeuille $[\sigma(R_p)]$ lorsque la corrélation entre les rendements des titres est nulle $[\rho(R_i,R_j) = 0]$	Risque du portefeuille $[\sigma(R_p)]$ lorsque la corrélation entre les rendements des titres est parfaite et négative $[\rho(R_i,R_j) = -1]$
100	0	0,05	0,04	0,04	0,04
75	25	0,0575	0,055	0,039	0,005
71,4	28,6	0,0586	0,057	0,040	0,0
50	50	0,0650	0,070	0,054	0,03
25	75	0,0725	0,085	0,076	0,05
0	100	0,08	0,10	0,10	0,10

corrélés, mais ne vaut que 3% en supposant une corrélation parfaite et inverse entre les rendements des deux titres. Il est à noter que le rendement espéré du portefeuille est identique dans les deux cas, soit 6,50%.

À l'aide des données du tableau 5.3, nous avons représenté, à la figure 5.5, les différents portefeuilles qu'il est possible de construire en combinant dans des proportions variables les titres i et j et ce, pour les trois valeurs du coefficient de corrélation mentionnées dans ce tableau.

Figure 5.5

Ensemble des portefeuilles accessibles à partir des titres i et j lorsque $\rho = 1$, $\rho = 0$ et $\rho = -1$

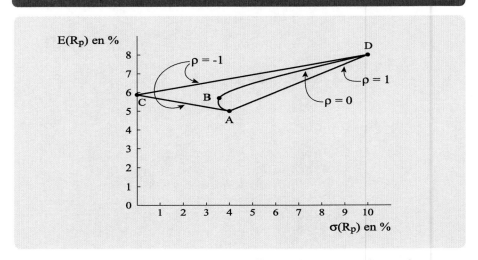

En examinant la figure 5.5, on peut effectuer les constatations suivantes :

1. Lorsque le coefficient de corrélation est égal à 1, l'ensemble des portefeuilles accessibles est représenté par une droite (la droite AD) dans l'espace risque-rendement.

2. Dans le cas où le coefficient de corrélation vaut -1, l'ensemble des portefeuilles accessibles est représenté par deux segments de droite. Il est alors possible de construire un portefeuille sans risque en investissant 71,6% de sa richesse dans le titre i et le reste des fonds (soit 28,4% dans le titre j (voir le tableau 5.3).

3. La courbe ABD représente l'ensemble des portefeuilles accessibles à partir des titres i et j en supposant une corrélation linéaire nulle entre les rendements de ces titres. Parmi les portefeuilles localisés sur cette courbe, ceux figurant sur la partie BD sont considérés comme étant efficients, c'est-à-dire que pour un niveau de risque donné ils procurent le rendement espéré maximal ou, de façon équivalente, pour un niveau de rendement donné, ils offrent le risque minimal. Un investisseur rationnel ne devrait considérer que les portefeuilles situés sur BD. Le choix d'un portefeuille particulier - parmi ceux localisés sur BC - dépend de ses préférences individuelles.

4. Le portefeuille localisé au point B représente le portefeuille à risque minimal en supposant qu'il n'existe aucune corrélation linéaire entre les rendements des titres i et j. Pour calculer la proportion des fonds à investir dans le titre i permettant de minimiser le risque du portefeuille, on utilise l'expression suivante :

$$x_i^* = \frac{\sigma^2(R_j) - Cov(R_i, R_j)}{\sigma^2(R_i) + \sigma^2(R_j) - 2Cov(R_i, R_j)} \tag{5.13}$$

À partir des données relatives aux titres i et j et en supposant un coefficient de corrélation égal à 0, on obtient :

$$Cov(R_i, R_j) = \rho(R_i, R_j)\sigma(R_i)\sigma(R_j) = (0)(0,04)(0,10) = 0$$

$$x_i^* = \frac{(0,10)^2 - 0}{(0,04)^2 + (0,10)^2 - (2)(0)} = 86,2\%$$

$$x_j^* = 1 - x_i = 1 - 0,862 = 13,8\%$$

En utilisant ces proportions, on peut aisément déterminer le rendement espéré et le risque du portefeuille situé au point B.

Le rendement espéré vaut :

$$E(R_p) = (0,862)(0,05) + (0,138)(0,08) = 5,41\%$$

L'écart-type correspond à :

$$\sigma(R_p) = \sqrt{(0,862)^2(0,04)^2 + (0,138)^2(0,10)^2 + (2)(0,862)(0,138)(0)} = 3,71\%$$

Il est à noter que l'expression (5.13) peut être appliquée sans égard au degré de corrélation entre les rendements des titres.

5. Sauf dans le cas où le coefficient de corrélation vaut 1, l'ensemble des portefeuilles efficients ne correspond qu'à une partie de l'ensemble des portefeuilles accessibles.

6. À l'exception du cas où $\rho = 1$, un effet de diversification est présent, c'est-à-dire qu'il s'avère avantageux pour l'investisseur de répartir sa richesse dans plusieurs titres de façon à optimiser le profil risque-rendement de son portefeuille.

7. Plus le coefficient de corrélation est petit, plus l'effet de diversification est prononcé. Par exemple, pour un rendement espéré de 6,50%, il est possible de constituer un portefeuille comportant un niveau de risque moindre si $\rho = 0$ que dans le cas où $\rho = 1$.

8. Le portefeuille ayant le rendement espéré maximal est constitué exclusivement du titre j. Ce portefeuille est représenté par le point D à la figure 5.5.

9. Sauf dans le cas où le coefficient de corrélation vaut -1, il s'avère impossible d'éliminer complètement le risque. De façon générale, la diversification permet donc de réduire - mais non d'éliminer - le risque.

5.5 Le choix d'un portefeuille optimal

5.5.1 Notion de courbes d'indifférence

Courbes d'indifférence
Courbes représentant les préférences d'un investisseur en ce qui a trait au risque et au rendement

On a vu à la section précédente, qu'en combinant dans des proportions variables différents titres, il était possible de constituer une infinité de portefeuilles. La prochaine étape consiste à sélectionner, parmi les nombreux portefeuilles accessibles, un portefeuille donné. Pour ce faire, on doit prendre en considération les préférences individuelles ou les goûts de l'investisseur. Dans l'espace risque-rendement, les préférences individuelles de l'investisseur sont représentées par un ensemble de courbes d'indifférence (voir la figure 5.6).

À la figure 5.6, les courbes I_1, I_2 et I_3 représentent les courbes d'indifférence d'un investisseur ayant de l'aversion à l'égard du risque, c'est-à-dire d'un investisseur qui n'accepte une augmentation du risque qu'à la condition de recevoir en échange une augmentation plus que proportionnelle du rendement espéré. En théorie de portefeuille, c'est cette hypothèse concernant le comportement des individus qui est retenue[3]. Un investisseur ayant une telle attitude à l'égard du risque exigera, par exemple, un rendement espéré plus élevé sur une action que sur une obligation de la même entreprise, puisque le rendement d'une action est beaucoup plus difficile à prévoir.

Figure 5.6 | **Courbes d'indifférence d'un investisseur ayant de l'aversion à l'égard du risque**

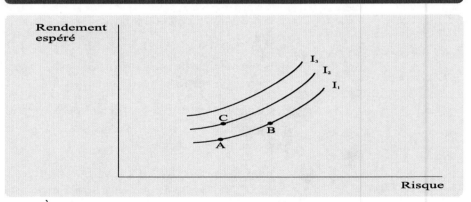

À la figure 5.6, les points d'une même courbe d'indifférence représentent les combinaisons de risque et de rendement qui procurent à l'investisseur la même utilité[4] espérée. Ainsi, l'investisseur est indifférent entre les placements A et B. Comparativement au placement A, le placement B offre un rendement espéré plus élevé, mais il est également plus risqué. En outre, il convient de noter

---

[3] En principe, d'autres comportements sont possibles. Ainsi, un individu peut avoir une attitude neutre à l'égard du risque. Dans ce cas, ses courbes d'indifférence peuvent être représentées dans l'espace risque-rendement par une série de droites horizontales. De même, un individu peut avoir du goût pour le risque. Cette situation se traduit dans l'espace risque-rendement par une série de courbes comportant une pente négative. Ces deux types de comportements sont plutôt exceptionnels.

[4] En économique, on définit l'utilité comme étant le degré de satisfaction qu'un individu retire de la consommation d'un bien ou d'un service au cours d'une période donnée.

que, plus une courbe d'indifférence est éloignée de l'origine, plus elle apporte un degré de satisfaction élevé à l'investisseur. Par exemple, tous les points de I_2 dominent ceux de I_1. L'investisseur représenté par les courbes I_1, I_2 et I_3 préférera notamment le placement C au placement A, puisque C offre un rendement espéré plus élevé que A pour un niveau de risque identique.

5.5.2 Choix d'un portefeuille optimal dans un contexte où on ne peut investir que dans titres risqués

Dans les années 1950, Markowitz[5] a proposé une démarche scientifique afin de sélectionner un portefeuille optimal de valeurs mobilières. Cette approche se fonde sur les hypothèses suivantes :

1. Les investisseurs ont de l'aversion à l'égard du risque et cherchent à maximiser leur utilité espérée.

2. Les investisseurs prennent leurs décisions sur la base du rendement espéré et de l'écart-type du rendement des portefeuilles.

3. L'horizon de planification est d'une période.

Dans ce qui suit, nous décrirons brièvement l'approche proposée par Markowitz.

Démarche de Markowitz

1. Pour appliquer le modèle de Markowitz, on doit premièrement obtenir une estimation du rendement espéré et de la variance de chacun des titres convoités. On doit, en outre, fournir une estimation du coefficient de corrélation entre les rendements de chaque paire de titres considérés. Les données historiques peuvent servir comme point de départ pour générer ces estimations.

• • •
Frontière efficiente
Ensemble des portefeuilles localisés sur la courbe que l'on obtient en appliquant la démarche de Markowitz. Ces portefeuilles procurent le rendement espéré maximal pour un degré de risque donné.

2. Deuxièmement, il s'agit de tracer la frontière efficiente, c'est-à-dire la courbe représentant les portefeuilles comportant un rendement espéré maximal pour un niveau de risque donné (courbe CD à la figure 5.7). Dans un univers à n titres (n > 2), le calcul de la frontière efficiente nécessitera le recours à une technique d'optimisation mathématique. De plus, notons que, dans un tel contexte, l'ensemble des portefeuilles accessibles est représenté par une surface et non une courbe.

3. L'investisseur doit générer un ensemble de courbes d'indifférence caractérisant son attitude à l'égard du risque. À la figure 5.7, les courbes I_{A1}, I_{A2} et I_{A3} reflètent les préférences de l'investisseur A alors que I_{B1}, I_{B2} et I_{B3} traduisent celles de l'investisseur B.

4. Le portefeuille optimal d'un investisseur se situe au point de tangence entre la courbe représentant l'ensemble des portefeuilles efficients et une courbe d'indifférence. L'investisseur A, qui a plus d'aversion à l'égard du

---

[5] Markowitz, H.M., « Portfolio Selection », *Journal of finance*, mars 1952, pp. 77-91.

risque que l'investisseur B, retiendra le portefeuille Y, tandis que l'investisseur B optera pour le portefeuille Z. En procédant ainsi, chaque investisseur maximisera son utilité espérée. Dans un contexte où les investisseurs n'ont pas la possibilité d'investir dans un titre sûr, la composition du portefeuille d'actifs risqués variera donc d'un individu à l'autre. De plus, il est important de noter que, parmi tous les portefeuilles représentés à la figure 5.7, il n'y a que ceux localisés sur la frontière efficiente qui seront considérés par les investisseurs.

Figure 5.7 **Choix d'un portefeuille opimal lorsque l'investisseur ne peut sélectionner que des titres risqués**

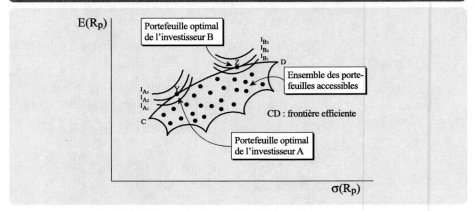

Dans une situation pratique, le choix d'un portefeuille optimal peut s'effectuer en proposant à l'investisseur une série de portefeuilles efficients dont le rendement espéré et le risque sont assez variables et en lui laissant sélectionner celui qu'il préfère compte tenu de son attitude face au risque.

À la section suivante, nous abordons le choix d'un portefeuille optimal dans un contexte plus général où les investisseurs peuvent prêter ou emprunter au taux sûr.

5.5.3 Choix d'un portefeuille optimal dans un contexte où on peut investir dans un titre sans risque

L'analyse précédente ne considère que les titres risqués. Or, en pratique, les investisseurs peuvent également investir une portion de leurs capitaux dans un titre sans risque. Ci-dessous, nous élaborons une nouvelle frontière efficiente qui tient compte de cette possibilité qui s'offre à ces derniers. Pour obtenir la frontière efficiente dans un tel contexte, on procède ainsi :

Posons r : Rendement d'un titre sans risque. En pratique, r est assimilé au taux de rendement des bons du Trésor du gouvernement fédéral.

$\sigma(r)$: Écart-type du taux de rendement d'un titre sans risque. Puisqu'il s'agit d'un titre sans risque, $\sigma(r)$ vaut 0.

En supposant qu'un investisseur place la proportion x des fonds dans un portefeuille risqué K et $(1-x)$ dans un titre sans risque pour former un portefeuille, il obtiendra alors un portefeuille caractérisé ainsi :

(i) $E(R_p) = (1 - x) r + x E(R_K)$

(ii) $\sigma(R_p) = \sqrt{\underbrace{(1-x)^2 \sigma^2(r)}_{0} + x^2\sigma^2(R_K) + \underbrace{2x(1-x)\rho(R_K,r)\sigma(R_K)\sigma(r)}_{0}}$

Étant donné que $\sigma(r)$ vaut 0, l'expression (ii) se simplifie ainsi :

$\sigma(R_p) = x\ \sigma(R_K)$

En substituant $x = \sigma(R_p) / \sigma(R_K)$ dans l'équation permettant de déterminer le rendement espéré du portefeuille et après quelques manipulations algébriques, on obtient :

$$E(R_p) = r + [E(R_K) - r]\ \sigma(R_p) / \sigma(R_K) \tag{5.14}$$

Comme l'indique l'équation (5.14), la relation entre le rendement espéré et le risque total du portefeuille est linéaire. Cette droite (rKL) est représentée à la figure 5.8.

Figure 5.8 — **Choix d'un portefeuille opimal dans un contexte où on peut investir dans un titre sûr et le portefeuille de marché**

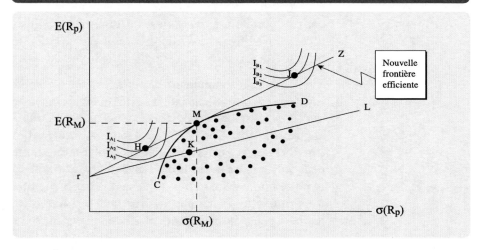

À la figure 5.8, le portefeuille situé au point r comprend uniquement le titre sûr et celui localisé au point K est constitué exclusivement du portefeuille risqué. Quant aux portefeuilles situés entre r et K, ils sont formés à partir du titre sûr et du portefeuille d'actifs risqués. Pour atteindre les points compris entre K et L, l'investisseur doit emprunter au taux sûr et investir la somme empruntée ainsi que son propre capital dans le portefeuille risqué.

Il est à noter que l'investisseur a la possibilité de combiner le titre sans risque avec n'importe lequel des portefeuilles situés sur ou sous la courbe CD (courbe représentant l'ensemble des portefeuilles efficients dans un contexte où on ne peut investir que dans des titres risqués). Il y a autant de droites possibles qu'il y a de portefeuilles sur ou sous cette frontière efficiente.

On observe, à la figure 5.8, que la droite qui a la pente la plus élevée est celle reliant les points r, M et Z. Tout portefeuille situé sur cette droite comporte un rendement espéré plus élevé que les autres portefeuilles possibles pour un même niveau de risque. La droite rMZ, qui représente l'ensemble des portefeuilles que l'on peut constituer en combinant dans des proportions variables l'actif sans risque et le portefeuille M, constitue la nouvelle frontière efficiente.

Un investisseur rationnel ne devrait considérer que les portefeuilles localisés sur la droite rMZ. Le choix d'un portefeuille optimal, parmi ceux situés sur cette droite, dépend des préférences individuelles (courbes d'indifférence) de l'investisseur. Pour l'investisseur A, représenté par les courbes d'indifférence I_{A1}, I_{A2} et I_{A3}, le portefeuille optimal se situe au point H (point de tangence entre la courbe I_{A2} et la droite rMZ). Cet investisseur place une partie de sa richesse dans le titre sans risque et le reste des fonds dans le portefeuille de marché. Quant au portefeuille optimal de l'investisseur B, il est localisé au point J. Pour construire ce portefeuille, cet investisseur doit emprunter au taux sûr (r) et investir tous les fonds disponibles (c.-à-d. la somme empruntée et son propre capital) dans le portefeuille M. On constate donc que, dans le contexte proposé, la composition du portefeuille d'actifs risqués est la même pour tous les investisseurs. Seule la proportion des fonds investis dans le titre sans risque et dans le portefeuille M varie d'un investisseur à l'autre en fonction du degré d'aversion à l'égard du risque. Il s'agit là d'un théorème important en théorie de portefeuille, connu sous le nom de théorème de la séparation.

On peut maintenant s'interroger sur la composition du portefeuille M. Pour que l'équilibre soit atteint sur les marchés financiers, il faut que, pour chacun des titres existants, l'offre corresponde à la demande. Étant donné que, dans le contexte théorique proposé, tous les investisseurs détiennent le même portefeuille d'actifs risqués, ce portefeuille doit contenir tous les titres risqués en proportion de la valeur marchande de chacun d'eux[6]. Un portefeuille ainsi constitué s'appelle le portefeuille de marché. Advenant le cas où un titre ne serait pas inclus dans le portefeuille de marché - parce qu'il y a une offre excédentaire à son prix actuel -, son prix baisserait - et, par conséquent, son rendement augmenterait - jusqu'à temps que ce dernier soit suffisamment attrayant pour faire partie du portefeuille M.

CML ou DEM
Droite sur laquelle sont localisés les portefeuilles parfaitement diversifiés, c'est-à-dire les portefeuilles composés du portefeuille de marché (partie risquée) et de bons du Trésor (partie sans risque)

La droite rMZ, montrée à la figure 5.8, est couramment appelée la *Capital Market Line* (CML) ou droite d'équilibre du marché (DEM). L'ordonnée à l'origine de cette droite est *r* alors que sa pente vaut $[E(R_M) - r]/\sigma(R_M)$. Par conséquent, son équation est :

$$E(R_p) = r + [E(R_M) - r]\, \sigma(R_p)/\sigma(R_M) \tag{5.15}$$

---

[6] Plus précisément, cela signifie que si la valeur marchande des actions de la compagnie i représente x% de la valeur marchande totale de tous les titres risqués en circulation, la part du titre i dans le portefeuille de marché sera de x%.

où

$E(R_p)$: Rendement espéré d'un portefeuille parfaitement diversifié (c.-à-d. d'un portefeuille constitué du portefeuille de marché et des bons du Trésor)

r : Rendement des bons du Trésor

$E(R_M)$: Rendement espéré du portefeuille de marché

$\sigma(R_p)$: Écart-type du rendement d'un portefeuille parfaitement diversifié

$\sigma(R_M)$: Écart-type du rendement du portefeuille de marché.

Exemple 5.10

Composition d'un portefeuille localisé sur la CML, compte tenu du degré d'aversion à l'égard du risque de l'investisseur

Pour la période à venir, les paramètres du marché sont les suivants :

$r = 10\%$, $E(R_M) = 15\%$ et $\sigma(R_M) = 20\%$

Deux investisseurs, A et B, disposant chacun d'un capital de 10 000 $, désirent se constituer un portefeuille à partir du portefeuille de marché et du titre sûr. Compte tenu de son degré d'aversion à l'égard du risque, l'investisseur A désire que l'écart-type du rendement de son portefeuille s'élève à 12%. Pour sa part, l'investisseur B est plus téméraire et est prêt à supporter un niveau de risque de l'ordre de 30%. Quel montant chaque investisseur doit-il placer dans le portefeuille de marché?

Solution

Investisseur A

À l'aide de la CML, on calcule, en premier lieu, le rendement espéré d'un portefeuille parfaitement diversifié ayant un écart-type de 12% :

$$E(R_p) = 0,10 + \left[\frac{0,15 - 0,10}{0,20}\right] 0,12 = 13\%$$

Par ailleurs, le rendement espéré de ce portefeuille peut également s'exprimer ainsi :

$$E(R_p) = x_M E(R_M) + (1 - x_M)r$$

où

x_M : Part des fonds investis dans le portefeuille du marché

$$0,13 = x_M(0,15) + (1 - x_M)(0,10)$$
$$0,13 = 0,15x_M + 0,10 - 0,10x_M$$
$$0,13 = 0,05x_M + 0,10$$
$$0,05x_M = 0,03$$

d'où : $x_M = 0,60$ ou 60%

L'investisseur A doit donc, compte tenu de son degré d'aversion face au risque, répartir son capital de 10 000 $ ainsi : 6 000 $ dans le portefeuille de marché et 4 000 $ dans le titre sûr.

Investisseur B

En utilisant une procédure similaire, on trouve :

$$E(R_p) = 0,10 + \left[\frac{0,15 - 0,10}{0,20} \right] 0,30 = 17,50\%$$

$$0,1750 = x_M(0,15) + (1 - x_M)(0,10)$$

d'où : $x_M = 1,50$ ou 150%

L'investisseur B doit donc, compte tenu de son attitude face au risque, investir 15 000 $ dans le portefeuille de marché et emprunter 5 000 $ au taux sûr.

5.6 Le modèle d'équilibre des actifs financiers (CAPM)

Proposé initialement par Sharpe[7] (1964) et Lintner[8] (1965), le modèle d'équilibre des actifs financiers (CAPM)[9] constitue une extension des travaux de Markowitz et un des développements majeurs de la finance moderne. Il permet de quantifier de façon précise la relation devant exister, dans des conditions idéales, entre le risque et le rendement des actifs financiers. Avant l'avènement de ce modèle, il était généralement reconnu que le rendement d'un titre ou d'un portefeuille était lié positivement à son niveau de risque, mais l'absence d'une relation mathématique précise entre le rendement et le risque constituait une des lacunes majeures de la science financière.

5.6.1 Hypothèses du modèle

Comme la plupart des modèles financiers, le CAPM est basé sur un ensemble d'hypothèses simplificatrices. Les principales hypothèses[10] de ce modèle sont les suivantes :

1. Les investisseurs ont de l'aversion pour le risque et cherchent à maximiser leur utilité espérée.

---

[7] Sharpe, W.F., « Capital Asset Prices : A Theory of Market Equilibrum under Conditions of Risk ». *Journal of Finance*, septembre 1964, pp. 425-442.

[8] Lintner, J., « Security Prices, Risk and the Maximal Gains from Diversification », *Journal of Finance*, décembre 1965, pp. 587-615.

[9] Plus récemment, Ross (1976) a suggéré un modèle concurrent au CAPM pour expliquer les rendements des actifs financiers. Ce modèle, connu sous le nom de APT (*Arbitrage Pricing Theory*), stipule que les rendements des titres seraient fonction d'un certain nombre de facteurs indépendants (*m* facteurs) plutôt que d'un seul facteur comme c'est le cas du CAPM que nous décrivons en détail dans la présente section. Toutefois, les *m* facteurs explicatifs des rendements des actifs financiers semblent difficiles à identifier et, tant leur nombre que leur nature, varient d'une étude empirique à l'autre. Pour cette raison notamment, les applications pratiques de ce modèle nous apparaissent à l'heure actuelle plutôt limitées et nous ferons abstraction de ce modèle dans la suite de cet ouvrage. Pour plus de détails relativement à l'APT, on peut consulter: Ross, S.A., « The Arbitrage Theory of Capital Asset Pricing », *Journal of Economic Theory*, décembre 1976, pp. 341-360.

[10] Certaines des hypothèses mentionnées peuvent être facilement assouplies sans affecter substantiellement les conclusions du modèle.

2. Les investisseurs prennent leurs décisions sur la base du rendement espéré et de l'écart-type du rendement des portefeuilles.

3. L'horizon de planification est d'une période.

Il est à noter que les trois hypothèses mentionnées ci-dessus sont communes au modèle de Markowitz que nous avons décrit précédemment et au CAPM. Pour aboutir au CAPM, il faut cependant poser des hypothèses additionnelles :

4. Les investisseurs ont des anticipations homogènes concernant le rendement et le risque de chacun des titres sur le marché.

5. Il est possible pour les investisseurs de prêter ou d'emprunter à un taux sûr uniforme pour tous.

6. Les marchés des capitaux sont parfaits : absence de frais de transaction, information gratuite et accessible à tous simultanément, divisibilité des titres, etc.

7. Les investisseurs peuvent vendre à découvert les titres sans aucune restriction.

8. Aucun investisseur ne peut, par l'entremise de ses achats et ventes, affecter le prix des titres.

Il est bien évident que la plupart des hypothèses énumérées ci-dessus ne constituent pas une description exacte de la réalité. Dans ces conditions, seuls les résultats de tests empiriques permettraient de confirmer ou d'infirmer la validité de ce modèle en supposant, bien entendu, qu'il soit testable[11] - ce qui est loin d'être certain. Malheureusement, les résultats des tests effectués sont plutôt contradictoires, certains d'entre eux étant plutôt favorables au CAPM[12] alors que d'autres lui sont carrément défavorables. Pour plus de détails à leur sujet, le lecteur peut consulter les références indiquées à la note 12 au bas de la page.

5.6.2 Composantes du risque

Essentiellement, le CAPM stipule que le rendement espéré d'un titre est fonction de son risque systématique. Dans ce contexte, il est nécessaire, avant

---

[11] Voir à ce sujet : Roll, R., « A Critique of the Asset Pricing Theory's Tests: Part I: On Past and Potential Testability of the Theory », *Journal of Financial Economics*, mars 1977, pp. 129-176.

[12] Du côté américain, voir notamment :
Black, F., Jensen, M.C. et M. Scholes, « The Capital Asset Pricing Model: Some Empirical Tests », publié dans *Studies in the Theory of Capital Markets*, Praeger, New York, 1972, pp. 79-124.
Fama, E.F. et J. MacBeth, « Risk, Return and Equilibrum: Empirical Tests », *Journal of Political Economy,* mai-juin 1973, pp. 607-636.
Fama, E.F. et K.R. French, « The Cross-Section of Expected Stock Returns », *Journal of Finance*, juin 1992, pp. 427-465.
En contexte canadien, on peut notamment lire :
Morin, R., « Market Line Theory and the Canadian Equity Market », *Journal of Business Administration*, automne 1980, pp. 57-76.

d'aborder la formulation mathématique exacte de ce modèle, de distinguer entre le risque systématique et le risque non systématique.

Il est possible de décomposer le risque total d'un titre (c.-à-d. la variance ou l'écart-type du taux de rendement) en risque systématique (appelé également risque non diversifiable ou risque attribuable à l'ensemble du marché) et en risque non systématique (appelé également risque diversifiable ou risque spécifique). Le risque total d'un titre peut donc s'exprimer ainsi :

$$\begin{array}{c}\text{Risque}\\\text{total}\end{array} = \begin{pmatrix}\text{Risque systématique}\\\text{ou risque}\\\text{non diversifiable}\end{pmatrix} + \begin{pmatrix}\text{Risque non}\\\text{systématique}\\\text{ou risque diversifiable}\end{pmatrix} \qquad (5.16)$$

Risque systématique

Le risque systématique est attribuable aux mouvements généraux du marché et de l'économie. Ce genre de risque a pour origine des facteurs comme l'inflation, des taux d'intérêt élevés, les récessions, les changements de gouvernement, les attentats terroristes, etc. Compte tenu que toutes les entreprises sont, dans une certaine mesure, influencées par les facteurs mentionnés ci-dessus, le risque systématique ne peut être éliminé par l'entremise de la diversification.

Le risque systématique d'un titre est fonction de son coefficient bêta. Ce coefficient est en fait une mesure de la volatilité d'un titre par rapport à la volatilité d'un indice boursier (l'indice S&P/TSX de la Bourse de Toronto, par exemple). Plus le coefficient bêta d'un titre est élevé, plus le titre en question comporte un risque systématique substantiel.

Le portefeuille de marché, qui inclut tous les titres risqués du marché, comporte un coefficient bêta de 1 alors qu'un titre sans risque, tel un bon du Trésor, possède un coefficient bêta nul. Pour la plupart des actions, le coefficient bêta est compris entre 0,20 et 3.

Un coefficient bêta plus petit que 1 indique que les rendements d'un titre sont moins volatils que ceux du marché dans son ensemble. Une action dont le bêta est, par exemple, de 0,50 est considérée comme étant un placement défensif, c'est-à-dire un placement dont le risque et, par conséquent, le rendement espéré sont faibles. Une action de ce genre a un risque systématique équivalent à 50% du risque du portefeuille de marché (c.-à-d. $0,50 \cdot \sigma(R_M)$). En pratique, la plupart des entreprises oeuvrant dans le secteur des services publics exhibent un faible coefficient bêta.

À l'opposé, un coefficient bêta plus grand que 1 indique que les rendements d'un titre sont plus volatils que ceux du marché dans son ensemble. Un titre comportant, par exemple, un coefficient bêta de 2 constitue un placement offrant à la fois un rendement espéré élevé et un niveau de risque élevé (c.-à-d. un risque systématique équivalent à deux fois celui du portefeuille de marché). En pratique, les entreprises exerçant leurs activités dans des secteurs comme la haute technologie et les transports comportent généralement un risque systématique élevé.

Au tableau 5.4, nous présentons le coefficient bêta de certains titres canadiens et américains bien connus.

Tableau 5.4 — **Le coefficent bêta de certaines actions ordinaires canadiennes et américaines au printemps 2010**

Titre	Coefficient bêta
Apple	1,57
Banque de Montréal	1,41
Bank of America	2,41
Banque Royale	1,29
BCE	1,05
Cisco Systems	1,23
Citigroup	2,71
Coca Cola	0,62
Eldorado Gold	1,00
Encana Corporation	1,01
Exxon Mobil	0,43
General Electric	1,52
Goldcorp	0,82
Goldman Sachs Group	1,42
Google	1,12
Johnson et Johnson	0,56
Microsoft	0,98
Pfizer	0,70
Procter & Gamble	0,59
Research In Motion	1,95
Société Aurifère Barrick	0,67
Société Financière Manuvie	2,04

Source des données : www.google.com/finance

Calcul du coefficient bêta d'un titre

Pour calculer le coefficient bêta d'un titre (β_i), on a recours à l'une ou l'autre des expressions suivantes[13] :

$$\beta_i = \frac{\text{Cov}(R_i, R_M)}{\sigma^2(R_M)}$$

$$= \frac{\rho(R_i, R_M)\,\sigma(R_i)\,\sigma(R_M)}{\sigma^2(R_M)} \qquad (5.17)$$

$$= \frac{\rho(R_i, R_M)\,\sigma(R_i)}{\sigma(R_M)} \qquad (5.17a)$$

où R_i : Taux rendement du titre i

R_M : Taux de rendement du portefeuille de marché

---

[13] On peut également estimer le coefficient bêta d'un titre à l'aide d'un modèle de régression linéaire simple où la variable indépendante est le rendement du portefeuille de marché et la variable dépendante le rendement du titre.

$Cov(R_i, R_M)$: Covariance entre les les rendements du titre i et ceux du portefeuille du marché

$\rho(R_i, R_M)$: Coefficient de corrélation entre les rendements du titre i et ceux du portefeuille de marché

$\sigma(R_i)$: Écart-type du taux de rendement du titre i

$\sigma(R_M)$: Écart-type du taux de rendement du portefeuille de marché.

L'expression (5.17a) indique que le coefficient bêta du titre i est fonction des paramètres suivants :

1. le coefficient de corrélation entre les rendements du titre et ceux du marché boursier;
2. la variabilité des rendements du titre;
3. la variabilité des rendements du marché boursier.

Exemple 5.11   **Calcul du coefficient bêta d'un titre**

Les renseignements suivants sont disponibles concernant les rendements annuels de l'action ordinaire de la compagnie XUP inc. et ceux du marché boursier :

Années	Rendements de l'action ordinaire de XUP	Rendements du marché boursier
1	15%	15%
2	12%	18%
3	21%	28%
4	-8%	-12%
5	16%	18%
6	18%	19%

Donnez une estimation du coefficient bêta de l'action ordinaire de la compagnie XUP inc.

Solution

À l'aide de l'équation (5.3), on calcule d'abord $\overline{R}_{XUP}$ et $\overline{R}_M$ (soit la moyenne arithmétique des rendements du titre et celle des rendements du marché) :

$$\overline{R}_{XUP} = \frac{0,15 + 0,12 + 0,21 - 0,08 + 0,16 + 0,18}{6} = 12,33\%$$

et

$$\overline{R}_M = \frac{0,15 + 0,18 + 0,28 - 0,12 + 0,18 + 0,19}{6} = 14,33\%$$

Par la suite, en ayant recours à l'expression (5.3), on détermine la covariance entre les rendements du titre et ceux du marché boursier :

$$
\begin{aligned}
\text{Cov}(R_{XUP}, R_M) = [&(0,15 - 0,1233)(0,15 - 0,1433) \\
&+ (0,12 - 0,1233)(0,18 - 0,1433) \\
&+ (0,21 - 0,1233)(0,28 - 0,1433) \\
&+ (-0,08 - 0,1233)(-0,12 - 0,1433) \\
&+ (0,16 - 0,1233)(0,18 - 0,1433) \\
&+ (0,18 - 0,1233)(0,19 - 0,1433)]/5 = 0,01389
\end{aligned}
$$

En troisième lieu, en utilisant l'équation (5.6), on calcule la variance du taux de rendement du marché boursier :

$$
\begin{aligned}
\sigma^2(R_M) = [&(0,15 - 0,1433)^2 + (0,18 - 0,1433)^2 \\
&+ (0,28 - 0,1433)^2 + (-0,12 - 0,1433)^2 \\
&+ (0,18 - 0,1433)^2 + (0,19 - 0,1433)^2]/5 = 0,01859
\end{aligned}
$$

Une estimation du coefficient bêta de l'action ordinaire de la compagnie XUP inc. est donc :

$$
\beta_{XUP} = \frac{0,01389}{0,01859} = 0,75
$$

À l'aide de la calculatrice SHARP EL-738, il est possible d'obtenir rapidement le coefficient bêta de la compagnie XUP en procédant comme suit :

Estimation du coefficient bêta à l'aide de la calculatrice SHARP EL-738

Calculatrice	
	Affichage et commentaires

Appuyez sur (MODE)

	NORMAL		STAT
	0		1

Choisissez STAT en appuyant sur (1)

	SD	LINE	QUAD
	0	1	2

Sélectionnez LINE en appuyant sur 1   Stat 1

Appuyez sur (2ndF) (CA) pour effacer, le cas échéant, les données déjà en mémoire.

Comme il s'agit d'un calcul statistique impliquant deux variables (le rendement du marché boursier et le rendement de l'action de XUP), on doit sélectionner (1).

Entrez les données de la façon suivante :

0.15 (x,y)   0.15 (x,y)   1   (ENT) DATA SET =1

0.18 (x,y)   0.12 (x,y)   1   (ENT) DATA SET =2

0.28 (x,y)   0.21 (x,y)   1   (ENT) DATA SET =3

0.12 (+/-) (x,y)   0.08 (+/-) (x,y)   1   (ENT) DATA SET =4

0.18 (x,y)   0.16 (x,y)   1   (ENT) DATA SET =5

0.19 (x,y)   0.18 (x,y)   1   (ENT) DATA SET =6

Appuyez sur (RCL) (b)   0,747131

L'écran affiche alors la valeur du coefficient bêta du titre, soit 0,7471.

> Le rendement du marché boursier est la variable indépendante et le rendement de l'action de XUP la variable dépendante. La performance d'une action individuelle dépend des mouvements de l'indice (et non l'inverse). Dans ce contexte, vous devez donc, en premier lieu, entrer le rendement du marché boursier et, par la suite, celui de l'action de XUP.

Calcul du coefficient bêta d'un portefeuille

Dans le cas d'un portefeuille, le coefficient bêta (β_p) correspond à la moyenne pondérée des coefficients bêta des titres qui y sont inclus, soit :

$$\beta_p = x_1\beta_1 + x_2\beta_2 + ... + x_n\beta_n$$

$$= \sum_{i=1}^{n} x_i\beta_i$$

(5.18)

où n : Nombre de titres inclus dans le portefeuille
   x_i : Part des fonds investis dans le titre i
   β_i : Coefficient bêta du titre i.

Exemple 5.12 | **Calcul du coefficient bêta d'un portefeuille**

Déterminez le coefficient bêta du portefeuille des investisseurs A, B et C :

1. l'investisseur A détient un portefeuille équipondéré composé de trois titres dont les coefficients bêta sont respectivement de 0,40, 0,80 et 1,50;

2. l'investisseur B a placé 3 000 $ dans un titre sans risque et 7 000 $ dans le portefeuille de marché;

3. l'investisseur C a emprunté 3 000 $ au taux sûr de façon à investir un montant total de 10 000 $ dans le titre i (le coefficient bêta du titre i est de 1,50).

Solution

1. En utilisant l'expression (5.18), on trouve :

$$\beta_p = (0,33)(0,40) + (0,33)(0,80) + (0,33)(1,50) = 0,891$$

2. En tenant compte du fait que le coefficient bêta d'un titre sans risque est nul et que celui du portefeuille de marché vaut 1, on obtient :

$$\beta_p = \left(\frac{3\,000}{10\,000}\right)(0) + \left(\frac{7\,000}{10\,000}\right)(1) = 0,70$$

3. Puisque le coefficient bêta de l'emprunt est nul, on obtient :

$$\beta_p = \left(\frac{-3\,000}{7\,000}\right)(0) + \left(\frac{10\,000}{7\,000}\right)(1,50) = 2,14$$

Risque non systématique

Le risque non systématique est attribuable à des facteurs qui exercent une influence sur le comportement boursier d'un ou, tout au plus, quelques titres. De tels facteurs sont notamment les grèves, les recommandations des analystes, les changements dans les goûts des consommateurs, l'obtention d'un important contrat, les erreurs de gestion, les annonces de bénéfices inférieurs ou supérieurs aux anticipations des investisseurs et les poursuites judiciaires. Étant donné que ces événements sont essentiellement aléatoires, leurs effets peuvent être neutralisés en détenant un portefeuille largement diversifié. En effet, une

. . .
Risque non systématique
Composante du risque total d'un titre qui est attribuable à de facteurs dont l'influence se fait sentir sur une ou quelques entreprises et qui peut être éliminée par l'entremise de la diversification

bonne nouvelle concernant une entreprise donnée est susceptible de contrebalancer l'impact d'une mauvaise nouvelle ayant trait à une autre compagnie. Puisqu'il est possible d'éliminer le risque non systématique par l'intermédiaire de la diversification, ce genre de risque ne devrait pas, dans des conditions idéales, avoir d'impact sur le rendement exigé par les investisseurs sur un placement donné.

La figure 5.9 illustre le lien existant entre le risque total d'un portefeuille et le nombre de titres qui y sont inclus.

Figure 5.9

Lien entre le risque total d'un portefeuille et le nombre de titres qui y sont inclus

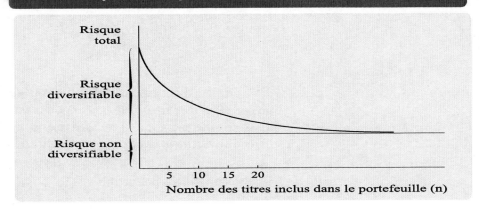

La figure 5.9 nous permet de constater que :

1. Les premiers titres inclus dans un portefeuille permettent de réduire le risque de façon plus marquée que les titres inclus subséquemment. Par exemple, si un investisseur détenant un portefeuille de deux titres en ajoute un troisième, la réduction du risque sera plus importante que s'il détient un portefeuille de dix titres et en ajoute un onzième. Lorsque le portefeuille comprend déjà au moins une dizaine de titres, l'ajout de titres additionnels ne permet de réduire que légèrement le risque non systématique du portefeuille.

2. Si n tend vers le nombre de titres disponibles sur le marché, le risque non systématique s'approche alors de 0. Dans ce contexte, le risque du portefeuille ne comporte qu'une composante systématique. On notera que, dans une situation réelle, où les rendements des titres sont positivement, mais imparfaitement corrélés, la diversification permet de réduire, mais non d'éliminer le risque. Précisons également que la diversification internationale permet d'éliminer une partie - mais non la totalité - du risque non diversifiable dans une perspective canadienne. Le fait que les rendements des différents marchés boursiers internationaux sont imparfaitement corrélés explique pourquoi il est généralement avantageux pour un investisseur de placer ses capitaux dans plusieurs régions du globe.

5.6.3 Le CAPM

Modèle d'équilibre des actifs financiers
Modèle selon lequel le rendement d'un actif risqué correspondrait à celui d'un titre sûr, plus une prime de risque proportionnelle à son coefficient bêta

Si les hypothèses mentionnées à la section 5.6.1 sont vérifiées, tous les investisseurs choisiront un des portefeuilles localisés sur la CML *(Capital Market Line)*, c'est-à-dire des portefeuilles parfaitement diversifiés dont le risque non systématique est, par conséquent, nul. Dans ces conditions, on peut se demander quelle sera, à l'équilibre, la relation risque-rendement pour les titres individuels et les portefeuilles imparfaitement diversifiés? La réponse à cette question nous est donnée par le CAPM *(Capital Asset Pricing Model)* ou MÉDAF (modèle d'équilibre des actifs financiers). Dans le cas d'un portefeuille (parfaitement[14] ou imparfaitement diversifié), l'équation du CAPM est la suivante :

$$
\begin{aligned}
E(R_p) &= r + [E(R_M) - r]\beta_p \\
&= r + \lambda\beta_p
\end{aligned}
\tag{5.19}
$$

où

$E(R_p)$: Taux de rendement espéré à l'équilibre ou taux de rendement exigé sur un portefeuille (parfaitement ou imparfaitement diversifié)

r : Taux de rendement d'un titre sans risque

$E(R_M)$: Taux de rendement espéré du portefeuille de marché

β_p : Coefficient bêta du portefeuille $= \dfrac{Cov(R_p, R_M)}{\sigma^2(R_M)}$

λ : Prime par unité de risque $= E(R_M) - r$

$\lambda\beta_p$: Prime de risque exigée sur un portefeuille.

Dans le cas d'un titre, la relation d'équilibre risque-rendement est la suivante :

$$
\begin{aligned}
E(R_i) &= r + [E(R_M) - r]\beta_i \\
&= r + \lambda\beta_i
\end{aligned}
\tag{5.19a}
$$

où $E(R_i)$: Taux de rendement espéré à l'équilibre ou taux de rendement exigé sur le titre i

β_i : Coefficient bêta du titre i $= \dfrac{\text{Covariance entre les rendements du titre i et ceux du portefeuille de marché}}{\text{Variance du taux de rendement du portefeuille de marché}}$

$$
= \dfrac{Cov(R_i, R_M)}{\sigma^2(R_M)}
$$

---

[14] Le CAPM est un modèle qui s'applique à tous les titres et portefeuilles - parfaitement ou imparfaitement diversifiés. Dans le cas d'un portefeuille parfaitement diversifié, l'équation du CAPM est identique à celle de la CML. En effet, dans un tel cas, on a :
$E(R_p) = r + [E(R_M) - r] \, Cov(R_p, R_M)/\sigma^2(R_M)$
$E(R_p) = r + [E(R_M) - r] \, \rho(R_p, R_M)\sigma(R_p)\sigma(R_M)/\sigma^2(R_M)$
Si le portefeuille est parfaitement diversifié, on a $\rho(R_p, R_M) = 1$.
Par conséquent : $E(R_p) = r + [E(R_M) - r] \, \sigma(R_p)/\sigma(R_M)$. Cette dernière équation est celle de la CML (équation 5.15).

Selon le modèle d'équilibre des actifs financiers :

1. Le taux de rendement exigé sur un titre ou un portefeuille devrait égaler le taux sûr plus une prime de risque.

2. La prime de risque exigée sur un titre ou un portefeuille correspond à la prime de risque du portefeuille de marché $[E(R_M) - r]$ multipliée par le coefficient bêta du titre ou du portefeuille en question.

3. Le lien entre le risque systématique et le rendement espéré est linéaire.

4. Le seul risque qui devrait être rémunéré par le marché est le risque systématique. En effet, étant donné que les investisseurs peuvent éviter le risque non systématique en détenant un portefeuille largement diversifié, il n'y a pas de raison que ce genre de risque influence le rendement espéré d'un titre dans un marché des capitaux efficient[15]. Ainsi, selon le CAPM, les titres i et j, dont les caractéristiques apparaissent ci-après, devraient avoir le même rendement espéré et ce, même si le titre j comporte un risque total plus élevé. De plus, les titres i et j devraient, à l'équilibre, présenter un rendement espéré inférieur à celui du portefeuille de marché puisque leur risque systématique est moindre.

	Titre i	Titre j	Portefeuille de marché
Écart-type du taux de rendement	30%	40%	20%
Coefficient bêta	0,80	0,80	1
Risque systématique	16%	16%	20%

$$= \left(\begin{array}{c} \text{Coefficient bêta} \\ \text{du titre ou du portefeuille} \end{array} \right) \times \left(\begin{array}{c} \text{Écart-type du rendement du} \\ \text{portefeuille de marché} \end{array} \right)$$

SML ou LET
Version graphique du CAPM ou MÉDAF qui illustre le fait que le rendement exigé sur un actif financier est lié positivement à son coefficient bêta

La version graphique du CAPM, appelée SML (*Security Market Line*) ou LET (ligne d'équilibre des titres), indique que le rendement exigé sur un actif financier est lié positivement à son coefficient bêta (voir la figure 5.10).

On observe, à la figure 5.10, que le rendement d'un titre sûr ($\beta = 0$) devrait correspondre au rendement des bons du Trésor et que le rendement espéré d'un titre dont le risque systématique est identique à celui du marché ($\beta = 1$) devrait normalement égaler le rendement espéré du marché. De plus, un titre plus risqué que les bons du Trésor, mais moins risqué que le marché ($0 < \beta < 1$), devrait avoir un rendement espéré se situant quelque part entre r et $E(R_M)$. Finalement, le rendement espéré d'un titre plus risqué que le marché ($\beta > 1$) devrait excéder le rendement espéré du marché.

---

[15] La notion d'efficience des marchés est abordée brièvement au chapitre 9.

| **Figure 5.10** | **Lien entre le rendement espéré, à l'équilibre, d'un titre et le coefficient bêta** |

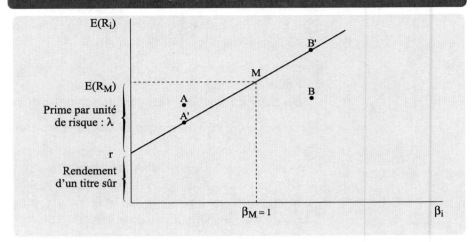

Titres sous-évalués et titres surévalués

Dans une situation d'équilibre, tous les titres et portefeuilles devraient être situés sur la SML. Un titre localisé au-dessus de la SML (titre A à la figure 5.10) représente une aubaine, puisque son taux de rendement espéré excède son taux de rendement requis compte tenu de son risque systématique (point A à la figure 5.10). Dans le cadre des hypothèses mentionnées précédemment, une aubaine de ce genre ne devrait pas persister bien longtremps. En effet, une augmentation de la demande pour le titre fera hausser son prix et, par conséquent, diminuer son rendement espéré jusqu'à ce que ce dernier corresponde au rendement requis. À l'opposé, le titre B est surévalué, puisque son rendement espéré est inférieur à son rendement requis. Un accroissement de l'offre pour ce titre fera fléchir son prix et, par conséquent, son rendement espéré devrait augmenter jusqu'à ce que ce dernier soit identique au rendement requis.

Une preuve du CAPM

Le CAPM constitue probablement une des équations les plus célèbres de la finance moderne. Aussi convient-il d'expliquer brièvement sa provenance. Pour simplifier les choses, nous prouverons la validité de ce modèle dans le cas d'un portefeuille parfaitement diversifié. Toutefois, comme nous l'avons mentionné précédemment, ce modèle s'applique également aux titres individuels et aux portefeuilles imparfaitement diversifiés.

Rappelons, en premier lieu que, compte tenu des hypothèses de départ, le portefeuille optimal de tout investisseur est constitué d'un titre sans risque et du portefeuille de marché. Le rendement espéré [E(R$_p$)] d'un tel portefeuille se calcule ainsi :

(i) $E(R_p) = x_M \cdot E(R_M) + (1 - x_M) \cdot r$

où

x_M :   Proportion des fonds investis dans le portefeuille de marché

$E(R_M)$:   Rendement espéré du portefeuille de marché

$1 - x_M$:   Proportion des fonds investis dans le titre sans risque

r :   Rendement d'un titre sans risque.

D'autre part, le coefficient bêta du portefeuille (β_p) correspond à la moyenne pondérée du coefficient bêta du portefeuille de marché (β_M) et du coefficient bêta du titre sans risque (β_s), ce qui peut s'écrire :

(ii) $\beta_p = x_M \cdot \beta_M + (1 - x_M) \cdot \beta_s$

$\beta_p = x_M \cdot 1 + (1 - x_M) \cdot 0$

d'où : $x_M = \beta_p$

En remplaçant dans l'équation (i) x_M par β_p, on obtient alors :

$E(R_p) = \beta_p \cdot E(R_M) + (1 - \beta_p) \cdot r$

$E(R_p) = \beta_p \cdot E(R_M) + r - \beta_p \cdot r$

$E(R_p) = r + [E(R_M) - r]\beta_p$

On pourrait également prouver que le CAPM s'applique aux titres individuels et aux portefeuilles imparfaitement diversifiés. Cependant, la démonstration exige le recours aux concepts du calcul différentiel[16].

Exemple 5.13   **Calcul du taux de rendement requis sur un titre à l'aide du CAPM et estimation de sa valeur intrinsèque**

Un analyste financier a effectué les prévisions suivantes pour l'an prochain :

- Taux de rendement espéré du marché :   14%
- Taux de rendement des bons du Trésor :   9%
- Écart-type du taux de rendement du marché :   8%
- Prix d'une action de la firme i dans un an :   46 $
- Coefficient de corrélation entre les rendements de l'action de la firme i et du marché :   0,60
- Écart-type du taux de rendement de l'action de la firme i :   12%

a)   Quel est le coefficient bêta de l'action de la firme i?

b)   Quel est le taux de rendement requis sur l'action de la firme i?

c)   L'action ordinaire de la firme i se transige actuellement à 42 $. Est-elle sous-évaluée ou surévaluée?

d)   Montrer qu'il est possible de constituer, à partir du portefeuille de marché et des bons du Trésor, un portefeuille dont le coefficient bêta est équivalent à celui du titre i, mais comportant un rendement espéré supérieur.

---

[16]   Voir notamment à ce sujet Copeland, T.E. et J.F. Weston, *Financial Theory and Corporate Policy*, Addison-Wesley, 3ᵉ édition, 1988, pp. 195-197.

Solution

a) Le calcul du coefficient bêta s'effectue à l'aide de l'expression (5.17a) :

$$\beta_i = \frac{\rho(R_i, R_M)\sigma(R_i)}{\sigma(R_M)} = \frac{(0,60)(0,12)}{0,08} = 0,90$$

Le rendement de l'action de la firme i est donc un peu moins volatil que celui du portefeuille de marché.

b) Le taux de rendement requis ou le taux de rendement espéré à l'équilibre est donné par le CAPM (équation 5.19a). À partir de ce modèle d'équilibre, on obtient :

Taux de rendement requis $= 0,09 + [0,14 - 0,09]\,0,90 = 13,50\%$

c) Pour déterminer si l'action est sous-évaluée ou surévaluée, on calcule d'abord le prix auquel elle devrait normalement se transiger actuellement (V). Pour ce faire, il s'agit d'actualiser, au taux de rendement requis, le prix prévu de l'action dans un an. On obtient alors :

$$V = \frac{46}{(1+0,1350)} = 40,53\ \$ < 42\ \$.\ \text{Étant donné que la valeur intrinsèque du}$$

titre est inférieure à sa valeur marchande, on peut conclure qu'il est suré-valué.

d) Pour constituer un portefeuille dont le coefficient bêta est de 0,90, il s'agit d'investir 90% des fonds dans le portefeuille de marché et le reste des fonds (c.-à-d. 10%) dans les bons du Trésor. Ces proportions se calculent de la façon suivante :

$\beta_p = x_M \cdot \beta_M + (1 - x_M) \cdot \beta_s$
$0,90 = x_M \cdot 1 + (1 - x_M) \cdot 0$
d'où : $x_M = 90\%$ et $x_s = 1 - x_M = 1 - 90\% = 10\%$.

Le rendement espéré de ce portefeuille sera alors égal à :

$E(R_p) = x_M \cdot E(R_M) + (1 - x_M) \cdot r$
$E(R_p) = (0,90)(0,14) + (0,10)(0,09)$
$E(R_p) = 13,50\%$

Compte tenu que les investisseurs ont la possibilité d'obtenir un rendement espéré de 13,50% pour un portefeuille comportant un coefficient bêta de 0,90, aucun d'entre eux ne sera intéressé à acheter ou à détenir le titre i dont le coefficient bêta est identique à celui de ce portefeuille, mais dont le rendement espéré est moindre (9,52%). Pour représenter une occasion d'investissement compétitive sur le marché, le rendement espéré du titre i doit être de 13,50%, ce qui implique que son prix d'équilibre actuel se situe à 40,53 $.

5.7 Concepts fondamentaux

- Le rendement moyen arithmétique constitue une estimation non biaisée du rendement espéré d'un titre ou d'un portefeuille pour la période à venir. Pour mesurer la performance passée d'un titre ou d'un portefeuille, le rendement moyen géométrique s'avère cependant plus approprié.

- Le rendement espéré d'un titre peut être estimé à l'aide d'une distribution de probabilité subjective ou en effectuant la moyenne arithmétique des rendements historiques. Il est à noter que le rendement réalisé sur un titre peut s'écarter significativement du rendement espéré.

- Le rendement espéré d'un portefeuille correspond à la moyenne pondérée des rendements espérés des titres qui y sont inclus.

- L'utilisation de l'effet de levier financier (c.-à-d. le recours à des capitaux empruntés pour acquérir des titres) a pour effet d'accroître simultanément le rendement espéré et le risque d'un portefeuille.

- L'écart-type (ou son carré, la variance) du taux de rendement mesure le risque total d'un titre ou d'un portefeuille. On peut estimer la valeur de ce paramètre statistique à l'aide d'une distribution de probabilité subjective ou en utilisant les rendements passés.

- La covariance constitue une mesure absolue du degré d'association entre les rendements de deux titres. Elle intervient dans le calcul du risque total d'un portefeuille. On peut l'estimer à partir d'une distribution de probabilité subjective ou en ayant recours aux rendements historiques des deux titres en cause.

- Le coefficient de corrélation est une mesure relative du degré d'association entre les rendements de deux titres. Il varie nécessairement entre $+1$ (corrélation positive parfaite) et -1 (corrélation négative parfaite) et comporte toujours le même signe que la covariance.

- Le risque total d'un portefeuille dépend des trois facteurs suivants : (1) le risque individuel des titres inclus dans le portefeuille (les termes de variance), (2) le degré de dépendance statistique entre les rendements des titres (les termes de covariance) et (3) l'importance relative de chaque titre inclus dans le portefeuille.

- Le risque d'un portefeuille bien diversifié dépend surtout des termes de covariance, c'est-à-dire du degré de dépendance statistique existant entre les rendements des titres qui y sont inclus.

- La valeur à risque (VaR) permet de synthétiser en un montant unique l'exposition au risque que comporte un portefeuille d'actifs financiers.

- La diversification permet de réduire le risque d'un portefeuille, sans pour autant diminuer son rendement espéré. Plus le coefficient de corrélation entre les rendements des titres s'approche de -1, plus les gains inhérents à la diversification sont substantiels. Lorsque le coefficient de corrélation entre les rendements de deux titres est égal à $+1$, l'effet de diversification est inexistant.

Inversement, dans le cas où le coefficient de corrélation vaut −1, l'effet de diversification est à son maximum et il est même possible dans ce contexte de construire un portefeuille dénué de risque.

- Un portefeuille est dit efficient si, pour un niveau de risque donné, il procure le rendement espéré maximal ou, de façon équivalente, comporte le risque minimal pour un niveau de rendement donné.

- Le modèle de Markowitz permet de sélectionner un portefeuille optimal de valeurs mobilières en contexte de risque. Il est basé sur l'idée qu'un investisseur ayant de l'aversion pour le risque choisira un portefeuille comportant le rendement espéré maximal pour un niveau de risque donné.

- En théorie, le portefeuille de marché comprend tous les titres risqués de l'économie. Toutefois, dans un contexte réel, il est le plus souvent assimilé à un indice boursier représentatif (par exemple, l'indice composé S&P/TSX dans le cas du marché canadien).

- Dans un contexte où il a la possibilité de placer une partie de ses capitaux dans un actif sans risque, un investisseur optera nécessairement pour un portefeuille parfaitement diversifié (c'est-à-dire un portefeuille composé du portefeuille de marché et de bons du Trésor) localisé sur la droite d'équilibre du marché (DEM). Le portefeuille qu'il sélectionnera, parmi ceux situés sur la DEM, sera fonction de son degré d'aversion à l'égard du risque.

- La CML ou DEM ne s'applique qu'aux portefeuilles parfaitement diversifiés. Pour déterminer le taux de rendement requis sur un titre individuel ou un portefeuille imparfaitement diversifié, il faut recourir au modèle d'équilibre des actifs financiers (CAPM).

- Le risque total d'un titre ou d'un portefeuille se décompose en risque systématique (appelé également risque non diversifiable ou risque de marché) et en risque non systématique (appelé également risque diversifiable ou risque spécifique).

- Le risque systématique est attribuable aux mouvements généraux du marché et de l'économie et ne peut être éliminé par l'entremise de la diversification. Il s'agit du seul risque qui, dans des conditions idéales, devrait exercer une influence sur les prix des actifs financiers.

- Le coefficient bêta représente un indice de risque systématique qui mesure la sensibilité d'un titre ou d'un portefeuille aux mouvements du marché boursier. Les titres dont le coefficient bêta excède 1 sont considérés comme dynamiques alors que ceux dont le coefficient bêta est plus bas que 1 sont jugés défensifs.

- Le risque non systématique peut être réduit significativement - et même annulé - par l'entremise de la diversification. Cette composante du risque total a comme origine des facteurs qui exercent une influence sur une ou quelques entreprises.

- Selon le modèle d'équilibre des actifs financiers (MÉDAF ou CAPM), le taux de rendement exigé sur un titre ou un portefeuille correspond au taux de rendement d'un placement sûr plus une prime de risque. La prime de risque demandée par les investisseurs est égale à l'écart entre le rendement du portefeuille de marché et celui des bons du Trésor, multiplié par le coefficient bêta du titre ou du portefeuille.

- La version graphique du MÉDAF s'appelle la LET ou SML. Cette droite permet d'illustrer le fait que le rendement exigé sur un actif financier est lié positivement à son coefficient bêta.

- Les titres sous-évalués sont localisés au-dessus de la SML alors que les titres surévalués sont situés en-dessous de cette droite.

5.8 Mots clés

Coefficient bêta (p. 190)	Moyenne arithmétique (p. 152)
Coefficient de corrélation (p. 165)	Portefeuille accessible (p. 174)
Courbes d'indifférence (p. 176)	Portefeuille à risque minimal (p. 175)
Covariance (p. 160)	Portefeuille de marché (p. 180)
Distribution normale (p. 156)	Prime par unité de risque (p. 190)
Droite d'équilibre du marché (DEM ou CML) (p. 180)	Rendement espéré (p. 152)
	Rendement périodique (p. 151)
Écart-type (p. 154)	Risque (p. 154)
Effet de diversification (p. 175)	Risque non systématique (p. 188)
Frontière efficiente (p. 177)	Risque systématique (p. 183)
Ligne d'équilibre des titres (LET ou SML) (p. 191)	Risque total (p. 184)
	Taux de rendement exigé (p. 190)
Modèle de Markowitz (p. 177)	Valeur à risque (p. 170)
Modèle d'équilibre des actifs financiers (MÉDAF ou CAPM) (p. 190)	Variance (p. 154)
	Volatilité historique (p. 158)

5.9 Sommaire des principales formules

Rendement périodique d'un titre

$$(5.1) \quad R_t = \frac{(P_t - P_{t-1}) + D_t}{P_{t-1}}$$

où P_t : Prix du titre à la fin de la période t
P_{t-1} : Prix du titre au début de la période t
D_t : Dividende reçu pendant la période t.

Rendement espéré d'un titre

À partir de probabilités subjectives

$$(5.2) \quad E(R) = \sum_{k=1}^{n} P_k R_k$$

où R_k : Rendement du titre étant donné la conjoncture économique k
P_k : Probabilité d'occurence de la conjoncture k
n : Nombre de conjonctures économiques possibles.

À partir de rendements historiques

$$(5.3) \quad E(R) = \overline{R} = \sum_{t=1}^{n} \frac{R_t}{n}$$

où $\overline{R}$: Moyenne arithmétique des rendements passés

R_t : Rendement observé à la période t

n : Nombre de rendements historiques considérés pour déterminer $\overline{R}$.

Rendement espéré d'un portefeuille

$$(5.4) \quad E(R_p) = \sum_{i=1}^{n} x_i E(R_i)$$

où $E(R_i)$: Rendement espéré du titre i

x_i : Proportion des fonds investis dans le titre i

n : Nombre de titres inclus dans le portefeuille.

Risque d'un titre

À partir de probabilités subjectives

$$(5.5) \quad \sigma^2(R) = \sum_{k=1}^{n} P_k [R_k - E(R)]^2$$

où $\sigma^2(R)$: Variance du taux de rendement du titre

R_k : Rendement du titre étant donné la conjoncture économique k

P_k : Probabilité d'occurence de la conjoncture k

n : Nombre de conjonctures économiques possibles.

À partir de rendements historiques

$$(5.6) \quad \sigma^2(R) = \sum_{t=1}^{n} \frac{(R_t - \overline{R})^2}{n-1}$$

où $\overline{R}$: Moyenne arithmétique des rendements passés

R_t : Rendement observé à la période t

n : Nombre de rendements historiques considérés pour estimer $\sigma^2(R)$.

Risque d'un portefeuille

Covariance à partir de probabilités subjectives

$$(5.7) \quad \text{Cov}(R_i, R_j) = \sum_{k=1}^{n} P_k [R_{ik} - E(R_i)][R_{jk} - E(R_j)]$$

où R_{ik} : Rendement du titre i étant donné la conjoncture économique k

R_{jk} : Rendement du titre j étant donné la conjoncture économique k

P_k : Probabilité d'occurence de la conjoncture économique k

n : Nombre de conjonctures économiques possibles.

Covariance à partir des rendements historiques

$$(5.8) \quad \text{Cov}(R_i, R_j) = \sum_{t=1}^{n} \frac{(R_{it} - \overline{R}_i)(R_{jt} - \overline{R}_j)}{n-1}$$

où R_{it} : Rendement observé du titre i à la période t

R_{jt} : Rendement observé du titre j à la période t

$\overline{R}_i$: Moyenne arithmétique des rendements historiques du titre i

$\overline{R}_j$: Moyenne arithmétique des rendements historiques du titre j

n : Nombre de rendements historiques considérés pour estimer $\text{Cov}(R_i, R_j)$.

Coefficient de corrélation linéaire

$$(5.9) \quad \rho(R_i, R_j) = \frac{\text{Cov}(R_i, R_j)}{\sigma(R_i)\sigma(R_j)}$$

Risque d'un portefeuille composé de deux titres

$$(5.10) \quad \sigma^2(R_p) = x_i^2 \sigma^2(R_i) + x_j^2 \sigma^2(R_j) + 2x_i x_j \text{Cov}(R_i, R_j)$$

Risque d'un portefeuille composé de 3 titres

$$(5.11) \quad \sigma^2(R_p) = x_1^2 \sigma^2(R_1) + x_2^2 \sigma^2(R_2) + x_3^2 \sigma^2(R_3)$$
$$+ 2x_1 x_2 \text{Cov}(R_1, R_2) + 2x_1 x_3 \text{Cov}(R_1, R_3)$$
$$+ 2x_2 x_3 \text{Cov}(R_2, R_3)$$

Risque d'un portefeuille composé de n titres

$$(5.12) \quad \sigma^2(R_p) = \sum_{i=1}^{n} x_i^2 \sigma^2(R_i) + \sum_{\substack{i=1 \\ i \neq j}}^{n} \sum_{j=1}^{n} x_i x_j \text{Cov}(R_i, R_j)$$

> **Proportion x_i^* des fonds à investir dans le titre i de façon à obtenir un portefeuille à risque minimal**

$$(5.13) \quad x_i^* = \frac{\sigma^2(R_j) - \text{Cov}(R_i, R_j)}{\sigma^2(R_i) + \sigma^2(R_j) - 2\text{Cov}(R_i, R_j)}$$

où $\sigma^2(R_i)$: Variance du rendement du titre i

$\sigma^2(R_j)$: Variance du rendement du titre j

$\text{Cov}(R_i, R_j)$: Covariance entre les rendements des titres i et j.

> **Droite d'équilibre du marché ou Capital Market Line (CML)**

$$(5.15) \quad E(R_p) = r + [E(R_M) - r]\, \sigma(R_p)/\sigma(R_M)$$

où $E(R_p)$: Rendement espéré d'un portefeuille parfaitement diversifié

r : Rendement des bons du Trésor

$E(R_M)$: Rendement espéré du portefeuille de marché

$\sigma(R_p)$: Écart-type du rendement d'un portefeuille parfaitement diversifié

$\sigma(R_M)$: Écart-type du rendement du portefeuille de marché.

> **Coefficient bêta (β)**

Coefficient bêta d'un titre

$$(5.17 \text{ et } 5.17a) \quad \beta_i = \frac{\text{Cov}(R_i, R_M)}{\sigma^2(R_M)} = \frac{\rho(R_i, R_M)\sigma(R_i)}{\sigma(R_M)}$$

où $\sigma(R_i)$: Écart-type du taux rendement du titre i

$\sigma(R_M)$: Écart-type du taux rendement du portefeuille de marché

$\text{Cov}(R_i, R_M)$: Covariance entre les rendements du titre i et ceux du portefeuille de marché

$\rho(R_i, R_M)$: Coefficient de corrélation entre les rendements du titre i et ceux du portefeuille de marché.

Coefficient bêta d'un portefeuille

$$(5.18) \quad \beta_p = \sum_{i=1}^{n} x_i \beta_i$$

où x_i : Part des fonds investis dans le titre i

β_i : Coefficient bêta du titre i.

Modèle d'équilibre des actifs financiers (CAPM)

(5.19a) $E(R_i) = r + [E(R_M) - r] \beta_i$

où $E(R_i)$: Taux de rendement espéré du titre i

$E(R_p)$: Taux de rendement espéré à l'équilibre ou taux de rendement exigé sur un portefeuille (parfaitement ou imparfaitement diversifié)

r : Taux de rendement d'un titre sans risque

$E(R_M)$: Taux de rendement espéré du portefeuille de marché

β_i : Coefficient bêta du titre i.

5.10 Exercices

Série A

1. Vrai ou faux.

a) Le gain (perte) en capital est le seul facteur qui influence le rendement d'un titre au cours d'une période donnée.

b) En général, on dit que le risque d'un titre et/ou portefeuille est élevé si le titre (portefeuille) donne à la fois la possibilité d'obtenir un gain élevé et de subir une perte susbstantielle.

c) L'investisseur choisit un portefeuille sur la base des alternatives offertes sur le marché et de son attitude à l'égard du risque.

d) Un portefeuille est efficient s'il maximise le rendement espéré pour un niveau de risque donné.

e) Dans le cas particulier où le coefficient de corrélation entre les rendements de deux titres est égal à l'unité, la frontière efficiente que l'on peut tracer en combinant dans des proportions variables ces deux titres aura une forme linéaire.

f) Si le coefficient de corrélation entre les rendements de deux titres est de -0,70, il est possible de constituer un portefeuille sans risque en répartissant notre avoir également dans chacun d'entre eux.

g) Les coefficients de corrélation entre les rendements des titres composant un portefeuille influencent son rendement espéré.

h) La frontière efficiente est indépendante des préférences individuelles des investisseurs et dépend uniquement des caractéristiques des titres offerts sur le marché.

i) Les deux dimensions considérées en finance - le risque et le rendement espéré - sont liées inversement.

j) Le coefficient de corrélation entre le taux de rendement d'un titre sans risque et le taux de rendement du portefeuille de marché est égal à l'unité.

k) En plaçant son argent dans un titre hautement spéculatif pour une période d'un an, un investisseur est certain de réaliser un taux de rendement plus élevé que celui des bons du Trésor.

l) Selon le théorème de la séparation, la composition du portefeuille d'actifs risqués est indépendante des préférences individuelles de l'investisseur.

m) En achetant un titre dont le coefficient bêta est très élevé, vous êtes sûr(e) de réaliser un taux de rendement élevé au cours de la période à venir.

n) Compte tenu que les investisseurs ne peuvent s'attendre à réaliser des profits substantiels en plaçant leur argent dans des bons du Trésor, le taux de rendement espéré des bons du Trésor devrait nécessairement être supérieur à celui du portefeuille de marché.

o) Il est possible de réduire à zéro le risque non systématique d'un portefeuille.

p) Dans un contexte pratique, il est possile d'annuler complètement le risque total d'un portefeuille.

q) La formulation mathématique du risque comprenant quatre titres comprend plus de termes de covariance que de termes de variance.

r) Le coefficient bêta du portefeuille de marché est égal à l'unité.

s) Une des hypothèses à la base du CAPM est que les investisseurs ont du goût pour le risque.

t) Les portefeuilles parfaitement diversifiés sont situés à la fois sur la SML et sur la CML.

u) L'effet de diversification est inexistant lorsque les coefficients de corrélation à l'intérieur d'un portefeuille sont de zéro.

v) La SML est une relation linéaire et positive entre le rendement espéré et le risque total d'un titre ou d'un portefeuille.

w) À l'équilibre, les titres individuels sont localisés sur la SML.

x) Le rendement espéré d'un titre dont le coefficient bêta est nul est de 0%.

2. Un portefeuille est composé de deux titres dont les caractéristiques sont les suivantes :

$E(R_1) = 12\%$ $\qquad\qquad$ $\sigma(R_1) = 20\%$
$E(R_2) = 7\%$ $\qquad\qquad$ $\sigma(R_2) = 10\%$

L'ensemble des portefeuilles accessibles est représenté par les deux segments de droite apparaissant à la figure suivante :

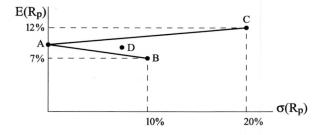

Parmi les propositions suivantes, identifiez celle(s) qui est (sont) exacte(s) :

i) À partir des titres 1 et 2, il est possible de constituer le portefeuille localisé au point D.

ii) Le coefficient de corrélation entre les rendements des titres 1 et 2 vaut 1.

iii) Le portefeuille identifié par le point C est constitué exclusivement du titre 1.

   a) i et ii seulement   b) i et iii seulement

   c) ii et iii seulement   d) i, ii et iii

   e) Aucune de ces réponses

3. Quelle est la proportion des fonds à investir dans le titre 2 de façon à obtenir le portefeuille identifié par le point A sur la figure de la question précédente?

a) 100%

b) 33,3%

c) 66,7%

d) 50%

e) Aucune de ces réponses

4. Les titres A, B et C ont le même rendement espéré et le même écart-type. Le tableau ci-dessous montre les coefficients de corrélation entre les rendements de ces actions :

	Titre A	Titre B	Titre C
Titre A	+ 1,0	-	-
Titre B	+ 0,70	+1,0	-
Titre C	+ 0,20	- 0,50	+ 1,0

Compte tenu de ces coefficients de corrélation, lequel des portefeuilles suivants comporte le degré de risque le plus faible?

a) Un portefeuille équipondéré composé des titres A et B;

b) Un portefeuille équipondéré composé des titres A et C;

c) Un portefeuille équipondéré composé des titres B et C;

d) Un portefeuille composé exclusivement du titre C.

5. Monsieur Yvon Gagné est prêt à payer 30 $ pour participer à un jeu de hasard dans lequel les chances de remporter 50 $ ou de ne rien recevoir sont équivalentes. On peut donc affirmer que :

a) M. Gagné a du goût pour le risque (*risk lover*)

b) M. Gagné a une attitude neutre face au risque (*risk neutral*)

c) M. Gagné a de l'aversion pour le risque (*risk averter*)

d) Aucune de ces réponses.

6. À l'aide de la figure suivante, déterminez la (les) proposition(s) qui est (sont) vraie(s) :

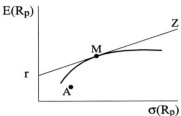

i) La droite rMZ s'appelle la CML.

ii) Dans un contexte où on peut investir dans un titre sans risque, le portefeuille A est efficient.

iii) L'équation de la droite rMZ est donnée par :

$$E(R_p) = r + \frac{[E(R_M) - r]\sigma(R_M)}{\sigma(R_p)}$$

    a) i seulement

    b) ii seulement

    c) iii seulement

    d) i et iii seulement

    e) ii et iii seulement

7. L'écart-type du portefeuille de marché est de 15%. Quel est l'écart-type d'un portefeuille parfaitement diversifié dont le coefficient bêta s'élève à 1,30?

a) 15%

b) 19,5%

c) 10%

d) 18,6%

e) 21,4%

f) On ne peut le calculer

8. Soit deux titres, A et B, dont les rendements passés sont les suivants :

Année

Titre	XX+1	XX+2	XX+3	XX+4	XX+5	XX+6	XX+7
A	0,05	-0,10	0,10	0,18	0,02	0,09	0,10
B	0,10	-0,14	-0,03	0,07	0,01	0,06	0,05

a) Quel est le rendement espéré du titre A pour l'année XX + 8?

b) Quelle est la covariance entre les rendements des titres A et B?

c) Quel est le coefficient de corrélation entre les rendements des titres A et B?

d) Supposons que vous investissez 10 000 $ dans les titres A et B à raison de 60% dans A et 40% dans B. Déterminez :

    i) $E(R_p)$ ii) $\sigma^2(R_p)$

9. Un analyste a effectué les prévisions suivantes relativement aux rendements des titres X et Y pour la période à venir :

Conjoncture k	P_k	R_{Xk}	R_{Yk}
1	0,20	0,14	0,08
2	0,10	0,04	0,11
3	0,25	0,21	0,16
4	0,30	0,14	0,11
5	0,15	0,04	0,16

a) Calculez la variance des rendements du titre X.

b) Calculez la variance des rendements du titre Y.

c) Calculez la covariance entre les rendements des titres X et Y.

d) Supposons que vous investissez 12 000 $ dans les titres X, Y et en bons du Trésor à raison de 4 000 $ dans le titre X, de 2 000 $ dans le titre Y et de 6 000 $ en bons du Trésor (le taux de rendement des bons du Trésor pour la période à venir est de 8%). Déterminez :

i) $E(R_p)$ ii) $\sigma^2(R_p)$

e) Si vous investissez vos 12 000 $ dans les titres X et Y seulement, quel montant doit être investi dans le titre X de façon à obtenir un portefeuille qui comporte une variance minimale?

f) Représentez graphiquement l'ensemble des portefeuilles que l'on peut construire à partir des titres X et Y en fonction de l'écart-type et du rendement espéré. Indiquez, parmi cet ensemble de portefeuilles, ceux qui sont efficients.

10. Vous disposez d'un capital de 5 000 $. Vous désirez former un portefeuille équipondéré à partir des titres X et Y (50% des fonds dans X et 50% des fonds dans Y). Les caractéristiques de ces titres sont les suivantes :

	Titre X	Titre Y
Rendement espéré	10%	14%
Écart-type	25%	32%

Calculez le rendement espéré et l'écart-type de votre portefeuille dans chacun des cas suivants :

a) Coefficient de corrélation entre les rendements des titres = 1

b) Coefficient de corrélation entre les rendements des titres = 0

c) Coefficient de corrélation entre les rendements des titres = -1

11. Vous pensez que l'action ordinaire de la firme i vaudra 125 $ dans un an. En supposant que r = 10%, $E(R_M)$ = 15% et β_i = 1,8, quel prix accepteriez-vous de payer aujourd'hui pour acquérir une action ordinaire de la firme i?

12. Les rendements espérés et les coefficients bêta de 5 actions sont indiqués au tableau de la page suivante :

Titre	Rendement espéré	Coefficient bêta
A	10%	1
B	14%	0,70
C	18%	2
D	22%	1
E	30%	1,80

Sachant que le taux de rendement des bons du Trésor est de 8% et que le taux de rendement espéré du marché pour la période à venir s'élève à 15%, quel(s) titre(s) est (sont) surévalué(s)?

13. Pour la période à venir, les paramètres du marché sont les suivants :
$r = 10\%$, $E(R_M) = 15\%$ et $\sigma(R_M) = 30\%$.

a) Quel est le rendement espéré d'un portefeuille parfaitement diversifié ayant un écart-type de 40%?

b) Un investisseur, disposant d'un capital de 10 000 $, désire se constituer un portefeuille à partir du portefeuille de marché et du titre sûr. Sachant qu'il est prêt à accepter un écart-type de 40%, quel montant doit-il placer dans le portefeuille de marché?

14. Pour la prochaine année, les renseignements suivants sont disponibles concernant l'action ordinaire de la compagnie TVQ inc. :
- Rendement espéré : 10%
- Écart-type du taux de rendement : 30%

Sabrina envisage la possibilité d'investir la totalité de ses capitaux disponibles (soit 250 000 $) dans l'action ordinaire de la compagnie TVQ inc. Son horizon de placement est d'un an.

a) Quelle est la probabilité que Sabrina réalise un gain en capital au moins égal à 100 000 $ sur son horizon de placement?

b) Quelle est la valeur à risque du placement à un niveau de confiance de 95% ?

c) Sachant que Sabrina a une forte aversion à l'égard du risque, que lui suggérez-vous de faire?

15. On dispose des renseignements suivants concernant un portefeuille d'actifs financiers :
- Valeur du portefeuille : 5 000 000 $
- Gain quotidien espéré : 3 000 $
- Écart-type du gain quotidien : 42 000 $

a) Calculez la valeur à risque à un jour à un niveau de confiance de 99%? (Supposez que le gain quotidien est assujetti à une distribution normale.)

b) Calculez la valeur à risque à trente jours à un niveau de confiance de 99%.

Série B

16. Votre courtier, à l'emploi de la firme de courtage XIP, vous recommande fortement d'acheter des actions des compagnies EXL et PEP. Pour l'an prochain, les analystes de la firme de courtage XIP ont effectué les prévisions suivantes :

État de la conjoncture économique (k)	P_k	Prix de l'action de EXL dans un an	Prix de l'action de PEP dans un an
1	0,15	8 $	14 $
2	0,35	10	20
3	0,30	14	26
4	0,20	18	34

Sur les marchés boursiers, les actions de la compagnie EXL se transigent actuellement à 10 $ l'unité et celles de PEP à 20 $ l'unité. De plus, la plupart des analystes s'attendent à ce que chacune de ces deux compagnies distribuent un dividende de 0,50 $ par action en fin d'année.

Suite au décès de votre oncle, vous venez de recevoir un héritage de 10 000 $ que vous êtes prêt à investir à la Bourse.

a) Quel est le rendement espéré de l'action de la compagnie EXL?

b) Quel est le rendement espéré de l'action de la compagnie PEP?

c) Quel est l'écart-type du taux de rendement de l'action de la compagnie EXL?

d) Quel est l'écart-type du taux de rendement de l'action de la compagnie PEP?

e) Quel est le coefficient de corrélation entre les rendements des actions des compagnies EXL et PEP?

f) Complétez le tableau suivant :

Montant investi dans EXL	Montant investi dans PEP	Rendement espéré du portefeuille $[E(R_p)]$	Risque du portefeuille $\sigma(R_p)]$
10 000 $	0 $	(1)	(2)
7 500	2 500	(3)	(4)
5 000	5 000	(5)	(6)

g) Comme vous êtes un investisseur téméraire, vous décidez d'emprunter 8 000 $, au taux annuel de 12%, à la firme de courtage XIP de façon à investir un montant total de 18 000 $ dans les actions des compagnies EXL et PEP. Si vous placez 6 000 $ dans EXL et 12 000 $ dans PEP, quel sera le rendement espéré et le risque $[\sigma(R_p)]$ de votre portefeuille?

17. Au début de l'année XX+1, votre client a acheté 300 actions de TFP inc. (une compagnie canadienne dont les actions se transigent à la Bourse de Toronto) au prix de 30 $ l'unité et 800 actions de XUP inc. (une compagnie américaine dont les actions se négocient sur le NASDAQ) au prix de 40 $ US (le taux de change était alors 1 $ US = 1,35 $ CAN). À la fin de chaque année, TFP verse à ses actionnaires ordinaires un dividende de

1,60 $ par action. Pour sa part, XUP n'a pas encore commencé à distribuer de dividendes à ses actionnaires. Les prix des actions de ces deux compagnies ainsi que le taux de change ont évolué ainsi au cours des quatre dernières années :

Années	Prix de l'action de TFP (fin d'année)	Prix de l'action de XUP (fin d'année)	Taux de change (fin d'année)
XX+1	36 $	29 $ US	1 $ US = 1,38 $ CAN
XX+2	38 $	49 $ US	1 $ US = 1,45 $ CAN
XX+3	35 $	35 $ US	1 $ US = 1,56 $ CAN
XX+4	43 $	42 $ US	1 $ US = 1,58 $ CAN

a) Calculez le taux de rendement (en dollars canadiens) de ces deux titres pour chacune des années concernées.

b) Calculez la valeur du portefeuille (en dollars canadiens) de votre client à la fin de l'année XX+4 en supposant que les dividendes reçus ont été réinvestis au taux annuel de 5%.

18. Vous avez l'intention d'acquérir 500 actions de GMC inc. à la Bourse de Toronto par l'intermédiaire d'un courtier à escompte. Les renseignements suivants sont actuellement disponibles concernant les actions de cette compagnie.

Titre	Prix offert	Prix demandé	Dernière transaction
GMC	8,40 $	8,60 $	8,55 $

De plus, le barème des commissions appliqué par le courtier à escompte est le suivant :

Prix de l'action	Commission
5 $ à 10 $	25 $ + 3 cents/action

Compte tenu des frais de transaction impliqués et en supposant que les actions seront achetées au prix demandé, à quel prix minimal devrez-vous revendre ce titre de façon à éviter d'encourir une perte?

19. En supposant que :

(1) $Cov(R_A, R_M) = 5Cov(R_C, R_M)$ et (2) $\sigma(R_M) = 20\%$, complétez le tableau ci-dessous.

Titre	E(R$_i$) en %	σ(R$_i$) en %	ρ(R$_i$, R$_M$)	β$_i$
A	20	40	?	?
B	?	?	0,5	2
C	12	20	?	?
D	12	10	0,8	0,4

20. Vous désirez former un portefeuille à partir du titre j et du titre sûr. Sachant que :

$\rho(R_j, R_M) = 0,80$

$\sigma(R_j) = 0,25$

$\sigma(R_M) = 0,20$

Quelle proportion de votre richesse devez-vous investir dans le titre j si vous désirez que le coefficient bêta de votre portefeuille s'élève à 1,60?

21. Une analyste réputée a effectué les prévisions suivantes pour l'an prochain:

Taux de rendement espéré du marché :	16%
Taux de rendement des bons du Trésor :	10%
Écart-type du taux de rendement du marché :	8%
Prix de l'action de la firme i dans un an : 60 $	
Coefficient de corrélation entre les rendements de la firme i et du marché :	0,50
Écart-type du taux de rendement de la firme i :	12%

a) Vous empruntez 3 000 $ au taux sûr afin d'investir un montant total de 8 000 $ dans le portefeuille de marché. Déterminez :

    i) le taux de rendement espéré de votre portefeuille;

    ii) le coefficient bêta de votre portefeuille;

    iii) l'écart-type du taux de rendement de votre portefeuille.

b) Quelle est l'équation de la *Capital Market Line* (CML)?

c) Quel est le coefficient bêta de la firme i?

d) Quel est le taux de rendement requis sur l'action de la firme i?

e) L'action ordinaire de la firme i se transige actuellement à 52 $. Est-elle surévaluée ou sous-évaluée?

22. Un analyste financier a effectué les prévisions suivantes pour la période à venir :

Taux de rendement espéré du marché :	18%
Taux de rendement des bons du Trésor :	11%
Coefficient bêta du titre i :	1,50
Prix prévu du titre i à la fin de la période :	30 $
Dividende par action prévu à la fin de la période :	2 $

Les taux de rendement possibles du titre i sont les suivants :

Rendement	Probabilité
0 %	25%
10 %	25%
20 %	50%

a) Quel est le taux de rendement requis sur le titre i?

b) À quel prix devrait normalement se transiger le titre i actuellement?

c) Le titre i se transige actuellement à 28 $. Est-il surévalué ou sous-évalué?

d) Quel serait, toutes choses étant égales par ailleurs, l'impact (augmentation, diminution, aucun effet) de chacune des modifications suivantes sur le prix actuel du titre i?

1) La banque du Canada hausse substantiellement son taux d'escompte.

2) La covariance entre les rendements du titre i et du portefeuille de marché augmente.

23. On dispose des renseignements suivants concernant l'entreprise XMV inc. et le marché boursier :

- Prix de l'action ordinaire à la Bourse de Toronto au début de l'année XX+1 : 18 $
- Dividende par action prévu au cours de la prochaine année (D_1) : 1,75 $
- Taux de croissance prévu du dividende annuel : 6%
- Taux de rendement actuel des bons du Trésor : 8%
- Taux de rendement prévu du portefeuille de marché (indice composé S&P/TSX) pour la prochaine année : 15%
- Coefficient bêta de l'action ordinaire de la compagnie XMV inc. : 1,50

a) Au début de l'année XX+1, l'action ordinaire de XMV inc. est-elle surévaluée ou sous-évaluée par le marché?

b) La compagnie XMV inc. envisage de créer une nouvelle division qui aurait pour effet de diminuer son coefficient bêta de 20% par rapport à son niveau actuel et de faire passer de 6% à 8% le taux de croissance annuel de ses dividendes à partir de l'année XX+2. Dans ces conditions, quelle sera la nouvelle valeur de l'action ordinaire?

24. Écrivez la formule permettant de calculer l'écart-type du taux de rendement d'un portefeuille composé de quatre titres.

25. Un investisseur envisage la possibilité d'investir ses liquidités de 100 000 $ dans le fonds Alpha et/ou dans le fonds Gamma. Ces deux fonds communs de placement américains recherchent surtout la croissance du capital. Selon les experts consultés, les différents taux de rendement possibles de ces deux fonds pour la prochaine année sont les suivants :

Probabilité	Fonds Alpha	Fonds Gamma
0,20	- 20%	- 30%
0,45	16%	24%
0,35	36%	35%

Le coefficient bêta du fonds Alpha est de 1,12 alors que celui du fonds Gamma s'élève à 1,68. Ces valeurs ont été obtenues à l'aide de la méthode classique des moindres carrés (l'indice boursier S&P 500 a été utilisé comme approximation du portefeuille de marché américain).

Autres renseignements disponibles

1. Taux de rendement des bons du Trésor canadiens : 6%;
2. Taux de rendement des bons du Trésor américains : 5,75%;
3. Taux de rendement espéré de l'indice boursier S&P 500 : 14%;
4. Taux de change actuel : 1 $ USD = 1,54 $ CAN (cè taux devrait, selon les experts, demeurer relativement stable au cours de la prochaine année).

a) Calculez le rendement espéré et le risque (c.-à-d. l'écart-type) de chacun des fonds communs de placement dont il est question précédemment. En vous basant sur le modèle de Markowitz, dans quel fonds suggérez-vous à cet investisseur de placer ses liquidités?

b) Calculez le taux de rendement exigé par les investisseurs sur les deux fonds dont il est question ci-dessus.

c) Déterminez la covariance entre les rendements des deux fonds.

d) Advenant une chute du marché boursier américain, lequel des deux fonds devrait normalement afficher la pire performance?

e) Cet investisseur considère la possibilité de répartir ses liquidités de 100 000 $ dans les deux fonds à condition que le rendement de son portefeuille s'élève à 16,50%. Calculez le montant qu'il doit placer dans chacun des fonds.

f) Quel serait l'impact d'une appréciation du dollar canadien par rapport au dollar américain sur le taux de rendement (en dollars canadiens) de ces deux fonds?

Partie III
La décision d'nvestissement à long terme

Choix des investissements à long terme I : calcul des flux monétaires et critères de rentabilité

Sommaire

6

Lorsque vous aurez complété l'étude du chapitre 6,

1. vous serez sensibilisé à l'importance de la décision d'investissement à long terme et à son impact sur la valeur de l'entreprise;

2. vous connaîtrez les différentes étapes que comporte l'étude d'un projet d'investissement;

3. vous saurez que, dans un contexte de marché parfait, les décisions d'investissement et de financement sont complètement dissociables;

4. vous serez en mesure d'estimer les flux monétaires générés par un projet d'investissement;

5. vous serez capable de faire la distinction entre les différents types de projets d'investissement;

6. vous connaîtrez les principales variables qui sont utilisées pour fixer la durée de vie économique d'un projet d'investissement;

7. vous serez apte à appliquer les différents critères (VAN, TRI, etc.) qui sont utilisés pour évaluer la rentabilité des projets d'investissement et connaîtrez leurs avantages et leurs inconvénients respectifs;

8. vous serez sensibilisé à l'hypothèse sous-jacente à chacune des méthodes basées sur l'actualisation (VAN, TRI et IR) concernant le taux de réinvestissement des flux monétaires générés par le projet;

9. vous saurez que, lorsqu'il s'agit de classer des projets mutuellement exclusifs, les trois critères basés sur l'actualisation des flux monétaires (VAN, TRI et IR) ne concordent pas nécessairement et connaîtrez les modifications que l'on doit apporter au TRI et à l'IR pour éliminer la contradiction de choix;

10. vous serez en mesure d'appliquer la méthode du revenu annuel net équivalent ou du coût annuel équivalent pour effectuer un choix entre des projets mutuellement exclusifs comportant des durées de vie inégales;

11. vous serez apte à utiliser le tableur Excel pour déterminer la VAN, le TRI standard, le TRI corrigé et le TRI marginal d'un projet d'investissement.

Pour l'entreprise, investir consiste à engager aujourd'hui des fonds dans l'espoir de recevoir plus tard des flux monétaires dont la valeur actualisée excède la mise de fonds initiale. Un projet d'investissement peut concerner notamment un remplacement d'équipement, la modification des équipements déjà en place, l'agrandissement d'une usine, la mise sur pied d'un nouveau programme de recherche et de développement, le lancement d'une campagne publicitaire, l'acquisition d'une autre entreprise ou la construction d'un nouveau siège social.

Dans ce volume, nous ne traitons que des projets d'investissement dont la durée de vie est d'un an ou plus. L'analyse des projets de courte durée relève davantage de la gestion du fonds de roulement et est abordée dans notre autre ouvrage[2]. De plus, compte tenu de l'ampleur du sujet, notre discussion sur la

---

[1] L'auteur remercie M. Wilson O'Shaughnessy, professeur en gestion de projet à l'Université du Québec à Trois-Rivières, pour sa collaboration à la rédaction de la version initiale de ce chapitre publiée en 1988 dans le volume « Décisions financières de l'entreprise ».

[2] Voir le volume intitulé « Analyse financière et gestion de fonds de roulement », 2e édition, publié chez le même éditeur.

décision d'investissement en contexte de certitude s'étend sur trois chapitres. Ainsi, le présent chapitre porte surtout sur l'estimation des flux monétaires d'un projet et sur les différents critères auxquels peut avoir recours l'analyste pour déterminer si un investissement est rentable ou non. Le chapitre 7, pour sa part, introduit la dimension fiscale dans les analyses de rentabilité et traite de certains thèmes particuliers. Finalement, le chapitre 8 aborde les principales méthodes permettant de prendre en considération l'aspect risque lors de l'étude des propositions d'investissement.

6.2   L'importance de la décision d'investissement

Les décisions touchant les investissements à long terme figurent, sans aucun doute, parmi les décisions les plus importantes qu'ont à prendre les gestionnaires. Par opposition aux décisions financières à court terme, les décisions d'investissement à long terme sont, la plupart du temps, difficilement réversibles et engagent l'avenir de l'entreprise.

Par ailleurs, la décision d'investissement influence et détermine, dans une large mesure, la classe de risque et la rentabilité de l'entreprise. Celle-ci peut en effet être considérée comme étant en quelque sorte un ensemble de projets d'investissement où chaque projet représente une fraction de sa valeur. Dans ce contexte, le gestionnaire doit optimiser l'utilisation des ressources de l'entreprise de façon à n'accepter que les projets qui sont susceptibles d'avoir un impact positif sur la valeur de l'action et contribuer ainsi à maximiser la richesse des actionnaires. La valeur future de l'entreprise dépendra alors en grande partie de la qualité des décisions prises aujourd'hui en matière d'investissement.

Enfin, sur le plan opérationnel, on peut facilement expliquer l'importance de la décision d'investissement par les mises de fonds substantielles que nécessitent généralement les projets d'investissement et par les problèmes sérieux de liquidité qui peuvent surgir si les flux monétaires des projets sont inférieurs à ceux anticipés. De plus, il est très fréquent que les projets d'investissement affectent les coûts d'opération de l'entreprise (entretien, énergie, main-d'oeuvre, etc.) pour plusieurs années à venir et ce, même si le projet est abandonné pour cause de non rentabilité. À cet effet, il n'est pas toujours facile de mettre fin ou d'abandonner un projet, puisqu'il peut être extrêmement difficile de revendre l'équipement acheté, surtout s'il s'agit d'équipement spécifique propre à l'exploitation d'une seule catégorie d'entreprise.

6.3   La décision d'investissement dans un contexte de faisabilité de projet

Les projets d'investissement suivent généralement un cycle de vie comportant une phase développement, une phase réalisation et une phase opérationnelle. La phase développement a pour but de définir et d'analyser en profondeur le projet de façon à en arriver à une décision relativement à son acceptation ou à son refus. La phase réalisation, pour sa part, a pour fonction de mettre tout en oeuvre pour transformer en extrants les différentes ressources mises à la disposition du projet. Quant à la phase opérationnelle, elle consiste à mettre en services les extrants réalisés à la phase précédente et à porter un jugement sur l'efficience et l'efficacité du projet à court, moyen et long termes.

La figure 6.1 présente les principales activités que l'on retrouve dans la phase développement d'un projet. La première étape de cette phase a trait à la conception du projet. En effet, tout projet d'investissement débute nécessairement par une problématique, un besoin spécifique, une occasion ou une idée. Par la suite, comme il n'est pas toujours possible, compte tenu des contraintes de temps et d'argent, d'entreprendre pour chacune des idées de projet une étude détaillée de faisabilité ou même une étude de pré-faisabilité, le gestionnaire effectue une présélection des projets. Cette étape doit, d'une part, utiliser un processus décisionnel simple et rapide permettant de rejeter d'emblée les idées de projets ne rencontrant pas certains critères spécifiques et, d'autre part, établir un ordre de priorité pour les projets qui apparaissent les plus prometteurs pour l'entreprise.

Une fois ces étapes franchies, l'évaluation préliminaire des projets retenus sera effectuée par l'entremise d'une étude de pré-faisabilité. Ce genre d'étude vise à analyser sommairement la faisabilité du projet sous différents angles, d'identifier les aspects du projet nécessitant une étude plus détaillée, de déterminer si l'on doit poursuivre le projet avec ou sans étude de faisabilité, de réviser le projet ou de décider s'il doit être abandonné à ce stade.

Finalement, lorsque l'étude de faisabilité s'avère nécessaire, les différentes composantes du projet (voir la figure 6.2) sont reprises et analysées de façon détaillée afin de décider si l'on doit le réaliser ou non. On notera, sur cette figure, que l'étude de rentabilité financière dépend directement des informations provenant de l'étude de marché, de l'étude technique, de l'étude d'impact environnemental et social et, finalement, de l'étude portant sur les ressources humaines requises par le projet. Dans ce contexte, l'analyste financier doit, afin que son étude de rentabilité soit valable, s'assurer de la pertinence et du réalisme des différentes données qui lui sont transmises par les intervenants des autres disciplines mises à contribution.

Figure 6.1

La phase dévelop-pement d'un projet

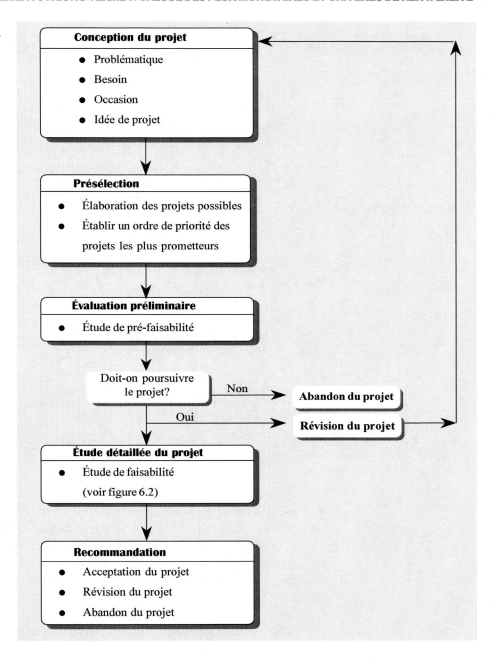

Figure 6.2

La dynamique entre les différentes composantes de l'étude de faisabilité

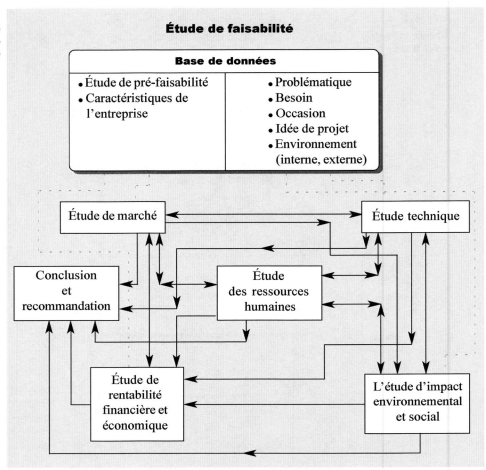

Figure 6.2

La dynamique entre les différentes composantes de l'étude de faisabilité

La figure 6.3, pour sa part, présente une approche méthodologique pour réaliser une analyse de faisabilité financière d'un projet. Cette dernière comprend trois parties. La première partie vise à identifier le financement requis et à établir les états financiers prévisionnels du projet. Quant à la deuxième partie, elle a pour but d'évaluer la rentabilité financière du projet. Finalement, la troisième partie permet de prendre en considération le risque du projet sur le plan financier afin d'en arriver à une décision relativement à son acceptation ou à son refus. À nouveau ici, on notera que l'analyse financière est effectuée à partir des informations recueillies au niveau des autres études ou composantes du projet. Ces données servent alors à dresser les états financiers prévisionnels du projet et à établir les flux monétaires qui seront par la suite utilisés lors de l'évaluation de la rentabilité financière.

Parmi les différentes étapes que comporte l'étude de faisabilité financière d'un projet, nous ne traitons, dans le présent chapitre, que de l'estimation des flux monétaires et des différents critères d'évaluation que l'on peut utiliser pour juger si un projet est rentable ou non. Au chapitre 8, on introduira la dimension risque dans l'analyse de rentabilité.

Figure 6.3

La faisabilité financière d'un projet

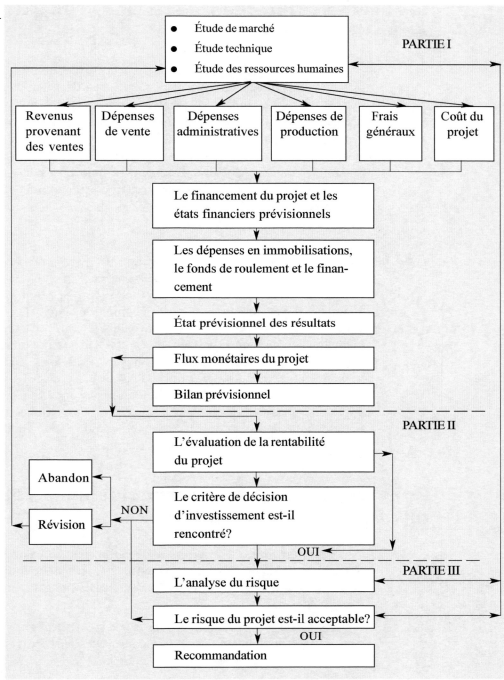

6.4 La dissociabilité des décisions d'investissement et de financement

En situation de marché parfait, il peut être démontré que, dans la mesure où les administrateurs de l'entreprise prennent les décisions d'investissement qui permettent de maximiser la richesse des actionnaires qu'ils représentent, la décision d'investisement est complètement dissociable de la décision de financement. Dans ce contexte idéal, la façon dont un projet d'investissement est financé n'influe aucunement sur sa rentabilité. Il est alors possible d'évaluer la rentabilité d'un projet d'investissement en procédant comme si celui-ci était financé en totalité par fonds propres (capital-actions). En conséquence, on ne tiendra pas compte des charges financières dans le calcul des flux monétaires du projet.

Toutefois, dans un contexte pratique (existence des frais de transaction, impôts personnels et corporatifs, etc.), il se peut que le mode de financement utilisé par l'entreprise influe sur la valeur du projet. En pareil cas, plusieurs approches ont été proposées pour tenir compte de l'interaction existant entre les décisions d'investissement et de financement. Parmi celles-ci, mentionnons la méthode du coût moyen pondéré du capital après impôt (approche financière traditionnelle), la méthode du coût moyen pondéré du capital avant impôt (méthode de Arditti-Levy), la méthode de la VAN ajustée et la méthode de la VAN selon la valeur résiduelle pour les actionnaires. La méthode la plus populaire - pas nécessairement la meilleure - est sans contredit l'approche traditionnelle. Elle fera l'objet d'une présentation détaillée au chapitre 11 et les autres approches seront abordées au chapitre 13.

6.5 Principes financiers à respecter dans l'établissement des flux monétaires

Flux monétaires d'un projet d'investissement Rentrées de fonds et sorties de fonds qui résulteraient de son acceptation

La rentabilité d'un projet d'investissement s'évalue à partir des flux monétaires qu'il génèrera et non à partir de ses bénéfices comptables. À cet égard, les flux monétaires diffèrent des bénéfices comptables sur plusieurs points, dont les suivants :

1. La notion de flux monétaire réfère strictement aux rentrées et sorties de fonds inhérentes au projet alors que les bénéfices comptables incluent les revenus et les dépenses courus.

2. Les bénéfices comptables tiennent compte des frais d'intérêt ou des frais financiers alors que ces derniers doivent, selon l'approche financière traditionnelle, être exclus des flux monétaires étant donné qu'ils sont pris en compte par le processus de l'actualisation. Il y aurait double imputation si les flux monétaires du projet étaient diminués des charges liées à son financement et, par la suite, actualisés.

3. Dans le calcul du bénéfice comptable, on soustrait la charge d'amortissement, ce qui n'est pas le cas dans l'établissement du flux monétaire, compte tenu que l'amortissement ne représente pas une sortie de fonds pour l'entreprise. Par contre, les flux monétaires prendront en considération les économies d'impôt découlant de l'amortissement fiscal généré par le projet. Ce sujet sera discuté dans la section traitant de la fiscalité canadienne au chapitre suivant.

4. Les états comptables sont établis à partir des données historiques et reflètent le passé alors que les flux monétaires constituent des prévisions.

Ces distinctions étant faites, examinons maintenant les principaux facteurs à considérer dans l'établissement des flux monétaires.

L'approche marginale ou différentielle

Lors d'une analyse de rentabilité, le gestionnaire ne doit considérer que les variations de flux monétaires (rentrées ou sorties d'argent) qui sont attribuables à l'existence du projet. Pratiquement, cela signifie que seuls les flux monétaires nouveaux ou supplémentaires qui découlent directement ou indirectement du projet à l'étude seront pris en compte dans les calculs. Ainsi, pour un projet d'investissement donné « X », on aura :

$$\begin{pmatrix} \text{Flux monétaire} \\ \text{du projet « X »} \end{pmatrix} = \begin{pmatrix} \text{Flux monétaire} \\ \text{de l'entreprise avec} \\ \text{le projet « X »} \end{pmatrix} - \begin{pmatrix} \text{Flux monétaire} \\ \text{de l'entreprise sans} \\ \text{le projet « X »} \end{pmatrix}$$

Pour bien faire ressortir l'importance de ce principe, considérons les deux situations suivantes.

1. Les coûts fixes opérationnels d'un bâtiment sont de 10 000 $. L'édifice abrite quatre machines et chacune d'elle se voit attribuer une quote-part de 2 500 $ de ce coût. Le contrôleur de l'entreprise étudie la possibilité d'acquérir une cinquième machine. Cette acquisition aurait pour effet d'augmenter de 1 000 $ les coûts d'opération de la bâtisse. Dans l'analyse de la rentabilité du projet, le contrôleur devra tenir compte uniquement du 1 000 $ supplémentaires et non de 2 200 $ (11 000 $ ÷ 5).

2. Pour améliorer l'efficacité d'un équipement spécialisé qui génère actuellement des revenus de 15 000 $ par année, le directeur de la production étudie la possibilité d'investir un montant de 6 000 $, ce qui aurait pour effet de faire passer les revenus annuels à 17 000 $. Les seuls éléments à considérer sont l'investissement de 6 000 $, la durée probable de l'équipement et les revenus annuels supplémentaires de 2 000 $. On ne doit pas tenir compte des revenus actuels de 15 000 $ par année, car l'entreprise touchera ses revenus peu importe la décision prise relativement à l'amélioration de l'équipement.

Les coûts passés ou irrécupérables

Dans le calcul des flux monétaires d'un projet, on ne doit pas tenir compte des coûts passés ou irrécupérables. En effet, la décision d'accepter ou non un nouvel investissement n'a aucun impact sur ces coûts et on devrait, par conséquent, les ignorer. Pour illustrer ce point, considérons la situation suivante. Il y a deux semaines, une entreprise a déboursé 2 000 $ afin d'effectuer des réparations à un tracteur articulé. Le tracteur nécessite à nouveau des réparations pour un montant de 3000 $. Le directeur des finances a alors à décider si l'on doit effectuer les réparations ou acheter un nouveau tracteur. Dans ce cas, les éléments à considérer sont : les nouveaux coûts de réparation, le coût d'acquisition d'un nouveau tracteur et, pour chacune des possibilités, l'aspect fiscal, les frais d'entretien et la durée de vie. On ne doit absolument pas tenir compte des coûts passés (2 000 $) puisque la décision à prendre affecte seulement le futur et que, de toute façon, le montant de 2 000 $ constitue un coût irrécupérable.

Les coûts de renonciation

Lorsque l'acceptation d'un nouveau projet a pour conséquence de priver les autres opérations de l'entreprise d'une ressource existante, le coût de cette ressource doit être imputé au nouveau projet. Le coût d'utilisation d'une telle ressource est défini comme étant un coût de renonciation. Pour bien comprendre ce qui précède, examinons les deux situations suivantes.

1. L'entreprise A possède un terrain qu'elle loue pour une somme annuelle de 10 000 $ à l'entreprise B. Dans le cadre d'un projet d'expansion, l'entreprise A décide d'utiliser ce terrain afin de construire un édifice administratif. Lors de l'analyse de la rentabilité du nouvel investissement, il faudra prendre en considération le montant annuel de 10 000 $ et en imputer le coût au projet, puisque l'entreprise sera privée d'une rentrée de fonds correspondante.

2. Supposons maintenant qu'une entreprise possède un terrain dont la valeur marchande est de 150 000 $. Ce terrain est entièrement payé. Le bureau de direction de l'entreprise décide de construire un petit centre de production estimé à 500 000 $. Le coût total de ce projet sera alors de 650 000 $ et ce, même si l'entreprise posséde déjà ledit terrain. La raison est que l'entreprise a la possibilité de vendre le terrain pour un montant de 150 000 $ si elle ne réalise pas le projet.

Les sorties de fonds évitées

Si une entreprise doit encourir un déboursé dans le cours normal de ses opérations et que ce déboursé peut être évité suite à l'acceptation d'un nouveau projet d'investissement, il faudra considérer ce déboursé évité comme étant en quelque sorte un effet bénéfique du projet et l'inclure dans les flux monétaires qu'il génère.

L'érosion

Lors de l'estimation des flux monétaires d'un nouvel investissement, on doit tenir compte de l'impact qu'aurait l'acceptation de ce dernier sur les flux monétaires des projets actuellement en cours dans l'entreprise. Par exemple, si un fabricant d'ordinateurs considère la possibilité d'introduire sur le marché un nouveau modèle plus puissant que ceux qu'il fabrique déjà, il faudra considérer, dans l'estimation des flux monétaires de ce projet, les ventes perdues sur les modèles que vend actuellement la compagnie. Plus précisément, l'analyste devra tenir compte du fait qu'une partie des ventes générées par ce nouveau modèle d'ordinateurs n'entraînent aucune augmentation du chiffre d'affaires global de l'entreprise et ne devraient pas, par conséquent, être incluses dans les flux monétaires inhérents au projet.

Les sorties de fonds en cours de projet

Certains projets, de par leur nature, nécessitent plusieurs mises de fonds à différentes périodes de temps au cours de leur durée de vie. L'analyste devra alors en tenir compte et les imputer au projet.

La variation du fonds de roulement net

La réalisation d'un projet d'investissement qui provoque une augmentation du chiffre d'affaires de l'entreprise (par exemple, le lancement d'un nouveau produit sur le marché) occasionne un accroissement de certains postes de l'actif à court terme, notamment les comptes clients et les stocks. En contrepartie, les comptes fournisseurs sont également susceptibles d'augmenter spontanément avec le volume des achats effectués, ce qui a pour conséquence de réduire les besoins de financement en fonds de roulement. L'augmentation du fonds de roulement net (c.-à-d. la variation de l'actif à court terme moins la variation du passif à court terme) constitue une sortie de fonds supplémentaire inhérente au projet qui devra, au même titre que l'acquisition d'immobilisations, être financée. Cependant, à la fin du projet, la diminution des postes qui composent le fonds de roulement net générera pour l'entreprise une rentrée de fonds approximativement égale à l'investissement original effectué. Cette récupération de l'investissement dans le fonds de roulement net devra, bien entendu, être prise en considération dans l'analyse de la rentabilité du projet.

L'impôt corporatif

Pour évaluer la rentabilité d'un projet d'investissement, on doit nécessairement considérer la situation fiscale de l'entreprise. On utilisera alors le taux d'imposition marginal de l'entreprise pour ramener après impôt tous les flux monétaires découlant du projet d'investissement. Ce taux marginal est le taux combiné d'imposition des gouvernements provincial et fédéral. Il faudra, de plus, bien distinguer les flux monétaires de nature capital de ceux que l'on peut considérer comme des dépenses admissibles pour l'année courante d'un point de vue fiscal. Ces éléments seront traités au chapitre 7.

6.6   Méthodes de calcul des flux monétaires[3]

Compte tenu des principes financiers discutés à la section précédente, nous allons, à partir d'un exemple, utiliser deux méthodes pour déterminer le flux monétaire relatif à un projet d'investissement donné.

Exemple 6.1   **Calcul des flux monétaires**

Supposons que l'entreprise Écono inc. décide d'investir dans un équipement (catégorie 8, taux d'amortissement de 20% sur le solde dégressif) de 100 000 $ qui permettrait de générer les revenus et les dépenses additionnels indiqués à l'état des résultats présentés ci-après et que l'on veuille calculer le flux monétaire de l'année XX+1.

Résultats d'exploitation prévus du projet pour l'année XX+1

Ventes		200 000 $
Coût des ventes		120 000
Bénéfice brut		80 000 $
Dépenses de vente	20 000 $	
Amortissement comptable	20 000	
Frais d'intérêt	10 000	50 000
Bénéfice avant impôt		30 000 $
Impôt (40%)		12 000
Bénéfice après impot		18 000 $

Solution

Pour établir le flux monétaire de l'année XX+1, il faut considérer les rentrées et sorties d'argent après impôt générées directement par le projet ainsi que les économies d'impôt découlant de l'amortissement fiscal. Pour ce faire, on peut utiliser l'une ou l'autre des deux expressions équivalentes suivantes :

Méthode 1

$$FM_t = (R_t - D_t - A_t)(1 - T) + A_t \qquad (6.1)$$

Méthode 2

En réarrangeant les différents termes de l'expression (6.1), on obtient :

$$FM_t = (R_t - D_t)(1 - T) - A_t(1 - T) + A_t$$
$$FM_t = (R_t - D_t)(1 - T) - A_t + A_t \cdot T + A_t$$
$$FM_t = (R_t - D_t)(1 - T) + A_t \cdot T \qquad (6.2)$$

---

[3] Avant d'aborder cette section, le lecteur devrait avoir certaines connaissances des règles fiscales se rapportant à l'amortissement. Ces règles sont décrites au début du chapitre 7.

où FM_t : Flux monétaire de la période t

      R_t : Recettes brutes du projet avant impôt pour la période t

      D_t : Déboursés du projet avant impôt pour la période t

      T   : Taux d'imposition marginal de l'entreprise

      A_t : Amortissement fiscal pour la période t

      $A_t \cdot T$: Économie d'impôt liée à l'amortissement fiscal pour la période t.

Pour chacune des expressions, on aura alors :

Méthode 1 : $(R_t - D_t - A_t)(1 - T) + A_t$

Ventes		200 000 $	(R_t)
Moins:			
Coût des ventes	120 000 $		
Dépenses de vente	20 000	140 000	(D_t)
Amortissement fiscal			
$(100\ 000 \times 20\% \times 1/2)$		10 000	(A_t)
Flux monétaire avant impôt et après amortissement		50 000 $	$(R_t - D_t - A_t)$
Impôt (40%)		20 000	$(R_t - D_t - A_t) \cdot T$
		30 000 $	$(R_t - D_t - A_t)(1 - T)$
Plus:			
Amortissement fiscal		10 000	(A_t)
Flux monétaire après impôt et amortissement		40 000 $	$(R_t - D_t - A_t)(1 - T) + A_t$

Méthode 2 : $(R_t - D_t)(1 - T) + A_t \cdot T$

Ventes		200 000 $	(R_t)
Moins:			
Coût des ventes	120 000 $		
Dépenses de vente	20 000	140 000	(D_t)
Flux monétaire avant impôt et amortissement		60 000 $	$(R_t - D_t)$
Impôt (40%)		24 000	$(R_t - D_t) \cdot T$
Flux monétaire après impôt et avant amortissement		36 000 $	$(R_t - D_t)(1 - T)$
Plus:			
Économie d'impôt liée à l'amortissement fiscal			
$(100\ 000 \times 20\% \times 1/2 \times 40\%)$		4 000	$(A_t \cdot T)$
Flux monétaire après impôt et amortissement		40 000 $	$(R_t - D_t)(1 - T) + A_t \cdot T$

Remarques. 1. Nous n'avons pas tenu compte des frais d'intérêt pour la raison évoquée précédemment.

2. Nous avons considéré l'économie d'impôt découlant de l'amortissement fiscal de l'année XX+1 et non la dépense d'amortissement comptable pour cette année-là. Dans le calcul de l'amortissement fiscal, on a tenu compte de la règle dite de la demi-année (voir la section traitant de la fiscalité canadienne au chapitre suivant).

3. Les deux méthodes donnent évidemment le même résultat. Toutefois, pour des raisons pratiques, nous utiliserons surtout la seconde.

6.7 Choix du taux d'actualisation

La dimension temporelle constitue un élément fort important dans l'évaluation d'un projet d'investissement. Ainsi, pour déterminer si un investissement donné est rentable, on doit le comparer avec les rentrées de fonds qu'il générera au cours des années à venir. Pour ce faire, le choix d'un taux d'actualisation approprié est essentiel. En effet, c'est par l'entremise de l'actualisation que l'on va transformer en dollars d'aujourd'hui les différents flux monétaires du projet et les rendre ainsi comparables.

Dans ce chapitre, nous supposons que les flux monétaires sont connus avec certitude (c.-à-d. que la probabilité que les flux effectifs du projet diffèrent de ceux anticipés est nulle). Dans ce contexte particulier, le projet d'investissement en cause est assimilable à un placement à risque nul comme, par exemple, un placement en bons du Trésor ou en obligations du gouvernement fédéral. Le taux d'actualisation utilisé dans l'analyse de rentabilité devra donc s'aligner sur le taux de rendement que procure aux investisseurs, au moment de l'étude du projet, un placement exempt de risque.

Nous traiterons, plus loin dans ce manuel, du choix du taux d'actualisation dans un contexte où les flux monétaires sont risqués (chapitres 8 et 11).

6.8 Types de projets d'investissement et dépendance entre les projets

Les liens qui peuvent exister entre les divers types de projets d'investissement ont une incidence sur la détermination des flux monétaires à considérer et sur l'enveloppe budgétaire requise pour réaliser les projets nécessaires à la croissance de l'entreprise.

Les projets d'investissement, de par leur relation, peuvent être classés en trois catégories, soit :

- les projets indépendants;
- les projets mutuellement exclusifs;
- les projets dépendants ou complémentaires.

Les projets indépendants

Projets indépendants
Projets non reliés et qui peuvent être analysés distinctement

Deux projets sont dits indépendants si l'acceptation ou le rejet de l'un n'a aucun effet sur l'acceptation ou le rejet de l'autre. Deux conditions doivent être satisfaites pour que le projet A soit indépendant du projet B:

1. Il faut qu'il soit techniquement possible de réaliser le projet A et ce, peu importe la décision prise relativement au projet B.

2. Il faut que les flux monétaires anticipés du projet A ne soient pas affectés par l'acceptation ou le rejet du projet B.

Les projets mutuellement exclusifs

Projets mutuellement exclusifs
Projets qui ne peuvent être réalisés simultanément

Deux projets sont mutuellement exclusifs si l'on ne peut les accepter en même temps. L'adoption de l'un des deux projets entraîne alors automatiquement le rejet de l'autre. Un exemple est le cas d'une entreprise qui a besoin d'un nouveau camion et qui doit choisir entre deux modèles différents.

Les projets dépendants ou complémentaires

Projets dépendants
Projets dont la réalisation est subordonnée à l'acceptation d'un autre projet

Deux projets sont dépendants ou complémentaires si l'acceptation ou le rejet de l'un entraîne automatiquement l'acceptation ou le rejet de l'autre. Aux fins de l'analyse de rentabilité, on doit combiner les deux projets en cause. Par exemple, si la modernisation d'un équipement de transformation nécessite l'achat d'une petite chargeuse pour transporter les résidus de production, ces deux projets doivent alors être considérés comme étant un seul et unique projet. Une seule analyse de rentabilité, qui tiendra compte des flux monétaires générés par les deux projets, sera donc nécessaire.

6.9 La fixation de l'horizon ou la durée de vie économique d'un projet d'investissement

Très souvent, il s'avère assez difficile d'estimer l'horizon d'un projet d'investissement. Celui-ci dépend en fait de la période de temps pendant laquelle le projet est susceptible de générer des flux monétaires jugés satisfaisants.

Dans le cas des projets nécessitant l'acquisition d'équipement, les analystes considèrent habituellement la durée physique, la durée technologique et la durée de vie du produit ou des activités pour fixer l'horizon du projet.

Brièvement, on peut définir la durée physique comme étant la période pendant laquelle l'équipement est physiquement en mesure de produire un bien, un service ou un produit quelconque. La durée physique réfère donc à la capacité d'un actif à produire un extrant.

En ce qui a trait à la durée technologique, celle-ci correspond, non pas à une capacité physique, mais plutôt à une capacité concurrentielle de production. On compare alors la qualité et les coûts des extrants produits par l'équipement actuel avec ceux d'autres équipements d'une technologie plus récente.

Finalement, même si un équipement est physiquement et technologiquement apte à produire, sa durée de vie économique se termine lorsque le bien ou le produit ne répond plus à une demande satisfaisante sur le marché ou lorsque les activités opérationnelles générées par l'équipement ne sont plus requises.

En guise de conclusion, on peut affirmer que la durée de vie économique d'un projet est fonction de la plus courte des trois périodes que nous venons de décrire (durée physique, durée technologique et durée de vie du produit).

6.10 Les critères d'évaluation de la rentabilité des projets d'investissement

Une fois terminée l'estimation des flux monétaires des projets, il faut identifier ceux que l'entreprise devrait accepter et rejeter. Pour ce faire, le gestionnaire financier dispose de différents critères, dont les principaux sont les suivants.

Critères d'évaluation

1. Le taux de rendement comptable (TRC)
2. Le délai de récupération (DR)
3. Le délai de récupération actualisé (DRA)
4. La valeur actuelle nette (VAN)
5. L'indice de rentabilité (IR)
6. Le taux de rendement interne (TRI)

Pour illustrer chacune de ces méthodes, nous supposons dans les exemples qui suivent, à moins d'indications contraires, que les flux monétaires sont perçus en fin d'année. De plus, les flux monétaires sont considérés après impôt. Finalement, on suppose, dans les sections à venir, qu'il n'y a pas de rationnement de capital[4]. Le problème du rationnement de capital est discuté brièvement dans la section traitant des sujets particuliers au chapitre suivant.

---

[4] Il y a rationnement de capital lorsqu'une entreprise ne peut investir dans tous les projets jugés rentables suite à une contrainte budgétaire.

6.10.1 Le taux de rendement comptable (TRC)

Taux de rendement comptable
Bénéfice annuel moyen après impôt généré par le projet divisé par la valeur comptable moyenne des actifs acquis

Ce critère, par opposition aux autres critères discutés dans ce chapitre, se fonde sur les bénéfices comptables plutôt que sur les flux monétaires. On calcule le taux de rendement comptable en divisant le bénéfice annuel moyen après impôt par l'investissement comptable moyen, soit :

$$TRC = \frac{\sum_{t=1}^{n} B_t/n}{\dfrac{I + VR}{2}} \tag{6.3}$$

où TRC : Taux de rendement comptable
B_t : Bénéfice (après impôt) de l'année t
n : Durée du projet en années
I : Mise de fonds initiale
VR : Valeur résiduelle.

Règle de décision

Projets indépendants : on accepte les projets dont le taux de rendement comptable excède le taux fixé par les dirigeants de l'entreprise.

Projets mutuellement exclusifs : on retient le projet dont le taux de rendement comptable est le plus élevé à condition qu'il excède le taux minimal fixé par les dirigeants de l'entreprise.

Exemple 6.2 **Calcul du taux de rendement comptable**

Un projet nécessite un investissement de 80 000 $. La valeur résiduelle prévue dans 5 ans est de 5 000 $. L'entreprise utilise la méthode linéaire comme méthode d'amortissement. Les bénéfices avant impôt et amortissement sont les suivants :

> Année 1 : 65 000 $
> Année 2 : 55 000
> Année 3 : 35 000
> Année 4 : 20 000
> Année 5 : 15 000

L'entreprise est imposée à 50%. En se basant sur la méthode du taux de rendement comptable, ce projet devrait-il être accepté si le taux de rendement comptable minimum exigé est de 25%?

Solution

On détermine, en premier lieu, le bénéfice net pour chacune des années du projet :

Année	Bénéfice avant amortissement et impôt	Amortissement	Bénéfice avant impôt	Bénéfice net
1	65 000 $	15 000 $	50 000 $	25 000 $
2	55 000	15 000	40 000	20 000
3	35 000	15 000	20 000	10 000
4	20 000	15 000	5 000	2 500
5	15 000	15 000	0	0
		75 000 $		57 500 $

Le bénéfice net annuel moyen est donc de 11 500 $, soit 57 500 $/5. Quant à l'investissement comptable moyen, il s'élève à 42 500 $, soit (80 000 + 5000)/2. Par conséquent, le taux de rendement comptable vaut :

$$\text{TRC} = \frac{11\,500}{42\,500} = 27{,}06\%.$$

On devrait donc, selon ce critère, retenir le projet car son taux de rendement comptable excède 25%.

Ce critère, peu recommandable, est de moins en moins populaire auprès des entreprises. Il comporte des lacunes évidentes, dont les principales sont les suivantes :

1. Il est basé sur les bénéfices comptables plutôt que sur les flux monétaires.

2. Il ne tient pas compte de la valeur temporelle de l'argent.

3. Le choix du seuil de rentabilité à respecter est passablement arbitraire.

6.10.2 Le délai de récupération (DR)

Délai de récupération
Nombre d'années nécessaires pour recouvrer la mise de fonds initiale à même les flux monétaires générés par le projet

Selon ce critère, on détermine, dans un premier temps, le nombre d'années nécessaires pour que l'entreprise récupère sa mise de fonds initiale à même les flux monétaires générés par le projet. Par la suite, ce nombre d'années est comparé à un délai critique fixé par les dirigeants de l'entreprise.

Lorsque l'on utilise cette méthode, il faut être conscient que l'on ne mesure pas la rentabilité économique d'un projet, mais plutôt le temps requis pour récupérer la mise de fonds initiale. Toutefois, le but d'un investissement n'est pas de récupérer sa mise de fonds au terme de l'horizon temporel fixé, mais bien de faire fructifier son capital.

Règle de décision

Projets indépendants : on accepte les projets dont le délai de récupération de l'investissement initial se produit à l'intérieur d'un certain délai critique.

Projets mutuellement exclusifs : on choisit le projet qui a le délai de récupération le plus court à condition qu'il soit inférieur à un certain délai critique fixé par les gestionnaires de l'entreprise.

Il existe deux façons de calculer le délai de récupération selon que les flux monétaires sont constants ou inégaux.

1. Flux monétaires constants

Si les flux monétaires sont constants d'une année à l'autre, le délai de récupération est déterminé par l'expression suivante :

$$DR = \frac{I}{FM} \qquad (6.4)$$

où   DR   :   Délai de récupération
       I   :   Investissement requis
       FM   :   Flux monétaire annuel du projet.

Exemple 6.3   **Calcul du délai de récupération lorsque les flux monétaires générés par le projet sont identiques**

Une entreprise a comme politique de n'accepter que les projets dont l'investissement intial est récupérable sur une période de quatre ans ou moins. Le projet à l'étude coûte 100 000 $ et génère des flux monétaires annuels de 20 000 $ pendant 6 ans. Selon le critère du délai de récupération, ce projet devrait-il être accepté?

Solution

À l'aide de l'expression (6.4), on obtient :

$$DR = \frac{100\ 000\ \$}{20\ 000\ \$/an} = 5\ ans$$

Étant donné que le délai critique est de 4 ans, on devrait refuser ce projet car il ne permettra pas à l'entreprise de récupérer sa mise de fonds à l'intérieur de ce délai.

2. Flux monétaires inégaux

Dans ce cas, pour déterminer le délai de récupération, il s'agit d'additionner les flux monétaires jusqu'à ce que leur somme corresponde à la mise de fonds initiale.

Exemple 6.4 **Calcul du délai de récupération en présence de flux monétaires inégaux**

Le contrôleur de l'entreprise Maro inc. a comme principe de n'accepter que les projets permettant de recouvrer l'investissement initial sur une période maximum de 5 ans. Il étudie présentement un projet qui nécessite un déboursé initial de 140 000 $ et dont les flux monétaires prévus sont les suivants :

Années	Flux monétaires
0	(140 000) $
1	25 000
2	35 000
3	40 000
4	60 000
5	10 000
6	5 000

Selon le critère du délai de récupération, ce projet devrait-il être accepté?

Solution

Pour déterminer le délai de récupération, il s'agit d'additionner un à un les flux monétaires et ce, jusqu'à ce que nous ayons récupéré la mise de fonds initiale.

Années	Flux monétaires	Investissement non récupéré
0	(140 000) $	140 000 $
1	25 000	115 000
2	35 000	80 000
3	40 000	40 000
4	60 000	0
5	10 000	
6	5 000	

En admettant que les flux monétaires sont perçus uniformément au cours de l'année, on trouve :

$$DR = 3 + \frac{40\ 000}{60\ 000} = 3{,}67 \text{ années } < \text{ 5 ans.}$$

Ce projet devrait donc être accepté selon cette méthode.

Remarque. Si l'on pose plutôt comme hypothèse que les flux monétaires sont perçus en totalité en fin d'année, le délai de récupération est alors de 4 ans.

Avantages de la méthode

1. Comme le démontrent les exemples ci-dessus, un des avantages de la méthode du délai de récupération est qu'elle est facile à appliquer. Elle ne nécessite pas le recours à l'actualisation et, par conséquent, la détermination d'un taux d'actualisation approprié.

2. Elle permet de prendre en considération l'impact d'un projet d'investissement sur les liquidités de l'entreprise. En effet, plus le délai de récupération de l'investissement initial est court, plus le projet génèrera rapidement des rentrées de fonds, ce qui aura un impact positif sur les liquidités de l'entreprise et permettra à cette dernière de réinvestir rapidement.

3. Le délai de récupération fournit au gestionnaire un aperçu du risque que comporte un projet d'investissement. De façon générale, plus le délai requis pour récupérer la mise de fonds initiale est long, plus la probabilité de ne pas recouvrer en entier cette dernière est élevée.

Inconvénients de la méthode

L'utilisation du délai de récupération comme critère d'évaluation des projets d'investissement comporte des inconvénients majeurs qui compensent largement les quelques avantages qui y sont associés. Parmi les principales faiblesses de ce critère, notons :

1. L'établissement du délai maximal acceptable est passablement arbitraire et ne repose sur aucun fondement théorique. Il dépend surtout de l'attitude des gestionnaires à l'égard du risque.

2. Cette méthode ne tient pas compte de la valeur temporelle de l'argent. Elle suppose notamment qu'une somme de « X $ » à recevoir dans cinq ans a une valeur équivalente à une somme de « X $ » à recevoir dans un an. Cette supposition est évidemment inexacte. En effet, comme on le sait, plus une somme d'argent est reçue tôt, plus sa contribution à la valeur de l'entreprise est importante.

3. Il ignore les flux monétaires qui surviennent après le délai critique. Ainsi, les projets A et B, dont les flux monétaires apparaissent ci-dessous, sont équivalents selon le critère du délai de récupération. Toutefois, il est bien évident que le projet A est préférable au projet B et ce, à cause des flux monétaires de la sixième et de la septième année.

Années	Projet A	Projet B
0	(65 000 $)	(65 000 $)
1	5 000	5 000
2	10 000	10 000
3	15 000	15 000
4	20 000	20 000
5	15 000	15 000
6	10 000	
7	5 000	

6.10.3 Le délai de récupération actualisé (DRA)

Délai de récupération actualisé
Nombre d'années nécessaires pour récupérer l'investissement initial à même les flux monétaires actualisés générés par le projet

Dans le but de pallier à une des lacunes du délai de récupération, rien n'empêche l'analyste d'actualiser en dollars de l'année 0 les flux monétaires anticipés du projet avant de procéder à son calcul. De façon à illustrer la procédure à suivre pour déterminer le délai de récupération actualisé d'un projet d'investissement, considérons l'exemple suivant.

Exemple 6.5

Calcul du délai de récupération actualisé

Un projet nécessite un investissement de 200 000 $. Les flux monétaires anticipés sont de 40 000 $ par année pendant 12 ans. Le taux d'actualisation pertinent est de 12%. Calculez le délai de récupération standard de ce projet ainsi que son délai de récupération actualisé.

Solution

Le délai de récupération standard se calcule comme suit :

$$DR = \frac{200\ 000\ \$}{40\ 000\ \$/\,an} = 5 \text{ ans.}$$

Pour déterminer le délai de récupération actualisé, il peut être utile de construire le tableau suivant :

Années	Flux monétaire	Flux monétaires actualisés	Somme des flux monétaires actualisés	Investissement non récupéré
1	40 000 $	35 714 $	35 714 $	-164 286 $
2	40 000	31 888	67 602	-132 398
3	40 000	28 471	96 073	-103 927
4	40 000	25 421	121 494	-78 506
5	40 000	22 697	144 191	-55 809
6	40 000	20 265	164 456	-35 544
7	40 000	18 094	182 550	-17 450
8	40 000	16 155	198 705	-1 295
9	40 000	14 424	213 129	13 129
10	40 000	12 879	226 008	26 008
11	40 000	11 499	237 507	37 507
12	40 000	10 267	247 774	47 774

On constate, à partir du tableau précédent, que le délai de récupération actualisé de cet investissement est légèrement supérieur à 8 ans. Le projet doit donc durer un peu plus de 8 ans pour que l'entreprise, compte tenu de la valeur temporelle de l'argent, récupère sa mise de fonds initiale.

À la figure 6.4, nous avons représenté le comportement de l'investissement non récupéré en fonction du temps.

Figure 6.4

Investissement non récupéré en fonction du temps

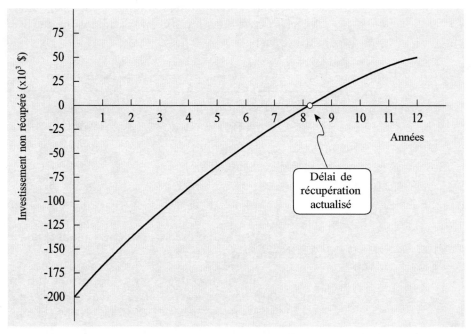

L'exemple précédent permet d'illustrer le fait que le délai de récupération actualisé représente en quelque sorte la durée minimale que doit avoir un projet pour que l'entreprise ne réalise ni perte ni gain financier. Il s'agit en définitive d'une sorte de point mort. Il importe d'insister sur le fait que cette technique n'évalue pas la rentabilité financière d'un projet.

6.10.4 La valeur actuelle nette (VAN)

Valeur actuelle nette
Valeur actualisée des flux monétaires prévus d'un projet d'investissement diminuée de la sortie de fonds initiale nécessaire à sa réalisation

Pour introduire le concept de valeur actuelle nette, supposons qu'une entreprise envisage un projet d'investissement « D » coûtant 4 000 000 $ et que l'on vous demande de faire une recommandation sur son acceptation ou son refus. En tant qu'expert en gestion financière, vous décidez de procéder de la façon suivante :

1. Vous faites une prévision des flux monétaires que générera le projet.

2. Vous déterminez le taux de rendement minimal acceptable pour ce genre de projet. Ce taux servira à actualiser les flux monétaires.

3. Vous actualisez les flux monétaires du projet avec le taux déterminé précédemment et soustrayez de la valeur obtenue la mise de fonds requise pour entreprendre le projet (4 000 000 $).

4. Le résultat ainsi obtenu se définit comme étant la valeur actuelle nette (VAN) du projet. Si cette valeur est positive, vous recommanderez d'investir puisqu'il en résultera alors une augmentation dans la valeur au marché de l'entreprise d'un montant équivalent à la VAN du projet. Inversement, si la VAN du projet est négative, vous recommanderez de ne pas i n v e s t i r puisque l'acceptation du projet provoquerait une diminution de la valeur au marché de l'entreprise.

Examinons maintenant l'impact du projet D sur la valeur au marché de l'entreprise. (Pour simplifier, nous supposons que le projet D est payé comptant s'il est accepté.)

Valeur au marché de l'entreprise

Actif	Avant l'étude du projet D	Rejet du projet D	Acceptation du projet D
Encaisse	5 000 000 $	5 000 000 $	1 000 000 $
Autres actifs	9 000 000	9 000 000	9 000 000
Projet D	-----------	-----------	VAFM
	14 000 000 $	14 000 000 $	10 000 000 $ + VAFM

Ici, VAFM représente la valeur actualisée au temps 0 des flux monétaires que générera le projet D.

La question est de savoir s'il est préférable de conserver le montant de 4 000 000 $ dans l'encaisse ou de l'investir dans le projet D. La réponse à cette question dépend de la VAFM. Si la VAFM est supérieure à 4 000 000 $, le projet vaut la peine d'être entrepris étant donné que la valeur au marché de l'entreprise sera alors supérieure à 14 000 000 $, ce qui constitue un enrichissement pour les actionnaires. Inversement, si la VAFM est inférieure à 4 000 000 $, le projet devrait être refusé puisqu'en l'acceptant la valeur de l'entreprise serait alors moindre qu'elle ne l'est sans le projet.

Calcul de la valeur actuelle nette

La valeur actualisée nette (VAN) d'un projet correspond à la valeur actuelle de tous les flux monétaires - positifs ou négatifs - anticipés du projet. L'équation générale de la VAN est la suivante :

$$VAN = \frac{FM_1}{(1+r)^1} + \frac{FM_2}{(1+r)^2} + \frac{FM_3}{(1+r)^3} + ... + \frac{FM_n}{(1+r)^n} - I \qquad (6.5)$$

$$VAN = \sum_{t=1}^{n} \frac{FM_t}{(1+r)^t} - I \qquad (6.5a)$$

Puisque $I = -FM_0$ et que $(1+r)^0 = 1$, on peut également écrire :

$$VAN = \sum_{t=0}^{n} \frac{FM_t}{(1+r)^t} \qquad (6.5b)$$

où FM_t : Flux monétaire pour l'année t

r : Taux d'actualisation approprié. Il s'agit du taux de rendement d'un placement sûr, car les flux monétaires sont considérés comme des valeurs certaines dans le présent chapitre.

n : Durée du projet

I : Investissement initial $= -FM_0$.

Dans le cas particulier où les flux monétaires sont uniformes d'une année à l'autre, l'équation (6.5) peut s'écrire de la façon suivante :

$$VAN = FMA_{\overline{n}|r} - I \qquad (6.5c)$$

où $A_{\overline{n}|r}$: Valeur actualisée d'une annuité de fin de période comportant n flux monétaires égaux.

Règle de décision

Projets indépendants : on accepte les projets dont la VAN est supérieure à zéro.

Projets mutuellement exclusifs : on accepte celui dont la VAN positive est la plus élevée.

Exemple 6.6

Choix entre deux projets mutuellement exclusifs selon le critère de la VAN

Vous devez faire une recommandation sur le choix d'un des deux projets dont les caractéristiques apparaissent ci-dessous. Sachant que le taux d'actualisation approprié est de 12%, quel projet recommanderez-vous?

Projet	FM_0	FM_1	FM_2	FM_3	FM_4
A	-80 000 $	50 000 $	30 000 $	20 000 $	10 000 $
B	-80 000	28 000	28 000	28 000	28 000

Solution

Il s'agit de calculer la VAN de chaque projet et de retenir celui dont la VAN est la plus élevée (à condition qu'elle excède zéro).

Projet A

$$VAN(A) = -80\,000 + \frac{50\,000}{(1+0,12)^1} + \frac{30\,000}{(1+0,12)^2} + \frac{20\,000}{(1+0,12)^3} + \frac{10\,000}{(1+0,12)^4}$$
$$= 9149,46\ \$$$

À l'aide de la calculatrice SHARP EL-738, on procède comme suit :

La touche ENT permet d'entrer les flux monétaires du projet.

Le nombre 12 représente le taux de rendement exigé sur le projet.

Projet B

$$VAN(B) = 28\,000\,A_{\overline{4}|12\%} - 80\,000 = 5\,045,78\ \$$$

À l'aide de la calculatrice financière, la VAN du projet se calcule ainsi :

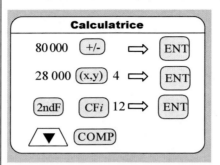

Le nombre 4 indique que le projet génère 4 flux monétaires identiques de 28 000 $.

L'écran affiche alors la VAN du projet, soit 5 045,78 $.

Les résultats obtenus indiquent que le projet A est préférable au projet B puisqu'il contribue le plus à accroître la valeur au marché de l'entreprise. Si l'entreprise est en mesure de réinvestir les flux monétaires générés par le projet A dans des projets rapportant 12% (soit le taux d'actualisation utilisé dans le calcul de la VAN), sa valeur au marché devrait, en principe, augmenter d'un montant égal à 9149,46 $.

6.10.5 L'indice de rentabilité (IR)

· · ·
Indice de rentabilité
Valeur actualisée des flux monétaires prévus d'un projet d'investissement divisée par la mise de fonds initiale

L'indice de rentabilité constitue une mesure de rentabilité d'un projet d'investissement par dollar déboursé initialement. Si, par exemple, l'indice de rentabilité d'un projet est de 1,20, cela signifie que la valeur actualisée des flux monétaires est de 1,20 $ pour chaque déboursé au temps 0. Cet indice se calcule en divisant la valeur actuelle des flux monétaires anticipés par la mise de fonds initiale, c'est-à-dire :

$$IR = \frac{VAFM}{I} = \frac{\displaystyle\sum_{t=1}^{n} \frac{FM_t}{(1+r)^t}}{I} \qquad (6.6)$$

Dans le cas particulier où les flux monétaires sont constants d'une année à l'autre, l'équation précédente peut s'écrire :

$$IR = \frac{FMA_{\overline{n}|r}}{I} \qquad (6.6a)$$

De plus, puisque VAN = VAFM - I, on a VAFM = VAN + I. D'où :

$$IR = \frac{VAN + I}{I}$$

$$IR = \frac{VAN}{I} + 1 \qquad (6.6b)$$

L'expression (6.6b) indique clairement que si la VAN d'un investissement est positive, l'indice de rentabilité sera supérieur à 1. À l'inverse, si la VAN d'un investissement est négative, on constate que l'indice de rentabilité sera inférieur à 1.

Règle de décision

Projets indépendants : on accepte les projets dont l'indice de rentabilité est supérieur à 1.

Projets mutuellement exclusifs : on accepte le projet qui comporte l'indice de rentabilité le plus élevé, à condition qu'il excède 1. Cette règle de décision peut cependant, dans certaines situations, conduire à un mauvais choix. Nous reviendrons sur ce point à la section 6.12.

Exemple 6.7 — **Calcul de l'indice de rentabilité lorsque les flux monétaires sont constants**

Une entreprise envisage un projet qui nécessiterait une mise de fonds initiale de 100 000 $ et dont les flux monétaires annuels seraient de 15 000 $ pendant 10 ans. Le taux d'actualisation pertinent est de 12%. En se basant sur l'indice de rentabilité, ce projet devrait-il être accepté?

Solution

Puisque les flux monétaires sont constants, on obtient, à l'aide de l'expression (6.6a) :

$$IR = \frac{15\,000 A_{\overline{10}|12\%}}{100\,000}$$

$$IR = 0,85$$

Ce projet devrait donc être refusé car son indice de rentabilité est inférieur à 1.

Remarque. On aurait abouti à la même conclusion à l'aide du critère de la VAN. Le lecteur pourra vérifier qu'à un taux d'actualisation de 12% la VAN de ce projet est négative.

6.10.6 Le taux de rendement interne (TRI)

Taux de rendement interne
Taux d'actualisation pour lequel les flux monétaires prévus d'un projet d'investissement égale la mise de fonds initiale

Le taux de rendement interne est le taux d'actualisation pour lequel la valeur actuelle nette (VAN) est nulle. La figure 6.5 représente la valeur actuelle nette d'un projet en fonction du taux d'actualisation utilisé. Sur cette figure, le taux de rendement interne (TRI) est le taux pour lequel la courbe coupe l'axe horizontal.

Figure 6.5

VAN d'un projet en fonction du taux d'actualisation

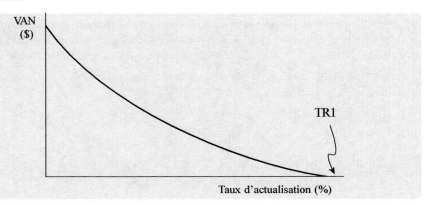

Calcul du taux de rendement interne

Le taux de rendement interne est le taux d'actualisation qui permet de vérifier l'une ou l'autre des équations suivantes :

$$\frac{FM_1}{(1+TRI)^1} + \frac{FM_2}{(1+TRI)^2} + \frac{FM_3}{(1+TRI)^3} + \ldots + \frac{FM_n}{(1+TRI)^n} - I = 0 \tag{6.7}$$

ou

$$\sum_{t=1}^{n} \frac{FM_t}{(1+TRI)^t} - I = 0 \tag{6.7a}$$

ou

$$\sum_{t=0}^{n} \frac{FM_t}{(1+TRI)^t} = 0 \tag{6.7b}$$

Dans le cas particulier où les flux monétaires sont uniformes d'une année à l'autre, l'équation (6.7) peut s'écrire ainsi :

$$FM\,A_{\overline{n}|TRI} - I = 0 \tag{6.7c}$$

Comme l'inconnu à déterminer est le TRI, le calcul peut difficilement s'effectuer directement lorsque n excède 2. Dans la plupart des cas, il faudra donc procéder par approximations successives ou utiliser une calculatrice financière qui effectue ce genre de calcul.

On notera également que le calcul du taux de rendement d'un projet d'investissement est similaire au calcul du taux de rendement à l'échéance d'une obligation. En effet, dans les deux cas, on cherche le taux d'actualisation pour lequel la valeur actuelle des rentrées de fonds prévues correspond à la mise de fond initiale. Comme dans le calcul du rendement à l'échéance d'une obligation, on suppose implicitement, lors du calcul du TRI d'un projet d'investissement, que les flux monétaires sont réinvestis au taux d'actualisation trouvé, c'est-à-dire à un taux qui correspond au taux de rendement interne de l'investissement.

Règle de décision

Projets indépendants : on accepte les projets dont le TRI est supérieur au taux de rendement requis, soit le taux d'actualisation (r) utilisé dans le calcul de la VAN.

Projets mutuellement exclusifs : on accepte celui qui a le TRI le plus élevé, à condition qu'il excède le taux de rendement requis (r). Cette règle de décision peut, dans certaines situations, conduire à un mauvais choix. Nous reviendrons sur ce point à la section 6.11.1.

Exemple 6.8 **Élaboration du budget des investissements en utilisant le critère du taux de rendement interne**

Une entreprise envisage trois projets indépendants qui généreraient les flux monétaires suivants :

Flux monétaires

Années	Projet 1	Projet 2	Projet 3
0	-75 000 $	-20 000 $	-20 000 $
1	0	10 000	12 000
2	0	10 000	8 000
3	150 000	10 000	5 000

En se basant sur le critère du taux de rendement interne (TRI), quel sera le montant du budget des investissements? Le taux de rendement minimum requis est de 10%.

Solution

Pour déterminer si un projet est acceptable, il s'agit de calculer son taux de rendement interne (TRI) et de le comparer au taux de rendement minimum requis.

Projet 1

Puisque seule la troisième année du projet génère une rentrée de fonds, on peut écrire :

$$\frac{150\ 000}{(1+\text{TRI})^3} - 75\ 000 = 0$$

$$(1+\text{TRI})^3 = \frac{150\ 000}{75\ 000}$$

$$(1+\text{TRI}) = (2)^{1/3}$$

d'où : $\text{TRI} = (2)^{1/3} - 1 = 25{,}99\%$

Le TRI du projet 1 excédant 10%, on devrait l'accepter.

À l'aide de la calculatrice financière, on obtient le TRI du projet de la façon suivante :

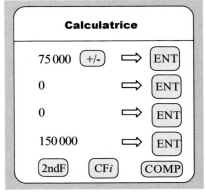

La calculatrice affiche alors le TRI du projet, soit 25,99%.

Projet 2

Étant donné que les flux monétaires sont uniformes, on a :

$$10\,000\,A_{\overline{3}|\text{TRI}} - 20\,000 = 0$$

À l'aide de la calculatrice financière SHARP EL-738, le TRI de ce projet se calcule ainsi :

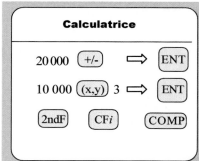

Le nombre 3 indique que le projet génère 3 flux monétaires identiques de 10 000 $.

L'écran affiche alors le TRI du projet 2, soit 23,38%. Ce projet devrait donc également être accepté.

Projet 3

Le TRI du projet est le taux d'actualisation qui permet de vérifier l'équation suivante :

$$\frac{12\,000}{(1+\text{TRI})^1} + \frac{8\,000}{(1+\text{TRI})^2} + \frac{5\,000}{(1+\text{TRI})^3} - 20\,000 = 0$$

Pour résoudre cette équation, on peut procéder par approximations successives et, par la suite, utiliser l'interpolation linéaire. Cette façon de procéder est illustrée ci-dessous. À un taux de 13%, on obtient :

$$\frac{12\,000}{(1+0,13)^1} + \frac{8\,000}{(1+0,13)^2} + \frac{5\,000}{(1+0,13)^3} = 20\,349,89 > 20\,000$$

Par conséquent, le TRI du projet est supérieur à 13%. Essayons maintenant un taux de 15%. À 15%, on trouve :

$$\frac{12\,000}{(1+0,15)^1} + \frac{8\,000}{(1+0,15)^2} + \frac{5\,000}{(1+0,15)^3} = 19\,771,51 < 20\,000$$

Le taux cherché est donc nécessairement compris entre 13% et 15%. De façon à obtenir une meilleure approximation, nous aurons maintenant recours à la méthode de l'interpolation linéaire.

Les résultats précédents nous indiquent que si le taux d'actualisation augmente de 2%, la valeur actualisée des flux monétaires diminue de 578,38 $, soit 20 349,89 $ - 19 971,51 $. Cependant, nous voulons obtenir le taux d'actualisation pour lequel la valeur actualisée des flux monétaires générés par le projet décroît de 349,89 $, soit 20 349,89 $ - 20 000 $. En posant l'hypothèse commode - mais non conforme à la réalité - qu'il existe une relation linéaire entre le taux d'actualisation et la valeur actualisée des flux monétaires, le TRI du projet peut être approximé comme suit :

$$0,13 + \left(\frac{20\,349,89 - 20\,000}{20\,349,89 - 19\,771,51} \right)(0,02) \approx 14,21\%$$

Le projet 3 est lui aussi rentable.

À l'aide de la calculatrice financière, on obtient rapidement la valeur du TRI en procédant ainsi :

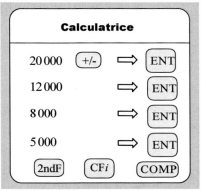

L'écran affiche alors 14,20%. Il s'agit du TRI exact du projet 3.

Le budget des investissements, si l'on entreprend les trois projets, sera donc de :

75 000 $ + 20 000 $ + 20 000 $ = 115 000 $.

Remarque. On aurait abouti au même résultat à l'aide de la méthode de la VAN. Le lecteur pourra vérifier que la VAN des projets 1, 2 et 3, à un taux d'actualisation de 10%, est positive.

Le problème des taux de rendement interne multiples

Dans le cas d'un projet dont les flux monétaires ne sont pas standards (ils sont standards si le premier flux est négatif et les flux subséquents positifs), il se peut qu'il y ait plus d'un TRI positif. En fait, les règles de l'algèbre nous enseignent que le nombre de TRI réels compris dans l'intervalle $(-100\%, +\infty)$ est égal ou inférieur au nombre de changements de signes dans la séquence des flux monétaires d'un projet. Ainsi, un projet dont les signes des flux monétaires successifs sont - + + + + (projet standard) ne peut comporter qu'un seul TRI réel compris dans l'intervalle (-100%, $+\infty$). Pour sa part, un projet dont les signes des flux monétaires successifs sont - + - + peut avoir jusqu'à trois TRI réels appartenant à l'intervalle (-100%, $+\infty$).

Plusieurs adaptations du critère du TRI ont été élaborées pour traiter ces cas plutôt exceptionnels en pratique. Il nous apparaît cependant beaucoup plus simple dans ces situations de s'en remettre au critère de la VAN.

Exemple 6.9 — **Projet d'investissement comportant plusieurs TRI**

Les flux monétaires anticipés du projet Alpha sont les suivants :

$$FM_0 = -20\ 000\ \$$$
$$FM_1 = 90\ 000\ \$$$
$$FM_2 = -80\ 000\ \$$$

Déterminez les TRI de ce projet. Ce projet est-il acceptable si le taux de rendement exigé est de 15%?

Solution

Les flux monétaires changent de signes deux fois. Le projet peut donc avoir au maximum deux taux de rendement interne compris dans l'intervalle $(-100\%, +\infty)$. Pour déterminer les TRI de ce projet, il s'agit de résoudre l'équation suivante :

$$-20\ 000 + \frac{90\ 000}{(1+TRI)} - \frac{80\ 000}{(1+TRI)^2} = 0$$

À l'aide de la formule donnant les racines d'une équation quadratique, on obtient deux taux (TRI) qui satisfont cette équation, soit 21,92% et 228,1%. La figure 6.6 illustre cette situation.

Figure 6.6

VAN en fonction du taux d'actualisation

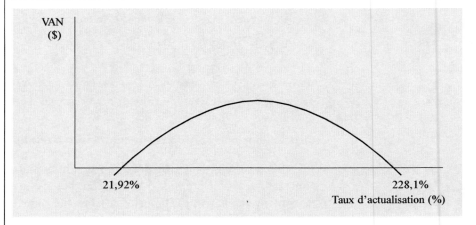

À la figure ci-dessus, on constate que la VAN du projet est négative si le taux d'actualisation utilisé est de 15%. Par conséquent, ce projet n'est pas acceptable.

Comparaison entre les critères d'évaluation basés sur l'actualisation des flux monétaires

Dans le cas de projets d'investissement indépendants, les méthodes de la valeur actuelle nette (VAN), du taux de rendement interne (TRI) et de l'indice de rentabilité (IR) aboutissent à des conclusions identiques. Ainsi, si un projet est jugé rentable selon le critère de la valeur actuelle nette (VAN), il le sera également selon les deux autres critères. En effet, on a :

$$\text{Si VAN} > 0, \text{ alors TRI} > r \text{ et IR} > 1$$
$$\text{Si VAN} = 0, \text{ alors TRI} = r \text{ et IR} = 1$$
$$\text{Si VAN} < 0, \text{ alors TRI} < r \text{ et IR} < 1$$

Toutefois, lorsqu'il s'agit de classer des projets mutuellement exclusifs, les trois critères ne concordent pas nécessairement. En effet, il peut très bien arriver, lorsque l'on compare deux projets mutuellement exclusifs, que le projet dont la valeur actuelle nette est la plus élevée possède le plus petit taux de rendement interne.

Dans ce qui suit, nous discutons des hypothèses sous-jacentes à chacun des critères et des modifications que l'on doit apporter au taux de rendement interne et à l'indice de rentabilité pour éliminer la contradiction de choix existant, dans certaines circonstances, entre ces critères et la VAN.

6.11.1 Comparaison entre les méthodes de la VAN et du TRI

Hypothèse concernant le taux auquel sont réinvestis les flux monétaires

La méthode de la valeur actuelle nette suppose que les flux monétaires sont réinvestis au taux d'actualisation utilisé. Dans le cas du taux de rendement interne, l'hypothèse implicite est que les flux monétaires sont réinvestis au taux de rendement interne. Cela implique que, selon la méthode de la VAN, le taux de réinvestissement des flux monétaires est le même pour tous les projets de même risque alors que dans le cas du TRI le taux de réinvestissement varie d'un projet à l'autre. L'hypothèse à la base du TRI nous apparaît plus ou moins réaliste et constitue une faiblesse importante de ce critère, en particulier lorsque le TRI d'un projet est très élevé. En effet, dans un tel cas, il est peu probable que l'entreprise sera en mesure de réinvestir les flux monétaires du projet à un taux équivalent à son taux de rendement interne.

Classement des projets mutuellement exclusifs

Il existe une possibilité de conflit entre les critères de la VAN et du TRI dans les cas suivants :

• Projets dont la mise de fonds requise est différente.

• Projets dont la répartition temporelle des flux monétaires est différente.

• Projets comportant une durée de vie inégale.

Il convient toutefois de noter que ces situations sont nécessaires - mais pas suffisantes - pour qu'il y ait contradiction de choix entre les deux critères. En effet, il peut très bien arriver qu'il n'y ait aucune contradiction de choix entre, par exemple, les critères de la VAN du TRI et ce, même si la durée de vie des projets analysés est différente.

Examinons, à titre indicatif, trois ensembles de projets comportant chacun deux projets mutuellement exclusifs (voir les figures 6.7 à 6.9).

Figure 6.7

VAN$_B$ > VAN$_C$

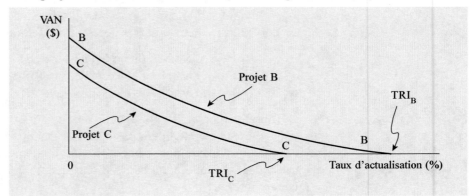

Dans le cas ci-dessus, il n'y a jamais de conflit entre les critères de la VAN et du TRI. En effet, la VAN de B est supérieure à celle de C et ce, peu importe le taux d'actualisation utilisé. On note également que le TRI de B est supérieur à celui de C.

Figure 6.8

VAN$_D$ ≥ VAN$_E$

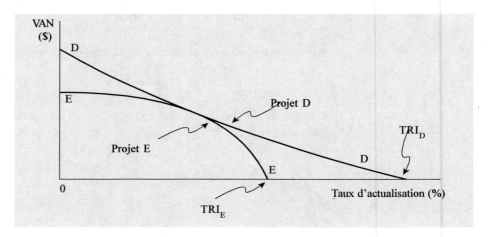

Dans le cas de la figure 6.8, la VAN de D est toujours supérieure à celle de E, sauf au point de tangence où elles sont égales. On note également que le TRI de D excède celui de E. Il y a conflit entre la VAN et le TRI si et seulement si le taux d'actualisation pertinent pour les projets en cause correspond à la coordonnée sur l'axe horizontal du point de tangence entre les deux courbes. Dans ce cas particulier, le critère de la VAN indique que l'on devrait être indifférent entre les projets D et E alors que selon le critère du TRI on devrait opter pour le projet D.

Figure 6.9

Conflit entre la VAN et le TRI

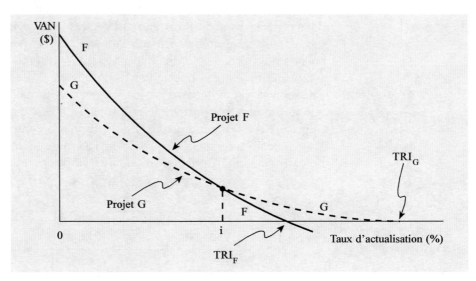

On observe, à la figure 6.9, que les deux courbes se croisent, ce qui signifie que, dépendamment du taux d'actualisation utilisé, le projet F a une VAN supérieure ou inférieure au projet G. Si, par exemple, le taux d'actualisation utilisé est inférieur au taux i, la VAN de F excède celle de G. Étant donné que le TRI de G est supérieur à celui de F, il existe, dans une telle situation, un conflit entre les critères de la VAN et du TRI.

Ci-après, nous montrons comment éliminer la contradiction de choix existant entre la VAN et le TRI dans les deux cas suivants :

. lorsque les projets sont de taille différente;

. lorsque les projets comportent des flux monétaires dont la répartition temporelle diffère.

En ce qui a trait aux projets dont la durée de vie n'est pas la même, nous présentons l'approche classique permettant de sélectionner la meilleure occasion d'investissement.

1. Projets dont la mise de fonds requise est différente

TRI marginal
TRI calculé à partir des écarts entre les flux monétaires de deux projets mutuellement exclusifs

Dans une telle situation, il s'agit, pour éliminer la contradiction de choix existant entre la VAN et le TRI, d'effectuer le calcul du TRI à partir des flux monétaires différentiels (TRI marginal).

Pour illustrer cette méthode, considérons deux projets mutuellement exclusifs, dont les caractéristiques sont les suivantes :

	Projet X	**Projet Y**
Mise de fonds	500 000 $	100 000 $
Flux monétaires annuels pour les années 1 à 10	150 000 $	40 000 $
TRI	27,32 %	38,45 %
VAN	347 533,45 $	126 008,92 $

Le taux d'actualisation pertinent pour ce genre de projet est de 12%.

Les données précédentes indiquent, qu'à un taux d'actualisation de 12%, il y a contradiction de choix entre la VAN et le TRI. En effet, selon la VAN, le projet X est préférable au projet Y alors que c'est l'inverse selon le TRI. En fait, pour un taux d'actualisation inférieur ou égal à 24,4% (voir la remarque ci-dessous), il y a contradiction de choix entre la VAN et le TRI. Par contre, pour un taux d'actualisation qui dépasse 24,4%, les deux méthodes (VAN et TRI) indiquent que le projet Y est préférable au projet X. C'est d'ailleurs ce que montre la figure 6.10 de la page suivante. Pour éliminer la contradiction de choix entre la VAN et le TRI, on procède à l'aide du TRI marginal. Le taux de rendement de l'investissement différentiel se calcule à l'aide des données du tableau suivant.

Année	Projet X	Projet Y	Flux monétaires différentiels (X-Y)
0	-500 000 $	-100 000 $	-400 000 $
1 à 10	150 000	40 000	110 000

On pose :

Investissement différentiel = VA (Flux monétaires différentiels)

$$400\,000 = 110\,000 A_{\overline{10}|TRI}$$

d'où : TRI marginal = 24,4%

Il est à noter que ce taux marginal correspond à la coordonnée sur l'axe horizontal du point d'intersection des deux courbes à la figure 6.10.

Remarque. Le TRI marginal est le taux pour lequel les deux VAN sont identiques, c-à-d. VAN(X) = VAN(Y). Ici, on a : $150\,000 A_{\overline{10}|i} - 500\,000 = 40\,000 A_{\overline{10}|i} - 100\,000$. En réarrangeant les différents termes, on trouve : $110\,000 A_{\overline{10}|i} = 400\,000$. Le taux d'actualisation (taux pivot) qui permet de satisfaire cette équation s'obtient directement à l'aide de la calculatrice calculatrice SHARP EL-738 en procédant comme suit :

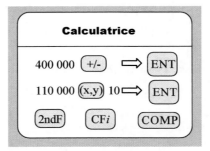

La calculatrice affiche alors le TRI marginal, soit 24,4%.

Par la suite, on compare le TRI marginal avec le taux d'actualisation utilisé. La règle de décision est alors la suivante : si TRI(X-Y) > r, le meilleur projet est X. Dans le cas inverse (c.-à-d. si TRI(X-Y) < r), Y est le meilleur projet. Ici, puisque TRI(X-Y) = 24,4% > 12%, on peut conclure que l'investissement supplémentaire nécessaire à la réalisation du projet X (400 000$) est rentable. En effet, cet investissement marginal rapporte 24,4% alors que l'entreprise exige un rendement minimal de 12%. On doit donc préférer le projet X au projet Y.

Figure 6.10

VAN des projets X et Y en fonction du taux d'actualisation

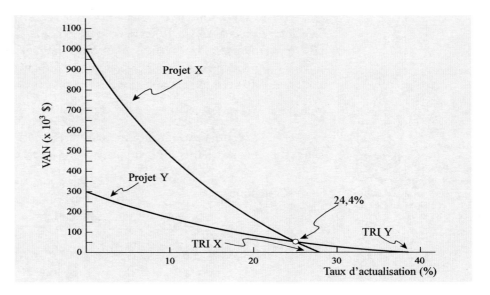

Finalement, il convient de s'assurer que le meilleur projet (le projet X) est acceptable. Pour ce faire, on doit vérifier si le taux de rendement du projet X excède le taux de rendement minimal requis. Ici, on a : TRI(X) = 27,32% > 12%. Par conséquent, on peut conclure que le projet X est rentable. La méthode du TRI marginal nous conduit donc à la même conclusion que le critère de la VAN.

2. Projets dont la répartition temporelle des flux monétaires diffère

Dans ce cas, le conflit est attribuable au fait que le critère de la VAN suppose que les flux monétaires sont réinvestis au taux d'actualisation utilisé dans les calculs, tandis que la méthode du TRI présume que les flux monétaires sont réinvestis au TRI lui-même. Pour résoudre le conflit, il s'agit simplement de supposer un taux de réinvestissement des flux monétaires qui est identique pour les deux méthodes. De cette façon, le projet qui comporte la VAN la plus élevée aura nécessairement le plus grand taux de rendement.

Pour illustrer cette approche, supposons deux projets mutuellement exclusifs, dont les caractéristiques sont les suivantes :

	Projet A	Projet B
Investissement	70 000 $	70 000 $
Flux monétaires :		
Année 1	10 000 $	50 000 $
Année 2	20 000	40 000
Année 3	30 000	20 000
Année 4	45 000	10 000
Année 5	60 000	10 000

En utilisant un taux d'actualisation de 10%, on obtient les résultats suivants :

	Projet A	Projet B
VAN	46 150,16 $	36 578,03 $
TRI	27,2 %	37,55% $

Il y a donc contradiction de choix entre les critères de la VAN et du TRI. En effet, selon la VAN, le projet A est préférable au projet B, alors que selon le TRI c'est l'inverse. Pour résoudre ce conflit, on calcule le taux de rendement corrigé de chaque projet en supposant que les flux monétaires sont réinvestis à un taux de 10%, comme le suppose d'ailleurs la méthode de la VAN.

Calcul du taux de rendement corrigé (TRI*)

• • • •
TRI corrigé
Une mesure de rentabilité qui suppose que les flux monétaires du projet sont réinvestis au taux d'actualisation utilisé dans le calcul de la VAN

Le taux de rendement du projet A, compte tenu d'un taux de réinvestissement des flux monétaires de 10%, se calcule ainsi :

$$\begin{pmatrix} \text{Investissement} \\ \text{initial} \end{pmatrix}\left(1+\text{TRI}_A^*\right)^5 = \begin{pmatrix} \text{Valeur accumulée, à la fin de l'année 5, des} \\ \text{flux monétaires du projet A en supposant} \\ \text{un taux de réinvestissement de 10\%} \end{pmatrix}$$

$$70\,000\left(1+\text{TRI}_A^*\right)^5 = 10\,000(1+0,10)^4 + 20\,000(1+0,10)^3 + 30\,000(1+0,10)^2$$
$$+ 45\,000(1+0,10) + 60\,000$$

$$70\,000\left(1+\text{TRI}_A^*\right)^5 = 187\,061$$

d'où : TRI_A^* = TRI corrigé du projet A = 21,72%.

Pour le projet B, il s'agit de résoudre l'équation suivante :

$$70\,000\left(1+\text{TRI}_B^*\right)^5 = 50\,000(1+0,10)^4 + 40\,000(1+0,10)^3 + 20\,000(1+0,10)^2$$
$$+ 10\,000(1+0,10) + 10\,000$$

$$70\,000\left(1+\text{TRI}_B^*\right)^5 = 171\,645$$

d'où : TRI_B^* = TRI corrigé du projet B = 19,65%.

On constate qu'il n'y a plus de conflit entre les deux critères. En effet, on a :

$$\text{VAN}_A > \text{VAN}_B \text{ et } \text{TRI}_A^* > \text{TRI}_B^*.$$

De façon générale, le taux de rendement corrigé (TRI*) d'un projet peut se calculer à l'aide de l'expression ci-dessous :

$$I(1+\text{TRI}^*)^n = \sum_{t=1}^{n} \text{FM}_t (1+r)^{n-t}$$

$$\text{d'où : } \text{TRI}^* = \left(\frac{\sum_{t=1}^{n} \text{FM}_t (1+r)^{n-t}}{I} \right)^{1/n} - 1 \qquad (6.8)$$

où : r : Taux de réinvestissement des flux monétaires
n : Durée de vie du projet
I : Investissement initial.

Remarques. 1. Si les flux monétaires générés par le projet sont uniformes, l'expression (6.8) se réduit à :

$$TRI^* = \left(\frac{FMS_{\overline{n}|r}}{I} \right)^{1/n} - 1 \qquad (6.8a)$$

où $S_{\overline{n}|r}$: Valeur accumulée, à la fin de la période n d'une annuité constante de fin de période comportant au total n versements.

2. Lorsque les mises de fonds requises pour réaliser les projets sont égales, la méthode du taux de rendement corrigé (TRI*) aboutit nécessairement au même classement des projets mutuellement exclusifs que la méthode de la VAN. S'il y a un écart important entre les coûts initiaux des projets considérés, il est alors possible que le classement proposé par la méthode du TRI corrigé diffère de celui que suggère la méthode de la VAN.

3. Durée de vie inégale des projets

Considérons les projets mutuellement exclusifs W et Z dont les caractéristiques sont reproduites ci-dessous (le taux d'actualisation approprié est de 10%).

	Projet W	Projet Z
Investissement	15 000,00 $	15 000,00 $
Flux monétaires annuels	4 500,00 $	3 100,00 $
Durée du projet	5 ans	9 ans
VAN à 10%	2 058,54 $	2 852,97 $
TRI	15,24 %	14,61 %

Les résultats ci-dessus indiquent à nouveau une situation conflictuelle entre la VAN et le TRI. Ici, la contradiction est attribuable à la durée de vie inégale des projets. Dans une telle situation, plusieurs méthodes ont été proposées dans la littérature financière pour sélectionner le meilleur projet. Dans le cadre de ce volume, nous nous limiterons cependant à la méthode du revenu annuel net équivalent (lorsque le projet génère des rentrées de fonds) et à la méthode du coût annuel équivalent (lorsque le projet entraîne des coûts).

Méthode du revenu annuel net équivalent (RANE)

Selon la méthode du revenu annuel net équivalent, on détermine, compte tenu de la valeur temporelle de l'argent, le déboursé uniforme de fin d'année, effectué pendant *n* années, qui équivaut au montant total investi initialement et on compare ce déboursé avec la rentrée de fonds annuelle uniforme ayant la même importance que les flux monétaires successifs générés par le projet. La différence entre les deux montants représente le revenu annuel net équivalent du projet. Bien entendu, le meilleur projet est celui qui procure le revenu annuel net équivalent le plus élevé.

Appliquons cette méthode aux projets W et Z.

• • •
Revenu annuel net équivalent
Rentrée de fonds annuelle uniforme qui correspond aux flux monétaires prévus du projet diminués du décaissement constant de fin de période équivalent financièrement à l'investissement initial

Projet W

1) Coût annuel de l'investissement (Y)

   $15\ 000 = Y A_{\overline{5}|10\%}$

   d'où : $Y = 3\ 956,96\$$

2) Rentrée de fonds annuelle $= 4\ 500\ \$$
3) Revenu annuel net équivalent $= 4\ 500 - 3\ 956,96$
   $= 543,04\ \$$

Projet Z

1) Coût annuel de l'investissement (Y)
2) Rentrée de fonds annuelle $= 3\ 100\$$

   $15\ 000 = Y A_{\overline{9}|10\%}$

   d'où : $Y = 2604,61\$$

3) Revenu annuel net équivalent $= 3\ 100 - 2\ 604,61$
   $= 495,39\ \$$

Le projet W serait sélectionné selon cette méthode puisqu'il procure le revenu annuel net équivalent le plus élevé.

Il nous apparaît important de mentionner que la méthode du revenu annuel équivalent suppose implicitement que l'on peut répéter les projets aux mêmes conditions une fois ceux-ci terminés. Comme, en pratique, cette hypothèse n'est pas conforme à la réalité pour de nombreux projets d'investissement, l'analyste ne doit pas appliquer aveuglément la méthode du RANE lorsqu'il doit faire un choix parmi un ensemble de projets mutuellement exclusifs comportant une durée de vie différente.

Méthode du coût annuel équivalent (CAE)

Nous pouvons également utiliser une approche similaire dans les cas où les projets ne génèrent que des coûts. Ce genre de projet peut, par exemple, consister à installer un dispositif de contrôle de la pollution ou à rendre plus sécuritaires certains équipements. Étant donné que ce type de projet n'entraîne pas de rentrées de fonds, on ne peut calculer la valeur actuelle nette ou le taux de rendement interne du projet. Dans ces conditions, nous aurons recours à la méthode du coût annuel équivalent (CAE). Cette approche prend en considération le coût annuel de l'investissement ainsi que les coûts annuels d'opération. La règle de décision consiste alors à retenir le projet dont le CAE est le moins élevé.

Exemple 6.10 | **Choix entre deux projets mutuellement exclusifs en utilisant la méthode du coût annuel équivalent**

Pour se conformer à la loi sur l'environnement, une entreprise doit modifier son système de production et a le choix entre les deux projets suivants :

Projet A	
Coût initial	25 000 $
Valeur résiduelle	2 000 $
Durée des biens	10 ans
Coût annuel d'exploitation	2 500 $

Projet B	
Coût initial	8 000 $
Coût d'installation	2 000 $
Valeur résiduelle	1 000 $
Durée des biens	15 ans
Coût annuel d'exploitation	5 000 $

Quel est le meilleur choix si le taux d'actualisation est de 10%?

Solution

Projet A

$$\text{CAE} = \text{Coût annuel de l'investissement net } + \text{ Coût annuel d'exploitation}$$

$$= \frac{\text{Investissement net}}{A_{\overline{10}|10\%}} + \text{Coût annuel d'exploitation}$$

$$\text{CAE}_A = \frac{25\ 000 - 2\ 000(1+0,10)^{-10}}{A_{\overline{10}|10\%}} + 2\ 500$$

$$\text{CAE}_A = 6\ 443,14\$$$

Projet B

$$\text{CAE}_B = \frac{8\ 000 + 2\ 000 - 1\ 000(1+0,10)^{-15}}{A_{\overline{15}|10\%}} + 5\ 000$$

$$\text{CAE}_B = 6\ 283,26\$$$

Le projet B est le plus avantageux puisqu'il occasionne le coût annuel équivalent le plus faible.

6.11.2 Comparaison entre les méthodes de la VAN et de l'IR

Hypothèse concernant le taux auquel sont réinvestis les flux monétaires

Les méthodes de la valeur actuelle nette (VAN) et de l'indice de rentabilité (IR) supposent que les flux monétaires sont réinvestis au taux d'actualisation utilisé. Il n'y a donc pas de différence entre ces deux méthodes en ce qui a trait à l'hypothèse relative au taux de réinvestissement des flux monétaires.

Classement des projets mutuellement exclusifs

Il existe une possibilité de contradiction entre la VAN et l'IR lorsque l'investissement requis est différent. Lorsqu'il y a contradiction de choix entre les deux critères, il est possible, comme dans le cas du TRI, d'adapter le critère de l'indice de rentabilité afin d'aboutir au même classement des projets que celui obtenu en utilisant la méthode de la VAN. Pour ce faire, il s'agit de calculer l'indice de rentabilité de l'investissement différentiel. Pour illustrer cette méthode, considérons les deux projets mutuellement exclusifs suivants (le taux d'actualisation pertinent est de 15%) :

Projet	FM_0	FM_1	FM_2	VAN	IR
V	– 1 000 \$	800 \$	800 \$	301 \$	1,30
W	– 700	600	600	275	1,39

Selon le critère de la VAN, le projet V est préférable au projet W alors que selon le critère de l'IR c'est plutôt l'inverse. Le conflit est attribuable au fait que la taille des investissements considérés est différente. Pour le résoudre, il s'agit de calculer l'indice de rentabilité de l'investissement supplémentaire nécessaire à la réalisation du projet V. On obtient alors :

Projet	FM_0	FM_1	FM_2	IR
V – W	– 300 \$	200 \$	200 \$	1,08

Puisque l'indice de rentabilité du projet V-W excède 1, le meilleur choix est le projet V.

Finalement, il convient de s'assurer que la meilleure solution (le projet V) est acceptable. Pour ce faire, il faut que l'indice de rentabilité du projet V dépasse 1. Étant donné que IR(V) = 1,30 > 1, on peut conclure que le projet V est rentable. La méthode de l'indice de rentabilité, appliquée sur une base différentielle, nous conduit donc à la même conclusion que celle de la VAN.

6.11.3 Conclusion

En conclusion, nous tenons à insister sur la supériorité théorique du critère de la VAN sur tous les autres discutés dans ce chapitre. D'ailleurs, le critère de la VAN est le seul qui est en accord avec l'objectif financier de l'entreprise qui consiste à maximiser la richesse de ses actionnaires. Il est donc celui à privilégier lors de la sélection des projets d'investissement. Quant aux autres critères d'évaluation que nous avons décrits (TRI, délai de récupération, etc.), ils apparaissent comme étant complémentaires à la VAN et susceptibles d'apporter un éclairage additionnel sur les projets d'investissement analysés.

6.12 Concepts fondamentaux

- Les décisions d'investissement à long terme concernent les acquisitions d'actifs qui généreront des flux monétaires pendant plusieurs années. Ces décisions sont importantes car elles nécessitent des ressources importantes et engagent l'avenir de l'entreprise.

- Un projet d'investissement suit habituellement un cycle de vie comportant une phase développement, une phase réalisation et une phase opérationnelle.

- L'évaluation de la rentabilité d'un projet d'investissement nécessite l'estimation de plusieurs paramètres importants, dont les flux monétaires pertinents, le taux de rendement exigé et la durée de vie économique.

- Les flux monétaires d'un projet d'investissement sont les encaissements et les décaissements découlant de son acceptation. Ils doivent être estimés sur une base différentielle ou marginale et prendre en considération tous les effets directs et indirects que le projet exerce sur l'entreprise. Dans le calcul de ces derniers, on doit notamment tenir compte des coûts de renonciation, des sorties de fonds évitées, des sorties de fonds en cours de projet, de l'érosion, de la variation du fonds de roulement net et des impôts à payer. Par contre, les flux monétaires pertinents doivent faire abstraction de l'amortissement comptable, des versements d'intérêt et de dividendes et des coûts passés ou irrécupérables.

- Le flux monétaire de la période t correspond aux recettes nettes après impôt du projet auxquelles on ajoute l'économie d'impôt liée à l'amortissement fiscal.

- Les projets d'investissement peuvent être classifiés en trois catégories, soit les projets indépendants, les projets mutuellement exclusifs et les projets dépendants ou complémentaires. L'acceptation d'un projet indépendant n'exerce aucune incidence sur les décisions qui seront prises concernant d'autres occasion d'investissement. Par contre, l'acceptation d'un projet mutuellement exclusif entraîne automatiquement le rejet des autres alternatives. Finalement la réalisation d'un projet dépendant est conditionnelle à l'acceptation préalable d'un ou de plusieurs autres projets.

- Les principaux critères de sélection des projets d'investissement sont : (1) la valeur actuelle nette (VAN), (2) le taux de rendement interne (TRI), (3) l'indice de rentabilité (IR), (4) le délai de récupération standard (DR), (5) le délai de récupération actualisé (DRA) et (6) le taux de rendement comptable (TRC).

- La VAN mesure la variation anticipée de la valeur des actions de l'entreprise qui résulterait de l'acceptation du projet d'investissement. Elle correspond à la valeur actualisée des flux monétaires du projet défalquée de la mise de fonds initiale.

- Le taux de rendement interne est le taux d'actualisation qui annule la VAN du projet.

- L'indice de rentabilité est égal à la valeur actualisée des rentrées de fonds prévus du projet divisée par la mise de fonds initiale.

- Le délai de récupération mesure le nombre d'années requises pour récupérer les capitaux initialement investis. Quant au délai de récupération actualisé, il constitue une variante de la méthode précédente et incorpore dans le calcul les dates prévues de réception des flux monétaires.

- Le taux de rendement comptable s'obtient en divisant le bénéfice annuel moyen après impôt du projet par la valeur comptable moyenne des actifs acquis.

- Dans le cas de projet d'investissement indépendantes, les critères de la valeur actuelle nette (VAN), du taux de rendement interne (TRI) et de l'indice de rentabilité (IR) aboutissent toujours à des conclusions identiques. Toutefois, lorsque le gestionnaire est confronté à une décision impliquant plusieurs projets alternatifs, il est alors possible que les critères précédents proposent un choix différent. Dans une telle situation, le critère à privilégier est celui de la VAN, car celle-ci mesure la création de richesse en valeur absolue pour les actionnaires de l'entreprise.

- En présence de projets mutuellement exclusifs, il existe une possibilité de conflit entre les critères de la VAN et du TRI dans les trois situations suivantes : (1) la mise de fonds nécessaire pour réaliser les projets n'est pas la même, (2) la répartition temporelle des flux monétaires des projets est différente et (3) les projets comportent une durée de vie inégale.

- La méthode du TRI marginal (c.-à-d. un TRI calculé à partir des flux monétaires différentiels des deux projets mutuellement exclusifs analysés) permet d'éliminer la contradiction de choix existant entre les critères de la VAN et du TRI standard lorsque le conflit est attribuable au fait que les deux projets concernés nécessitent des mises de fonds distinctes.

- La méthode du TRI corrigé (c.-à-d. un taux de rendement calculé en supposant que les flux monétaires des projets sont réinvestis au taux d'actualisation utilisé dans le calcul de la VAN) permet d'éliminer le conflit dans le classement de deux projets mutuellement exclusifs lorsque celui-ci découle d'une répartition temporelle différente des flux monétaires des investissements considérés.

- La méthode du revenue annuel net équivalent (RANE) permet d'apprécier la rentabilité financière d'un projet sur une base annualisée, compte tenu de l'investissement initial requis, de ces flux monétaires anticipés, de sa durée de vie et du taux de rendement exigé. Cette méthode est surtout utilisée pour sélectionner le meilleur projet lorsque ces derniers comportent une durée de vie inégale.

- Les méthodes de la valeur actuelle nette (VAN) et de l'indice de rentabilité (IR) supposent que les flux monétaires des projets analysés sont réinvestis au taux d'actualisation utilisé dans les calculs. Par ailleurs, lorsqu'il s'agit de faire un choix entre deux projets alternatifs, ces deux méthodes peuvent suggérer un classement différent si les mises de fonds requises sont inégales.

6.13 Mots clés

Approche marginale ou différen-tielle (p. 223)
Bénéfices comptables (p. 222)
Coût annuel équivalent (CAE) (p. 254)
Coûts de renonciation (p. 224)
Coûts passés ou irrécupérables (p. 224)
Décision d'investissement (p. 217)
Délai de récupération (DR) (p. 232)
Délai de récupération actualisé (DRA) (p. 236)
Durée de vie économique d'un projet d'investissement (p. 229)
Érosion (p. 225)
Étude de faisabilité (p. 218)
Flux monétaires (p. 222)

Fonds de roulement net (p. 225)
Impôt corporatif (p. 225)
Indice de rentabilité (IR) (p. 240)
Projets dépendants ou complémentaires (p. 228)
Projets indépendants (p. 228)
Projets mutuellement exclusifs (p. 228)
Revenu annuel net équivalent (RANE) (p. 253)
Sorties de fonds en cours de projet (p. 225)
Sorties de fonds évitées (p. 224)
Taux d'actualisation (p. 228)
Taux de rendement comptable (p. 231)
Taux de rendement interne (TRI) (p. 241)
TRI corrigé (TRI*) (p. 252)
TRI marginal (p. 249)
Valeur actuelle nette (VAN) (p. 237)

6.14 Sommaire des principales formules

Calcul des flux monétaires

(6.1) $\quad FM_t = (R_t - D_t - A_t)(1 - T) + A_t$

ou

(6.2) $\quad FM_t = (R_t - D_t)(1 - T) + A_t \cdot T$

où FM_t : Flux monétaire de la période t

R_t : Recettes brutes du projet avant impôt pour la période t

D_t : Déboursés du projet avant impôt pour la période t

T : Taux d'imposition marginal de l'entreprise

A_t : Amortissement fiscal pour la période t

$A_t \cdot T$: Économie d'impôt liée à l'amortissement fiscal pour la période t.

Critères d'évaluation de la rentabilité des projets d'investissement

Taux de rendement comptable (TRC)

$$(6.3) \quad TRC = \frac{\sum\limits_{t=1}^{n} B_t/n}{\dfrac{I + VR}{2}}$$

où B_t : Bénéfice net (après impôt) de l'année t

n : Durée du projet en années

I : Mise de fonds initiale

VR : Valeur résiduelle.

Délai de récupération (DR)

1. Flux monétaires constants

$$(6.4) \quad DR = \frac{I}{FM}$$

où I : Investissement requis

FM : Flux monétaire annuel du projet.

2. Flux monétaires inégaux

On doit additionner les flux monétaires jusqu'à ce que leur somme corresponde à la mise de fonds initiale.

Valeur actuelle nette (VAN)

$$(6.5a) \quad VAN = \sum_{t=1}^{n} \frac{FM_t}{(1+r)^t} - I$$

où FM_t : Flux monétaire de l'année t

r : Taux d'actualisation approprié

n : Durée du projet

I : Investissement initial.

Indice de rentabilité (IR)

$$(6.6) \quad IR = \frac{\sum\limits_{t=1}^{n} \dfrac{FM_t}{(1+r)^t}}{I} = \frac{VAN}{I} + 1$$

Taux de rendement interne (TRI)

$$(6.7a) \quad VAN = \sum_{t=1}^{n} \frac{FM_t}{(1+r)^t} - I$$

Taux de rendement interne corrigé (TRI*)

$$(6.8) \quad TRI^* = \left(\frac{\sum_{t=1}^{n} FM_t (1+r)^{n-t}}{I} \right)^{1/n} - 1$$

6.15 Exercices

Série A

1. Vrai ou faux.

a) Le calcul des flux monétaires d'un projet d'investissement doit tenir compte des frais financiers rattachés à son mode de financement.

b) Si un projet d'investissement nécessite une augmentation du fonds de roulement, on doit en tenir compte dans le calcul de sa VAN.

c) La méthode du taux de rendement comptable est compatible avec l'objectif visant à maximiser la richesse des actionnaires.

d) La méthode de la VAN suppose que les flux monétaires du projet sont réinvestis au taux d'actualisation utilisé.

e) La méthode du TRI suppose que les flux monétaires générés par le projet sont réinvestis au TRI lui-même.

f) Si le nombre de changements de signes dans la série des flux monétaires d'un projet est de 3, le nombre de TRI réels compris dans l'intervalle $(-100\%, +\infty)$ sera nécessairement de 3.

g) La VAN mesure la variation anticipée dans le bénéfice net de l'entreprise.

h) Le grand avantage du critère du TRI, par rapport à la VAN, est que l'analyste n'a pas à déterminer le taux de rendement minimal acceptable pour le projet concerné.

i) La VAN d'un projet mesure la variation anticipée dans la richesse des actionnaires de l'entreprise.

j) Si la VAN d'un projet est positive et que l'indice de rentabilité est supérieur à 1, on peut alors conclure que le TRI sera plus grand que le taux de rendement exigé.

k) Un des avantages importants de la méthode de la VAN est qu'elle satisfait l'objectif financier de l'entreprise qui est de maximiser la richesse de ses actionnaires.

l) La méthode du délai de récupération est la méthode à privilégier pour décider des investissements que devrait réaliser l'entreprise.

m) Un projet d'investissement comportant un indice de rentabilité positif doit nécessairement être accepté.

n) Le délai de récupération correspond toujours à l'inverse du taux de rendement interne du projet.

o) Dans le classement des projets mutuellement exclusifs, il n'y a jamais de conflit entre le critère de la VAN et celui du délai de récupération.

p) Un projet d'investissement dont le taux de rendement espéré est de 25% doit nécessairement être accepté.

q) Le flux monétaire d'un projet résulte de la différence entre le flux monétaire de l'entreprise avec le projet et de son flux monétaire sans le projet.

r) La méthode du délai de récupération met l'emphase sur les liquidités plutôt que sur les valeurs actualisées.

2. La directrice des finances de la compagnie RZS inc. anticipe les augmentations suivantes à l'état des résultats de l'entreprise si le projet « X » est accepté :

État des résultats
(augmentations prévues à l'année 1)

Ventes		300 000 $
Achats	100 000 $	
Salaires	40 000	
Amortissement comptable	30 000	
Intérêts sur la dette	20 000	190 000
Bénéfice avant impôt		110 000 $
Impôt (40%)		(44 000)
Bénéfice net après impôt		66 000 $

Ce projet a une durée de vie utile de 3 ans. Les ventes, les achats et les salaires devraient croître au taux annuel de 6%. Par contre, l'amortissement comptable et les intérêts sur la dette seront identiques d'une année à l'autre.

Ce nouveau projet d'investissement consiste à acquérir un actif de 200 000 $ qui est amortissable, pour fins fiscales, au taux dégressif de 20%.

a) Quelle est l'économie d'impôt relative à l'amortissement fiscal pour l'année 1?

b) Quelle est l'économie d'impôt relative à l'amortissement fiscal pour l'année 3?

c) Quel est le flux monétaire attribuable au projet pour l'année 3?

3. La compagnie QCM inc. considère la possibilité de fabriquer un nouveau modèle de téléphone sans fil. Les prévisions relatives aux ventes de ce produit et aux besoins de financement en fonds de roulement sont reproduites ci-dessous :

Années	Ventes (en millions de dollars)	Fonds de roulement net requis (en millions de dollars) : 10% du montant des ventes
0	0	0
1	500	50
2	600	60
3	400	40
4	300	30

En supposant que ce projet a une durée de vie de quatre ans et que la totalité des sommes d'argent investies dans le fonds de roulement seront récupérables à la fin du projet, calculez, pour chacune des années, le flux monétaire lié à l'investissement dans le fonds de roulement et/ou à la récupération de l'investissement dans le fonds de roulement net.

4. Considérez les projets mutuellement exclusifs A et B dont les flux monétaires prévus sont les suivants :

Projet	FM_0	FM_1	FM_2	FM_3
A	-160	100	0	100
B	-160	0	0	220

a) Quel est le TRI de chacun de ces projets?

b) Quelle est l'hypothèse sous-jacente au critère du TRI concernant le taux de réinvestissement des flux monétaires de chacun de ces projets?

c) Quel est le taux d'actualisation pour lequel la VAN des deux projets est identique?

d) Représentez graphiquement la VAN de chacun de ces projets en fonction du taux d'actualisation utilisé.

e) Pour quels taux d'actualisation la VAN et le TRI donnent-ils un classement identique des projets?

f) Quel projet devrait être retenu si le taux de rendement minimum exigé pour des projets de cette catégorie est de 9%? Justifiez votre réponse.

5. Un projet d'investissement nécessite une mise de fonds immédiate de 20 000 $. Ce projet est supposé générer un flux monétaire annuel perpétuel stable de 5 000 $ et ce, à partir de la fin de la quatrième année. Le taux de rendement exigé pour ce genre de projet est de 15%. Déterminez :

a) la VAN du projet;

b) le TRI du projet (indice : le TRI se calcule par approximations successives).

6. Considérez les deux projets mutuellement exclusifs suivants :

Projet	FM$_0$	FM$_1$	FM$_2$	FM$_3$
A	-500	400	200	100
B	-500	20	300	500

Le taux de rendement exigé pour cette catégorie de projet est de 12%.

a) Quel projet devrait être accepté selon le critère de la VAN?

b) Quel projet devrait être accepté selon le critère du TRI?

c) Quel projet devrait être accepté selon le critère du TRI corrigé (TRI*)? Supposez que les flux monétaires sont réinvestis à 12%.

d) Quel est le taux d'actualisation pour lequel la VAN des deux projets est identique?

e) Dites si chacun des énoncés suivants est vrai ou faux.

   i) À un taux d'actualisation de 8%, il y a contradiction de choix entre les critères de la VAN et du TRI.

   ii) À un taux d'actualisation de 20%, il y a contradiction de choix entre les critères de la VAN et du TRI.

   iii) Dans le but de maximiser la richesse de ses actionnaires, l'entreprise devrait retenir le projet A.

   iv) Le calcul de l'indice de rentabilité de chacun de ces projets suppose que les flux monétaires sont réinvestis à 12%.

   v) Si le taux de rendement exigé passait de 12% à 15%, il s'ensuivrait une diminution du taux de rendement interne des projets A et B.

7. Une entreprise considère les deux projets mutuellement exclusifs suivants :

Projet	FM$_0$	FM$_1$	FM$_2$	FM$_3$	FM$_4$
X	- 10 000 $	6500 $	3000 $	3000 $	1000 $
Y	- 10 000	3500	3500	3500	3500

Le taux d'actualisation approprié est de 12%.

a) Quel projet devrait être accepté selon le critère du délai de récupération? Le délai de récupération maximal acceptable pour ce genre de projet est de 4 ans.

b) Quel projet devrait être accepté selon le critère de la VAN?

c) Quel projet devrait être accepté selon le critère de l'indice de rentabilité?

d) Quel projet devrait être accepté selon le critère du TRI?

e) En supposant que les flux monétaires des projets sont réinvestis à 12%, quel projet devrait être accepté selon le critère du TRI corrigé (TRI*)?

f) Quel est le taux d'actualisation pour lequel la VAN des deux projets est identique?

g) Représentez graphiquement la VAN de chacun de ces projets en fonction du taux d'actualisation.

h) Quel projet l'entreprise devrait-elle accepter? Pourquoi?

i) Si le taux d'actualisation pertinent était de 5%, au lieu de 12%, quel projet l'entreprise devrait-elle accepter? Pourquoi?

8. La compagnie MBK inc. considère les deux projets mutuellement exclusifs suivants :

Projet	FM$_0$	FM$_1$	FM$_2$	FM$_3$
X	180	110	20	100
Y	- 180	0	0	225

Le taux de rendement exigé sur ce genre de projet est de 9%. L'entreprise est en mesure de réinvestir les flux monétaires des projets X et Y à un taux annuel de 9%.

a) Déterminez la VAN de chacun de ces projets.

b) Déterminez le TRI de chacun de ces projets

c) Représentez graphiquement la VAN de chacun de ces projets en fonction du taux d'actualisation utilisé.

d) Déterminez le TRI corrigé (TRI*) de chacun de ces projets.

e) Quel projet devrait être retenu?

9. La compagnie SGI inc. considère les trois projets d'investissement suivants (les projets B et C sont mutuellement exclusifs alors que le projet A est indépendant des projets B et C) :

Projet	FM$_0$	FM$_1$	FM$_2$	FM$_3$
A	-600	400	400	300
B	-600	350	350	350
C	-600	0	0	1 400

Le taux de rendement minimal acceptable pour ce genre de projet est de 12% (les flux monétaires des projets pourront être réinvestis à ce taux).

a) Selon le critère de la VAN, que devrait faire l'entreprise?

b) Selon le critère du TRI standard, que devrait faire l'entreprise?

c) Quel est le TRI corrigé (TRI*) du projet A?

d) Quel est le taux d'actualisation pour lequel la VAN des projets B et C est identique?

e) Selon le critère du délai de récupération standard, que devrait faire l'entreprise (le délai maximal acceptable pour ce genre de projet est d'un an)?

f) Supposons maintenant que les projets B et C sont complémentaires et indépendants du projet A. Dans ce cas, quel est le meilleur choix?

10. Considérez les deux projets mutuellement exclusifs suivants :

Projet X

Années	Flux monétaires	Valeur actuelle des flux monétaires à différents taux d'actualisation		
		6%	15,47%	28,59%
0	- 100 $			
1	30	28,30 $	25,98 $	23,33 $
2	30	26,70	22,50	18,14
3	70	58,77	45,47	32,92
4	70	55,45	39,38	25,60
		169,22 $	133,33 $	99,99 $

Projet Y

Années	Flux monétaires	Valeur actuelle des flux monétaires à différents taux d'actualisation		
		6%	15,47%	33,97%
0	- 100 $			
1	60	56,60 $	51,96 $	44,79 $
2	60	53,40	45,00	33,43
3	30	25,19	19,49	12,48
4	30	23,76	16,88	9,31
		158,95 $	133,33 $	100,01 $

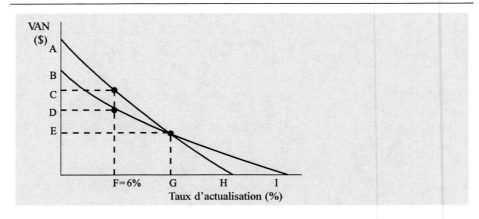

a) Le projet, dont la courbe d'évolution de la VAN en fonction du taux d'actualisation, passe par les points A et H est :
   1) Le projet X
   2) Le projet Y

b) La VAN au point A est :
   1) 169,22 $
   2) 158,95 $
   3) 200,00 $
   4) 100,00 $
   5) 69,22 $

c) La VAN au point B est :
   1) 158,95 $
   2) 169,22 $
   3) 58,95 $
   4) 180,00 $
   5) 80,00 $

d) Le taux d'actualisation au point H est :
   1) 0%
   2) 6%
   3) 15,47%
   4) 28,59%
   5) 33,97%

e) La VAN au point C est :
   1) 200,00 $
   2) 169,22 $
   3) 100,00 $
   4) 69,22 $
   5) Aucune de ces réponses

f) La VAN au point D est :
   1) 180,00 $
   2) 158,95 $
   3) 80,00 $
   4) 58,95 $
   5) Aucune de ces réponses

g) Selon le critère de la VAN, le projet Y domine le projet X à des taux d'actualisation :
   1) Supérieurs à 0%
   2) Inférieurs à 6%
   3) Inférieurs à 15,47%
   4) Supérieurs à 15,47%
   5) Inférieurs à 28,59%

h) Selon le critère du TRI, le projet X domine le projet Y à des taux d'actualisation :
   1) Supérieurs à 0%
   2) Supérieurs à 15,47%
   3) Inférieurs à 15,47%
   4) Supérieurs à 28,59%
   5) Aucune de ces réponses

i) Il y a contradiction de choix entre les critères de la VAN et du TRI lorsque le taux d'actualisation est :
    1) Inférieur à 0%
    2) Supérieur à 6%
    3) Inférieur à 15,47%
    4) Supérieur à 15,47%
    5) Aucune de ces réponses

j) À un taux d'actualisation de 6%, l'indice de rentabilité du projet X est inférieur à celui du projet Y :
    1) Vrai
    2) Faux

k) Le délai de récupération du projet X est supérieur à celui du projet Y :
    1) Vrai
    2) Faux

l) La VAN au point E est :
    1) $-100 + 30(1+i)^{-1} + 30(1+i)^{-2} + 70(1+i)^{-3} + 70(1+i)^{-4}$
    2) $-100 + 60(1+i)^{-1} + 60(1+i)^{-2} + 30(1+i)^{-3} + 30(1+i)^{-4}$
    3) (1) et (2) sont vrais
    4) Aucune de ces réponses

    Note: i = Taux d'actualisation au point G sur le graphique.

m) Le taux d'actualisation « i » doit vérifier laquelle (lesquelles) des égalités suivantes :

    1) $70(A_{\overline{4}|i} - A_{\overline{2}|i}) + 30A_{\overline{2}|i} = 30(A_{\overline{4}|i} - A_{\overline{2}|i}) + 60A_{\overline{2}|i}$

    2) $70(A_{\overline{4}|i} - A_{\overline{2}|i}) + 30A_{\overline{2}|i} = 100$

    3) $30(A_{\overline{4}|i} - A_{\overline{2}|i}) + 60A_{\overline{2}|i} = 100$

    4) (2) et (3)
    5) Aucune de ces réponses

n) Lequel de ces projets devrait-on accepter si le taux d'actualisation pertinent est de 10%?
    1) Le projet X
    2) Le projet Y
    3) Aucun de ces projets

o) Le critère du TRI suppose que les flux monétaires du projet Y sont réinvestis à un taux de :
    1) 10%
    2) 6%
    3) 33,97%
    4) 28,5%
    5) 0%

p) En supposant que les flux monétaires sont réinvestis à un taux de 10%, le TRI corrigé du projet X (TRI_X^*) peut s'évaluer ainsi :

1) $\left(\dfrac{30\, S_{\overline{2}|10\%} + 70\, S_{\overline{2}|10\%}}{100} \right) - 1$

2) $\left(\dfrac{30\, S_{\overline{2}|10\%} (1 + 0{,}10)^2 + 70\, S_{\overline{2}|10\%}}{100} \right) - 1$

3) $\left(\dfrac{30\, S_{\overline{2}|10\%} (1 + 0{,}10)^2 + 70\, S_{\overline{2}|10\%}}{100} \right)^{1/4} - 1$

4) $\left(\dfrac{30\, A_{\overline{2}|10\%} + 70\, A_{\overline{2}|10\%} (1 + 0{,}10)^{-2}}{100} \right)^{1/4} - 1$

11. La compagnie Mao inc. considère les trois projets mutuellement exclusifs suivants :

Projet	FM_0	FM_1	FM_2	FM_3	FM_4
X	- 500	100	200	300	400
Y	- 500	800	100	50	25
Z	- 500	0	0	0	1000

Le taux de rendement exigé pour ce genre de projet est de 16%.

a) Lequel de ces projets a le taux de rendement interne (TRI) le plus élevé?
   1) Le projet X
   2) Le projet Y
   3) Le projet Z
   4) Tous ces projets ont le même TRI

b) Quel projet l'entreprise devrait-elle accepter si l'objectif est de maximiser la richesse de ses actionnaires?
   1) Le projet X
   2) Le projet Y
   3) Le projet Z
   4) Aucun de ces projets

c) Quel est le taux d'actualisation pour lequel la VAN des projets X et Z est identique?
   1) 0%
   2) 5%
   3) 10%
   4) 15%

d) Quel est le TRI corrigé (TRI_Z^*) du projet Z?
   1) 0%
   2) 16,2%
   3) 15%
   4) Son TRI corrigé correspond exactement à son TRI standard
   5) Impossible à calculer

e) Quel projet devrait être accepté selon le critère du délai de récupération standard? (Le délai maximal acceptable pour ce genre de projet est de 4 ans.)
   1) Le projet X
   2) Le projet Y
   3) Le projet Z
   4) Les trois projets
   5) Aucun de ces projets

f) Quel est l'indice de rentabilité du projet Z?
   1) 0
   2) 0,52
   3) 1
   4) 0,10
   5) 1,10

12. Une entreprise considère les projets mutuellement exclusifs A et B. Les flux monétaires de ces projets sont les suivants :

Années	Flux monétaires	
	Projet A	**Projet B**
0	− 10 000 $	− 10 000 $
1	6 000	4 000
2	6 000	4 000
3	-------	4 750

Le taux d'actualisation pertinent est de 10%. Selon la méthode du revenu annuel net équivalent, lequel de ces deux projets devrait être accepté?

Série B

13. Une entreprise considère un projet dont les TRI s'élèvent à 10% et 50%. La VAN de ce projet est de 2 000 $, lorsque le taux d'actualisation utilisé est de 25%. Cet investissement doit-il être retenu si :

a) le taux d'actualisation pertinent est de 40%;

b) le taux d'actualisation pertinent est de 8%.

14. Soit un projet générant un flux monétaire perpétuel stable (FM) et nécessitant une mise de fonds initiale (I). Le taux d'actualisation pertinent est r. Dites si chacun des énoncés ci-dessous est vrai ou faux.

a) Le délai de récupération de ce projet est exactement égal à l'inverse du TRI de ce projet.

b) Ce projet devrait être accepté si $FM > r \cdot I$.

c) L'indice de rentabilité de ce projet est donné par $\dfrac{FM}{r \cdot I}$.

15. Soit un projet générant un flux monétaire (FM) dans un an et nécessitant un investissement (I) maintenant. Le taux d'actualisation pertinent est r. Dites si chacun des énoncés ci-dessous est vrai ou faux.

a) Le TRI de ce projet est nul si $FM = I$.

b) Ce projet devrait nécessairement être accepté si $FM > I$.

c) Le TRI de ce projet est $\dfrac{FM}{I} - 1$.

d) Ce projet devrait être accepté si $\dfrac{FM}{(1+r)} > I$.

16. Le TRI d'un projet d'une période nécessitant une mise de fonds initiale de 500 \$ est de 20%. Le flux monétaire prévu dans un an est de 600 \$. Quelle est la VAN de ce projet?

17. La compagnie minière Explorex inc. a la possibilité d'ouvrir une nouvelle mine en déboursant maintenant 2 000 000 \$. Pour la première année d'exploitation, cet investissement devrait générer un flux monétaire net de 9 000 000 \$. À la fin de l'année 2, la compagnie devra remettre en état le terrain suite à l'extraction du minerai. Pour cette année-là, le flux monétaire net prévu s'élève à -5 000 000 \$.

a) Déterminez le (ou les) TRI de ce projet.

b) Ce projet devrait-il être accepté si le taux de rendement exigé est de 15%?

18. Considérez le projet d'investissement suivant :

$FM_0 = -3\ 000$ \$

$FM_1 = 200$ \$

$FM_2 = 200(1 + 0,10)$

$FM_3 = 200(1 + 0,10)^2$

...

$FM_{29} = 200(1 + 0,10)^{28}$

$FM_{30} = 200(1 + 0,10)^{29}$

Ce projet a une durée de vie économique de 30 ans et ses flux monétaires augmentent au taux annuel de 10%.

a) Quelle est la VAN de ce projet si le taux de rendement exigé est de 15%?

 1) -54 $

 2) -118 $

 3) 3 000 $

 4) -1 687 $

 5) 2 946 $

 6) Impossible à calculer

b) Quelle est la VAN de ce projet si le taux de rendement exigé est de 10%?

 1) 0

 2) 5 455 $

 3) -3 000 $

 4) 3 000 $

 5) 2 455 $

 6) Infinie

c) Quel est le TRI de ce projet?

 1) Entre 7% et 10%

 2) Entre 10% et 13%

 3) Entre 13% et 16%

 4) Entre 16% et 19%

 5) Entre 19% et 22%

 6) Impossible à calculer

d) Quel est le délai de récupération de cet investissement?

 1) Entre 6 et 8 ans

 2) Entre 8 et 10 ans

 3) Entre 10 et 12 ans

 4) Entre 12 et 14 ans

 5) 15 ans exactement

 6) On ne récupère jamais l'investissement initial.

19. Les flux monétaires prévus d'un certain projet d'investissement sont les suivants :

$FM_0 = -5\,000\,\$$

$FM_1 = FM_2 = 1\,000\,\$$

$FM_3 = FM_4 = ... = FM_{10} = 800\,\$$

Le taux de rendement exigé pour ce genre de projet est de 14%. L'entreprise estime cependant être en mesure de réinvestir les flux monétaires du projet à 10%. Le TRI corrigé (TRI*) de ce projet doit satisfaire laquelle des égalités suivantes :

1) $5\,000 = 1\,000 A_{\overline{2}|TRI*} + 8\,000 A_{\overline{8}|TRI*}(1+TRI*)^{-2}$

2) $5\,000(1+TRI*)^{10} = 1\,000 S_{\overline{2}|10\%} + 800 S_{\overline{8}|10\%}$

3) $5\,000(1+TRI*)^{10} = 1\,000 S_{\overline{2}|14\%} + 800 S_{\overline{8}|14\%}$

4) $5\,000(1+TRI*)^{10} = 1\,000 S_{\overline{2}|10\%}(1+0,10)^8 + 800 S_{\overline{8}|10\%}$

5) $5\,000(1+0,10)^{10} = 1\,000 S_{\overline{2}|TRI*}(1+0,10)^8 + 800 S_{\overline{8}|TRI*}$

20. Considérez le projet d'investissement suivant :

$FM_0 = -5\,000\,\$$

$FM_1 = FM_2 = FM_3 = FM_4 = FM_5 = 800\,\$$

$FM_6 = 800\,(1+0,15)$

$FM_7 = 800\,(1+0,15)^2$

$FM_8 = 800\,(1+0,15)^3$

...

$FM_{25} = 800\,(1+0,15)^{20}$

Ce projet comporte une durée de vie utile de 25 ans et, à partir de la sixième année, ses flux monétaires augmentent au taux annuel de 15%.

a) Quelle est la VAN de ce projet si le taux de rendement exigé est de 15%?

1) 0 $

2) 11 337 $

3) -2 318 $

4) 5 637 $

5) 16 000 $

6) impossible à calculer

b) Quel est le TRI de cet investissement?

1) plus petit que 16%

2) entre 16% et 19%

3) entre 19% et 22%

4) entre 22% et 25%

5) plus grand que 25%

6) impossible à calculer

c) Quel est le TRI corrigé (TRI*) de ce projet si les flux monétaires peuvent être réinvestis au taux annuel de 10%?

1) 9,36%

2) 10%

3) 12,28%

4) 14,16%

5) 15%

6) 16,13%

Annexe - Gestion financière avec Excel

La VAN, le TRI standard, le TRI marginal et le TRI corrigé

À partir des données de l'exercice no 6 de fin de chapitre, nous montrons comment calculer la VAN, le TRI standard, le TRI marginal et le TRI corrigé d'un projet d'investissement à l'aide du tableur Excel.

Les données relatives aux projets X et Y, les résultats obtenus ainsi que les formules requises sont présentés ci-après.

Données relatives aux projets X et Y et résultats obtenus

	A	B	C	D
1	Données relatives aux projets X et Y et résultats obtenus			
2		**Projet X**	**Projet Y**	**Projet (X- Y)**
3	Flux monétaire de l'année 0	-500 $	-500 $	0 $
4	Flux monétaire de l'année 1	400 $	20 $	380 $
5	Flux monétaire de l'année 2	200 $	300 $	-100 $
6	Flux monétaire de l'année 3	100 $	500 $	-400 $
7	Taux d'actualisation	12%	12%	12%
8	VAN du projet	87,76 $	112,91 $	-25,15 $
9	TRI du projet	24,86%	21,35%	16,60%
10	TRI corrigé du projet (en supposant un taux de	18,20%	19,87%	
11	réinvestissement des flux monétaires de 12%)			

Les flux monétaires des projets sont entrés dans les cellules B3 à B6 (dans le cas du projet X) et dans les cellules C3 à C6 (dans le cas du projet Y). Le taux d'actualisation utilisé (12%) apparaît à la ligne 7. Quant aux flux monétaires du projet (X–Y), il sont obtenus par différence (colonne B – colonne C).

Formules requises

	A	B	C	D
1	Données relatives aux projets X et Y et résultats obtenus			
2		**Projet X**	**Projet Y**	**Projet (X- Y)**
3	Flux monétaire de l'année 0	-500 $	-500 $	=$B$3-$C$3
4	Flux monétaire de l'année 1	400 $	20 $	=$B$4-$C$4
5	Flux monétaire de l'année 2	200 $	300 $	=$B$5-$C$5
6	Flux monétaire de l'année 3	100 $	500 $	=$B$6-$C$6
7	Taux d'actualisation	12%	12%	12%
8	VAN du projet	=VAN(12%;B4:B6)-500	=VAN(12%;C4:C6)-500	=VAN(12%;380;-100;-400)
9	TRI du projet	=TRI(B3:B6)	=TRI(C3:C6)	=TRI(D3:D6)
10	TRI corrigé du projet (en supposant un taux de	=TRIM(B3:B6;12%;12%)	=TRIM(C3:C6;12%;12%)	
11	réinvestissement des flux monétaires de 12%)			

Le tableur Excel permet de calculer rapidement la VAN, le TRI standard et le TRI corrigé d'un projet d'investissement. Ainsi, pour obtenir la VAN du projet X, on a recours à la fonction financière VAN. Pour obtenir cette fonction, cliquez sur *fx*, sélectionnez la catégorie *Finances* et choisissez VAN. Cliquez sur OK.

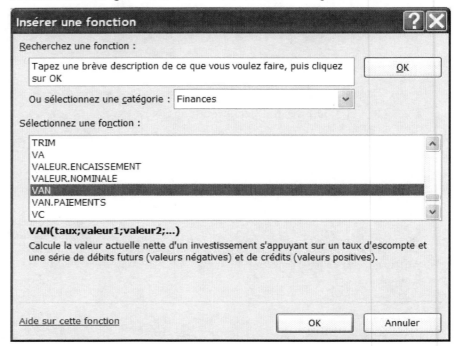

Par la suite, vous n'avez qu'à entrer les valeurs des variables dans la fenêtre qui apparaît à l'écran (taux: 12%, flux monétaires positifs: B4: B6). Il est à noter que l'investissement initial (500 $) doit apparaître à l'extérieur de la parenthèse et doit, bien entendu, être précédé d'un signe négatif puisqu'il s'agit d'une sortie de fonds. La formule permettant d'obtenir la VAN du projet X est donc : VAN(12%; B4: B6)−500.

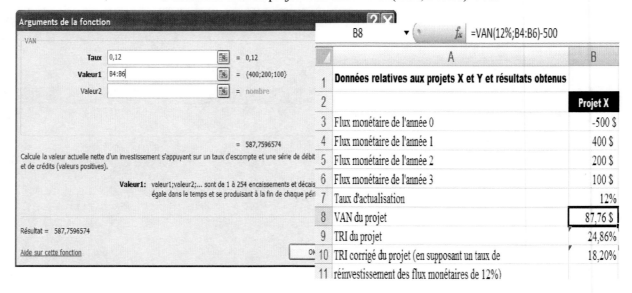

Pour obtenir le TRI du projet X, vous sélectionnez TRI dans la catégorie *Finances*. Cliquez sur OK.

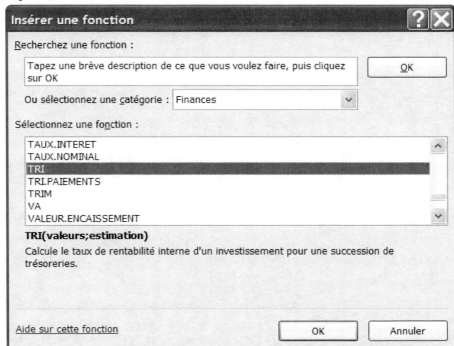

Par la suite, vous entrez les valeurs des variables dans la fenêtre qui apparaît à l'écran (tous les flux monétaires du projet : B3: B6). L'expression qui permet de calculer directement le TRI du projet X est donc : TRI(B3: B6).

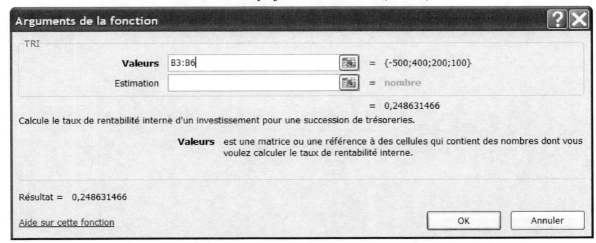

Finalement, pour obtenir le TRI corrigé du projet X, vous sélectionnez TRIM dans la catégorie *Finances*. Cliquez sur OK.

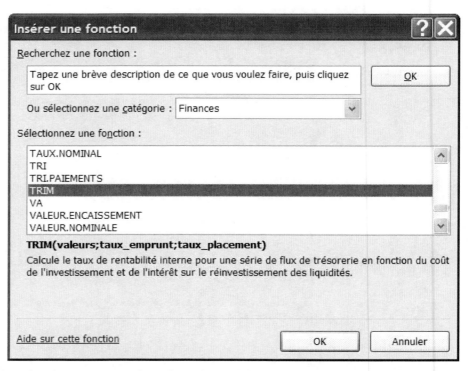

Par la suite, vous entrez les valeurs des variables dans la fenêtre qui apparaît à l'écran (tous les flux monétaires du projet : B3: B6, taux_emprunt : 12%, taux_prêt: 12%). On trouve directement le TRI corrigé du projet à partir de l'expression suivante : TRIM (B3: B6, 12%, 12%).

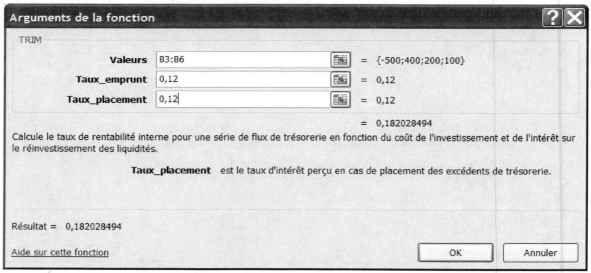

En suivant une démarche similaire, on obtient rapidement la VAN, le TRI standard et le TRI corrigé du projet Y. Finalement, le TRI marginal du projet correspond au TRI des flux monétaires différentiels, c'est-à-dire à TRI (X–Y). Il se calcule à l'aide des données qui apparaissent dans le cellules de la colonne D (cellules D3 à D6).

La VAN des projets X et Y en fonction du taux d'actualisation

Le tableau ci-dessous montre la VAN des projets X et Y en fonction du taux d'actualisation. Pour générer rapidement ces valeurs, il s'agit simplement de suivre les étapes suivantes :

1. Entrer, dans la cellule A16, la valeur du premier taux d'actualisation utilisé, soit 0%.

2. Calculer, dans la cellule B16, la VAN du projet X à 0% à l'aide de l'expression suivante : VAN(A16;$B$4: $B$6)−500.

3. Calculer, dans la cellule C17, la VAN du projet Y à 0% en utilisant l'expression suivante : VAN(A16;$C$4: $C$6)−500.

4. Entrer, dans la cellule A17, un taux d'actualisation de 2%. Les valeurs subséquentes du taux d'actualisation sont obtenues à l'aide de l'*Incrémentation d'une série*.

5. L'*Incrémentation d'une série* permet de générer la VAN des projets X et Y pour tous les taux d'actualisation indiqués dans la colonne A.

	A	B	C
15	**Taux d'actualisation**	**VAN du projet X**	**VAN du projet Y**
16	0,00	200,00 $	320,00 $
17	0,02	178,62 $	279,12 $
18	0,04	158,43 $	241,10 $
19	0,06	139,32 $	205,68 $
20	0,08	121,22 $	172,64 $
21	0,10	104,06 $	141,77 $
22	0,12	87,76 $	112,91 $
23	0,14	72,27 $	85,87 $
24	0,16	57,53 $	60,52 $
25	0,18	43,48 $	36,72 $
26	0,20	30,09 $	14,35 $
27	0,22	17,31 $	-6,69 $
28	0,24	5,10 $	-26,52 $
29	0,26	-6,57 $	-45,21 $
30	0,28	-17,75 $	-62,85 $
31	0,30	-28,45 $	-79,52 $

Finalement, à l'aide des données du tableau précédent, nous avons représenté graphiquement l'évolution de la VAN des projets X et Y en fonction du taux d'actualisation. Pour créer ces deux courbes, vous devez cliquez sur l'onglet *Insertion* et choisir le type de graphique désiré (nous avons sélectionné *Nuage de Points*). Le graphique* obtenu est présenté à la page suivante.

---

* Pour une discussion détaillée portant sur la création de graphiques avec Excel, voir Baillargeon, G. (2011). *Traitement de données avec Excel Versions 2007 et 2010 avec Exemples d'application en gestion, production, management et relations industrielles*, publié chez le même éditeur.

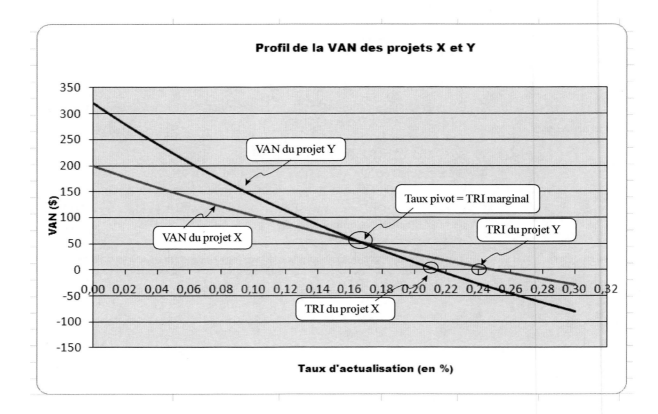

Chapitre 7

Choix des investissements à long terme II : impact fiscal et sujets particuliers

Sommaire

7

Lorsque vous aurez complété l'étude du chapitre 7,

1. vous connaîtrez les principales règles fiscales se rapportant à l'amortissement des actifs immobilisés;

2. vous serez capable de calculer la valeur actualisée des économies d'impôt générées par l'amortissement fiscal;

3. vous serez en mesure de calculer la VAN d'une décision d'expansion ou d'une décision de remplacement d'actifs en contexte fiscal;

4. vous serez familier avec la relation de Fisher;

5. vous serez apte à calculer la VAN d'un projet d'investissement en contexte inflationniste;

6. vous saurez comment sélectionner la combinaison optimale de projets d'investissement en situation de rationnement de capital;

7. vous pourrez estimer la durée de vie optimale d'un projet d'investissement.

7.1 Introduction

Ce chapitre se divise en deux parties. Dans un premier temps, nous abordons en détail le calcul de la VAN d'un projet d'investissement dans un contexte où les flux monétaires doivent être estimés en considérant notamment les particularités de la fiscalité canadienne liées à l'amortissement des actifs immobilisés. Par la suite, nous traitons de certains sujets particuliers tels l'incidence de l'inflation, le rationnement de capital, la décision d'abandonner un projet et la durée de vie optimale d'un investissement.

7.2 La fiscalité canadienne et la rentabilité des projets d'investissement

Au Canada, les gouvernements provincial et fédéral reconnaissent comme dépense admissible pour fins d'impôt la dépense liée à l'amortissement des actifs immobilisés[1]. Comme cette dépense n'entraîne aucune sortie de fonds, nous devons, selon les principes financiers énoncés au chapitre précédent, en faire abstraction dans l'établissement des flux monétaires d'un projet d'investissement. Toutefois, étant donné que l'amortissement fiscal influence les flux monétaires du projet en réduisant l'impôt à payer, nous devons tenir compte des économies d'impôt liées à l'amortissement fiscal dans l'analyse de la rentabilité d'un projet d'investissement.

---

[1] En général, pour un exercice donné, il y a un écart entre le montant d'amortissement comptable montré à l'état des résultats de l'entreprise et le montant d'amortissement fiscal réclamé par cette dernière. La différence entre les deux montants apparaît sous la rubrique « impôts différés ».

7.2.1 Caractéristiques de l'amortissement fiscal

La législation fiscale relative à l'amortissement des actifs immobilisés est relativement complexe. Celle-ci se caractérise notamment par les particularités suivantes :

1. Les actifs de même nature sont regroupés dans une même catégorie[2] ou classe. À chacune des classes correspond un taux d'amortissement maximal autorisé. Une liste partielle des catégories existantes et des taux maximum en vigueur au début de l'année 2009 est fournie au tableau 7.1.

2. Les deux modes d'amortissement permis au Canada sont l'amortissement dégressif à taux constant et l'amortissement linéaire. Compte tenu que, pour la plupart des catégories, on doit utiliser la méthode du solde dégressif, nous ne traitons, dans cette partie, que de cette méthode. Le cas de l'amortissement linéaire est abordé brièvement à l'annexe 1.

· · ·
Gain en capital
Excédent du prix de vente sur le coût d'origine d'un bien dont la moitié est ajoutée au revenu imposable de l'entreprise de l'année courante

3. Le solde en fin d'exercice d'une catégorie s'obtient en ajoutant au solde en début d'exercice le coût en capital des biens[3] acquis pendant l'exercice et en déduisant le montant provenant de la vente des biens au cours de l'exercice. Il existe cependant une exception lorsque le prix de vente d'un bien excède son coût d'origine. Dans ce cas, le montant maximum que l'on peut déduire de la catégorie d'actif est le coût d'origine. L'excédent du prix de vente sur le coût d'origine est considéré comme un gain en capital (depuis le 18 octobre de l'année 2000, 50% de ce gain doit être ajouté au revenu imposable de l'entreprise.)

4. L'amortissement fiscal annuel pour une classe d'actif se calcule sur le solde en fin d'exercice et est basé sur le taux d'amortissement permis pour la classe en cause. Une exception à cette règle existe lors de l'année de l'acquisition d'un actif. Dans ce cas, les additions nettes (achats moins les dispositions) au solde d'une catégorie sont amortissables à un taux équivalent à 50% du taux maximal autorisé.

5. Le solde au début de l'année t + 1 d'une catégorie donnée est la différence entre le solde trouvé à la fin de l'année t et l'amortissement réclamé pour l'année t.

6. Si l'entreprise a vendu tous les actifs appartenant à une catégorie donnée, celle-ci est alors fermée. Dans une telle situation, elle pourra bénéficier d'une économie d'impôt (s'il y a une perte finale) ou devra payer de l'impôt (s'il y a un gain en capital et/ou une récupération d'amortissement).

2　D'un point de vue fiscal, les biens sont amortis par catégories prédéterminées et non individuellement comme c'est le cas en comptabilité.

3　Le coût en capital d'un bien désigne le coût global engagé par l'entreprise pour acquérir le bien. Il comprend, le cas échéant, les honoraires d'avocats, de comptables, d'ingénieurs et les autres frais ayant trait à l'achat ou à la construction du bien. De plus, lorsque l'acquisition d'un bien amortissable permet d'obtenir d'un gouvernement ou d'un organisme gouvernemental une subvention ou une aide financière, on doit retrancher du coût en capital du bien le montant reçu.

| Tableau 7.1 | Liste partielle des classes d'amortissement fiscal et des taux maximum applicables au début de l'année 2011 |

No de la classe	Actifs à amortir	Taux maximal d'amortissement fiscal autorisé
A. Méthode du solde dégressif à taux constant		
1	La plupart des bâtiments acquis après 1987, incluant les parties constituantes.	4%
3	La plupart des bâtiments acquis après 1978 et avant 1988, incluant les parties constituantes.	5%
7	Canots, bateaux à rames et la plupart des autres navires.	15%
8	Machines, mobilier de bureau, télécopieurs, calculatrices, photocopieurs, équipement téléphonique, imprimantes, matériel de réfrigération, outils de 500 $ ou plus, panneaux publicitaires extérieurs acquis après 1987 et les biens qui ne sont pas inclus dans une autre catégorie.	20%
9	Aéronefs.	25%
10	Matériel roulant non compris dans une autre catégorie. Matériel électronique universel de traitement de l'information et logiciels de systèmes, incluant le matériel auxiliaire de traitement de l'information acquis avant le 23 mars 2004.	30%
12	Petits outils et logiciels d'application.	100%
17	Chemins, parcs de stationnement, trottoirs, pistes d'envol, aires d'emmagasinage	8%
45	Matériel électronique universel de traitement de l'information et logiciels de systèmes, incluant le matériel auxiliaire de traitement de l'information acquis entre le 23 mars 2004 et le 18 mai 2007.	45%
50	Matériel électronique universel de traitement de l'information et logiciels de systèmes, incluant le matériel auxiliaire de traitement de l'information acquis entre le 19 mars 2007 et le 27 janvier 2009.	55%
52	Matériel électronique universel de traitement de l'information et logiciels de systèmes, incluant le matériel auxiliaire de traitement de l'information acquis entre le 28 janvier 2009 et le 31 janvier 2011.	100%

| Tableau 7.1 | Liste partielle des classes d'amortissement fiscal et des taux maximum applicables au début de l'année 2011 (suite) |

B. Méthode linéaire

| 13 | Améliorations locatives. | Durée originale du bail, plus une période de renouvellement (minimum 5 ans et maximum 40 ans) |
| 14 | Brevets, concessions ayant une durée limitée. | Durée de vie du bien |

Remarques. 1. Pour un exercice donné, l'entreprise peut utiliser un taux d'amortissement moins élevé que le taux maximal mentionné dans ce tableau. Toutefois, pour une entreprise rentable, il est habituellement plus avantageux d'utiliser le taux maximal permis par le fisc.

2. La règle du demi-taux, abordée plus loin dans cette section, ne s'applique pas aux actifs des catégories 14 et 52. De plus, de nombreux actifs de la catégorie 12 ne sont pas assujettis à cette règle.

3. Pour des renseignements additionnels sur les différentes catégories de biens amortissables, consultez le formulaire « Revenus d'entreprise ou de profession libérale » disponible sur le site Internet de l'Agence du Revenu du Canada (http://www.cra-ara.gc.ca).

. . .
Perte finale
Excédent du solde de la classe sur le prix de vente du dernier actif de la catégorie

. . .
Récupération d'amortissement
Excédent du prix de vente de l'actif - jusqu'à concurrence de son coût d'acquisition - sur le solde de la catégorie

a) **Perte finale.** Lorsqu'elle vend le dernier actif appartenant à une catégorie donnée et que le prix de vente est inférieur au solde de la classe, l'entreprise peut alors réclamer une perte finale qui est déductible en entier de ses revenus dans l'année où la classe est fermée.

b) **Récupération d'amortissement.** Lors d'une fermeture de classe, si le prix de vente de l'actif excède le solde de la classe, cela signifie que l'entreprise a déprécié trop rapidement les actifs de la catégorie et, qu'en conséquence, elle a bénéficié d'économies d'impôt trop élevées au cours des années antérieures. Dans ces conditions, le fisc considérera que la différence entre le prix de vente du bien - jusqu'à concurrence de son coût - et le solde de la classe constitue une récupération d'amortissement, laquelle est taxable en entier. L'excédent du prix de vente sur le coût du bien, s'il y en a un, constitue en gain en capital dont la moitié est imposable.

7. Lorsque le solde d'une catégorie d'actif est créditeur (négatif) à la fin d'une année, il constitue une récupération d'amortissement qui doit être ajoutée en entier aux autres revenus de l'entreprise pour l'année en cause et ce, même s'il reste encore des actifs dans la catégorie.

8. La revente d'un actif amortissable ne peut jamais occasionner une perte en capital. Par contre, la revente d'un actif non amortissable (comme, par exemple, un terrain) peut donner lieu à une perte en capital.

Exemple 7.1

Calcul du solde de la catégorie, de l'amortissement fiscal et de l'impôt à payer suite à une transaction

Au début de l'année 1, le solde de la catégorie 10 (30% sur le solde dégressif) est de 50 000 $. L'entreprise vend un des cinq actifs de cette catégorie pour un montant de 20 000 $. Cet actif a été payé 16 000 $ il y a deux ans. L'entreprise est imposée au taux de 40%. Déterminez :

a) le solde de la catégorie 10 suite à la vente d'un des actifs;

b) le montant maximal d'amortissement que pourra réclamer l'entreprise à l'année 1 relativement à ses actifs de la catégorie 10;

c) l'impôt que devra payer l'entreprise suite à cette transaction.

Solution

a) Le solde de la catégorie 10, suite à la vente d'un des actifs, peut se calculer ainsi :

$$
\begin{array}{l}
\text{Solde de la catégorie} \\
\text{suite à la vente d'un des actifs}
\end{array}
= \binom{\text{Solde}}{\text{initial}} - \text{MIN}\left[\begin{array}{cc}\text{Coût de} & \text{Prix de vente} \\ \text{l'actif} & , \quad \text{de l'actif}\end{array}\right]
$$

$$= 50\ 000 - \text{MIN}[16\ 000,\ 20\ 000]$$

$$= 50\ 000 - 16\ 000 = 34\ 000\ \$$$

b) L'amortissement maximal que pourra déduire l'entreprise à l'année 1 se calcule de la façon suivante :

$$
\begin{array}{l}
\text{Amortissement} \\
\text{pour l'année 1}
\end{array}
= \binom{\text{Solde de la catégorie}}{\text{à la fin de l'année 1}}\binom{\text{Taux d'amortissement maximal}}{\text{autorisé pour la catégorie}}
$$

$$= (34\ 000)(0,30) = 10\ 200\ \$$$

c) Puisque l'actif est vendu à un prix qui dépasse son coût d'acquisition, l'entreprise devra payer de l'impôt sur un gain en capital imposable. Cet impôt à payer se calcule comme suit :

$$
\begin{array}{l}
\text{Impôt à payer} \\
\text{sur le gain en} \\
\text{capital imposable}
\end{array}
= \left(\begin{array}{cc}\text{Prix de vente} & \text{Coût de} \\ \text{de l'actif} & - \quad \text{l'actif}\end{array}\right)\left(\begin{array}{c}\text{Proportion} \\ \text{du gain en capital} \\ \text{assujettie à l'impôt}\end{array}\right)\binom{\text{Taux}}{\text{d'impôt}}
$$

$$= (20\ 000 - 16\ 000)(0,50)(0,40)$$

$$= 800\ \$$$

Exemple 7.2

Calcul de l'amortissement fiscal annuel

À l'année 1, une entreprise achète 5 camions (catégorie 10, 30% sur le solde dégressif) au coût unitaire de 30 000 $. Au début de l'année 3, elle revend deux de ses camions au prix unitaire de 15 000 $. Quelques mois plus tard au cours de la même année, elle achète 3 nouveaux camions au prix unitaire de 40 000 $. Déterminez l'amortissement pour les années 1 à 3 et le solde de la catégorie 10 au début de l'année 4.

Solution

Pour l'année 1, l'amortissement fiscal se calcule ainsi :

$$\begin{array}{l} \text{Amortissement} \\ \text{de l'année 1} \end{array} = \begin{pmatrix} \text{Coût des} \\ \text{actifs} \end{pmatrix} \begin{pmatrix} \text{Taux d'amortissement autorisé} \\ \text{pour l'année d'acquisition} \end{pmatrix}$$

$$= [(5)(30\ 000)]\left(\frac{0,30}{2}\right) = 22\ 500\ \$$$

Pour l'année 2, on a :

$$\begin{array}{l} \text{Amortissement} \\ \text{de l'année 2} \end{array} = \begin{pmatrix} \text{Solde au début} \\ \text{de l'année 2} \end{pmatrix} \begin{pmatrix} \text{Taux d'amortissement maximal} \\ \text{autorisé pour la catégorie} \end{pmatrix}$$

$$= (150\ 000 - 22\ 500)(0,30) = 38\ 250\ \$$$

Pour l'année 3, on obtient :

$$\begin{array}{l} \text{Amortissement} \\ \text{de l'année 3} \end{array} = \begin{pmatrix} \text{Solde au début} \\ \text{de l'année 3} \end{pmatrix} \begin{pmatrix} \text{Taux d'amortissement maximal} \\ \text{autorisé pour la catégorie} \end{pmatrix}$$

$$+ \begin{pmatrix} \text{Achats de} \\ \text{l'année 3} \end{pmatrix} - \begin{pmatrix} \text{Dispositions de} \\ \text{l'année 3} \end{pmatrix} \begin{pmatrix} \text{Taux d'amortissement autorisé} \\ \text{pour l'année d'acquisition} \end{pmatrix}$$

$$= (150\ 000 - 22\ 500 - 38\ 250)(0,30)$$

$$+ [(3)(40\ 000) - (2)(15\ 000)]\left(\frac{0,30}{2}\right)$$

$$= 40\ 275\ \$$$

Le solde au début de l'année 4 est donc :

$$\begin{array}{l} \text{Solde au début} \\ \text{de l'année 4} \end{array} = \begin{pmatrix} \text{Coût des actifs} \\ \text{acquis à l'année 1} \end{pmatrix} + \begin{pmatrix} \text{Acquisitions nettes} \\ \text{de l'année 3} \end{pmatrix} - \begin{pmatrix} \text{Amortissement} \\ \text{fiscal réclamé pour} \\ \text{les années 1 à 3} \end{pmatrix}$$

$$= 150\ 000 + (120\ 000 - 30\ 000) - (22\ 500 + 38\ 250 + 40\ 275)$$

$$= 138\ 975\ \$$$

Remarque. Dans le calcul de l'amortissement fiscal des années 1 à 3, nous avons tenu compte du fait que les acquisitions nettes de l'année (c.-à-d. les achats moins les dispositions) sont assujetties pour l'année d'acquisition à la règle du demi-taux.

Exemple 7.3

Calcul de l'impôt à payer ou de l'économie d'impôt découlant d'une fermeture de catégorie

Supposons que l'entreprise KSW inc., dont le taux d'imposition s'élève à 40%, achète un actif coûtant 10 000 $ appartenant à la catégorie 10. En supposant que KSW inc. revend cet actif, qui est le seul de sa catégorie, au début de l'année 5, déterminez l'impôt à payer ou l'économie d'impôt dans chacun des cas ci-dessous :

a) le prix de vente de l'actif est de 3 500 $;

b) le prix de vente de l'actif est de 2000 $;

c) le prix de vente de l'actif est de 12 000 $.

Solution

Si la transaction a lieu au début de la cinquième année, cela signifie que l'entreprise a bénéficié de quatre années complètes d'amortissement au moment de la revente. Ainsi, le solde non amorti de l'actif au début de la cinquième année (S_5) correspond à :

$$S_5 = \text{Coût de l'actif} - \sum_{t=1}^{4} A_t$$

où A_t : Amortissement fiscal de l'année t.

L'amortissement fiscal pour chacune des années 1 à 4 peut se calculer ainsi :

$$A_1 = (10\ 000)\left(\frac{0,30}{2}\right) = 1\ 500\ \$$$

$$A_2 = (10\ 000 - 1\ 500)(0,30) = 2\ 550\ \$$$

$$A_3 = (10\ 000 - 1\ 500 - 2\ 550)(0,30) = 1\ 785\ \$$$

$$A_4 = (10\ 000 - 1\ 500 - 2\ 550 - 1\ 785)(0,30) = 1\ 249,50\ \$$$

Par conséquent :

S_5 = 10 000 - (1 500 + 2 550 + 1 785 + 1 249,50) = 2 915,50 $.

Il est à noter que le solde non amorti de l'actif au début de l'année 5 peut se calculer beaucoup plus rapidement en ayant recours à l'équation suivante :

$$S_t = C\left(1 - \frac{d}{2}\right)(1 - d)^{t-2} \tag{7.1}$$

où S_t : Solde non amorti au début de l'année t
  C : Coût de l'actif
  d : Taux d'amortissement sur le solde dégressif maximal autorisé pour la catégorie
  t : Année pour laquelle on désire calculer le solde non amorti.

Cette formule est démontrée à l'annexe 2.

Puisque C = 10 000 $, d = 30% et t = 5, on obtient, à partir de l'expression (7.1), le résultat suivant :

$$S_5 = 10\ 000\left(1 - \frac{0,30}{2}\right)(1 - 0,30)^{5-2} = 2\ 915,50\ \$$$

a) **Prix de vente = 3 500 $**

Étant donné que la revente de l'actif entraînera la fermeture de la catégorie, on aura une récupération d'amortissement et l'impôt à payer sur la transaction s'élèvera à :

$$\text{Impôt à payer} = \left(\begin{array}{c}\text{Prix de} \\ \text{vente}\end{array} - \begin{array}{c}\text{Solde de} \\ \text{la classe}\end{array}\right)\left(\begin{array}{c}\text{Taux} \\ \text{d'impôt}\end{array}\right)$$

$$= (3\,500 - 2\,915,50)(0,40) = 233,80\ \$$$

b) **Prix de vente = 2 000 $**

Dans ce cas, on aura une perte finale qui générera l'économie d'impôt suivante :

$$\text{Économie d'impôt} = \left(\begin{array}{c}\text{Solde de} \\ \text{la classe}\end{array} - \begin{array}{c}\text{Prix de} \\ \text{vente}\end{array}\right)\left(\begin{array}{c}\text{Taux} \\ \text{d'impôt}\end{array}\right)$$

$$= (2\,915,50 - 2\,000)(0,40) = 366,20\ \$$$

c) **Prix de vente = 12 000 $**

Dans ce cas, l'entreprise devra payer de l'impôt sur le gain en capital imposable et sur la récupération d'amortissement, soit :

1. $$\begin{array}{c}\text{Impôt sur la récupération} \\ \text{d'amortissement}\end{array} = \left(\begin{array}{c}\text{Coût de} \\ \text{l'actif}\end{array} - \begin{array}{c}\text{Solde de} \\ \text{la classe}\end{array}\right)\left(\begin{array}{c}\text{Taux} \\ \text{d'impôt}\end{array}\right)$$

$$= (10\,000 - 2\,915,50)(0,40) = 2\,833,80\ \$$$

2. $$\begin{array}{c}\text{Impôt sur le gain} \\ \text{en capital imposable}\end{array} = \left(\begin{array}{c}\text{Prix de} \\ \text{vente}\end{array} - \begin{array}{c}\text{Coût de} \\ \text{l'actif}\end{array}\right)\left(\begin{array}{c}\text{Proportion du} \\ \text{gain en capital} \\ \text{assujettie à l'impôt}\end{array}\right)\left(\begin{array}{c}\text{Taux} \\ \text{d'impôt}\end{array}\right)$$

$$= (12\,000 - 10\,000)(0,50)(0,40) = 400\ \$$$

d'où : Impôt total à payer : $2\,833,80 + 400 = 3\,233,80\ \$$.

7.2.2 Calcul de la VAN si l'actif n'est jamais revendu

Nous avons vu au chapitre 6 que la VAN d'un projet d'investissement correspond à la valeur actualisée des flux monétaires qu'il générera moins la mise de fonds initiale, soit :

$$\text{VAN} = \sum_{t=1}^{n} \text{FM}_t (1+r)^{-t} - I$$

D'autre part, on sait que le flux monétaire d'un projet pour l'année t vaut :

$$\text{FM}_t = (R_t - D_t)(1 - T) + A_t \cdot T$$

Taux d'imposition marginal
Montant d'impôt additionnel à payer si le revenu imposable de l'entreprise s'accroît de 1 $

où R_t : Recettes brutes liées au projet avant impôt pour l'année t

D_t : Déboursés liés au projet avant impôt pour l'année t

$R_t - D_t$: Recettes nettes liées au projet avant amortissement et impôt pour l'année t

T : Taux d'imposition marginal de l'entreprise

A_t : Amortissement fiscal pour l'année t. Dans ce qui suit, nous supposons que la méthode d'amortissement autorisée pour l'actif en cause est celle du solde dégressif et que la règle du demi-taux s'applique.

$A_t \cdot T$: Économie d'impôt liée à l'amortissement fiscal pour l'année t.

Par conséquent, dans un contexte où la valeur résiduelle prévue de l'actif en fin de projet est nulle, la VAN peut se calculer ainsi :

$$VAN = \sum_{t=1}^{n} [(R_t - D_t)(1-T) + A_t \cdot T](1+r)^{-t} - I$$

En développant, on obtient :

$$VAN = \underbrace{\sum_{t=1}^{n}(R_t - D_t)(1-T)(1+r)^{-t}}_{\substack{\text{Valeur actualisée des} \\ \text{recettes nettes du} \\ \text{projet après impôt}}} + \underbrace{\sum_{t=1}^{\infty} A_t \cdot T(1+r)^{-t}}_{\substack{\text{Valeur actualisée des} \\ \text{économies d'impôt liées à} \\ \text{l'amortissement fiscal (VAEI)}}} - \underbrace{\qquad I \qquad}_{\substack{\text{Investissement} \\ \text{initial}}}$$

. . .
Économie d'impôt liée à l'amortissement fiscal
Montant d'amortissement fiscal multiplié par le taux d'imposition marginal de l'entreprise

À l'annexe 2, nous démontrons que, dans le cas de l'amortissement dégressif et compte tenu de la règle du demi-taux, la valeur actualisée des économies d'impôt liées à l'amortissement (VAEI) peut se calculer rapidement et précisément à l'aide de l'expression suivante[4] :

$$VAEI = \frac{C \cdot d \cdot T(1+0,50r)}{(r+d)(1+r)} \qquad (7.2)$$

où C : Coût de l'actif
   d : Taux d'amortissement maximal sur le solde dégressif autorisé pour la catégorie d'actif en cause
   r : Taux d'actualisation approprié.

Lorsque la valeur résiduelle prévue de l'actif en fin de projet est nulle, la VAN peut donc se calculer comme suit :

$$VAN = \sum_{t=1}^{n}(R_t - D_t)(1-T)(1+r)^{-t} + \frac{C \cdot d \cdot T(1+0,50r)}{(r+d)(1+r)} - I \qquad (7.3)$$

Remarques. 1. L'expression (7.3) tient compte du fait que, dans le cas de l'amortissement dégressif, l'entreprise pourra, en principe, amortir l'actif indéfiniment si ce dernier n'est jamais revendu.
2. Pour simplifier les calculs, on suppose que les recettes nettes inhérentes au projet sont perçues en totalité en fin d'année. Cette hypothèse simplificatrice n'est toutefois pas conforme à la réalité, puisque l'entreprise perçoit habituellement ses recettes de façon continue au cours de l'année. De même, dans le calcul des économies d'impôt relatives à l'amortissement fiscal, nous supposons que l'entreprise en bénéficie en fin d'année et que la première économie d'impôt sera obtenue un an après le déboursé relatif à l'investissement intital. Enfin, on pose l'hypothèse que l'impôt est payé en fin d'année et ce, même si, dans un contexte pratique, l'entreprise doit régler ses impôts par acomptes mensuels.

---

[4] Si la règle du demi-taux ne s'applique pas, la valeur actualisée des économies d'impôt liées à l'amortissement est $\dfrac{C \cdot d \cdot T}{r+d}$. (Voir la preuve mathématique de cette formule à l'annexe 2.)

Exemple 7.4

Calcul de la valeur actualisée des économes d'impôt liées à l'amortissement fiscal et de la VAN du projet

La compagnie SVS inc. envisage la possibilité d'acquérir une machine coûtant 75 000 $ et qui est amortissable, pour fins fiscales, au taux dégressif annuel de 20%. L'achat de cette machine permettrait à l'entreprise de réaliser des économies annuelles d'exploitation avant impôt de l'ordre de 20 000 $. La machine a une durée de vie prévue de 5 ans et sa valeur résiduelle anticipée à la fin du projet est nulle. L'entreprise est imposée au taux annuel de 40%. Le taux de rendement exigé, pour ce genre de projet, est de 12%.

a) Calculez la valeur actualisée des économies d'impôt liées à l'amortissement fiscal de la machine.

b) Calculez la VAN du projet et dites s'il est acceptable.

Solution

a) Il y a deux façons de procéder pour calculer la valeur actualisée des économies d'impôt liées à l'amortissement fiscal. Une première approche, qui est très fastidieuse, consiste à dresser un tableau d'amortissement où l'on détermine à chaque année le montant d'amortissement autorisé et, par la suite, la valeur actualisée de l'économie d'impôt correspondante. Cette approche est illustrée ci-dessous. Le résultat obtenu, selon cette méthode, est évidemment approximatif, puisque la valeur actualisée des économies d'impôt subséquentes à l'année 15 n'ont pas été considérées dans le calcul.

Tableau 7.2

Calcul de la valeur actualisée des économies d'impôt liées à l'amortissement fiscal

Années (1)	Solde non amorti de l'actif en début d'année (2)	Amortissement dégressif annuel (10%, la 1ère année, 20% par la suite (3)=(2) × (taux d'amort.)	Économie annuelle d'impôt (4)=(3) × (40%)	Facteur d'actualisation (r = 12%) (5)=(1,12)$^{-t}$	Valeur actualisée de l'économie d'impôt (6)=(4) × (5)
1	75 000,00 $	7 500,00 $	3 000,00 $	0,893	2 679,00 $
2	67 500,00	13 500,00	5 400,00	0,797	4 303,80
3	54 000,00	10 800,00	4 320,00	0,712	3 075,84
4	43 200,00	8 640,00	3 456,00	0,636	2 198,02
5	34 560,00	6 912,00	2 764,80	0,567	1 567,00
6	27 648,00	5 529,60	2 211,84	0,507	1 121,40
7	22 118,40	4 423,68	1 769,47	0,452	799,80
8	17 694,72	3 538,94	1 415,58	0,404	571,89
9	14 155,78	2 831,16	1 132,46	0,361	408,82
10	11 324,62	2 264,92	905,97	0,322	291,72
11	9 059,70	1 811,94	724,78	0,287	208,01
12	7 247,76	1 449,55	579,82	0,257	149,01
13	5 798,21	1 159,64	463,86	0,229	106,22
14	4 638,57	927,71	371,09	0,205	76,07
15	3 710,86	742,17	296,87	0,183	54,33
				Total	17 611,57 $

On peut également déterminer la valeur actualisée des économies d'impôt en ayant recours à l'expression (7.2). En utilisant cette dernière méthode, qui est plus précise et plus rapide que celle illustrée au tableau 7.2, on obtient alors :

$$\text{VAEI} = \frac{(75\,000)(0,20)(0,40)[1+(0,50)(0,12)]}{(0,12+0,20)(1+0,12)} = 17\,745,54\ \$$$

b) Ici on a :

$$R_t - D_t = 20\,000\ \$\ (t = 1, 2, 3, 4, 5)$$
$$T = 40\%$$
$$r = 12\%$$
$$n = 5\ \text{ans}$$
$$C = 75\,000\ \$$$
$$d = 20\%$$
et
$$I = 75\,000\ \$$$

Par conséquent, la VAN du projet est :

$$\text{VAN} = 20\,000(1-0,40)A_{\overline{5}|12\%}$$

$$+ \frac{(75\,000)(0,20)(0,40)[1+(0,50)(0,12)]}{(0,12+0,20)(1+0,12)} - 75\,000$$

$$\text{VAN} = -13\,997,15\ \$$$

Le projet n'est pas rentable puisque sa VAN est négative. Son acceptation aurait, en principe, pour conséquence de faire diminuer la valeur marchande de l'entreprise d'un montant de 13 997,15 $.

7.2.3 Calcul de la VAN si l'on prévoit revendre l'actif une fois le projet terminé

À la section précédente, nous avons supposé que la valeur résiduelle de l'actif sera nulle au terme du projet. Toutefois, dans bien des cas, en pratique, l'entreprise pourra obtenir un certain montant d'argent en revendant l'actif lorsqu'elle n'en aura plus besoin. Dans une telle situation, il faudra tenir compte dans le calcul de la VAN, en plus des éléments mentionnés à la section 7.2.2, de la valeur de revente actualisée de l'actif. En supposant que l'actif sera revendu au début de l'année suivant le projet (c.-à-d. au début de l'année n + 1), la valeur de revente actualisée peut se calculer ainsi :

$$\text{Valeur de revente actualisée} = \frac{\text{PV}}{(1+r)^n} \qquad (7.4)$$

où   PV : Valeur résiduelle prévue de l'actif
      n : Durée du projet en années.

Remarque. Nous supposons que l'actif sera revendu dans les premiers jours de l'année qui suit le projet, plutôt qu'à la fin du projet, afin de pouvoir bénéficier de l'économie d'impôt liée à l'amortissement fiscal pour la dernière année du projet (c.-à-d. pour l'année n) et, par conséquent, maximiser la valeur actuelle nette.

Économies d'impôt perdues

Économies d'impôt per-dues
Réductions d'impôt aux-quelles devra renoncer l'entreprise si elle revend un actif amortissable

De plus, puisque la revente de l'actif provoquera une diminution du solde de la catégorie à laquelle il appartient (d'un montant équivalent au moindre du prix de vente et du coût d'origine), on doit également considérer dans l'analyse de rentabilité la valeur actualisée des économies d'impôt perdues. Dans le cas de l'amortissement dégressif et en supposant que l'actif sera revendu au début de l'année n+1, il est démontré à l'annexe 2 que la valeur actualisée, au temps 0, des économies d'impôt perdues (VAEIP) se calcule ainsi :

$$\text{VAEIP} = \frac{\text{MIN}(PV, C)\, d \cdot T}{(r+d)(1+r)^n} \qquad (7.5)$$

Remarques. 1. L'expression $\dfrac{\text{MIN}(PV, C)\, d \cdot T}{(r+d)}$ permet de calculer, au début de l'année n+1, la valeur actualisée des économies d'impôt perdues entre $t = n + 1$ et $t = \infty$ (la première économie d'impôt perdue est celle de la fin de l'année n + 1). En divisant le résultat obtenu par le facteur $(1 + r)^n$, on obtient, au temps 0, la valeur actualisée des économies d'impôt perdues. Ces économies d'impôt perdues viendront, bien entendu, réduire la VAN du projet.

2. Si l'actif est revendu à la fin du projet (c.-à-d. à la fin de l'année n), la valeur actualisée des économies d'impôt perdues se calcule alors comme suit :

$$\text{VAEIP} = \frac{\text{MIN}(PV, C)\, d \cdot T}{(r+d)(1+r)^{n-1}}$$

Impôt à payer sur le gain en capital imposable

Enfin, s'il est prévu que l'actif sera revendu à un prix supérieur à son coût d'origine - ce qui est plutôt exceptionnel dans le cas des équipements, mais fréquent dans le cas des bâtiments et des terrains -, l'analyse de rentabilité devra incorporer l'incidence de l'impôt à payer sur le gain en capital imposable. En supposant que l'actif sera revendu au début de l'année n+1 et que l'impôt sera payé à la fin de cette année-là, la valeur actualisée de la sortie de fonds en cause peut se calculer ainsi :

$$\begin{array}{c}\text{Valeur actualisée de} \\ \text{l'impôt à payer sur le gain} \\ \text{en capital imposable}\end{array} = \frac{(PV - C)\,\alpha \cdot T}{(1+r)^{n+1}} \qquad (7.6)$$

où α : Proportion du gain en capital assujettie à l'impôt.

Remarques. 1. Dans nos exemples et dans les problèmes de fin de chapitre, nous supposons que $\alpha = 50\%$.

2. Si l'on prévoit que l'actif sera revendu à la fin du projet (c.-à-d. à la fin de l'année n), il suffit, pour déterminer la valeur actualisée de l'impôt à payer, de remplacer le facteur d'actualisation $(1 + r)^{n+1}$ par $(1 + r)^n$ dans l'expression (7.6).

Résumé

Les sections 7.2.2 et 7.2.3 peuvent se résumer en mentionnant que si le bien est revendu en début d'année n + 1 et que la classe continue d'exister, la VAN du projet se calcule ainsi :

$$\text{VAN} = \underbrace{\sum_{t=1}^{n}(R_t - D_t)(1-T)(1+r)^{-t}}_{\substack{\text{Valeur actualisée des} \\ \text{recettes nettes après impôt} \\ \text{et avant amortissement}}}$$ (7.7)

$$\underbrace{+\frac{C \cdot d \cdot T(1+0,50r)}{(r+d)(1+r)}}_{\substack{\text{Valeur actualisée des économies} \\ \text{d'impôt liées à l'amortissement} \\ \text{fiscal en supposant que l'actif} \\ \text{ne sera jamais revendu}}}$$

$$\underbrace{-I}_{\substack{\text{Mise de fonds} \\ \text{initiale}}} \qquad \underbrace{+\frac{PV}{(1+r)^n}}_{\substack{\text{Valeur de revente} \\ \text{actualisée}}}$$

$$\underbrace{-\frac{\text{MIN}(PV, C)d \cdot T}{(r+d)(1+r)^n}}_{\substack{\text{Valeur actualisée des économies} \\ \text{d'impôt perdues suite à la} \\ \text{revente de l'actif}}} \qquad \underbrace{-\frac{(PV-C)\alpha \cdot T}{(1+r)^{n+1}}}_{\substack{\text{Valeur actualisée de l'impôt} \\ \text{à payer sur le gain en} \\ \text{capital imposable}}}$$

Exemple 7.5 | **Calcul de la VAN du projet selon différents scénarios concernant la valeur de revente de l'actif**

À l'aide des données de l'exemple de la section 7.2.2, calculez la VAN du projet si :

a) l'entreprise prévoit revendre la machine pour 10 000 $ au début de l'année 6 (sans fermeture de classe);

b) l'entreprise prévoit revendre la machine pour 10 000 $ à la fin de l'année 5 (sans fermeture de classe);

c) l'entreprise prévoit revendre la machine pour 85 000 $ au début de l'année 6 (sans fermeture de classe). (Cette situation est fort improbable en pratique.)

Solution

a) Dans ce cas, il faudra, en premier lieu, ajouter à la VAN obtenue précédemment la valeur de revente actualisée et, par la suite, soustraire la valeur actualisée des économies d'impôt perdues. On obtient alors :

$$\text{VAN} = -13\,997,15 + \frac{10\,000}{(1+0,12)^5} - \frac{\text{MIN}(10\,000,\ 75\,000)(0,20)(0,40)}{(0,12+0,20)(1+0,12)^5}$$

$$\text{VAN} = -9\,741,45\ \$$$

Remarque. L'expression $\dfrac{\text{MIN}(10\ 000,\ 75\ 000)(0{,}20)(0{,}40)}{(0{,}12+0{,}20)}$ mesure la valeur actualisée,

au début de l'année 6, des économies d'impôt perdues entre t = 6 et t = ∞ (la première économie d'impôt perdue est celle de la fin de l'année 6). En divisant le résultat obtenu par le facteur $(1+0{,}12)^5$, on trouve, au temps 0, la valeur actualisée des économies d'impôt perdues.

b) Dans ce cas, l'entreprise ne pourra bénéficier de l'économie d'impôt liée à l'amortissement fiscal pour l'année 5. La VAN du projet sera donc égale à :

$$\text{VAN} = -13\ 997{,}15 + \frac{10\ 000}{(1+0{,}12)^5} - \frac{\text{MIN}(10\ 000,\ 75\ 000)(0{,}20)(0{,}40)}{(0{,}12+0{,}20)(1+0{,}12)^{5-1}}$$

$$\text{VAN} = -9\ 911{,}68\ \$$$

Remarques. 1. L'expression $\dfrac{\text{MIN}(10\ 000,\ 75\ 000)(0{,}20)(0{,}40)}{(0{,}12+0{,}20)}$ donne la valeur

actualisée, au début de l'année 5, des économies d'impôt perdues entre t = 5 et t = ∞ (la première économie d'impôt perdue est celle de la fin de l'année 5). En divisant le résultat obtenu par le facteur $(1+0{,}12)^{5-1}$, on détermine, au temps 0, la valeur actualisée des économies d'impôt perdues.

2. Une comparaison des résultats obtenus en (a) et (b) suggère qu'il est généralement préférable pour l'entreprise de revendre un actif en début d'année, plutôt qu'en fin d'année, afin de maximiser la valeur actualisée des économies d'impôt liées à l'amortissement fiscal.

c) Ici, il faut considérer, en plus des éléments précédents, la valeur actualisée de l'impôt à payer sur le gain en capital imposable à la fin de l'année 6. La VAN du projet peut se calculer comme suit :

$$\text{VAN} = -13\ 997{,}15 + \frac{85\ 000}{(1+0{,}12)^5} - \frac{\text{MIN}(85\ 000,\ 75\ 000)(0{,}20)(0{,}40)}{(0{,}12+0{,}20)(1+0{,}12)^5}$$

$$-\frac{(85\ 000-75\ 000)(0{,}50)(0{,}40)}{(1+0{,}12)^6}$$

$$\text{VAN} = 22\ 581{,}62\ \$$$

On constate qu'une valeur résiduelle aussi élevée rendrait le projet rentable.

7.2.4 Calcul de la VAN si l'on prévoit que la revente de l'actif entraînera la fermeture de la catégorie

S'il est prévu que la revente de l'actif provoquera la fermeture de la catégorie, il faudra alors tenir compte dans le calcul de la VAN du projet, en plus des éléments déjà mentionnés, de la valeur actualisée de l'économie d'impôt liée à la perte finale ou de la valeur actualisée de l'impôt à payer sur la récupération d'amortissement. De plus, notons que, dans le cas d'une fermeture de classe, la valeur actualisée des économies d'impôt perdues se calcule à partir du solde de la classe - et non à partir du montant le moins élevé entre le prix de vente de l'actif et son coût.

Perte finale

Comme nous l'avons indiqué précédemment, il y a perte finale lorsque l'entreprise revend le dernier actif appartenant à une catégorie donnée - et n'en achète pas d'autres avant la fin de l'exercice financier - et que le prix de vente est inférieur au solde de la catégorie. Dans un tel cas, l'entreprise pourra bénéficier d'une économie d'impôt qui aura pour conséquence d'affecter positivement la VAN du projet. La valeur actualisée de l'économie d'impôt est égale à :

$$\text{Valeur actualisée de l'économie d'impôt liée à la perte finale} = \frac{\left(\substack{\text{Solde de} \\ \text{la classe}} - PV\right)T}{(1+r)^{n+1}} \tag{7.8}$$

Récupération d'amortissement

Si la revente de l'actif entraîne la fermeture de la classe et que le prix de vente excède le solde de la catégorie, le fisc considérera que la différence entre le prix de vente - jusqu'à concurrence du coût de l'actif - et le solde de la classe constitue une récupération d'amortissement qui doit être ajoutée en entier aux autres revenus de l'entreprise. Dans le calcul de la VAN du projet, l'analyste devra alors prendre en considération la valeur actualisée de l'impôt à payer sur la récupération d'amortissement. La valeur actualisée de la sortie de fonds impliquée peut se calculer ainsi :

$$\text{Valeur actualisée de l'impôt à payer sur la récupération d'amortissement} = \frac{\left(PV - \substack{\text{Solde de} \\ \text{la classe}}\right)T}{(1+r)^{n+1}} \tag{7.9}$$

Remarque. Les expressions (7.8) et (7.9) supposent que l'actif sera revendu au début de l'année n + 1 et que l'impôt sera payé à la fin de cette année-là. Si l'on prévoit revendre l'actif à la fin de l'année n - ce qui est plus avantageux seulement dans le cas où une perte finale est anticipée, pourquoi? -, on n'a qu'à remplacer le facteur d'actualisation $(1 + r)^{n+1}$ par $(1 + r)^{n}$ dans les expressions (7.8) et (7.9).

Exemple 7.6

Calcul de la VAN du projet en présence d'une fermeture de la catégorie

À l'aide des données de l'exemple de la section 7.2.2, calculez la VAN du projet si :

a) l'entreprise prévoit revendre la machine pour 10 000 $ au début de l'année 6 (avec fermeture de classe);

b) l'entreprise prévoit revendre la machine pour 40 000 $ au début de l'année 6 (avec fermeture de classe).

Solution

a) On doit, en premier lieu, déterminer le solde de la classe au début de l'année 6 puisque, dans le cas d'une fermeture, la perte d'économies d'impôt liées à l'amortissement se calcule à partir du solde de la classe. En ayant recours à l'expression (7.1), on trouve :

$$S_6 = 75\ 000\left(1 - \frac{0,20}{2}\right)(1 - 0,20)^{6-2} = 27\ 648\ \$$$

Le calcul de la VAN peut s'effectuer comme suit :

$$\text{VAN} = \underbrace{-13\ 997,15}_{\substack{\text{VAN calculée à}\\\text{la section 7.2.2}}} \quad + \quad \underbrace{\frac{10\ 000}{(1+0,12)^5}}_{\substack{\text{Valeur de}\\\text{revente actualisée}}}$$

$$\underbrace{- \frac{(27\ 648)(0,20)(0,40)}{(0,12+0,20)(1+0,12)^5}}_{\substack{\text{Valeur actualisée}\\\text{des économies}\\\text{d'impôt perdues}}} \quad + \quad \underbrace{\frac{(27\ 648 - 10\ 000)(0,40)}{(1+0,12)^{5+1}}}_{\substack{\text{Valeur actualisée}\\\text{de l'économie d'impôt}\\\text{liée à la perte finale}}}$$

$$\text{VAN} = -\ 8\ 668,53\ \$$$

Remarque. Il est à noter que, si la machine était revendue en fin de projet (c.-à-d. à la fin de l'année 5), on obtiendrait alors une VAN supérieure, soit - 8 239,36 $.

---

b) La VAN du projet est égale à :

$$\text{VAN} = \underbrace{-13\ 997,15}_{\substack{\text{VAN calculée à}\\\text{la section 7.2.2}}} \quad + \quad \underbrace{\frac{40\ 000}{(1+0,12)^5}}_{\substack{\text{Valeur de}\\\text{revente actualisée}}}$$

$$\underbrace{- \frac{(27\ 648)(0,20)(0,40)}{(0,12+0,20)(1+0,12)^5}}_{\substack{\text{Valeur actualisée}\\\text{des économies}\\\text{d'impôt perdues}}} \quad - \quad \underbrace{\frac{(40\ 000 - 27\ 648)(0,40)}{(1+0,12)^6}}_{\substack{\text{Valeur actualisée}\\\text{de l'impôt à payer sur}\\\text{la récupération d'amortissement}}}$$

$$\text{VAN} = 2\ 274,71\ \$$$

7.2.5 Démarche à suivre lors de l'analyse d'un projet d'investissement en contexte fiscal et synthèse des éléments à considérer

Avant de donner quelques exemples plus complets de calcul de la VAN, il nous semble utile de suggérer au lecteur une démarche à suivre lors d'une analyse de rentabilité en contexte fiscal. L'approche proposée, qui comprend 12 étapes, permettra au lecteur « de ne rien oublier » et facilitera la résolution des problèmes - surtout les plus complexes - de fin de chapitre.

Tableau 7.3

Démarche proposée pour calculer la VAN d'un projet d'investissement en contexte fiscal et résumé des éléments à considérer

Étape 1   Mise de fonds initiale (-)*

Dans le calcul des déboursés initiaux (achats d'équipement, de terrains, de bâtiments, etc.) liés à un nouvel investissement, il ne faut pas oublier de tenir compte de la somme que l'entreprise devra investir dans son fonds de roulement.

Étape 2   Recettes nettes après impôt (+)

La valeur actualisée des recettes nettes du projet (avant amortissement et après impôt) est égale à :

$$\sum_{t=1}^{n} \frac{(R_t - D_t)(1 - T)}{(1 + r)^t}$$

Rappelons que les déboursés de la période t (D_t) ne doivent pas tenir compte des déboursés liés au financement du projet.

Cas particuliers :

1. Dans le cas où les recettes nettes du projet sont les mêmes à chaque année (c.-à-d. $R_1 - D_1 = R_2 - D_2 = ... = R_n - D_n$), l'expression précédente peut s'écrire ainsi :

$$\sum_{t=1}^{n} \frac{(R_t - D_t)(1 - T)}{(1 + r)^t} = (R_1 - D_1)(1 - T) A_{\overline{n}|r}$$

2. Lorsque les recettes nettes du projet augmentent ou diminuent d'un pourcentage constant g d'une année à l'autre (annuité en progression géométrique), on a :

$$R_2 - D_2 = (R_1 - D_1)(1 + g)$$

$$R_3 - D_3 = (R_1 - D_1)(1 + g)^2$$

...

$$R_n - D_n = (R_1 - D_1)(1 + g)^{n-1}$$

et

$$\sum_{t=1}^{n} \frac{(R_t - D_t)(1 - T)}{(1 + r)^t} = (R_1 - D_1)(1 - T) \left[\frac{1 - \left(\frac{1+g}{1+r}\right)^n}{r - g} \right] = \frac{(R_1 - D_1)(1 - T)}{(1 + g)} \left[\frac{1 - (1 + y)^{-n}}{y} \right]$$

où y : Taux d'actualisation rajusté $= \left(\frac{1+r}{1+g}\right) - 1$. (Voir la section 3.3 du chapitre 3 pour un rappel concernant le taux d'actualisation rajusté.)

---

* Un (-) indique un élément qui vient diminuer la VAN du projet alors qu'un (+) indique un élément ayant pour effet de l'accroître.

Étape 3   Économies d'impôt liées à l'amortissement fiscal (+)

La valeur actualisée des économies d'impôt dont pourra bénéficier l'entreprise si l'amortissement se poursuit indéfiniment s'obtient à l'aide de l'expression suivante :

$$\frac{C \cdot d \cdot T(1 + 0{,}50r)}{(r + d)(1 + r)}$$

Remarque. Lorsque le projet d'investissement nécessite l'acquisition de plusieurs éléments d'actif qui sont amortissables, d'un point de vue fiscal, à des taux différents, on doit appliquer la formule précédente pour chacun des actifs achetés.

Étape 4   Sortie de fonds évitée (+)

Une sortie de fonds évitée est un déboursé que n'aura pas à effectuer dans l'avenir l'entreprise si elle accepte maintenant un nouvel investissement.

Si, suite à l'acceptation d'un nouvel investissement, l'entreprise évite à la fin de l'année *s* un déboursé qui serait déductible d'impôt à ce moment-là, le montant net épargné après impôt alors égal à :

$$\frac{SFE(1 - T)}{(1 + r)^s}$$

où SFE : Sortie de fonds évitée.

D'autre part, dans le cas où l'entreprise évite à la fin de l'année *s* un déboursé qui serait capitalisé pour fins fiscales, la valeur actualisée du montant net épargné est alors égale à :

$$\underbrace{\frac{SFE}{(1 + r)^s}}_{\substack{\text{Valeur actualisée} \\ \text{de la sortie} \\ \text{de fonds évitée}}} - \underbrace{\left[\frac{(SFE)d \cdot T(1 + 0{,}50r)}{(r + d)(1 + r)}\right](1 + r)^{-s+1}}_{\substack{\text{Valeur actualisée des économies} \\ \text{d'impôt dont ne pourra} \\ \text{bénéficier l'entreprise}}}$$

Étape 5   Sortie de fonds en cours de projet (-)

Si un projet d'investissement nécessite, en plus d'une mise de fonds immédiate, une sortie de fonds à la fin de l'année *p* et que celle-ci sera déductible d'impôt à ce moment-là, on devra alors tenir compte dans le calcul de la VAN de la valeur actualisée de ce déboursé net d'impôt, soit :

$$\frac{SFCP(1 - T)}{(1 + r)^p}$$

où SFCP : Sortie de fonds en cours de projet.

Par ailleurs, si le déboursé anticipé à la fin de l'année *p* en est un qui devra être capitalisé pour fins fiscales, le montant net qu'il faudra soustraire à la VAN se calcule ainsi :

$$\underbrace{\frac{\text{SFCP}}{(1+r)^p}}_{\substack{\text{Valeur actualisée} \\ \text{de la sortie de} \\ \text{fonds en cours de projet}}} - \underbrace{\left[\frac{(\text{SFCP})d \cdot T(1+0,50r)}{(r+d)(1+r)}\right](1+r)^{-p+1}}_{\substack{\text{Valeur actualisée des économies} \\ \text{d'impôt dont pourra} \\ \text{bénéficier l'entreprise}}}$$

Remarque. Lorsque l'entreprise a le choix, au niveau fiscal, entre capitaliser une dépense ou la déduire en entier de ses revenus de l'année courante, il est habituellement plus avantageux pour cette dernière, compte tenu de la valeur temporelle de l'argent, d'opter pour la seconde solution, puisqu'en agissant ainsi elle peut bénéficier de l'économie d'impôt liée à la dépense immédiatement.

Étape 6   Rentrée de fonds perdue (-)

Une rentrée de fonds perdue représente un montant d'argent que l'entreprise ne recevra pas si elle réalise le projet d'investissement.

Si, suite à l'acceptation d'un nouvel investissement, l'entreprise est privée d'une rentrée de fonds à la fin de l'année m et que celle-ci serait assujettie à l'impôt à ce moment-là, on devra alors soustraire à la VAN le montant suivant :

$$\frac{\text{RFP}(1-T)}{(1+r)^m}$$

où RFP : Rentrée de fonds perdue.

Étape 7   Valeurs résiduelles (+)

Dans une étude de rentabilité, on doit tenir compte de la valeur de revente prévue de chacun des éléments d'actif acquis pour réaliser le projet. La valeur de revente actualisée d'un élément d'actif donné se calcule ainsi :

$$\frac{\text{PV}}{(1+r)^n}$$

où   PV : Valeur résiduelle prévue une fois le projet terminé
        n : Durée du projet en années.

Étape 8   Pertes d'économies d'impôt liées à l'amortissement fiscal (-)

Si l'entreprise revend des actifs amortissables au début de l'année n + 1, il en résultera alors une perte d'économies d'impôt dont la valeur actualisée est :

$$\frac{(\text{SSC})d \cdot T}{(r+d)(1+r)^n}$$

où $\text{SSC} = \begin{array}{c}\text{Somme soustraite} \\ \text{à la classe}\end{array} = \begin{cases} \text{MIN (PV, C), si la classe n'est pas fermée} \\ \text{suite à la disposition de l'actif ou} \\ \text{Solde de la classe, si la classe est fermée} \\ \text{suite à la disposition de l'actif} \end{cases}$

Étape 9   Récupération du fonds de roulement (+)

La rentrée de fonds actualisée liée à la récupération de l'investissement dans le fonds de roulement se calcule ainsi :

$$\frac{FR}{(1+r)^n}$$

où FR : Montant de l'investissement dans le fonds de roulement qui est récupéré à la fin du projet, soit dans n années.

Étape 10   Impôt à payer sur le gain en capital imposable (-)

Si l'entreprise revend, au début de l'année n + 1, un élément d'actif à un prix supérieur à son coût d'origine, elle devra, à la fin de l'année n + 1, payer de l'impôt sur un gain en capital imposable. La valeur actualisée de l'impôt à payer est :

$$\frac{(PV - C)\alpha \cdot T}{(1+r)^{n+1}}$$

Étape 11   Impôt à payer sur la récupération d'amortissement (-)

Si la revente d'un élément d'actif, au début de l'année n + 1, entraîne la fermeture de la classe et que le prix de vente excède le solde de la classe, l'entreprise devra, à la fin de l'année n + 1, payer de l'impôt sur une récupération d'amortissement. La valeur actualisée de l'impôt à payer est :

$$\frac{\left(PV - \dfrac{\text{Solde de}}{\text{la classe}}\right)T}{(1+r)^{n+1}}$$

Étape 12   Économie d'impôt liée à la perte finale (+)

Si la revente d'un élément d'actif, au début de l'année n + 1, entraîne la fermeture de la classe et que le prix de vente est inférieur au solde de la classe, l'entreprise pourra bénéficier, à la fin de l'année n + 1, d'une économie d'impôt dont la valeur actualisée est :

$$\frac{\left(\dfrac{\text{Solde de}}{\text{la classe}} - PV\right)T}{(1+r)^{n+1}}$$

Exemple 7.7   **Analyse d'une décision d'expansion des activités**

La compagnie DMW inc. envisage l'achat de machinerie destinée à la fabrication d'une nouvelle ligne de produits. À titre d'analyste financier de la compagnie, on vous demande d'établir si cet investissement est rentable. Dans ce but, vous avez recueilli les renseignements suivants :

- Prix d'achat de la machinerie (il s'agit du seul bien de la catégorie) : 250 000 $
- Prix de vente unitaire des produits :   10 $
- Ventes annuelles prévues :   20 000 unités
- Coûts variables unitaires de fabrication :   4 $
- Frais administratifs actuels de la compagnie :   50 000 $
- Intérêts annuels sur les obligations émises pour financer le projet :   25 000 $
- L'amortissement comptable est calculé sur 8 ans en tenant compte d'une valeur résiduelle prévue de 90 000 $. Cela donne un montant d'amortissement annuel de 20 000 $.
- Si le projet est accepté, on devra accroître immédiatement le fonds de roulement net de 30 000 $. Cette somme sera toutefois récupérable en entier à la fin du projet.
- Taux maximal d'amortissement dégressif :   20%
- Taux d'imposition marginal de la compagnie   40%
- Ce projet a une durée de vie prévue de 8 ans. Au début de l'année 9, on anticipe que la valeur de revente de la machinerie sera de 90 000 $. La revente de la machinerie entraînera la fermeture de la catégorie.

Solution

Pour déterminer si ce projet d'expansion est rentable, il s'agit de calculer sa valeur actuelle nette. Dans le calcul de la VAN, on doit considérer les éléments suivants :

- la mise de fonds initiale (y compris l'accroissement du fonds de roulement net);
- les recettes nettes annuelles avant amortissement et après impôt;
- les économies d'impôt liées à l'amortissement fiscal de la machinerie;
- la valeur de revente de la machinerie;
- les pertes d'économies d'impôt liées à l'amortissement fiscal suite à la revente de la machinerie;
- la récupération de l'investissement dans le fonds de roulement;
- l'impôt à payer sur la récupération d'amortissement suite à la revente de la machinerie.

Investissement initial (-)

Coût de la machinerie	250 000 $
Plus : accroissement du fonds de roulement net	30 000
	280 000 $

Recettes nettes annuelles avant amortissement et après impôt (+)

$$\begin{pmatrix} \text{Ventes annuelles} \\ \text{en unités} \end{pmatrix}(\text{Prix de vente unitaire} - \text{Coûts variables unitaires})(1-T)$$

$$= (20\ 000)(10-4)(1-0,40) = 72\ 000 \ \$$$

La valeur actualisée des recettes nettes annuelles avant amortissement et après impôt se calcule ainsi :

$$72\ 000\,A_{\overline{8}|12\%} = 357\ 670,06 \ \$$$

Économies d'impôt liées à l'amortissement fiscal de la machinerie (+)

La valeur actualisée des économies d'impôt dont pourra bénéficier l'entreprise si la machinerie n'est jamais revendue est :

$$\frac{(250\ 000)(0,20)(0,40)[(1+0,50)(0,12)]}{(0,12+0,20)(1+0,12)} = 59\ 151,79\ \$$$

Valeur de revente de la machinerie (+)

La valeur de revente actualisée de la machinerie est :

$$\frac{90\ 000}{(1+0,12)^8} = 36\ 349,49\ \$$$

Pertes d'économies d'impôt liées à l'amortissement fiscal suite à la revente de la machinerie (-)

Étant donné que, par hypothèse, la revente de la machinerie au début de l'année 9 entraînera la fermeture de la catégorie, les pertes d'économies d'impôt liées à l'amortissement se calculent à partir du solde de la classe au début de l'année 9 (S_9). S_9 vaut :

$$S_9 = 250\ 000[1-(0,50)(0,20)](1-0,20)^{9-2} = 47\ 185,92\ \$$$

Par conséquent, la valeur actualisée des économies d'impôt perdues suite à la revente de la machinerie est :

$$\frac{(47\ 185,92)(0,20)(0,40)}{(0,12+0,20)(1+0,12)^8} = 4\ 764,40\ \$$$

Récupération de l'investissement dans le fonds de roulement (+)

La rentrée de fonds actualisée liée à la récupération de l'investissement dans le fonds de roulement se calcule ainsi :

$$\frac{30\ 000}{(1+0,12)^8} = 12\ 116,50\ \$$$

Impôt à payer sur la récupération d'amortissement suite à la revente de la machinerie (-)

La valeur actualisée de l'impôt à payer à la fin de l'année 9 sur la récupération d'amortissement est :

$$\frac{(90\ 000-47\ 185,92)(0,40)}{(1+0,12)^9} = 6\ 175,67\ \$$$

La VAN du projet est donc :

$$VAN = -280\ 000 + 357\ 670,06 + 59\ 151,79 + 36\ 349,49 - 4\ 764,40 + 12\ 116,50$$
$$- 6\ 175,67$$

$$VAN = 174\ 347,77\ \$$$

Puisque la VAN excède 0, ce projet s'avère financièrement rentable.

Exemple 7.8 **Analyse d'une décision de remplacement d'actif**

Vous êtes la directrice des finances de l'entreprise Microtek inc. et vous avez à produire une analyse de rentabilité relativement à un projet de modernisation de l'équipement. Ce projet consiste à faire l'acquisition d'une nouvelle presse entièrement électronique au coût de 1 000 000 $. Cette presse remplacerait l'équipement actuel dont la valeur aux livres et la valeur marchande sont présentement de 100 000 $. On estime que l'équipement dont dispose présentement la compagnie pourrait durer encore 10 ans et être revendu pour une somme d'environ 20 000 $ au début de l'année 11.

Les frais d'installation et de mise en marche du nouvel équipement sont évalués à 20 000 $. De plus, la compagnie estime qu'elle devra, dès maintenant, accroître son fonds de roulement net de 60 000 $ si le projet est accepté (cette somme sera toutefois récupérable en entier à la fin du projet).

Les recettes nettes prévues (avant amortissement et impôt) sont de 200 000 $ par année au cours de la durée de vie du projet qui a été estimée à 10 ans.

Pour qu'il puisse durer 10 ans, le nouvel équipement devra faire l'objet d'une remise à neuf à la fin de l'année 3 au coût de 50 000 $. Selon le fiscaliste de la compagnie, cette dépense devra vraisemblablement être capitalisée pour fins d'impôt. Compte tenu de cette remise à neuf, on estime que le nouvel équipement aura une valeur de revente approximative de 80 000 $ au début de l'année 11.

Pour ce genre de projet, l'entreprise exige un taux de rendement minimal de 12%. Son taux d'imposition est de 40%. Pour fins fiscales, l'équipement est amortissable au taux dégressif annuel de 20%.

En supposant que la classe d'actif continuera d'exister à la fin du projet, quelle recommandation allez-vous faire au bureau de direction de l'entreprise?

Solution

En vue d'établir la rentabilité financière de la modernisation de l'équipement, il s'agit de calculer la VAN de ce projet. Dans le calcul de la VAN, les éléments à prendre en considération sont les suivants :
- la mise de fonds initiale (y compris l'accroissement du fonds de roulement net);
- les recettes nettes annuelles avant amortissement et après impôt;
- les économies d'impôt liées à l'amortissement fiscal de l'équipement;
- la sortie de fonds en cours de projet;
- la valeur de revente de l'équipement;
- les pertes d'économies d'impôt liées à l'amortissement fiscal;
- la récupération de l'investissement dans le fonds de roulement.

Investissement initial (-)

Coût de la nouvelle presse	1 000 000 $
Plus : frais d'installation et de mise en marche	20 000
Moins : valeur de revente, au temps 0, du vieil équipement	(100 000)
Plus : accroissement du fonds de roulement net	60 000
	980 000 $

Recettes nettes annuelles avant amortissement et après impôt (+)

La valeur actualisée des recettes nettes avant amortissement et après impôt se calcule ainsi :

$$200\,000\,(1-0,40)\,A_{\overline{10}|12\%} = 678\,026,76\ \$$$

Économies d'impôt liées à l'amortissement fiscal (+)

La valeur actualisée des économies d'impôt liées à l'amortissement est :

$$\overbrace{(1\,000\,000 + 20\,000 - 100\,000)}^{\substack{\text{Montant net qui sera ajouté} \\ \text{au solde de la classe} \\ \text{au temps 0 si le} \\ \text{projet est accepté}}}\frac{(0{,}20)(0{,}40)[1 + (0{,}50)(0{,}12)]}{(0{,}12 + 0{,}20)(1 + 0{,}12)}$$

$$= 217\,678,57\ \$$$

Sortie de fonds en cours de projet (-)

La valeur actualisée de la sortie de fonds de 50 000 $ prévue pour la fin de l'année 3 se calcule ainsi :

$$\frac{50\,000}{(1+0{,}12)^3} = 35\,589,01\ \$$$

Compte tenu que ce déboursé devra être capitalisé, il faut également tenir compte de la valeur actualisée des économies d'impôt liées à l'amortissement, soit :

$$\underbrace{\left[\frac{(50\,000)(0{,}20)(0{,}40)[1+(0{,}50)(0{,}12)]}{(0{,}12+0{,}20)(1+0{,}12)}\right]}_{\substack{\text{Valeur actualisée, au début de l'année 3,} \\ \text{des économies d'impôt liées} \\ \text{à l'amortissement}}}(1+0{,}12)^{-3+1}$$

$$= 9\,431,09\ \$$$

Par conséquent, le montant net qu'il faudra soustraire à la VAN du projet est :

$$35\,589,01 - 9\,431,09 = 26\,157,92\ \$$$

Valeur de revente (+)

Selon l'approche marginale, le flux monétaire à considérer est la différence entre la valeur de revente du nouvel équipement et le prix auquel l'entreprise pourrait vendre le vieil équipement au début de l'année 11 advenant le rejet du projet de modernisation. La valeur actualisée de ce flux monétaire est :

$$\frac{(80\,000 - 20\,000)}{(1+0,12)^{10}} = 19\,318,39\,\$$$

Pertes d'économies d'impôt liées à l'amortissement fiscal (-)

La valeur actualisée des économies d'impôt perdues liées à l'amortissement est :

$$\overbrace{(80\,000 - 20\,000)}^{\substack{\text{Montant supplémentaire qui} \\ \text{sera soustrait à la classe} \\ \text{au début de l'année 11} \\ \text{si le projet est accepté}}} \frac{(0,20)(0,40)}{(0,12+0,20)(1+0,12)^{10}}$$

Récupération de l'investissement dans le fonds de roulement (+)

La valeur actualisée de la rentrée de fonds liée à la récupération de l'investissement dans le fonds de roulement se calcule ainsi :

$$\frac{60\,000}{(1+0,12)^{10}} = 19\,318,39\,\$$$

La VAN du projet sera donc :

$$\begin{aligned}
\text{VAN} &= 980\,000 + 678\,026,76 + 217\,678,57 - 26\,157,92 + 19\,318,39 - 4\,829,60 \\
&\quad + 19\,318,39 \\
&= -76\,645,41\,\$
\end{aligned}$$

Puisque la VAN du projet est négative, l'entreprise ne devrait pas acquérir une nouvelle presse.

7.3 Sujets particuliers

7.3.1 La décision d'investissement et l'inflation

Inflation
Hausse généralisée des prix des biens et services

À une certaine époque, l'inflation n'était pas considérée comme une variable importante lors de l'analyse de la rentabilité d'un projet d'investissement et ce, parce que le taux d'inflation était relativement bas. Cependant, au cours des années 1970 et 1980, nous avons connu certaines périodes où le taux d'inflation était plutôt élevé. Ces événements ont alors eu pour conséquence d'accroître l'importance de la variable inflation dans la prise de décision en matière de placement et d'investissement.

L'inflation joue maintenant un rôle économique important dans la vie quotidienne des individus. Ainsi, les syndicats revendiquent des augmentations de salaires correspondant à l'indice du coût de la vie afin de maintenir le pouvoir d'achat de leurs membres. De même, les retraités, de leur côté, demandent que leur rente soit indexée afin de tenir compte du coût de la vie. Enfin, les investisseurs, pour leur part, exigent des taux de rendement qui tiennent compte à la fois de l'inflation et du risque associé à leurs placements. Bref, tout le monde garde à l'esprit le spectre de l'inflation.

Analysons maintenant de plus près l'incidence que peut exercer l'inflation sur la rentabilité des projets d'investissement. Pour ce faire, définissons d'abord les notions de taux d'intérêt nominal et de taux d'intérêt réel.

Taux d'intérêt nominal
Taux qui incorpore l'inflation anticipée pendant la durée de vie du projet

Taux d'intérêt réel
Taux de rendement exigé en l'absence d'inflation

Relation de Fisher
Relation montrant l'impact de l'inflation anticipée sur le taux de rendement exigé sur un investissement

La notion de taux d'intérêt nominal sert à exprimer des sommes d'argent sans égard à leur pouvoir d'achat. Il s'agit d'un taux d'intérêt qui englobe le taux d'inflation prévisible durant la durée du projet. Les institutions financières, telles les banques, affichent généralement un taux d'intérêt nominal. Le taux d'intérêt réel, pour sa part, réfère à un taux d'intérêt nominal redressé pour tenir compte des effets de l'inflation. Ce taux est une prévision puisqu'il ne peut être calculé avant que le taux d'inflation ne soit connu pour la période concernée. En l'absence d'inflation, le taux d'intérêt nominal se confond évidemment avec le taux d'intérêt réel.

L'inflation anticipée a un impact direct sur le taux de rendement exigé sur un projet ou sur le coût du capital du projet. Cette relation, connue sous le nom de relation de Fisher, prend la forme suivante :

$$(1 + TI)(1 + TR) = (1 + r) \qquad (7.10)$$

où TI : Taux annuel d'inflation anticipé pendant le projet
TR : Taux de rendement réel requis pour le projet
r : Taux de rendement nominal requis sur le projet.

En négligeant la valeur du produit de TI et de TR (soit $TI \cdot TR$), on peut obtenir une approximation de la valeur du taux de rendement nominal comme suit :

$$r \approx TR + TI \qquad (7.10a)$$

Remarque. Plus le taux d'inflation anticipé est faible, plus le résultat approximatif (équation 7.10a) sera voisin du résultat exact (équation 7.10).

Pour mieux comprendre cette relation, supposons qu'une entreprise désire obtenir un rendement nominal (r) de 15,50% sur un projet d'investissement dont les flux monétaires, en dollars courants, apparaissent à la page suivante. La directrice des finances anticipe pour les trois prochaines années un taux d'inflation annuel (TI) de 5%. Ce taux d'inflation s'applique autant sur les recettes que sur les déboursés liés au projet. Sachant que l'investissement requis est de 55 000 $, que le taux d'amortissement applicable est de 20% et que la durée du projet est de 3 ans, nous calculerons la VAN en utilisant deux approches équivalentes. Ces deux approches peuvent se formuler ainsi :

1. Le recours à un taux d'actualisation nominal implique l'utilisation de flux monétaires qui tiennent compte de l'inflation prévue durant la durée de vie du projet. C'est généralement cette approche qui est utilisée par les analystes financiers. Comme, en pratique, le taux d'actualisation pertinent incorpore automatiquement l'incidence de l'inflation, il s'agit pour l'analyste, dans le calcul de la VAN, d'ajuster les flux monétaires en incluant l'inflation anticipée.

2. Le recours à un taux d'actualisation réel implique obligatoirement l'utilisation de flux monétaires en dollars courants (dollars d'aujourd'hui). En pratique, s'il veut recourir à cette approche, l'analyste devra alors ajuster le taux d'actualisation approprié.

Flux monétaire du projet après impôt et avant amortissement (en dollars courants)

Recettes	100 000 $
Déboursés	70 000
	30 000 $
Impôt (40%)	12 000
Flux monétaire après impôt et avant amortissement	18 000 $

Recours à un taux d'actualisation nominal

Pour utiliser cette approche, on doit ajuster les flux monétaires de façon à incorporer l'indice de l'inflation. L'ajustement des flux monétaires, compte tenu d'un taux d'inflation de 5% pour les recettes et les déboursés du projet, donne ce qui suit :

	Année 1	Année 2	Année 3
Recettes ($\Delta R = 5\%$)	105 000 $	110 250 $	115 762,50 $
Déboursés ($\Delta D = 5\%$)	73 500	77 175	81 033,75
	31 500 $	33 075 $	34 728,75 $
Impôt (40%)	12 600	13 230	13 891,50
	18 900 $	19 845 $	20 837,25 $

Dans le calcul de la VAN du projet, on doit également considérer la valeur actualisée des économies d'impôt découlant de l'amortissement fiscal. À ce sujet, il est important de mentionner que les gouvernements fédéral et provincial ne permettent pas de majorer les coûts initiaux des actifs pour tenir compte de l'inflation. Les économies d'impôt ne seront donc pas indexées au taux annuel d'inflation.

En tenant compte de ce qui précède, la VAN de ce projet se calcule ainsi :

$$\text{VAN} = \frac{18\,900}{(1+0,1550)^1} + \frac{19\,845}{(1+0,1550)^2} + \frac{20\,837,25}{(1+0,1550)^3}$$

$$+ \frac{(55\,000)(0,20)(0,40)[1+(0,50)(0,1550)]}{(0,1550+0,20)(1+0,1550)} - 55\,000 = 1\,326,05\ \$$$

Recours à un taux d'actualisation réel

On doit, tout d'abord, déterminer le taux de rendement réel exigé. À partir de la relation de Fisher, on obtient :

$$(1 + 0{,}05)(1 + TR) = (1 + 0{,}1550)$$

En isolant TR dans l'équation ci-dessus, on trouve :

$$TR = \text{Taux de rendement réel exigé} = 10\%$$

La VAN du projet est donc :

$$VAN = 18\,000\,A_{\overline{3}|10\%} + \frac{(55\,000)(0{,}20)(0{,}40)[1 + (0{,}50)(0{,}1550)]}{(0{,}1550 + 0{,}20)(1 + 0{,}1550)} - 55\,000$$

$$VAN = 1\,326{,}05\ \$$$

Il est à noter que, même si l'on utilise la seconde approche, on doit actualiser au taux nominal (15,50%) les économies d'impôt liées à l'amortissement fiscal étant donné que celles-ci sont exprimées en termes nominaux.

7.3.2 La décision d'investissement en contexte de rationnement de capital

Rationnement de capital
Impossibilité pour l'entreprise de réaliser tous les projets rentables, notamment à cause d'un manque de financement

Lorsque l'entreprise n'a aucune limite budgétaire, elle doit, du moins théoriquement, accepter tous les projets dont la valeur actuelle nette est positive ou dont le taux de rendement interne est supérieur au taux d'actualisation approprié pour le projet.

Cependant, en pratique, il arrive fréquemment que l'entreprise se retrouve dans un contexte de contrainte budgétaire ou de rationnement de capital. Cette contrainte budgétaire peut découler du fait que l'entreprise a atteint sa capacité optimale d'endettement et ne peut émettre des actions sur le marché. La contrainte de financement peut aussi être attribuable au fait que les actionnaires actuels de l'entreprise ne désire pas diluer le capital déjà souscrit dans le but de maintenir leur contrôle. Enfin, la contrainte peut provenir d'un manque de ressources humaines pour entreprendre de nouveaux projets d'investissement.

Dans un tel contexte, on ne peut accepter tous les projets jugés rentables et l'on doit plutôt choisir ceux qui ont la plus grande rentabilité tout en respectant les capitaux disponibles. Pour y parvenir, l'approche la plus couramment utilisée consiste à déterminer la combinaison de projets qui procure à l'entreprise la valeur actuelle nette totale la plus élevée et ce, tout en respectant la contrainte budgétaire évoquée.

Si l'on compare cette approche avec la méthode de l'indice de rentabilité qui est parfois proposée pour sélectionner les meilleurs projets en contexte de rationnement de capital, on peut aisément constater que ce dernier critère ne maximise pas toujours la valeur actuelle nette totale. Pour illustrer ce point, considérons les six projets d'investissement indépendants et indivisibles[5] décrits

---

[5] Un projet est dit indivisible lorsque l'on doit l'accepter dans sa totalité ou le rejeter complètement. En pratique, les projets d'investissement sont, la plupart du temps, indivisibles.

au tableau 7.4 et supposons que l'enveloppe budgétaire maximale pour l'entreprise en cause s'élève à 1 000 000 $.

| **Tableau 7.4** | **Choix des investissements en situation de rationnement de capital** |

Projet	Montant de l'investissement : I	Valeur actuelle nette du projet : VAN	Valeur actualisée des flux monétaires du projet : VAN + I	Indice de rentabilité : VAN + I / I
A	400 000 $	340 000 $	740 000 $	1,85
B	300 000	160 000	460 000	1,53
C	200 000	85 000	285 000	1,43
D	40 000	16 000	56 000	1,40
E	300 000	115 000	415 000	1,38
F	32 000	–9 000	23 000	0,72

Remarque. Dans ce tableau, les projets sont classés par ordre décroissant de leur indice de rentabilité et ce, dans le but de faciliter l'application de cette méthode.

En se basant sur la méthode de l'indice de rentabilité, on proposera d'accepter, dans l'ordre, les projets A, B, C et D. Ces projets nécessitent une mise de fonds totale de 940 000 $. Le projet E sera rejetté, car l'entreprise n'a pas les fonds nécessaires pour réaliser simultanément les projets A, B, C, D et E. Quant au projet F, il sera refusé parce qu'il n'est pas rentable (indice de rentabilité < 1). Cependant, en analysant de plus près la combinaison de projets retenus, on constate que cette dernière ne maximise pas la valeur actuelle nette totale. En effet, ces quatre projets génèrent une valeur actuelle nette totale de 601 000 $ (c.-à-d. 340 000 $ + 160 000 $ + 85 000 $ + 16 000 $) alors que la combinaison des projets A, B et E procure à l'entreprise une valeur actuelle nette totale de 615 000 $ (c.-à-d. 340 000 $ + 160 000 $ + 115 000 $) et ce, tout en respectant le budget d'investissement de 1 000 000 $. Dans ce cas-ci, le recours à la méthode de l'indice de rentabilité nous amènerait donc à sélectionner une combinaison sous-optimale de projets.

Le rationnement de capital et la programmation linéaire

Lorsque le nombre de projets n'est pas trop élevé ou que la contrainte budgétaire ne s'applique que pour la première période, il est possible, comme on vient de le faire, de trouver par tâtonnement la combinaison de projets qui maximise la valeur actuelle nette totale. Il en va cependant autrement lorsque l'entreprise doit faire une sélection entre de nombreux projets ou que l'un ou certains de ces projets nécessitent un investissement étalé sur plusieurs périodes. Dans ces circonstances, le recours à la programmation linéaire s'avère nécessaire.

Pour illustrer cette méthode de résolution, supposons que l'entreprise KSW inc. doive sélectionner, parmi les neuf projets présentés au tableau 7.5, les projets qui maximisent la valeur actuelle nette totale sous les contraintes que les fonds disponibles pour les investissements sont de 50 $ pour la première période et de 16 $ pour la deuxième période[6].

Formulation mathématique du problème

Programmation linéaire
Outil mathématique consistant à optimiser une fonction objectif linéaire (la VAN totale des projets) dans un contexte où toutes les contraintes (contraintes liées au financement et aux pourcentages de réalisation éventuelle des projets) sont linéaires

La formulation de ce problème sous forme d'un modèle de programmation linéaire se présente comme suit :

Maximiser la fonction (objectif)

$$Z = \sum_{j=1}^{n} B_j X_j$$

soumise aux contraintes suivantes :

$$\sum_{j=1}^{n} C_{jt} X_j \le K_t, \quad t = 1, 2, ..., T$$

$$0 \le X_j \le 1, \quad j = 1, 2, ..., n$$

où X_j : Pourcentage du j ième projet qui sera mis en oeuvre
   B_j : Valeur actuelle nette du j ième projet
   C_{jt} : Sortie d'argent requise à la période t pour la réalisation du j ième projet
   K_t : Budget d'investissement disponible pour la période t
   n : Nombre de projets étudiés.

Pour résoudre ce type de problème, il s'agit de déterminer les n valeurs X_j qui permettent de maximiser la valeur de Z (c.-à-d. la valeur actuelle nette du programme d'investissement), tout en respectant les T contraintes de disponibilités financières de l'entreprise et les n contraintes relatives aux pourcentages de réalisation éventuelle des projets.

Tableau 7.5

VAN des projets considérés et mises de fonds requises aux périodes 1 et 2 pour les réaliser

Projet j	VAN$_j$	C$_{j1}$ (sortie d'argent requise pour le projet j à la période 1)	C$_{j2}$ (sortie d'argent requise pour le projet j à la période 2)
1	14	12	3
2	17	54	7
3	17	6	6
4	15	6	2
5	40	30	35
6	12	6	6
7	14	48	4
8	10	36	3
9	12	18	3

---

[6] Il s'agit d'une adaptation d'un problème présenté initialement par Lorie et Savage. Voir : Lorie, J.H. et L.J. Savage, « Three Problems in Capital Rationing », *Journal of Business*, octobre 1955, pp. 229-239.

$$\text{Budget disponible pour la première période} : \sum_{j=1}^{9} C_{j1}X_j \leq 50$$

$$\text{Budget disponible pour la deuxième période} : \sum_{j=1}^{9} C_{j2}X_j \leq 16$$

Remarques. 1. La variable X_j est continue sur l'intervalle $0 \leq X_j \leq 1$, ce qui signifie que l'entreprise peut entreprendre une partie seulement des projets à l'étude.

2. On ne peut réaliser un pourcentage négatif d'un projet, d'où $X_j \geq 0$; d'autre part, pour éviter la possibilité de dupliquer la réalisation des projets, on doit imposer une borne supérieure à X_j, soit $X_j \leq 1$; X_j prendra une valeur maximale de 1 si le projet j est réalisé à 100% et une valeur minimale de 0 si le projet est refusé.

3. On suppose que tous les paramètres B_j, C_{jt} et K_t sont connus avec certitude.

4. Le paramètre B_j représente la valeur actuelle nette du projet j, compte tenu de son coût, de sa durée, du taux d'actualisation utilisé et des flux monétaires qu'il génèrera.

Appliquons maintenant cette méthode aux données du problème de l'entreprise KSW inc. La formulation du modèle est la suivante :

Maximiser la valeur actuelle nette totale

$$Z = 14X_1 + 17X_2 + 17X_3 + 15X_4 + 40X_5 + 12X_6 + 14X_7 + 10X_8 + 12X_9$$

soumise aux contraintes de disponibilités financières suivantes :

$$12X_1 + 54X_2 + 6X_3 + 6X_4 + 30X_5 + 6X_6 + 48X_7 + 36X_8 + 18X_9 \leq 50$$
$$3X_1 + 7X_2 + 6X_3 + 2X_4 + 35X_5 + 6X_6 + 4X_7 + 3X_8 + 3X_9 \leq 16$$

et aux contraintes de pourcentage de réalisation éventuelle des projets :

$$0 \leq X_j \leq 1, \quad j = 1, 2,..., 9.$$

Pour résoudre ce genre de problème, on fait appel à la méthode classique du simplexe[7]. L'application de cette méthode conduit à la solution optimale suivante :

$$X_1 = 1, \ X_2 = 0, \ X_3 = 1, \ X_4 = 1, \ X_5 = 0$$
$$X_6 = 0{,}242, \ X_7 = 0{,}136, \ X_8 = 0, \ X_9 = 1$$

avec la valeur maximale de 62,808 $ pour la valeur actuelle nette du programme d'investissement.

Cela signifie que, pour obtenir la plus grande valeur actuelle nette de l'ensemble des projets d'investissement, l'entreprise KSW doit réaliser en entier les projets 1, 3, 4 et 9 et mettre en oeuvre 24,2% du projet 6 et 13,6% du projet 7.

---

[7] Voir G. Baillargeon, *Programmation linéaire en gestion*, Les Éditions SMG, pp. 63-108.

Le problème dual et sa signification pour la direction de KSW

Supposons que la direction de KSW inc. se pose la question suivante :

À quelle augmentation de la valeur actuelle nette du programme d'investissement peut-on s'attendre si l'on disposait, par exemple, d'un budget d'investissement de 17 $ au lieu de 16 $, soit une augmentation de 1 $ pour la deuxième période?

La réponse à ce genre de question s'obtient des variables duales. Nous savons en effet, qu'à tout problème de programmation linéaire, appelé problème primal, correspond un problème dual.

Le problème dual pour le programme d'investissement de l'entreprise KSW inc. se présente ainsi :

Minimiser

$$W = 50Y_1 + 16Y_2 + Y_3 + Y_4 + Y_5 + Y_6 + Y_7 + Y_8 + Y_9 + Y_{10} + Y_{11}$$

soumise aux contraintes suivantes :

$$12Y_1 + 3Y_2 + Y_3 \geq 14$$
$$54Y_1 + 7Y_2 + Y_4 \geq 17$$
$$6Y_1 + 6Y_2 + Y_5 \geq 17$$
$$6Y_1 + 2Y_2 + Y_6 \geq 15$$
$$30Y_1 + 35Y_2 + Y_7 \geq 40$$
$$6Y_1 + 6Y_2 + Y_8 \geq 12$$
$$48Y_1 + 4Y_2 + Y_9 \geq 14$$
$$36Y_1 + 3Y_2 + Y_{10} \geq 10$$
$$18Y_1 + 3Y_2 + Y_{11} \geq 12$$

avec $Y_1 \geq 0$, $Y_2 \geq 0,..., Y_{11} \geq 0$.

> **Variables duales**
>
> Y_1 et Y_2 étant les deux variables duales associées aux contraintes de budget et Y_3 à Y_{11} sont les neuf variables duales associées aux contraintes relatives aux pourcentages de réalisation éventuelle des projets ($X_j \leq 1$).

La solution optimale de ce problème dual est :

$Y_1 = 0{,}136$, $Y_2 = 1{,}864$, $Y_3 = 6{,}77$, $Y_4 = 0$, $Y_5 = 5$, $Y_6 = 10{,}45$, $Y_7 = 0$, $Y_8 = 0$, $Y_9 = 0$, $Y_{10} = 0$, $Y_{11} = 3{,}95$ et $W = 62{,}808$.

L'interprétation des deux premières variables duales (Y_1 et Y_2), qui correspondent aux deux contraintes de fonds disponibles, permet de répondre à la question posée précédemment par la direction de KSW inc.

De façon générale, on peut mentionner que :

La variable duale Y_i, associée à la i ème contrainte du primal, permet de déterminer l'accroissement (diminution) de la valeur de la fonction objectif pour une augmentation (diminution) marginale de la ressource correspondante.

Ainsi, puisque $Y_1 = 0,136$, une augmentation unitaire du budget d'investissement de la première période (on passe de 50 \$ à 51 \$) permettrait d'augmenter la valeur actuelle nette de l'ensemble du programme d'investissement de 0,136 \$. D'autre part, étant donné que $Y_2 = 1,864$, une augmentation unitaire du budget de la deuxième période (on passe de 16 \$ à 17 \$) permettrait d'augmenter la valeur actuelle nette du programme d'investissement de 1,864 \$. Ces variables duales sont donc très utiles au gestionnaire pour décider s'il vaut la peine d'accroître ou non le budget d'investissement alloué pour une période donnée. Toutefois, avant d'entreprendre toute modification des ressources (budget alloué), il faut définir le domaine de validité des variables duales.

À l'aide d'un programme informatique, on obtient les limites suivantes pour les contraintes de disponibilités financières :

$$44 \leq \frac{\text{Budget disponible pour}}{\text{la première période}} \leq 66 \qquad (Y_1 = 0,136)$$

$$14,667 \leq \frac{\text{Budget disponible pour}}{\text{la deuxième période}} \leq 20,167 \quad (Y_2 = 1,864)$$

À ce stade, il est sans doute utile de rappeler qu'une des hypothèses de base du problème a trait au fait que les projets sont divisibles et qu'il est notamment possible de réaliser 24,2% du projet 6 et 13,6% du projet 7. Cependant, dans la réalité, il n'en va pas toujours ainsi et l'on doit alors accepter les projets en entier ou encore les rejeter complètement. Cette restriction supplémentaire requiert l'utilisation d'un modèle de programmation linéaire en nombres entiers, où X_j ne peut prendre que les valeurs entières 1 ou 0, ce qui a pour effet d'exclure tout fractionnement de projet.

Solution avec un algorithme de programmation linéaire en nombres entiers

À l'aide d'un programme informatique, on obtient la solution entière suivante :

$$X_1 = 1, \ X_2 = 0, \ X_3 = 1, \ X_4 = 1$$
$$X_5 = 0, \ X_6 = 0, \ X_7 = 0, X_8 = 0, X_9 = 1,$$

avec une valeur maximale de 58 \$ pour la valeur actuelle nette du programme d'investissement.

Avec ces restrictions supplémentaires concernant les X_j, l'entreprise KSW inc. ne doit réaliser que les projets 1, 3, 4 et 9.

Remarque. Il arrive fréquemment, en pratique, que l'on utilise les techniques de programmation linéaire (algorithme du simplexe) usuelles et que, suite à l'obtention de la solution optimale, on décide d'accepter les projets ayant un pourcentage X_j élevé et de rejeter ceux dont le pourcentage est faible. (Il faut toutefois s'assurer que l'on respecte toujours les contraintes du modèle de programmation linéaire.) Ainsi, dans notre cas, les projets 6 ($X_6 = 0,242$) et 7 ($X_7 = 0,136$) seraient refusés, ce qui aurait pour effet de réduire la valeur maximale de la valeur actuelle nette du programme d'investissement (on passe de 62,808 \$ à 58 \$). Cette dernière solution correspond à celle obtenue à l'aide de la programmation en nombres entiers (ce qui n'est pas toujours le cas).

Conclusion

On peut conclure cette section en mentionnant que la programmation linéaire est un outil systématique qui permet de rendre plus rigoureuse la sélection des projets d'investissement en contexte de rationnement de capital. Toutefois, il convient de souligner que cette technique mathématique est basée sur des hypothèses plutôt restrictives - notamment que les flux monétaires des projets sont certains - qui, en général, ne constituent pas une description exacte de la réalité. De plus, l'entreprise qui désire utiliser des modèles mathématiques de ce genre dans la prise de décisions financières devra engager du personnel très qualifié, ce qui entraînera des coûts substantiels. Pour ces raisons et certaines autres, on constate, qu'en pratique, le recours à la programmation linéaire dans la prise de décisions financières est, de nos jours, encore plutôt limité et semble être réservé à quelques grandes entreprises possédant d'énormes ressources financières et techniques.

7.3.3 La décision d'abandonner un projet d'investissement[8]

Jusqu'à maintenant, nous avons supposé, lors de l'analyse de la rentabilité d'un projet d'investissement, que ce dernier avait une durée de vie déterminée. Toutefois, dans certaines circonstances - c'est notamment le cas lorsque les flux monétaires anticipés doivent être révisés à la baisse -, il peut s'avérer préférable pour l'entreprise, d'un point de vue financier, d'abandonner un projet avant que ce dernier n'arrive à terme. Pour illustrer, supposons la situation suivante.

Exemple 7.9

Analyse de la décision d'abandonner un projet d'investissement à une date donnée

Au début de l'année 1, l'entreprise GMS inc. a décidé d'investir un montant de 75 000 $ pour moderniser son système d'empaquetage destiné à l'un de ses produits. Au moment de l'analyse du projet, les flux monétaires nets anticipés, pour chacune des années du projet, étaient les suivants :

Années	Flux monétaires net anticipés (fin de période)
1	10 000 $
2	10 000
3	16 000
4	16 000
5	18 000
6	18 000
7	20 000
8	20 000

---

[8] Pour une analyse plus en profondeur, voir : Robichek, A.A. et J.C. Van Horne, « Abandonment Value and Capital Budgeting », *Journal of Finance*, décembre 1967, 577-589.

Le taux d'actualisation approprié, lors de l'analyse du projet, était de 10% et aucune valeur résiduelle n'était anticipée à la fin du projet. Sur la base des prévisions effectuées, l'analyste financier de l'entreprise avait alors calculé une VAN de 6 235 $ pour ce projet et, par conséquent, recommandé son acceptation.

Deux ans plus tard (soit au début de l'année 3), on constate que les flux monétaires annuels générés pour les années 1 et 2 ont été inférieurs aux prévisions initiales et se sont élevés à seulement 5 000 $. De plus, les prévisions pour les six années restantes du projets sont maintenant les suivantes :

Années	Flux monétaires net anticipés (fin de période)
3	8 000 $
4	8 000
5	9 000
6	9 000
7	10 000
8	10 000

Enfin, après avoir effectué certaines vérifications, il semble possible de trouver une entreprise qui accepterait de verser 40 000 $ maintenant pour l'équipement que GMS inc. a acquis il y a deux ans.

On veut savoir si l'entreprise GMS inc. devrait abandonner ce projet maintenant, c'est-à-dire au début de l'année 3.

Solution

Pour en arriver à une décision éclairée, il s'agit de comparer la valeur résiduelle (au début de l'année 3) de l'équipement concerné avec la valeur actualisée (au début de l'année 3) des flux monétaires nets révisés pour les années 3 à 8. La règle de décision sera alors la suivante. Si la valeur actualisée des flux monétaires nets révisés excède 40 000 $, on poursuivra le projet. Inversement, si la valeur actualisée des flux monétaires nets révisés est inférieure à 40 000 $, le projet sera abandonné.

La valeur actualisée (au début de l'année 3) des flux monétaires nets révisés se calcule ainsi :

$$\begin{aligned}\text{Valeur actualisée des flux monétaires nets révisés (6 années restantes)} &= 8\ 000\,A_{\overline{2}|10\%} + 9\ 000\,A_{\overline{2}|10\%}(1+0{,}10)^{-2} \\ &\quad + 10\ 000\,A_{\overline{2}|10\%}(1+0{,}10)^{-4} \\ &= 38\ 647\ \$\end{aligned}$$

La revente immédiate de l'équipement pour un montant de 40 000 $ est donc préférable à la poursuite de son exploitation jusqu'à la fin de l'année 8. Toutefois, il n'est pas certain que le début de l'année 3 soit le moment le plus propice pour abandonner le projet. En effet, il se peut qu'un abandon à une date ultérieure (par exemple, au début de l'année 4 ou de l'année 5) soit plus avantageux, d'un point de vue financier, que la revente immédiate de l'équipement. Cette possibilité est envisagée ci-dessous.

Le moment propice pour abandonner un projet

Pour déterminer le moment optimal d'abandon du projet, on doit calculer, pour différentes dates d'abandon, la valeur actualisée des flux monétaires nets révisés du projet (incluant la valeur de revente prévue de l'équipement). La décision optimale sera alors de choisir la date d'abandon permettant de maximiser la valeur actualisée des flux monétaires nets révisés du projet (incluant la valeur de revente de l'équipement). Pour illustrer, supposons les valeurs de revente suivantes :

Valeurs de revente prévues		Flux monétaires net révisés	
40 000 $	(Début de l'année 3)		
35 000	(Début de l'année 4)	8 000 $	(Fin de l'année 3)
33 000	(Début de l'année 5)	8 000	(Fin de l'année 4)
30 000	(Début de l'année 6)	9 000	(Fin de l'année 5)
15 000	(Début de l'année 7)	9 000	(Fin de l'année 6)
8 000	(Début de l'année 8)	10 000	(Fin de l'année 7)
0	(Début de l'année 9)	10 000	(Fin de l'année 8)

À partir de ces prévisions, on peut calculer la valeur actualisée des flux monétaires nets révisés (incluant la valeur de revente) pour différentes dates d'abandon. On obtient alors les résultats suivants :

	Moment où le projet est abandonné	Valeur actualisée, au début de l'année 3, des flux monétaires nets révisés (incluant la valeur de revente de l'équipement)
	Début de l'année 3	40 000 $
	Début de l'année 4	39 091
Moment	Début de l'année 5	41 157
optimal	Début de l'année 6	43 186
d'abandon	Début de l'année 7	37 038
	Début de l'année 8	37 970
	Début de l'année 9	38 647

Les résultats obtenus nous indiquent que l'entreprise GMS inc. devrait revendre l'équipement dans 3 ans (c.-à-d. au début de l'année 6) plutôt que d'abandonner maintenant (c.-à-d. au début de l'année 3) ce projet. En plus des calculs effectués, on devra vérifier si l'abandon du projet avant la fin de sa vie potentielle aurait un impact sur les autres activités de l'entreprise. Dans l'affirmative, les aspects qualitatifs et quantitatifs devront être pris en considération pour en arriver à une décision définitive relativement à la date d'abandon du projet.

7.3.4 La durée de vie optimale d'un projet d'investissement

Les projets d'investissement n'ont pas toujours une durée de vie économique facile à déterminer. Des projets tels que la coupe de bois ou le vieillissement de certaines boissons ont tendance à générer des revenus qui croissent avec le temps et ainsi compliquer la fixation de la durée de vie optimale du projet. Par exemple, dans le cas d'une coupe de bois, la question à se poser est la suivante : « vaut-il mieux couper les arbres immédiatement ou attendre que ces derniers deviennent plus gros? » Ce que l'on désire connaître en réalité, c'est le moment le plus propice pour effectuer la coupe de bois, soit le moment où l'on réalisera le plus grand bénéfice.

Pour ce faire, il nous faudra tenir compte du montant initial de l'investissement, de la valeur temporelle de l'argent et de l'évolution des coûts et des revenus du projet au fil des années. La durée optimale d'un projet peut alors se calculer à partir d'une analyse conventionnelle de la VAN ou d'un modèle mathématique reflétant les principales caractéristiques du projet. Cette dernière approche est d'ailleurs souvent la plus simple, puisqu'il nous suffit de dériver la fonction mathématique pour trouver la durée de vie optimale du projet. Pour illustrer les deux approches possibles, considérons la situation suivante.

Supposons que le propriétaire d'un vignoble vous demande de lui indiquer pendant combien de temps il devrait faire vieillir son vin avant de le vendre. Pour vous aider, il vous indique que le profit net qu'il reçoit de la vente d'une bouteille de vin peut s'exprimer ainsi :

Profit net par bouteille $= (4t)^{1/3}$

où t indique le nombre d'années de vieillissement du vin avant la vente. Ainsi, le profit net par bouteille de vin sera de 1,59 $ si le vin est âgé d'un an et de 2,71 $ s'il est âgé de 5 ans.

On vous informe, de plus, que l'investissement initial est en moyenne de 0,40 $ par bouteille et que le taux d'actualisation approprié est de 11,75%. La valeur actuelle nette pour chaque bouteille de vin est alors obtenue de la façon suivante :

$$\text{VAN} = -\left(\begin{array}{c}\text{Investissement initial}\\\text{par bouteille}\end{array}\right) + \left(\begin{array}{c}\text{Profit net actualisé}\\\text{par bouteille}\end{array}\right)$$

$$\text{VAN} = -0,40 + (4t)^{1/3}(1 + 0,1175)^{-t}$$

Analyse du modèle mathématique

Il s'agit donc de déterminer la valeur de t qui maximise la valeur actuelle nette (VAN). Pour ce faire, on doit calculer la dérivée première de la fonction ci-dessous et déterminer la valeur de t pour laquelle cette dérivée est nulle. On obtient alors :

$$VAN = -I + (4t)^{1/3}(1+0,1175)^{-t}$$

$$\frac{d(VAN)}{dt} = \frac{(4t)^{-2/3}}{3}(4)(1+0,1175)^{-t} - (4t)^{1/3}(1+0,1175)^{-t} ln(1+0,1175)$$

Par la suite, en annulant cette dérivée première, on trouve :

$$\frac{d(VAN)}{dt} = \frac{(4t)^{-2/3}}{3}(4)(1+0,1175)^{-t} - (4t)^{1/3}(1+0,1175)^{-t} ln(1+0,1175) = 0$$

$$\frac{(4t)^{-2/3}}{3}(4)(1+0,1175)^{-t} = (4t)^{1/3}(1+0,1175)^{-t} ln(1+0,1175)$$

$$\frac{(4t)^{-2/3}}{3} = (4t)^{1/3} ln(1+0,1175)$$

$$\frac{4}{3(4t)} = ln(1+0,1175)$$

d'où :

$$t = \frac{1}{3 ln(1+0,1175)} = 3,00046 \text{ années}$$

Pour maximiser la valeur actuelle nette du projet, il faudra donc laisser vieillir le vin pendant trois ans avant de le vendre. On peut vérifier ce dernier résultat en calculant la VAN du projet pour différentes durées de vie. On constate, au tableau 7.6, que la VAN du projet est maximale lorsque sa durée de vie est de 3 ans.

Tableau 7.6   **VAN du projet pour différentes durées de vie**

	Années	Profit net par bouteille = $(4t)^{1/3}$	Valeur actualisée du profit net par bouteille = $(4t)^{1/3}(1,1175)^4$	Investissement par bouteille	VAN
	1	1,59 $	1,42 $	0,40 $	1,02 $
	2	2,00	1,60	0,40	1,20
Durée de	3	2,29	1,64	0,40	1,24
vie	4	2,52	1,62	0,40	1,22
optimale	5	2,71	1,56	0,40	1,16
	6	2,88	1,48	0,40	1,08
	7	3,04	1,40	0,40	1,00
	8	3,17	1,31	0,40	0,91

7.4   Concepts fondamentaux

- La déduction pour amortissement fiscal (allocation du coût en capital) vise à répartir les coûts d'acquisition de certains actifs (immeubles, mobiliers, équipements, etc.) sur plusieurs années. Pour amortir ces actifs, on utilise généralement la méthode du solde dégressif à taux constant ou, dans certains cas, la méthode linéaire.

- Le calcul de l'amortissement fiscal est basé sur le solde de la catégorie en fin d'année. Pour établir la dépense d'amortissement, il s'agit simplement de multiplier le solde de la catégorie en fin d'année par le taux d'amortissement autorisé. De plus, rappelons que, pour l'année de mise en service du bien, l'allocation du coût en capital permise est réduite de 50%.

- La revente d'un actif amortissable provoque une diminution du solde de la catégorie égale au moindre du coût d'acquisition et du produit de disposition.

- La revente d'un bien à un prix supérieur à son coût d'acquisition donne lieu à un gain en capital dont la moitié doit être ajoutée au revenu imposable de l'entreprise.

- Lorsqu'il n'y a plus de biens dans la catégorie et que celle-ci présente un solde positif, l'entreprise peut bénéficier d'une perte finale déductible en totalité de ses revenus de l'année courante. Inversement, dans le cas où le solde de la classe affiche un solde négatif, il doit être additionné - que la catégorie soit fermée ou non - aux autres revenus de l'entreprise de l'année courante et entraîne une récupération d'amortissement imposable en entier.

- La revente d'un actif amortissable ne peut jamais occasionner une perte en capital.

- Les principaux éléments à considérer dans le calcul de la valeur actuelle nette (VAN) d'un projet d'investissement sont habituellement le montant des investissements requis, la valeur actualisée des recettes nettes après impôt, la valeur actualisée des économies d'impôt liées à l'amortissement fiscal et les valeurs résiduelles des actifs (lorsque celles-ci sont significatives). Dans bien des cas, la prise en compte des autres éléments (rentrées de fonds en cours de projet, impôts à payer sur une récupération d'amortissement et/ou un gain en capital imposable, économies d'impôt liées à une perte finale, etc.) n'affecte pas substantiellement le résultat final obtenu et ne modifie pas la décision d'accepter ou de refuser le projet d'investissement analysé.

- Pour déterminer la VAN d'un projet d'investissement en contexte inflationniste, il existe deux façons de procéder. La première approche possible consiste à actualiser au taux nominal exigé des flux monétaires qui intègrent l'inflation anticipée pendant la durée de vie du projet. Pour sa part, la seconde approche repose sur le principe que des flux monétaires exprimés en dollars courants doivent être actualisés à un taux réel.

- Un problème de rationnement de capital survient lorsque le budget des investissements de l'entreprise ne lui permet pas d'accepter tous les projets rentables, c'est-à-dire tous ceux comportant une VAN positive. Dans un tel contexte, le gestionnaire doit sélectionner la combinaison de projets qui procure la VAN totale la plus élevée et ce, tout en respectant la contrainte budgétaire. À cette fin, la programmation linéaire peut s'avérer utile et même essentielle dans de nombreuses situations rencontrées en pratique.

- Lorsqu'il s'avère avantageux, d'un point de vue financier, d'abandonner un projet d'investissement avant la fin de sa durée de vie potentielle, la date la plus propice pour le faire est celle permettant de maximiser la valeur actualisée de ses flux monétaires nets révisés (incluant les valeurs de revente des actifs).

- La durée de vie optimale d'un projet d'investissement est celle qui maximise sa VAN.

7.5 Mots clés

Amortissement dégressif à taux constant (p. 283)
Amortissement fiscal (p. 283)
Amortissement linéaire (p. 283)
Décision d'abandonner un projet (p. 315)
Durée de vie optimale d'un projet (p. 318)
Économies d'impôt liées à l'amortissement fiscal (p. 289)
Fiscalité canadienne (p. 282)
Gain en capital imposable (p. 283)
Inflation (p. 306)
Investissement initial (p. 290)
Pertes d'économies d'impôt liées à l'amortissement fiscal (p. 293)
Perte en capital (p. 285)
Perte finale (p. 285)
Programmation linéaire (p. 310)

Rationnement de capital (p. 309)
Recettes nettes après impôt (p. 289)
Récupération d'amortissement (p. 285)
Récupération du fonds de roulement (p. 301)
Règle du demi-taux (p. 285)
Relation de Fisher (p. 307)
Rentrée de fonds perdue (p. 300)
Solde d'une catégorie (p. 283)
Sortie de fonds en cours de projet (p. 299)
Sortie de fonds évitée (p. 299)
Taux d'imposition marginal (p. 289)
Taux d'intérêt nominal (p. 307)
Taux d'intérêt réel (p. 307)
Valeur de revente (p. 292)

7.6 Sommaire des principales formules

Voir le tableau 7.3 pour le calcul de la VAN d'un projet d'investissement en contexte fiscal canadien.

Relation de Fisher

$$(1 + TI)(1 + TR) = (1 + r)$$

où TI : Taux annuel d'inflation anticipé pendant le projet
     TR : Taux de rendement réel requis sur le projet
     r : Taux de rendement nominal requis sur le projet

7.7 Exercices

Série A

1. Du matériel (catégorie 8, taux d'amortissement de 20% sur le solde dégressif) valant 100 000 $ est acheté au début de l'année 1 par une entreprise imposée à 45%. Le bien acheté est le seul de la catégorie 8. Déterminez l'économie d'impôt liée à la perte finale si le bien est vendu pour 10 000 $ au début de l'année 7.

2. Un actif coûtant 100 000 $ est amortissable pour fins fiscales selon la méthode linéaire. Le taux d'amortissement est de 20% et la règle du demi-taux est applicable. En utilisant un taux d'imposition de 30% et un taux d'actualisation de 12%, déterminez la valeur actualisée, au temps 0, des économies d'impôt relatives à l'amortissement fiscal.

3. L'entreprise Valmont inc. achète au début de l'année 1 un actif coûtant 100 000 $. Cet actif est amortissable pour fins fiscales selon la méthode du solde dégressif. Le taux d'amortissement est de 20% et la règle du demi-taux est applicable. On estime que le taux d'imposition de l'entreprise évoluera ainsi au cours des prochaines années:

Année 1 : 40%
Année 2 : 35%
Année 3 : 30%
Année 4 : 25%

En utilisant un taux d'actualisation de 12%, déterminez la valeur actualisée (au début de l'année 1) des économies d'impôt relatives à l'amortissement fiscal de cet actif des quatre prochaines années.

4. Au début de l'année 1, une entreprise achète 5 camions (catégorie 10, 30% sur le solde dégressif) au coût unitaire de 30 000 $. Trois ans plus tard (soit au début de l'année 4), elle revend deux de ses camions au prix unitaire de 15 000 $. Quelques mois plus tard au cours de la même année, elle achète 3 nouveaux camions au prix unitaire de 40 000 $. Calculez le solde de la catégorie 10 au début de l'année 7.

5. Une entreprise envisage d'acheter un véhicule de 40 000 $ qui générerait des rentrées de fonds de 26 000 $ par année pendant 5 ans. Il serait conduit par un chauffeur gagnant 13 000 $ par année et utiliserait 120 $ de carburant par semaine. L'entretien coûte 200 $ par mois. L'entreprise loue un garage pour abriter les 12 camions qu'elle possède déjà pour 520 $ par mois. Il peut contenir 15 camions. Le gardien gagne 9 000 $ par an. Sachant que : (1) le taux maximal d'amortissement dégressif est de 30%, (2) l'entreprise utilise dans ses livres l'amortissement linéaire sur 5 ans, (3) le taux d'impôt corporatif s'élève 45% et (4) le taux de rendement exigé est de 15%, calculez :

a) le flux monétaire généré durant la cinquième année;

b) la VAN, si le camion est revendu pour 18 000 $ au début de l'année 6 (sans fermeture de classe).

6. La compagnie Nora inc. envisage de remplacer un camion acheté il y a 3 ans et dont la durée de vie restante est de 6 ans. Ce camion pourrait être revendu pour 1 500 $ maintenant ou pour 400 $ au début de l'année 7.

Le nouveau camion coûte 15 000 $, a une durée de vie prévue de 6 ans et une valeur résiduelle estimée à 3 000 $ au début de l'année 7. En achetant le nouveau camion, la compagnie pourrait réduire ses frais d'exploitation de 2 000 $ par année au cours de la première année du projet. Par la suite, on anticipe que les économies relatives aux frais d'exploitation augmenteront au taux annuel de 6% pour atteindre 2 676,45 $ à l'année 6.

Le taux d'impôt de la compagnie s'élève à 40% et les camions sont amortis au taux dégressif de 30%. Le taux d'actualisation approprié est évalué à 14%. La compagnie Nora inc. devrait-elle remplacer le vieux camion?

7. L'entreprise Camtek inc. étudie la possibilité d'acquérir un nouvel équipement au coût de 850 000 $. Cet équipement est amortissable, pour fins fiscales, au taux dégressif de 20%.

L'investissement projeté permettrait à l'entreprise de réduire ses coûts annuels de main-d'oeuvre de 200 000 $ ainsi que ses coûts annuels de matières premières de 45 000 $. Les économies prévues sont avant impôt.

Le projet a une durée de vie probable de 5 ans et on estime, qu'au début de l'année 6, l'équipement aura une valeur de revente de 350 000 $.

Des réparations de 90 000 $ devront être effectuées sur l'équipement à la fin de la troisième année. D'un point de vue fiscal, cette dépense devra, selon le comptable de l'entreprise, fort probablement être capitalisée.

On vous informe, de plus, que l'achat du nouvel équipement aurait pour effet d'utiliser d'une façon moins intensive une certaine pièce d'équipement que possède déjà l'entreprise et permettrait, de ce fait, de ne pas y effectuer une remise à neuf prévue dans un an et dont le coût est estimé à 15 000 $. Pour fins fiscales, ce déboursé de 15 000 $, s'il avait lieu, pourrait être considéré comme une dépense de l'année courante.

Le comptable de l'entreprise n'est pas certain si, au début de l'année 6, lors de la disposition de l'équipement, il y aura fermeture ou non de la catégorie d'actif. En conséquence, on vous demande d'évaluer la rentabilité de cet investissement selon que la classe d'actif ferme ou reste ouverte après la revente de cet équipement. Supposez que le taux d'impôt de l'entreprise est de 40% et que le taux de rendement exigé est de 12%.

8. L'entreprise Mira inc. étudie présentement un projet d'investissement dont les principales caractéristiques sont les suivantes :

- Nature de l'investissement : équipement de fabrication;
- Montant initial de l'investissement : 400 000$;
- Le taux d'amortissement permis pour cet équipement est de 20% sur le solde dégressif;
- Valeur résiduelle prévue de l'équipement dans 5 ans : aucune;
- La durée du projet est de 5 ans;
- Le taux de rendement nominal requis est de 14%.

	Année 1
Ventes	600 000 $
Coût des marchandises vendues (60%)	360 000
Marge brute (40%)	240 000 $
Autres déboursés	100 000
Flux monétaire avant impôt et avant amortissement	140 000 $
Impôt (40%)	56 000
Flux monétaire après impôt et avant amortissement	84 000 $

On prévoit une croissance annuelle de 5% des déboursés, du coût des marchandises vendues et des ventes au cours des 5 prochaines années. Les résultats de l'année 1 tiennent déjà compte de cette croissance de 5%.

Ce projet devrait-il être accepté?

9. Soit un projet d'investissement dont les flux monétaires prévus en dollars courants sont les suivants :

FM_0	FM_1	FM_2	FM_3
-60 $	40 $	30 $	20 $

Le taux d'inflation moyen annuel prévu au cours des 3 prochaines années est de 6%. Si le taux d'inflation était nul, on exigerait un taux de rendement annuel minimum de 8% pour ce genre de projet. Quelle est la VAN de ce projet?

10. Soit un projet dont les flux monétaires nominaux prévus sont les suivants :

FM_0	FM_1	FM_2	FM_3
-800	+400	+400	+400

Si le taux d'inflation était nul, l'entreprise exigerait un taux de rendement annuel de 10% sur un projet de cette catégorie. Pour les trois prochaines années, les économistes anticipent un taux d'inflation annuel moyen de 5%. Laquelle des expressions ci-dessous représente bien la VAN de ce projet?

a) $-800 + 400\,A_{\overline{3}|10\%}$

b) $-800 + 400\,(1 + 0{,}1550)^{-3}$

c) $-800 + 400\left[\dfrac{1 - \left(\dfrac{1 + 0{,}05}{1 + 0{,}1550}\right)^{3}}{0{,}1550 - 0{,}05}\right]$

d) $-800 + 400(1 + 0{,}05)^{-1}\,A_{\overline{3}|10\%}$

e) $-800 + \dfrac{400(1 + 0{,}05)^{-1}}{(1 + 0{,}10)} + \dfrac{400(1 + 0{,}05)^{-2}}{(1 + 0{,}10)^{2}} + \dfrac{400(1 + 0{,}05)^{-3}}{(1 + 0{,}10)^{3}}$

11. La compagnie PGA inc. envisage la possibilité d'acquérir, au coût de 500 000 $, une machine qui produirait des balles de golf. Cette machine serait amortissable, pour fins fiscales, au taux dégressif de 20%. Sa durée de vie prévue est de 5 ans et sa valeur résiduelle au terme de cette période serait nulle.

Au cours des 5 prochaines années, cette machine produirait annuellement 200 000 balles de golf. Le prix de vente de ces balles est estimé à 2 $ la première année. Par la suite, le prix devrait augmenter au taux annuel de 3%. D'autre part, la production d'une balle de golf nécessiterait des déboursés de 1,25 $ la première année. Au cours des années subséquentes, ces déboursés devraient croître au taux annuel de 6%.

Le taux moyen annuel d'inflation prévu au cours des prochaines années est de 5%. La compagnie est imposée au taux marginal de 36%. En supposant que le taux de rendement nominal requis sur ce projet s'élève à 15%, devrait-on l'accepter?

Série B

12. À la fin de 1, une entreprise achète 4 camions (catégorie 10, 30% sur le solde dégressif) au coût unitaire de 50 000 $. Au début de l'année 3, elle revend deux de ses camions au prix unitaire de 18 000 $. Quelques mois plus tard au cours de la même année, elle achète 2 nouveaux camions au prix unitaire de 60 000 $. Au début de l'année 8, elle revend deux de ses camions au prix unitaire de 15 000 $. Déterminez le solde de la catégorie 10 au début de l'année 9.

13. Au début de l'année 1, l'entreprise LSM inc. achète une pièce d'équipement coûtant 100 000 $ (cat. 8, 20% sur le solde dégressif). Pour l'année 1, son taux d'imposition est de 40%. À partir de l'année 2, ce taux passera à 35% et ce, pour tout l'avenir prévisible. En utilisant un taux d'actualisation de 12%, déterminez la valeur actualisée, au début de l'année 1, des économies d'impôt relatives à l'amortissement fiscal.

14. Dans un certain pays d'Afrique du Sud, le gouvernement vient de passer une loi en vertu de laquelle les entreprises devront dorénavant utiliser, pour fins fiscales, la méthode de l'amortissement proportionnel à l'ordre numérique inversé des années. Une entreprise de l'endroit achète au coût de 60 000 $ un actif amortissable sur 4 ans. Au terme de cette période, on estime que la valeur résiduelle de l'actif sera nulle. En utilisant un taux d'actualisation de 12% et un taux d'impôt de 38%, déterminez la valeur actualisée, au temps 0, des économies d'impôt relatives à l'amortissement fiscal.

15. M. Lavigueur vient de gagner 500 000 $ à la loterie. Il envisage l'achat d'une machine intégrée pour la fabrication de pièces électroniques dont le coût, installation comprise, serait justement de 500 000 $. Elle serait amortie, pour fins fiscales, au taux dégressif de 20%. Au début de l'année 4, M. Lavigueur prendrait sa retraite. Il pense pouvoir revendre la machine 200 000 $ à ce moment-là et cesser toute activité.

Il a embauché un comptable pour évaluer le projet et celui-ci lui a remis les chiffres suivants, tirés d'un état prévisionnel des résultats :

Années	Profits comptables (après impôt)*
1	150 000 $
2	170 000
3	186 000

* Ces chiffres ont été obtenus en utilisant l'amortissement linéaire sur 3 ans et en supposant une valeur résiduelle de 200 000 $ dans 3 ans et un taux d'imposition de 40%.

Le taux de rendement minimum exigé par M. Lavigueur sur ce genre d'investissement est de 14%.

a) En supposant que les prévisions du comptable se réalisent, calculez la VAN de ce projet et dites s'il est acceptable.

b) M. Lavigueur a oublié qu'il aurait besoin d'un fonds de roulement de 100 000 $ au début du projet (cette somme sera toutefois récupérable une fois le projet terminé). Quel est l'effet de cette modification sur la VAN du projet?

 16. L'entreprise Iano inc. envisage d'accroître sa capacité de production. Dans ce but, elle doit procéder, dès maintenant, à l'acquisition d'un terrain au prix de 400 000 $ et à la construction d'un bâtiment de 800 000 $. Le bâtiment est amortissable, pour fins fiscales, au taux dégressif de 4%. Au début de l'année 2, l'entreprise devra payer 300 000 $ pour l'achat d'équipement. Cet équipement est amortissable, pour fins fiscales, au taux dégressif de 20%.

Les recettes nettes annuelles prévues du projet (avant amortissement et impôt) sont les suivantes :

Année	Recettes nettes
1	-
2 à 8	350 000 $
9 à 16	300 000 $

La direction de l'entreprise pense que la valeur du terrain augmentera à un taux annuel de 12% au cours des 8 prochaines années. Par le suite, sa valeur devrait croître au taux annuel de 9%. À la fin de la seizième année, l'entreprise vendra le terrain. Quant à l'équipement, on anticipe qu'il n'aura aucune valeur de récupération à la fin du projet. Finalement, on pense que le bâtiment pourra être vendu pour 700 000 $ à la fin de l'année 16 (sans fermeture de classe).

L'entreprise exige un taux de rendement minimal de 15% sur ce genre d'investissement. L'an dernier, la compagnie a réalisé un bénéfice après impôt de 2 000 000 $ et a payé 1 200 000 $ d'impôt.

a) Calculez la VAN de ce projet et dites s'il est acceptable.

b) Si l'entreprise pouvait recevoir une subvention de 100 000$ applicable à l'achat de l'équipement au début de l'année 2, cela modifierait-il votre réponse? Si oui, comment?

17. La compagnie agricole KLC inc. considère la possibilité d'acquérir un terrain coûtant 160 000 $ dans le but d'effectuer la culture du blé. Advenant la réalisation de ce projet, elle devra également débourser immédiatement un montant de 60 000 $ pour acquérir du matériel et de l'outillage (catégorie 8, 20% sur le solde dégressif).

Selon les prévisions disponibles, le terrain devrait produire 600 tonnes métriques de blé pendant les trois premières années. Au cours des trois années suivantes, la quantité de blé produite s'élèvera à 650 tonnes métriques par année. Les experts anticipent que le prix du blé évoluera ainsi au cours des six prochaines années.

Année	Prix prévu du blé par tonne métrique
1	200 $
2	200 $
3	200 $
4	250 $
5	250 $
6	250 $

On estime également que les déboursés liés au projet (incluant les salaires) représenteront 32% des revenus provenant de la culture du blé.

La compagnie prévoit revendre le terrain au début de la septième année et s'attend à ce que le prix des terrains augmente de 4% par année au cours des six prochaines années.

Autres informations

1. Le taux d'imposition marginal de l'entreprise s'élève à 36%.
2. Si le taux d'inflation était nul, l'entreprise exigerait un taux de rendement minimal de 10% pour un projet de cette catégorie.
3. Pour les six prochaines années, on prévoit un taux moyen annuel d'inflation de l'ordre de 4%.
4. La valeur de récupération du matériel et de l'outillage sera nulle dans six ans.
5. Une fois le projet terminé, KLC continuera à exploiter d'autres terres agricoles.

a) Quel est le délai de récupération de cet investissement? Supposez que les flux monétaires sont répartis uniformément au cours de l'année.

b) Selon le critère de la VAN, ce projet devrait-il être accepté?

18. Au début de l'année 1, la compagnie BMC inc. considère la possibilité d'entreprendre la construction d'un nouveau centre des matériaux à Champlain, en banlieue de Trois-Rivières. On dispose des informations suivantes concernant ce projet :

1) La construction de ce centre nécessiterait une mise de fonds de 300 000 $ se répartissant comme suit :

Terrain	65 000 $
Bâtiment	145 000 $
Équipement	60 000 $
Augmentation du fonds de roulement net	30 000 $

2) Cet investissement permettrait de réaliser des économies annuelles de 100 000 $ (avant amortissement et impôt) pour les années 1 à 3 inclusivement.

3) Au début de l'année 4, l'entreprise prévoit revendre le terrain pour 110 000 $, le bâtiment pour 125 000 $ et l'équipement pour environ 10 000 $. De plus, l'investissement dans le fonds de roulement sera récupérable au début de l'année 4.

4) Le contrôleur de la compagnie estime que l'on devrait utiliser un taux d'actualisation de 16% pour évaluer la rentabilité de ce projet. Ce taux a été calculé il y a deux ans alors que l'inflation était de 8%.

5) Pour les prochaines années, on anticipe un taux annuel d'inflation de 6%.

6) Depuis deux ans, le risque de BMC inc. a peu évolué.

7) Dans l'estimation des économies et des prix de vente pour le terrain, le bâtiment et l'équipement, on n'a pas tenu compte de l'inflation anticipée pour les prochaines années.

8) Pour fins fiscales, l'équipement est amortissable au taux dégressif de 20%. D'un point de vue comptable, on utilisera plutôt l'amortissement linéaire sur 3 ans. De plus, la revente de l'équipement au début de l'année 4 ne provoquera pas la fermeture de la catégorie.

9) Pour fins fiscales, le bâtiment est amortissable au taux dégressif de 4%. D'un point vue comptable, on amortira linéairement l'actif sur 20 ans. Supposez que sa revente n'entraînera pas la fermeture de la classe.

10) Le taux d'impôt marginal de BMC inc. est de 40%. Au cours des 5 dernières années, BMC inc. a payé, en moyenne, un taux d'impôt de 36%.

11) Le financement du projet nécessitera des versements annuels d'intérêt de 30 000 $.

a) Selon vous, quel est le taux d'actualisation à utiliser en vue d'évaluer la rentabilité de ce projet?

b) Quel est le flux monétaire anticipé pour la troisième année du projet?

c) La compagnie BMC inc. devrait-elle accepter ce projet?

d) Quel serait, toutes choses étant égales par ailleurs, l'impact (augmentation, diminution, aucun effet) de chacune des modifications suivantes sur la VAN du projet?

   1. Une augmentation du taux de rendement exigé.

   2. Une augmentation du taux d'amortissement fiscal pour l'équipement.

   3. Un changement de la méthode d'amortissement comptable pour le bâtiment.

   4. Une augmentation du taux d'impôt.

   5. Une augmentation de la valeur résiduelle de l'équipement.

   6. Une augmentation de la proportion du gain en capital assujettie à l'impôt.

   7. D'un point de vue fiscal, la règle du demi-taux n'est plus applicable en ce qui a trait à l'amortissement de l'équipement.

19. Pour fabriquer un de ses produits vedettes, la compagnie Melbeau inc. utilise présentement la machine X. Cette machine a coûté 85 000 $ il y a deux ans et sa valeur comptable s'élève actuellement à 50 000 $. On estime qu'elle pourrait être revendue maintenant pour 20 000 $ ou pour 6000 $ au début de l'année 6. Elle nécessite le recours de deux opérateurs dont le salaire total annuel sera de 60 000 $ pour cette année (année 1). On prévoit, de plus, que les frais d'entretien et de réparation relativement à cette machine seront de 5 000 $ pour la première année du projet.

Le directeur de la production pense que l'on devrait remplacer immédiatement (c.-à-d. au début de l'année 1) la machine X par la machine Y, dont le coût (y compris les frais d'installation) serait de 125 000 $. L'acquisition de la machine Y permettrait d'économiser sur les salaires ainsi que sur les frais d'entretien et de réparation. En effet, cette machine ne nécessite qu'un seul opérateur dont le salaire pour cette année est estimé à 30 000 $. De plus, les frais d'entretien et de réparation reliés à cette machine sont évalués à 3 000 $ pour l'année 1. La valeur résiduelle anticipée de la machine Y au début de l'année 6 s'élève à 25 000 $.

Autres informations

1. Les salaires, ainsi que les frais d'entretien et de réparation, sont payés en entier en fin d'année.

2. À partir de l'année 2, on pense que le salaire des opérateurs, ainsi que les frais d'entretien et de réparation, croîtront au taux annuel de 5%.

3. Le taux d'amortissement fiscal dégressif pour ce genre de machine est de 20%.

4. Le taux marginal d'imposition de l'entreprise est de 40%.

5. Si le taux d'inflation était nul, l'entreprise exigerait un taux de rendement annuel minimal de 10% pour un projet de cette catégorie.

6. Il y a 2 ans, alors que le taux d'inflation annuel était de 8%, l'analyste financier de l'entreprise avait utilisé un taux d'actualisation de 18,8% pour évaluer la rentabilité d'un projet de risque équivalent.

7. Pour les 5 prochaines années, on prévoit un taux moyen annuel d'inflation de l'ordre de 5%.

8. La catégorie 8 ne s'éteindra pas suite à la revente de la machinerie.

a) Calculez le flux monétaire de l'année 3.

b) En utilisant un taux d'actualisation qui vous semble approprié dans les circonstances, calculez la VAN de ce projet.

c) Quel est le TRI corrigé (TRI*) de ce projet?

Supposez que les flux monétaires sont réinvestis au taux d'actualisation que vous avez utilisé en b) pour calculer la VAN du projet.

20. La compagnie de textile Simex inc. envisage de faire l'acquisition d'une machine à tisser dont le coût s'élèvera à 40 000 $, incluant les frais de transport et d'installation. Cette machine est destinée à en remplacer une autre qui, 2 années auparavant, avait coûté 48 000 $. La machine que possède actuellement la compagnie est encore en bonne condition et sa valeur de revente est de 12 000 $.

Cependant, pour qu'elle puisse encore durer 10 ans, la compagnie devra débourser 2 000 $ à la fin de l'année 4 et 3 000 $ à la fin de l'année 7. Le déboursé de l'année 7 pourra être capitalisé ou passé aux dépenses (à la discrétion de la compagnie), tandis que le déboursé de l'année 4 devra nécessairement être capitalisé. Au début de la 11e année, la valeur de revente de la machine serait de 5 000 $.

Pour ce qui est de la nouvelle machine, on estime devoir faire un reconditionnement majeur à la fin de la 4e année au coût de 5 500 $ capitalisable. Au début de la 11e année, la nouvelle machine aura une valeur de revente de 11 000 $.

La compilation des coûts de fabrication (voir le tableau qui suit) indique que les frais de fabrication diminueront de façon importante.

	Ancienne machine	Nouvelle machine
Dépenses annuelles		
Main-d'oeuvre	12 500 $	4 000 $
Fournitures et électricité	4 000	3 400
Taxes, assurances, etc.	800	1 000
Amortissement linéaire	3 583	2 900
Production annuelle en unités	500 000	500 000

Informations supplémentaires

1. Les actifs sont amortis pour fins fiscales au taux de 20% sur le solde dégressif.
2. La catégorie va s'éteindre à l'année 11.
3. Le taux d'actualisation approprié pour ce genre de projet est de 14%.
4. Le taux d'impôt de la compagnie a été en moyenne de 40% au cours des 5 dernières années. Actuellement, son taux d'imposition marginal se situe à 30%.

La compagnie devrait-elle acheter cette nouvelle machine à tisser?

21. Dans le but d'améliorer sa gestion financière, la compagnie Touvamal inc. vient de vous embaucher à titre d'adjoint au directeur des finances. Votre premier mandat consiste à établir s'il est rentable pour l'entreprise de construire de nouvelles installations pour fabriquer un de ses produits. Ces nouvelles installations permettraient à l'entreprise d'accroître ses recettes brutes de 300 000 $ pour la première année du projet. Par contre, ses déboursés (à l'exclusion des charges financières) devraient augmenter de 130 000 $ pour la première année du projet. Le taux de croissance annuel des recettes brutes et des déboursés a été estimé à 6% par année. Le projet devrait durer dix ans.

La réalisation de ce projet nécessitera l'achat d'un terrain au coût de 180 000 $ et la construction immédiate d'un bâtiment au coût de 380 000 $. L'entreprise prévoit emprunter la totalité des 380 000 $ nécessaires à la construction du bâtiment au moyen d'une hypothèque conventionnelle (c'est-à-dire des versements mensuels et un taux d'intérêt nominal capitalisé semestriellement) à un taux annuel de 10% pendant 25 ans.

De plus, pour réaliser ce projet, l'entreprise devra investir 200 000 $ maintenant pour acquérir de l'équipement. Pour qu'il puisse durer dix ans, cet équipement nécessitera, à la fin de l'année 5, une remise à neuf qui, si elle était effectuée aujourd'hui, coûterait environ 10 000 $. Toutefois, à cause de l'inflation, l'entreprise peut s'attendre à débourser un montant supérieur à 10 000 $ lorsqu'elle effectuera cette remise à neuf à la fin de l'année 5. Ce déboursé pourra, selon le fiscaliste de l'entreprise, être considéré comme une dépense de nature courante pour fins d'impôt.

Enfin, si le projet est réalisé, l'entreprise devra accroître, dès maintenant, son fonds de roulement net de 150 000 $ et, en plus, augmenter ce dernier d'environ 18 000 $ au début de chaque année et ce, à partir de l'année 2. Toutes les sommes investies dans le fonds de roulement seront récupérables une fois le projet terminé.

Le directeur des finances de l'entreprise pense que le terrain prendra de la valeur au rythme de 6% par année et que l'équipement aura une valeur résiduelle nulle dans 10 ans. En ce qui a trait au bâtiment, il pense être en mesure de le revendre pour un prix équivalent à 110% du solde de l'emprunt hypothécaire au début de l'année 11. (Supposez que la revente du bâtiment n'entraînera pas la fermeture de la catégorie.)

Le taux d'imposition de Touvamal inc. est de 38%. Le taux d'amortissement fiscal dégressif est de 4% pour le bâtiment et de 20% pour l'équipement. En l'absence d'inflation, l'entreprise exigerait un taux de rendement minimal de 10% pour ce genre de projet. Pour tout l'avenir prévisible, le taux annuel d'inflation anticipé est de 6%.

a) Compte tenu du taux d'inflation anticipé pour l'avenir, quel taux de rendement nominal l'entreprise devrait-elle exiger pour un projet de ce genre?

b) Quel est le flux monétaire anticipé pour la troisième année du projet?

c) Quelle est la valeur de revente prévue du bâtiment au début de l'année 11?

d) Conseillez-vous à l'entreprise de réaliser ce projet? Justifiez votre décision.

22. La compagnie Irvana inc. envisage la possibilité d'acquérir un nouvel équipement coûtant 800 000 $ (frais d'installation de 30 000 $ inclus) et dont la durée de vie économique est de 5 ans. Cet équipement serait amortissable, d'un point de vue fiscal, au taux annuel dégressif de 20%. Sa valeur de revente prévue, au début de l'année 6, sera approximativement égale à sa valeur aux livres d'un point de vue fiscal (FNACC).

On prévoit faire installer le nouvel équipement dans un entrepôt dont Irvana inc. est propriétaire, mais qui est actuellement loué à Cilex inc. pour une somme de 50 000 $ par année (les versements de loyers sont exigibles en début d'année mais imposables en fin d'année).

L'achat de l'équipement permettrait à la compagnie d'accroître ses recettes brutes annuelles de 350 000 $ par année et aurait également pour conséquence d'augmenter ses déboursés annuels de 100 000 $. Irvana inc. est assujettie à un taux d'imposition de 36% et exige, pour ce genre d'investissement, un taux de rendement minimal de 14%.

a) Quel est le flux monétaire anticipé pour la troisième année du projet?

b) L'entreprise devrait-elle réaliser ce projet? Supposez que la revente de l'équipement entraînera la fermeture de la catégorie fiscale en cause.

23. Cette année, la compagnie Beaumont inc. a de nombreuses occasions d'investissement intéressantes. Les principales caractéristiques des investissements possibles sont mentionnées au tableau ci-dessous. Toutefois, étant donné que son ratio d'endettement est relativement élevé et que le marché serait peu réceptif à une nouvelle émission d'actions, l'entreprise doit limiter son budget d'investissement à 1 000 000 $ pour cette année.

Projet	Mise de fonds requise à t = 0	Durée	Flux monétaire annuel
A	100 000 $	5 ans	30 000 $
B	150 000	5 ans	50 000
C	400 000	3 ans	200 000
D	250 000	3 ans	100 000
E	200 000	8 ans	50 000
F	300 000	6 ans	80 000
G	350 000	4 ans	125 000
H	50 000	3 ans	30 000

Sachant que :

1. les projets ne sont pas fractionnables;

2. les projets A et B sont mutuellement exclusifs;

3. les projets C et D sont complémentaires;

4. le risque de tous les projets est à peu près le même;

5. le taux d'actualisation approprié pour des projets de cette catégorie est de 10%, déterminez :

a) les projets qui devraient être acceptés s'il n'y avait aucun rationnement de capital;

b) les projets qui devraient être acceptés compte tenu de la contrainte budgétaire.

24. La compagnie Brio inc. vient tout juste d'acquérir un nouvel équipement au coût de 24 000 $. Cet équipement a une durée de vie prévue de 5 ans. Les flux monétaires nets prévus de ce projet, ainsi que les valeurs résiduelles anticipées de cet équipement à différents moments, sont montrés au tableau ci-dessous. Le taux d'actualisation approprié pour ce genre de projet est de 12%.

Années	Flux monétaires nets prévus	Valeurs résiduelles prévues
0	-24 000 $	24 000 $
1	8 000	21 000
2	8 000	18 000
3	8 000	16 000
4	6 000	14 000
5	3 000	12 000

Quelle est la durée de vie optimale de ce projet d'investissement?

ANNEXE 1

L'amortissement linéaire[9]

Pour certaines catégories d'actif, on doit, selon la réglementation fiscale en vigueur, calculer l'amortissement en utilisant la méthode linéaire[6]. Dans ce cas, l'amortissement annuel s'obtient en multipliant le coût d'origine du bien par le taux d'amortissement autorisé pour l'année en cause. Pour illustrer le calcul de l'amortissement linéaire et de la valeur actualisée des économies d'impôt liées à l'amortissement lorsque la valeur résiduelle de l'actif est nulle, nous utiliserons l'exemple suivant.

Exemple 7.10 **Calcul de l'amortissement linéaire**

Au début de l'année 1, l'entreprise Dilex inc. apporte certaines améliorations locatives (cat. 13, période d'amortissement : durée du bail, plus une option de renouvellement, minimum 5 ans) au coût de 40 000 $ à une des bâtisses qu'elle loue pour fins d'affaires. La durée du bail est de 4 ans, avec une option de renouvellement de 1 an. Compte tenu de la règle du demi-taux, déterminez :

a) l'amortissement fiscal maximal que pourra réclamer Dilex pour les années 1 à 6 inclusivement;
b) la valeur actualisée des économies d'impôt attribuables à l'amortissement fiscal. Supposez un taux d'impôt de 40% et un taux d'actualisation de 12%.

Solution

a) Compte tenu de la règle du demi-taux, les dépenses effectuées seront amorties sur 6 ans, soit 10% la première année, 20% par année pour les années 2 à 5 inclusivement et 10% à l'année 6.

On obtient alors les résultats suivants :

$$A_1 = \frac{(40\ 000)(0,20)}{2} = 4\ 000\ \$$$
$$A_2 = (40\ 000)(0,20) = 8\ 000\ \$$$
$$A_3 = (40\ 000)(0,20) = 8\ 000\ \$$$
$$A_4 = (40\ 000)(0,20) = 8\ 000\ \$$$
$$A_5 = (40\ 000)(0,20) = 8\ 000\ \$$$
$$A_6 = \frac{(40\ 000)(0,20)}{2} = 4\ 000\ \$$$

Il est à noter que l'amortissement que ne peut réclamer l'entreprise à l'année 1 (c.-à-d. 4 000 $) à cause de la règle du demi-taux est reporté à l'année 6.

---

[9] Certaines catégories d'actif assujetties à la méthode linéaire sont mentionnées au tableau 7.1.

b) La valeur actualisée des économies d'impôt attribuables à l'amortissement fiscal (VAEI) se calcule ainsi :

$$\text{VAEI} = \frac{A_1 \cdot T}{(1+r)^1} + \frac{A_2 \cdot T}{(1+r)^2} + \frac{A_3 \cdot T}{(1+r)^3} + \frac{A_4 \cdot T}{(1+r)^4} + \frac{A_5 \cdot T}{(1+r)^5} + \frac{A_6 \cdot T}{(1+r)^6}$$

$$\text{VAEI} = \frac{(4\,000)(0,40)}{(1+0,12)} + \frac{(8\,000)(0,40)}{(1+0,12)^2} + \frac{(8\,000)(0,40)}{(1+0,12)^3}$$

$$+ \frac{(8\,000)(0,40)}{(1+0,12)^4} + \frac{(8\,000)(0,40)}{(1+0,12)^5} + \frac{(4\,000)(0,40)}{(1+0,12)^6}$$

Compte tenu que l'économie d'impôt relative à l'amortissement fiscal est identique à chaque année pour les années 2 à 5 inclusivement, l'expression ci-dessus se simplifie ainsi :

$$\text{VAEI} = \frac{(4\,000)(0,40)}{(1+0,12)} + [(8\,000)(0,40)\,A_{\overline{4}|12\%}(1+0,12)^{-1}] + \frac{(4\,000)(0,40)}{(1+0,12)^6}$$

$$\text{VAEI} = 10\,917,32\ \$$$

ANNEXE 2

Annexe mathématique

1. Solde non amorti au début de l'année t (cas de l'amortissement dégressif)

Soit,

C : Coût de l'actif

d : Taux d'amortissement sur le solde dégressif autorisé pour la catégorie d'actif. Il est à noter que, compte tenu de la règle du demi-taux, le taux d'amortissement maximal permis lors de l'année de l'acquisition d'un actif est 0,5d.

t : Année pour laquelle on désire calculer le solde non amorti

S_t : Solde non amorti au début de l'année t.

Pour la première année, on a :

Solde non amorti au début de l'année 1 = Coût de l'actif

$$S_1 = C$$

Pour la deuxième année, on obtient :

$$\begin{pmatrix} \text{Solde non amorti} \\ \text{au début} \\ \text{de l'année 2} \end{pmatrix} = \begin{pmatrix} \text{Solde non amorti au} \\ \text{début de l'année 1} \end{pmatrix} - \begin{pmatrix} \text{Amortissement} \\ \text{de l'année 1} \end{pmatrix}$$

$$\begin{pmatrix} \text{Solde non amorti} \\ \text{au début} \\ \text{de l'année 2} \end{pmatrix} = \begin{pmatrix} \text{Solde non amorti} \\ \text{au début de} \\ \text{l'année 1} \end{pmatrix} - \begin{pmatrix} \text{Solde non amorti} \\ \text{au début} \\ \text{de l'année 1} \end{pmatrix}\begin{pmatrix} \text{Taux d'amortis-} \\ \text{sement fiscal} \\ \text{autorisé pour la} \\ \text{première année} \end{pmatrix}$$

$$S_2 = C - (C)(0,5d)$$

$$S_2 = C(1 - 0,5d)$$

Pour la troisième année, on trouve :

$$\begin{pmatrix} \text{Solde non amorti} \\ \text{au début} \\ \text{de l'année 3} \end{pmatrix} = \begin{pmatrix} \text{Solde non amorti au} \\ \text{début de l'année 2} \end{pmatrix} - \begin{pmatrix} \text{Amortissement} \\ \text{de l'année 2} \end{pmatrix}$$

$$S_3 = C(1 - 0,5d) - [C(1 - 0,5d)] \cdot d$$

$$S_3 = C(1 - 0,5d)(1 - d) = C(1 - 0,5d)(1 - d)^{3-2}$$

Pour la quatrième année, on trouve :

$$\begin{pmatrix} \text{Solde non amorti} \\ \text{au début} \\ \text{de l'année 4} \end{pmatrix} = \begin{pmatrix} \text{Solde non amorti au} \\ \text{début de l'année 3} \end{pmatrix} - \begin{pmatrix} \text{Amortissement} \\ \text{de l'année 3} \end{pmatrix}$$

$$S_4 = C(1 - 0,5d)(1 - d) - [C(1 - 0,5d)(1 - d)] \cdot d$$

$$S_4 = C(1 - 0,5d)(1 - d)^2 = C(1 - 0,5d)(1 - d)^{4-2}$$

On constate que, de façon générale, le solde non amorti au début de l'année t peut se calculer ainsi :

$$S_t = C(1-0{,}5d)(1-d)^{t-2} \quad (\text{si } t \geq 2)$$

Lorsque la règle du demi-taux ne s'applique pas, le taux d'amortissement autorisé pour la première année est d (au lieu de 0,5d) et le solde non amorti au début de l'année t peut se calculer ainsi :

$$S_t = C(1-d)(1-d)^{t-2} = C(1-d)^{t-1} \quad (\text{si } t \geq 1)$$

2. Économie d'impôt liée à l'amortissement pour l'année t (cas de l'amortissement dégressif)

Soit,

T : Taux d'imposition de l'entreprise
EI_t : Économie d'impôt liée à l'amortissement pour l'année t.

Pour déterminer l'économie d'impôt liée à l'amortissement pour l'année t, il suffit simplement de multiplier le montant d'amortissement permis par le taux d'imposition de l'entreprise. On obtient alors :

$$\begin{pmatrix} \text{Économie d'impôt} \\ \text{liée à l'amortissement} \\ \text{pour l'année t} \end{pmatrix} = \begin{pmatrix} \text{Solde non amorti} \\ \text{au début} \\ \text{de l'année t} \end{pmatrix} \begin{pmatrix} \text{Taux d'amortis-} \\ \text{sement autorisé} \\ \text{pour l'année t} \end{pmatrix} \begin{pmatrix} \text{Taux} \\ \text{d'imposition} \\ \text{de l'entreprise} \end{pmatrix}$$

$$\begin{pmatrix} \text{Économie d'impôt liée} \\ \text{à l'amortissement} \\ \text{pour l'année t} \end{pmatrix} = \begin{pmatrix} \text{Amortissement} \\ \text{de l'année t} \end{pmatrix} \begin{pmatrix} \text{Taux d'imposition} \\ \text{de l'entreprise} \end{pmatrix}$$

$$EI_t = [C(1-0{,}5d)(1-d)^{t-2} \cdot d] \cdot T$$

$$EI_t = C \cdot d \cdot T(1-0{,}5d)(1-d)^{t-2} \quad (\text{si } t \geq 2)$$

3. Valeur actualisée des économies d'impôt liées à l'amortissement (cas de l'amortissement dégressif, compte tenu de la règle du demi-taux)

Soit,

VAEI : Valeur actualisée des économies d'impôt liées à l'amortissement
r : Taux d'actualisation.

En supposant que la première économie d'impôt liée à l'amortissement sera obtenue un an après l'acquisition de l'actif, on a le schéma suivant :

Pour calculer VAEI, il s'agit d'actualiser chacun des termes apparaissant sur le schéma ci-dessus et d'en faire la somme. On obtient alors :

$$VAEI = EI_1(1+r)^{-1} + EI_2(1+r)^{-2} + EI_3(1+r)^{-3} + EI_4(1+r)^{-4} + \ldots + EI_\infty(1+r)^{-\infty}$$

On sait que :

$$EI_t = 0,5 \cdot C \cdot d \cdot T, \text{ si } t = 1$$

$$EI_t = C \cdot d \cdot T (1 - 0,5d)(1 - d)^{t-2} \quad (\text{si } t \geq 2)$$

Par conséquent :

$$VAEI = 0,5 \cdot C \cdot d \cdot T(1 + r)^{-1}$$

$$+ [C \cdot d \cdot T (1 - 0,5d)(1 - d)^{-2} + C \cdot d \cdot T (1 - 0,5d)(1 - d)(1 + r)^{-3}$$

$$+ C \cdot d \cdot T (1 - 0,5d)(1 - d)^2 (1 + r)^{-4} + ... + C \cdot d \cdot T (1 - 0,5d)(1 - d)^{\infty} (1 + r)^{-\infty}]$$

$$VAEI = 0,5 \cdot C \cdot d \cdot T(1 + r)^{-1}$$

$$+ (1 + r)^{-1}[C \cdot d \cdot T (1 - 0,5d)(1 + r)^{-1} + C \cdot d \cdot T (1 - 0,5d)(1 - d)(1 + r)^{-2}$$

$$+ C \cdot d \cdot T (1 - 0,5d)(1 - d)^2 (1 + r)^{-3} + ... + C \cdot d \cdot T (1 - 0,5d)(1 - d)^{\infty} (1 + r)^{-\infty}]$$

L'expression entre crochets représente la valeur actualisée d'une perpétuité de fin de période en progression géométrique. Nous avons démontré au chapitre 3 que la valeur actualisée d'une perpétuité de ce genre pouvait se calculer ainsi :

$$\text{Valeur actualisée d'une perpétuité de fin de période} = \frac{\text{Premier versement}}{\text{Taux d'actualisation} - \text{Taux de croissance}}$$
$$\text{en progression géométrique} \qquad \qquad \text{(si taux d'actualisation > taux de croissance)}$$

Ici, on a :

Premier versement $= C \cdot d \cdot T (1 - 0,5d)$

Taux d'actualisation $= r$

Taux de croissance $= -d$

D'où :

$$VAEI = 0,5 \cdot C \cdot d \cdot T(1 + r)^{-1} + (1 + r)^{-1} \left[\frac{C \cdot d \cdot T (1 - 0,5d)}{r - (-d)} \right]$$

$$VAEI = \frac{0,5 \cdot C \cdot d \cdot T}{(1 + r)} + \frac{C \cdot d \cdot T (1 - 0,5d)}{(1 + r)(r + d)}$$

$$VAEI = \frac{0,5 \cdot C \cdot d \cdot T(r + d) + C \cdot d \cdot T (1 - 0,5d)}{(r + d)(1 + r)}$$

$$VAEI = \frac{C \cdot d \cdot T(0,5r + 0,5d + 1 - 0,5d)}{(r + d)(1 + r)}$$

$$VAEI = \frac{C \cdot d \cdot T(1 + 0,5r)}{(r + d)(1 + r)}$$

4. **Valeur actualisée des économies d'impôt liées à l'amortissement (cas de l'amortissement dégressif, lorsque la règle du demi-taux ne s'applique pas)**

Dans ce cas, on a :

$$VAEI = C \cdot d \cdot T (1+r)^{-1} + C \cdot d \cdot T (1-d)(1+r)^{-2}$$
$$+ C \cdot d \cdot T (1-d)^2 (1+r)^{-3} + ... + C \cdot d \cdot T (1-d)^{\infty} (1+r)^{-\infty}$$

L'expression ci-dessus représente une perpétuité de fin de période en progression géométrique dont la valeur actualisée est égale à :

$$VAEI = \frac{\text{Économie d'impôt de l'année 1}}{\text{Taux d'actualisation} - \text{Taux de croissance}}$$

$$VAEI = \frac{C \cdot d \cdot T}{r - (-d)}$$

$$VAEI = \frac{C \cdot d \cdot T}{r + d}$$

5. **Valeur actualisée des économies d'impôt perdues suite à la revente de l'actif (cas de l'amortissement dégressif, revente de l'actif au début de l'année suivant celle de la fin du projet)**

Soit,

VAEIP : Valeur actualisée (au temps 0) des économies d'impôt perdues
SSC : Somme soustraite à la classe
EIP_t : Économie d'impôt perdue à l'année t.

En supposant que la revente de l'actif aura lieu au début de l'année n + 1, le schéma se présente ainsi :

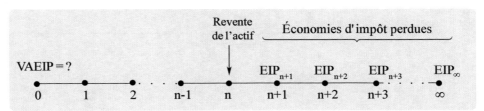

Pour déterminer la valeur actualisée (au temps 0) des économies d'impôt perdues suite à la revente de l'actif, on procède en deux étapes. En premier lieu, on calcule la valeur actualisée des économies d'impôt perdues au début de l'année n+1 (c.-à-d. au temps n sur le schéma). Par la suite, on actualise au temps 0 le résultat obtenu en le multipliant par le facteur $(1+r)^{-n}$. On obtient alors :

$$VAEIP = (1+r)^{-n} \left[\begin{array}{l} EIP_{n+1}(1+r)^{-1} + EIP_{n+2}(1+r)^{-2} \\ + EIP_{n+3}(1+r)^{-3} + ... + EIP_{\infty}(1+r)^{-\infty} \end{array} \right]$$

Puisque :

$$\text{EIP}_{n+1} = (\text{SSC})d \cdot T$$

$$\text{EIP}_{n+2} = (\text{SSC})d \cdot T(1-d)$$

$$\text{EIP}_{n+3} = (\text{SSC})d \cdot T(1-d)^2$$

...

$$\text{EIP}_{\infty} = (\text{SSC})d \cdot T(1-d)^{\infty}$$

on peut écrire :

$$\text{VAEIP} = (1+r)^{-n}\left[\begin{array}{l}(\text{SSC})d \cdot T(1+r)^{-1} + (\text{SSC})d \cdot T(1-d)(1+r)^{-2} \\ +(\text{SSC})d \cdot T(1-d)^2(1+r)^{-3} + ... + (\text{SSC})d \cdot T(1-d)^{\infty}(1+r)^{-\infty}\end{array}\right]$$

L'expression entre crochets représente une perpétuité de fin de période en progression géométrique dont la valeur actualisée est :

$$\frac{\text{Économie d'impôt perdue à l'année } n+1}{\text{Taux d'actualisation} - \text{Taux de croissance}} = \frac{(\text{SSC})d \cdot T}{r - (-d)}$$

$$= \frac{(\text{SSC})d \cdot T}{r + d}$$

Par conséquent :

$$\text{VAEIP} = (1+r)^{-n}\left[\frac{(\text{SSC})d \cdot T}{r+d}\right]$$

$$\text{VAEIP} = \frac{(\text{SSC})d \cdot T}{(r+d)(1+r)^n}$$

Chapitre 8
Choix des investissements à long terme III : analyse du risque

Sommaire

Objectifs pédagogiques

8.1 Introduction

8.2 Les différents types de risque

8.3 Distinction entre certitude, risque et incertitude

8.4 Les méthodes approximatives pur tenir compte du risque d'un projet

    8.4.1 Réduction de la durée du projet

    8.4.2 La méthode basée sur l'ajustement des flux monétaires

    8.4.3 La méthode du taux d'actualisation ajusté

    8.4.4 Comparaison entre la méthode basée sur l'ajustement des flux monétaires et la méthode du taux d'actualisation ajusté

8.5 Les méthodes pour mesurer le risque d'un projet

    8.5.1 Projets d'une seule période

    8.5.2 Projets dont les flux monétaires s'étalent sur plusieurs périodes

    8.5.3 L'analyse du risque et la simulation

8.6 L'analyse de sensibilité et la méthode des scénarios

8.7 L'évaluation du risque d'un projet en contexte de portefeuille

8.8 L'analyse des projets d'investissement et le CAPM

8.9 Concepts fondamentaux

8.10 Mots clés

8.11 Sommaire des principales formules

8.12 Exercices

    Annexe : L'analyse de sensibilité avec Excel

8

Lorsque vous aurez complété l'étude du chapitre 8,

1. vous connaîtrez les principales approches qui sont utilisées pour incorporer le facteur risque dans l'analyse de la rentabilité des projets d'investissement;

2. vous serez familier avec les différents types de risque auxquels est confrontée l'entreprise;

3. vous pourrez faire la distinction entre les notions de certitude, de risque et d'incertitude;

4. vous serez en mesure d'appliquer les différentes méthodes approximatives (réduction de la durée du projet, ajustement des flux monétaires et ajustement du taux d'actualisation) pour tenir compte du risque d'un projet et serez sensibilisé aux limites de ces méthodes;

5. vous aurez compris que le taux de rendement exigé sur un projet d'investissement est lié directement au degré de risque qu'il comporte;

6. vous saurez que le coût du capital de l'entreprise peut être utilisé pour évaluer la rentabilité d'un projet d'investissement uniquement lorsque ce dernier comporte un degré de risque équivalent à ses activités habituelles;

7. vous serez en mesure de calculer la VAN espérée d'un projet, l'écart-type de la VAN et le coefficient de variation à partir des formules statistiques ou en ayant recours à un arbre des possibilités;

8. vous aurez compris que, plus le coefficient de corrélation entre les flux monétaires successifs d'un projet est petit, plus le risque du projet est faible;

9. vous connaîtrez l'utilité de la simulation dans l'analyse du risque d'un projet d'investissement;

10. vous saurez en quoi consiste une analyse de sensibilité, en connaîtrez ses limites et serez en mesure d'utiliser cette approche;

11. vous serez en mesure d'évaluer le risque d'un portefeuille de projets;

12. vous aurez compris que, plus le coefficient de corrélation entre la VAN de deux projets est petit, plus l'effet de diversification est prononcé;

13. vous serez sensibilisé au fait que le meilleur projet, analysé isolément, ne constitue pas nécessairement le choix optimal dans un contexte où le portefeuille de projets déjà existant de l'entreprise est également pris en considération;

14. vous serez en mesure de déterminer le taux de rendement minimal à exiger sur un projet en utilisant le CAPM et serez conscient des limites de cette approche;

15. vous pourrez calculer la VAN d'un projet d'investissement et effectuer une analyse de sensibilité avec Excel.

8.1 Introduction

Jusqu'à maintenant, nous avons analysé la rentabilité des projets d'investissement en supposant que les flux monétaires étaient connus avec certitude. Pour la plupart des projets rencontrés en pratique, cette hypothèse ne constitue pas une description exacte de la réalité. En effet, dans la grande majorité des situations, les flux monétaires ne sont que des prévisions qui sont susceptibles de varier substantiellement dans le temps.

Dans ces conditions, l'analyse de la rentabilité d'un projet d'investissement devra incorporer le facteur risque. À cette fin, nous discutons, dans ce qui suit, des différentes approches permettant de considérer cet aspect incontournable dans l'analyse des décisions d'investissement à long terme. Une première approche consiste à ne considérer que le risque spécifique du projet, sans égard à l'impact que son acceptation aurait sur le risque global de l'entreprise. Ce type d'approche comprend trois catégories de méthodes : (1) les méthodes dites approximatives qui consistent à ajuster l'un ou l'autre des trois paramètres (flux monétaires, taux d'actualisation, durée de vie) agissant sur la valeur de la VAN du projet, (2) celles qui tentent de mesurer le risque total du projet en utilisant des formules statistiques, des arbres de possibilités et la simulation et (3) les méthodes permettant d'identifier les sources de risque et de détecter les variables exerçant l'influence la plus substantielle sur la VAN du projet. Deuxièmement, on peut analyser un projet d'investissement en considérant l'impact qu'il aurait sur le portefeuille de projets de l'entreprise. Finalement, on peut évaluer le risque d'un projet dans le contexte du CAPM, c'est-à-dire en supposant que les investisseurs détiennent un portefeuille de titres parfaitement diversifié. La figure 8.1 de la page suivante présente sommairement les différentes approches qui seront discutées dans ce chapitre.

8.2 Les différents types de risque

Dans l'entreprise, le risque est multiforme et les sources en sont nombreuses. Pour le bénéfice des lecteurs, il nous semble opportun de définir les principaux risques auxquels se trouve confrontée l'entreprise.

Risque d'exploitation

Risque d'exploitation
Risque qui exerce une influence sur les fluctuations du bénéfice avant intérêts et impôts de l'entreprise

Le risque d'exploitation est en relation avec la variabilité possible du bénéfice avant intérêts et impôts générés par les opérations normales de l'entreprise. Ce type de risque est souvent lié à la conjoncture économique, au marché ou à l'efficacité de production de l'entreprise.

Parmi les facteurs qui exercent une influence sur le risque d'exploitation d'une entreprises, notons les suivants :
- la variabilité de la demande;
- la variabilité du prix de vente;
- les fluctuations des coûts de la main-d'oeuvre et des matières premières;

Figure 8.1 — Les différents approches possibles pour tenir compte du risque

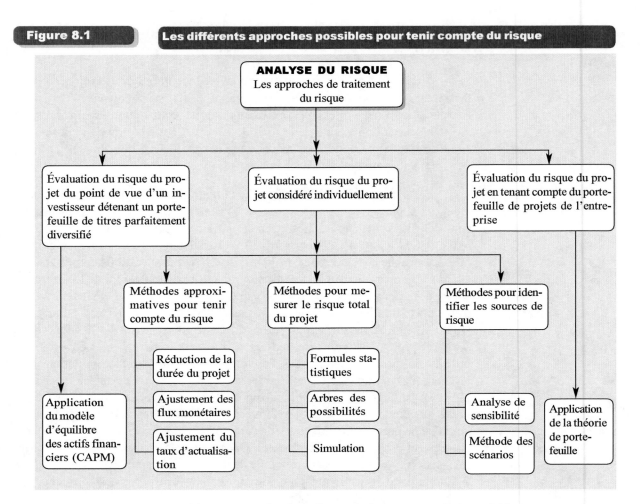

- l'importance des frais fixes relativement aux frais variables;
- l'arrivée de nouveaux concurrents;
- les développements technologiques;
- la marge de manoeuvre dont dispose l'entreprise pour ajuster son prix de vente suite à une modification du coût des intrants;
- la taille de l'entreprise et la part de marché qu'elle détient.

Risque financier

. . . .
Risque financier
Risque additionnel attribuable à l'utilisation de l'endettement

Le risque financier est le risque supplémentaire qui est attribuable à l'utilisation de modes de financement nécessitant des déboursés fixes (dette et/ou actions privilégiées). Le recours à l'endettement pour financer les projets d'investissement a pour conséquence d'accroître simultanément le risque et le rendement espéré des actionnaires ordinaires. Ce genre de risque sera abordé en détail au chapitre 12 qui est consacré au choix d'une structure de capital.

Risque de taux d'intérêt

Risque de taux d'intérêt
Risque attribuable aux fluctuations défavorables des taux d'intérêt sur les marchés financiers

Le risque de taux d'intérêt découle des fluctuations imprévues des taux d'intérêt sur le marché. Les variations de taux d'intérêt peuvent influer significativement sur le bénéfice net de l'entreprise, de même que sur la valeur de ses actifs et de ses dettes. Par exemple, une hausse des taux d'intérêt entraînera pour l'entreprise des charges financières plus élevées ce qui, toutes choses étant égales par ailleurs, se traduira par une rentabilité moindre. Pour gérer le risque lié aux fluctuations des taux d'intérêt, les entreprises ont souvent recours aux instruments financiers dérivés[1] (contrats à terme, options et swaps).

En plus des risques précédents, les entreprises canadiennes qui opèrent dans un environnement international s'exposent également au risque de change et au risque politique. Ces deux types de risque sont abordés ci-après.

Risque de change

Risque de change
Risque associé aux fluctuations du cours du dollar canadien par rapport aux devises étrangères

Une entreprise est confrontée au risque de change lorsque certaines de ses rentrées et/ou sorties de fonds sont libellées dans une monnaie autre que canadienne. Dans un tel contexte, les fluctuations imprévues du cours du dollar canadien par rapport à la monnaie étrangère feront en sorte que les flux monétaires de l'entreprise une fois convertis en dollars canadiens pourront être inférieurs aux anticipations initiales et ainsi influer négativement sur sa rentabilité. Pour illustrer, prenons le cas d'une équipe de hockey professionnelle canadienne qui doit rémunérer ses joueurs en dollars américains et qui perçoit la majorité de ses revenus en dollars canadiens. Dans une telle situation, une dépréciation de la devise canadienne relativement au dollar américain aura un effet néfaste sur les bénéfices de l'entreprise, puisqu'elle devra débourser un plus grand nombre de dollars canadiens pour payer ses joueurs. Comme c'est le cas pour la gestion du risque lié aux fluctuations des taux d'intérêt, les entreprises ont recours aux instruments financiers dérivés (contrats à terme, options et swaps) pour se protéger contre les mouvements défavorables du taux de change.

Risque politique

Risque politique
Exposition à des changements néfastes dans l'environnement légal, fiscal, économique et social d'un pays

Le risque politique concerne d'éventuels changements dans les lois du pays (législation fiscale, loi du travail, etc.) qui pourraient avoir des conséquences néfastes sur les flux monétaires générés par les investissements de l'entreprise effectués à l'étranger. Il comprend aussi la possibilité d'une révolution, la nationalisation sans offrir à l'entreprise une compensation suffisante et l'impossibilité pour la compagnie de rapatrier au Canada les flux monétaires générés par les projets d'investissement. Pour incorporer le risque politique dans l'analyse de la rentabilité d'un projet d'investissement effectué à l'étranger, les flux monétaires anticipés du projet sont habituellement actualisés à un taux plus élevé que celui utilisé pour les investissements locaux de même nature.

---

[1] Les produits dérivés sont abordés dans notre autre ouvrage intitulé « Valeurs mobilières et gestion de portefeuille », 4ᵉ édition, publié chez le même éditeur.

8.3 Distinction entre certitude, risque et incertitude

Pour bien comprendre l'environnement dans lequel se prennent les décisions financières, il nous semble important d'établir la distinction entre les notions de certitude, de risque et d'incertitude.

En contexte de certitude (figure 8.2a), il n'y a qu'un seul résultat possible. La probabilité d'obtenir le résultat en cause est donc de 1 ou 100%. D'autre part, en contexte de risque (figure 8.2b), il y a plusieurs résultats possibles et l'on est en mesure d'attribuer à chacun des résultats possibles une probabilité de réalisation. Enfin, en situation d'incertitude (figure 8.2c), la probabilité d'occurence de chacun des résultats possibles n'est pas connue.

Figure 8.2 — Distinction entre certitude, risque et incertitude

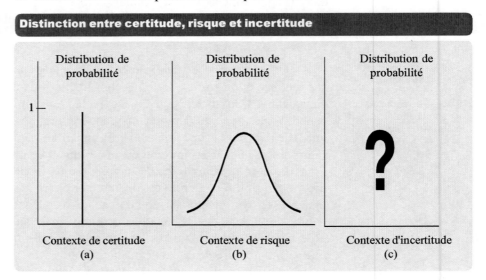

En pratique, lorsque l'on amorce l'analyse de la rentabilité d'un projet d'investissement, on est le plus souvent en contexte d'incertitude. Cependant, les méthodes discutées plus loin dans ce chapitre supposent que l'on dispose, pour chacun des flux monétaires, de l'information pertinente concernant sa distribution de probabilité. Par conséquent, pour utiliser ces méthodes, on devra - subjectivement ou autrement - estimer la distribution de probabilité de chacun des flux monétaires ou, au minimum, les paramètres (espérance mathématique et écart-type) de chacune des distributions.

8.4 Les méthodes approximatives pour tenir compte du risque d'un projet

Ces méthodes consistent à ajuster la valeur actuelle nette du projet pour tenir compte de son risque. L'ajustement de la VAN s'effectue en modifiant l'un ou l'autre des paramètres suivants :

- la durée du projet;

- les flux monétaires;
- le taux d'actualisation.

Les corrections apportées à ces paramètres sont, dans la plupart des cas, purement subjectives et dépendent du degré d'aversion du gestionnaire à l'égard du risque. Plus un projet sera perçu comme étant risqué, plus les modifications apportées aux paramètres pénaliseront la VAN.

Avant d'aborder ces trois méthodes en détail, il convient de mentionner que la règle de décision à laquelle nous aurons recours dans cette section pour déterminer si un projet d'investissement est rentable ou non est la même que celle utilisée aux chapitres 6 et 7, c'est-à-dire qu'un projet sera jugé acceptable en autant que sa VAN excède 0.

8.4.1 Réduction de la durée du projet

Une première façon de tenir compte du risque du projet consiste à raccourcir arbitrairement sa durée de vie. Cette approche repose sur l'idée que les flux monétaires lointains comportent un risque plus substantiel parce qu'ils sont plus difficiles à prévoir. Par ailleurs, leur valeur actualisée étant faible, ils n'ont qu'un effet généralement minime sur la VAN du projet.

Selon cette approche, plus un projet sera jugé risqué par les gestionnaires, plus grand sera le nombre d'années qui sera retranché à sa durée de vie initiale prévue.

Calcul de la VAN

Le calcul de la VAN s'effectue comme suit :

$$VAN = \sum_{t=1}^{n-a} \frac{E(FM_t)}{(1+r)^t} - I \tag{8.1}$$

où n : Durée de vie initiale prévue du projet

a : Nombre d'années retranchées pour tenir compte du risque du projet

$E(FM_t)$: Flux monétaire espéré pour la période t

I : Investissement initial

r : Taux d'actualisation approprié pour des flux monétaires certains.

On notera que le taux d'actualisation utilisé est le taux sans risque, étant donné que l'on tient compte du risque en réduisant le nombre d'années du projet.

Exemple 8.1 | **Prise en compte du risque en réduisant la durée du projet**

Une entreprise a la possibilité d'investir dans le projet X dont les caractéristiques sont les suivantes :

Projet X	
Investissement initial	**50 000 $**
Années	**Flux monétaires espérés [E(FM$_t$)]**
1	9 000 $
2	9 000
3	9 000
4	9 000
5	9 000
6	9 000
7	9 000
8	9 000
9	9 000
10	9 000
11	9 000
12	9 000
13	9 000

Le taux sans risque est de 12%. Compte tenu du risque du projet, le vice-président aux finances désire retrancher les quatre dernières années du projet alors que le contrôleur de l'entreprise estime qu'une pénalité de trois ans serait suffisante. Déterminez la VAN du projet selon chacune de ces deux hypothèses.

Solution

Pour une pénalité de quatre ans, on obtient :

$$\text{VAN} = \sum_{t=1}^{13-4} \frac{9000}{(1+0,12)^t} - 50\ 000 = 9000\ \text{A}_{\overline{9}|12\%} - 50\ 000 = -2045,75\ \$$$

Si la pénalité est plutôt de trois ans, on trouve :

$$\text{VAN} = \sum_{t=1}^{13-3} \frac{9000}{(1+0,12)^t} - 50\ 000 = 9000\ \text{A}_{\overline{10}|12\%} - 50\ 000 = 852,01\ \$$$

Ainsi, dans un cas le projet est non rentable, alors que dans l'autre nous devrions l'accepter. Cette démarche est donc très arbitraire puisque la pénalité attribuée au projet est purement intuitive et dépend de l'attitude de l'analyste à l'égard du risque. De plus, cette approche a tendance à pénaliser les projets dont les flux monétaires les plus importants se situent dans les dernières années. Sur le plan théorique, il est donc difficile de recommander l'utilisation de cette méthode pour tenir compte du risque.

8.4.2 La méthode basée sur l'ajustement des flux monétaires

Cette approche consiste à pénaliser la VAN en transformant, par l'intermédiaire d'une série de coefficients (les α_t), les flux monétaires espérés du projet en montants certains équivalents.

Coefficient d'ajustement (α_t)

Coefficient permettant de transformer un flux monétaire incertain en un flux monétaire équivalent certain

Le coefficient d'ajustement, (α_t) comporte une valeur comprise entre 0 et 1 et varie inversement avec le degré de risque du flux monétaire. Ainsi, plus un flux monétaire apparaît incertain, plus la valeur de α_t sera faible. La valeur de α_t est établie de telle façon que le gestionnaire soit indifférent entre les deux possibilités suivantes : (i) recevoir un flux monétaire incertain dont la valeur espérée est $E(FM_t)$ ou (ii) recevoir un flux monétaire certain dont la valeur est $\alpha_t \cdot E(FM_t)$. Par exemple, si le gestionnaire est indifférent entre recevoir 8 000 $ dans un an avec certitude ou une somme incertaine dont la valeur espérée est de 10 000 $, α_1 vaudra 0,80. Ce coefficient est obtenu de la façon suivante :

$$10\,000 \quad \alpha_1 = 8000$$
$$\text{d'où :} \quad \alpha_1 = 0,80$$

Compte tenu que la vaste majorité des gestionnaires estiment que le risque croît avec le temps, il s'ensuit que $\alpha_0 > \alpha_1 > \alpha_2 \ldots > \alpha_n$. De plus, la plupart du temps, on a $\alpha_0 = 1$, puisque le déboursé immédiat est habituellement certain.

Calcul de la VAN

La formule pertinente pour calculer la VAN du projet est la suivante :

$$\text{VAN} = \sum_{t=1}^{n} \frac{\alpha_t E(FM_t)}{(1+r)^t} - I \qquad (8.2)$$

où α_t : Coefficient d'ajustement du flux monétaire à la période t.

Le taux d'actualisation utilisé est le taux sans risque puisque les flux monétaires sont des montants certains équivalents. Ce taux sans risque est fréquemment assimilé au taux de rendement courant des bons du Trésor du gouvernement fédéral. Toutefois, il serait plus logique d'utiliser, comme mesure approximative du taux sans risque, le taux de rendement courant des obligations fédérales dont l'échéance correspond à la durée de vie prévue du projet.

Exemple 8.2

Calcul de la VAN du projet à l'aide de la méthode basée sur l'ajustement des flux monétaires

On vous présente un projet dont les caractéristiques sont les suivantes :

Périodes	Flux monétaires espérés
0	− 800 $
1	200
2	300
3	900

On suppose que le taux de rendement des obligations fédérales échéant dans 3 ans est de 8% et que le gestionnaire du projet attribue, compte tenu de son degré d'aversion à l'égard du risque, les coefficients d'ajustement suivants aux flux monétaires :

$$\alpha_0 = 1$$
$$\alpha_1 = 0,90$$
$$\alpha_2 = 0,80$$
$$\alpha_3 = 0,70$$

Selon la méthode de l'équivalence de certitude, ce projet est-il acceptable?

Solution

À l'aide de l'expression (8.2), on obtient :

$$\text{VAN} = \frac{(0,90)(200)}{(1+0,08)^1} + \frac{(0,80)(300)}{(1+0,08)^2} + \frac{(0,70)(900)}{(1+0,08)^3} - 800 = 72,54\ \$$$

Ce projet devrait être accepté, puisque sa VAN sûre équivalente (72,54 $) excède 0. Il est à noter que, si les flux monétaires de ce projet étaient certains, sa VAN se calculerait alors comme suit:

$$\text{VAN} = -800 + \frac{200}{(1+0,08)^1} + \frac{300}{(1+0,08)^2} + \frac{900}{(1+0,08)^3} = 356,84\ \$$$

La différence entre les deux VAN obtenues (356,84 $ - 72,54 $ = 284,30 $) représente en quelque sorte la pénalité attribuée au projet pour tenir compte du fait que ses flux monétaires sont risqués.

Pour conclure sur cette méthode, mentionnons que ses applications pratiques nous apparaissent plutôt limitées, compte tenu de la difficulté à déterminer les valeurs à attribuer aux coefficients d'ajustement.

8.4.3 La méthode du taux d'actualisation ajusté

Taux d'actualisation ajusté
Taux d'actualisation qui incorpore une prime de risque pour tenir compte du fait que les flux monétaires du projet sont risqués

Une autre façon de tenir compte du risque consiste à pénaliser la VAN en ajustant le taux d'actualisation en fonction du degré de risque du projet. Cette démarche s'inspire du principe financier qui veut que le rendement exigé sur un investissement soit lié au degré de risque encouru. Ainsi, pour déterminer le taux à utiliser pour actualiser des flux monétaires incertains, on ajoutera au taux sans risque une certaine prime qui tient compte du risque du projet. Il va sans dire que la détermination d'une prime de risque appropriée constitue une tâche plutôt ardue. En effet, même s'il peut être facile pour une entreprise de constater qu'un investissement dans un nouveau procédé de fabrication est plus risqué que d'acheter des obligations fédérales, il n'en demeure pas moins difficile de déterminer avec précision la prime qui couvre un tel risque.

Dans le but de faciliter le calcul du taux d'actualisation approprié pour un nouvel investissement, certaines entreprises ont alors recours à une classification des projets en fonction du risque du genre de celle montrée au tableau 8.1. Lors de l'évaluation d'un nouveau projet, on détermine à quelle catégorie il appartient et on lui assigne le taux d'actualisation correspondant. Malheureusement, une telle approche de classification des projets est relativement arbitraire et ne permet pas de régler rigoureusement la question du risque dans l'analyse de la rentabilité des investissements.

Tableau 8.1

Taux d'actualisation approprié pour différentes catégories d'investissement

Catégorie d'investissement	Taux d'actualisation approprié
• Remplacement d'équipement	Coût du capital de l'entreprise
• Nouvel investissement catégorie I (risque normal)	Coût du capital de l'entreprise
• Nouvel investissement catégorie II (risque supérieur)	Coût du capital de l'entreprise + 2%
• Recherche et développement catégorie I (risque normal)	Coût du capital de l'entreprise + 4%
• Recherche et développement catégorie II (risque supérieur)	Coût du capital de l'entreprise + 6%
• Projets spéculatifs	Coût du capital de l'entreprise + 12%

Dans ce contexte, le taux d'actualisation ajusté k se calcule ainsi :

$$k = \begin{pmatrix} \text{Taux} \\ \text{sans} \\ \text{risque} \end{pmatrix} + \begin{pmatrix} \text{Prime pour le risque} \\ \text{normal de} \\ \text{l'entreprise} \end{pmatrix} + \begin{pmatrix} \text{Prime pour le risque} \\ \text{spécifique lié} \\ \text{au projet} \end{pmatrix}$$

$$k = \quad r \quad + \quad \lambda_1 \quad + \quad \lambda_2$$

$$k = \quad \rho \quad + \quad \lambda_2 \quad\quad (8.3)$$

où

k : Taux d'actualisation ajusté pour tenir compte du risque du projet

r : Taux sans risque

λ_1 : Prime pour tenir compte du risque normal de l'entreprise

$\rho = r + \lambda_1$: Coût du capital de l'entreprise. Ce taux reflète le risque normal de l'ensemble des activités ou des projets de l'entreprise. Il s'agit du taux de rendement minimal acceptable pour un projet d'investissement dont l'acceptation laisserait inchangé le risque de l'entreprise.

λ_2 : Prime qui tient compte du degré de risque du projet à l'étude. Cette prime peut être négative, nulle ou positive. Elle sera négative si le projet à l'étude comporte un risque moindre que ceux analysés habituellement par l'entreprise, nulle si le projet est de risque similaire aux projets rencontrés normalement par l'entreprise et positive si le projet est plus risqué.

Comme l'indique l'expression (8.3), pour analyser la rentabilité d'un projet d'investissement comportant un degré de risque équivalent aux activités habituelles de l'entreprise[2] (c.-à-d. lorsque $\lambda_2 = 0$), on peut utiliser comme taux d'actualisation le coût moyen pondéré du capital de cette dernière ou, plus simplement, son coût du capital. De façon succincte, ce taux d'actualisation se calcule comme suit :

$$\rho = \left(\begin{array}{c} \text{Moyenne pondérée des coûts des différentes} \\ \text{sources de financement de l'entreprise} \end{array} \right)$$

où
$$\rho = w_d k_d + w_0 k_0 \qquad (8.4)$$

w_d : Part du financement par dette dans la structure de capital de l'entreprise
w_0 : Part du financement par fonds propres (capital-actions ordinaire) dans la structure de capital de l'entreprise
k_d : Coût de la dette après impôt (en %)
k_0 : Coût des fonds propres (en %).

Remarques. 1. Nous avons posé l'hypothèse simplificatrice que l'entreprise n'utilise que deux sources de financement à long terme, soit la dette et les fonds propres.

2. Idéalement, on doit utiliser les valeurs marchandes des titres de l'entreprise pour déterminer la part du financement par dette (w_d) et la part du financement par fonds propres (w_0).

3. Le coût du financement par dette et celui du financement par fonds propres représentent les coûts actuels - et non les coûts passés - de ces modes de financement.

4. Puisque pour une entreprise les intérêts constituent une déduction admissible pour fins d'impôt, le coût du financement par dette après impôt correspond au coût de la dette avant impôt multiplié par le facteur (1 − taux d'impôt).

5. Le degré de risque supporté par les créanciers étant inférieur à celui supporté par les actionnaires et les intérêts étant déductibles d'impôt, il s'ensuit que $k_d < k_0$.

6. L'estimation du coût du capital d'une entreprise sera abordée plus en détail au chapitre 12.

Il est à noter que le recours au coût du capital de l'entreprise pour évaluer la rentabilité de toutes les propositions d'investissement peut, dans certains cas, conduire à de mauvaises décisions financières, c'est-à-dire à rejeter un projet que l'on devrait réaliser ou à accepter un projet que l'on devrait refuser[3]. Cela est attribuable au fait que le critère du coût du capital ne permet pas de tenir compte adéquatement du risque spécifique des projets à l'étude. Pour illustrer, considérons les six projets d'investissement (A à F) montrés à la figure 8.3 et supposons que le coût du capital de l'entreprise en cause s'élève à 16%.

Si l'analyste utilise le coût du capital de l'entreprise pour évaluer la rentabilité de tous les projets, il suggérera alors l'acceptation des projets A, C et D, puisque ces derniers comportent un taux de rendement espéré supérieur au coût du capital. Quant aux projets B, E et F, ils seront rejetés, car leur taux de ren-

---

[2]   Ce serait notamment le cas d'une banque canadienne qui doit décider si elle doit ouvrir ou non une nouvelle succursale au Canada.

[3]   Cette partie s'inspire de l'article de M. E. Rubinstein. Voir: Rubinstein, M.E., « Mean-Variance Synthesis of Corporate Financial Theory », *Journal of Finance*, mars 1973, pp. 167-181.

Figure 8.3   **Choix des projets d'investissement en contexte de risque**

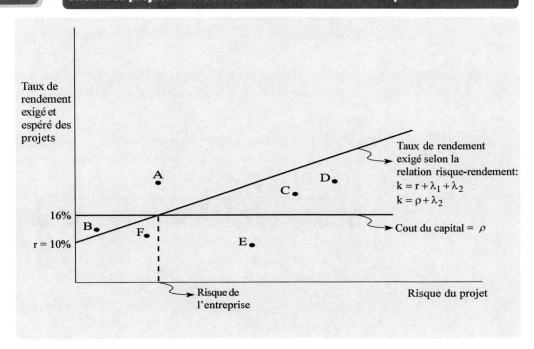

dement espéré est inférieur à 16%, soit le taux minimal acceptable selon le critère du coût du capital. Toutefois, dans le but de maximiser la valeur marchande de l'entreprise, on devrait plutôt accepter les projets A et B, puisque seuls ces projets ont un taux de rendement espéré qui dépasse le taux de rendement minimal à exiger compte tenu de leur risque.

En résumé, on peut tirer les conclusions suivantes concernant les projets d'investissement représentés dans l'espace risque-rendement à la figure 8.3.

1. Le projet A, dont le risque est le même que les opérations normales de l'entreprise, devrait être accepté selon les deux critères (coût du capital de l'entreprise et relation risque-rendement).

2. Le critère du coût du capital suggère à tort le rejet du projet B. Toutefois, compte tenu de leur degré de risque, la rentabilité espérée de ce projet est plus que suffisante et il devrait être accepté.

3. Le critère du coût du capital suggère à tort l'acceptation des projets C et D. Toutefois, compte tenu de leur degré de risque, la rentabilité espérée de ces deux projets n'est pas suffisante et ils devraient être refusés.

4. Les projets E et F devraient être rejetés selon les deux critères.

Calcul de la VAN

Selon la méthode du taux d'actualisation ajusté, la VAN d'un projet se calcule ainsi :

$$\text{VAN} = \sum_{t=1}^{n} \frac{E(FM_t)}{(1+k)^t} - I \tag{8.5}$$

Il est à noter que les flux monétaires apparaissant au numérateur de l'expression (8.5) sont des valeurs incertaines. Par conséquent, le taux d'actualisation utilisé k pénalise les flux monétaires du projet à la fois pour leur éloignement dans le temps et pour leur risque.

Exemple 8.3 | **Calcul de la VAN du projet à l'aide de la méthode du taux d'actualisation ajusté**

Une entreprise étudie présentement un projet de recherche et développement de catégorie I (voir le tableau 8.1) dont les flux monétaires espérés sont les suivants :

Coût initial	14 000 $
Flux monétaires espérés	
Années 1 à 5	2 540 $
Années 6 à 10	3 140 $

De plus, on sait que :

• Coût du financement par dette (avant impôt)	10	%
• Coût du capital-actions ordinaire :	15	%
• Part du financement par dette dans la structure de capital de l'entreprise :	40	%
• Part du financement par capital-actions ordinaire dans la structure de capital de l'entreprise :	60	%
• Taux d'impôt de l'entreprise :	36	%
• Taux de rendement d'un titre sûr :	8	%

En se basant sur la méthode du taux d'actualisation ajusté, déterminez si ce projet est acceptable.

Solution

1. Calcul du taux d'actualisation approprié

On utilise :
$$k = \rho + \lambda_2$$
où
$$\rho = w_d k_d + w_0 k_0 = (0{,}40)(0{,}10)(1 - 0{,}36) + (0{,}60)(0{,}15) = 11{,}56\%$$
et λ_2 (d'après le tableau 8.1) = 4%

Par conséquent :
$$k = 0{,}1156 + 0{,}04 = 15{,}56\%$$

2. Calcul de la VAN

À partir de l'expression (8.5), on obtient :

$$VAN = 2540\,A_{\overline{5}|15,56\%} + 3140\,A_{\overline{5}|15,56\%}(1+0,1556)^{-5} - 14\,000$$

$$= -556,62\ \$$$

Ce projet devrait donc être refusé puisque sa VAN sûre équivalente est négative. Il est à noter que, si ses flux monétaires étaient certains, le projet serait alors acceptable. En effet, dans ce cas, on aurait :

$$VAN = 2540\,A_{\overline{5}|8\%} + 3140\,A_{\overline{5}|8\%}(1+0,08)^{-5} - 14\,000$$

$$= 4674,03\ \$$$

8.4.4 Comparaison entre la méthode basée sur l'ajustement des flux monétaires et la méthode du taux d'actualisation ajusté

Les deux méthodes discutées aux sections 8.4.2 et 8.4.3 posent des problèmes pratiques d'application : ceux liés au choix d'une prime pour mesurer le risque ou ceux associés à la détermination des coefficients d'ajustement pour les flux monétaires futurs. Toutefois, dans un contexte pratique, la méthode du taux d'actualisation ajusté nous semble la moins difficile à appliquer. En effet, pour une entreprise qui est en affaires depuis plusieurs années, il est relativement facile de situer globalement un projet d'investissement donné par rapport à d'autres projets réalisés antérieurement et, par conséquent, de fixer une prime de risque raisonnable. Par ailleurs, en ce qui a trait à la méthode basée sur l'ajustement des flux monétaires, sa mise en application constitue, dans la plupart des cas, un exercice plutôt fastidieux.

Ces deux méthodes devraient toutefois conduire au même résultat relativement à la VAN d'un projet si l'analyste a été cohérent dans la fixation des valeurs de α_t et de k. Dans ce cas, les expressions suivantes devraient être vérifiées :

$$VAN = \sum_{t=1}^{n} \frac{\alpha_t E(FM_t)}{(1+r)^t} - I = \sum_{t=1}^{n} \frac{E(FM_t)}{(1+k)^t} - I$$

et

$$\frac{\alpha_t E(FM_t)}{(1+r)^t} = \frac{E(FM_t)}{(1+k)^t}$$

En isolant la valeur de α_t dans l'expression précédente, on obtient pour la période t :

$$\alpha_t = \left(\frac{1+r}{1+k}\right)^t \tag{8.6}$$

Puisque la valeur de k excède celle de r et que le terme entre crochets est élevé à la puissance t, il s'ensuit que la valeur de α_t diminuera à un taux annuel constant. Dans ces conditions, on peut conclure que l'utilisation d'un taux d'actualisation constant dans la méthode du taux d'actualisation ajusté équivaut à un coefficient d'ajustement α_t diminuant à un taux constant avec le temps. Par conséquent, lorsque l'on a recours à un taux d'actualisation ajusté constant dans le calcul de la VAN, cela revient à supposer implicitement que le risque des flux monétaires augmente à un taux constant avec le temps. Pour la plupart des projets d'investissement, il est logique de supposer que le risque croît avec le temps, mais il n'augmente pas nécessairement de la façon dont le suppose la méthode du taux d'actualisation ajusté. Toutefois, dans les situations où l'hypothèse sous-jacente à la méthode du taux d'actualisation ajusté apparaît inappropriée, il est alors possible pour l'analyste de raffiner cette dernière et d'utiliser un taux d'actualisation différent pour chacune des périodes, au lieu d'un taux d'actualisation unique pour l'ensemble des flux monétaires du projet.

Exemple 8.4

Comparaison entre la méthode basée sur l'ajustement des flux monétaires et celles du taux d'actualisation ajusté

La directrice générale de l'entreprise BAF inc. vous fournit les renseignements suivants relativement aux flux monétaires espérés et aux coefficients d'équivalence de certitude d'un certain projet d'investissement :

Années	Flux monétaires espérés	α_t	Flux monétaires ajustés
0	- 900 $	1,0	- 900 $
1	200	0,95	190
2	300	0,90	270
3	400	0,85	340
4	500	0,80	400

Note: Les valeurs de α_t ont été déterminées en se basant sur le degré d'aversion à l'égard du risque de la directrice générale de l'entreprise.

Le taux sans risque est de 8% et, compte tenu du risque que comporte ce genre de projet, le taux d'actualisation ajusté a été fixé à 12%.

Déterminez la VAN de ce projet selon la méthode basée sur l'ajustement des flux monétaires et la méthode du taux d'actualisation ajusté.

Solution

Méthode basée sur l'ajustement des flux monétaires

$$VAN = \frac{190}{(1+0,08)^1} + \frac{270}{(1+0,08)^2} + \frac{340}{(1+0,08)^3} + \frac{400}{(1+0,08)^4} - 900$$

$$= 71,32 \ \$$$

Méthode du taux d'actualisation ajusté

$$VAN = \frac{200}{(1+0,12)^1} + \frac{300}{(1+0,12)^2} + \frac{400}{(1+0,12)^3} + \frac{500}{(1+0,12)^4} - 900$$

$$= 120,20 \ \$$$

L'écart entre les résultats obtenus est attribuable à un manque de cohérence concernant la fixation des paramètres α_t et k. Si l'on suppose que le taux k est adéquat, les coefficients α_t devraient plutôt être :

$$\alpha_1 = \left(\frac{1+0,08}{1+0,12}\right) = 0,9643$$

$$\alpha_2 = \left(\frac{1+0,08}{1+0,12}\right)^2 = 0,9298$$

$$\alpha_3 = \left(\frac{1+0,08}{1+0,12}\right)^3 = 0,8966$$

$$\alpha_4 = \left(\frac{1+0,08}{1+0,12}\right)^4 = 0,8646$$

En se basant sur ces nouveaux coefficients, la méthode basée sur l'ajustement des flux monétaires donne le résultat suivant :

$$VAN = \frac{(200)(0,9643)}{(1+0,08)} + \frac{(300)(0,9298)}{(1+0,08)^2} + \frac{(400)(0,8966)}{(1+0,08)^3} + \frac{(500)(0,8646)}{(1+0,08)^4} - 900$$

$$= 120,20 \ \$$$

Il y a donc équivalence entre l'utilisation d'un taux d'actualisation ajusté pour le risque de 12% - lorsque le taux sans risque est de 8% - et l'utilisation des coefficients d'ajustement α_1, α_2, α_3 et α_4 que nous venons de calculer.

8.5 Les méthodes pour mesurer le risque d'un projet

Dans ce qui suit, nous discutons des méthodes qui utilisent les distributions de probabilité des flux monétaires pour évaluer le risque spécifique d'un projet. Dans un premier temps, nous considérerons les projets d'une seule période pour, subséquemment, nous attarder aux projets dont les flux monétaires s'étalent sur plusieurs périodes.

Dans le processus de décision, nous prendrons alors en considération la valeur actuelle espérée du projet ainsi que sa variabilité. Un projet sera jugé risqué si ses flux monétaires exhibent une forte variabilité.

L'analyse ci-dessous suppose que nous sommes en situation de risque où l'on connaît les différents événements possibles ainsi que leurs probabilités de réalisation.

8.5.1 Projets d'une seule période

La valeur actuelle nette espérée d'un projet se calcule ainsi :

$$E(VAN) = \sum_{j=1}^{n} P_j VAN_j \qquad (8.7)$$

où

E(VAN) : Valeur actuelle nette espérée du projet

n : Nombre de scénarios associés au projet

P_j : Probabilité de réalisation du scénario j

VAN_j : Valeur actuelle nette du projet si le scénario j se réalise.

La variance de la VAN se calcule à l'aide de l'expression suivante :

$$\sigma^2(VAN) = \sum_{j=1}^{n} P_j [VAN_j - E(VAN)]^2 \qquad (8.8)$$

Cependant, nous utiliserons davantage la notion d'écart-type (σ) pour caractériser le risque inhérent à un projet. Cette dernière mesure est en effet plus facile à interpréter que la variance, puisqu'elle est exprimée dans les mêmes unités que la VAN espérée. L'écart-type correspond à la racine carrée de la variance, soit :

$$\sigma(VAN) = \sqrt{\sum_{j=1}^{n} P_j [VAN_j - E(VAN)]^2} \qquad (8.9)$$

Un écart-type élevé indique que le projet d'investissement, considéré isolément, comporte un risque substantiel.

Coefficient de variation Écart-type de la VAN divisé par l'espérance mathématique

Lorsque l'on doit comparer plusieurs projets de VAN espérées différentes, l'utilisation de $\sigma(VAN)$ comme mesure de risque peut conduire à des conclusions erronées. Dans ces conditions, il est préférable d'avoir recours au coefficient de variation (CV). La valeur de ce coefficient se calcule ainsi :

$$CV = \frac{\sigma(VAN)}{E(VAN)} \qquad (8.10)$$

Ce coefficient mesure le degré de risque par unité de rendement espéré du projet. Plus ce coefficient est petit, plus le risque relatif du projet est faible.

Exemple 8.5 — **Choix entre deux projets mutuellement exclusifs à l'aide du coefficient de variation**

L'entreprise Multigestion inc. considère deux projets mutuellement exclusifs dont la durée est d'un an. Les distributions du flux monétaire de chaque projet se présentent comme suit :

Projet A		**Projet B**	
Investissement : 60 000 $		Investissement : 25 000 $	
Probabilité	Flux monétaire de la 1ère année	Probabilité	Flux monétaire de la 1ère année
0,1	65 000 $	0,2	25 000 $
0,2	70 000	0,6	40 000
0,3	75 000	0,2	60 000
0,3	80 000		
0,1	100 000		

Le taux sans risque est de 11%.

a) Calculez pour chacun des projets la VAN espérée et son risque.

b) Quel projet l'entreprise devrait-elle retenir si son objectif est de minimiser le ratio $\sigma(\text{VAN})/E(\text{VAN})$?

Solution

Projet A

1. Calcul de la VAN espérée

Flux monétaire	Flux monétaire actualisé	VAN_j	P_j	$P_j \cdot \text{VAN}_j$
65 000 $	58 559 $	−1 441	0,1	−144 $
70 000	63 063	3 063	0,2	613
75 000	67 568	7 568	0,3	2 270
80 000	72 072	12 072	0,3	3 622
100 000	90 090	30 090	0,1	3 009
			$E(\text{VAN}_A) =$	9 370 $

2. Calcul du risque

$$\sigma^2(\text{VAN}_A) = 0{,}1(-1441 - 9370)^2 + 0{,}2(3063 - 9370)^2 + 0{,}3(7568 - 9370)^2$$
$$+ 0{,}3(12\,072 - 9370)^2 + 0{,}1(30\,090 - 9370)^2$$
$$= 65\,739\,664$$

d'où :
$$\sigma(\text{VAN}_A) = 8\,108\ \$$$

Remarque. Le taux d'actualisation utilisé pour déterminer la VAN espérée est le taux sans risque, compte tenu que nous évaluons directement le risque en calculant $\sigma(\text{VAN}_A)$. En procédant ainsi, le flux monétaire de la 1ère année est réduit uniquement à cause du fait qu'il sera perçu dans un an.

Projet B

1. Calcul de la VAN espérée

Flux monétaire	Flux monétaire actualisé	VAN$_j$	P$_j$	P$_j \cdot$ VAN$_j$
25 000 $	22 523 $	– 2 477	0,2	– 495 $
40 000	36 036	11 036	0,6	6 622
60 000	54 054	29 054	0,2	5 811
			E(VAN$_B$) =	11 938 $

2. Calcul du risque

$$\sigma^2(\text{VAN}_B) = 0,2(-2477 - 11\,938)^2 + 0,6(11\,036 - 11\,938)^2$$
$$+ 0,2(29\,054 - 11\,938)^2$$
$$= 100\,638\,099$$

d'où :

$$\sigma(\text{VAN}_B) = 10\,032\ \$$$

Calcul des coefficients de variation

$$CV_A = \frac{8108}{9370} = 0,8653$$

$$CV_B = \frac{10\,032}{11\,938} = 0,8403$$

Compte tenu de son objectif, l'entreprise devrait retenir le projet B puisqu'il présente le plus faible risque relatif.

8.5.2 Projets dont les flux monétaires s'étalent sur plusieurs périodes

Lorsque la durée des projets couvre plusieurs périodes - ce qui est habituellement le cas -, il est nécessaire, en premier lieu, d'identifier la nature de la dépendance existant entre les flux monétaires successifs. La relation entre ces niers peut être de trois types : indépendance totale, dépendance totale ou dépendance partielle.

Pour calculer la VAN espérée et le risque d'un projet, nous utiliserons principalement les arbres de possibilités et certaines formules statistiques. La technique de la simulation peut également s'avérer une méthode efficace pour effectuer ce genre de calcul.

1. Indépendance des flux monétaires dans le temps

Il y a indépendance entre les flux monétaires d'un projet si le flux monétaire d'une période quelconque n'est aucunement affecté par ceux des périodes précédentes et n'affecte pas ceux des périodes subséquentes. En pratique, cette

Flux monétaires successifs indépendants
Le flux monétaire de la période t n'est pas affecté par celui de la période t-1 et n'influencera pas celui de la période t+1

hypothèse d'indépendance entre les flux monétaires représente plutôt un cas extrême puisque, de façon générale, les résultats d'une période dépendent, dans une certaine mesure, de ceux de la période antérieure.

Dans un contexte d'indépendance, la VAN espérée d'un projet se calcule comme suit :

$$E(VAN) = \sum_{t=0}^{n} \frac{E(FM_t)}{(1+r)^t} \qquad (8.11)$$

Pour le calcul du risque, la formule pertinente à utiliser est la suivante :

$$\sigma(VAN) = \left[\sum_{t=0}^{n} \frac{\sigma^2(FM_t)}{(1+r)^{2t}} \right]^{1/2} \qquad (8.12)$$

Exemple 8.6 — **Analyse de la rentabilité d'un projet dans un contexte où les flux monétaires successifs sont indépendants**

Une entreprise étudie la possibilité d'investir dans un projet coûtant 25 000 $ et dont la durée est de 2 ans. Les flux monétaires sont complètement indépendants entre eux et leurs distributions de probabilité se présentent ainsi :

	Année 1		Année 2
Probabilités	Flux monétaires	Probabilités	Flux monétaires
0,2	16 000 $	0,3	13 000 $
0,6	20 000	0,4	15 000
0,2	24 000	0,3	17 000

Le coût du capital de l'entreprise est de 15% et le taux sans risque s'élève à 10%.

a) Calculez la valeur actuelle nette espérée du projet et le risque de ce dernier.

b) Ce projet devrait-il être accepté?

Solution

a) De façon à visualiser les différentes éventualités, nous allons, dans un premier temps, recourir à la technique de l'arbre des possibilités afin de calculer la VAN espérée et le risque du projet. Par la suite, nous utiliserons les formules statistiques présentées dans cette section pour déterminer à nouveau ces valeurs.

Technique de l'arbre des possibilités

La figure 8.4 indique les différentes VAN possibles et leurs probabilités de réalisation. Les nombres au-dessus des lignes d'embranchement représentent les flux monétaires possibles à chaque période, tandis que les nombres en-dessous représentent la valeur actualisée de ces mêmes flux monétaires.

Les montants apparaissant dans la colonne VAN$_j$ sont obtenus en additionnant les flux monétaires actualisés et en y retranchant la mise de fonds initiale. Le taux d'actualisation utilisé dans les calculs est le taux sans risque, soit 10%.

Figure 8.4 **Arbre des possibilités (flux monétaires indépendants)**

FM$_0$	P$_1$	FM$_1$	P$_2$	FM$_2$	VAN$_j$	P$_j$	VAN$_j \cdot$P$_j$
			0,3	13 000	289	0,06	17
				10 744			
	0,20	16 000	0,4	15 000	1942	0,08	155
		14 545		12 397			
			0,3	17 000	3595	0,06	216
				14 050			
			0,3	13 000	3926	0,18	707
				10 744			
– 25 000	0,6	20 000	0,4	15 000	5579	0,24	1339
		18 182		12 397			
			0,3	17 000	7232	0,18	1302
				14 050			
			0,3	13 000	7562	0,06	454
				10 744			
	0,2	24 000	0,4	15 000	9215	0,08	737
		21 818		12 397			
			0,3	17 000	10 868	0,06	652
				14 050		1,00	5579 $

La VAN espérée de ce projet s'élève donc à 5 579 $.

À partir des informations contenues dans l'arbre des possibilités le risque du projet se calcule ainsi :

$$
\begin{aligned}
\sigma^2(\text{VAN}) = \quad & (289 - 5579)^2\, 0{,}06 && = 1\,679\,046 \\
+\ & (1942 - 5579)^2\, 0{,}08 && = 1\,058\,222 \\
+\ & (3595 - 5579)^2\, 0{,}06 && = 236\,175 \\
+\ & (3926 - 5579)^2\, 0{,}18 && = 491\,834 \\
+\ & (5579 - 5579)^2\, 0{,}24 && = 0 \\
+\ & (7232 - 5579)^2\, 0{,}18 && = 491\,834 \\
+\ & (7562 - 5579)^2\, 0{,}06 && = 235\,937 \\
+\ & (9215 - 5579)^2\, 0{,}08 && = 1\,057\,640 \\
+\ & (10\,868 - 5579)^2\, 0{,}06 && = 1\,678\,411 \\
& \sigma^2(\text{VAN}) && = 6\,929\,099
\end{aligned}
$$

d'où :
$\sigma(\text{VAN}) = 2\,632\ \$$

Utilisation des formules statistiques

Pour le calcul de la VAN espérée, on utilise l'expression suivante :

$$E(VAN) = \sum_{t=0}^{n} \frac{E(FM_t)}{(1+r)^t}$$

On doit, en premier lieu, déterminer la valeur de chacun des flux monétaires espérés. Pour ce faire, on procède ainsi :

$E(FM_0) = -$ Mise de fonds initiale $= -25\,000\,\$$

$E(FM_1) = (0,2)(16\,000) + (0,6)(20\,000) + (0,2)(24\,000) = 20\,000\,\$$

$E(FM_2) = (0,3)(13\,000) + (0,4)(15\,000) + (0,3)(17\,000) = 15\,000\,\$$

d'où :

$$E(VAN) = -25\,000 + \frac{20\,000}{(1+10)^1} + \frac{15\,000}{(1+10)^2} \approx 5\,579\,\$$$

Pour le calcul du risque, on utilise :

$$\sigma(VAN) = \left[\sum_{t=0}^{n} \frac{\sigma^2(FM_t)}{(1+r)^{2t}} \right]^{1/2}$$

On doit, en premier lieu, déterminer $\sigma^2(FM_1)$ et $\sigma^2(FM_2)$. On obtient :

$$\sigma^2(FM_1) = \quad 0,2(16\,000 - 20\,000)^2 + 0,6(20\,000 - 20\,000)^2$$
$$+ 0,2(24\,000 - 20\,000)^2$$
$$= \quad 6\,400\,000$$

$$\sigma^2(FM_2) = \quad 0,3(13\,000 - 15\,000)^2 + 0,4(15\,000 - 15\,000)^2$$
$$+ 0,3(17\,000 - 15\,000)^2$$
$$= \quad 2\,400\,000$$

d'où :

$$\sigma(VAN) = \left[\frac{0}{(1+0,10)^0} + \frac{6\,400\,000}{(1+0,10)^2} + \frac{2\,400\,000}{(1+0,10)^4} \right]^{1/2} = 2\,632\,\$$$

b) Comme l'actualisation des flux monétaires espérés du projet au taux sans risque donne une VAN espérée - et non une VAN sûre équivalente -, il n'existe pas ici de règle de décision aussi précise que celle utilisée à la section 8.4. En d'autres termes, un projet dont E(VAN) > 0 n'est pas nécessairement acceptable. Pour en arriver à une décision, l'analyste tiendra compte, en plus de E(VAN), de σ(VAN) et de son degré d'aversion à l'égard du risque.

Pour faciliter la prise de décision, il peut être utile de calculer la probabilité que la VAN du projet soit négative. En supposant une distribution normale et en ayant recours à la table 5 (table de la loi normale centrée réduite) qui se trouve à la fin du volume, on obtient ce qui suit :

$$P(VAN < 0) = P\left(Z < \frac{0 - E(VAN)}{\sigma(VAN)}\right)$$

$$= P\left(Z < \frac{0 - 5579}{2632}\right)$$

$$= P(Z < -2,12)$$

$$= 0,50 - P(0 < Z < 2,12)$$

$$= 0,50 - 0,4830$$

$$= 0,017$$

Distribution normale centrée réduite

0,017

-2,12   0   Z

Compte tenu que, selon l'approximation normale, la probabilité d'obtenir une VAN négative est très faible, le projet serait fort probablement accepté.

Remarque. La probabilité exacte d'obtenir une VAN négative est en fait égale à zéro. En effet, on constate, à la figure 8.4, que les neuf VAN possibles sont toutes positives.

2. Dépendance totale des flux monétaires dans le temps

. . .
Flux monétaires totale-ment dépendants
Le flux monétaire de la période t dépend exclusi-vement de ceux obtenus au cours des périodes pré-cédentes

L'autre cas extrême, concernant la relation entre les flux monétaires d'un projet, consiste à supposer que ces derniers sont totalement dépendants entre eux. Cela signifie que le flux monétaire de la période t dépend entièrement des résultats obtenus au cours des périodes précédentes. Dans ce contexte, l'effet de diversification entre les années est inexistant et on peut donc s'attendre à ce que le risque du projet soit plus élevé que dans une situation où les flux monétaires successifs du projet sont indépendants.

Dans une telle situation, le risque du projet s'évalue ainsi :

$$\sigma(VAN) = \sum_{t=0}^{n} \frac{\sigma(FM_t)}{(1+r)^t} \tag{8.13}$$

Il est important de mentionner que la formule donnant la VAN espérée du projet (expression 8.11) n'est pas affectée par cette modification d'hypothèse.

Pour illustrer cette situation, reprenons l'exemple précédent en supposant que les flux monétaires sont totalement dépendants entre eux. On obtient alors :

$$\sigma(VAN) = \frac{0}{(1+0,10)^0} + \frac{(6\ 400\ 000)^{1/2}}{(1+0,10)^1} + \frac{(2\ 400\ 000)^{1/2}}{(1+0,10)^2}$$

$$= 3580\ \$$$

Comme il fallait s'y attendre, le risque du projet est plus élevé lorsque les flux monétaires sont parfaitement et positivement corrélés que dans une situation où ils sont indépendants.

3. Dépendance partielle des flux monétaires dans le temps

• • •
**Flux monétaires par-
tiellement dépendants**
Le flux monétaire de la
période t dépend partiel-
lement des flux monétai-
res antérieurs et influencera en partie les résul-
tats subséquents

Les deux situations précédentes représentent des cas extrêmes puisque, pour la plupart des projets, les résultats d'une période dépendent en partie de ceux obtenus au cours des périodes antérieures. Dans la plupart des situations rencontrées en pratique, les flux monétaires d'un projet sont, d'un point de vue statistique, positivement, mais imparfaitement corrélés. En pareil cas, le risque du projet est moins élevé que sous l'hypothèse de dépendance totale.

Une façon d'aborder la situation où les flux monétaires sont imparfaitement corrélés consiste à introduire une série de distributions de probabilités conditionnelles. Illustrons cette démarche à l'aide de l'exemple suivant.

Exemple 8.7 **Analyse de la rentabilité d'un projet lorsque les flux monétaires successifs sont partiellement dépendants**

L'entreprise Davian inc. analyse un projet nécessitant un investissement de 25 000 $ et dont la durée est de deux ans. Le taux sans risque est de 10% et les flux monétaires ont la configuration suivante :

Prob.	FM$_1$	Si FM$_1$ = 10 000 $ on prévoit		Si FM$_1$ = 20 000 $ on prévoit		Si FM$_1$ = 30 000 $ on prévoit	
		Prob.	FM$_2$	Prob.	FM$_2$	Prob.	FM$_2$
0,2	10 000 $	0,6	10 000 $	0,3	15 000 $	0,5	20 000 $
0,6	20 000	0,3	15 000	0,7	20 000	0,4	15 000
0,2	30 000	0,1	20 000			0,1	10 000

a) Déterminez la VAN espérée et le risque du projet.

b) Ce projet devrait-il être accepté si les dirigeants de l'entreprise exigent une probabilité de rentabilité supérieure à 90% ou, ce qui est l'équivalent, que le coefficient de variation soit inférieur ou égal à 0,78?

Solution

a) Dans un contexte où la distribution de probabilité du flux monétaire de l'an-née 2 est fonction des résultats obtenus à l'année 1, l'approche la plus effi-cace pour calculer E(VAN) et σ(VAN) est celle de l'arbre des possibilités. À l'aide des renseignements fournis, on peut élaborer l'arbre de la page suivante :

Figure 8.5 **Arbre des possibilités (flux monétaires dépendants)**

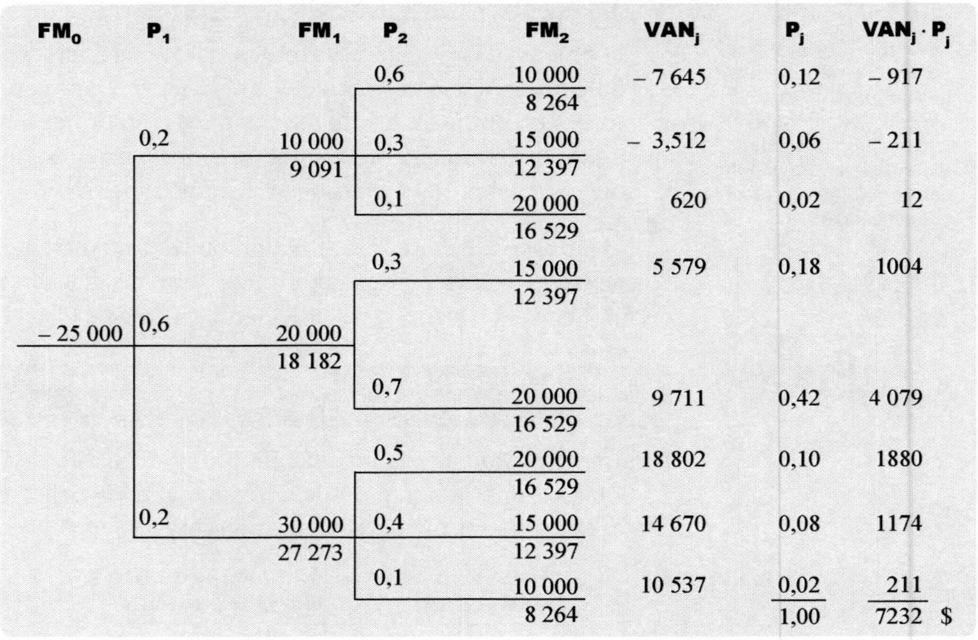

FM$_0$	P$_1$	FM$_1$	P$_2$	FM$_2$	VAN$_j$	P$_j$	VAN$_j \cdot$ P$_j$
			0,6	10 000	− 7 645	0,12	− 917
				8 264			
	0,2	10 000	0,3	15 000	− 3,512	0,06	− 211
		9 091		12 397			
			0,1	20 000	620	0,02	12
				16 529			
			0,3	15 000	5 579	0,18	1004
				12 397			
− 25 000	0,6	20 000					
		18 182					
			0,7	20 000	9 711	0,42	4 079
				16 529			
			0,5	20 000	18 802	0,10	1880
				16 529			
	0,2	30 000	0,4	15 000	14 670	0,08	1174
		27 273		12 397			
			0,1	10 000	10 537	0,02	211
				8 264		1,00	7232 $

La VAN espérée de ce projet est donc de 7 232 $. Son risque inhérent se calcule ainsi :

$$\sigma^2(\text{VAN}) = (-7645 - 7232)^2 0,12 \quad = 26\,559\,015$$
$$+ (-3512 - 7232)^2 0,06 \quad = 6\,926\,012$$
$$+ (620 - 7232)^2 0,02 \quad = 874\,371$$
$$+ (5579 - 7232)^2 0,18 \quad = 491\,834$$
$$+ (9711 - 7232)^2 0,42 \quad = 2\,581\,085$$
$$+ (18\,802 - 7232)^2 0,10 \quad = 13\,386\,490$$
$$+ (14\,670 - 7232)^2 0,08 \quad = 4\,425\,908$$
$$+ (10\,537 - 7232)^2 0,02 \quad = 218\,461$$
$$\sigma^2(\text{VAN}) \quad = 55\,463\,176$$

d'où :

$$\sigma(\text{VAN}) = 7\,447\ \$$$

b) Le coefficient de variation se calcule à partir de l'expression (8.10). On obtient alors :

$$CV = \frac{\sigma(\text{VAN})}{E(\text{VAN})} = \frac{7447}{7232} = 1,03$$

En se basant sur la règle de décision établie par les gestionnaires de l'entreprise, ce projet devrait donc être rejeté car CV(projet) = 1,03 > 0,78. On peut d'ailleurs vérifier que la probabilité que le projet ne soit pas rentable excède 10% en effectuant le calcul suivant :

$$P(VAN < 0) = P\left(Z < \frac{0 - E(VAN)}{\sigma(VAN)}\right)$$

$$= P\left(Z < \frac{0 - 7232}{7447}\right)$$

$$= P(Z < -0,97)$$

$$= 0,50 - 0,3340$$

$$= 0,1660$$

Distribution
normale centrée réduite

0,166

-0,97   0   Z

Remarque. Comme on peut le constater à la figure 8.5, les deux premiers scénarios possibles se traduisent par une VAN négative. La probabilité exacte d'obtenir une VAN négative est donc de 0,18, soit 0,12 + 0,06.

8.5.3 L'analyse du risque et la simulation[4]

Simulation
Technique statistique permettant d'établir la distribution de probabilité de la VAN du projet compte tenu des variables qui l'influence et de leur distribution de probabilité

La valeur actuelle nette d'un projet d'investissement est généralement fonction de plusieurs variables (volume des ventes, prix de vente, coûts variables, coûts fixes, durée de vie économique du projet, valeur résiduelle des actifs, etc.). Compte tenu que chacune de ces variables peut prendre plusieurs valeurs, il s'ensuit que le nombre de VAN possibles d'un projet peut, dans certains cas, être très élevé. Par exemple, lorsqu'il y a huit variables pertinentes et que chacune d'entre elles peut prendre sept valeurs, le nombre de VAN possibles s'élève à 5 764 801 soit, 7^8. Dans un tel contexte, il est bien évident qu'il s'avère virtuellement impossible de calculer de la façon coutumière toutes les VAN possibles du projet, leur probabilité de réalisation et, par la suite, E(VAN) et σ(VAN). Toutefois, en ayant recours à une simulation informatique dite de Monte Carlo, l'analyste peut notamment obtenir les renseignements suivants concernant le projet : la VAN espérée, l'écart-type de la VAN, le coefficient de variation, la VAN la plus élevée, la VAN la plus basse et la probabilité d'obtenir une VAN supérieure à zéro. Avec ces données en main, il est en mesure de déterminer si le projet vaut la peine d'être réalisé compte tenu de son enrichissement espéré et du risque impliqué.

Les principales étapes d'une simulation informatique sont résumées à la figure 8.6.

---

[4] Au sujet du recours à la simulation dans l'analyse de la rentabilité des projets d'investissement, on peut consulter Hertz, D.B. « Risk Analysis in Capital Investments », *Harvard Business Review*, janvier-février 1964, pp. 95-106.

Figure 8.6 **Les principales étapes d'une simulation informatique**

Étape 1 : Identifier les variables influant sur la VAN du projet.

Étape 2 : Estimer la distribution de probabilité de chacune des variables identifiées.

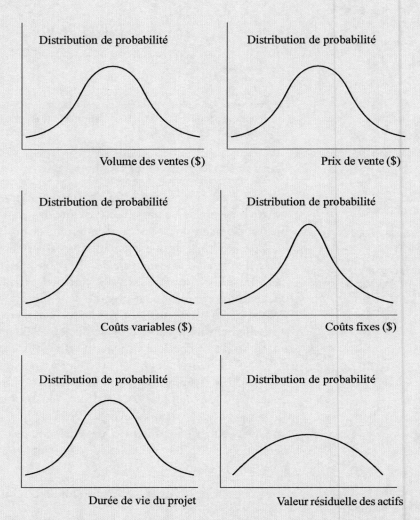

Étape 3 : Le programme informatique sélectionne au hasard, pour chacune des variables aléatoires concernées (par exemple, le volume des ventes), une valeur en tenant compte de sa distribution de probabilité.

Étape 4 : À partir des différentes valeurs sélectionnées et en tenant compte de certains paramètres fixes (comme le taux d'imposition de l'entreprise, les taux d'amortissement des actifs, le taux de rendement sans risque, etc.), l'ordinateur calcule la VAN du projet.

Étape 5 : Les étapes 3 et 4 sont répétées un grand nombre de fois (par exemple 100 000 fois).

Étape 6 : À partir des résultats des simulations, le programme informatique établit la distribution de fréquence de la VAN, calcule son espérance mathématique et son écart-type.

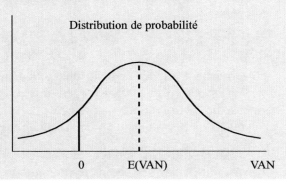

En conclusion, on peut dire que la simulation informatique représente un outil fort utile dans l'analyse du risque d'un investissement, mais que la qualité des résultats obtenus dépend évidemment de la qualité des intrants. La simulation reste encore, bien que sa diffusion s'accroisse, réservée aux grandes entreprises et aux cabinets de conseil en analyse financière.

8.6   L'analyse de sensibilité et la méthode des scénarios

Analyse de sensibilité
Méthode permettant d'apprécier dans quelle mesure la VAN du projet est affectée par une modification de la valeur des variables clés à l'intérieur d'un intervalle donné

Les analystes de projets se retrouvent souvent en contexte d'incertitude, compte tenu qu'ils ne connaissent habituellement qu'une partie des événements susceptibles de se produire ou qu'ils sont dans l'impossibilité d'accoler une distribution de probabilité à l'occurence des événements. C'est pourquoi, parmi les nombreuses techniques présentées dans le cadre de ce chapitre, l'analyse de sensibilité et la méthode des scénarios constituent probablement les deux approches les plus utilisées par les praticiens pour incorporer l'aspect risque dans l'évaluation des projets d'investissement.

L'analyse de sensibilité est une technique qui permet essentiellement d'identifier les variables qui influencent le plus la rentabilité du projet ou celles qui sont le plus susceptible de le compromettre. À cette fin, l'analyste sélectionne les variables les plus importantes du projet et, à tour de rôle, évalue leur impact sur sa viabilité. Une fois les principales sources de risque identifiées, on demande aux gestionnaires de vérifier à nouveau les prévisions effectuées sur ces variables et de les corriger le cas échéant. Ainsi, dans le cas où le prix de vente unitaire exercerait une influence sensible sur la VAN du projet - ce qui est évidemment un cas très fréquent en pratique -, le responsable du projet peut alors commander une étude de marché plus détaillée afin d'augmenter son degré de confiance en la valeur prédite pour cette variable.

Une façon de déterminer le degré de sensibilité d'une variable consiste à calculer la variation en pourcentage qu'elle doit subir pour rendre la VAN du projet égale à zéro. Plus le pourcentage trouvé sera faible, plus grande sera la sensibilité de la variable et plus on devra apporter une attention particulière à sa prédiction.

Méthode des scénarios
Méthode permettant d'apprécier la rentabilité du projet selon trois scénarios (optimiste, réaliste, et pessimiste)

Une autre façon de déterminer le degré de sensibilité d'une variable est de recourir à la méthode des scénarios. Cette technique consiste à identifier subjectivement les valeurs à attribuer aux différentes variables du projet selon que l'on est optimiste, réaliste ou pessimiste. Par la suite, on calcule la VAN du projet selon les trois scénarios possibles. On obtient alors l'étendue possible des résultats et on peut ainsi juger de la sensibilité de chacune des variables.

Pour illustrer la première démarche proposée pour effectuer une analyse de sensibilité, nous utiliserons les données ci-dessous concernant l'entreprise Multison inc.

Exemple 8.8

Analyse de sensibilité

L'entreprise Multison inc. fabrique actuellement des systèmes de son et songe sérieusement à diversifier ses activités en se lançant dans la fabrication d'un tout nouveau disque compact dont les qualités technologiques dépassent ce qui existe actuellement sur le marché.

L'investissement requis en équipement spécialisé de production est estimé à 600 000 $ et le taux d'amortissement fiscal est de 20% sur le solde dégressif. Les dirigeants de l'entreprise prévoient, de plus, que les frais de mise en marché totaliseront 200 000 $. Ces frais sont payables immédiatement et sont entièrement déductibles d'impôt en fin d'année.

L'ingénieur chargé du projet estime que les coûts variables de production seront de l'ordre de 1 $ par unité et que les frais fixes de production représenteront un montant de 200 000 $ par année. La durée de vie prévue du projet est de 5 ans. Au début de l'année 6, les dirigeants de l'entreprise prévoient être en mesure de revendre l'équipement à un prix équivalent à la valeur non amortie de l'actif pour fins fiscales. On supposera également que la classe d'actif ne s'éteindra pas à la fin du projet.

Le directeur du marketing, suite à une étude de marché, évalue la taille du marché à 1 600 000 unités par année et situe à 20% la part du marché de l'entreprise. De plus, cette étude établit à 2,50 $ le prix de vente unitaire de chaque disque compact. Le taux d'imposition de l'entreprise est de 40% et le taux d'actualisation approprié de 15%. Afin de simplifier les calculs, on suppose que les ventes et les coûts sont constants. On obtient alors les flux monétaires présentés à la page suivante pour chacune des années du projet :

Flux monétaires du projet

	Année 1	Année 2	Année 3	Année 4	Année 5
Ventes (20% × 1 600 000 × 2,50)	800 000 $	800 000 $	800 000 $	800 000 $	800 000 $
Coûts variables (20% × 1 600 000 × 1)	320 000	320 000	320 000	320 000	320 000
Frais fixes	200 000	200 000	200 000	200 000	200 000
Amortissement fiscal	60 000	108 000	86 400	69 120	55 296
	220 000 $	172 000 $	193 600 $	210 880 $	224 704 $
Impôt (40%)	88 000	68 800	77 440	84 532	89 882
	132 000 $	103 200 $	116 160 $	126 528 $	134 822 $
Plus : Amortissement fiscal	60 000	108 000	86 400	69 120	55 296
Flux monétaire net	192 000 $	211 200 $	202 560 $	195 648 $	190 118 $

On doit, en outre, tenir compte dans l'analyse de rentabilité de la valeur de revente de l'équipement que l'on estime à 221 184 $. Ce dernier montant, qui représente la valeur non amortie pour fins fiscales de l'équipement au début de l'année 6, se calcule ainsi :

$$S_6 = 600\,000[1 - (0,20)(0,50)]\,(1 - 0,20)^{6-2} = 221\,184\ \$$$

La VAN du projet peut se calculer de la façon suivante :

$$VAN = \frac{192\,000}{(1+0,15)^1} + \frac{211\,200}{(1+0,15)^2} + \frac{202\,560}{(1+0,15)^3} + \frac{195\,648}{(1+0,15)^4} + \frac{(190\,118 + 221\,184)}{(1+0,15)^5}$$

$$- 200\,000 + \frac{(200\,000)(0,40)}{(1+0,15)^1} - 600\,000$$

$$VAN = 45\,758\ \$$$

Toutefois, si l'on désire effectuer une analyse de sensibilité sur différentes variables du projet, il est préférable de reprendre les calculs précédents et de les présenter d'une façon similaire à celle utilisée au chapitre 7. La VAN du projet se calcule alors comme suit :

$$VAN = -\text{Investissement initial} \begin{pmatrix} \text{incluant les frais de mise} \\ \text{en marché et l'économie d'impôt} \\ \text{actualisée s'y rattachant} \end{pmatrix}$$

$$+ VA\,(\text{Recettes nettes après impôt})$$

$$+ VA\begin{pmatrix} \text{Économies d'impôt liées} \\ \text{à l'amortissement fiscal} \end{pmatrix} + \begin{pmatrix} \text{Valeur résiduelle} \\ \text{actualisée} \end{pmatrix}$$

$$- VA\begin{pmatrix} \text{Pertes d'économie d'impôt liées} \\ \text{à l'amortissement fiscal} \end{pmatrix}$$

$$VAN = -I + (R_t - D_t)(1-T)A_{\overline{n}|k} + \frac{C \cdot d \cdot T(1+0,50k)}{(k+d)(1+k)}$$

$$+ \frac{PV}{(1+k)^n} - \frac{(SSC)d \cdot T}{(k+d)(1+k)^n}$$

où :

I : Investissement initial

R_t-D_t : Recettes nettes du projet avant impôt et amortissement

R_t : (Taille du marché) (Part du marché) (Prix de vente unitaire)
= (Quantité vendue) (Prix de vente unitaire) = $Q \cdot p$

D_t : (Quantité vendue) (Coût variable unitaire) + Frais fixes = $Q \cdot v + F$

T : Taux d'imposition de l'entreprise

$A_{\overline{n}|k}$: Valeur actualisée d'une annuité de fin de période de 1 \$ comportant n versements = $\left[\dfrac{1-(1+k)^{-n}}{k} \right]$

n : Durée du projet (en années)

k : Taux d'actualisation approprié

C : Coût d'acquisition de l'actif

d : Taux d'amortissement fiscal dégressif

PV : Valeur résiduelle de l'actif

SSC : Somme soustraite à la classe = $\begin{cases} \text{MIN(PV, C) si la classe n'est pas fermée} \\ \text{suite à la disposition de l'actif} \\ \text{ou} \\ \text{Solde de la classe, si la classe est fermée} \\ \text{suite à la disposition de l'actif} \end{cases}$

En effectuant les substitutions appropriées, on obtient :

$$VAN = -600\,000 - 200\,000 + (200\,000)(0,40)(1+0,15)^{-1}$$

$$+ \left[(320\,000)(2,50) - (320\,000)(1) - 200\,000 \right](1-0,40)A_{\overline{5}|15\%}$$

$$+ \frac{(600\,000)(0,20)(0,40)\left[1+(0,50)(0,15)\right]}{(0,15+0,20)(1+0,15)}$$

$$+ 221\,184(1+0,15)^{-5}$$

$$- \frac{(221\,184)(0,20)(0,40)}{(0,15+0,20)(1+0,15)^5}$$

$$= 45\,758\,\$$$

Pour ce projet, nous analyserons, à titre indicatif, la sensibilité des variables suivantes :

- Nombre d'unités vendues
- Prix de vente unitaire
- Coût variable unitaire
- Frais fixes de production
- Valeur résiduelle de l'équipement
- Taux d'actualisation

Une approche pratique d'analyse de sensibilité d'une variable consiste à déterminer la variation maximale en pourcentage que peut subir cette dernière, tout en permettant au projet de demeurer marginalement rentable (VAN = 0). Un exemple de calcul est donné ci-dessous pour la variable « ventes ». Les résultats relatifs aux autres variables sont présentés au tableau 8.2.

Analyse de la variable « nombre d'unités vendues »

Soit,

Q : Nombre d'unités vendues.

La question à laquelle nous voulons répondre est la suivante : quelle est la valeur de Q pour laquelle la VAN est nulle? Pour répondre à cette question, il s'agit de déterminer la valeur de Q qui permet de satisfaire l'égalité suivante :

$$
\begin{aligned}
0 = {} & Q(2,50)(1-0,40)\,A_{\overline{5}|5\%} - Q(1,00)(1-0,40)\,A_{\overline{5}|5\%} \\
& - 200\,000(1-0,40)\,A_{\overline{5}|5\%} + \frac{(600\,000)(0,20)(0,40)[1+(0,50)(0,15)]}{0,15+0,20)(1+0,15)} \\
& - \left[\frac{(221\,184)(0,20)(0,40)}{(0,15+0,20)}\right](1+0,15)^{-5} + 221\,184(1+0,15)^{-5} \\
& - 200\,000 + (200\,000)(0,40)(1+0,15)^{-1} - 600\,000
\end{aligned}
$$

En résolvant l'équation précédente, on obtient la valeur cherchée, soit 304 833 unités.

La variation maximale du nombre d'unités vendues sera alors de :

$$
\frac{304\,833 - 320\,000}{320\,000} = -4,74\%
$$

Ce résultat signifie que, si le nombre d'unités vendues est de 4,74% inférieur aux prévisions, la VAN du projet sera nulle.

Une démarche similaire nous permet d'obtenir les résultats présentés au tableau 8.2.

| Tableau 8.2 | Résultats de l'analyse de sensibilité |

Variable étudiée	Variation pour laquelle on obtient VAN = 0	Importance relative des variables étudiées en terme de sensibilité
Nombre d'unités vendues	−4,7%	2
Prix de vente unitaire	−2,8%	1
Coût variable unitaire	+7,1%	3
Frais fixes de production	+11,4%	4
Valeur résiduelle de l'équipement	−53,9%	6
Taux d'actualisation[5]	+15,3%	5

Le tableau précédent indique que la variable la plus sensible est le prix de vente unitaire, tandis que la variable la moins sensible est la valeur résiduelle de l'équipement.

En annexe au présent chapitre, nous montrons comment générer les résultats du tableau 8.2 avec Excel. De plus, différentes figures illustrant le comportement de la VAN en fonction de chacune des variables étudiées y sont présentées.

Limites de l'analyse de sensibilité

Dans l'exemple précédent, nous avons effectué une analyse de sensibilité « variable par variable ». Cela signifie que nous avons implicitement supposé que les variables étaient indépendantes entre elles. Dans bien des cas, cette hypothèse n'est pas conforme à la réalité. Par exemple, il existe généralement une relation inverse entre le nombre d'unités vendues et le prix de vente unitaire. Dans un tel contexte, on devrait considérer l'ensemble des interrelations possibles au niveau du calcul de la VAN d'un projet. Malheureusement, un tel exercice risque d'être fastidieux, à moins de recourir à une simulation informatique.

Une faiblesse aussi évidente existe au niveau de la méthode des scénarios. Cette faiblesse se situe dans la définition à donner aux termes optimiste, réaliste et pessimiste. La réponse obtenue dépend, dans une large mesure, de la personne à qui l'on a posé la question. C'est pourquoi il est généralement préférable que la détermination des valeurs à attribuer aux variables du projet émane d'un concensus obtenu auprès de plusieurs personnes de l'organisation, plutôt qu'auprès d'un individu en particulier.

---

[5] On a une VAN = 0 pour un taux d'actualisation d'environ 17,3%, ce qui représente, par rapport au taux initial de 15%, une augmentation de 15,3%.

8.7 L'évaluation du risque d'un projet en contexte de portefeuille

Les différentes méthodes (méthodes traditionnelles) que nous avons examinées jusqu'à maintenant ont permis de porter un jugement sur la rentabilité et le risque d'un projet pris isolément. Toutefois, comme nous l'avons déjà mentionné, la valeur d'une entreprise est fonction de la valeur de ses projets d'investissement considérés dans leur ensemble. Dans ces conditions, il apparaît plus approprié d'évaluer le risque du projet en tenant compte de son impact sur le risque global de l'entreprise. Ainsi, entre deux projets, le meilleur projet, pris isolément, n'est pas nécessairement le meilleur choix si l'on prend en considération le portefeuille de projets déjà existant de l'entreprise.

Risque d'un projet en contexte de portefeuille Appréciation du risque d'un projet dans un contexte où l'on tient compte de son interaction avec les projets déjà en cours dans l'entreprise

En pratique, il n'est pas toujours facile d'évaluer la nature de l'interaction existant entre un projet et les autres projets de l'entreprise, de même que de calculer le risque global de l'entreprise. Malgré cela, il nous apparaît utile de présenter une démarche qui permet d'approximer le risque d'un portefeuille de projets et l'impact individuel des projets sur le risque global de l'entreprise.

Le lecteur ne doit pas, par contre, considérer cette approche comme une fin en soi, mais plutôt comme une façon pour le gestionnaire de recueillir des informations supplémentaires sur le degré et sur la nature du risque généré par les nouveaux projets d'investissement.

La démarche proposée s'inspire de celle utilisée en théorie de portefeuille présentée au chapitre 5. Nous aurons recours aux mêmes concepts statistiques, sauf que nous ne fractionnerons pas les projets comme c'était le cas pour le montant total à investir dans les titres composant le portefeuille de l'investisseur.

La variabilité totale pour une combinaison ou un portefeuille (p) de projets d'investissement est obtenue en additionnant la variance de la VAN de chacun des n projets et les covariances entre les VAN de chaque paire de projets. En ayant recours aux notions du chapitre 5, on peut donc écrire :

$$\sigma^2(\text{VAN}_p) = \sigma^2(\text{VAN}_1) + \sigma^2(\text{VAN}_2) + \cdots + \sigma^2(\text{VAN}_n)$$
$$+ \text{Cov}(\text{VAN}_1, \text{VAN}_2) + \text{Cov}(\text{VAN}_1, \text{VAN}_3)$$
$$+ \cdots + \text{Cov}(\text{VAN}_2, \text{VAN}_1) + \cdots + \text{Cov}(\text{VAN}_n, \text{VAN}_{n-1})$$

$$\sigma^2(\text{VAN}_p) = \sum_{i=1}^{n} \sigma^2(\text{VAN}_i) + \sum_{i=1}^{n}\sum_{\substack{j=1 \\ i \neq j}}^{n} \text{Cov}(\text{VAN}_i, \text{VAN}_j) \qquad (8.14)$$

où $\sigma^2(\text{VAN}_i)$: Variance de la VAN du projet i

$\text{Cov}(\text{VAN}_i, \text{VAN}_j)$: Covariance entre la VAN du projet i et celle du projet j

n : Nombre de projets considérés.

Le degré de dépendance linéaire existant entre la VAN de deux projets se mesure au moyen du coefficient de corrélation. Si l'on connaît la covariance entre deux projets, le coefficient de corrélation $[\rho(\text{VAN}_i, \text{VAN}_j)]$ se calcule ainsi :

$$\rho(\text{VAN}_i, \text{VAN}_j) = \frac{\text{Cov}(\text{VAN}_i, \text{VAN}_j)}{\sigma(\text{VAN}_i)\,\sigma(\text{VAN}_j)} \qquad (8.15)$$

Le coefficient de corrélation peut varier entre $+1$ et -1.

Si $\rho = 1$: Les projets évoluent exactement dans la même direction. Ils sont alors positivement et parfaitement corrélés, ce qui implique qu'il n'y a aucun effet de diversification.

Si $\rho = -1$: Les projets évoluent exactement en direction opposée. Dans ce cas, ils sont négativement et parfaitement corrélés, ce qui implique un effet de diversification maximal. En pratique, cette situation ne se rencontre que très rarement.

Si $\rho = 0$: Les projets évoluent indépendamment les uns des autres.

En pratique, la plupart des projets présentent une corrélation positive, mais imparfaite.

Lorsque la covariance entre les VAN des projets n'est pas connue directement, on peut l'évaluer comme suit :

$$\text{Cov}(\text{VAN}_i, \text{VAN}_j) = \sum_{k=1}^{n} P_k [\text{VAN}_{ik} - E(\text{VAN}_i)][\text{VAN}_{jk} - E(\text{VAN}_j)] \qquad (8.16)$$

où P_k : Probabilité d'occurence du scénario économique k

VAN_{ik} : VAN du projet i si le scénario économique k se réalise

VAN_{jk} : VAN du projet j si le scénario économique k se réalise

n : Nombre de scénarios possibles.

Pour illustrer ces notions statistiques, analysons l'exemple suivant.

Exemple 8.9   **Choix entre trois projets mutuellement exclusifs**

L'entreprise Maro inc. étudie la possibilité d'entreprendre l'un où l'autre des trois projets mutuellement exclusifs que vient de lui soumettre le directeur de la division ingénierie.

Les projets actuellement en cours dans l'entreprise et les trois nouveaux projets à l'étude présentent les caractéristiques suivantes :

Projets actuellement en cours dans l'entreprise

État possible de la conjoncture économique	Probabilité	Valeur actuelle nette des projets
Bonne	0,2	50 000 $
Moyenne	0,6	35 000
Mauvaise	0,2	20 000

Nouveaux projets à l'étude

État possible de la conjoncture économique	Probabilité	Valeur actuelle nette		
		Projet X	Projet Y	Projet Z
Bonne	0,2	3000 $	4000 $	6000 $
Moyenne	0,6	5000	2500	4500
Mauvaise	0,2	8000	500	2000

Quel projet devrait sélectionner l'entreprise?

Solution

Pour répondre à cette question, nous ne nous préoccuperons pas, dans un premier temps, des projets qui sont actuellement en cours dans l'entreprise et nous choisirons, parmi les trois nouveaux projets, celui comportant la plus faible unité de risque par unité de rendement.

Le tableau 8.3 présente les résultats sommaires pour les trois projets. Les calculs détaillés pour le projet X sont montrés ci-dessous.

Projet X (exemple de calculs)

Calcul de la VAN espérée

$E(VAN_X) = (0,2)(3\ 000) + (0,6)(5\ 000) + (0,20)(8\ 000) = 5\ 200\ \$$

Calcul de l'écart-type de la VAN

$$\sigma^2(VAN_X) = 0,2(3\ 000 - 5\ 200)^2 + 0,6(5\ 000 - 5\ 200)^2 + 0,2(8\ 000 - 5\ 200)^2$$
$$= 2\ 560\ 000$$

et

$$\sigma(VAN_X) = 1\ 600\ \$$$

Calcul du coefficient de variation

$$CV_X = \frac{1600}{5200} = 0,3077$$

Tableau 8.3 — **Valeur actuelle nette espérée et risque des trois nouveaux projets**

	Projet X	Projet Y	Projet Z
$E(VAN_i)$	5 200 $	2 400 $	4 300 $
$\sigma(VAN_i)$	1 600 $	1 114 $	1 288 $
$\sigma(VAN_i)/E(VAN_i)$	0,3077	0,4642	0,2995

Dans un contexte où l'on se base uniquement sur les résultats individuels des projets, on devrait, si l'objectif est de minimiser le coefficient de variation, opter pour le projet Z.

Combinaison des projets avec les projets actuellement en cours dans l'entreprise

La démarche que nous avons suivie précédemment conduit au choix du projet Z, lequel représente le meilleur des trois nouveaux projets à l'étude compte tenu du critère de décision. Ce choix a été effectué uniquement sur la base des qualités intrinsèques du projet. Il n'est cependant pas certain que notre décision soit optimale, puisque l'impact du projet Z sur le risque global de l'entreprise n'a pas été pris en considération.

Pour remédier à cette lacune, nous allons reprendre l'analyse de l'entreprise Maro inc. en tenant compte cette fois-ci de l'impact de chacun des projets sur le risque global de l'entreprise. Pour ce faire, nous calculerons, en premier lieu, la VAN espérée et l'écart-type de la VAN des projets actuellement en cours dans l'entreprise. Par la suite, nous déterminerons la covariance entre chacun des nouveaux projets et ceux de l'entreprise pour finalement en arriver à évaluer le risque associé à chacune des combinaisons possibles de projets.

1. Projets actuellement en cours dans l'entreprise (E)

Calcul de la VAN espérée

$$\begin{aligned} E(VAN_E) &= (0,2)(50\,000) + (0,6)(35\,000) + (0,2)(20\,000) \\ &= 35\,000\ \$ \end{aligned}$$

Calcul de l'écart-type de la VAN

$$\begin{aligned} \sigma^2(VAN_E) &= 0,2(50\,000 - 35\,000)^2 + 0,6(35\,000 - 35\,000)^2 \\ &\quad + 0,2(20\,000 - 35\,000)^2 \\ &= 90\,000\,000 \\ \sigma(VAN_E) &= 9\,487\ \$ \end{aligned}$$

Calcul du coefficient de variation

$$CV_E = \frac{9487}{35\,000} = 0,271$$

2. Risque associé à chacune des combinaisons possibles de projets

Les combinaisons possibles, compte tenu que l'entreprise ne peut sélectionner qu'un seul projet parmi les trois nouveaux, sont les suivantes :

- Projet X avec les projets de l'entreprise
- Projet Y avec les projets de l'entreprise
- Projet Z avec les projets de l'entreprise

Les résultats sommaires pour les trois combinaisons possibles de projets sont montrés au tableau 8.4 de la page suivante. Nous présentons, ci-dessous, les calculs détaillés pour la combinaison comprenant le projet X et ceux en cours dans l'entreprise.

Calcul de la VAN espérée

Comme les VAN sont additives, on obtient :

$$
\begin{aligned}
E(VAN_E + VAN_X) &= E(VAN_E) + E(VAN_X) \\
&= 35\,000 + 5\,200 \\
&= 40\,200\ \$
\end{aligned}
$$

Calcul de l'écart-type de la VAN

Dans le cas où n = 2, l'expression (8.14) peut s'écrire ainsi :

$$\sigma^2(VAN_E + VAN_X) = \sigma^2(VAN_E) + \sigma^2(VAN_X) + 2\ Cov(VAN_E, VAN_X)$$

Comme on ne connaît pas $Cov(VAN_E, VAN_X)$, il faudra utiliser l'équation (8.16) pour calculer sa valeur. On trouve :

$$
\begin{aligned}
Cov(VAN_E,\ VAN_X) &= 0{,}2(50\,000 - 35\,000)\,(3\,000 - 5\,200) \\
&\quad + 0{,}6(35\,000 - 35\,000)\,(5\,000 - 5\,200) \\
&\quad + 0{,}2(20\,000 - 35\,000)\,(8\,000 - 5\,200) \\
&= -15\,000\,000
\end{aligned}
$$

Le risque du portefeuille de projets est égal à :

$$
\begin{aligned}
\sigma^2(VAN_E + VAN_X) &= (9\,487)^2 + (1\,600)^2 + (2)(-15\,000\,000) \\
&= 62\,563\,169
\end{aligned}
$$

et

$$\sigma(VAN_E + VAN_X)\ = 7\,910\ \$$$

Calcul du coefficient de variation

$$CV_{E,X} = \frac{7\,910}{40\,200} = 0{,}1968$$

Calcul du coefficient de corrélation

$$\rho_{E,X} = \frac{-15\,000\,000}{(9\,487)(1\,600)} = -0{,}99$$

Compte tenu de la valeur du coefficient de corrélation, on peut s'attendre à ce que le projet X se comporte à l'opposé des projets actuels de l'entreprise face aux différentes conjonctures possibles de l'économie, ce qui aurait pour effet de réduire le risque global de l'entreprise.

Tableau 8.4	Rentabilité espérée et risque pour les trois combinaisons possibles de projets		
	Projets actuels et le projet X	**Projets actuels et le projet Y**	**Projets actuels et le projet Z**
$E(VAN_E + VAN_i)$	40 200 $	37 400 $	39 300 $
$\sigma(VAN_E + VAN_i)$	7 910 $	10 595 $	10 755 $
$CV_{E,i}$	0,1968	0,2833	0,2737
$\rho_{E,i}$	− 0,99	0,99	0,98
$Cov(E,i)$	− 15 000 000	10 500 000	12 000 000

Les résultats obtenus indiquent que l'entreprise devrait choisir le projet X et non le projet Z. En effet, le projet X est celui qui, combiné avec les autres projets de l'entreprise, maximise la VAN totale espérée de l'entreprise, tout en minimisant le risque global de cette dernière. L'effet de diversification qu'apporte le projet X au portefeuille existant de projets permet de réduire le risque initial de l'entreprise.

On remarquera également que l'ajout individuel du projet Y et du projet Z aux projets actuels de l'entreprise a pour effet d'augmenter le risque global de cette dernière et que seul l'ajout du projet X contribue à le réduire.

L'approche portefeuille permet donc au gestionnaire d'évaluer le risque d'un projet d'investissement en tenant compte des autres projets de l'entreprise et non uniquement en fonction du risque du projet pris isolément. Cette façon de sélectionner les projets d'investissement devrait, en principe, conduire à des décisions financières qui s'alignent davantage avec les intérêts à long terme de l'entreprise.

8.8 L'analyse des projets d'investissement et le CAPM

Jusqu'à maintenant, nous avons analysé le risque d'un projet d'investissement en ignorant l'impact de la diversification du portefeuille personnel des actionnaires. Ci-dessous, nous décrivons une approche permettant de déterminer le taux d'actualisation approprié pour un projet d'investissement en supposant que les actionnaires détiennent un portefeuille de titres largement diversifié. Dans un tel contexte, seul le risque systématique ou non diversifiable du projet devrait être pris en considération lors de l'évaluation de sa rentabilité car les actionnaires, au niveau personnel, ont la possibilité d'éliminer la partie non systématique du risque - et ce, à un moindre coût qu'une entreprise qui diversifie ses activités pour réduire son risque global - en détenant plusieurs titres dont les rendements sont imparfaitement synchronisés. Toutefois, bien que séduisante sur le plan théorique, nous ne croyons pas pour autant que les gestionnaires, lors de la prise de décision, ignorent complètement l'impact qu'aurait l'acceptation du projet sur le risque global de l'entreprise car, si les actionnaires ont la possibilité de répartir leur richesse dans plusieurs titres, les gestionnaires, de leur côté, n'ont qu'un seul emploi et advenant la faillite de l'entreprise ils le perdront, tout comme les centaines ou milliers d'employés de l'entreprise.

Au chapitre 5, nous avons vu que, dans le cadre de certaines hypothèses, la relation d'équilibre entre le risque et le rendement espéré du titre i s'exprime ainsi :

$$E(R_i) = r + [E(R_M) - r]\beta_i$$

Ce modèle, élaboré à l'origine dans le contexte des titres boursiers, peut également servir à déterminer le taux de rendement minimal à exiger sur un projet d'investissement. En effet, du point de vue d'un investisseur détenant un portefeuille de titres largement diversifié, le rendement minimal à exiger sur un projet d'investissement devrait être lié à son risque systématique de la façon suivante :

$$k = r + [E(R_M) - r]\beta_p \qquad (8.17)$$

où

k   : Taux de rendement minimal acceptable sur un projet d'investissement

r   : Taux de rendement d'un placement sans risque

$E(R_M)$: Taux de rendement espéré du portefeuille de marché

β_p : Coefficient bêta du projet.

Pour déterminer si un projet donné est acceptable, il s'agit de comparer le taux de rendement minimal (k) qu'exigerait le marché sur ce projet compte tenu de son risque avec le taux de rendement interne espéré du projet. Si le taux de rendement interne espéré du projet excède le taux de rendement exigé par le marché, le projet devrait être accepté; dans le cas contraire, il devrait être refusé.

Afin d'évaluer le taux de rendement exigé par le marché sur un projet donné, on doit connaître le taux sans risque (r), le taux de rendement espéré du portefeuille de marché ($E(R_M)$) et le coefficient bêta du projet (β_p).

Le taux sans risque (r) est habituellement estimé à partir du rendement des bons du Trésor du gouvernement du Canada. En ce qui a trait à la prime par unité de risque exigée par le marché [$E(R_M)-r$], les données empiriques canadiennes révèlent que, sur une longue période de temps, le rendement annuel du marché des actions a dépassé d'environ 5% celui des bons du Trésor. Si l'on juge cette information pertinente, on peut, dans un contexte pratique, l'utiliser pour estimer la prime par unité de risque sur une base ex ante.

Au chapitre 5, nous avons indiqué qu'une des hypothèses de base du CAPM est que l'horizon de planification est d'une période. Dans ces conditions, ce modèle ne devrait être utilisé que pour des projets dont la durée de vie utile ne comporte qu'une seule période. Cependant, contrairement à la croyance commune, plusieurs types de projet rencontrent cette exigence. Ainsi, la rentabilité de tous les projets qui font l'objet d'une revente à la fin de la première période peut être évaluée à partir du modèle d'équilibre des actifs financiers.

En outre, l'équation (8.17) ne devrait être utilisée pour déterminer le taux de rendement minimal à exiger sur un projet d'investissement que dans les deux cas suivants : (1) l'entreprise est financée à 100% par fonds propres ou (2) le coût du capital est indépendant de la structure de capital. Dans les autres situations, il faut ajuster le taux de rendement minimal pour tenir compte de l'impact du financement par dette.

Exemple 8.10

Analyse de la rentabilité d'un projet d'investissement à l'aide du CAPM

À titre d'essai, l'entreprise Procal inc., qui est financée entièrement par capitaux propres, considère la possibilité d'acheter un nouvel équipement spécialisé de production. Au terme de la période d'essai, l'équipement sera revendu à un autre manufacturier qui s'est montré intéressé à s'en porter acquéreur. La mise de fonds requise est de 10 000 $ et le flux monétaire dépend de l'état du marché au cours de la prochaine période.

État du marché	Probabilité d'occurence de cet état	Flux monétaire net	Rendement du projet
Excellent	0,1	13 000 $	30%
Bon	0,3	20 000	20%
Moyen	0,4	11 000	10%
Mauvais	0,2	8 000	– 20%

On estime que les bons du Trésor rapporteront 5% au cours de la prochaine période. De plus, les prévisions concernant le taux de rendement du portefeuille de marché sont les suivantes :

État du marché	Probabilité d'occurence de cet état	Taux de rendement du portefeuille de marché
Excellent	0,1	18%
Bon	0,3	14%
Moyen	0,4	8%
Mauvais	0,2	– 7%

En se basant sur le CAPM, ce projet est-il acceptable?

Solution

La règle de décision est la suivante :

On accepte le projet si : $E(R_p) > k$
On refuse le projet si : $E(R_p) < k$

où $E(R_p)$: Taux de rendement espéré du projet à l'étude
k : Taux de rendement minimal acceptable pour ce genre de projet.

1. Calcul du taux de rendement espéré du projet

$E(R_p) = (0,10)(0,30) + (0,30)(0,20) + (0,40)(0,10) + (0,20)(-0,20)$
$E(R_p) = 9\%$

2. Calcul du taux de rendement minimal acceptable

Le taux de rendement minimal acceptable ou le taux de rendement espéré normal du projet est obtenu à l'aide du CAPM. On sait que :

$$k = r + [E(R_M) - r] \beta_p$$

Ici $r = 5\%$ et la valeur de $E(R_M)$ est donnée par :

$$E(R_M) = (0,10)(0,18) + (0,30)(0,14) + (0,40)(0,08) + (0,20)(-0,07)$$
$$E(R_M) = 7,8\%$$

Calculons maintenant le coefficient bêta du projet. Pour ce faire, on utilise l'équation suivante :

$$\beta_p = \frac{Cov(R_p, R_M)}{\sigma^2(R_M)}$$

La variance du taux de rendement du marché s'obtient comme suit :

$$\sigma^2(R_M) = 0,10(0,18 - 0,078)^2 + 0,30(0,14 - 0,078)^2$$
$$+ 0,40(0,08 - 0,078)^2 + 0,20(-0,07 - 0,078)^2$$
$$= 0,00658$$

La covariance se calcule ainsi :

$$Cov(R_p,R_M) = 0,10(0,30 - 0,09)(0,18 - 0,078)$$
$$+ 0,30(0,20 - 0,09)(0,14 - 0,078)$$
$$+ 0,40(0,10 - 0,09)(0,08 - 0,078)$$
$$+ 0,20(-0,20 - 0,09)(-0,07 - 0,078)$$
$$Cov(R_p,R_M) = 0,0128$$

Le coefficient bêta du projet est alors :

$$\beta_p = \frac{0,0128}{0,00658} = 1,95$$

En substituant les valeurs de r, $E(R_M)$ et β_p dans l'expression (8.17), on trouve :
$$k = 0,05 + (0,078 - 0,05)\,1,95 = 10,46\%$$

La décision sera donc de refuser le projet, puisque son taux de rendement espéré est inférieur au taux de rendement minimal acceptable. En effet, on a :
$$E(R_p) < k$$
$$9\% < 10,46\%$$

L'utilisation du CAPM et la pratique

L'exemple précédent a permis de constater qu'il était relativement simple, d'un point de vue théorique, d'utiliser le CAPM pour déterminer les investissements acceptables en contexte de risque. Il n'est cependant pas aussi évident qu'en pratique nous puissions évaluer avec autant de facilité le coefficient bêta d'un projet. Certains préconisent alors d'utiliser, pour estimer le coefficient bêta d'un projet, celui d'une entreprise oeuvrant dans le même secteur que le projet étudié. Par exemple, si une entreprise examine à des fins de diversification la possibilité d'investir dans un immeuble commercial, le coefficient bêta d'une entreprise immobilière cotée en Bourse pourrait servir comme point de départ pour estimer celui du projet à l'étude.

8.9 Concepts fondamentaux

- Parmi les principaux types de risque auxquels sont confrontées les entreprises, mentionnons le risque d'exploitation, le risque financier, le risque de taux d'intérêt, le risque de change et le risque politique.

- Les approches visant à incorporer l'incidence du risque dans l'analyse de la rentabilité des projets d'investissement à long terme se répartissent en trois catégories. Le premier type d'approche (ajustement des paramètres qui influent sur la VAN du projet, arbre des possibilités, simulation, analyse de sensibilité et méthode des scénarios) ne tient compte que du risque spécifique du projet, sans égard à l'impact que son acceptation exercerait sur le risque global de l'entreprise. Pour sa part, l'approche portefeuille offre l'avantage de considérer dans le processus de décision l'interaction existant entre le nouveau projet et ceux actuellement en cours dans l'entreprise. Enfin, le modèle d'équilibre des actifs financiers (CAPM) permet d'apprécier le risque d'un projet sous l'angle des investisseurs qui détiennent, au niveau personnel, des portefeuilles de titres largement diversifés.

- La réduction de la durée de vie du projet, l'augmentation du taux de rendement exigé et la transformation de flux monétaires incertains en montants équivalents certains constituent trois approches simples permettant d'incorporer l'aspect risque dans l'analyse des décisions d'investissement à long terme. Il convient de souligner que, d'un point de vue théorique, la méthode basée sur l'ajustement des flux monétaires du projet est supérieure à celle consistant à ajouter au taux sans risque une prime de risque appropriée. Toutefois, dans un contexte pratique, la méthode du taux d'actualisation ajusté en fonction du risque est, de loin, la plus utilisée par les gestionnaires.

- Le coût moyen pondéré du capital après impôt convient pour évaluer la rentabilité des projets d'investissement comportant un degré de risque sensiblement équivalent aux activités habituelles de l'entreprise. Pour les autres projets, l'analyste doit utiliser, dans le calcul de la VAN, un taux d'actualisation qui reflète leur risque spécifique.

- Pour calculer la VAN espérée d'un projet, on multiplie chaque VAN possible par sa probabilité d'occurence et on effectue la somme des résultats obtenus.

- On utilise habituellement l'écart-type pour apprécier le risque d'un projet d'investissement. Ce paramètre statistique mesure la dispersion des différents résultats possibles autour de l'espérance mathématique.

- Le coefficient de variation s'avère utile pour comparer des investissements mutuellement exclusifs comportant des VAN espérées significativement différentes. On obtient la valeur de ce coefficient en divisant l'écart-type de la VAN par sa valeur espérée.

- La VAN espérée d'un projet d'investissement n'est aucunement affectée par le degré de corrélation qui existe entre les flux monétaires successifs du projet. Toutefois, le degré de dépendance statistique observé entre les flux monétaires successifs du projet exerce une influence marquée sur son degré de risque total. Ainsi, toutes choses étant égales par ailleurs, le risque du projet sera plus élevé si ses flux monétaires successifs sont totalement dépendants que dans un contexte où ces derniers peuvent être considérés comme étant indépendants d'une période à l'autre.

- En contexte de risque, un projet d'investissement comportant une VAN espérée positive n'est pas nécessairement acceptable d'un point de vue financier.

- La simulation s'avère un outil puissant pour établir la distribution de probabilité de la VAN d'un projet et estimer les paramètres statistiques usuels (espérance mathématique et écart-type).

- L'analyse de sensibilité permet notamment d'estimer la variation maximale en pourcentage que peut subir une des variables clés du projet, tout en permettant à ce dernier de rester marginalement rentable.

- La méthode des scénarios est utilisée pour apprécier la rentabilité du projet sous diverses hypothèses concernant les valeurs prises par ses variables clés.

- La variance de la VAN d'un portefeuille de projets d'investissement correspond à la somme des variances de la VAN de chaque projet et des covariances entre les VAN de chaque paire de projets.

- Plus le coefficient de corrélation entre les VAN des projets s'approche de -1, plus l'effet de diversification est prononcé.

- Le meilleur projet, considéré isolément, ne constitue pas nécessairement le choix optimal dans un contexte où les autres projets de l'entreprise sont également incorporés dans l'analyse.

- Selon le modèle d'équilibre des actifs financiers (CAPM), le taux de rendement minimal acceptable sur un projet d'investissement est lié positivement à son risque systématique.

8.10　Mots clés

Analyse de sensibilité (p. 369)
Arbre des possibilités (p. 361)
Certitude (p. 346)
Coefficient bêta (p. 381)

8.11   Sommaire des principales formules

Méthodes approximatives pour tenir compte du risque d'un projet

Réduction de la durée du projet

$$(8.1) \quad VAN = \sum_{t=1}^{n-a} \frac{E(FM_t)}{(1+r)^t} - I$$

où   VAN   : Valeur actuelle nette du projet ajustée pour le risque

      n   : Durée de vie initiale prévue du projet

      a   : Nombre d'années retranchées pour tenir compte du risque du projet

      $E(FM_t)$: Flux monétaire espéré pour la période t

      r   : Taux d'actualisation sans risque

      I   : Investissement initial .

Ajustement des flux monétaires

$$(8.2) \qquad VAN = \sum_{t=1}^{n} \frac{\alpha_t E(FM_t)}{(1+r)^t} - I$$

où $\quad \alpha_t \quad$: Coefficient d'ajustement du flux monétaire pour la période t.

Taux d'actualisation ajusté

$$(8.5) \qquad VAN = \sum_{t=1}^{n} \frac{E(FM_t)}{(1+k)^t} - I$$

où $\quad$ k : Taux d'actualisation ajusté pour le risque.

Coût moyen pondéré du capital

$$(8.4) \qquad \rho = w_d k_d + w_0 k_0$$

où $\quad \rho \quad$: Coût moyen pondéré du capital après impôt

w_d : Part du financement par dette dans la structure de capital de l'entreprise

k_d : Coût de la dette après impôt (en %)

w_0 : Part du financement par fonds propres (capital-actions ordinaire) dans la structure de capital de l'entreprise

k_0 : Coût des fonds propres (en %).

Méthodes pour mesurer le risque d'un projet

Projets d'une seule période

$$(8.7) \qquad VAN = \sum_{j=1}^{n} P_j \, VAN_j$$

où $\quad$ E(VAN) $\quad$: Valeur actuelle nette espérée du projet

$\quad$ n $\quad$: Nombre de scénarios associés au projet

$\quad$ P_j $\quad$: Probabilité de réalisation du scénario j

$\quad$ VAN_j $\quad$: Valeur actuelle nette du projet si le scénario j se réalise.

$$(8.9) \qquad \sigma(VAN) = \sqrt{\sum_{j=1}^{n} P_j \left[VAN_j - E(VAN) \right]^2}$$

où $\quad \sigma(VAN)$: Écart-type de la VAN.

$$(8.10) \qquad CV = \frac{\sigma(VAN)}{E(VAN)}$$

où $\quad$ CV : Coefficient de variation.

Projets dont les flux monétaires s'étalent sur plusieurs périodes

1. Indépendance des flux monétaires dans le temps

$$(8.11) \quad E(VAN) = \sum_{t=0}^{n} \frac{E(FM_t)}{(1+r)^t}$$

$$(8.12) \quad \sigma(VAN) = \left[\sum_{t=0}^{n} \frac{\sigma^2(FM_t)}{(1+r)^{2t}} \right]^{1/2}$$

2. Dépendance totale des flux monétaires dans le temps

$$(8.11) \quad E(VAN) = \sum_{t=0}^{n} \frac{E(FM_t)}{(1+r)^t}$$

$$(8.13) \quad \sigma(VAN) = \sum_{t=0}^{n} \frac{\sigma(FM_t)}{(1+r)^t}$$

3. Dépendance partielle des flux monétaires dans le temps
Dans ce cas, on doit recourir à l'arbre des possibilités.

> **Évaluation du risque d'un projet en considérant le portefeuille de projets de l'entreprise**

Risque total d'un portefeuille de n projets

$$(8.14) \quad \sigma^2(VAN) = \sum_{i=1}^{n} \sigma^2(VAN_i) + \sum_{i=1}^{n} \sum_{\substack{j=1 \\ i \neq j}}^{n} Cov(VAN_i, VAN_j)$$

où $\sigma^2(VAN_p)$: Variance de la VAN d'un portefeuille composé de n projets

$\sigma^2(VAN_i)$: Variance de la VAN du projet i

$Cov(VAN_i, VAN_j)$: Covariance entre les VAN des projets i et j

n : Nombre de projets.

Coefficient de corrélation entre les VAN des projets i et j ($\rho(VAN_i, VAN_j)$)

$$(8.15) \quad \rho(VAN_i, VAN_j) = \frac{Cov(VAN_i, VAN_j)}{\sigma(VAN_i) \, \sigma(VAN_j)}$$

Covariance entre les VAN des projets i et j (Cov(VAN$_i$, VAN$_j$))

$$(8.16) \quad \text{Cov}(\text{VAN}_i, \text{VAN}_j) = \sum_{k=1}^{n} P_k \left[\text{VAN}_{ik} - E(\text{VAN}_i)\right] \left[\text{VAN}_{jk} - E(\text{VAN}_j)\right]$$

où P$_k$: Probabilité d'occurence du scénario économique k

VAN$_{ik}$: VAN du projet i si le scénario économique k se réalise

VAN$_{jk}$: VAN du projet j si le scénario économique k se réalise

n : Nombre de scénarios possibles.

Évaluation du risque d'un projet selon le CAPM

$$(8.17) \quad k = r + [E(R_M) - r]\,\beta_p$$

où k : Taux de rendement minimal acceptable sur un projet d'investissement

r : Taux de rendement d'un placement sans risque

E(R$_M$) : Taux de rendement espéré du portefeuille de marché

β$_p$: Coefficient bêta du projet.

8.12 Exercices

1. Vrai ou faux.

a) Le risque d'exploitation d'une entreprise dépend de son ratio d'endettement.

b) Habituellement, les décisions financières sont prises dans un contexte de certitude.

c) Selon la méthode basée sur l'ajustement des flux monétaires et en supposant que l'analyste du projet a de l'aversion à l'égard du risque, plus un flux monétaire positif (c.-à-d. une rentrée de fonds) est jugé risqué, plus la valeur du coefficient d'ajustement (α_t) sera élevée.

d) Selon la méthode basée sur l'ajustement des flux monétaires et en supposant que l'analyste du projet a de l'aversion à l'égard du risque, plus un flux monétaire négatif (c.-à-d. une sortie de fonds) est jugé risqué, plus la valeur du coefficient d'ajustement (α_t) sera faible.

e) Pour calculer la VAN d'un projet dans un contexte de certitude, on doit utiliser comme taux d'actualisation le coût moyen pondéré du capital de l'entreprise.

f) Plus un projet d'investissement est perçu comme risqué, plus le taux de rendement exigé sera élevé.

g) Toutes les entreprises ont un coût moyen pondéré du capital identique.

h) Une entreprise doit utiliser comme taux d'actualisation son coût moyen pondéré du capital pour calculer la VAN de tous ses projets d'investissement.

i) Un projet d'investissement dont E(VAN) excède 0 devrait nécessairement être accepté.

j) L'actualisation de flux monétaires espérés au taux sans risque donne une VAN sûre équivalente.

k) Dans le cas du projet « X », un analyste financier a calculé que la probabilité d'obtenir une VAN négative est de 10%. Par conséquent, ce projet devrait nécessairement être accepté.

l) La distribution de probabilité d'un flux monétaire peu risqué est moins étalée que celle d'un flux monétaire très risqué.

m) Le projet « X » comporte une espérance mathématique de 1 000 $ et un écart-type de 200 $. Le projet « Y » présente, pour sa part, une espérance mathématique de 600 $ et un écart-type de 200 $. On peut donc conclure que ces deux projets sont de risque équivalent.

n) Habituellement, plus un flux monétaire est éloigné dans le temps, plus son risque est élevé.

o) Lorsqu'une entreprise accepte un projet d'investissement dont les flux monétaires sont corrélés négativement avec ceux de ses projets actuellement en cours, il en résulte une diminution de son risque global.

p) Lorsqu'une entreprise diversifie ses activités dans plusieurs secteurs industriels, cela amène une réduction de son risque global.

2. L'entreprise Micronix inc. envisage un investissement qui consiste à utiliser une nouvelle technologie pour son processus de fabrication. À titre d'analyste financier, vous avez obtenu les informations suivantes :

- le taux sans risque est de 7%;
- le coût du capital de l'entreprise est de 10%;
- le taux d'actualisation ajusté, compte tenu du fait que ce projet est plus risqué que les projets normaux de l'entreprise, est de 12%;
- les coefficients d'équivalence de certitude sont les suivants :

Années	α_t
0	1,00
1	0,93
2	0,89
3	0,85

- les flux monétaires espérés sont les suivants :

Années	$E(FM_t)$
0	− 27 800 $
1	10 000
2	12 000
3	14 000

a) Calculez la valeur actuelle nette de ce projet en utilisant la méthode de l'équivalence de certitude.

b) Calculez la valeur actuelle nette de ce projet en utilisant la méthode du taux d'actualisation ajusté.

c) Calculez les valeurs des coefficients d'équivalence de certitude pour lesquelles les deux méthodes donnent la même valeur actuelle nette.

3. Une entreprise envisage la possibilité d'investir 100 000 $ dans un nouveau procédé de fabrication. Elle prévoit, en retour, au cours des cinq prochaines années, les rentrées de fonds supplémentaires suivantes :

Années	Rentrées de fonds espérés
1	35 000 $
2	33 000
3	30 000
4	28 000
5	25 000

Le coût du capital de l'entreprise est de 13% et cette dernière peut obtenir un rendement de 9% si elle achète des obligations fédérales échéant dans 5 ans.

Bénéficiant d'une expérience de plusieurs années dans l'analyse des projets d'investissement, le contrôleur de l'entreprise a établi la classification suivante des projets :

Nature du projet	Taux de rendement requis
Remplacement de machinerie	Coût du capital
Lancement d'un nouveau produit	Coût du capital plus 2%
Nouveau procédé de fabrication	Coût du capital plus 5%
Recherche et développement	Coût du capital plus 6%

Le contrôleur de l'entreprise pense également que, plus les flux monétaires d'un projet sont éloignés dans le temps, plus ces derniers sont risqués. À cet effet, il a établi, pour le projet à l'étude, les coefficients d'ajustement suivants pour les rentrées de fonds prévues :

Années	Coefficient d'ajustement
1	0,95
2	0,90
3	0,85
4	0,80
5	0,75

a) Compte tenu des autres données du problème, le contrôleur a-t-il été cohérent dans la fixation des coefficients d'ajustement? (Faites l'analyse de la rentabilité de ce projet selon la méthode du taux d'actualisation ajusté et selon la méthode de l'équivalence de certitude.)

b) Déterminez les valeurs des coefficients d'équivalence de certitude afin que les deux méthodes soient cohérentes.

4. L'entreprise Valmar inc. songe à investir dans un nouveau procédé de fabrication relativement à l'un de ses produits vedettes dont la durée de vie prévue est de trois ans. Le coût de l'investissement est de 70 000 $ et les flux monétaires possibles du projet ainsi que leur probabilité de réalisation sont les suivants :

Année 1

Flux monétaires	Probabilités
16 000 $	0,25
22 000	0,40
26 000	0,35

Année 2

Flux monétaires	Probabilités
20 000 $	0,20
30 000	0,60
40 000	0,20

Année 3

Flux monétaires	Probabilités
70 000 $	0,20
80 000	0,70
90 000	0,10

Le coût du capital de l'entreprise est de 13% et le taux de rendement des obligations fédérales échéant dans 3 ans est de 9%.

Pour prendre une décision, le directeur des finances préconise l'utilisation de la méthode de l'équivalence de certitude et se base sur les coefficients suivants :

$$\alpha_0 = 1,0$$
$$\alpha_1 = 0,95$$
$$\alpha_2 = 0,80$$
$$\alpha_3 = 0,75$$

Quelle sera sa recommandation s'il applique la méthode de l'équivalence de certitude?

5. La compagnie Luminec inc. doit choisir entre construire une usine à grande capacité de production et construire une usine à capacité plus limitée.

L'usine à grande capacité est plus efficace pour un volume élevé de production et moins efficace pour un volume de production plus faible alors que c'est l'inverse pour l'usine à capacité limitée. On a estimé les retombées suivantes selon trois niveaux d'augmentation des ventes :

Augmentation du niveau des ventes	Probabilité	Valeur actuelle nette (VAN)	
		Projet A	**Projet B**
		Usine à grande capacité	Usine à capacité limitée
150 %	0,10	500 000 $	400 000 $
100 %	0,70	350 000	300 000
50 %	0,20	(100 000)	100 000

Autres informations :

- Taux sans risque : 8%
- Coût du capital : 15%
- Prime de risque inhérente à la nature du projet : 2%
- Il s'agit de deux projets mutuellement exclusifs.

Quel type d'usine l'entreprise devrait-elle construire si le critère de décision est de choisir le projet dont le ratio $\sigma(VAN)/E(VAN)$ est le plus faible?

6. L'entreprise Multison inc. veut lancer sur le marché un nouveau système de son révolutionnaire. Les analystes de l'entreprise vous présentent les valeurs que pourront prendre les différentes variables du projet selon les trois scénarios envisagés :

Variables	SCÉNARIOS		
	Pessimiste	**Réaliste**	**Optimiste**
Taille du marché	900 000	1 000 000	1 100 000
Part du marché	0,008	0,01	0,012
Prix unitaire	3 300 $	3 500 $	3 700 $
Frais variables unitaires	2 800 $	2 600 $	2 400 $
Frais fixes nécessitant des sorties de fonds	3 500 000 $	3 000 000 $	2 500 000 $

Les informations suivantes sont également disponibles :

- l'investissement requis pour ce projet est de 15 000 000 $;
- le taux d'amortissement permis par l'impôt est de 20% sur le solde dégressif;
- le taux d'imposition de l'entreprise est de 50%;
- la durée du projet est de 6 ans;
- le taux d'actualisation approprié est de 12%;
- la valeur résiduelle de l'investissement sera nulle à la fin du projet et la catégorie d'actif ne s'éteindra pas.

a) Calculez pour chacun des scénarios la valeur actuelle nette du projet.

b) Dans le cas du scénario réaliste, faites une analyse de sensibilité pour chacune des 5 variables mentionnées ci-dessus et classifiez ces dernières par ordre de sensibilité.

7. La compagnie Alex inc. considère la possibilité de lancer un nouveau produit sur le marché. Le contrôleur de l'entreprise, M. Jean Labonté, a effectué les prévisions suivantes :

- Nombre d'unités vendues par année : 200 000
- Prix de vente unitaire : 100 $
- Coût variable unitaire : 60 $
- Frais fixes annuels nécessitant des sorties de fonds et directement attribuables au projet : 3 500 000 $
- Investissement initial requis : 15 000 000 $
- Taux d'amortissement fiscal dégressif autorisé : 20%
- Durée de vie économique du projet : 5 ans
- Valeur résiduelle prévue : nulle
- Taux de rendement requis compte tenu du risque du projet : 15%
- Taux d'imposition marginal de l'entreprise : 36%

a) L'entreprise devrait-elle accepter ce projet?
b) La directrice des ventes de l'entreprise, Mlle Irvana Laterreur, pense qu'en abaissant le prix de vente à 90 $ l'unité et qu'en augmentant les dépenses de publicité de 200 000 $ par année, il serait possible de vendre 150 000 unités de plus par année. Dans ces conditions, que devrait faire l'entreprise?

8. Deux étudiantes examinent la possibilité d'ouvrir un petit casse-croûte sur le campus universitaire. Fortes de leurs connaissances en finance, elles ont calculé elles-mêmes les flux monétaires nets anticipés du projet au cours des 3 prochaines années. Pour ce faire, elles ont posé l'hypothèse que la clientèle de la deuxième année sera fonction en partie de la clientèle de la première année et que la clientèle de la troisième année dépendra en partie de celle de la deuxième année. Les résultats qu'elles ont obtenus sont les suivants :

Année 1

Probabilités	Flux monétaire (FM_1)
0,4	20 000 $
0,6	30 000

Année 2 si

FM_1 = 20 000 $		FM_1 = 30 000 $	
Prob.	FM_2	Prob.	FM_2
0,3	22 000 $	0,5	33 000 $
0,7	26 000	0,5	37 000

Année 3 si							
$FM_2 = 22\,000\$$		$FM_2 = 26\,000\$$		$FM_2 = 33\,000\$$		$FM_2 = 37\,000\$$	
Prob.	FM_3	Prob.	FM_3	Prob.	FM_3	Prob.	FM_3
0,2	24 000 $	0,1	27 000 $	0,6	36 000 $	0,3	39 000 $
0,8	28 000	0,4	29 000	0,4	40 000	0,7	42 000
		0,5	32 000				

a) Calculez la VAN espérée de ce projet ainsi que l'écart-type de cette dernière si la mise de fonds requise est de 70 000 $ et que le taux d'actualisation est de 10%. Arrondissez vos calculs au dollar le plus près.

b) Compte tenu de leur attitude face au risque, ces deux étudiantes ont établi la règle de décision suivante :

Accepter le projet si $\sigma(VAN)/E(VAN) \leq 1$
Refuser le projet si $\sigma(VAN)/E(VAN) > 1$

Devraient-elles accepter le projet?

9. L'entreprise Utrec inc., qui exploite un des bars les plus populaires en ville, analyse la possibilité d'acquérir une nouvelle machine programmable capable de préparer en moins de cinq secondes n'importe laquelle des boissons mélangées requérant plusieurs ingrédients. Compte tenu de la rapidité d'exécution de cet appareil, les dirigeants de l'Utrec anticipent réaliser des économies importantes au niveau du personnel de bar et d'augmenter sensiblement leur chiffre d'affaires. Comme ce bar est un endroit très achalandé, la durée prévue de l'équipement est de trois ans. On vous informe que le coût de cette machine est de 7 000 $ et que le taux sans risque est de 12%. Les flux monétaires nets prévus sont indépendants et sont caractérisés par les distributions de probabilité suivantes :

Prob.	FM_1	Prob.	FM_2	Prob.	FM_3
0,6	2 000 $	0,2	2 500 $	0,7	3 000 $
0,4	3 000	0,5	3 000	0,3	5 000
		0,3	4 000		

a) Calculez la VAN espérée de ce projet.
b) Calculez l'écart-type de la VAN.
c) L'entreprise a comme politique de n'accepter aucun projet dont la probabilité de non-rentabilité dépasse 10%. Dans ces conditions, déterminez si l'investissement envisagé est acceptable. (Supposez une distribution normale.)
d) Si les flux monétaires étaient dépendants, plutôt qu'indépendants, aurions-nous un écart-type plus élevé ou moins élevé? (N'effectuez aucun calcul pour répondre à cette question.)

10. La compagnie RFDM inc. étudie un projet d'investissement nécessitant une mise de fonds initiale de 30 000 $ et dont la durée de vie est de deux ans. Le taux d'intérêt sans risque s'élève à 8% et les flux monétaires présentent la configuration suivante :

Prob.	FM_1	Si FM_1 = 12 000 $, on prévoit :		Si FM_1 = 24 000 $, on prévoit :		Si FM_1 = 36 000 $, on prévoit :	
		Prob.	FM_2	Prob.	FM_2	Prob.	FM_2
0,20	12 000 $	0,70	12 000 $	0,80	24 000 $	0,60	36 000 $
0,50	24 000	0,20	24 000	0,10	12 000	0,30	24 000
0,30	36 000	0,10	36 000	0,10	36 000	0,10	12 000

a) Le flux monétaire de l'année 1 est-il corrélé positivement ou négativement avec celui de l'année 2? (Aucun calcul n'est nécessaire.)

b) Calculez la VAN espérée et le risque de ce projet.

c) Quelle est la probabilité exacte que la VAN de ce projet soit négative?

d) Compte tenu du résultat obtenu en c), devrait-on accepter ce projet si les gestionnaires de l'entreprise exigent une probabilité de rentabilité supérieure à 90%?

e) Calculez la probabilité que l'indice de rentabilité de ce projet soit compris entre 0,80 et 1,20. (Supposez une distribution normale.)

11. Le contrôleur de la compagnie Oméga inc. étudie actuellement les projets d'investissement X et Y. Son objectif est de minimiser le risque (l'écart-type) de l'ensemble des projets de l'entreprise. Les possibilités s'offrant à lui sont les suivantes :

a) n'investir dans aucun des projets;

b) investir dans le projet X seulement;

c) investir dans le projet Y seulement;

d) investir dans les deux projets X et Y.

On lui transmet de plus les informations suivantes :

Variabilité (risque) des flux monétaires

- Écart-type des projets actuels de l'entreprise :
  $\sigma_E = 1\ 000$ $
- Écart-type du projet X :
  $\sigma_X = 400$ $
- Écart-type du projet Y :
  $\sigma_Y = 250$ $

Coefficients de corrélation

$\rho_{EX} = -0,8$
$\rho_{EY} = 0,4$
$\rho_{XY} = -0,6$

Quelle devrait être sa décision? Justifiez votre réponse.

12. L'entreprise Immobilia inc. veut investir dans deux des trois projets (W, Y et Z) qui lui sont présentés pour étude. L'analyste financier de l'entreprise, après une compilation des différentes données relatives à ces projets, vous présente les résultats suivants :

	PROJETS		
	W et Y	**W et Z**	**Y et Z**
$E(VAN_p)$	7 900 $	7 200 $	7 100 $
$\sigma(VAN_p)$	2 072 $	1 470 $	1 374 $
$\dfrac{\sigma(VAN_p)}{E(VAN_p)}$	0,26	0,20	0,19
Covariance	300 000	− 1 200 000	− 840 000
ρ	0,50	− 0,70	− 0,95

On vous informe, de plus, que la valeur espérée et l'écart-type de la VAN des projets actuellement en cours dans l'entreprise sont respectivement de :

$$\text{VAN espérée des projets de l'entreprise} : E(VAN_E) = 30\ 800 \ \$$$

$$\text{Écart-type des projets de l'entreprise} : \sigma(VAN_E) = 6\ 646 \ \$$$

Vous disposez également des données suivantes :

Cov [E, (W,Y)] = − 5 160 000
Cov [E, (W,Z)] = 4 320 000
Cov [E, (Y,Z)] = 3 960 000

Quels sont les deux projets, parmi W, Y et Z, que l'entreprise Immobilia inc. devrait entreprendre? Justifiez votre décision.

13. Un jeune ingénieur industriel, Paul Génius, songe à mettre sur le marché une mini-lampe pour la lecture fonctionnant uniquement à piles rechargeables. Ce nouveau produit, unique en son genre, serait commercialisé sous le nom de Milamlec.

N'étant pas en mesure de produire cette mini-lampe, il décide d'en confier la fabrication à un sous-traitant. Les projections établissent le prix de vente à 48 $ l'unité et on anticipe un bénéfice avant impôt de 12% du prix de vente. Les bénéfices prévus seront imposés à un taux de 25%. Même si la durée de vie anticipée du produit est de 6 ans, Paul Génius désire retenir, par mesure de prudence, un horizon de trois ans pour évaluer la rentabilité de son projet.

Le promoteur du projet considère que, si le marché accepte bien Milamlec, les ventes annuelles atteindront 11 000 unités alors que, dans le cas contraire, les ventes se situeront autour de 3 000 unités par année.

Génius pense que les ventes de la deuxième année dépendront des ventes de la première année et que celles de la troisième année seront fonction des ventes de la deuxième année. À partir d'une étude de marché, Génius a pu établir l'arbre des possibilités présenté à la page suivante.

Le financement du projet proviendrait d'une mise de fonds de 50 000 $ de Paul Génius et d'un emprunt de 30 000 $ à un taux d'intérêt annuel de 16%. Le rendement exigé par Génius sur ce projet est de 20%. Les obligations fédérales échéant dans 3 ans rapportent actuellement 12% par année.

a) Calculez la VAN espérée de ce projet ainsi que son écart-type.

b) Le critère de décision de Paul Génius est de ne pas accepter de projet dont le coefficient de variation [σ(VAN)/E(VAN)] est supérieur à 1. Dans ces conditions, que lui suggérez-vous?

c) Paul Génius étudie également deux autres projets mutuellement exclusifs dont les caractéristiques sont les suivantes :

	VAN espérée	Écart-type de la VAN
Projet W	28 000 $	35 000 $
Projet M	26 000	32 000

En appliquant le critère de décision utilisé en (b), quel projet lui conseillez-vous?

d) Le projet W a un coefficient de corrélation de 1 avec Milamlec, tandis que le projet M présente un coefficient de corrélation de – 0,80 avec Milamlec. Dans ces conditions, que devrait faire Paul Génius?

14. Une firme de consultants a compilé les données suivantes pour la compagnie Alpax inc. qui envisage investir dans le projet X :

État de l'économie	Probabilité	Rendement du marché	Rendement du projet X
Faible	0,1	– 0,20	– 0,40
Moyen	0,3	0,10	0,08
Bon	0,4	0,15	0,25
Très bon	0,2	0,30	0,50

Le taux de rendement des bons du Trésor est de 8%.

Note : La firme Alpax est financée à 100% par fonds propres.

a) Quel est le taux de rendement espéré du projet X?
b) Quel est le taux de rendement minimal acceptable pour le projet X?
c) Le projet X est-il acceptable? Justifiez votre décision.

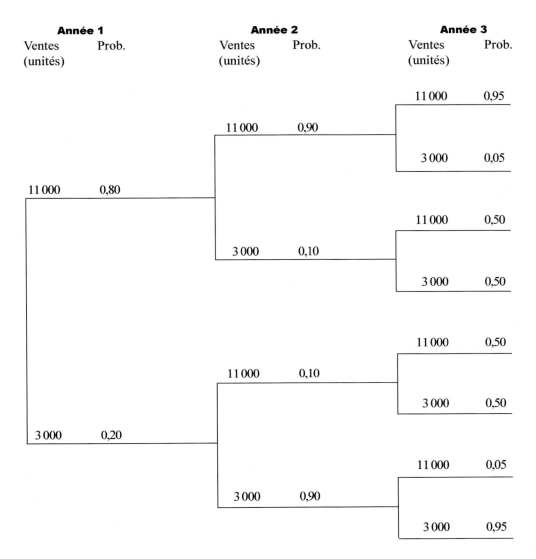

Année 1		Année 2		Année 3	
Ventes (unités)	Prob.	Ventes (unités)	Prob.	Ventes (unités)	Prob.

15. La compagnie Explorex inc., qui est financée à 100% par fonds propres, envisage la possibilité d'entreprendre un nouvel investissement dont les flux monétaires espérés sont les suivants :

FM_0	$E(FM_1)$	$E(FM_2)$	$E(FM_3)$
-100 000 $	50 000 $	50 000 $	50 000 $

De plus, on sait que :

- Taux de rendement de l'actif sûr : 8%
- Taux de rendement espéré du portefeuille de marché : 15%
- Coefficient bêta du projet : 1,40

a) Quelle est la VAN de ce projet?

b) Quelle est la valeur du coefficient bêta du projet pour laquelle l'entreprise serait indifférente entre son acceptation et son refus?

Annexe - Gestion financière avec Excel

L'analyse de sensibilité de la VAN

Le tableur Excel est tout indiqué pour faciliter l'analyse de sensibilité de la VAN d'un projet d'investissement. En utilisant les données de l'exemple de la section 8.6, nous montrons, dans un premier temps, comment calculer la VAN du projet d'investissement envisagé par la compagnie Multison inc. Par la suite, en sélectionnant la fonctionnalité *Valeur cible* dans le groupe *Analyse de scénarios* de l'onglet *Données*, nous illustrons la procédure à suivre pour obtenir la valeur de la variable pour laquelle la VAN du projet est nulle. Nous avons effectué cette analyse pour les six variables du projet mentionnées au tableau 8.2. De plus, nous présentons différentes figures illustrant le comportement de la VAN du projet en fonction de chacune des variables étudiées.

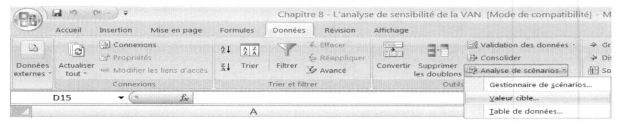

Calcul de la valeur actuelle nette du projet

La feuille de calcul Excel utilisée pour calculer la VAN du projet est présentée ci-après. Nous indiquons plus loin les formules requises pour obtenir ce résultat.

	A	B
1	**Calcul de la VAN d'un investissement**	
2	**Exemple de calcul de la VAN - section 8. 6**	
3	Investissement en équipement	600 000,00 $
4	Frais de mise en marché	200 000,00 $
5	Taux d'imposition de l'entreprise (T%)	0,40
6	Taux d'actualisation (k%)	0,15
7	**Calcul de l'investissement initial (I)**	(730 434,78) $
8	Taille du marché	1600000
9	Part du marché (%)	0,20
10	Prix de vente unitaire (p)	2,50 $
11	Quantité vendue (Q)	320 000
12	Calcul des recettes brutes (Rt)	800 000,00 $
13	Coût variable unitaire (v)	1,00 $
14	Frais variables annuels	320 000,00 $
15	Frais fixes annuels	200 000,00 $
16	Durée du projet en années (n)	5
17	Facteur d'actualisation au taux k pour la durée du projet, soit n années	3,35215510
18	**Calcul des recettes nettes après impôt**	563 162,06 $
19	Coût d'acquisition de l'actif (C)	600 000,00 $
20	Taux d'amortissement fiscal dégressif (d) à partir de l'année 2	0,20
21	Facteur d'ajustement pour la règle du demi-taux	0,50
22	**Calcul des économies d'impôt liées à l'amortissement fiscal**	128 198,76 $
23	Exposant utilisé dans la formule permettant de calculer la valeur non amortie de l'équipement (n+1-2)	4
24	Valeur de revente de l'équipement au début de l'année 6	221 184,00 $
25	**Calcul de la valeur résiduelle actualisée de l'actif**	109 967,54 $
26	Somme soustraite à la classe	221 184,00 $
27	**Calcul des pertes d'économie d'impôt liées à l'amortissement fiscal**	25 135,44 $
28	**Valeur actualisée nette du projet (VAN)**	45 758,13 $

Dans un premier temps, expliquons le calcul de l'investissement initial. À cette fin, nous entrons dans les cellules de la colonne A les différentes variables impliquées alors que dans les cellules de la colonne B, nous indiquons les valeurs que prennent ces variables (investissement en équipement (B3), frais de mise en marché (B4), taux d'imposition de l'entreprise (B5) et taux d'actualisation (B6)). Les valeurs entrées dans les cellules B3 à B6 permettent de calculer l'investissement initial. L'expression algébrique qui apparaît dans la colonne B7 correspond à -600 000 - 200 000 + (200 000) (0,40) $(1+0,15)^{-1}$.

Les autres valeurs des variables du projet sont entrées dans les cellules B8 (taille du marché), B9 (part de marché) et B10 (prix de vente unitaire). Le calcul de la quantité vendue s'effectue dans la cellule B11 (=$B$8*$B$9) et celui des recettes brutes dans la cellule B12 (=$B$11*$B$10). Le coût variable unitaire est entré dans la cellule B13, les frais variables annuels sont calculés dans la cellule B14 (=B11*B13) et les frais fixes annuels sont indiqués dans la cellule B15. Quant à la durée du projet, elle apparaît dans la cellule B16.

	A	B
1	Calcul de la VAN d'un investissement	
2	Exemple de calcul de la VAN - section 8. 6	
3	Investissement en équipement	600 000,00 $
4	Frais de mise en marché	200 000,00 $
5	Taux d'imposition de l'entreprise (T%)	0,40
6	Taux d'actualisation (k%)	0,15
7	**Calcul de l'investissement initial (I)**	=-$B$3-$B$4+(($B$4*$B$5*(1+$B$6)^-1))
8	Taille du marché	1600000
9	Part du marché (%)	0,20
10	Prix de vente unitaire (p)	2,50 $
11	Quantité vendue (Q)	=$B$8*$B$9
12	Calcul des recettes brutes (Rt)	=$B$11*$B$10
13	Coût variable unitaire (v)	1,00 $
14	Frais variables annuels	=$B$11*$B$13
15	Frais fixes annuels	200 000,00 $
16	Durée du projet en années (n)	5

Dans la cellule B17, nous avons déterminé la valeur du facteur d'actualisation $A_{\overline{5}|15\%}$ en ayant recours à la fonction financière VA. Pour obtenir cette fonction, cliquez sur ![fx], sélectionnez la catégorie *Finances* et choisissez VA. Les valeurs que nous devons entrer sont les suivantes: la référence à la cellule $B$6 (le taux d'actualisation), la référence à la cellule $B$16 (la durée du projet), le versement périodique de fin de période (ici, nous indiquons la valeur -1, ce qui est la convention dans Excel pour une sortie de fonds de 1$). Le résultat obtenu est 3,35215510.

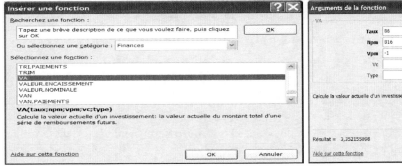

	A	B
17	Facteur d'actualisation au taux k pour la durée du projet, soit n années	=VA($B$6;$B$16;-1)
18	**Calcul des recettes nettes après impôt**	=(($B$12-$B$14-$B$15)*(1-$B$5))*$B$17

La valeur actualisée des recettes nettes après impôt s'obtient à partir de l'expression apparaissant dans la cellule B18. Cette dernière expression équivaut à :

$$[(320\ 000)\ (2,50) - (320\ 000)\ (1) - 200\ 000]\ (1 - 0,40)\ A_{\overline{5}|15\%}.$$

Passons maintenant au calcul des économies d'impôt liées à l'amortissement fiscal, à la valeur de revente de l'équipement et à la valeur résiduelle actualisée de l'actif.

	A	B
19	Coût d'acquisition de l'actif (C)	600 000,00 $
20	Taux d'amortissement fiscal dégressif (d) à partir de l'année 2	0,20
21	Facteur d'ajustement pour la règle du demi-taux	0,50

	A	B	C	D	E	F
22	**Calcul des économies d'impôt liées à l'amortissement fiscal**	=(($B$19*$B$20*$B$5)*((1+($B$21*$B$6))/(($B$6+$B$20)*(1+$B$6))))				
23	Exposant utilisé dans la formule permettant de calculer la valeur non amortie de l'équipement (n+1-2)	=B16+1-2				
24	Valeur de revente de l'équipement au début de l'année 6	=($B$19)*(1-($B$20*$B$21))*(1-$B$20)^B23				
25	**Calcul de la valeur résiduelle actualisée de l'actif**	=B24*(1+$B$6)^-$B$16				

Les valeurs des variables introduites dans les cellules B19, B20 et B21 servent à calculer la valeur actualisée des économies d'impôt liées à l'amortissement fiscal ainsi que la valeur résiduelle actualisée de l'équipement.

La formule permettant d'obtenir la valeur actualisée des économies d'impôt liées à l'amortissement fiscal apparaît dans la cellule B22. Cette expression correspond à :

$$\frac{(600\ 000)(0,20)(0,40)[1+(0,50)(0,15)]}{(0,15+0,20)(1+0,15)}.$$

Pour déterminer la valeur résiduelle de l'actif, on a recours à l'expression apparaissant dans la cellule B24. Cette équation équivaut à :

$$600\ 000\ [1 - (0,50)\ (0,20)]\ (1 - 0,20)]^{6-2}.$$

Il est à noter que la valeur de l'exposant a été calculée dans la cellule B23. Quant à la valeur résiduelle actualisée de l'actif, elle s'obtient à l'aide de l'équation indiquée dans la cellule B25. Cette dernière équation correspond à $221184\ (1 + 0,15)^{-5}$.

Montrons maintenant comment déterminer la valeur actualisée des économies d'impôt perdues suite à la revente de l'actif.

	A	B	C	D	E
26	Somme soustraite à la classe	=MIN(B24;$B$19)			
27	**Calcul des pertes d'économie d'impôt liées à l'amortissement fiscal**	=(($B$26*$B$20*$B$5)/(($B$6+$B$20))*(1+$B$6)^-$B$16)			
28	**Valeur actualisée nette du projet (VAN)**	=B7+B18+B22+B25-B27			

La formule utilisée apparaît dans la cellule B27. Cette expression est équivalente à :
$$\frac{(221184)(0,20)(0,40)}{(0,15+0,20)(1+0,15)^5}.$$ Notons que la valeur de la cellule B26 est la somme soustraite à la classe, soit MIN (PV, C) dans un contexte où la revente de l'actif n'entraîne pas la fermeture de la catégorie

Finalement, on obtient la VAN du projet à l'aide de la formule indiquée dans la cellule B28, soit B28 = B7 + B18 + B22 + B25 - B27.

	A	B	
7	Calcul de l'investissement initial (I)	(730 434,78) $	B7
			+
18	Calcul des recettes nettes après impôt	563 162,06 $	B18
			+
22	Calcul des économies d'impôt liées à l'amortissement fiscal	128 198,76 $	B22
			+
25	Calcul de la valeur résiduelle actualisée de l'actif	109 967,54 $	B25
			-
27	Calcul des pertes d'économie d'impôt liées à l'amortissement fiscal	25 135,44 $	B27
			=
28	Valeur actualisée nette du projet (VAN)	45 758,13 $	

La VAN du projet en fonction du nombre d'unités vendues

Nous présentons, ci-dessous, un tableau illustrant l'impact d'une variation de la taille du marché (et par le fait même du nombre d'unités vendues) sur la VAN du projet. Nous avons eu recours aux formules que nous connaissons déjà (voir les lignes 3 et 4 du tableau). Les autres valeurs du tableau sont obtenues à l'aide de l'*Incrémentation d'une série*.

	E	F	G	H	I	J
1	**Variation de la VAN en fonction des ventes**					
2	Investissement initial (I):	(730 434,78) $	*Frais fixes:*	200 000 $		
3	Taille du marché	Quantité vendue	Recettes brutes	Total des frais	Facteur d'actualisation	Calcul des recettes nettes après impôt
4	1000000	=$B$9*E4	=$B$10*F4	=F4*$B$13+$H$2	=VA($B$6;$B$16;-1)	=((G4-H4)*(1-$B$5))*I4

	K	L
3	Économies d'impôt liées à l'amortissement fiscal	Valeur résiduelle actualisée de l'actif
4	=(($B$19*$B$20*$B$5)*((1+($B$21*$B$6))/(($B$6+$B$20)*(1+$B$6))))	=$B$24*((1+$B$6)^-$B$16)

	M	N
3	Calcul des pertes d'économies d'impôt liées à l'amortissement fiscal	**VAN (valeur actualisée nette du projet) en $**
4	=(($B$26*$B$20*$B$5)/(($B$6+$B$20))*(1+$B$6)^-$B$16)	=$F$2+J4+K4+L4-M4

	E	F	G	H	I	J	K	L	M	N
1	**Variation de la VAN en fonction des ventes**									
2	Investissement initial (I):	(730 434,78) $	Frais fixes:	200 000 $						
3	Taille du marché	Quantité vendue	Recettes brutes	Total des frais	Facteur d'actualisation	Calcul des recettes nettes après impôt	Économies d'impôt liées à l'amortissement fiscal	Valeur résiduelle actualisée de l'actif	Calcul des pertes d'économies d'impôt liées à l'amortissement fiscal	VAN (valeur actualisée nette du projet) en $
4	1000000	200000	500 000 $	400 000 $	3,35215510	201 129,31 $	128 198,76 $	109 967,54 $	25 135,44 $	-316 274,62
5	1100000	220000	550 000 $	420 000 $	3,35215510	261 468,10 $	128 198,76 $	109 967,54 $	25 135,44 $	-255 935,83
6	1200000	240000	600 000 $	440 000 $	3,35215510	321 806,89 $	128 198,76 $	109 967,54 $	25 135,44 $	-195 597,03
7	1300000	260000	650 000 $	460 000 $	3,35215510	382 145,68 $	128 198,76 $	109 967,54 $	25 135,44 $	-135 258,24
8	1400000	280000	700 000 $	480 000 $	3,35215510	442 484,47 $	128 198,76 $	109 967,54 $	25 135,44 $	-74 919,45
9	1500000	300000	750 000 $	500 000 $	3,35215510	502 823,26 $	128 198,76 $	109 967,54 $	25 135,44 $	-14 580,66
10	1600000	320000	800 000 $	520 000 $	3,35215510	563 162,06 $	128 198,76 $	109 967,54 $	25 135,44 $	45 758,13
11	1700000	340000	850 000 $	540 000 $	3,35215510	623 500,85 $	128 198,76 $	109 967,54 $	25 135,44 $	106 096,92
12	1800000	360000	900 000 $	560 000 $	3,35215510	683 839,64 $	128 198,76 $	109 967,54 $	25 135,44 $	166 435,72
13	1900000	380000	950 000 $	580 000 $	3,35215510	744 178,43 $	128 198,76 $	109 967,54 $	25 135,44 $	226 774,51
14	2000000	400000	1 000 000 $	600 000 $	3,35215510	804 517,22 $	128 198,76 $	109 967,54 $	25 135,44 $	287 113,30
15	2100000	420000	1 050 000 $	620 000 $	3,35215510	864 856,02 $	128 198,76 $	109 967,54 $	25 135,44 $	347 452,09
16	2200000	440000	1 100 000 $	640 000 $	3,35215510	925 194,81 $	128 198,76 $	109 967,54 $	25 135,44 $	407 790,88
17	2300000	460000	1 150 000 $	660 000 $	3,35215510	985 533,60 $	128 198,76 $	109 967,54 $	25 135,44 $	468 129,68
18	2400000	480000	1 200 000 $	680 000 $	3,35215510	1 045 872,39 $	128 198,76 $	109 967,54 $	25 135,44 $	528 468,47

Représentation graphique de la VAN en fonction du nombre d'unités vendues

Pour générer avec Excel la droite illustrant l'évolution de la VAN en fonction du nombre d'unités vendues, vous devez cliquer sur l'onglet *Insertion* et choisir, par la suite, le type de graphique désiré (nous avons séectionné *Nuage de points avec courbes lissées et marqueurs*).

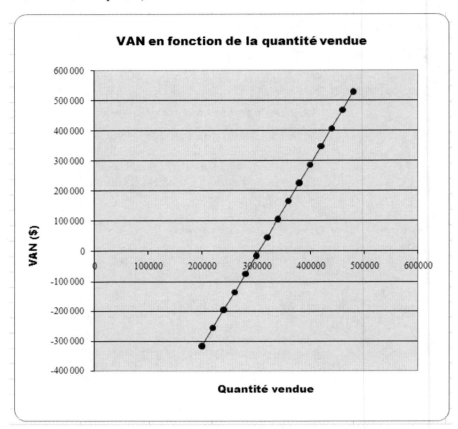

Utilisation de la fonctionnalité *Valeur cible* pour déterminer le nombre d'unités qui rend la VAN nulle

Un outil puissant d'Excel est la fonctionnalité *Valeur cible*. Elle permet de déterminer rapidement la valeur que doit prendre une variable afin d'obtenir une valeur spécifiée dans une formule (dans le cas présent, la formule en cause est évidemment celle de la VAN). Ainsi, à la page suivante, on peut constater que la quantitié vendue pour laquelle la VAN du projet est nulle s'élève à 304 833 unités. Nous indiquons, ci-après, la démarche à suivre pour aboutir à ce résultat.

	A	B
31	**Valeur cible pour que la VAN soit nulle**	
32	Détermination du nombre d'unités qui rend la VAN nulle	
33	Investissement en équipement	600 000,00 $
34	Frais de mise en marché	200 000,00 $
35	Taux d'imposition de l'entreprise (T%)	0,40
36	Taux d'actualisation (k%)	0,15
37	*Calcul de l'investissement initial (I)*	(730 434,78) $
38	Taille du marché	1600000
39	Part du marché (%)	0,20
40	Prix de vente unitaire (p)	2,50 $
41	Quantité vendue (Q)	304 833
42	Calcul des recettes brutes (Rt)	762 082,33 $
43	Coût variable unitaire (v)	1,00 $
44	Frais variables annuels	304 832,93 $
45	Frais fixes annuels	200 000,00 $
46	Durée du projet en années (n)	5
47	Facteur d'actualisation au taux k pour la durée du projet, soit n années	3,35215510
48	*Calcul des recettes nettes après impôt*	517 403,92 $
49	Coût d'acquisition de l'actif (C)	600 000,00 $
50	Taux d'amortissement fiscal dégressif (d) à partir de l'année 2	0,20
51	Facteur d'ajustement pour la règle du demi-taux	0,50
52	*Calcul des économies d'impôt liées à l'amortissement fiscal*	128 198,76 $
53	Exposant utilisé dans la formule permettant de calculer la valeur non amortie de l'équipement (n+1-2)	4
54	Valeur de revente de l'équipement au début de l'année 6	221 184,00 $
55	*Calcul de la valeur résiduelle actualisée de l'actif*	109 967,54 $
56	Somme soustraite à la classe	221 184,00 $
57	*Calcul des pertes d'économie d'impôt liées à l'amortissement fiscal*	25 135,44 $
58	**Valeur actualisée nette du projet (VAN)**	(0,00) $
59	Le volume des ventes (en unités) qui rend la VAN nulle est :	304 833

Recherche d'une valeur spécifique à l'aide de la fonctionnalité Valeur cible

Cette fonctionnalité, *Valeur cible*, permet de spécifier un résultat pour une cellule contenant une formule (la cible ici, c'est la VAN) ainsi qu'une cellule d'entrée qui doit être modifiée (dans notre premier exemple, cette cellule correspond à la quantité vendue) pour que la cellule cible (cellule à définir) atteigne le résultat souhaité.

Remarques. 1. La cellule cible (cellule à définir) doit contenir une formule.

2. Il ne faut pas que la cellule d'entrée à modifier contienne une formule (elle doit contenir une valeur numérique). Elle doit évidemment contribuer à la valeur de la formule dans la cellule cible.

3. Il faut également que toutes les autres cellules contenant la référence de la cellule à modifier soient identifiées selon une référence relative et non selon une référence absolue.

Étapes à suivre

1. Sélectionnez la cellule à définir B58 (cellule qui contient la formule de la VAN).
2. Sous l'onglet *Données* du ruban, cliquez sur *Analyse de scénarios* et choisissez *Valeur cible*. La boîte de dialogue s'affiche alors à l'écran. Il est à noter que la zone *Cellule à définir* contient la celle sélectionnée en 1.
3. Dans la zone *Valeur à atteindre*, entrez la valeur que vous désirez obtenir. Dans notre exemple, on veut que la VAN soit nulle. Donc, il faut taper 0.
4. Dans la zone *Cellule à modifier*, sélectionnez la référence de la cellule d'entrée (ici, c'est la cellule contenant le nombre d'unités vendues, soit B41).

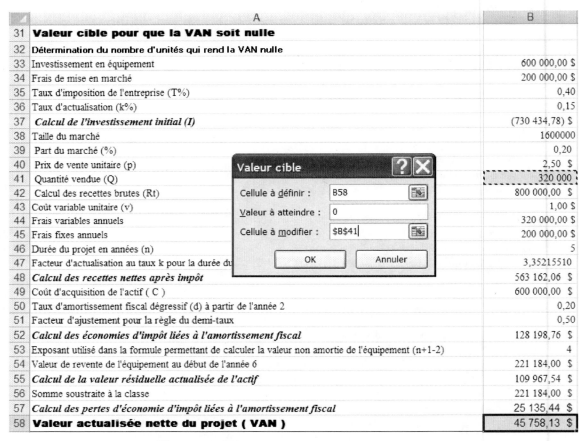

	A	B
31	**Valeur cible pour que la VAN soit nulle**	
32	Détermination du nombre d'unités qui rend la VAN nulle	
33	Investissement en équipement	600 000,00 $
34	Frais de mise en marché	200 000,00 $
35	Taux d'imposition de l'entreprise (T%)	0,40
36	Taux d'actualisation (k%)	0,15
37	*Calcul de l'investissement initial (I)*	(730 434,78) $
38	Taille du marché	1600000
39	Part du marché (%)	0,20
40	Prix de vente unitaire (p)	2,50 $
41	Quantité vendue (Q)	320 000
42	Calcul des recettes brutes (Rt)	800 000,00 $
43	Coût variable unitaire (v)	1,00 $
44	Frais variables annuels	320 000,00 $
45	Frais fixes annuels	200 000,00 $
46	Durée du projet en années (n)	5
47	Facteur d'actualisation au taux k pour la durée du	3,35215510
48	*Calcul des recettes nettes après impôt*	563 162,06 $
49	Coût d'acquisition de l'actif (C)	600 000,00 $
50	Taux d'amortissement fiscal dégressif (d) à partir de l'année 2	0,20
51	Facteur d'ajustement pour la règle du demi-taux	0,50
52	*Calcul des économies d'impôt liées à l'amortissement fiscal*	128 198,76 $
53	Exposant utilisé dans la formule permettant de calculer la valeur non amortie de l'équipement (n+1-2)	4
54	Valeur de revente de l'équipement au début de l'année 6	221 184,00 $
55	*Calcul de la valeur résiduelle actualisée de l'actif*	109 967,54 $
56	Somme soustraite à la classe	221 184,00 $
57	*Calcul des pertes d'économie d'impôt liées à l'amortissement fiscal*	25 135,44 $
58	**Valeur actualisée nette du projet (VAN)**	45 758,13 $

Valeur cible

Cellule à définir : B58
Valeur à atteindre : 0
Cellule à modifier : $B$41

OK   Annuler

5. Cliquez sur OK.

La fonctionnalité *Valeur cible* se met à substituer les valeurs d'entrée dans la cellule B41 pour atteindre la valeur cible la plus proche que vous avez demandée.

Une fois que *Valeur cible* a trouvé une solution, cliquez sur OK pour remplacer les valeurs dans la feuille de calcul d'origine par les nouvelles valeurs. Si vous voulez arrêter le processus d'itérations, cliquez sur *Annuler*.

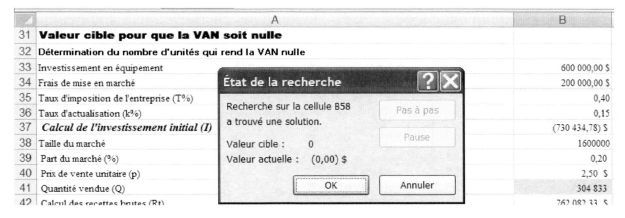

Les résultats obtenus sont présentés ci-après. Nous avons ajouté une ligne (ligne 59) en tapant l'information indiquée dans la cellule A58 et en indiquant comme référence dans la cellule B59 celle de la cellule $B$41.

	A	B
31	**Valeur cible pour que la VAN soit nulle**	
32	**Détermination du nombre d'unités qui rend la VAN nulle**	
33	Investissement en équipement	600 000,00 $
34	Frais de mise en marché	200 000,00 $
35	Taux d'imposition de l'entreprise (T%)	0,40
36	Taux d'actualisation (k%)	0,15
37	*Calcul de l'investissement initial (I)*	(730 434,78) $
38	Taille du marché	1600000
39	Part du marché (%)	0,20
40	Prix de vente unitaire (p)	2,50 $
41	Quantité vendue (Q)	304 833
42	Calcul des recettes brutes (Rt)	762 082,33 $
43	Coût variable unitaire (v)	1,00 $
44	Frais variables annuels	304 832,93 $
45	Frais fixes annuels	200 000,00 $
46	Durée du projet en années (n)	5
47	Facteur d'actualisation au taux k pour la durée du projet, soit n années	3,35215510
48	*Calcul des recettes nettes après impôt*	517 403,92 $
49	Coût d'acquisition de l'actif (C)	600 000,00 $
50	Taux d'amortissement fiscal dégressif (d) à partir de l'année 2	0,20
51	Facteur d'ajustement pour la règle du demi-taux	0,50
52	*Calcul des économies d'impôt liées à l'amortissement fiscal*	128 198,76 $
53	Exposant utilisé dans la formule permettant de calculer la valeur non amortie de l'équipement (n+1-2)	4
54	Valeur de revente de l'équipement au début de l'année 6	221 184,00 $
55	*Calcul de la valeur résiduelle actualisée de l'actif*	109 967,54 $
56	Somme soustraite à la classe	221 184,00 $
57	*Calcul des pertes d'économie d'impôt liées à l'amortissement fiscal*	25 135,44 $
58	**Valeur actualisée nette du projet (VAN)**	(0,00) $
59	Le volume des ventes (en unités) qui rend la VAN nulle est :	304 833

Nous pouvons reprendre ce type d'analyse pour d'autres variables ayant un impact sur la VAN du projet, soit le taux d'actualisation, le prix de vente unitaire, le coût variable unitaire, les frais fixes de production et la valeur résiduelle de l'équipement.

La VAN et le taux d'actualisation

	A	B
31	**Valeur cible pour que la VAN soit nulle**	
32	**Détermination du taux d'actualisation qui rend la VAN nulle**	
33	Investissement en équipement	600 000,00 $
34	Frais de mise en marché	200 000,00 $
35	Taux d'imposition de l'entreprise (T%)	0,40
36	Taux d'actualisation (k%)	0,1727
37	*Calcul de l'investissement initial (I)*	(731 781,92) $
38	Taille du marché	1600000
39	Part du marché (%)	0,20
40	Prix de vente unitaire (p)	2,50 $
41	Quantité vendue (Q)	320 000
42	*Calcul des recettes brutes (Rt)*	800 000,00 $
43	Coût variable unitaire (v)	1,00 $
44	Frais variables annuels	320 000,00 $
45	Frais fixes annuels	200 000,00 $
46	Durée du projet en années (n)	5
47	Facteur d'actualisation au taux k pour la durée du projet, soit n années	3,17952175
48	*Calcul des recettes nettes après impôt*	534 159,65 $
49	Coût d'acquisition de l'actif (C)	600 000,00 $
50	Taux d'amortissement fiscal dégressif (d) à partir de l'année 2	0,20
51	Facteur d'ajustement pour la règle du demi-taux	0,50
52	*Calcul des économies d'impôt liées à l'amortissement fiscal*	119 303,15 $
53	Exposant (n+1-2) pour le calcul de la valeur non amortie	4
54	Valeur de revente de l'équipement au début de l'année 6	221 184,00 $
55	*Calcul de la valeur résiduelle actualisée de l'actif*	99 724,39 $
56	Somme soustraite à la classe	221 184,00 $
57	*Calcul des pertes d'économies d'impôt liées à l'amortissement fiscal*	21 405,28 $
58	**Valeur actualisée nette du projet (VAN)**	0,00 $
59	**Le taux d'actualisation qui rend la VAN nulle est :**	0,1727

	D	E	F	G	H	I	J	K	L	M	N
1	**Variation de la VAN en fonction du taux d'actualisation**										
2		Taille du marché	1 600 000	Frais fixes :	200 000 $	Quantité vendue :	320 000				
3	Taux d'actua-lisation	Investissement initial (I)	Quantité vendue	Recettes brutes	Total des frais	Facteur d'actualisation	Calcul des recettes nettes après impôt	Économies d'impôt liées à l'amortissement fiscal	Valeur résiduelle actualisée de l'actif	Calcul des pertes d'économies d'impôt liées à l'amortissement fiscal	*VAN (valeur actualisée nette du projet) en $*
4	0,110	(727 927,93) $	320 000	800 000,00 $	520 000,00 $	3,69589702	620 910,70 $	147 166,52 $	131 261,94 $	33 874,05 $	137 537,18
5	0,115	(728 251,12) $	320 000	800 000,00 $	520 000,00 $	3,64987785	613 179,48 $	144 522,74 $	128 345,12 $	32 595,59 $	125 200,64
6	0,120	(728 571,43) $	320 000	800 000,00 $	520 000,00 $	3,60477620	605 602,40 $	141 964,29 $	125 505,74 $	31 376,44 $	113 124,57
7	0,125	(728 888,89) $	320 000	800 000,00 $	520 000,00 $	3,56056834	598 175,48 $	139 487,18 $	122 741,41 $	30 213,27 $	101 301,91
8	0,130	(729 203,54) $	320 000	800 000,00 $	520 000,00 $	3,51723126	590 894,85 $	137 087,69 $	120 049,81 $	29 102,99 $	89 725,83
9	0,135	(729 515,42) $	320 000	800 000,00 $	520 000,00 $	3,47474267	583 756,77 $	134 762,31 $	117 428,74 $	28 042,68 $	78 389,72
10	0,140	(729 824,56) $	320 000	800 000,00 $	520 000,00 $	3,43308097	576 757,60 $	132 507,74 $	114 876,04 $	27 029,66 $	67 287,16
11	0,145	(730 131,00) $	320 000	800 000,00 $	520 000,00 $	3,39222521	569 893,84 $	130 320,87 $	112 389,64 $	26 061,37 $	56 411,97
12	0,150	(730 434,78) $	320 000	800 000,00 $	520 000,00 $	3,35215510	563 162,06 $	128 198,76 $	109 967,54 $	25 135,44 $	45 758,13
13	0,155	(730 735,93) $	320 000	800 000,00 $	520 000,00 $	3,31285094	556 558,96 $	126 138,65 $	107 607,81 $	24 249,65 $	35 319,84
14	0,160	(731 034,48) $	320 000	800 000,00 $	520 000,00 $	3,27429365	550 081,33 $	124 137,93 $	105 308,58 $	23 401,91 $	25 091,46
15	0,165	(731 330,47) $	320 000	800 000,00 $	520 000,00 $	3,23646471	543 726,07 $	122 194,13 $	103 068,06 $	22 590,26 $	15 067,53
16	0,170	(731 623,93) $	320 000	800 000,00 $	520 000,00 $	3,19934616	537 490,16 $	120 304,92 $	100 884,49 $	21 812,86 $	5 242,77
17	0,175	(731 914,89) $	320 000	800 000,00 $	520 000,00 $	3,16292057	531 370,66 $	118 468,09 $	98 756,20 $	21 067,99 $	-4 387,94
18	0,180	(732 203,39) $	320 000	800 000,00 $	520 000,00 $	3,12717102	525 364,73 $	116 681,53 $	96 681,56 $	20 354,01 $	-13 829,57

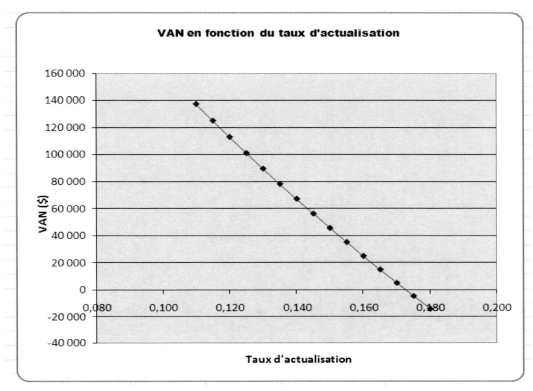

La VAN et le prix de vente unitaire

	A	B
31	**Valeur cible pour que la VAN soit nulle**	
32	**Détermination du prix de vente unitaire qui rend la VAN nulle**	
33	Investissement en équipement	600 000,00 $
34	Frais de mise en marché	200 000,00 $
35	Taux d'imposition de l'entreprise (T%)	0,40
36	Taux d'actualisation (k%)	0,15
37	*Calcul de l'investissement initial (I)*	(730 434,78) $
38	Taille du marché	1600000
39	Part du marché (%)	0,20
40	Prix de vente unitaire (p)	2,43 $
41	Quantité vendue (Q)	320 000
42	*Calcul des recettes brutes (Rt)*	777 249,40 $
43	Coût variable unitaire (v)	1,00 $
44	Frais variables annuels	320 000,00 $
45	Frais fixes annuels	200 000,00 $
46	Durée du projet en années (n)	5
47	Facteur d'actualisation au taux k pour la durée du projet, soit n années	3,35215510
48	*Calcul des recettes nettes après impôt*	517 403,92 $
49	Coût d'acquisition de l'actif (C)	600 000,00 $
50	Taux d'amortissement fiscal dégressif (d) à partir de l'année 2	0,20
51	Facteur d'ajustement pour la règle du demi-taux	0,50
52	*Calcul des économies d'impôt liées à l'amortissement fiscal*	128 198,76 $
53	Exposant (n+1-2) pour le calcul de la valeur non amortie	4
54	Valeur de revente de l'équipement au début de l'année 6	221 184,00 $
55	*Calcul de la valeur résiduelle actualisée de l'actif*	109 967,54 $
56	Somme soustraite à la classe	221 184,00 $
57	*Calcul des pertes d'économies d'impôt liées à l'amortissement fiscal*	25 135,44 $
58	**Valeur actualisée nette du projet (VAN)**	0,00 $
59	**Le prix de vente unitaire qui rend la VAN nulle est :**	2,43 $

	D	E	F	G	H	I	J	K	L	M	N
1	**Variation de la VAN en fonction du prix de vente**										
2		Taille du marché	1 600 000	Frais fixes :	200 000 $	Quantité vendue :	320 000				
3	Prix de vente	Investissement initial (I)	Quantité vendue	Recettes brutes	Total des frais	Facteur d'actualisation	Calcul des recettes nettes après impôt	Économies d'impôt liées à l'amortissement fiscal	Valeur résiduelle actualisée de l'actif	Calcul des pertes d'économies d'impôt liées à l'amortissement fiscal	VAN (valeur actualisée nette du projet) en $
4	2,00	(730 434,78) $	320 000	640 000,00 $	520 000,00 $	3,35215510	241 355,17 $	128 198,76 $	109 967,54 $	25 135,44 $	-276 048,76 $
5	2,10	(730 434,78) $	320 000	672 000,00 $	520 000,00 $	3,35215510	305 716,54 $	128 198,76 $	109 967,54 $	25 135,44 $	-211 687,38 $
6	2,20	(730 434,78) $	320 000	704 000,00 $	520 000,00 $	3,35215510	370 077,92 $	128 198,76 $	109 967,54 $	25 135,44 $	-147 326,00 $
7	2,30	(730 434,78) $	320 000	736 000,00 $	520 000,00 $	3,35215510	434 439,30 $	128 198,76 $	109 967,54 $	25 135,44 $	-82 964,62 $
8	2,40	(730 434,78) $	320 000	768 000,00 $	520 000,00 $	3,35215510	498 800,68 $	128 198,76 $	109 967,54 $	25 135,44 $	-18 603,24 $
9	2,50	(730 434,78) $	320 000	800 000,00 $	520 000,00 $	3,35215510	563 162,06 $	128 198,76 $	109 967,54 $	25 135,44 $	45 758,13 $
10	2,60	(730 434,78) $	320 000	832 000,00 $	520 000,00 $	3,35215510	627 523,43 $	128 198,76 $	109 967,54 $	25 135,44 $	110 119,51 $
11	2,70	(730 434,78) $	320 000	864 000,00 $	520 000,00 $	3,35215510	691 884,81 $	128 198,76 $	109 967,54 $	25 135,44 $	174 480,89 $
12	2,80	(730 434,78) $	320 000	896 000,00 $	520 000,00 $	3,35215510	756 246,19 $	128 198,76 $	109 967,54 $	25 135,44 $	238 842,27 $
13	2,90	(730 434,78) $	320 000	928 000,00 $	520 000,00 $	3,35215510	820 607,57 $	128 198,76 $	109 967,54 $	25 135,44 $	303 203,64 $
14	3,00	(730 434,78) $	320 000	960 000,00 $	520 000,00 $	3,35215510	884 968,95 $	128 198,76 $	109 967,54 $	25 135,44 $	367 565,02 $
15	3,10	(730 434,78) $	320 000	992 000,00 $	520 000,00 $	3,35215510	949 330,32 $	128 198,76 $	109 967,54 $	25 135,44 $	431 926,40 $
16	3,20	(730 434,78) $	320 000	1 024 000,00 $	520 000,00 $	3,35215510	1 013 691,70 $	128 198,76 $	109 967,54 $	25 135,44 $	496 287,78 $
17	3,30	(730 434,78) $	320 000	1 056 000,00 $	520 000,00 $	3,35215510	1 078 053,08 $	128 198,76 $	109 967,54 $	25 135,44 $	560 649,16 $
18	3,40	(730 434,78) $	320 000	1 088 000,00 $	520 000,00 $	3,35215510	1 142 414,46 $	128 198,76 $	109 967,54 $	25 135,44 $	625 010,53 $

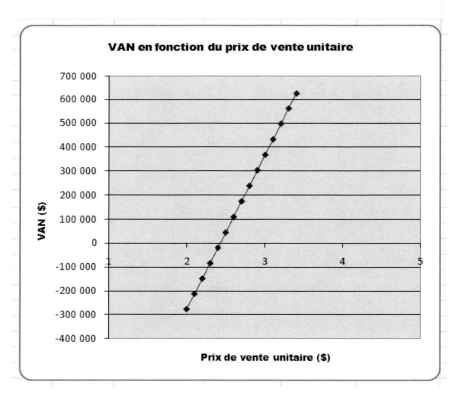

La VAN et le coût variable unitaire

	A	B
31	**Valeur cible pour que la VAN soit nulle**	
32	**Détermination du coût variable unitaire qui rend la VAN nulle**	
33	Investissement en équipement	600 000,00 $
34	Frais de mise en marché	200 000,00 $
35	Taux d'imposition de l'entreprise (T%)	0,40
36	Taux d'actualisation (k%)	0,15
37	*Calcul de l'investissement initial (I)*	(730 434,78) $
38	Taille du marché	1600000
39	Part du marché (%)	0,20
40	Prix de vente unitaire (p)	2,50 $
41	Quantité vendue (Q)	320 000
42	*Calcul des recettes brutes (Rt)*	800 000,00 $
43	Coût variable unitaire (v)	1,07 $
44	Frais variables annuels	342 750,60 $
45	Frais fixes annuels	200 000,00 $
46	Durée du projet en années (n)	5
47	Facteur d'actualisation au taux k pour la durée n du projet	3,35215510
48	*Calcul des recettes nettes après impôt*	517 403,92 $
49	Coût d'acquisition de l'actif (C)	600 000,00 $
50	Taux d'amortissement fiscal dégressif (d) à partir de l'année 2	0,20
51	Facteur d'ajustement pour la règle du demi-taux	0,50
52	*Calcul des économies d'impôt liées à l'amortissement fiscal*	128 198,76 $
53	Exposant (n+1-2) pour le calcul de la valeur non amortie	4
54	Valeur de revente de l'équipement au début de l'année 6	221 184,00 $
55	*Calcul de la valeur résiduelle actualisée de l'actif*	109 967,54 $
56	Somme soustraite à la classe	221 184,00 $
57	*Calcul des pertes d'économies d'impôt liées à l'amortissement fiscal*	25 135,44 $
58	Valeur actualisée nette du projet (VAN)	0,00
59	**Le coût variable unitaire qui rend la VAN nulle est :**	**1,07 $**

	D	E	F	G	H	I	J	K	L	M	N
1	**Variation de la VAN en fonction du coût variable unitaire**										
2	Taille du marché	1 600 000	Frais fixes:	200 000 $	Quantité vendue :	320 000					
3	Coût variable unitaire	Investissement initial (I)	Quantité vendue	Recettes brutes	Total des frais	Facteur d'actualisation	Calcul des recettes nettes après impôt	Économies d'impôt liées à l'amortissement fiscal	Valeur résiduelle actualisée de l'actif	Calcul des pertes d'économies d'impôt liées à l'amortissement fiscal	VAN (valeur actualisée nette du projet) en $
4	0,80	(730 434,78) $	320 000	800 000,00 $	456 000,00 $	3,35215510	691 884,81 $	128 198,76 $	109 967,54 $	25 135,44 $	174 480,89 $
5	0,85	(730 434,78) $	320 000	800 000,00 $	472 000,00 $	3,35215510	659 704,12 $	128 198,76 $	109 967,54 $	25 135,44 $	142 300,20 $
6	0,90	(730 434,78) $	320 000	800 000,00 $	488 000,00 $	3,35215510	627 523,43 $	128 198,76 $	109 967,54 $	25 135,44 $	110 119,51 $
7	0,95	(730 434,78) $	320 000	800 000,00 $	504 000,00 $	3,35215510	595 342,75 $	128 198,76 $	109 967,54 $	25 135,44 $	77 938,82 $
8	1,00	(730 434,78) $	320 000	800 000,00 $	520 000,00 $	3,35215510	563 162,06 $	128 198,76 $	109 967,54 $	25 135,44 $	45 758,13 $
9	1,05	(730 434,78) $	320 000	800 000,00 $	536 000,00 $	3,35215510	530 981,37 $	128 198,76 $	109 967,54 $	25 135,44 $	13 577,44 $
10	1,10	(730 434,78) $	320 000	800 000,00 $	552 000,00 $	3,35215510	498 800,68 $	128 198,76 $	109 967,54 $	25 135,44 $	-18 603,24 $
11	1,15	(730 434,78) $	320 000	800 000,00 $	568 000,00 $	3,35215510	466 619,99 $	128 198,76 $	109 967,54 $	25 135,44 $	-50 783,93 $
12	1,20	(730 434,78) $	320 000	800 000,00 $	584 000,00 $	3,35215510	434 439,30 $	128 198,76 $	109 967,54 $	25 135,44 $	-82 964,62 $
13	1,25	(730 434,78) $	320 000	800 000,00 $	600 000,00 $	3,35215510	402 258,61 $	128 198,76 $	109 967,54 $	25 135,44 $	-115 145,31 $
14	1,30	(730 434,78) $	320 000	800 000,00 $	616 000,00 $	3,35215510	370 077,92 $	128 198,76 $	109 967,54 $	25 135,44 $	-147 326,00 $
15	1,35	(730 434,78) $	320 000	800 000,00 $	632 000,00 $	3,35215510	337 897,23 $	128 198,76 $	109 967,54 $	25 135,44 $	-179 506,69 $
16	1,40	(730 434,78) $	320 000	800 000,00 $	648 000,00 $	3,35215510	305 716,54 $	128 198,76 $	109 967,54 $	25 135,44 $	-211 687,38 $
17	1,45	(730 434,78) $	320 000	800 000,00 $	664 000,00 $	3,35215510	273 535,86 $	128 198,76 $	109 967,54 $	25 135,44 $	-243 868,07 $
18	1,50	(730 434,78) $	320 000	800 000,00 $	680 000,00 $	3,35215510	241 355,17 $	128 198,76 $	109 967,54 $	25 135,44 $	-276 048,76 $

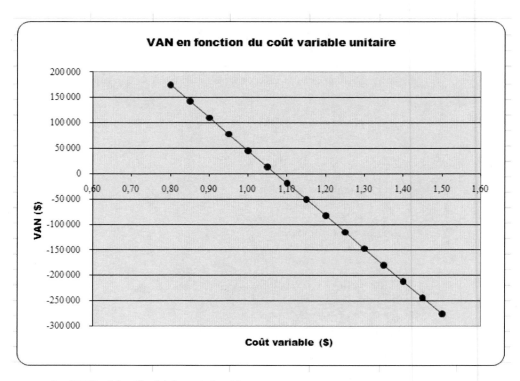

La VAN et les frais de production

	A	B
31	**Valeur cible pour que la VAN soit nulle**	
32	**Détermination des frais fixes qui rendent la VAN nulle**	
33	Investissement en équipement	600 000,00 $
34	Frais de mise en marché	200 000,00 $
35	Taux d'imposition de l'entreprise (T%)	0,40
36	Taux d'actualisation (k%)	0,15
37	*Calcul de l'investissement initial (I)*	(730 434,78) $
38	Taille du marché	1600000
39	Part du marché (%)	0,20
40	Prix de vente unitaire (p)	2,50 $
41	Quantité vendue (Q)	320 000
42	*Calcul des recettes brutes (Rt)*	800 000,00 $
43	Coût variable unitaire (v)	1,00 $
44	Frais variables annuels	320 000,00 $
45	Frais fixes annuels	222 750,60 $
46	Durée du projet en années (n)	5
47	Facteur d'actualisation au taux k pour la durée du projet, soit n années	3,35215510
48	*Calcul des recettes nettes après impôt*	517 403,92 $
49	Coût d'acquisition de l'actif (C)	600 000,00 $
50	Taux d'amortissement fiscal dégressif (d) à partir de l'année 2	0,20
51	Facteur d'ajustement pour la règle du demi-taux	0,50
52	*Calcul des économies d'impôt liées à l'amortissement fiscal*	128 198,76 $
53	Exposant (n+1-2) pour le calcul de la valeur non amortie	4
54	Valeur de revente de l'équipement au début de l'année 6	221 184,00 $
55	*Calcul de la valeur résiduelle actualisée de l'actif*	109 967,54 $
56	Somme soustraite à la classe	221 184,00 $
57	*Calcul des pertes d'économies d'impôt liées à l'amortissement fiscal*	25 135,44 $
58	**Valeur actualisée nette du projet (VAN)**	0,00
59	**Les frais fixes annuels qui rendent la VAN nulle s'élèvent à :**	**222 750,60 $**

	D	E	F	G	H	I	J	K	L	M	N
1	Variation de la VAN en fonction des frais fixes										
2	Taille du marché	1 600 000	Quantité vendue :	320 000							
3	Frais fixes	Investissement initial (I)	Quantité vendue	Recettes brutes	Total des frais	Facteur d'actualisation	Calcul des recettes nettes après impôt	Économies d'impôt liées à l'amortissement fiscal	Valeur résiduelle actualisée de l'actif	Calcul des pertes d'économies d'impôt liées à l'amortissement fiscal	VAN (valeur actualisée nette du projet) en $
4	180000	(730 434,78 $)	320 000	800 000,00 $	500 000,00 $	3,35215510	603 387,92 $	128 198,76 $	109 967,54 $	25 135,44 $	85 983,99 $
5	185000	(730 434,78 $)	320 000	800 000,00 $	505 000,00 $	3,35215510	593 331,45 $	128 198,76 $	109 967,54 $	25 135,44 $	75 927,53 $
6	190000	(730 434,78 $)	320 000	800 000,00 $	510 000,00 $	3,35215510	583 274,99 $	128 198,76 $	109 967,54 $	25 135,44 $	65 871,06 $
7	195000	(730 434,78 $)	320 000	800 000,00 $	515 000,00 $	3,35215510	573 218,52 $	128 198,76 $	109 967,54 $	25 135,44 $	55 814,60 $
8	200000	(730 434,78 $)	320 000	800 000,00 $	520 000,00 $	3,35215510	563 162,06 $	128 198,76 $	109 967,54 $	25 135,44 $	45 758,13 $
9	205000	(730 434,78 $)	320 000	800 000,00 $	525 000,00 $	3,35215510	553 105,59 $	128 198,76 $	109 967,54 $	25 135,44 $	35 701,67 $
10	210000	(730 434,78 $)	320 000	800 000,00 $	530 000,00 $	3,35215510	543 049,13 $	128 198,76 $	109 967,54 $	25 135,44 $	25 645,20 $
11	215000	(730 434,78 $)	320 000	800 000,00 $	535 000,00 $	3,35215510	532 992,66 $	128 198,76 $	109 967,54 $	25 135,44 $	15 588,74 $
12	220000	(730 434,78 $)	320 000	800 000,00 $	540 000,00 $	3,35215510	522 936,20 $	128 198,76 $	109 967,54 $	25 135,44 $	5 532,27 $
13	225000	(730 434,78 $)	320 000.	800 000,00 $	545 000,00 $	3,35215510	512 879,73 $	128 198,76 $	109 967,54 $	25 135,44 $	-4 524,19 $
14	230000	(730 434,78 $)	320 000	800 000,00 $	550 000,00 $	3,35215510	502 823,26 $	128 198,76 $	109 967,54 $	25 135,44 $	-14 580,66 $
15	235000	(730 434,78 $)	320 000	800 000,00 $	555 000,00 $	3,35215510	492 766,80 $	128 198,76 $	109 967,54 $	25 135,44 $	-24 637,12 $
16	240000	(730 434,78 $)	320 000	800 000,00 $	560 000,00 $	3,35215510	482 710,33 $	128 198,76 $	109 967,54 $	25 135,44 $	-34 693,59 $
17	245000	(730 434,78 $)	320 000	800 000,00 $	565 000,00 $	3,35215510	472 653,87 $	128 198,76 $	109 967,54 $	25 135,44 $	-44 750,05 $
18	250000	(730 434,78 $)	320 000	800 000,00 $	570 000,00 $	3,35215510	462 597,40 $	128 198,76 $	109 967,54 $	25 135,44 $	-54 806,52 $

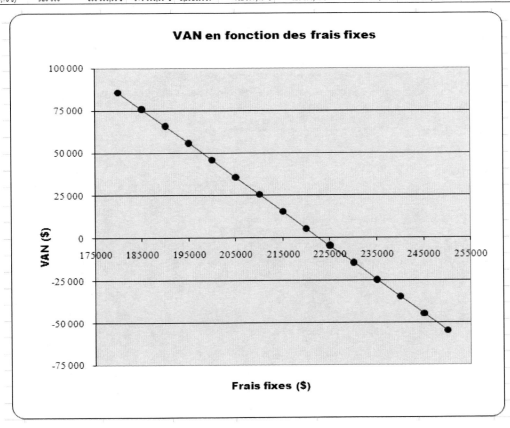

La VAN et la valeur résiduelle de l'équipement

	A	B
31	**Valeur cible pour que la VAN soit nulle**	
32	**Calcul de la valeur résiduelle de équipement qui rend la VAN nulle**	
33	Investissement en équipement	600 000,00 $
34	Frais de mise en marché	200 000,00 $
35	Taux d'imposition de l'entreprise (T%)	0,40
36	Taux d'actualisation (k%)	0,15
37	*Calcul de l'investissement initial (I)*	(730 434,78) $
38	Taille du marché	1600000
39	Part du marché (%)	0,20
40	Prix de vente unitaire (p)	2,50 $
41	Quantité vendue (Q)	320 000
42	Calcul des recettes brutes (Rt)	800 000,00 $
43	Coût variable unitaire (v)	1,00 $
44	Frais variables annuels	320 000,00 $
45	Frais fixes annuels	200 000,00 $
46	Durée du projet en années (n)	5
47	Facteur d'actualisation au taux k pour la durée du projet, soit n années	3,35215510
48	*Calcul des recettes nettes après impôt*	563 162,06 $
49	Coût d'acquisition de l'actif (C)	600 000,00 $
50	Taux d'amortissement fiscal dégressif (d) à partir de l'année 2	0,20
51	Facteur d'ajustement pour la règle du demi-taux	0,50
52	*Calcul des économies d'impôt liées à l'amortissement fiscal*	128 198,76 $
53	Exposant (n+1-2) pour le calcul de la valeur non amortie	4
54	Valeur de revente de l'équipement au début de l'année 6	101 878,14 $
55	*Calcul de la valeur résiduelle actualisée de l'actif*	50 651,44 $
56	Somme soustraite à la classe	101 878,14 $
57	*Calcul des pertes d'économies d'impôt liées à l'amortissement fiscal*	11 577,47 $
58	**Valeur actualisée nette du projet (VAN)**	(0,00) $
59	**La valeur résiduelle de l'équipement qui rend la VAN nulle est :**	101 878,14 $

	E	F	G	H	I	J	K	L	M	N	O
1	Variation de la VAN en fonction de la valeur résiduelle de l'équipement										
2											
3	*Investissement initial (I)*	*Quantité vendue*	*Recettes brutes*	*Total des frais*	*Facteur d'actuali- sation*	*Calcul des recettes nettes après impôt*	*Économies d'impôt liées à l'amortissement fiscal*	*Valeur de revente de l'équipement*	*Valeur résiduelle actualisée de l'actif*	*Calcul des pertes d'économies d'impôt liées à l'amortissement fiscal*	*VAN (valeur actualisée nette du projet) en $*
4	(730 434,78) $	320 000	800 000,00 $	520 000,00 $	3,35215510	563 162,06 $	128 198,76 $	40 000,00 $	19 887,07 $	4 545,62 $	-23 732,51 $
5	(730 434,78) $	320 000	800 000,00 $	520 000,00 $	3,35215510	563 162,06 $	128 198,76 $	80 000,00 $	39 774,14 $	9 091,23 $	-8 391,06 $
6	(730 434,78) $	320 000	800 000,00 $	520 000,00 $	3,35215510	563 162,06 $	128 198,76 $	101 878,14 $	50 651,44 $	11 577,47 $	0,00 $
7	(730 434,78) $	320 000	800 000,00 $	520 000,00 $	3,35215510	563 162,06 $	128 198,76 $	160 000,00 $	79 548,28 $	18 182,46 $	22 291,85 $
8	(730 434,78) $	320 000	800 000,00 $	520 000,00 $	3,35215510	563 162,06 $	128 198,76 $	200 000,00 $	99 435,35 $	22 728,08 $	37 633,30 $
9	(730 434,78) $	320 000	800 000,00 $	520 000,00 $	3,35215510	563 162,06 $	128 198,76 $	221 184,00 $	109 967,54 $	25 135,44 $	45 758,13 $
10	(730 434,78) $	320 000	800 000,00 $	520 000,00 $	3,35215510	563 162,06 $	128 198,76 $	280 000,00 $	139 209,49 $	31 819,31 $	68 316,21 $
11	(730 434,78) $	320 000	800 000,00 $	520 000,00 $	3,35215510	563 162,06 $	128 198,76 $	320 000,00 $	159 096,56 $	36 364,93 $	83 657,66 $
12	(730 434,78) $	320 000	800 000,00 $	520 000,00 $	3,35215510	563 162,06 $	128 198,76 $	360 000,00 $	178 983,62 $	40 910,54 $	98 999,11 $
13	(730 434,78) $	320 000	800 000,00 $	520 000,00 $	3,35215510	563 162,06 $	128 198,76 $	400 000,00 $	198 870,69 $	45 456,16 $	114 340,57 $
14	(730 434,78) $	320 000	800 000,00 $	520 000,00 $	3,35215510	563 162,06 $	128 198,76 $	440 000,00 $	218 757,76 $	50 001,77 $	129 682,02 $
15	(730 434,78) $	320 000	800 000,00 $	520 000,00 $	3,35215510	563 162,06 $	128 198,76 $	480 000,00 $	238 644,83 $	54 547,39 $	145 023,47 $
16	(730 434,78) $	320 000	800 000,00 $	520 000,00 $	3,35215510	563 162,06 $	128 198,76 $	520 000,00 $	258 531,90 $	59 093,01 $	160 364,93 $
17	(730 434,78) $	320 000	800 000,00 $	520 000,00 $	3,35215510	563 162,06 $	128 198,76 $	560 000,00 $	278 418,97 $	63 638,62 $	175 706,38 $
18	(730 434,78) $	320 000	800 000,00 $	520 000,00 $	3,35215510	563 162,06 $	128 198,76 $	600 000,00 $	298 306,04 $	68 184,24 $	191 047,83 $

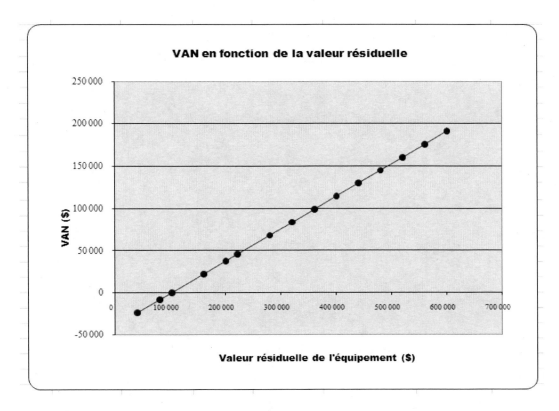

Résultats de l'analyse de sensibilité

	A	B	C	D	E
1		**Tableau synthèse de l'analyse de sensibilité**			
2					
3			**VAN = 45 758,13 $**	**VAN = 0 $**	
4		**Variable**	**Valeurs des variables**	**Valeurs des variables**	**Variation en %**
5		Nombre d'unités vendues	320 000	304833	-4,74%
6		Prix de vente unitaire	2,50 $	2,43 $	-2,80%
7		Coût variable unitaire	1,00 $	1,07 $	7,00%
8		Frais fixes de production	200 000,00 $	222 750,60 $	11,38%
9		Taux d'actualisation	15%	17,27%	15,13%
10		Valeur résiduelle de l'équipement	221 184,00 $	101 878,14 $	-53,94%

Partie IV

La décision de financement à long terme

Chapitre 9
Les marchés financiers

Sommaire

Objectifs pédagogiques

Lorsque vous aurez complété l'étude du chapitre 9,

1. vous pourrez différencier le marché primaire du marché secondaire;

2. vous comprendrez le rôle du marché pimaire et des intermédiaires financiers;

3. vous pourrez identifier les principaux participants sur le marché, primaire;

4. vous saurez qu'il existe, pour une entreprise, trois façons d'émettre des titres (emission publique, émission privée et émission de droits de souscription);

5. vous serez capable d'expliquer les principales étapes d'une émission publique de titres;

6. vous connaîtrez les principaux éléments d'information que contient habituellement un prospectus;

7. vous serez sensibilisé aux différents coûts qu'entraîne un appel public à l'épargne;

8. vous maîtriserez les différentes approches utilisées pour fixer le prix d'émission d'une action dans le cas d'un premier appel à l'épargne;

9. vous connaîtrez les principales caractéristiques des droits de souscription et serez apte à évaluer ce genre de titre;

10. vous serez sensibilisé aux principales fonctions du marché secondaire;

11. vous aurez acquis des connaissances générales sur le marché boursier et pourrez énumérer les avantages et les inconvénients associés à l'inscription en Bourse;

12. vous pourrez expliquer ce qu'est le marché hors Bourse et connaîtrez ses particularités;

13. vous serez en mesure de différencier un marché parfait d'un marché efficient;

14. vous pourrez faire la distinction entre trois types d'efficience soit l'efficience allocationnelle, l'efficience opérationnelle et l'efficience informationnelle;

15. vous serez sensibilisé à l'hypothèse d'efficience informationnelle des marchés et serez apte à faire la distinction entre les trois formes ou degrés d'efficience (forme faible, forme semi-forte et forme forte).

9.1 Introduction

Ce chapitre, qui est le premier consacré à la décision de financement, traite des marchés financiers canadiens. Comme l'illustre la figure 9.1, les marchés financiers[1] se décomposent en marché primaire et marché secondaire.

---

[1] Les marchés financiers peuvent également être classifiés en fonction de l'échéance des titres qui y sont émis et transigés. Ainsi, lorsqu'une transaction porte sur des titres dont l'échéance est de 3 ans ou moins, on dit qu'elle a lieu sur le marché monétaire. Sur ce marché, s'échangent, entre autres, les bons du Trésor, le papier commercial et les obligations à court terme. D'autre part, une transaction touchant des titres échéant dans plus de 3 ans a lieu sur le marché des capitaux. Les transactions portant sur les actions et les obligations à long terme s'effectuent notamment sur ce marché.

Marché primaire
Marché sur lequel s'effectue le placement initial de valeurs mobilières

Le marché primaire est celui où l'émission de nouveaux titres a lieu. Lorsque les nouveaux titres sont vendus à un nombre limité de preneurs (à une compagnie d'assurance, par exemple), on parle alors d'une émission privée. D'autre part, si les nouveaux titres sont offerts à l'ensemble des investisseurs, l'émission est dite publique.

Marché secondaire
Marché sur lequel se transige des titres déjà émis

En ce qui a trait au marché secondaire, on peut le définir comme étant celui où se transigent des titres déjà en circulation. Il s'agit de transactions entre investisseurs, qui n'affectent aucunement le bilan de l'émetteur initial des titres. Ces transactions peuvent s'effectuer en Bourse (pour les actions des grandes entreprises) ou sur le marché hors Bourse (pour les actions non inscrites en Bourse et pour les titres à revenu fixe, telles les obligations).

Figure 9.1 **Les marchés financiers canadiens**

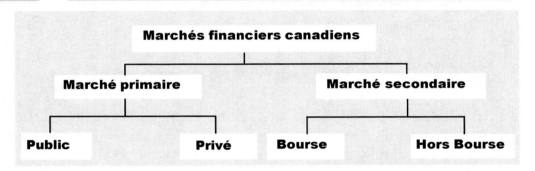

Dans ce qui suit, nous traitons, en premier lieu, du marché primaire et décrivons brièvement, par la suite, le marché secondaire.

9.2 Le marché primaire

Le marché primaire a comme objectif fondamental de permettre aux unités économiques déficitaires (entreprises et gouvernements) de combler leurs besoins de capitaux en transférant à ces dernières le produit provenant d'une nouvelle émission de titres. Sur le marché primaire, les entreprises et les gouvernements vendent aux épargnants et intermédiaires financiers des actifs financiers (obligations et actions) et reçoivent, en retour, des fonds qui serviront à l'acquisition d'actifs réels (équipements, bâtiments, terrains, etc.).

9.2.1 Les émissions nettes de titres par les gouvernements et les entreprises

Le tableau 9.1 donne un aperçu de l'importance des émissions nettes de titres effectuées au Canada et à l'étranger par les gouvernements et les entreprises pour la période 2005-2009. On y constate notamment que l'environnement économique et financier difficile des années 2008 et 2009 a forcé le gouvernement canadien ainsi que les gouvernements provinciaux à procéder à d'importantes émissions d'obligations en 2009 afin de financer leurs déficits. Par ailleurs, l'accroissement susbstantiel des émissions des actions des sociétés au cours des dernières années s'explique principalement par les importantes ventes d'actions privilégiées et ordinaires effectuées par les banques et les compagnies d'assurance. Les émissions appréciables d'actions privilégiées réalisées par les institutions financières canadiennes en 2008 et 2009 ont permis à ces dernières de renforcir leur base de capitaux propres (*Tier 1 Capital Ratio*) et ainsi améliorer leur ratio de solvabilité. Finalement, la dernière partie du tableau 9.1 révèle que les émissions nettes de titres à l'étranger représentaient une portion relativement importante (soit environ 20%) du financement des gouvernements et des sociétés en 2009.

Tableau 9.1 — **Les émissions nettes de titres par les gouvernements et les sociétés (période 2005-2009)**

	2005	2006	2007	2008	2009
	en millions de dollars				
Ensemble des émissions nettes de titres au Canada et à l'étranger					
Obligations du gouvernement canadien	-8 845	-7 367	10 527	5 617	85 029
Obligations des provinces	10 431	10 141	9 409	897	39 606
Obligations des municipalités	387	1 292	949	-174	1 160
Sociétés					
Obligations	16 838	13 393	31 534	30 785	38 934
Actions privilégiées ou ordinaires	10 663	1 722	25 283	30 389	44 364
Autres institutions et emprunteurs étrangers	10 005	23 664	29 905	-1 102	-7 982
Bons du Trésor et autres effets à court terme					
Bons du Trésor canadien, plus bons du Canada en dollars américains	-10 870	-3 325	-8 595	66 059	2 542
Provinces, entreprises provinciales et municipalités	-4 997	2 333	5 832	14 030	8 191
Papier des sociétés de financement et d'autres sociétés	17 391	30 239	37 995	-43 200	-24 254
Acceptations bancaires en dollars canadiens	6 535	13 471	7 002	4 367	-15 269
Ensemble des émissions nettes	**117 428**	**132 283**	**98 042**	**178 980**	**233 617**
Dont : Émissions placées					
Au Canada	118 799	132 531	81 953	163 500	186 476
À l'étranger	-1 371	-248	16 090	15 479	47 141
Aux États-Unis	-4 895	-7 060	7 16	10 729	38 956
Autres pays	3 524	6 812	8 674	4 750	8 185

Source : http://www40.statcan.ca/l02/cst01/fin34-fra.htm

9.2.2 Les participants sur le marché primaire

Les principaux participants sur le marché primaire sont les particuliers, les gouvernements, les intermédiaires financiers et les maisons de courtage.

Les particuliers

Par l'entremise des dépôts bancaires, d'achats d'obligations, d'actions et de parts de fonds communs de placement, des polices d'assurance-vie, des contributions aux caisses de retraite, les épargnants fournissent aux unités économiques déficitaires (entreprises et gouvernements) une bonne part des sommes d'argent requises pour financer leurs investissements.

D'autre part, les particuliers peuvent avoir besoin d'argent pour financer l'achat d'actifs à long terme (maison, automobile, etc.). Ils empruntent alors les fonds nécessaires auprès d'un intermédiaire financier (banque, caisse populaire, etc.).

Les gouvernements

La plupart du temps, les recettes de nos gouvernements sont inférieures à leurs déboursés. En conséquence, ils doivent émettre des titres (principalement des obligations et des débentures) pour financer notamment la construction d'hôpitaux, d'écoles et de routes.

Les intermédiaires financiers

Les intermédiaires financiers, tels les banques à charte, les caisses populaires, les compagnies d'assurance, les caisses de retraite, les fonds communs de placement, les sociétés de fiducie et les sociétés de financement utilisent l'argent provenant des épargnants pour effectuer des prêts aux entreprises, aux particuliers et aux gouvernements. Par exemple, lorsque des particuliers placent leurs excédents de liquidités dans des dépôts bancaires, les fonds ainsi amassés peuvent notamment être utilisés pour octroyer des prêts aux entreprises ou des prêts hypothécaires à des individus. De la même façon, les compagnies d'assurance investissent les primes qu'elles collectent dans des titres nouvellement émis par les entreprises ou les gouvernements.

Lorsque les fonds sont acheminés des unités économiques excédentaires aux unités économiques déficitaires par le truchement des intermédiaires financiers, on parle d'un financement indirect. Cette façon de transférer les fonds est illustrée à la figure 9.2. De façon à faciliter la compréhension, nous avons considéré le cas d'une banque qui décide d'octroyer un prêt à une entreprise avec l'argent provenant d'un dépôt effectué par un particulier.

Comme l'illustre la figure 9.2, lorsqu'un particulier dépose des fonds dans une banque, il en résulte pour cette dernière une dette qui apparaît au passif du bilan ainsi que des frais d'intérêts qui figurent à l'état des résultats. Suite à l'octroi d'un prêt à une entreprise, il en découle une augmentation du poste « prêts aux entreprises » à l'actif de la banque et des revenus d'intérêts qui sont montrés à l'état des résultats. Les revenus nets de la banque proviennent essentiellement de l'écart entre le taux d'intérêt chargé aux emprunteurs (unités économiques déficitaires) et le taux offert aux prêteurs (unités économiques excédentaires).

Figure 9.2 — Le financement indirect

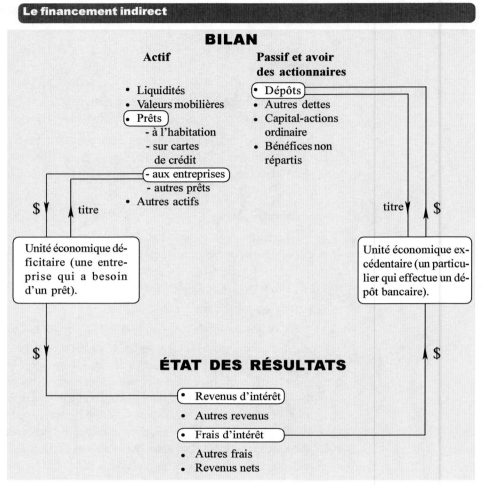

Les maisons de courtage

Les maisons de courtage jouent un rôle clé dans le transfert des fonds des unités économiques excédentaires aux unités économiques déficitaires. Ainsi, lorsqu'une entreprise a un besoin de fonds et qu'elle désire effectuer une émission publique, elle le fait par l'entremise d'une (ou de plusieurs) firme(s) de courtage en valeurs mobilières[2]. En plus de conseiller l'entreprise sur le genre de titre à émettre, le moment le plus approprié pour effectuer l'émission et de participer à la préparation du prospectus (ce document est obligatoire dans le cas d'une émission publique), la maison de courtage se charge de vendre les titres aux investisseurs. Évidemment, pour ses services, elle exige une rémunération.

---

[2] Lorsqu'une entreprise effectue une nouvelle émission d'obligations ou d'actions, le rôle de la maison de courtage consiste essentiellement à mettre en relation une unité économique déficitaire (une entreprise) et des pourvoyeurs de capitaux (des investisseurs). On parle alors d'un financement direct, puisque les fonds provenant des investisseurs n'apparaîtront jamais au bilan de la maison de courtage et seront acheminés directement à l'entreprise émettrice des titres.

9.2.3 Les différents types d'émission

Pour une entreprise désirant se financer à long terme, il existe trois façons d'émettre des titres, soit une émission privée, une émission publique ou une émission de droits de souscription. Les principales caractéristiques de ces différents types d'émission sont résumées au tableau 9.2. Chacune de ces façons d'émettre des titres sera décrite plus en détail dans les sections qui suivent.

Tableau 9.2   **Les types d'émissions et leurs principales caractéristiques**

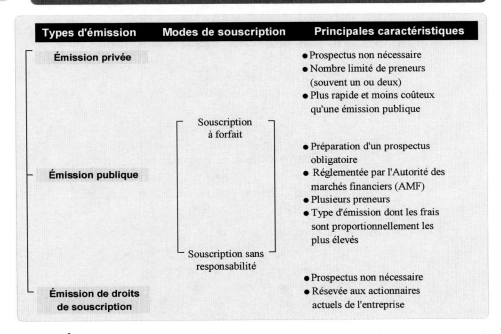

Types d'émission	Modes de souscription	Principales caractéristiques
Émission privée		• Prospectus non nécessaire • Nombre limité de preneurs (souvent un ou deux) • Plus rapide et moins coûteux qu'une émission publique
Émission publique	Souscription à forfait Souscription sans responsabilité	• Préparation d'un prospectus obligatoire • Réglementée par l'Autorité des marchés financiers (AMF) • Plusieurs preneurs • Type d'émission dont les frais sont proportionnellement les plus élevés
Émission de droits de souscription		• Prospectus non nécessaire • Réservée aux actionnaires actuels de l'entreprise

9.2.3.1 Émission privée de titres

Une première façon pour une entreprise d'émettre des titres consiste à recourir à un financement privé auprès d'une ou de plusieurs institutions financières. Ce genre d'émission intéresse surtout les compagnies d'assurance, les caisses de retraite et les fournisseurs de capital de risque, tels que la Banque de développement du Canada (BDC), Desjardins Capital de risque, Innovatech, le Fonds de solidarité des travailleurs du Québec, la Caisse de dépôt et placement du Québec, etc.

Les négociations entre l'émetteur et l'investisseur se font soit directement ou soit par l'entremise d'une maison de courtage en valeurs mobilières. Dans ce dernier cas, le courtier exige une rémunération qui est établie en fonction du travail et du rôle qu'il a à assumer dans le cours des négociations.

Très peu de données sont accessibles ou publiées concernant ce genre d'émission puisque, d'une part, la préparation d'un prospectus n'est pas obligatoire et que, d'autre part, les clauses relatives à ces ententes demeurent confidentielles.

9.2.3.2 Émission publique de titres

Contrairement à un placement privé, une émission publique de titres est un processus relativement long qui s'étend habituellement sur quelques mois (2 ou 3). Une émission publique de titres n'est donc pas la solution idéale pour une entreprise qui éprouve des besoins urgents de fonds.

Comme l'illustre la figure 9.3 de la page suivante, une émission publique de titres comporte plusieurs étapes. En premier lieu, une entreprise qui a pris la décision de procéder à un financement public doit se trouver une maison de courtage en valeurs mobilières (un souscripteur) qui s'occupera, le moment venu, de vendre les titres aux investisseurs et qui lui prodiguera divers conseils relativement à l'émission projetée. Dans la plupart des cas, l'entreprise aura recours aux services de son courtier habituel. Une fois le courtier sélectionné, l'entreprise entamera avec ce dernier des discussions dans le but d'en arriver à une entente concernant le genre de titre à émettre et le montant de l'émission. Par la suite, les dirigeants de l'entreprise, en collaboration avec la maison de courtage, les conseils légaux et les vérificateurs, prépareront un prospectus d'émission qui devra être soumis à l'Autorité des marchés financiers (AMF) pour fins d'approbation. Ce document, qui est obligatoire dans le cas d'une émission publique, doit contenir un ensemble de renseignements permettant aux investisseurs potentiels de porter un jugement sur la qualité des titres offerts. Sans être limitatif, on retrouve habituellement dans ce document les informations suivantes :

- un résumé des modalités de l'émission;
- l'historique de la compagnie, ses activités, ses biens, la nature du nouveau financement, le but de l'émission;
- les faits récents concernant l'entreprise;
- les états financiers vérifiés de l'entreprise;
- l'admissibilité à des fins de placement;
- les facteurs de risque;
- les noms des dirigeants de l'entreprise et leur rémunération;
- des informations sur les régimes d'options d'achat, sur les contrats importants passés par l'entreprise et sur sa politique de dividende;
- les différentes informations statutaires exigées par l'Autorité des marchés financiers (AMF).

Suite à l'approbation du prospectus par les analystes de l'Autorité des marchés financiers (AMF), les titres pourront être vendus aux investisseurs par l'entremise du (ou des) souscripteur(s) qui a (ont), moyennement une certaine rémunération, accepté de prendre en charge l'émission. Il est à noter que, dans le cas d'une émission d'importance, le (ou les) souscripteur(s) pourront inviter d'autres firmes de courtage à participer, en retour d'une commission, à la vente de l'émission. Ces courtiers, contrairement à ceux qui sont membres du syndicat de souscription, ne supportent toutefois pas les risques inhérents à la nouvelle émission.

Figure 9.3

Les principales étapes d'une émission publique

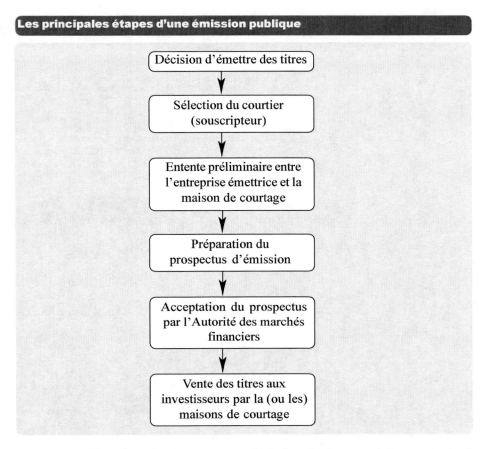

Tout dépendant de sa nature, une émission de titres peut être souscrite à forfait ou souscrite sans responsabilité.

Souscription à forfait

Au Canada, la plupart des émissions publiques s'effectuent par l'intermédiaire d'une souscription à forfait. Ce type d'entente consiste pour un souscripteur, habituellement une maison de courtage ou un syndicat de courtiers, à acheter de l'émetteur la totalité de l'émission à un prix ferme. Le souscripteur à forfait revend subséquemment les titres au public à un prix plus élevé. Par exemple, dans le cas d'une émission de 11 630 000 nouvelles actions ordinaires effectuée par la compagnie québécoise Rona inc. (voir les deux première pages du prospectus simplifié aux pages suivantes) en mai 2009, les maisons de courtage impliquées (Scotia Capitaux Inc., Financière Banque Nationale Inc., RBC Dominion valeurs mobilières Inc., BMO Nesbitt Burns Inc., Valeurs Mobilières Desjardins inc., Marchés mondiaux CIBC Inc. et Valeurs Mobilières TD Inc.) ont versé à l'entreprise 12,384 $ pour chaque nouvelle action émise et ont, par la suite, revendu les titres aux investisseurs au prix unitaire de 12,90 $. La différence entre le prix d'émission ou le prix d'offre (12,90 $) et le prix ferme (12,384 $), soit 0,516 $, représente la rémunération des souscripteurs pour les services de marketing rendus et les risques supportés relativement à cette émission.

PROSPECTUS SIMPLIFIÉ PROVISOIRE

NOUVELLE ÉMISSION   Le 15 mai 2009

RONA INC.

150 027 000 $

11 630 000 actions ordinaires

Aux termes du présent prospectus (« prospectus »), 11 630 000 actions ordinaires (« actions ordinaires ») de RONA inc. (« RONA » ou « Compagnie ») sont offertes au prix de 12,90 $ par action ordinaire (« placement »). Les actions ordinaires sont offertes aux termes d'une convention de prise ferme intervenue en date du 15 mai 2009 (« convention de prise ferme ») entre la Compagnie et Scotia Capitaux Inc., Financière Banque Nationale Inc., RBC Dominion valeurs mobilières Inc., BMO Nesbitt Burns Inc., Valeurs mobilières Desjardins inc., Marchés mondiaux CIBC Inc. et Valeurs Mobilières TD Inc. (collectivement, « preneurs fermes » et, individuellement, « preneur ferme »). Voir « Mode de placement ». Le prix des actions ordinaires offertes aux termes du présent prospectus a été établi par voie de négociation entre la Compagnie et les preneurs fermes.

Les actions ordinaires en circulation de la Compagnie sont inscrites à la cote de la Bourse de Toronto (« TSX ») sous le symbole « RON ». Le 12 mai 2009, soit le dernier jour de bourse complet avant l'annonce publique du présent placement, le cours de clôture des actions ordinaires à la TSX était de 13,60 $. La Compagnie a demandé l'inscription à la cote de la TSX des actions ordinaires pouvant être émises aux termes du placement. L'inscription sera subordonnée à l'obligation, pour la Compagnie, de remplir toutes les conditions d'inscription de la TSX.

Un placement dans les titres offerts aux termes des présentes comporte un risque. Les facteurs de risque énoncés sous la rubrique « Facteurs de risque » et ailleurs dans le présent prospectus devraient être examinés et évalués avec soin par les acquéreurs éventuels avant l'achat des titres offerts aux termes des présentes. Voir « Facteurs de risque ».

Prix : 12,90 $ par action ordinaire

	Prix d'offre	Rémunération des preneurs fermes	Produit net revenant à la Compagnie[1]
Par action ordinaire	12,90 $	0,516 $	12,384 $
Total[2]	150 027 000 $	6 001 080 $	144 025 920 $

1) Avant déduction de certains frais liés au placement estimés à 550 000 $ qui, avec la rémunération des preneurs fermes, seront prélevés sur les fonds généraux de la Compagnie. Voir « Mode de placement ».

2) La Compagnie a attribué aux preneurs fermes une option (« option de surallocation ») qui peut être exercée intégralement ou en partie, au gré des preneurs fermes, en tout temps pendant une période de 30 jours suivant la clôture du présent placement, et qui permet d'acheter jusqu'à 1 744 500 actions ordinaires supplémentaires selon les mêmes modalités que celles présentées ci-dessus afin de couvrir les surallocations, s'il en est, et de stabiliser le marché. Si l'option de surallocation est exercée intégralement, le total du prix d'offre, de la rémunération des preneurs fermes et du produit net revenant à la Compagnie (avant le paiement des frais liés au présent placement) s'établira respectivement à 172 531 050 $, à 6 901 242 $ et à 165 629 808 $. Le présent prospectus simplifié vise l'attribution de l'option de surallocation et le placement des actions ordinaires devant être émises au moment de l'exercice de l'option de surallocation. Voir « Mode de placement ».

Le souscripteur d'actions ordinaires compris dans la position de surallocation acquiert ces titres en vertu du présent prospectus, que la position soit ou non couverte par l'exercice de l'option de surallocation ou par des acquisitions sur le marché secondaire.

Le tableau suivant présente le nombre d'actions ordinaires que la Compagnie peut émettre en faveur des preneurs fermes aux termes de l'option de surallocation :

	Nombre d'actions ordinaires offertes	Période d'exercice	Prix d'exercice
Option de surallocation	1 744 500	Jusqu'à 30 jours suivant la clôture du placement	12,90 $ par action ordinaire

Les preneurs fermes, à titre de contrepartistes, offrent conditionnellement les actions ordinaires, sous réserve de prévente et sous les réserves d'usage concernant leur émission par la Compagnie et leur acceptation par les preneurs fermes conformément aux conditions de la convention de prise ferme mentionnée sous la rubrique « Mode de placement » et sous réserve de l'approbation de certaines questions d'ordre juridique par Ogilvy Renault S.E.N.C.R.L., s.r.l., pour le compte de la Compagnie, et par Fasken Martineau Dumoulin S.E.N.C.R.L., s.r.l., pour le compte des preneurs fermes. Sous réserve de la législation applicable, les preneurs fermes peuvent, dans le cadre du placement, procéder à une surallocation ou effectuer des opérations qui visent à stabiliser ou à maintenir le cours des actions ordinaires à des niveaux supérieurs à ceux qui seraient autrement formés sur le marché libre. Ces opérations, si elles sont entreprises, peuvent être interrompues en tout temps. Les preneurs fermes proposent d'offrir les actions ordinaires initialement au prix d'offre indiqué ci-dessus. Une fois qu'ils auront fait des efforts raisonnables pour vendre toutes les actions ordinaires au prix précisé, les preneurs fermes pourront par la suite réduire le prix de vente aux investisseurs à l'occasion pour vendre les actions ordinaires qui n'auront pas été vendues. Une telle réduction n'aura pas d'incidence sur le produit revenant à la Compagnie. Voir « **Mode de placement** ».

Chacun des preneurs fermes, sauf Valeurs Mobilières TD Inc., est une filiale ou une société du groupe d'une banque à charte ou d'une autre institution financière canadienne (« prêteurs ») qui a accordé des prêts à la Compagnie aux termes de sa facilité de crédit existante datée du 6 octobre 2006, telle qu'elle a été modifiée, qui est décrite à la note 15 des états financiers consolidés vérifiés de la Compagnie pour les exercices terminés le 28 décembre 2008 et le 30 décembre 2007 (« facilité de crédit »). Par conséquent, la Compagnie peut être considérée comme un « émetteur associé » à certains des preneurs fermes au sens de la législation sur les valeurs mobilières applicable. Au 12 mai 2009, la dette réelle de la Compagnie envers les prêteurs aux termes de la facilité de crédit s'élevait à environ 150,0 M$ dans l'ensemble. Le produit tiré de la vente des actions ordinaires pourrait être affecté au remboursement de sommes dues de temps à autre aux termes de la facilité de crédit. Voir « Emploi du produit », « Mode de placement » et « Relation entre la Compagnie et certains preneurs fermes ».

L'acquéreur éventuel doit savoir que l'achat d'actions ordinaires peut avoir des conséquences fiscales que le présent prospectus peut ne pas décrire intégralement. L'acquéreur éventuel devrait lire l'analyse fiscale figurant dans le présent prospectus et consulter un conseiller en fiscalité. Voir « Certaines incidences fiscales fédérales canadiennes ».

Les souscriptions seront reçues sous réserve du droit de les refuser ou de les attribuer en totalité ou en partie, et les registres de souscription peuvent être clos à tout moment sans préavis. La clôture du présent placement est prévue vers le 2 juin 2009 ou toute autre date convenue entre la Compagnie et les preneurs fermes, mais au plus tard le 16 juin 2009. Un certificat d'inscription en compte seulement représentant les actions ordinaires sera émis sous forme nominative à Services de dépôt et de compensation CDS inc. (« CDS ») ou à son prête-nom, et sera déposé auprès de la CDS à la date de clôture. À moins qu'il ne demande expressément de recevoir un certificat d'actions, le souscripteur d'actions ordinaires n'aura le droit de recevoir aucun certificat matériel représentant son titre de propriété et ne recevra qu'une confirmation d'achat de la part du courtier inscrit qui est un adhérent de la CDS et duquel ou par l'entremise duquel il a acheté les actions ordinaires. Voir « Mode de placement ».

L'adresse du siège social de la Compagnie et de son principal établissement d'affaires est le 220, chemin du Tremblay, Boucherville (Québec) Canada J4B 8H7 et l'adresse de son site Web est www.rona.ca.

Comme c'est le souscripteur - et non l'entreprise qui émet les titres - qui prend les risques inhérents à la mévente de l'émission lors d'une souscription à forfait, ce dernier peut encourir des pertes importantes si les investisseurs boudent l'émission ou si le cours du titre sur le marché secondaire devient inférieur au prix d'émission fixé[3]. Notons, toutefois, que la clause de retrait sans pénalité qui apparaît dans la plupart des ententes relatives aux souscriptions à forfait et qui permet au souscripteur de se retirer dans des circonstances exceptionnelles ou lorsque les conditions d'ensemble du marché se détériorent significativement - comme ce fut le cas lors des attentats terroristes survenus au *Wall Trade Center* et au Pentagone en septembre 2001 - , contribue à réduire sensiblement le risque de ce dernier. De plus, le souscripteur à forfait peut réduire son risque en formant, lorsque la taille et la nature de l'émission le justifient, un syndicat de souscription regroupant plusieurs maisons de courtage. Enfin, la maison de courtage peut minimiser son risque en s'assurant auprès de ses clients - particuliers et/ou institutionnels - qu'il existe une demande suffisante pour les titres qu'envisage émettre l'entreprise et ce, avant de signer l'entente de souscription avec cette dernière.

Souscription sans responsabilité

La souscription sans responsabilité est beaucoup moins répandue que ne l'est la souscription à forfait. Elle est surtout utilisée dans le cas d'émissions comportant des risques substantiels, telles que les émissions d'actions des petites compagnies d'exploration minières et pétrolières. Dans ce cas, le souscripteur ne prend pas le risque relié à l'achat de l'émission à un prix ferme. En effet, le souscripteur n'est, dans ce genre d'entente, qu'un intermédiaire entre la compagnie émettrice et les investisseurs. Son rôle consiste à écouler l'émission au meilleur prix possible, en retour d'une commission.

Les coûts d'une émission publique

Les coûts d'un appel public à l'épargne sont multiples. Ils comprennent notamment les honoraires professionnels versés aux avocats et vérificateurs, les frais d'impression du prospectus et des nouveaux titres et, surtout, la commission versée au courtier pour écouler les titres auprès des investisseurs. Les coûts totaux d'un appel public à l'épargne correspondent en fait à la différence entre le montant total versé par les investisseurs pour se porter acquéreur des titres émis par la compagnie (c.-à-d. le produit brut de l'émission) et le montant que l'entreprise reçoit réellement (c.-à-d. le produit net de l'émission) suite à la nouvelle émission.

---

[3] Si, au cours de la période d'émission, le prix du titre a tendance à descendre en-dessous du prix d'émission, le souscripteur interviendra sur le marché secondaire afin de stabiliser le prix, de façon à assurer le succès de la nouvelle émission.

Exemple 9.1

Calcul des coûts d'un appel public à l'épargne en pourcentage du produit brut de l'émission

Une émission d'actions ordinaires est vendue aux investisseurs pour 30 000 000 $. La commission versée au courtier pour écouler les titres auprès des investisseurs correspond à 6% du produit brut de l'émission alors que les autres frais (juridiques, comptables, impression des nouveaux titres, etc.) s'élèvent à 300 000 $. Dans ce cas, l'entreprise émettrice des actions recevra un montant net de 27 900 000 $, soit 30 000 000 $ – (30 000 000) (6%) – 300 000 $. Les coûts totaux de cet appel public à l'épargne représentent donc, en pourcentage, 7%

$$\left(\text{soit } \frac{2\,100\,000\ \$}{30\,000\,000\ \$}\right)$$ du produit brut de l'émission.

On constate habituellement que les coûts d'une émission publique dépendent des deux facteurs suivants : (1) de la taille de l'émission et (2) du risque des titres émis.

1. **La taille de l'émission.** Comme les coûts d'un appel public à l'épargne sont en partie fixes, il en découle que, plus la taille de l'émission est importante, plus les coûts d'une émission publique (en pourcentage du montant de l'émission) sont faibles.

2. **Le risque des titres émis.** Plus les titres émis sont risqués, plus les coûts associés à une émission publique (en pourcentage du montant de l'émission) sont élevés. Ainsi, dans le cas des obligations et des actions privilégiées, les coûts d'une émission peuvent représenter aussi peu que 2% du montant de l'émission alors que dans le cas d'actions ordinaires émises par une petite compagnie ils peuvent facilement atteindre 10% du montant de l'émission.

Les coûts d'une première émission publique[4]

En plus des différents coûts dont il est fait mention précédemment, une entreprise qui effectue un premier appel public à l'épargne (PAPE) doit s'attendre à supporter un autre type de coût, soit celui ayant trait à la sous-évaluation de ses titres. En effet, plusieurs études empiriques[5] en sont arrivées à la conclusion qu'il existait un écart assez appréciable entre le prix d'émission des nouvelles actions et le prix auquel elles se négociaient en Bourse peu de temps après l'émission. Cet écart serait de l'ordre de 15 à 20% et dépasserait l'ensemble des autres coûts associés à une émission publique. Il pourrait être attribuable au fait que le (ou les) souscripteur(s) et l'émetteur ont intérêt à ce que la nouvelle émission soit un succès auprès des investisseurs. Par ailleurs, étant donné qu'il n'existe aucune méthode (voir la sous-section qui suit) permettant de fournir une estimation indiscutable de la valeur d'une action qui ne s'est jamais transigée

---

[4] L'abbréviation anglaise est IPO (*Initial Public Offering*).

[5] Sur cette question, voir notamment: Ritter, J.R., « The Costs of Going Public », *Journal of Financial Economics*, décembre 1987, pp. 269-281.

publiquement, il est très concevable que l'on observe couramment des erreurs d'évaluation et que le (ou les) souscripteur(s) aient tendance à être plutôt conservateur(s) dans leurs projections concernant les bénéfices et les dividendes de l'entreprise.

La détermination du prix d'émission de nouvelles actions

Lorsque les actions d'une entreprise se transigent déjà publiquement, la détermination du prix d'émission de nouvelles actions ne pose pas de problème particulier. En effet, dans un tel cas, le prix d'émission est habituellement fixé à un niveau quelque peu inférieur au prix de fermeture de l'action le jour précédant la date à partir de laquelle les titres seront vendus aux investisseurs. Toutefois, s'il s'agit d'une première émission publique, la détermination du prix de vente des titres aux investisseurs constitue alors une tâche beaucoup plus complexe. À cette fin, on peut procéder de diverses façons.

Une première approche possible consiste à recourir à la formule de Gordon. Rappelons que, selon ce modèle, la valeur d'une action ordinaire s'établit comme suit :

$$V = \frac{D_1}{k - g} \tag{9.1}$$

où   V   :   Valeur de l'action
      D_1 :   Dividende par action qui sera versé par l'entreprise dans un an
      k   :   Taux de rendement requis par les investisseurs sur les actions de l'entreprise. Ce taux peut notamment être estimé en utilisant les données relatives à des entreprises comparables dont les titres se transigent publiquement.
      g   :   Taux de croissance annuel anticipé du dividende.

À notre connaissance, l'approche précédente est peu utilisée en pratique. Les analystes lui préfèrent la méthode du ratio cours/bénéfice et ce, à cause notamment de son apparente simplicité. Algébriquement, ce modèle d'évaluation se présente ainsi :

$$V = M \cdot B \tag{9.2}$$

où   M   :   Ratio cours/bénéfice ou multiplicateur des bénéfices approprié. La valeur de ce ratio représente le montant que sont disposés à payer les investisseurs par dollar de bénéfice que réalise l'entreprise. Ainsi, un ratio cours/bénéfice de 15 signifie que les investisseurs déboursent 15 $ par dollar de bénéfice que génère l'entreprise.
      B   :   Bénéfice par action prévu pour la prochaine année.

Pour opérationnaliser cette seconde approche, on doit estimer quel devrait être le ratio cours/bénéfice approprié ou normal de l'entreprise qui envisage devenir publique. Pour ce faire, on peut examiner la valeur du ratio cours/ bénéfice d'entreprises exerçant leurs activités dans le même secteur industriel et dont les actions se transigent en Bourse ou hors Bourse. D'autres variables, comme la taille de l'entreprise, la qualité de ses gestionnaires, ses perspectives de croissance et le degré de risque de ses activités doivent également être pris en considération pour en arriver à une estimation réaliste du ratio cours/bénéfice.

Exemple 9.2

Esimation de la valeur d'une action à l'aide de la méthode du ratio cours/ bénéfice

L'entreprise SWN inc. envisage la possibilité de devenir publique. Pour le prochain exercice financier, son bénéfice par action prévu s'élève à 2 \$. Les gestionnaires et les courtiers de SWN ont identifié trois compagnies publiques (ANK inc., AXT inc. et AWT inc.) qui opèrent dans le même secteur industriel que SWN inc. Les ratios cours/bénéfice de ces trois compagnies sont respectivement de 11, 9 et 10. À quel prix (approximatif) SWN inc. devrait-elle être en mesure d'émettre ses actions?

Solution

Une façon simple de procéder est d'estimer le ratio cours/bénéfice approprié de SWN inc. par la moyenne arithmétique des ratios cours/bénéfices des compagnies ANK inc., AXT inc. et AWT inc. En utilisant cette approche, on trouve :

$$\text{Ratio cours/bénéfice approprié de SWN} = \frac{11+9+10}{3} = 10$$

En multipliant ce ratio cours/bénéfice par le bénéfice par action prévu pour le prochain exercice, on arrive à une valeur de 20\$, soit 10 × 2 \$. L'entreprise SWN inc. peut donc envisager émettre ses actions à un prix se situant autour de 20 \$.

Peu importe la méthode utilisée, on ne peut, dans un contexte réel, aboutir à une estimation indiscutable de la valeur de l'action d'une entreprise qui désire devenir publique. Une bonne dose de jugement et d'expérience sont nécessaires pour en arriver à un prix qui sera équitable à la fois pour l'entreprise émettrice des titres, le (ou les) souscripteur(s) et les investisseurs.

9.2.3.3 Émission de droits de souscription

Droit de souscription
Titre permettant à un actionnaire d'acquérir des actions ordinaires de sa compagnie à un prix stipulé d'avance et ce, avant une certaine date

Une autre façon pour l'entreprise d'amasser des fonds consiste à accorder à ses actionnaires existants le privilège de souscrire prioritairement à une nouvelle émission d'actions ordinaires par l'entremise de droits de souscription (*rights*). Pour l'entreprise, les frais d'émission et de souscription sont moindres lors d'une émission de droits que dans le cas d'une émission publique, ce qui constitue une bonne raison d'émettre des droits de souscription plutôt que des actions au grand public.

Les droits de souscription permettent aux actionnaires d'une compagnie d'acheter à un prix stipulé d'avance - appelé prix de souscription - des nouvelles actions émises par leur compagnie proportionnellement au nombre d'actions qu'ils possèdent déjà de l'entreprise et ce, avant une certaine date d'échéance. Par exemple, si un actionnaire détient 5% des actions ordinaires de la compagnie avant la nouvelle émission, il aura la possibilité d'acheter 5% des nouvelles actions émises. Du point de vue de l'actionnaire, le financement par droits lui permet donc de conserver sa part relative dans la propriété de l'entreprise et ce, en autant qu'il souscrive à la nouvelle émission.

Période « cum-droits » et période « ex-droits »

Une émission de droits de souscription s'effectue de façon similaire à un versement de dividende. Ainsi, les registres de la compagnie sont clos à une certaine date et seuls les actionnaires dont les noms apparaissent dans les registres de la compagnie à cette date recevront les droits de souscription. Ceux qui les recevront pourront soit les exercer (c.-à-d. acquérir de nouvelles actions directement de la compagnie au prix de souscription et ce, sans avoir à payer de frais de courtage) ou encore les revendre sur le marché secondaire s'ils ne désirent pas investir davantage dans la compagnie.

Sur le marché secondaire, les actions de la compagnie se transigeront « ex-droits » ou « sans droits » à partir du deuxième jour ouvrable précédant la date de clôture des registres. Avant cette date, elles se négocieront « cum-droits » ou « avec droits ». Par exemple, si la date de clôture des registres est le vendredi 21 septembre, les actions de l'entreprise se transigeront « ex-droits » à partir du mercredi 19 septembre. Cela implique qu'un investisseur qui achètera des actions de la compagnie sur le marché secondaire le ou après le 19 septembre ne recevra pas les droits de souscription s'y rattachant (ces derniers iront au vendeur des titres).

Figure 9.4 **Dates relatives à une émission de droits de souscription**

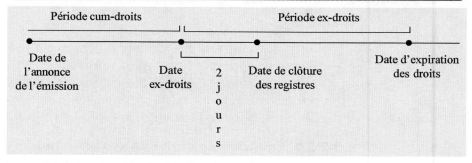

Caractéristiques des droits de souscription

Les droits de souscription possèdent les caractéristiques suivantes :

1. Le délai pour exercer ou pour négocier les droits de souscription est généralement court, soit environ de 4 à 6 semaines après la date ex-droits. Après la date limite fixée par la compagnie, les droits deviennent sans valeur.

2. Le nombre de droits nécessaires pour acquérir une nouvelle action au prix de souscription est fixé par la compagnie et demeure constant tout au long de la période de souscription. Le nombre de droits nécessaires pour acquérir une nouvelle action (N) se calcule ainsi :

$$N = \frac{\text{Nombre d'actions ordinaires actuellement en circulation}}{\text{Nombre de nouvelles actions à émettre}}$$

Il est à noter que, pour chaque action détenue, l'actionnaire recevra un droit de souscription de la part de la compagnie, mais que, de façon générale, plusieurs droits de souscription seront nécessaires pour qu'il puisse acquérir directement de la compagnie une action au prix de faveur.

3. Le prix d'achat des nouvelles actions - appelé prix de souscription - est déterminé par la compagnie et demeure constant tout au long de la période de souscription. Ce prix est habituellement fixé à un niveau inférieur au cours boursier de l'action - environ 15% inférieur - au début de la période de souscription et ce, dans le but de rendre attrayant[6] l'achat d'actions par l'entremise des droits de souscription. En principe, le prix de souscription consenti aux actionnaires n'a aucun impact sur la richesse de ces derniers, puisque la chute du prix de l'action qui est provoquée par l'émission de droits est totalement annulée par la valeur du droit de souscription (voir l'exemple numérique apparaissant plus loin dans cette section).

Exemple 9.3

Caractéristiques d'une nouvelle émission d'actions ordinaires via les droits de souscription

En mai 2009, la compagnie canadienne Excellon Resources inc., qui exerce ses activités dans le secteur minier, a émis 24 756 804 nouvelles actions ordinaires par l'entremise des droits de souscription. Huit droits étaient nécessaires pour acquérir une action ordinaire de la compagnie au prix de 0,23 $. Le produit brut de l'émission s'est donc élevé à 5 694 065 $ soit 24 756 804 × 0,23 $.

Choix de l'actionnaire

L'actionnaire qui possède des droits a le choix entre les exercer, les vendre sur le marché secondaire ou les laisser éteindre. S'il exerce ses droits, il conservera alors la même part relative dans la propriété de l'entreprise. Dans le cas où il les vend, il recevra une compensation pour la dilution du prix de ses actions causée par la disposition de nouvelles actions à un prix inférieur à celui du marché. La richesse de l'actionnaire demeurera cependant inchangée, par rapport à sa richesse avant l'offre de droits de souscription, s'il exerce ou vend ses droits. Par contre, s'il laisse éteindre ses droits, sa richesse diminuera. Pour illustrer, analysons l'exemple suivant.

---

[6] Évidemment, si le prix de souscription excède le cours de l'action, il n'y a aucun avantage pour l'actionnaire à acquérir des actions de sa compagnie par l'intermédiaire des droits de souscription. L'achat des actions sur le marché secondaire s'avère alors une transaction plus avantageuse et l'émission de droits sera probablement un échec.

Exemple 9.4

Calcul de la valeur intrinsèque d'un droit de souscription et impact potentiel d'une émission de droits sur la richesse de l'actionnaire

L'entreprise Kintel inc., qui est financée exclusivement par fonds propres, a actuellement en circulation 500 000 actions ordinaires qui se transigent à 12,50 $ l'unité (prix avec droits). Elle désire recueillir 1 100 000 $ par l'intermédiaire d'une émission de droits de souscription. Le prix de souscription a été fixé à 11 $.

a) Combien de nouvelles actions ordinaires la compagnie devra-t-elle émettre?
b) Combien de droits de souscription seront nécessaires pour acquérir une nouvelle action?
c) Déterminez la valeur intrinsèque d'un droit de souscription.
d) Montrez que la richesse d'un actionnaire restera inchangée s'il exerce ou vend ses droits de souscription, mais que celle-ci diminuera s'il les laisse éteindre. Supposez le cas d'un actionnaire détenant 100 actions (avant la nouvelle émission).

Solution

a) Le nombre de nouvelles actions ordinaires à émettre se calcule ainsi :

$$\text{Nombre d'actions à émettre} = \frac{\text{Financement requis}}{\text{Prix de souscription}}$$

$$= \frac{1\ 100\ 000}{11}$$

$$= 100\ 000 \text{ actions}$$

b) Le nombre de droits nécessaires pour acquérir une nouvelle action au prix de 11$ est égal à :

$$\text{Nombre de droits nécessaires} = N = \frac{500\ 000}{100\ 000} = 5 \text{ droits}$$

c) Soit,

P_A : Valeur au marché d'une action avec droits (cum-droits)
P_S : Valeur au marché d'une action sans droits (ex-droits)
VP : Valeur plancher ou intrinsèque d'un droit
VM : Valeur marchande d'un droit = VP + Valeur-temps
S : Prix de souscription consenti aux actionnaires
N : Nombre de droits nécessaires pour acquérir une nouvelle action.

Calcul du prix de l'action ex-droits (P_S)

Le prix de souscription, qui a été fixé à 11$, entraînera une dilution du cours actuel de l'action. Le prix de l'action ex-droits (P_S) peut se calculer ainsi :

$$\text{Valeur de l'entreprise avant la nouvelle émission} = (500\ 000)(12,50) = 6\ 250\ 000 \text{ \$}$$

$$\text{Valeur de l'entreprise après la nouvelle émission} = 6\ 250\ 000 + (11)(100\ 000) = 7\ 350\ 000 \text{ \$}$$

Par conséquent : $P_S = \dfrac{7\ 350\ 000}{500\ 000 + 100\ 000} = 12,25\ \$$

Après la nouvelle émission, la valeur marchande de l'action sera donc, en principe, de 12,25 $, soit une diminution de 0,25 $ par rapport au prix initial. Il est à noter que, si le prix de souscription était fixé à un niveau inférieur à 11 $, il en résulterait une baisse plus marquée du prix de l'action. Par exemple, le lecteur est en mesure de vérifier que si le prix de souscription était fixé à 8 $, l'entreprise devrait alors émettre 137 500 nouvelles actions, ce qui provoquerait une baisse de valeur de l'action d'environ 1 $.

Calcul de la valeur plancher ou intrinsèque d'un droit

Les droits permettent d'acquérir au prix S des actions qui vaudront ex-droits P_S sur le marché. Comme il faut N droits pour acquérir une action au prix de faveur, la valeur d'un droit ne peut être inférieure à VP, où :

$$VP = \frac{P_S - S}{N} \tag{9.3}$$

$$VP = \frac{12,25 - 11}{5} = 0,25\ \$$$

La valeur d'un droit correspond également à la différence entre le prix de l'action avec droits et le prix de l'action sans droits. On peut donc écrire :

$$VP = P_A - P_S \tag{9.4}$$

$$VP = 12,50 - 12,25 = 0,25\ \$$$

Finalement, on peut calculer la valeur intrinsèque d'un droit en procédant de la façon suivante. En isolant P_S dans l'expression (9.4), on obtient : $P_A - VP$. Par la suite, en remplaçant P_S par $P_A - VP$ dans l'équation (9.3), on trouve :

$$VP = \frac{P_A - VP - S}{N}$$

$$N(VP) = P_A - VP - S$$

$$N(VP) + VP = P_A - S$$

$$VP(N+1) = P_A - S$$

$$VP = \frac{P_A - S}{N+1} \tag{9.5}$$

$$VP = \frac{12,50 - 11}{5 + 1} = 0,25\ \$$$

Sur le marché secondaire, le droit de souscription de Kintel inc. se transigera donc au minimum à 0,25 $. S'il se transigeait à un prix moindre, un investisseur pourrait réaliser un profit certain en achetant des droits sur le marché secondaire pour, par la suite, les exercer et finalement revendre les actions ordinaires sur le marché boursier. Il s'agit là d'une situation de déséquilibre qui ne saurait persister bien longtemps dans le cadre d'un marché des capitaux efficient.

Notons toutefois, qu'en pratique, la valeur marchande du droit sera généralement supérieure à sa valeur intrinsèque. En effet, le marché accorde habituellement une valeur spéculative aux droits, compte tenu du fait que ces derniers procurent à l'investisseur un effet de levier comparable à celui des bons de souscription (voir notre discussion des bons de souscription au chapitre 10). La valeur spéculative ou la valeur-temps d'un droit est notamment fonction du temps qu'il reste à courir d'ici son expiration et de la volatilité du cours de l'action sous-jacente.

d) L'actionnaire en cause obtiendra 100 droits lui permettant d'acquérir 20 actions au prix unitaire de 11 $.

1. *Richesse avant la nouvelle émission*

   $100 \, P_A = (100)(12,50) = 1250$ $

2. *Richesse s'il vend ses droits*

   $100 \, P_S + 100 \, VP = (100)(12,25) + (100)(0,25) = 1250$ $

3. *Richesse s'il exerce ses droits*

   $120 \, P_S - 20 \, S = (120)(12,25) - (20)(11) = 1250$ $

4. *Richesse s'il laisse éteindre ses droits*

   $100 \, P_S = (100)(12,25) = 1225$ $

Si l'actionnaire laisse éteindre ses droits, sa richesse diminuera donc de 25 $, soit (100)(0,25 $).

9.3 Le marché secondaire

Contrairement au marché primaire, le marché secondaire n'apporte pas de fonds additionnels à une entreprise ou à un gouvernement. En effet, la principale fonction du marché secondaire consiste à établir une liaison entre les acheteurs et les vendeurs afin de leur permettre d'effectuer des transactions sur les titres en circulation. L'existence de ce marché permet donc d'assurer la liquidité des titres qui ont été originalement émis par les entreprises et les gouvernements sur le marché primaire.

Le marché secondaire joue également un rôle de première importance dans la fixation du prix des titres qui seront émis sur le marché primaire. Par exemple, si le cours de l'action de la compagnie Bombardier oscille autour de 6 $ sur le marché secondaire et que cette celle-ci envisage de vendre de nouvelles actions aux investisseurs (transaction du marché primaire) le prix d'émission des titres se situera vraisemblablement autour de 6 $.

Le marché secondaire comprend deux secteurs : les Bourses reconnues et le marché entre courtiers, communément appelé marché hors Bourse. Sur le marché hors Bourse se négocient toutes les valeurs à revenu fixe - sauf les débentures et les obligations convertibles - et les actions non inscrites à la cote d'une Bourse. Sur ce marché, les courtiers transigent généralement pour leur propre compte alors que sur les marchés boursiers ils agissent ordinairement à titre d'agents pour leurs clients.

9.3.1 Le marché boursier

Bourse
Marché organisé où s'échangent des valeurs mobilières (actions, options, etc.)

La Bourse est un lieu physique où les firmes membres et les organisations participantes effectuent l'échange de valeurs mobilières. En Bourse, les prix sont établis en fonction de la loi de l'offre et de la demande. Ainsi, si une compagnie annonce aux investisseurs une bonne nouvelle (par exemple, qu'elle vient d'obtenir un important contrat) le prix de ses actions devrait augmenter car, au cours actuel du titre, il y aura une demande excédentaire. Inversement, si la compagnie annonce au marché une mauvaise nouvelle (par exemple, des résultats financiers décevants et inférieurs aux prévisions des analystes), on peut s'attendre à ce que le prix de ses actions diminue puisque, au cours actuel, on observera une offre excédentaire du titre.

Le bon fonctionnement d'une Bourse repose sur les trois principes suivants :

1. **La confiance personnelle.** Les opérations s'effectuent dans un premier temps sous forme d'instructions verbales ou sur le web pour ensuite être finalisées par des confirmations écrites.

2. **La publication de l'information.** Les différentes informations sur les transactions et sur les entreprises dont les actions sont inscrites à la Bourse font l'objet de publications régulières.

3. **La réglementation.** Les maisons de courtage doivent respecter des règles précises concernant leur situation financière et leur façon d'opérer. L'application de ces règles est surveillée par la Bourse elle-même et des vérificateurs indépendants.

Le marché boursier canadien

De façon à mieux concurrencer les marchés étrangers, les Bourses canadiennes ont procédé à un réalignement majeur au cours de la période 1999-2001. Ainsi, les actions des grandes entreprises établies (titres seniors) se transigent exclusivement à la Bourse de Toronto alors que celles des sociétés en émergence se négocient à la Bourse de croissance TSX (anciennement la CDNX ou la *Canadian Venture Exchange*). Pour sa part, la Bourse de Montréal se spécialise désormais dans la négociation de produits dérivés (options et contrats à terme). Suite à la fusion du Groupe TSX[7] et de la Bourse de Montréal en

---

[7] En 2002, le Groupe TSX (maintenant appelé le Groupe TMX) est devenu une société ouverte et, du même coup, la première Bourse sur le continent à inscrire ses actions à la cote. L'action du Groupe TMX se négocie sous le symbole X à la Bourse de Toronto.

• • •
Site Internet du Groupe TMX
www.TMX.com

2008, le Groupe TMX possède et exploite notamment la Bourse de Toronto, la Bourse de croissance TSX, la Bourse de Montréal, la *Natural Gas Exchange* (une Bourse nord-américaine spécialisée dans la négociation et la compensation de contrats de gaz naturel, de pétrole brut et d'électricité), *Shorcan Brokers* (premier courtier interprofessionnel au Canada en ce qui concerne les titres à revenu fixe) et *Datalink* (données financières historiques et en temps réel).

La Bourse de Toronto

La Bourse de Toronto est un marché où se transigent les titres[8] d'environ 1 500 compagnies appartenant à différents secteurs de l'économie (banques, services publics, produits industriels, produits de consommation, mines et métaux, pétrole et gaz, etc.). Il s'agit d'un marché actif où la valeur des transactions (en incluant celles effectuées sur la Bourse de croissance TSX) a dépassé 1 408 milliards de dollars canadiens en 2009. Bien que la valeur des transactions sur le marché torontois puisse sembler très élevée, elle ne représente, pour l'année 2009, qu'environ 7% de celles effectuées à la Bourse de NewYork. Cela illustre bien le fait que le marché canadien des actions est bien petit relativement au marché de NewYork.

Au tableau 9.4, nous indiquons la capitalisation boursière (en dollars américains) à la fin de l'année 2009 des dix marchés les plus importants au monde. À cette date, le Groupe TMX[9] se classait au huitième rang parmi les marchés d'actions les plus importants sur la planète.

Tableau 9.4

Les dix Bourses les plus importantes au monde selon la capitalisation boursière (année 2009)

Bourse	Capitalisation boursière (en millions de dollars américains)
NYSE Euronext (US)	11 837 793
Tokyo	3 306 082
NASDAQ OMX	3 239 492
NYSE Euronext (Europe)	2 869 393
Londres	2 796 444
Shanghai	2 704 779
Hong Kong	2 305 143
Groupe TMX	1 676 814
Bolsas y Mercados Espanoles (BME)	1 434 541
BM&FBOVESPA	1 337 248

Source: http://www.world-exchanges.org

---

[8] Les titres transigés à la Bourse de Toronto sont des actions ordinaires, des actions privilégiées, des bons de souscription (*warrants*) et des droits de souscription (*rights*).

[9] En février 2011, le groupe TMX et la Bourse de Londres ont annoncé leur intention de fusionner leurs activités. Si leur projet de fusion est accepté par les autorités compétentes, cette Bourse deviendra la plus importante plateforme de transactions de la planète sur les titres miniers.

La Bourse de croissance TSX

La Bourse de croissance TSX constitue le marché secondaire canadien pour les entreprises qui en sont à l'étape du démarrage. Les sociétés inscrites sur ce marché exercent leurs activités dans les secteurs des mines, du pétrole et du gaz, des technologies de l'information, de la biotechnologie, de la fabrication et des services financiers. Environ 2 200 titres se négocient sur ce marché.

La Bourse de Montréal

À l'instar du marché de Chicago, la Bourse de Montréal est un endroit où se transigent exclusivement des produits dérivés. On y négocie des options (options sur actions, options sur indices boursiers et options sur contrats à terme) ainsi que des contrats à terme sur des produits financiers (acceptations bancaires, indices boursiers et obligations). Pour en apprendre davantage sur les produits dérivés négociés à la Bourse de Montréal, le lecteur peut visiter le site Internet de cette Bourse.

Site internet de la Bourse de Montréal
www.m-x.ca

Les indices boursiers

Un indice boursier est déterminé à partir d'un certain nombre de titres représentatifs d'un marché donné. Les fluctuations à la hausse ou à la baisse des indices boursiers donnent aux investisseurs une bonne idée de la tendance générale des marchés. Ainsi, lorsque les indices boursiers augmentent, cela signifie, qu'en général, les prix des titres sont à la hausse. À l'inverse, une baisse substantielle des indices boursiers, comme ce fut le cas lors du krach boursier d'octobre 1987, indique que la très grande majorité des actions sont fortement en baisse.

Indice boursier
Panier d'actions dont les fluctuations reflètent la tendance générale du marché où ces titres sont négociés

L'indice composé S&P/TSX

Au Canada, il existe de nombreux indices boursiers. Faisant suite à la redésignation des indices par *Standard & Poor's* et la Bourse de Toronto, l'indice composé TSE 300 a été renommé le 1er mai 2002 l'indice composé S&P/TSX. Il s'agit d'un « indice pondéré », en ce sens où son calcul est effectué en tenant compte de la capitalisation boursière de chacune des compagnies qui le compose. Ainsi, les fluctuations des cours des actions des grandes entreprises canadiennes, telles que Banque Royale, Banque Toronto-Dominion, Encana, Financière Manuvie, Société aurifère Barrick, etc. exercent un impact plus considérable sur les variations de cet indice que les mouvements boursiers des entreprises de taille plus modeste.

L'indice S&P/TSX 60

Développé conjointement par *Standard & Poor's* et la Bourse de Toronto, l'indice S&P/TSX 60 a été introduit sur le marché canadien au début de 1999 sous le nom de « indice S&P/TSE 60 ». Comme le suggère son appellation, cet indice est calculé à partir des fluctuations boursières de 60 importantes compagnies canadiennes (Banque Royale, Banque Toronto-Dominion, BCE Financière Manuvie, Goldcorp, etc.). Il s'agit donc d'un indice qui mesure le comportement d'ensemble des compagnies canadiennes à forte capitalisation. Les compagnies qui font partie de ce nouvel indice ont notamment été sélectionnées à partir des critères suivants : (1) la taille, (2) la liquidité des titres, (3) la situation financière et (4) le *leadership* dans l'industrie. De plus, pour être inclus dans ce nouvel indice, un titre doit également entrer dans la composition de l'indice composé S&P/TSX. Des indices S&P/TSX reflétant le comportement des entreprises à faible et moyenne capitalisations sont également calculés. Enfin, l'indice composé de croissance S&P/TSX mesure la performance de la Bourse de croissance TSX.

Les indices américains

Aux États-Unis, l'indice boursier le plus connu et le plus suivi est le Dow Jones. Toutefois, cet indice est peu représentatif du marché boursier américain puisqu'il ne tient compte que des fluctuations des cours des actions ordinaires de 30 compagnies (essentiellement des valeurs de premier ordre ou, en anglais, *blue chips*). Les investisseurs et les analystes lui préfèrent souvent des indices calculés à partir d'un plus grand nombre de titres qui sont plus représentatifs du comportement du marché boursier américain. Parmi ces indices, mentionnons :

1. **Le Standard & Poor's 500.** Cet indice tient compte des fluctuations des prix de 500 actions. Contrairement au Dow Jones, il reflète l'importance de la capitalisation boursière des 500 titres qui le composent.

2. **L'indice de la Bourse de New York.** Il s'agit d'un indice calculé à partir des variations des cours de tous les titres qui se transigent sur le parquet de New York.

3. **L'indice composé NASDAQ et le NASDAQ 100.** Ces indices sont particulièrement utiles pour l'investisseur qui désire suivre le comportement global des titres américains négociés hors cote. L'indice composé NASDAQ reflète les fluctuations des prix de tous les titres négociés hors compte alors que le NASDAQ 100 est calculé à partir des fluctuations des cours des 100 titres non financiers du NASDAQ ayant la capitalisation la plus importante (Apple, Google, Microsoft, etc.).

Les indices internationaux

Les indices boursiers internationaux les plus suivis par les investisseurs sont le Nikkei 225 (Japon), le Shanghai Composite (Chine), le FTSE 100 (Royaume-Uni), le Hang Seng (Hong Kong), le DAX (Allemagne) et le

CAC 40 (France). De plus, il existe un indice international (le S&P Global 1200) qui représente environ 70% de la capitalisation boursière mondiale. Cet indice est disponible en temps réel.

L'inscription en Bourse

Dans la plupart des cas, les actions des entreprises nouvellement établies ne sont pas listées sur une Bourse. Toutefois, lorsqu'elle sera parvenue à un certain stade dans son développement, l'entreprise envisage probablement la possibilité de s'inscrire en Bourse. En supposant que sa demande soit jugée acceptable par les autorités compétentes, l'inscription sur une Bourse importante permettra à l'entreprise d'accroître sa visibilité, attirera l'attention des investisseurs - particuliers et institutionnels - , augmentera son prestige et sa réputation, facilitera son financement externe et permettra, dans une certaine mesure, de contrôler ses dirigeants. La transformation d'une société fermée (non listée en Bourse) en une société ouverte ou publique (listée en Bourse) pourrait avoir des effets bénéfiques sur le volume des ventes de l'entreprise et permettre également d'abaisser le taux de rendement requis par les investisseurs sur ses actions.

Cependant, l'inscription en Bourse occasionne des coûts et impose à l'entreprise des contraintes relativement à la divulgation d'informations la concernant. De plus, l'inscription en Bourse n'est possible que si l'entreprise satisfait à certaines exigences minimales ayant trait notamment à l'actif corporel net, au bénéfice avant impôts, aux fonds autogénérés, au nombre d'actionnaires, au nombre d'actions émises et à la compétence et aux antécédents des gestionnaires. De façon générale, les conditions d'admission dépendent de l'importance de la Bourse en question. Plus la Bourse est importante, plus les normes à respecter sont rigoureuses. À titre indicatif, nous reproduisons, au tableau 9.5, un échantillon des normes d'inscription à la Bourse de Toronto et à la Bourse de croissance TSX pour les sociétés du secteur industriel.

Tableau 9.5

Échantillon des normes d'inscription à la Bourse de Toronto et à la Bourse de croissance TSX pour les sociétés industrielles

	Actif corporel net	Bénéfice avant impôts
Groupe 2 de la TSX en croissance	500 000 $	50 000 $
Groupe 1 de la TSX en croissance	1 000 000 $	100 000 $
Bourse de Toronto	7 500 000 $	200 000 $

Source : http://www.tse.com

9.3.2 Le marché hors Bourse

Marché hors Bourse
Marché où les courtiers négocient par téléphone ou par ordinateur des titres (obligations et actions) qui ne sont pas inscrits à la cotation officielle d'une Bourse

Le marché hors Bourse ou hors cote comprend la plupart des titres à revenu fixe - sauf les obligations et les débentures convertibles - et les actions non inscrites à la Bourse. Les actions qui y sont négociées sont, la plupart du temps, celles de petites compagnies qui éprouvent des difficultés et qui ne rencontrent plus les critères pour maintenir leur inscription à la Bourse de croissance TSX. Ces titres, qui sont négociés sur le marché NEX, sont peu liquides et présentent un profil de risque très élevé En ce qui a trait au marché hors cote pour les titres à revenu fixe, mentionnons qu'il s'agit d'un marché très important où la valeur totale des titres négociés excède celle des titres transigés en Bourse. Par exemple, en 2009, la valeur totale des transactions sur le marché obligataire s'est élevée à 5 310 milliards de dollars contre 1 408 milliards de dollars pour le marché des actions.

Sur le marché boursier, le prix auquel s'effectue la transaction est déterminé selon le principe de la vente aux enchères. Toutefois, dans le cas du marché hors Bourse, le prix de la transaction est plutôt le résultat des négociations entre l'investisseur et la maison de courtage qui détient en inventaire le titre qu'il désire transiger. Si l'investisseur veut acheter rapidement un titre, il paiera pour ce dernier le cours vendeur (*ask*) à la maison de courtage qui maintient un marché pour le titre concerné. Dans le cas d'une vente rapide, il obtiendra vraisemblablement le cours acheteur (*bid*). Notons que, sur le marché hors cote, seuls les cours acheteurs et vendeurs fixés par les courtiers agissant à titre de mainteneurs de marché sont affichés et que les prix auxquels des investisseurs individuels sont prêts à acheter ou vendre des titres ne sont pas disponibles sur le réseau informatisé.

Le marché hors Bourse, contrairement à une Bourse, ne possède pas de lieu de négociation centralisé où sont effectuées les opérations. Il fonctionne grâce à un réseau de courtiers et d'institutions financières qui négocient au téléphone ou par l'intermédiaire d'un système informatisé.

Contrairement au marché hors cote canadien pour les actions, le marché américain (le NASDAQ ou *National Association of Securities Dealers Automated Quotations Service*) constitue un marché très développé et où la liquidité des titres est excellente. En effet, les actions d'importantes compagnies américaines, telles que Microsoft, Google et Cisco Systems, se négocient sur le NASDAQ alors que le marché hors cote canadien est plutôt réservé aux actions de quelques petites compagnies. Le volume quotidien des transactions sur le NASDAQ, qui est généralement supérieur à celui observé sur la Bourse de New York, reflète d'ailleurs assez bien l'ampleur prise par ce marché au cours des deux dernières décennies.

9.4 Marché parfait vs marché efficient

À plusieurs endroits dans cet ouvrage, nous faisons référence aux notions de marché parfait et de marché efficient. Aussi convient-il dans le présent chapitre, qui porte sur les marchés financiers, de préciser et de distinguer ces deux notions.

Marché parfait

En finance, il arrive fréquemment que l'hypothèse d'un marché parfait soit utilisée afin de faciliter le développement de modèles théoriques. Les hypothèses suivantes sont sous-jacentes à la notion de marché parfait :

1. Les frais de transaction n'existent pas.

2. Il n'y a pas d'impôt (corporatif et personnel).

3. Tous les actifs sont parfaitement divisibles.

4. L'information est gratuite et accessible à tous simultanément.

5. Il y a de nombreux acheteurs et vendeurs sur le marché et les transactions qu'effectue un investisseur donné n'ont aucun impact sur les prix des titres.

6. Les individus sont rationnels et cherchent à maximiser leur utilité espérée.

7. Les individus peuvent prêter ou emprunter à un taux d'intérêt uniforme pour tous.

Il va de soi que les hypothèses mentionnées ci-dessus ne constituent pas une description exacte de la réalité. Certains modèles théoriques exposés dans ce volume formulent des conclusions qui sont basées sur l'hypothèse d'un marché parfait. Lors de la prise de décision, les conclusions de ces modèles doivent évidemment être adaptées aux conditions réelles prévalant sur le marché des capitaux (existence des frais de transaction et des impôts, information parfois asymétrique des investisseurs, etc.).

Marché efficient

La notion de marché efficient est beaucoup moins restrictive que celle de marché parfait. Ainsi, le marché peut être efficient même si les investisseurs sont assujettis à l'impôt et doivent payer une commission au courtier lorsqu'ils achètent ou vendent des titres. En fait, les conditions suivantes permettent d'assurer l'efficience des marchés :

1. Il existe sur le marché de nombreux investisseurs rationnels qui cherchent à maximiser leur richesse. Ces derniers analysent, évaluent et transigent des titres sur une base constante. Cependant, aucun participant ne peut à lui seul affecter le prix d'un titre.

2. L'information est gratuite et accessible simultanément aux investisseurs.

3. Les annonces susceptibles d'influer sur les cours des titres (nouvelles concernant l'économie en général, événement politique, nouvelles concernant une entreprise particulière, etc.) se succèdent aléatoirement et son indépendantes l'une de l'autre.

4. Les investisseurs réagissent rapidement et correctement aux nouvelles informations qui leur sont communiquées et les cours boursiers s'ajustent en conséquence.

Les types d'efficience

La littérature financière identifie trois types d'efficience, soit l'efficience opérationnelle, l'efficience allocationnelle et l'efficience informationnelle. Dans ce qui suit, nous décrirons brièvement les notions d'efficience opérationnelle et allocationnelle pour nous attarder, par la suite, au concept d'efficience informationnelle[10].

L'efficience opérationnelle

Efficience opérationnelle
Les intermédiaires financiers sont en mesure de mettre en relation les offreurs et les demandeurs de titres au moindre coût

Un marché est considéré comme étant efficient au sens opérationnel lorsque les intermédiaires financiers sont aptes à apparier de manière satisfaisante les pourvoyeurs et les demandeurs de capitaux au coût le plus bas possible et ce, en retirant une juste rémunération. L'efficience opérationnelle réfère également à la liquidité des titres sur le marché secondaire et à l'importance des frais de transaction qui doivent supporter les investisseurs pour exécuter leurs ordres d'achat ou de vente d'actifs financiers.

L'efficience allocationnelle

Efficience allocationnelle
Les capitaux disponibles sont acheminés vers les entreprises les plus performantes qui les utiliseront de manière optimale

L'efficience allocationnelle a trait à la capacité du marché à allouer les capitaux disponibles aux emplois les plus productifs et ainsi contribuer à un développement économique convenable. En d'autres termes, dans un marché efficient au sens allocationnel, les fonds disponibles sont acheminés vers les entreprises qui sont en mesure de réaliser les projets d'investissement les plus prometteurs.

L'efficience informationnelle

Efficience informationnelle
Toutes les informations pertinentes sur un titre sont reflétées rapidement dans son cours sur le marché secondaire

Un marché est réputé efficient au sens infromationnel si les prix des titres sur ce marché reflètent complètement toute l'information pertinente connue à leur sujet et incorporent rapidement toute nouvelle information ayant une valeur économique[11]. Dans un tel marché, les aubaines n'existent pas puisque les cours des titres traduisent, à tout moment, leur vraie valeur. Si le marché possède cette caractéristique, un investisseur doit s'attendre à réaliser un rendement proportionnel au degré de risque que comporte son portefeuille. Il lui sera alors impossible de réaliser, sur une base continue, des rendements anormaux, c'est-à-dire des rendements plus élevés que ne le justifie le degré de risque assumé.

L'efficience du marché peut s'expliquer par le fait qu'il existe des milliers d'investisseurs et d'analystes rationnels, bien informés et compétitifs qui recherchent constamment des titres dont la valeur marchande s'écarte de leur vraie valeur. Aussitôt qu'ils en trouvent un, ces derniers effectuent des transactions qui amènent rapidement le cours du titre en cause vers son niveau d'équilibre, compte tenu de toute l'information actuellement disponible concernant l'entreprise, l'industrie dans laquelle elle opère et l'économie en général. Dans ces conditions, il deviendra alors impossible pour un investisseur de s'enrichir

---

[10] Dans cet ouvrage, lorsque nous utilisons le terme efficience sans qualitatif, c'est invariablement de l'efficience au sens informationnel dont il est question.

[11] Une information véhicule une valeur économique si elle modifie les anticipations du marché concernant la valeur actualisée des flux monétaires à venir de l'entreprise. Un exemple est le cas d'une entreprise qui annonce qu'elle vient d'obtenir un important contrat qui aura pour effet d'accroître sensiblement ses ventes et ses profits à venir. Par contre, l'annonce par une entreprise d'une hausse de son bénéfice, suite à un changement de sa méthode d'amortissement comptable, ne comporte aucune valeur économique et ne devrait pas, par conséquent, affecter le cours du titre.

anormalement, de façon constante, en basant sa stratégie de placement sur l'information disponible publiquement, puisque l'information de cette nature est, à tout moment, reflétée dans les cours boursiers (voir, plus loin, notre discussion concernant l'efficience du marché au sens semi-fort).

Les formes ou degrés d'efficience informationnelle

Pour vérifier empiriquement l'hypothèse de l'efficience du marché des capitaux ou HEM, Fama[12] (1970) distingue trois formes d'efficience : la forme faible, la forme semi-forte et la forme forte.

Forme faible
Le cours actuel d'un titre reflète l'information relative aux prix et aux volumes passés

La forme faible de l'hypothèse de l'efficience du marché stipule que les cours historiques d'un titre ne fournissent aucune information utile permettant de prévoir les changements à venir dans le cours de ce titre. Dans un marché efficient au sens faible, les fluctuations du cours d'un titre suivent un cheminement aléatoire (*random walk*). La variation observée du prix d'un titre entre le jour t – 1 et le jour t ne permet donc pas de prévoir ce que sera le changement du prix de ce même titre entre le jour t et le jour t+1. Le prix du titre au jour t constitue la meilleure prévision de ce que sera son prix le jour t+1. Selon cette hypothèse, un investisseur basant sa stratégie de placement sur les fluctuations passées des cours des titres ne pourra, en moyenne, s'enrichir anormalement. La majorité des études empiriques réalisées suggèrent que le marché est au moins efficient sous la forme faible. Toutefois, au début des années 1980, certaines inefficiences ont été détectées, dont l'effet jour[13] (les rendements des actions sont significativement négatifs le lundi) et l'effet janvier[14] (les rendements des actions des entreprises comportant une faible capitalisation boursière sont, en moyenne, plus élevés en janvier que dans n'importe quel autre mois de l'année).

Forme semi-forte
Le cours actuel d'un titre reflète toute l'information disponible (publique et privée)

Selon la forme semi-forte de l'hypothèse de l'efficience du marché, les cours des titres incorporent toute l'information publique disponible à leur sujet (rapports annuels, prévisions des analystes, recommandations des lettres financières, renseignements disponibles dans les journaux financiers et sur Internet, informations contenues dans les cours passés, annonces concernant un changement de politique de dividende, etc.). Dans un tel marché, il n'est pas possible pour les investisseurs de réaliser, en moyenne, des rendements anormalement élevés en achetant, par exemple, des actions des compagnies qui viennent d'an-

---

[12] Fama, E.F., « Efficient Capital Markets: A Review of Theory and Empirical Work », *Journal of Finance*, mai 1970, pp. 383-417.

[13] Voir, à ce sujet : French, K.R., « Stock Returns and the Weekend Effect », *Journal of Financial Economics*, novembre 1980, pp. 55-69.
Gibbons, M.R. et P. Hess, « Day of the Week Effects and Asset Returns », *Journal of Business*, octobre 1981, pp. 579-596.

[14] Sur cette question, on peut consulter : Keim, D.B., « Size-Related Anomalies and Stock Return Seasonality : Further Empirical Evidence », *Journal of Financial Economics*, juin 1983, pp. 13-32.
Roll, R., « A Possible Explanation of the Small Firm Effect », *Journal of Finance*, septembre 1981, pp. 879-888.

noncer des hausses substantielles de leurs bénéfices puisqu'une information de cette nature sera très rapidement incorporée dans les cours des titres concernés. Les résultats des études empiriques effectuées au cours des dernières décennies sont, dans l'ensemble, plutôt favorables à l'hypothèse de l'efficience du marché sous la forme semi-forte. Toutefois, certaines études suggèrent qu'il serait possible de s'enrichir anormalement en achetant notamment des actions d'entreprises présentant l'une ou l'autre ou plusieurs des caractéristiques suivantes : (1) une faible capitalisation boursière[15], (2) un ratio cours/bénéfice peu élevé[16] ou (3) un ratio valeur comptable sur valeur marchande des fonds propres élevé[17].

Forme forte
Le cours actuel d'un titre reflète toute l'information disponible (publique et privée)

Finalement, la forme forte de l'hypothèse de l'efficience du marché postule qu'aucun investisseur, y compris les initiés (cadres supérieurs des entreprises, actionnaires détenant plus de 10% des actions d'une entreprise) ne peut réaliser de profits anormaux sur une base constante. Selon cette hypothèse, les cours des titres sur le marché secondaire reflètent toute l'information connue (publique et privée) à leur sujet. Un marché boursier efficient au sens fort implique notamment que les investisseurs qui connaissent, avant que la nouvelle ne soit rendue publique, les résultats des tests relatifs à un nouveau produit ne pourront, sur la base de cette information privilégiée, s'enrichir anormalement car ladite information est déjà incorporée dans le cours du titre avant même qu'elle ne soit rendue publique. L'évidence empirique actuellement disponible suggère que la marché n'est généralement pas efficient sous la forme forte[18].

La figure 9.5 de la page suivante résume l'information qui est incorporée dans le cours d'un titre selon chacune des trois formes de l'hypothèse de l'efficience du marché. On y constate que si le marché est efficient au sens fort, cela implique nécessairement qu'il l'est également au sens semi-fort et au sens faible.

---

[15] Voir à ce sujet : Banz, R.W., « The Relationship Between Return and Market Value of Common Stocks », *Journal of Financial Economics*, mars 1981, pp. 3-18.
Reinganum, M.R., « Misspecification of Capital Asset Pricing : Empirical Anomalies Based on Earnings Yields and Market Values », *Journal of Financial Economics*, mars 1981, pp. 19-46.

[16] Sur cette question, on peut lire : Basu, S., « Investment Performance of Common Stocks in Relation to Their Price-Earnings Ratios : A Test of the Efficient Markets Hypothesis », *Journal of Finance*, juin 1977, pp. 663-682.
Basu, S., « The Relationship Between Earnings Yield, Market and Value and Return for NYSE Common Stocks », *Journal of Financial Economics*, juin 1983, pp. 129-156.

[17] L'article classique sur ce sujet est : Fama, E. F. et K. R. French, « The Cross Section of Expected Stock Returns », *Journal of Finance*, juin 1992, pp. 427-465.

[18] Pour en savoir plus long, consultez notamment : Jaffe, J.J., « Special Information and Insider Trading », *Journal of Business*, juillet 1974, pp. 410-428.
Seyhun, H.N., « Insiders' Profits, Costs of Trading and Market Efficiency », *Journal of Financial Economics*, juin 1986, pp. 189-212.
Fowler, D.J. et C.H. Rorke, « Insiders' Trading Profits on the Toronto Stock Exchange, 1967-1977 », *Revue Canadienne des Sciences de l'Administration*, mars 1988, pp. 13-25.

Figure 9.5 L'information qui est incorporée dans le cours d'un titre selon chacune des trois formes de l'hypothèse de l'efficience du marché

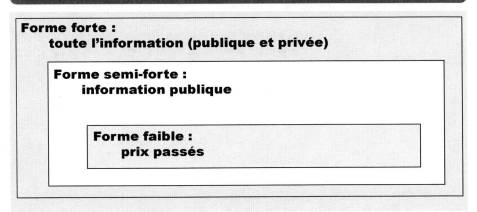

À la lumière de l'ensemble des résultats empiriques disponibles à ce jour, l'hypothèse de l'efficience nous apparaît comme étant une approximation raisonnable du fonctionnement réel du marché des capitaux. Dans cet ouvrage, nous acceptons donc cette hypothèse comme étant valide et ce, même si elle ne reflète pas parfaitement la réalité. Cela permet d'analyser dans une juste perspective l'impact de certaines décisions financières sur la valeur marchande de l'entreprise.

9.5 Concepts fondamentaux

- Les marchés financiers se décomposent en marché primaire et marché secondaire. Le marché primaire est celui où s'effectue l'émission de nouveaux titres alors que le marché secondaire est celui où se négocient les titres qui ont été préalablement émis sur le marché primaire.

- Les participants sur le marché primaire sont les particuliers, les gouvernements, les intermédiaires financiers et les maisons de courtage.

- Les intermédiaires financiers permettent d'acheminer les fonds des unités économiques excédentaires aux unités économiques déficitaires.

- Une entreprise à la recherche de financement à long terme peut effectuer une émission privée de titres, une émission publique ou une émission de droits de souscription. Dans le cas d'un placement privé, les nouveaux titres sont vendus à un nombre limité de preneurs et la préparation d'un prospectus n'est pas obligatoire. S'il s'agit plutôt d'une émission publique, les nouveaux titres sont offerts à l'ensemble des investisseurs et l'entreprise doit alors préparer un prospectus qui doit être approuvé par l'Autorité des marchés financiers (AMF). Au Canada, la plupart des émissions publiques s'effectuent par l'intermédiaire d'une souscription à forfait. c'est-à-dire qu'une maison de courtage ou un syndicat de courtiers achète la totalité des titres émis par l'entreprise à un prix ferme pour les revendre subséquemment aux investisseurs à un prix plus élevé - appelé prix d'offre ou prix d'émission. Finalement, dans le cas d'une offre de droits de souscription, les nouvelles actions ordinaires sont vendues aux actionnaires actuels de l'entreprise. Ces derniers ont alors la possibilité d'acquérir au prix de souscription de nouvelles actions émises par leur compagnie et ce, proportionnellement au nombre d'actions initialement détenues.

■ Les coûts d'une émission publique (exprimés au pourcentage du montant de l'émission) varient inversement avec la taille de l'émission, mais sont liés positivement au risque des titres émis. De plus, lorsqu'il s'agit d'un premier appel public à l'épargne (PAPE), l'entreprise doit supporter un autre type de coûts, soit celui ayant trait à la sous-évaluation des titres.

■ Dans le cas d'une première émission publique d'actions, on utilise habituellement la méthode du ratio cours/bénéfice pour fixer le prix d'émission des nouveaux titres.

■ La valeur intrinsèque ou théorique d'un droit de souscription est égale à l'écart entre le cours de l'action ex-droits (P_s) et le prix de souscription (S) divisé par le nombre de droits requis pour acquérir une nouvelle action (N). Quant à la valeur marchande d'un droit de souscription, elle correspond à la somme de sa valeur intrinsèque et de sa valeur temporelle.

■ L'actionnaire qui reçoit des droits de souscription de sa compagnie peut les exercer, les vendre sur le marché secondaire ou les laisser éteindre.

■ Le marché secondaire comprend deux secteurs : les Bourses et le marché hors Bourse. Les titres à revenu fixe et les actions non inscrites à la cote d'une Bourse se négocient sur le marché hors Bourse.

■ La principale fonction du marché secondaire consiste à assurer la liquidité des titres qui ont été préalablement émis sur le marché primaire. Dans le cas des entreprises dont les titres se négocient déjà sur le marché secondaire, ce marché joue également un rôle de première importance dans la fixation des prix des titres qui seront émis sur le marché primaire.

■ Suite au réalignement majeur des Bourse canadiennes, les actions des grandes sociétés établies se transigent exclusivement à la Bourse de Toronto alors que celle des sociétés en émergence se négocient à la Bourse de croissance TSX. Pour sa part, la Bourse de Montréal est maintenant spécialisée dans la négociation de produits dérivés (options et contrats à terme). Ces trois marchés sont des filiales en propriété exclusive du groupe TMX.

■ L'indice boursier le plus diffusé au Canada est l'indice composé S&P/TSX de la Bourse de Toronto. Quant à l'indice S&P/TSX 60, il permet de suivre l'évolution des cours des actions des compagnies à forte capitalisation. Enfin, l'indice S&P/TSX de croissance mesure la performance boursière des actions de petites sociétés entrant dans la catégorie du capital de risque.

- Sur le marché américain, les trois indices boursiers les plus suivis sont le Dow Jones, le Standard & Poor's 500 et l'indice composé NASDAQ.

- Il existe trois types d'efficience, soit l'efficience opérationnelle, l'efficience allocationnelle et l'efficience informationnelle. L'efficience opérationnelle réfère à la capacité des intermédiaires financiers à mettre en relation les pourvoyeurs et les demandeurs de capitaux et ce, au coût le plus bas possible. Pour sa part, l'efficience allocationnelle à trait à l'aptitude du marché à acheminer les ressources financières disponibles vers les entreprises qui en feront le meilleur usage. Enfin, l'efficience informationnelle concerne la réaction des cours boursiers aux nouvelles informations qui deviennent accessibles aux investisseurs.

- On distingue trois formes ou degrés d'efficience du marché au sens informationnel, soit la forme faible (les cours des actions incorporent toute l'information concernant les prix et les volumes passés), la forme semi-forte (les cours des actions tiennent compte de toute l'information publique disponible) et la forme forte (les cours des actions reflètent toute l'information disponible, incluant celle détenue par les initiés).

9.6   Mots clés

Autorité des marchés financiers (AMF) (p. 426)
Bourses (p. 439)
Bourse de croissance TSX (p. 441)
Bourse de Montréal (p. 441)
Bourse de Toronto (p. 440)
Droits de souscription (p. 433)
Efficience allocationnelle (p. 445)
Efficience informationnelle (p. 445)
Efficience opérationnelle (p. 445)
Émission privée de titres (p. 425)
Émission publique de titres (p. 426)
Forme faible de l'HEM (p. 447)
Forme forte de l'HEM (p. 447)
Forme semi-forte de l'HEM (p. 447)
Groupe TMX (p. 440)
Indices boursiers (p. 441)
Inscription en Bourse (p. 443)
Intermédiaires financiers (p. 423)
Maisons de courtage (p. 424)
Marché efficient (p. 444)
Marché hors Bourse (p. 443)
Marché parfait (p. 444)
Marché primaire (p. 421)
Marché secondaire (p. 438)
NASDAQ (p. 444)

9.7 Sommaire des principales formules

Évaluation d'une action ordinaire

Modèle de Gordon

$$(9.1) \quad V = \frac{D_1}{k - g}$$

où D_1 : Dividende qui sera versé par l'entreprise dans un an
     k : Taux de rendement requis par les investisseurs sur les actions de l'entreprise
     g : Taux de croissance annuel anticipé du dividende.

Méthode du ratio cours/bénéfice

$$(9.2) \quad V = M \cdot B$$

où M : Ratio cours/bénéfice ou multiplicateur des bénéfices approprié
     B : Bénéfice par action prévu pour la prochaine année.

Droits de souscription

$$(9.3) \quad VP = \frac{P_S - S}{N}$$

où VP : Valeur plancher ou intrinsèque d'un droit
     P_S : Valeur au marché d'une action ex-droits
     S : Prix de souscription
     N : Nombre de droits nécessaires pour acquérir une nouvelle action.

$$(9.4) \quad VP = P_A - P_S$$

où P_A : Valeur au marché d'une action avec droits.

$$(9.5) \quad VP = \frac{P_A - S}{N + 1}$$

9.8   ## Exercices

1.   Vrai ou faux.

a) La plupart des obligations se transigent en Bourse.

b) L'achat d'un lot de 100 actions de la compagnie Cascades à la Bourse de Toronto constitue une transaction du marché primaire.

c) Une nouvelle émission de titres s'effectue sur le marché primaire.

d) La plupart des titres transigés sur la Bourse de croissance TSX sont des valeurs de premier ordre (*blue chips*).

e) L'indice S&P/TSX 60 tient compte des fluctuations des cours des actions des petites et moyennes entreprises.

f) Les options sont transigées à la Bourse de Toronto.

g) Les actions de Microsoft se négocient à la Bourse de New York.

h) La capitalisation boursière de la Bourse de Toronto représente environ le quart de la capitalisation boursière de la Bourse de New York.

i) Les actions des banques à charte canadiennes se transigent à la Bourse de croissance TSX.

j) Les droits de souscription sont généralement valables pour plusieurs années.

k) Une émission de droits de souscription affectera la richesse de l'actionnaire si ce dernier laisse éteindre ses droits de souscription.

l) Au Québec, une émission publique de titres est sujette à la réglementation de l'Autorité des marchés financiers.

m) Au Canada, la souscription sans responsabilité est beaucoup plus répandue que la souscription à forfait.

n) Le marché secondaire vise à assurer la liquidité des titres qui ont été préalablement émis sur le marché primaire.

o) Les frais associés à un appel public à l'épargne (en pourcentage) sont liés directement au risque de l'émission et au montant de l'émission.

p) Lorsqu'une entreprise rencontre les prérequis nécessaires pour être listée sur une Bourse, on peut en conclure que ses titres sont peu spéculatifs.

q) Un marché des capitaux parfait est nécessairement efficient.

r) Dans un marché efficient, un investisseur peut réaliser des profits « anormaux » sur une base continue en basant sa stratégie de placement sur les recommandations d'une lettre financière.

s) Les résultats de nombreuses études empiriques indiquent que les taux de rendement des actions comportant un risque substantiel ont été, en moyenne, supérieurs aux taux de rendement des actions peu risquées. Ces résultats empiriques suggèrent donc que les marchés sont inefficients.

t) Dans un marché efficient, on devrait observer une dépendance statistique significative entre les variations successives des cours des titres.

2. Récemment, la compagnie Bravo inc. a vendu 50 000 000 $ d'obligations au pair. Les frais de souscription se sont élevés à 1,5% du produit brut de l'émission alors que les autres frais (juridiques, administratifs, impression des nouveaux titres, etc.) ont, pour leur part, totalisé 150 000 $. Quel montant net la compagnie Bravo a-t-elle reçu suite à la vente des obligations?

3. L'entreprise ANC inc. désire se financer exclusivement par fonds propres et aura besoin de 25 000 000 $ pour débuter ses activités. On s'attend à ce que l'entreprise verse un dividende par action de 2 $ dans un an et que les dividendes et les bénéfices augmentent au taux annuel de 8% et ce, pour tout l'avenir prévisible. En supposant que les actionnaires exigent un rendement annuel de 18% et que les frais d'émission correspondent à 7% du produit brut de l'émission, combien d'actions l'entreprise devra-t-elle émettre?

4. L'entreprise TRS inc. envisage la possibilité de devenir publique. Pour le prochain exercice financier, le bénéfice par action prévu s'élève à 1,10 $ et le dividende par action anticipé correspond à 58% de ce montant. Par la suite, le dividende devrait croître à un taux annuel compris entre 8% et 10% et ce, pour tout l'avenir prévisible.

Les gestionnaires et les courtiers de TRS inc. ont identifié deux compagnies publiques (SMI inc. et ASI inc.) qui opèrent dans le même secteur industriel que TRS inc. et qui possèdent une structure de capital similaire. Les données suivantes sont disponibles concernant ces deux compagnies.

	Compagnie SMI	Compagnie ASI
Ratio cours/bénéfice	8	10
Coefficient bêta	1,25	1,35

De plus, les paramètres du marché sont les suivants :
Prime par unité de risque (λ) : 6%
Taux de rendement de l'actif sûr (r) : 8%

a) En vous basant sur le modèle de Gordon, suggérez un prix minimal et un prix maximal d'émission pour les actions de TRS inc.

b) Refaites (a) en vous basant cette fois sur la méthode du ratio cours/bénéfice.

5. Pour financer ses projets d'investissement, la compagnie Zenko inc. a besoin de 18 000 000 $. Elle désire recueillir les fonds nécessaires au moyen d'une émission de droits de souscription. Actuellement, 4 000 000 d'actions ordinaires sont en circulation et se transigent (cum-droits) à 56 $ chacune. Le prix de souscription s'élève à 45 $ l'action.

a) Combien de nouvelles actions la compagnie devra-t-elle émettre?

b) Combien de droits de souscription seront nécessaires pour acquérir une nouvelle action?

    c) Quelle est la valeur intrinsèque d'un droit de souscription?

    d) Montrez que la richesse d'un actionnaire restera inchangée s'il exerce ou vend ses droits de souscription, mais que celle-ci diminuera s'il les laisse éteindre. Supposez le cas d'un actionnaire détenant 100 actions (avant la nouvelle émission.)

    e) Supposons qu'un investisseur, désirant placer 11 000 $, anticipe que d'ici trois semaines le cours de l'action ordinaire va grimper à 75 $ suite à l'annonce d'une importante découverte aurifère. Devrait-il acheter des actions ex-droits à 55 $ chacune ou des droits de souscription de Zenko (supposez que les droits se transigent à leur valeur plancher)? Justifiez votre réponse.

6. La compagnie Amka inc., qui est entièrement financée par capitaux propres, a actuellement en circulation 100 000 actions ordinaires se négociant à 38 $ l'action. Dans le but de financer en totalité un nouvel investissement, l'entreprise considère la possibilité d'émettre des droits de souscription. Le prix de souscription serait de 34 $ et le nombre de nouvelles actions émises de 25 000.

    a) Quel sera le nombre de droits requis pour acquérir une nouvelle action?

    b) Quelle est la mise de fonds initiale requise pour réaliser le nouvel investissement?

    c) Quelle sera la valeur marchande totale de la compagnie après la nouvelle émission?

    d) Quel sera le nombre total d'actions ordinaires en circulation après la nouvelle émission?

    e) Quel est le cours prévu de l'action lorsqu'elle se négociera ex-droits?

    f) Quelle est la valeur intrinsèque d'un droit de souscription?

    g) Laquelle des deux stratégies suivantes vous apparaît la meilleure :
        1. acheter l'action ex-droit sur le marché secondaire ou
        2. acheter des droits de souscription sur le marché secondaire et, par la suite, les exercer. (Ne tenez pas compte des frais de transaction et supposez que les droits se transigent à leur valeur intrinsèque.)

7. La compagnie MCL inc. considère la possibilité d'émettre 500 000 droits de souscription. Actuellement, ses actions ordinaires se transigent à 60 $ l'unité. L'échéancier suivant est prévu :

Date	Événement
10 juillet	annonce de l'émission
15 août	date ex-droits
17 août	date de clôture des registres
18 septembre	date d'expiration des droits

Le prix de souscription a été fixé à 50 $ et 4 droits seront nécessaires pour acquérir une nouvelle action de la compagnie.

a) Déterminez la valeur intrinsèque d'un droit de souscription.

b) Déterminez le nombre d'actions ordinaires en circulation avant et après l'offre des droits de souscription.

c) Complétez le graphique suivant :

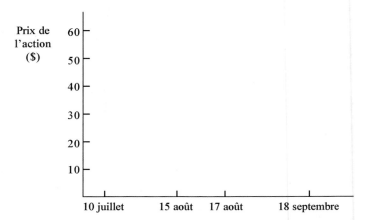

Identifiez sur ce graphique la période cum-droits et la période ex-droits.

Chapitre 10
Les modes de financement à long terme

Sommaire

10

Lorsque vous aurez complété l'étude du chapitre 10,

1. vous connaîtrez les caractéristiques, les avantages, les inconvénients et les conditions favorisant le recours à l'une ou l'autre des sources de financement externes à long terme (hypothèques, obligations, actions privilégiées, actions ordinaires et titres convertibles) qui s'offrent aux entreprises;

2. vous serez sensibilisé au fait que lorsqu'une entreprise émet de nouvelles actions ordinaires, cela occasionne une baisse permanente du prix de ses actions sur le marché secondaire;

3. vous serez en mesure d'évaluer un bon de souscription;

4. vous saurez que l'achat de bons de souscription procure à l'investisseur un effet de levier comparable à celui des droits de souscription;

5. vous connaîtrez les facteurs déterminant la valeur marchande d'un bon de souscription;

6. vous pourrez énumérer les différences essentielles entre les bons de souscription et les droits de souscription;

7. vous serez apte à évaluer une obligation convertible ainsi qu'une action privilégiée convertible;

8. vous connaîtrez ls caractéristiques essentielles des différents types de contrats de location;

9. vous serez en mesure d'établir, sur une base quantitative, s'il est préférable d'acheter ou de louer un actif donné;

10. vous pourrez expliquer les principaux facteurs qualitatifs impliqués dans le choix entre un achat financé par dette et la location d'un actif;

11. vous serez capable d'établir s'il est avantageux pour l'entreprise, sur une base monétaire, de procéder à un refinancement d'obligations ou d'actions privilégiées;

12. vous pourrez effectuer l'étude d'une décision de refinancement ainsi que l'analyse d'une décision achat-location avec Excel.

10.1 Introduction

Ce chapitre, plutôt descriptif, aborde les différents types de valeurs mobilières (actifs financiers) que les entreprises peuvent vendre aux particuliers et/ou aux intermédiaires financiers (banques, compagnies d'assurance, caisses de retraite, sociétés de fiducie, fonds communs de placement, etc.) pour financer leurs investissements en actifs réels.

Le tableau de la page suivante présente, pour chacune des catégories de titres à long terme qui seront traitées dans le présent chapitre, les principales variantes que l'on retrouve sur le marché. Elles seront explicitées dans les sections suivantes.

Tableau 10.1	Les catégories de titres à long terme et leurs principales variantes
1. Les hypothèques	• Hypothèques de premier et de second rang • Hypothèques ouvertes et fermées

2. Les obligations	**A.** Classification selon la garantie
	  • Débentures
	  • Obligations garanties par hypothèque
	  • Obligations garanties par nantissement de titres
	B. Classification selon les caractéristiques et privilèges
	  • Obligations à fonds d'amortissement
	  • Obligations rachetables par anticipation
	  • Obligations encaissables par anticipation
	  • Obligations prorogeables
	  • Obligations convertibles
	  • Obligations avec bons de souscription
	  • Obligations à taux flottant
	  • Obligations libellées en monnaie étrangère
	  • Euro-obligations

3. Les actions privilégiées	• Actions privilégiées participantes • Actions privilégiées rachetables au gré de l'émetteur • Actions privilégiées encaissables par anticipation • Actions privilégiées à dividendes cumulatifs • Actions privilégiées comportant un fonds de rachat ou un fonds d'amortissement • Actions privilégiées avec droit de vote • Actions privilégiées convertibles • Actions privilégiées à taux flottant
4. Les actions ordinaires	• Actions ordinaires de catégorie A • Actions subalternes de catégorie B

Remarque. Le tableau 10.1 n'indique que les principales sources de financement externes à long terme accessibles aux entreprises. Bien entendu, pour combler leurs besoins de fonds, les entreprises ont également recours aux flux monétaires générés par leurs opérations et à des sources de financement externes à court et moyen termes. Les principales sources de financement à court et moyen termes disponibles sont discutées dans un autre ouvrage intitulé « Analyse financière et gestion du fonds de roulement », 2ᵉ éd., publié chez le même éditeur.

10.2 Le financement hypothécaire

Hypothèque
Droit octroyé à une institution prêteuse sur un bien immobilier, sans que le titulaire de l'actif en soit privé

Un prêt hypothécaire est un prêt à long terme consenti pour l'achat d'un bien immobilier. L'hypothèque est un contrat, c'est-à-dire un document légal par lequel l'emprunteur accorde à l'institution prêteuse (banque, compagnie de fiducie, compagnie d'assurance, etc.) en garantie du prêt certains droits sur l'actif acquis. Si ce dernier n'est pas en mesure de rembourser le prêt, l'institution prêteuse peut alors vendre l'actif hypothéqué et utiliser le produit de la vente pour rembourser le prêt, les intérêts courus et certains frais. Le montant du prêt octroyé peut représenter jusqu'à 95% de la valeur du bien offert en garantie.

Habituellement, un prêt hypothécaire est remboursable par une série de versements mensuels uniformes. Chacun des versements comporte une partie intérêt et une partie remboursement de capital. La période d'amortissement du prêt (c.-à-d. le temps qui sera nécessaire pour rembourser complètement le prêt) peut varier entre 15 et 25 ans. Quant au taux d'intérêt consenti par le prêteur, il est fixe pendant une certaine période de temps, généralement comprise entre 6 mois et 10 ans. Au terme de cette période, l'emprunteur peut soit rembourser le solde de la dette ou encore renégocier son prêt au taux hypothécaire en vigueur à ce moment-là sur les marchés financiers. Évidemment, lorsque le taux d'intérêt est modifié, il s'ensuit que le versement mensuel que devra effectuer le prêteur change également.

Une hypothèque peut être de premier ou de second rang. En cas de défaut de paiement, le détenteur d'une hypothèque de premier rang bénéficie d'une priorité par rapport aux autres créanciers hypothécaires. De plus, le taux d'intérêt chargé sur une hypothèque de second rang est habituellement supérieur à celui chargé sur une hypothèque de premier rang (l'écart entre les deux taux est de l'ordre de 1%).

Mentionnons finalement qu'une hypothèque peut être ouverte ou fermée. Dans le cas d'une hypothèque ouverte, l'emprunteur a la possibilité de rembourser en tout temps une partie ou la totalité de son prêt et ce, sans aucune pénalité. D'autre part, une hypothèque fermée ne permet pas à l'emprunteur de rembourser son prêt plus tôt que prévu dans le contrat ou, si elle le permet, le prêteur devra alors verser une certaine pénalité.

10.3 Les obligations

Obligation
Titre d'emprunt à long terme par lequel l'emprunteur s'engage à verser périodiquement - généralement deux fois l'an - des intérêts à l'investisseur et à lui rembourser le montant du prêt à la date d'échéance prévue

À l'instar des gouvernements, les entreprises recourent, pour financer leurs investissements, aux obligations. Ce mode de financement à long terme nécessite de la part de l'entreprise des sorties de fonds périodiques fixes (les intérêts) ainsi que le remboursement de la valeur nominale ou de rachat des titres au moment de l'échéance.

L'entreprise et les prêteurs sont liés par un contrat d'émission (acte de fiducie). On retrouve dans cet acte des renseignements concernant notamment :

- le montant de l'émission;
- les échéances;
- les dates prévues de versements des intérêts;
- le taux de coupon;
- les clauses relatives au fonds d'amortissement;
- les actifs donnés en garantie;
- les restrictions concernant les emprunts futurs, les versements de dividendes que pourra effectuer l'entreprise, le ratio du fonds de roulement minimal à maintenir, etc. Ces diverses clauses visent à protéger les prêteurs contre un

défaut éventuel de l'entreprise émettrice des titres d'emprunt.

Le contrat d'émission est administré par un fiduciaire (*trust*) qui doit veiller à ce que les clauses qui y apparaissent soient respectées. Si l'entreprise ne respecte pas ses engagements, c'est à ce dernier que reviendra la tâche de prendre, au nom des créanciers, les mesures appropriées (saisir les actifs, gérer l'entreprise, etc.).

Pour l'entreprise, emprunter à long terme comporte à la fois des avantages et des inconvénients. Les principaux avantages et inconvénients, ainsi que les conditions favorisant l'utilisation de ce genre de financement, sont résumés au tableau 10.2.

Tableau 10.2 — **Principaux avantages et inconvénients de la dette à long terme et conditions propices à l'utilisation de ce mode de financement**

Avantages	Inconvénients	Conditions propices à l'utilisation de ce mode de financement
• Le coût des emprunts est limité et inférieur au coût de financement par actions privilégiées ou ordinaires.	• Les titres d'emprunt exigent des déboursés contractuels fixes. Ces titres sont donc, du point de vue de l'entreprise, plus risqués que les actions.	• Lorsque les ventes et les profits sont relativement stables.
• Les intérêts sont déductibles d'impôt.	• Les titres d'emprunt ont une date d'échéance déterminée. Le gestionnaire financier doit donc prévoir le remboursement du principal de la dette.	• Lorsque le ratio d'endettement de l'entreprise est moins élevé que la moyenne de son secteur industriel.
• L'utilisation de titres d'emprunt crée un effet de levier financier favorable lorsque le taux de rendement sur le capital investi excède le coût de la dette.	• Les clauses du contrat d'emprunt peuvent limiter considérablement la marge de manoeuvre de l'entreprise.	• Lorsque l'entreprise possède des actifs à offrir en garantie.
• Les actionnaires ordinaires ne partagent pas le contrôle de l'entreprise avec les créanciers.		• Lorsque, du point de vue de ses gestionnaires, l'action ordinaire de l'entreprise semble sous-évaluée.
		• Lorsque les considérations relatives au contrôle s'avèrent importantes.

Les entreprises canadiennes émettent sur le marché de nombreux types d'obligations pour satisfaire tous les goûts des investisseurs et tenter ainsi de minimiser leur coût du capital. Les principaux types d'obligations corporatives disponibles sur le marché sont décrits ci-dessous.

Les débentures

Contrairement aux obligations, les débentures ne sont pas garanties par nantissement ou par la mise en gage de biens spécifiques de l'entreprise. Les détenteurs de ces titres n'ont aucune priorité sur les actifs de l'entreprise et sont au même rang que les créanciers ordinaires. La garantie des débentures repose essentiellement sur la qualité du crédit de la compagnie émettrice. Ce genre de financement peut être obtenu par les entreprises dont le crédit est bien établi et dont les perspectives de rentabilité sont bonnes.

Les obligations garanties par hypothèque

Comme dans le cas d'un prêt hypothécaire, les obligations garanties par hypothèque donnent aux bailleurs de fonds un gage sur des immeubles de l'entreprise pour garantir le prêt. En cas de défaut de paiement des intérêts et/ou du capital, le fiduciaire peut, au nom des bailleurs de fonds, prendre possession des immeubles donnés en garantie.

Il existe deux types d'obligations hypothécaires : les obligations de première hypothèque et celles d'hypothèque générale ou de deuxième hypothèque (lorsqu'une émission de première hypothèque est en cours). C'est évidemment le détenteur d'une obligation de première hypothèque qui détient la priorité sur l'actif et les bénéfices de l'entreprise. Une obligation de première hypothèque comporte donc un risque moins élevé qu'une obligation de deuxième hypothèque et devrait, selon la relation risque-rendement, offrir un rendement inférieur.

Les obligations garanties par nantissement de titres

Lorsqu'une entreprise ne possède pas d'immobilisations suffisantes à donner en garantie ou qu'elle ne veut pas mettre en gage ces dernières, elle peut alors garantir par des titres (obligations, actions, etc.) lui appartenant une émission d'obligations.

Les obligations à fonds d'amortissement

Lorsqu'une émission d'obligations comporte un fonds d'amortissement, l'entreprise doit racheter à chaque année une portion prédéterminée de l'émission en circulation (par exemple, 5% de l'émission). Le fiduciaire peut racheter directement les obligations sur le marché secondaire ou encore rappeler un certain nombre d'entre elles qui ont été préalablement sélectionnées par un tirage au sort. Il arrive aussi parfois que l'entreprise doive verser, dans un fonds spécial administré par le fiduciaire, une somme suffisante lui permettant d'accumuler à l'échéance le montant total de l'émission à rembourser. L'existence d'un fonds d'amortissement est de nature à réduire le risque des investisseurs et, par conséquent, le rendement offert par l'entreprise sur l'émission en cause. Il est à noter que la plupart des émissions d'obligations corporatives comportent une disposition relative au fonds d'amortissement.

Les obligations rachetables par anticipation

La clause de remboursement anticipé donne à l'entreprise le droit de rembourser l'obligation à un prix spécifique avant sa date d'échéance. Le privilège de remboursement peut être valable en tout temps ou seulement à partir d'une date précise. Par exemple, il est fréquent que l'emprunteur ne puisse exercer ce privilège au cours des 5 ou 10 années suivant la date de l'émission. Habituellement, les obligations sont rachetables à prime et la prime à verser a décroître au fur et à mesure que l'on se rapproche de la date d'échéance des obligations.

Il va de soi que la clause de rachat en est une qui joue en faveur de l'émetteur. En effet, advenant une baisse des taux d'intérêt, l'entreprise pourra racheter ses obligations à un prix inférieur à leur valeur marchande et en émettre de nouvelles à un taux d'intérêt moindre. Comme cette option de remboursement est à l'avantage de l'entreprise, il faut s'attendre à ce que les investisseurs demandent un rendement plus élevé sur une obligation assortie de cette clause que sur une qui ne l'est pas. La différence entre le taux de rendement d'une obligation assortie du privilège de rachat et celui d'une obligation non remboursable dépend des anticipations du marché concernant les mouvements futurs des taux d'intérêt. Ainsi, lorsque les taux d'intérêt sont élevés et que le marché anticipe une baisse, l'écart entre les rendements des obligations remboursables et non remboursables a tendance à être élevé.

Les obligations encaissables par anticipation

Lorsqu'une obligation est encaissable par anticipation, cela signifie que le détenteur peut exiger de l'entreprise émettrice le remboursement de la dette avant la date d'échéance prévue (qui peut, par exemple, être de 20 ans). L'investisseur exercera habituellement ce privilège s'il peut investir ailleurs ses fonds à un taux d'intérêt plus avantageux. Comme cette clause en est une qui joue en faveur de l'investisseur, une obligation qui en est assortie devrait normalement offrir un taux d'intérêt moindre qu'une obligation qui ne l'est pas.

Les obligations prorogeables

L'obligation prorogeable offre à son détenteur la possibilité de l'échanger contre une autre émission à plus long terme à un taux d'intérêt équivalent ou légèrement supérieur. Tout comme la précédente, il s'agit d'une clause qui est à l'avantage de l'investisseur. Ce genre d'obligation peut s'avérer intéressant pour l'investisseur dans une période où les taux d'intérêt sont à la baisse.

Les obligations convertibles

Une obligation convertible peut être échangée contre des actions ordinaires de l'entreprise à des conditions précises. La section 10.6.2 traite en détail de ce genre de titre.

Les obligations avec bons de souscription

Pour rendre plus attrayante une nouvelle émission d'obligations ou de débentures, on attache souvent à ces dernières des bons de souscription (*warrants*) qui donnent à l'investisseur la possibilité d'acquérir des actions ordinaires de l'entreprise à certaines conditions. La question des bons de souscription est traitée à la section 10.6.1.

Les obligations à taux flottant

Pour contrer l'instabilité des taux d'intérêt, certaines compagnies émettent parfois des obligations à taux flottant. Dans un tel cas, le taux d'intérêt de l'obligation est ajusté périodiquement en fonction de l'évolution des conditions du marché. Très souvent, un taux d'intérêt minimal est cependant fixé. Habituellement, ces titres se négocient sur le marché secondaire à un prix voisin de leur valeur nominale. Ce genre de titre assure à l'investisseur un revenu périodique minimal en intérêts, tout en lui permettant de bénéficier d'une hausse des taux.

Les obligations libellées en monnaie étrangère

Plusieurs sociétés canadiennes émettent des obligations ailleurs qu'au Canada[1]. Ces titres sont libellés dans la monnaie du pays où ils sont émis. Une obligation de Air Canada émise au Japon et libellée en yens constitue un exemple d'une obligation libellée en monnaie étrangère. Dans un tel cas, l'obligataire reçoit ses flux monétaires (intérêts et remboursement de capital) dans la monnaie où l'obligation est libellée. Par conséquent, le rendement d'un investisseur canadien qui achète ce genre de titre dépendra non seulement du taux d'intérêt stipulé lors de l'émission mais également des fluctuations subséquentes du dollar canadien par rapport à la monnaie dans laquelle l'obligation est libellée. Ainsi, si le dollar canadien s'apprécie par rapport à la devise dans laquelle l'obligation est libellée, le rendement de l'investisseur sera alors inférieur au taux d'intérêt indiqué dans le contrat d'émission et inversement.

Les euro-obligations

Les euro-obligations sont libellées dans une monnaie autre que celle du pays où elles sont vendues. Un exemple serait celui d'une obligation de Bell Canada libellée en yens et vendue aux États-Unis. Il s'agit dans ce cas particulier d'une euro-obligation en yens.

10.4   Les actions privilégiées

Comme nous l'avons mentionné au chapitre 4, l'action privilégiée est un titre hybride possédant à la fois des caractéristiques de l'obligation et de l'action ordinaire. En effet, comme l'obligataire, l'actionnaire privilégié reçoit habituellement un revenu périodique fixe - le dividende - dont le montant est indépendant des bénéfices de l'entreprise. À l'instar de l'obligataire également, l'actionnaire privilégié n'a généralement pas droit de vote. De plus, lorsque ses bénéfices sont insuffisants, l'entreprise peut omettre le versement des dividendes privilégiés sans pour autant risquer la faillite. Il s'agit là d'une ressemblance avec l'action ordinaire.

· · ·
Action privilégiée
Titre hybride possédant à la fois des caractéristiques de l'obligation et de l'action ordinaire

---

[1]   Les obligations en monnaie étrangère portent différents surnoms. Ainsi, on appelle obligation « Yankee » une obligation en monnaie étrangère émise sur le marché américain. Pour sa part, l'obligation « samouraï » réfère à une obligation libellée en yens émise au Japon.

En ce qui a trait à la garantie, l'actionnaire privilégié se situe entre l'obligataire et l'actionnaire ordinaire. En effet, les dividendes privilégiés doivent être distribués avant les dividendes ordinaires, mais ils le sont après les intérêts des obligataires. De plus, en cas de liquidation, ce sont les créanciers qui ont un droit prioritaire sur les actifs de l'entreprise, suivis des actionnaires privilégiés et, enfin, des actionnaires ordinaires. Pour l'investisseur, l'action privilégiée constitue donc un titre plus risqué que l'obligation, mais moins risqué que l'action ordinaire.

Le tableau 10.3 résume les principaux avantages et inconvénients, du point de vue de l'entreprise, associés aux actions privilégiées et indique les conditions propices à l'utilisation de ce mode de financement.

Tableau 10.3 — Principaux avantages et inconvénients des actions privilégiées et conditions propices à l'utilisation de ce mode de financement

Avantages	Inconvénients	Conditions propices à l'utilisation de ce mode de financement
• Les actions privilégiées n'ont pas de date d'échéance fixe qui pourrait se produire à un moment inopportun. • Comme les actions privilégiées constituent des fonds propres, elles augmentent la capacité d'emprunt de l'entreprise. • Contrairement au versement des intérêts, le versement des dividendes privilégiés peut être différé ou même omis lorsque l'entreprise se retrouve en difficulté financière. • Le rendement des actionnaires privilégiés, contrairement à celui des actionnaires ordinaires, est généralement limité. • Les actionnaires ordinaires ne partagent pas le contrôle de l'entreprise avec les actionnaires privilégiés. • Les actions privilégiées créent un effet de levier financier favorable lorsque le taux de rendement sur le capital investi excède leur taux de dividende. • L'émission d'actions privilégiées peut faciliter une acquisition ou une fusion d'entreprise.	• Les dividendes privilégiés ne sont pas déductibles d'impôt. Par conséquent, le coût de ce type de financement est plus élevé que celui de la dette. • Pour un montant donné, les frais d'émission et de souscription sont plus élevés que pour les obligations.	• Lorsque les ventes et les bénéfices de l'entreprise sont relativement instables. • Lorsque le ratio d'endettement de l'entreprise est relativement élevé par rapport à la moyenne de son secteur industriel. • Lorsque les considérations relatives au contrôle sont importantes.

Les actions privilégiées émises sur le marché canadien comportent diverses caractéristiques qui ont pour but de les rendre attrayantes aux yeux des investisseurs, tout en laissant à l'entreprise une marge de manoeuvre raisonnable. Examinons les types d'actions privilégiées que l'on rencontre le plus fréquemment.

Les actions privilégiées participantes

Les actions privilégiées participantes permettent à l'investisseur, en plus de recevoir un dividende fixe, de participer aux bénéfices de l'entreprise selon des modalités préétablies. Sur le marché secondaire, le prix de ce genre de titre évolue en fonction des bénéfices de l'entreprise. Notons, qu'au Canada, la plupart des actions privilégiées sont toutefois non participantes et ne donnent droit qu'à un dividende déterminé.

Les actions privilégiées rachetables

En pratique, la plupart des entreprises se réservent le droit de racheter leurs actions privilégiées à un prix comportant généralement une prime par rapport à la valeur nominale ou leur prix d'émission. Cette prime est déterminée à l'avance et son ampleur a tendance à diminuer au fur et à mesure que la date de rachat s'éloigne de la date d'émission des titres. Pour l'entreprise, la présence de cette clause lui procure une certaine flexibilité dans sa structure de capital.

Lorsque les actions privilégiées sont non rachetables, elles demeurent en circulation tant et aussi longtemps que l'entreprise continue d'exister. Ce type d'action s'apparente donc à une perpétuité.

Les actions privilégiées encaissables par anticipation

Au début des années 1980, les actions privilégiées encaissables par anticipation sont devenues très populaires au Canada. Ces titres sont rachetables au gré du détenteur à une date précise et à un prix donné correspondant habituellement à leur valeur nominale ou à leur prix d'émission.

Dans une période où les taux d'intérêt sont instables, les actions privilégiées encaissables par anticipation peuvent s'avérer un placement intéressant. Ainsi, advenant une diminution des rendements offerts, l'investisseur pourra choisir de conserver ses titres et ainsi bénéficier d'un rendement relativement élevé par rapport aux émissions les plus récentes. Inversement, si les taux de rendement disponibles augmentent, il pourra revendre ses titres à un prix déterminé à l'avance et placer ses fonds dans des titres plus rémunérateurs.

Les actions privilégiées à dividendes cumulatifs

La plupart des actions privilégiées canadiennes sont à dividendes cumulatifs. Cela signifie qu'un dividende privilégié omis lors d'un exercice financier est reporté aux exercices subséquents jusqu'à ce qu'il soit versé. Les arrérages de dividendes privilégiés doivent être payés avant que les actionnaires ordinaires puissent recevoir des dividendes. Il est à noter que la compagnie ne verse à l'investisseur aucun intérêt sur les arrérages de dividendes.

Lorsque les dividendes privilégiés sont non cumulatifs, un dividende impayé au cours d'un exercice donné n'est pas reportable aux exercices subséquents.

Exemple 10.1 | **Calcul des dividendes à payer aux actionnaires privilégiés**

La compagnie KSW inc. a actuellement en circulation 100 000 actions privilégiées payant un dividende cumulatif de 1,50 $ l'action ainsi que 200 000 actions ordinaires. Elle n'a versé aucun dividende à ses actionnaires au cours des années XX+1 et XX+2. Si elle veut distribuer un dividende de 2 $ par action à ses actionnaires ordinaires pour l'année XX+3, quel montant total devra-t-elle, au préalable, verser à ses actionnaires privilégiés?

Solution

La compagnie devra, avant de distribuer quoi que ce soit à ses actionnaires ordinaires, payer à ses actionnaires privilégiés les dividendes des années XX+1, XX+2 et XX+3, soit :

$$(100\,000)(1,50)(3) = 450\,000 \ \$$$

Il est à noter que, si les dividendes étaient non cumulatifs, la compagnie n'aurait alors qu'à verser à ses actionnaires privilégiés les dividendes de l'année XX+3, soit 150 000 $.

Les actions privilégiées comportant un fonds de rachat ou un fonds d'amortissement

Plusieurs émissions d'actions privilégiées sont assorties d'un fonds de rachat ou, plus rarement, d'un fonds d'amortissement et ce, dans le but de permettre à l'entreprise de racheter graduellement les actions en circulation. En vertu d'un fonds de rachat, l'entreprise s'engage à racheter à chaque année sur le marché secondaire un certain nombre d'actions en autant que son cours soit égal ou inférieur à un prix stipulé (habituellement la valeur nominale de l'action ou le prix d'émission). Dans le cas d'un fonds d'amortissement, l'émetteur met de côté, à chaque année, un certain montant d'argent afin de permettre au fiduciaire de racheter directement des actions sur le marché secondaire ou encore de rappeler un certain nombre d'entre elles qui auront été préalablement sélectionnées par voie d'un tirage au sort.

La présence d'un fonds de rachat ou d'un fonds d'amortissement joue habituellement en faveur de l'investisseur. En effet, les achats du fiduciaire sur le marché secondaire ont un effet bénéfique sur le prix de l'action. De plus, la probabilité de non-paiement des dividendes décroît au fur et à mesure que diminue le nombre d'actions privilégiées en circulation. Toutefois, la présence d'un fonds d'amortissement peut s'avérer désavantageuse pour l'investisseur lorsque le cours boursier des actions dépasse leur valeur nominale et que les actions peuvent être rappelées à leur valeur nominale au gré de l'émetteur. En effet, dans un tel cas, l'investisseur devra céder ses titres à un prix inférieur à leur vraie valeur.

Les actions privilégiées avec droit de vote

Généralement, les actionnaires privilégiés n'ont pas droit de vote. Toutefois, dans certaines situations spéciales, comme celle où l'entreprise a omis un certain nombre de versements de dividendes, les actionnaires privilégiés peuvent participer à l'élection d'un certain nombre d'administrateurs.

Les actions privilégiées convertibles

Pour rendre plus intéressante une émission d'actions privilégiées, on accorde souvent aux détenteurs de ces actions la possibilité de les convertir en actions ordinaires de la compagnie selon des modalités préétablies. La question des actions privilégiées convertibles est discutée plus à fond à la section 10.6.3.

Les actions privilégiées à taux flottant

Dans le but de pallier à l'instabilité des taux d'intérêt, certaines entreprises émettent depuis quelques années des actions privilégiées à taux variable ou flottant. Dans un tel cas, le dividende annuel versé aux actionnaires évolue en fonction des taux d'intérêt du marché. Ainsi, si les taux d'intérêt augmentent, le taux de dividende sera réajusté à la hausse et vice versa. La plupart du temps, un taux de dividende minimal est cependant fixé. Dans une période où les taux d'intérêt sont volatils, le cours d'une action privilégiée à taux variable est beaucoup plus stable que celui d'une action payant un dividende fixe.

Enfin, notons que certaines actions privilégiées ont comme particularité d'être à taux variable différé. Dans un tel cas, les dividendes versés sont fixes pendant un certain nombre d'années et deviennent par la suite variables.

10.5   Les actions ordinaires

L'émission de nouvelles actions ordinaires constitue pour l'entreprise une autre façon de financer ses actifs. Contrairement aux détenteurs de titres de créances (hypothèques, obligations et débentures), les actionnaires ordinaires sont les véritables propriétaires de l'entreprise. Ils ont droit à tous les bénéfices de l'entreprise une fois les intérêts et les dividendes privilégiés payés. De plus, ce sont eux qui élisent les administrateurs de l'entreprise.

Action ordinaire
Titre représentatif d'une part de propriété dans une compagnie. L'action ordinaire ne comporte pas de date d'échéance et confère à l'investisseur le droit de voter sur diverses questions.

En terme de risque, les actionnaires ordinaires sont plus susceptibles de perdre leur investissement que les autres bailleurs de fonds. Par contre, ils participent pleinement à la croissance de l'entreprise par l'entremise des dividendes et/ou de l'appréciation de la valeur marchande de l'action. Ainsi, si l'entreprise prend une expansion rapide et réalise des bénéfices de plus en plus importants, il s'ensuivra une augmentation de la valeur marchande de l'action, ce qui permettra aux détenteurs d'actions ordinaires de s'enrichir. Inversement, si l'entreprise régresse continuellement, cela occasionnera une baisse de la valeur marchande de l'action et l'investisseur pourra, à la limite, perdre la totalité de sa mise de fonds - mais pas plus. Compte tenu du niveau de risque qu'il supporte, l'actionnaire ordinaire peut s'attendre à réaliser, en moyenne, un taux de rendement plus élevé que les obligataires et les actionnaires privilégiés de la même entreprise.

Les principaux avantages et inconvénients associés à l'émission d'actions ordinaires sont résumés au tableau 10.4. De plus, les conditions favorisant l'utilisation de ce mode de financement y sont également indiquées.

Tableau 10.4 — **Principaux avantages et inconvénients des actions ordinaires et conditions propices à l'utilisation de ce mode de financement**

Avantages	Inconvénients	Conditions propices à l'utilisation de ce mode de financement
• Les actions ordinaires ne comportent pas de date d'échéance fixe. La compagnie n'a donc pas à rembourser les actionnaires. • Le financement par actions ordinaires a pour effet d'accroître la réputation de solvabilité de l'entreprise. • Le versement des dividendes n'est pas obligatoire.	• Le coût de financement par actions ordinaires est de beaucoup supérieur au coût de la dette et ce, pour les raisons suivantes : 1. Les dividendes versés aux actionnaires ordinaires ne sont pas déductibles d'impôt. 2. Les frais d'émission et de souscription sont plus élevés pour les actions ordinaires que pour les titres d'emprunt. 3. Comme les actions ordinaires comportent pour les investisseurs un risque plus élevé que les titres d'emprunt, ces derniers exigeront sur les actions ordinaires de l'entreprise un rendement supérieur à celui demandé sur ses titres d'emprunt. • L'émission d'actions ordinaires entraîne la dilution de la position des actionnaires ordinaires actuels de l'entreprise.	• Lorsque le ratio d'endettement de l'entreprise est élevé par rapport à la moyenne de son secteur industriel. • Lorsque les taux d'intérêt sont élevés. • Lorsque, du point de vue de ses gestionnaires, l'action ordinaire semble surévaluée.

Actions autorisées, émises et en circulation

Le nombre d'actions autorisées est le nombre maximal d'actions qu'une entreprise peut émettre en vertu de sa charte. Dans la plupart des cas, le nombre d'actions autorisées dépasse de beaucoup le nombre d'actions émises et ce, afin de permettre à l'entreprise de se financer ultérieurement par fonds propres. Parmi les actions émises, les actions que les investisseurs détiennent à un moment donné sont les actions dites en circulation. Lorsque l'entreprise n'a procédé à aucun rachat d'actions, le nombre d'actions en circulation correspond au nombre d'actions émises.

Les différentes valeurs d'une action ordinaire

Valeur nominale

Valeur nominale
Valeur attribuée à l'action ordinaire par la charte de la compagnie

La valeur nominale d'une action est celle inscrite au recto du certificat d'action. Cette valeur peut être, par exemple, de 1 $, 10 $, 25 $, 50 $ ou 100 $. En vertu de la Loi sur les sociétés commerciales canadiennes et de celle de certaines provinces, les actions sont obligatoirement sans valeur nominale. Pour l'investisseur qui doit prendre une décision relativement à l'achat ou à la vente d'actions, la valeur nominale n'est, dans la plupart des cas, d'aucune utilité puisqu'elle ne reflète aucunement la vraie valeur du titre.

Valeur comptable

Valeur comptable
Avoir des actionnaires ordinaires divisé par le nombre d'actions ordinaires en circulation

La valeur comptable d'une action ordinaire s'obtient en divisant l'avoir des actionnaires ordinaires (c.-à-d. le total de l'avoir des actionnaires moins l'avoir des actionnaires privilégiés) par le nombre d'actions ordinaires en circulation. Cette valeur reflète les coûts d'acquisition des actifs et les méthodes comptables utilisées par l'entreprise. Habituellement, elle est inférieure à la valeur marchande de l'action, mais on observe parfois l'inverse. La valeur comptable ne constitue donc pas une valeur plancher pour l'action. Par ailleurs, le fait qu'une action se transige à un prix inférieur à sa valeur comptable ne signifie pas pour autant qu'il s'agit d'une aubaine. Cependant, il convient de mentionner qu'une étude réalisée par deux chercheurs réputés de l'université de Chicago (Fama et French[2]) suggère qu'il existe une relation positive entre les rendements des actions et la valeur du ratio valeur comptable sur valeur marchande du capital-actions.

Valeur de liquidation

Valeur de liquidation
Valeur plancher ou minimale de l'action

La valeur de liquidation représente le montant qui serait reçu si l'entreprise vendait individuellement chacun de ses actifs, payait ses dettes et distribuait l'excédent à ses actionnaires. La valeur de liquidation par action constitue une mesure plus adéquate de la valeur plancher de l'action que la valeur comptable. En effet, si la valeur marchande des actions devenait inférieure à la valeur de liquidation, certains seraient tentés d'acquérir un nombre suffisant d'actions de l'entreprise afin d'en prendre le contrôle. Par la suite, ils pourraient liquider les actifs de l'entreprise à un prix supérieur et ainsi réaliser un profit intéressant.

Valeur marchande

Valeur marchande
Cours de l'action indiqué dans les pages financières des journaux ou sur Internet

La valeur marchande d'une action, quant à elle, représente le prix auquel cette action se transige sur le marché secondaire. Ce prix, comme celui de tout actif dans un marché concurrentiel, est établi en fonction de la loi de l'offre et de la demande.

---

[2] Fama, E.F. et K.R. French, « The Cross-Section of Expected Stock Returns », *Journal of Finance*, juin 1992, pp. 427-465.

Valeur intrinsèque

Finalement, la valeur intrinsèque d'une action représente sa vraie valeur. Cette valeur peut être estimée en actualisant, au taux de rendement requis par les investisseurs, les dividendes que l'entreprise versera dans l'avenir (voir le chapitre 4). Dans un marché des capitaux efficient (voir le chapitre 9 pour une brève description de la notion d'efficience des marchés), la valeur marchande d'une action correspond, en tout temps, à sa valeur intrinsèque.

Les droits des actionnaires ordinaires

L'action ordinaire est un titre qui confère à son détenteur plusieurs droits, dont les suivants :

- **Le droit d'élire les membres du conseil d'administration et de voter sur certains autres sujets.** L'actionnaire peut exercer son droit de vote soit en personne ou par procuration, c'est-à-dire en transférant à un tiers ses droits de vote.

  Habituellement, chaque action donne à son détenteur un vote. Toutefois, dans certaines compagnies où il existe deux classes d'actions, A et B, il est possible qu'une des classes confère un droit de vote plus limité que l'autre. Par exemple, dans le cas du Groupe Transcontinental inc., les actions à droit de vote subalterne de catégorie A comporte un vote par action alors que les actions de catégorie B en comporte vingt. Comme c'est généralement le cas, advenant une offre publique d'achat, les deux catégories d'actions se retrouvent cependant sur un pied d'égalité.

- **Le droit à l'information.** L'actionnaire est régulièrement informé des affaires de la compagnie par l'intermédiaire des rapports annuels et trimestriels. Il a également la possibilité d'assister aux assemblées des actionnaires et de questionner les administrateurs s'il le juge à propos. Enfin, il peut consulter certains documents de la compagnie, tels les statuts et le registre des actionnaires.

- **Le droit de recevoir des dividendes, si le conseil d'administration juge à propos d'en déclarer.** Les dividendes sont généralement versés en espèces, parfois en actions et, exceptionnellement, « en nature »[3].

- **Le droit aux actifs résiduels de l'entreprise en cas de liquidation.** Lors de la dissolution d'une compagnie, les actionnaires ordinaires reçoivent ce qui reste des éléments d'actif après avoir remboursé les créanciers et les actionnaires privilégiés.

- **Le droit de se défaire de ses actions s'il le désire.** Il va de soi que l'actionnaire désirant disposer de ses actions n'a pas à obtenir au préalable la permission de la compagnie. Si l'entreprise est publique, il n'a qu'à les vendre, par

---

[3] Un dividende « en nature » peut revêtir plusieurs formes. L'entreprise peut, par exemple, verser à ses actionnaires des stocks ou des titres qu'elle possède.

l'intermédiaire d'un courtier en valeurs mobilières, sur le marché boursier. Toutefois, dans le cas d'une compagnie privée, il devra se trouver un acheteur, ce qui peut prendre un certain temps.

L'émission de nouvelles actions ordinaires et le comportement du cours boursier

Plusieurs études empiriques[4] montrent que lorsqu'une entreprise émet de nouvelles actions ordinaires, il en résulte une baisse permanente du prix de ses actions sur le marché secondaire (cette baisse serait de l'ordre de 3% pour les entreprises industrielles). Le marché interpréterait donc l'émission de nouvelles actions ordinaires comme étant une mauvaise nouvelle. Cette réaction boursière du cours de l'action ne serait pas étrangère au contenu informatif véhiculé par la décision de se financer par l'entremise d'une nouvelle émission d'actions ordinaires et au concept d'asymétrie de l'information (concept selon lequel les gestionnaires sont censés disposer d'une information plus complète que les investisseurs concernant les perspectives de l'entreprise). En effet, si les gestionnaires proposent un financement par actions ordinaires, c'est probablement parce qu'ils pensent que l'action est présentement surévaluée ou encore que la rentabilité des investissements envisagés par l'entreprise avec le produit net de l'émission est plutôt moyenne (après tout, si les investissements projetés étaient si attrayants, il vaudrait mieux les financer par dette afin de permettre aux actionnaires actuels de l'entreprise de bénéficier en totalité de leurs retombées positives). Dans un cas comme dans l'autre, les actionnaires potentiels seront disposés à payer pour les actions de l'entreprise un prix moindre que celui observé actuellement sur les marchés boursiers et il s'ensuivra une chute du prix de l'action.

Finalement, notons que lorsqu'une entreprise émet des titres de dettes conventionnels (c.-à-d. non convertibles), la baisse du cours de son action est minime, sinon inexistante. Il s'agit là d'un facteur dont le gestionnaire financier aurait avantage à considérer avant de décider s'il devrait financer un nouvel investissement par dette ou par actions ordinaires.

10.6 Les titres convertibles

Dans cette section, nous discutons des caractéristiques et de l'évaluation des bons de souscription, des obligations convertibles et des actions privilégiées convertibles. Ces titres à options sont utilisés par une entreprise afin de rendre ses titres plus attrayants pour un plus grand nombre d'investisseurs et possiblement lui permettre d'abaisser son coût du capital.

---

[4] Voir, par exemple, Masulis, R.W. et A.N. Korwar, « Seasoned Equity Offerings : An Empirical Investigation », *Journal of Financial Economics,* janvier-février 1986, pp. 91-118.

10.6.1 Les bons de souscription

Bon de souscription
Titre permettant à son détenteur d'acquérir des actions ordinaires à un prix stipulé d'avance et pour une période donnée

Un bon de souscription (appelé également droit d'achat d'actions ou *warrant*) permet à son détenteur d'acheter, pendant une certaine période de temps, un nombre déterminé d'actions ordinaires d'une compagnie à un prix stipulé d'avance (appelé prix d'exercice). Par opposition aux options d'achat (*call*), qui ont, pour la plupart, une durée de vie maximale de huit mois, les bons de souscription ont une date d'échéance beaucoup plus lointaine (entre un an et dix ans, dans la plupart des cas). Par exemple, en juillet 2009, le bon de sousription de la compagnie québécoise Ressources Métanor inc. permettait à son détenteur d'acheter directement de l'entreprise une action ordinaire au prix de 1 $ et ce, jusqu'au 15 mai 2012. Il est à noter que l'acquisition d'actions, par l'entremise des bons de souscription, n'entraîne pour l'investisseur aucuns frais de courtage. Tout ce que l'investisseur a à verser à la compagnie émettrice pour obtenir une nouvelle action c'est le prix d'exercice.

Les bons de souscription sont généralement attachés aux nouvelles émissions d'obligations ou d'actions afin d'écouler les titres à des conditions plus avantageuses (par exemple, à un taux d'intérêt moindre ou pour éviter des clauses trop restrictives dans le contrat fiduciaire dans le cas d'une émission d'obligations). Par la suite, les bons de souscription se détachent des obligations ou des actions et se transigent à la Bourse ou sur le marché hors Bourse.

Les bons de souscription sont souvent utilisés par les jeunes entreprises industrielles ou de ressources naturelles (« juniors ») comme attrait additionnel à une émission d'actions. Ainsi, au Québec, dans les années 1980, plusieurs jeunes entreprises qui ont émis des actions dans le cadre du RÉA (Régime d'Épargne-Actions du Québec) ont attaché des bons de souscription à leurs actions de façon à en faciliter la vente aux investisseurs.

Évaluation d'un bon de souscription

Un bon de souscription possède une valeur intrinsèque ou minimale et une valeur marchande qui est établie par le truchement de l'offre et de la demande. La valeur marchande d'un bon de souscription ne peut être inférieure à sa valeur intrinsèque. Si un bon de souscription devait valoir moins que sa valeur intrinsèque, il serait alors possible pour un investisseur de réaliser un profit d'arbitrage en l'achetant sur le marché secondaire pour, par la suite, l'exercer et finalement revendre les actions (ou l'action) acquise(s) par son intermédiaire sur le marché secondaire.

Valeur intrinsèque
Valeur du bon de souscription s'il était exercé aujourd'hui

La valeur intrinsèque d'un bon de souscription est nulle si le prix de l'action est inférieur ou égal au prix d'exercice. Lorsque le prix de l'action s'élève au-dessus de prix d'exercice, la valeur intrinsèque du bon de souscription correspond à la différence entre le prix de l'action et le prix d'exercice, multipliée par le nombre d'actions qu'il permet d'acquérir. On peut donc écrire :

$$\text{Valeur intrinsèque} = \text{MAX} [N \cdot (P - E), 0] \qquad (10.1)$$

où

N : Nombre d'actions que le bon de souscription permet d'acquérir
P : Prix de l'action ordinaire
E : Prix d'exercice du bon de souscription. À la date d'émission, E est généralement de 15 à 20% supérieur à P.

Par exemple, le 3 juillet 2009, alors que l'action ordinaire de Ressources Métanor inc. se transigeait à 0,43 $, la valeur intrinsèque du bon de souscription s'établissait ainsi :

$$\text{Valeur intrinsèque} = \text{MAX} [1 \cdot (0,43 - 1), 0] = 0$$

La valeur marchande d'un bon de souscription correspond à sa valeur intrinsèque plus sa valeur-temps, soit :

$$\text{Valeur marchande} = \text{Valeur intrinsèque} + \text{Valeur-temps} \qquad (10.2)$$

Le 3 juillet 2009, la valeur marchande du bon de souscription de Ressources Métanor inc. s'élevait à 0,17 $. À cette date, le bon de souscription de cette compagnie ne comportait donc qu'une valeur temporelle ou spéculative.

Dans un contexte réel, à peu près tous les bons de souscription sont cotés au-dessus de leur valeur intrinsèque. Cela peut s'expliquer, en bonne partie, par l'effet de levier que procure à l'investisseur la détention de bons de souscription et par la limitation de pertes advenant un fléchissement substantiel du cours de l'action de la compagnie[5].

Bons de souscription et effet de levier

Une des caractéristiques importantes des bons de souscription est leur capacité à amplifier les gains de l'investisseur lorsque le cours de l'action sous-jacente s'apprécie. Pour illustrer, considérons l'exemple suivant.

Exemple 10.2

Illustration de l'effet de levier des bons de souscription

Un investisseur considère les deux possibilités de placement suivantes :

1. achat de 100 actions de la compagnie KZW inc. au prix unitaire de 18 $;
2. achat de 100 bons de souscription de la compagnie KZW.

En supposant que :

1. les bons de souscription de KZW se transigent à leur valeur intrinsèque;
2. le prix d'exercice du bon de souscription est de 16 $;
3. chaque bon de souscription permet à l'investisseur d'acquérir directement de la compagnie 2 actions ordinaires.

---

[5] Supposons que l'action ordinaire de la compagnie XYZ inc. est cotée à 30 $ à la Bourse et que le bon de souscription vaut 3 $. Si vous achetez 100 actions ordinaires de cette compagnie, vous pouvez perdre jusqu'à 3 000 $ (plus les frais de courtage). Par contre, si vous acquérez à la place 100 bons de souscription, votre perte potentielle n'est que de 300 $ (plus les frais de courtage).

Déterminez, dans chacun des cas, le taux de rendement de l'investisseur si le cours de l'action de KZW inc. passe de 18 $ à 30 $.

Solution

Achat d'actions

$$\text{Taux de rendement} = \frac{\text{Prix de vente} - \text{Prix d'achat}}{\text{Prix d'achat}} = \frac{30 - 18}{18} = 66,57\%$$

Achat de bons de souscription

Lorsque l'action vaut 18 $, la valeur intrinsèque du bon de souscription s'élève à 2(18−16) = 4 $. Si le cours de l'action passe à 30 $, la valeur intrinsèque du bon de souscription deviendra alors égale à 2(30−16) = 28 $. Il s'ensuit que :

$$\text{Taux de rendement} = \frac{28 - 4}{4} = 600\%$$

L'exemple précédent met en évidence le fait que l'acquisition de bons de souscription a pour effet d'amplifier les gains lorsque le cours de l'action sous-jacente s'apprécie. Toutefois, il importe de souligner, qu'advenant une baisse du prix de l'action, l'investisseur ayant acheté des bons de souscription, plutôt que des actions de la même compagnie, réalisera une perte plus élevée (en pourcentage). Pour illustrer, supposons que le cours de l'action de KZW inc. passe de 18 $ à 14 $ et que les bons de souscription se transigent à leur valeur intrinsèque. Dans ce cas, le taux de rendement de l'investisseur ayant acheté des actions sera de :

$$\frac{14 - 18}{18} = -22,22\%$$

D'autre part, celui qui a acquis des bons de souscription réalisera un rendement de :

$$\frac{\text{MAX}[2(14 - 16),\, 0] - 4}{4} = \frac{0 - 4}{4} = -100\%, \text{ soit une perte en capital de } 100\%.$$

On constate donc qu'un bon de souscription est un titre beaucoup plus spéculatif qu'une action de la même compagnie.

Relation entre les valeurs intrinsèque et marchande d'un bon de souscription et le prix de l'action

À la figure 10.1 de la page suivante, nous avons représenté les valeurs intrinsèque et marchande du bon de souscription de Ressources Métanor inc.

Figure 10.1

Relation entre les valeurs intrinsèque et marchande du bon de souscription de Ressources Métanor inc. et le prix de l'action

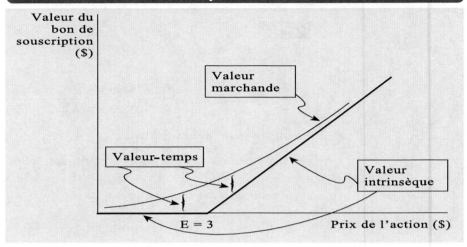

La figure 10.1 montre que la valeur marchande du bon de souscription excède sa valeur intrinsèque lorsque le prix de l'action est supérieur à zéro. De plus, on constate que l'écart entre la valeur marchande et la valeur intrinsèque du bon de souscription semble maximal lorsque le prix de l'action se situe au voisinage du prix d'exercice du bon de souscription. Cela s'explique par le fait que c'est dans cette région que l'effet de levier est le plus prononcé.

Facteurs déterminant la valeur marchande d'un bon de souscription

On peut maintenant s'interroger sur les facteurs qui exercent une influence sur la valeur marchande d'un bon de souscription. Les principaux facteurs explicatifs proposés sont les suivants :

1. **Le prix de l'action (P).** Plus le prix de l'action est élevé, plus la valeur du bon de souscription sera élevée.

2. **Le prix d'exercice (E).** Plus le prix d'exercice est élevé, plus la valeur du bon de souscription sera faible.

3. **Le nombre d'actions (N) qu'il permet d'acheter.** Plus N est grand, plus la valeur du bon de souscription sera élevé.

Les trois facteurs précédents déterminent, comme l'indique l'expression (10.1), la valeur intrinsèque du bon de souscription. En outre, le prix de l'action et le prix d'exercice ont un impact sur l'effet de levier que procure à l'investisseur le bon de souscription.

4. **La date d'échéance.** Plus la date d'échéance est éloignée, plus grandes sont les chances que le prix de l'action puisse dépasser le prix d'exercice. La valeur du bon de souscription devrait donc être liée directement avec le délai d'expiration.

5. **La volatilité du prix de l'action.** Plus la volatilité du prix de l'action est grande, plus la probabilité que le prix de l'action s'élève au-dessus du prix d'exercice avant la date d'échéance est élevée. En conséquence, la valeur du bon de souscription devrait croître avec la volatilité du prix de l'action.

6. **Le niveau du dividende de l'action.** Plus les dividendes d'une action sont élevés, plus la valeur du bon de souscription sera faible. Cela peut s'expliquer par le fait qu'à chaque jour ex-dividende - généralement quatre fois par année - le prix de l'action diminue approximativement du montant du dividende. Si le prix de l'action est afffecté négativement par les dividendes, la valeur du bon de souscription devrait l'être dans le même sens.

7. **Le taux d'intérêt.** À première vue, la relation entre le taux d'intérêt et la valeur du bon de souscription n'est pas très évidente. Une explication partielle tourne autour du fait que, lorsque le taux d'intérêt augmente, la valeur actualisée du prix d'exercice (c.-à-d. le prix qu'aura à payer l'investisseur qui achète des actions par l'entremise des bons de souscription) diminue, ce qui tend à faire augmenter la valeur du bon de souscription.

Bons de souscription et droits de souscription

Le lecteur aura sans doute observé la similitude qui existe entre les bons de souscription et les droits de souscription que nous avons abordés au chapitre 9. En effet, les deux genres de titres permettent d'acheter un certain nombre d'actions à un prix stipulé d'avance au cours d'une certaine période. Toutefois, il existe des différences importantes entre ces deux titres dont les suivantes :

1. **Date déchéance.** Les droits de souscription expirent après quelques semaines alors que les bons de souscription sont généralement en circulation pendant plusieurs années. Il s'ensuit que la valeur-temps d'un droit de souscription diminue beaucoup plus rapidement que celle d'un bon de souscription.

2. **Prix d'exercice au moment de l'émission.** Au moment de l'émission, le prix d'exercice des bons de souscription est généralement supérieur au prix de l'action tandis que celui des droits de souscription est inférieur au prix de l'action.

3. **Titres auxquels ils sont attachés.** Les bons de souscription sont habituellement attachés aux émissions d'obligations et d'actions alors que les droits de souscription sont émis aux actionnaires ordinaires actuels de la compagnie.

10.6.2 Les obligations et les débentures convertibles

Obligation convertible
Obligation échangeable contre un certain nombre d'actions ordinaires de la même compagnie

Une obligation convertible est une obligation que le propriétaire peut échanger contre un certain nombre d'actions ordinaires de la même compagnie au cours d'une période de temps donnée. Pour l'investisseur, la conversion de ses obligations en actions ordinaires n'entraîne aucuns frais de courtage, puisqu'il acquiert alors directement ses nouvelles actions directement de la compagnie.

Les termes de l'échange s'expriment soit à partir du ratio de conversion ou encore à partir du prix de conversion. Le ratio de conversion représente le nombre d'actions que l'investisseur peut obtenir de la compagnie en échange d'une obligation. Quant au prix de conversion[6], il s'obtient en divisant la valeur de nominale de l'obligation par le ratio de conversion. Très souvent, le prix de conversion est constant pendant toute la durée de vie des obligations, mais il n'est pas exceptionnel qu'il augmente avec le temps et ce, afin d'inciter les investisseurs à convertir rapidement leurs obligations.

Exemple 10.3

Calcul du prix de conversion à partir du ratio de conversion

En septembre 2009, la compagnie canadienne Cameco (un important producteur d'uranium) avait en circulation des débentures convertibles d'une valeur nominale de 1 000 $, rapportant un taux d'intérêt annuel de 5% et échéant le 1er octobre 2013. Ces débentures étaient échangeables, au gré de l'investisseur, contre 15,3846 actions ordinaires de la compagnie. Le ratio de conversion était donc de 15,3846 et le prix de conversion de 65 $, soit $\frac{1000\ \$}{15,3846}$.

Les obligations convertibles sont généralement émises par des entreprises dont le potentiel de croissance est excellent et qui désirent émettre des obligations à un taux d'intérêt moindre que celui qu'elles devraient offrir aux investisseurs sur des obligations sans privilège de conversion.

Lorsqu'une entreprise émet des obligations convertibles, elle reçoit le produit net de l'émission. Toutefois, contrairement à ce qui survient au moment de l'exercice des bons de souscription, la conversion des obligations par leurs détenteurs n'apporte pas de fonds additionnels à l'entreprise. En effet, au moment de la conversion, seule la structure financière de l'entreprise est modifiée (moins d'obligations en circulation et plus d'actions ordinaires). Il en résulte alors une baisse du ratio d'endettement de l'entreprise.

Du point de vue de l'investisseur, l'obligation convertible lui offre la possibilité de réaliser un gain en capital si le cours de l'action ordinaire s'apprécie, tout en lui permettant de toucher régulièrement des revenus d'intérêts. Toutefois, étant donné le privilège de conversion, le détenteur d'une obligation convertible se voit offrir un taux d'intérêt moindre que celui qu'il pourrait obtenir sur une obligation de risque comparable sans privilège de conversion.

Le tableau 10.5 résume les principaux avantages et inconvénients, du point de vue de l'entreprise, associés aux obligations convertibles et indique les conditions propres à l'utilisation de ce mode de financement.

---

[6] Au moment de l'émission des obligations convertibles, le prix de conversion excède généralement de 15 à 20% la valeur marchande de l'action ordinaire.

Tableau 10.5	Principaux avantages et inconvénients des obligations convertibles et conditions propices à l'utilisation de ce mode de financement

Avantages	Inconvénients	Conditions propices à l'utilisation de ce mode de financement
• La clause de convertibilité permet à l'entreprise de vendre les titres à des conditions plus avantageuses (taux de coupon moindre que sur une obligation non convertible, moins de clauses restrictives dans le contrat fiduciaire). • L'émission d'obligations convertibles, au lieu des actions ordinaires, permet d'éviter une dilution immédiate du contrôle et des bénéfices. • Les obligations convertibles permettent à l'entreprise de vendre des actions ordinaires à un prix plus élevé que leur cours actuel.	• Si les obligations ne sont pas converties, l'entreprise peut se retrouver avec un ratio dette/fonds propres relativement élevé. • Si le cours de l'action s'apprécie significativement, l'entreprise vendra alors des actions ordinaires à un prix réduit, ce qui peut entraîner une dilution de son bénéfice par action. • L'annonce d'une nouvelle émission de titres d'emprunt convertibles provoque dans l'immédiat une chute du cours de l'action ordinaire sur le marché secondaire[7].	• Lorsque l'entreprise envisage éventuellement d'émettre des actions ordinaires et que l'action, de l'avis de ses gestionnaires, semble actuellement sous-évaluée. • Lorsque l'entreprise veut rendre plus attrayante une émission d'obligations difficile à écouler à un taux d'intérêt raisonnable.

Évaluation d'une obligation convertible

Le prix auquel se transige une obligation convertible sur le marché est fonction de sa valeur standard et de sa valeur de conversion. La valeur standard ou la valeur de placement est celle que le marché attribuerait à l'obligation si elle n'était pas assortie du privilège de conversion. Quant à la valeur de conversion, elle correspond à la valeur marchande des actions qui seraient reçues si l'obligation était convertie immédiatement.

Valeur standard
Prix auquel l'obligation se négocierait en l'absence du privilège de conversion

Pour déterminer la valeur standard d'une obligation convertible, il s'agit d'actualiser, au taux de rendement exigé par le marché sur une obligation de qualité équivalente mais non convertible, les flux monétaires prévus (intérêts et remboursement de capital). La formule à utiliser est la suivante :

$$VS = CA_{\overline{n}|i} + VN(1+i)^{-n} \tag{10.3}$$

où

VS : Valeur standard d'une obligation convertible

---

[7] En plus de la dilution potentielle du bénéfice par action occasionnée par le nouveau financement, les transactions effectuées par certains fonds d'investissement spécialisés - notamment les fonds d'arbitrage ou, en anglais, les *hedge funds* - expliquent la baisse du cours de l'action de l'entreprise. Ainsi, de façon à s'assurer d'un revenu périodique déterminé - les intérêts versés par l'émetteur -, tout en étant protégé contre les fluctuations défavorables du cours de l'action, les fonds d'arbitrage ou de couverture vendent à découvert l'action de l'émetteur - ce qui crée une pression à la baisse sur le cours du titre - et achètent les nouvelles obligations ou débentures émises. Pour illustrer nos propos, on n'a qu'à se rappeler le cas de Nortel Networks qui, au printemps 2002, a vu le cours de son action ordinaire chuter de façon marquée suite à l'annonce d'une importante émission de titres (débentures convertibles et actions ordinaires).

C : Coupon d'intérêt périodique
n : Nombre de versements d'intérêt d'ici la date d'échéance de l'obligation
i : Taux de rendement périodique exigé par le marché sur une obligation du même genre mais non convertible
VN : Valeur nominale de l'obligation.

Exemple 10.4 | **Calcul de la valeur standard**

Considérons les données suivantes au sujet des obligations convertibles de la compagnie KSW inc. :
- Valeur nominale : 1 000 $
- Taux de coupon : 10% (les intérêts sont payables semestriellement)
- Échéance : 20 ans
- Taux de rendement nominal, capitalisé semestriellement, exigé par les investisseurs sur des obligations de qualité comparable non convertibles : 12%.

Dans ces conditions, la valeur standard d'une obligation convertible de KSW inc. se calcule ainsi :

$$VS = 50A_{\overline{40}|6\%} + 1000(1 + 0,06)^{-40} = 849,54 \text{ \$}$$

Le résultat obtenu constitue une valeur minimale pour l'obligation convertible de KSW inc. Cette valeur minimale fluctuera dans le temps en fonction de l'évolution des taux d'intérêt du marché, du risque de l'entreprise et de la date d'échéance de l'obligation. Ainsi, une hausse des taux d'intérêt du marché entraînera une diminution de la valeur standard de l'obligation convertible. Par ailleurs, si la situation financière de l'entreprise se détériore sérieusement et que le risque de défaut de paiement devient substantiel, la valeur de l'obligation tendra alors vers zéro.

Valeur de conversion
Le cours actuel de l'action ordinaire multiplié par le ratio de conversion

Pour calculer la valeur de conversion d'une obligation convertible, il s'agit simplement de multiplier le prix de l'action ordinaire par le ratio de conversion, c'est-à-dire le nombre d'actions ordinaires que pourra obtenir l'investisseur en échange d'une obligation convertible :

$$VC = (RC)(P) \qquad (10.4)$$

où
VC : Valeur de conversion d'une obligation convertible
RC : Ratio de conversion
P : Prix actuel de l'action ordinaire sur le marché secondaire.

Exemple 10.5 | **Calcul de la valeur de conversion**

Supposons que l'obligation convertible de KSW inc. est échangeable contre 50 actions ordinaires de la compagnie et que l'action ordinaire vaut actuellement 18 $. Dans ce cas, la valeur de conversion de l'obligation s'obtient de la façon suivante :

Exemple 10.5

Calcul de la valeur de conversion (suite)

$$VC = (50)(18) = 900\ \$$$

Il est à noter qu'une obligation convertible ne peut jamais se transiger à un prix inférieur à sa valeur de conversion, c'est-à-dire 900 $ dans le cas de la compagnie KSW inc. Si l'obligation se vendait, disons 800 $, il serait alors possible de réaliser un profit certain de 100 $ en effectuant les transactions suivantes :

1. Acheter l'obligation pour 800 $.
2. Convertir l'obligation en actions ordinaires valant au total 900 $.
3. Revendre les actions ordinaires pour 900 $.

Malheureusement, en pratique, une telle occasion de s'enrichir aussi facilement n'existe tout simplement pas.

Valeur plancher
La valeur la plus élevée entre la valeur standard et la valeur de conversion

Il y a donc deux planchers à la valeur d'une obligation convertible: la valeur standard et la valeur de conversion. La valeur marchande d'une obligation convertible est généralement supérieure à sa valeur plancher (maximum de la valeur standard et de la valeur de conversion). Cela est attribuable au fait que l'obligation convertible offre simultanément à l'investisseur la protection d'un titre à revenu fixe et la possibilité de profiter d'une appréciation du cours de l'action ordinaire. La valeur marchande (VM) d'une obligation convertible s'établit comme suit :

$$VM = VP + \text{Valeur de l'option de conversion}$$
$$VM = MAX\ [VS, VC] + \text{Valeur de l'option de conversion} \tag{10.5}$$

À la figure 10.2, nous avons représenté la valeur de l'obligation convertible de KSW inc. en fonction du prix de l'action ordinaire.

Figure 10.2

Valeur de l'obligation convertible de KSW inc. en fonction de l'évolution du prix de l'action ordinaire

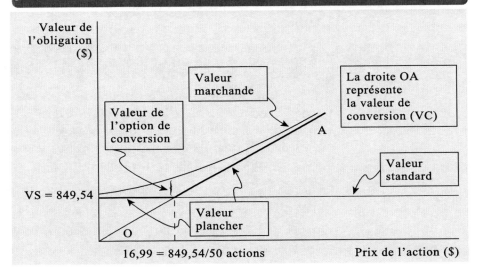

Remarque. La figure 10.2 suppose implicitement que la valeur standard de l'obligation est indépendante du cours de l'action. Il s'agit là d'une approximation raisonnable lorsque l'entreprise opère dans des conditions normales d'exploitation et que la probabilité de faillite est faible. Toutefois, si la situation financière de l'émetteur se dégrade sérieusement et que le risque de défaut devient substantiel, les valeurs standard et marchande de l'obligation, ainsi que le prix de l'action, convergeront alors rapidement vers zéro. Notons également qu'une hausse (baisse) des taux d'intérêt du marché provoquera un déplacement vers le bas (vers le haut) de la droite représentant la valeur standard de l'obligation.

À la figure 10.2, la ligne asymptotique (trait gras) représente un plancher à la valeur de l'obligation convertible de KSW inc. Lorsque le cours de l'action ordinaire de KSW inc. est déprimé, la valeur plancher est déterminée par la valeur standard. Si la compagnie affiche une bonne performance et que le prix de l'action est élevé, la valeur plancher correspond alors à la valeur de conversion. Avant son échéance, l'obligation convertible de KSW inc. se transigera, sur le marché secondaire, à un prix supérieur à sa valeur plancher. L'écart entre la valeur marchande de l'obligation et sa valeur plancher représente la valeur de l'option de conversion. Cette option comporte un prix d'exercice équivalent à la valeur de l'obligation.

Clause de rachat anticipé

Clause de rachat anticipé
Clause permettant à l'émetteur de racheter ses obligations avant la date d'échéance prévue

La plupart des émissions d'obligations convertibles sont assorties d'une clause de rachat anticipé. Cette clause permet à la compagnie de forcer la conversion des obligations en actions lorsque la valeur de conversion excède le prix de rachat. En effet, dans un tel cas, la conversion des obligations en actions constitue pour les investisseurs une alternative plus enrichissante que le rachat des titres par la compagnie au prix indiqué dans le contrat d'émission.

Habituellement, les entreprises attendent que la valeur de conversion de l'obligation excède de 15 à 20% le prix de rachat avant d'exercer leur privilège de remboursement anticipé. En ce qui a trait au prix de rachat, mentionnons qu'il est toujours supérieur à la valeur nominale de l'obligation. La différence entre le prix de rachat et la valeur nominale de l'obligation s'appelle la prime de rachat.

Exemple 10.6

Choix entre conserver son obligation convertible ou l'échanger contre des actions ordinaires

Supposons que l'obligation convertible de KSW inc. est rachetable par la compagnie (sur préavis de 30 jours) à 1 060 $ et que l'action ordinaire vaut maintenant sur le marché 24 $. Si la compagnie annonce le rachat de ses obligations, le détenteur d'une obligation convertible de cette compagnie aura-t-il avantage à la convertir avant la date de rachat?

Solution

Oui, puisqu'il recevra, s'il opte pour la conversion, des actions ayant une valeur totale de (50)(24 $) = 1 200 $, contre 1 060 $ si l'obligation est rachetée par la compagnie.

On peut s'attendre à ce que la valeur de l'option de conversion de l'obligation de KSW inc. (différence entre la valeur marchande et la valeur plancher) tende vers zéro lorsque l'entreprise annoncera le rachat de ses obligations. En conséquence, l'épargnant qui ne désire pas devenir actionnaire de la compagnie recevra 1 200 $ (moins les frais de courtage) s'il revend, immédiatement après l'annonce du rachat, son obligation sur le marché secondaire.

Clause protectrice contre la dilution

Les entreprises qui émettent des titres convertibles ou des bons de souscription incluent généralement une clause protégeant le détenteur contre la dilution occasionnée par un fractionnement d'actions, un dividende en actions ou une émission de droits de souscription. Ainsi, s'il est possible, initialement, d'obtenir 25 actions ordinaires en échange d'une obligation convertible et que, par la suite, les actions sont fractionnées 2 pour 1, le nouveau ratio de conversion sera alors de 50.

10.6.3 Les actions privilégiées convertibles

Action privilégiée convertible
Action échangeable contre un certain nombre d'actions ordinaires de la même compagnie

L'action privilégiée convertible permet à son détenteur de l'échanger contre un certain nombre d'actions ordinaires de la même compagnie au cours d'une période de temps donnée. Par exemple, en juillet 2009, la compagnie canadienne Western Financial Group inc. avait en circulation des actions privilégiées perpétuelles échangeables en tout temps au gré du détenteur contre des actions ordinaires de la société au prix de conversion de 7,25 $. Ces actions privilégiées rapportent un taux de dividende annuel de 6,75% (les dividendes sont cumulatifs et versés semestriellement) et peuvent être rachetées par l'émetteur à partir du 1er août 2010.

Évaluation d'une action privilégiée convertible

L'évaluation d'une action privilégiée convertible est assez similaire à celle d'une obligation convertible. En effet, comme dans le cas d'une obligation convertible, l'action privilégiée convertible possède une valeur standard, une valeur de conversion, une valeur plancher et une valeur marchande.

La valeur standard (VS) correspond, en fait, à la valeur actualisée d'une perpétuité de fin de période. Elle se calcule ainsi :

$$VS = \frac{D_p}{k} \tag{10.6}$$

où

D_p : Dividende privilégié versé périodiquement aux investisseurs
k : Taux de rendement périodique exigé par le marché sur une action privilégiée du même genre non convertible.

Quant à la valeur de conversion (VC), elle se calcule de la façon suivante :

$$VC = (RC)(P) \tag{10.7}$$

où

RC : Ratio de conversion

P   : Prix actuel de l'action ordinaire sur le marché secondaire.

Finalement, la valeur marchande (VM) correspond à :

$$VM = MAX[VS, VC] + \text{Valeur de l'option de conversion} \tag{10.8}$$

où

MAX[VS, VC]: Valeur plancher d'une action privilégiée convertible.

Pour illustrer l'évaluation de ce genre de titre, considérons l'exemple suivant.

Exemple 10.7   **Évaluation d'une action privilégiée convertible**

On dispose des données suivantes concernant la compagnie KSW inc. :

1. la valeur marchande actuelle de l'action privilégiée convertible est de 38 $;
2. l'action privilégiée convertible rapporte à son détenteur un dividende annuel de 2,75 $;
3. l'action privilégiée convertible est échangeable contre deux actions ordinaires de KSW inc. d'ici 3 ans;.
4. la valeur marchande actuelle de l'action ordinaire de KSW inc. est de 18 $;
5. les investisseurs exigent un taux de rendement annuel de 11% sur une action privilégiée non convertible de qualité comparable à celle de KSW inc.

Déterminez :

a) la valeur plancher de l'action privilégiée convertible de KSW inc.;
b) la valeur de l'option de conversion.

Solution

a) Comme l'indique l'expression (10.8), la valeur plancher d'un titre convertible correspond au maximum entre sa valeur standard et sa valeur de conversion. Pour déterminer la valeur standard d'une action privilégiée convertible, il s'agit d'actualiser les dividendes prévus au taux de rendement requis par le marché sur une action privilégiée non convertible de risque comparable. À l'aide de l'expression (10.6), on obtient :

$$VS = \frac{2,75}{0,11} = 25 \ \$$$

La valeur de conversion de l'action privilégiée est donnée par le ratio de conversion multiplié par le prix de l'action ordinaire. En appliquant l'équation (10.7), on trouve :

$$VC = (2)(18) = 36 \ \$$$

Par conséquent :

$$VP = MAX\ [25, 36] = 36 \ \$$$

b) La valeur de l'option de conversion correspond à la différence entre la valeur marchande du titre convertible et sa valeur plancher, soit :

Valeur de l'option de conversion = VM - VP = 38 - 36 = 2 $.

10.7 La location comme source de financement

Contrat de location
Entente en vertu de laquelle le propriétaire (le bailleur) permet au locataire (le preneur) d'utiliser un bien en échange de paiements effectués au cours d'une période de temps convenue entre les deux parties

Pour une entreprise qui désire obtenir l'usage d'un actif, la location constitue une alternative à l'achat. Elle permet au locataire (le preneur) d'utiliser un bien, sans en être propriétaire, au cours d'une certaine période de temps en échange d'un loyer versé périodiquement au locateur (le bailleur). Généralement, les loyers sont payables mensuellement et le premier paiement est exigible lors de la signature du contrat.

De nos jours, presque tous les genres d'actifs immobilisés peuvent être loués. Mentionnons, à titre d'exemples, le matériel informatique, les équipements de télécommunications, les véhicules, l'équipement médical et l'équipement hôtelier ou de restauration.

Au Québec, les principaux bailleurs sont des filiales de manufacturiers d'équipement (comme, par exemple, IBM) et des banques à charte (comme, par exemple, Roynat Capital qui est une filiale de la Banque Scotia) ainsi que des sociétés spécialisées dans la location.

Types de contrats de location

Du point de vue du preneur, il existe trois types de contrats de location, soit la location-exploitation, la location-acquisition et la cession-bail.

Location-exploitation
Contrat qui permet au preneur d'utiliser un actif pendant une période déterminée, tout en laissant au bailleur les risques et les avantages inhérents à la propriété

La location-exploitation permet au preneur d'obtenir l'usage d'un actif, tout en laissant au bailleur les avantages et les risques associés à sa propriété. Ce genre de contrat est généralement de courte durée, annulable et sans rapport avec la durée de vie économique prévue de l'actif. De plus, dans la plupart des cas, c'est le bailleur qui assume les frais d'entretien de l'actif loué. La location d'un ordinateur, d'une automobile pour une fin de semaine, d'un téléphone sont des exemples de contrats de location-exploitation.

Location-acquisition
Contrat qui transfère pratiquement tous les risques et les avantages associés à la propriété du bailleur au preneur

La location-acquisition, quant à elle, transfère au preneur pratiquement tous les risques et les avantages liés à la propriété de l'actif. Généralement, ce genre de contrat est à long terme, n'est pas résiliable avant son échéance et ne prévoit pas de service d'entretien. La location d'un immeuble, d'un terrain, d'équipement de bureau sont des exemples de contrats de location-acquisition.

Cession-bail
Opération consistant pour
l'entreprise à vendre un
actif à un tiers et à le reprendre immédiatement
en vertu d'un contrat de
location

Dans le cas d'une cession-bail, l'entreprise vend un actif qu'elle a déjà en sa possession et le loue immédiatement de l'acheteur pour une certaine période de temps à des conditions précises. Ce genre de transaction permet à l'entreprise d'obtenir des fonds, tout en continuant à utiliser l'actif. La cession-bail est fréquente dans le domaine de l'immobilier.

La location et la fiscalité

Lorsqu'une entreprise doit décider s'il est plus avantageux d'acheter un actif ou de le louer, le traitement fiscal qui est réservé au bail est très important puisqu'il affecte les flux monétaires de cette dernière. Dans ce contexte, il convient de résumer les principales règles fiscales se rapportant aux contrats de location :

1. Le locataire pourra déduire de ses revenus les versements de loyers et le locateur pourra réclamer la déduction relative à l'allocation du coût en capital (l'amortissement fiscal) à condition que l'entente conclue entre les deux parties constitue une véritable location et non un achat déguisé.

2. Habituellement, le bail sera capitalisé[8] (c.-à-d. qu'il sera considéré comme un contrat de location-acquisition par le fisc) si l'une ou l'autre des conditions suivantes est vérifiée :

- Le locataire acquiert automatiquement la propriété de l'actif après avoir versé un montant déterminé sous forme de loyers.

- Le locataire est obligé d'acheter l'actif du bailleur pendant la durée du bail (ou à l'expiration de ce dernier).

- Le locataire a la possibilité, pendant la durée du bail où à l'expiration de celui-ci, de se porter acquéreur de l'actif à un prix nettement inférieur à sa juste valeur marchande. En d'autres termes, si le contrat prévoit une option d'achat à prix de faveur, le bail devra être capitalisé.

- Il est possible pour le locataire, pendant la durée du bail ou à l'expiration de celui-ci, d'acquérir l'actif à un prix ou à des conditions qui incitent toute personne raisonnable à conclure que l'option d'achat sera effectivement exercée.

---

[8] Lorsqu'un bail est capitalisé au niveau fiscal, il l'est également pour fins de présentation des états financiers de l'entreprise (c.-à-d. au niveau comptable). Toutefois, la réciproque n'est pas nécessairement vrai, c'est-à-dire qu'il peut très bien arriver qu'un bail soit capitalisé au niveau comptable mais qu'il ne le soit pas pour fins fiscales. La raison est que les conditions qui doivent être vérifiées pour qu'un bail soit capitalisé pour fins fiscales ne sont pas les mêmes que celles qui doivent être satisfaites d'un point de vue comptable (voir le chapitre 3065 du Manuel de l'I.C.C.A.). Par exemple, si une machine ayant une durée de vie économique évaluée à 10 ans est louée pour une durée de 8 ans (sans option d'achat), le bail sera probablement capitalisé au niveau comptable, mais il ne le sera pas au niveau fiscal.

3. Lorsqu'un bail est capitalisé au niveau fiscal, le locataire peut déduire de ses revenus l'allocation du coût en capital et les intérêts sur la dette.

Le choix entre l'emprunt et la location

Pour la plupart des entreprises, il ne fait aucun doute que la décision de signer un contrat de location est une décision de financement et non d'investissement. En effet, on doit, dans un premier temps, établir s'il est rentable ou non d'acquérir l'actif (décision d'investissement). Par la suite, on doit déterminer la façon la plus avantageuse de se procurer les services de l'actif en question (décision de financement). L'affirmation que la location est une décision de financement se trouve renforcée par le raisonnement suivant : pourquoi se poser des questions sur la façon de se procurer les services d'un actif (décision de financement) avant de savoir si l'on doit l'acquérir (décision d'investissement)?

Comme c'est le cas pour un contrat d'emprunt, le contrat de location exige que l'entreprise effectue des déboursés fixes périodiques pendant une certaine période de temps. En conséquence, la possibilité de louer doit être évaluée par rapport aux autres formes de dettes, principalement les emprunts bancaires.

Pour illustrer le choix entre l'emprunt et la location, nous utiliserons l'exemple suivant.

Exemple 10.8

Choix entre un achat financé par un emprunt et la location d'un actif

La compagnie MVB inc. a besoin d'un camion pour 4 ans. Le camion a une valeur résiduelle prévue de 6 000 $ au début de l'année 5 (soit dans 4 ans) et une durée de vie utile d'environ 6 ans. Il est amortissable, pour fins fiscales, au taux dégressif annuel de 30%. L'entreprise peut louer le camion pour 4 ans en échange de loyers annuels de 15 000 $ exigibles en début d'année (les économies d'impôt relatives aux loyers sont réalisables en fin d'année). MVB inc. a également la possibilité d'acheter le bien en contractant un emprunt bancaire de 50 000 $ au taux annuel de 12%. Le remboursement de cet emprunt serait effectué au moyen d'une série de 4 versements uniformes de fin d'année. MVB inc. est imposée au taux de 40%. Quel mode de financement la compagnie devrait-elle retenir?

Solution

Pour déterminer le mode de financement le plus avantageux, on doit comparer le coût relatif à l'achat versus le coût relatif à la location. Comme il s'agit de déboursés, nous choisirons le mode de financement le moins onéreux.

Les calculs qui suivent sont basés sur les hypothèses suivantes :

1. Le preneur peut déduire les loyers pour fins d'impôt.

2. La déduction relative à l'allocation du coût en capital revient au bailleur ou propriétaire de l'actif.

❸. Dans le cas où le bien est loué, la valeur résiduelle demeure au bailleur.

❹. La catégorie d'actif ne s'éteindra pas suite à la revente du camion.

❺. Le taux d'actualisation utilisé est le coût de la dette après impôt de l'entreprise. L'utilisation de ce faible taux d'actualisation peut se justifier par le fait que la plupart des flux monétaires en cause sont relativement certains. Ainsi, les versements périodiques nécessaires pour rembourser l'emprunt, de même que les loyers, sont fixés par contrat. Les économies d'impôt relatives à l'amortissement fiscal sont quelque peu incertaines, mais seront conformes aux prévisions si le taux d'impôt de l'entreprise demeure stable. La valeur résiduelle de l'actif est le flux monétaire le plus difficilement prévisible. Compte tenu de ce fait, on pourrait actualiser cette valeur à un taux plus élevé (par exemple, au coût du capital de l'entreprise). Ce genre de raffinement est cependant ignoré ici.

Coût relatif à l'achat

Dans le calcul du coût relatif à l'achat, on doit tenir compte des éléments suivants :

❶. Versements périodiques nécessaires pour rembourser l'emprunt (capital et intérêts).

❷. Économies d'impôt liées aux intérêts (les intérêts étant déductibles d'impôt, cela aura pour effet de réduire le coût relatif à l'achat).

❸. Économies d'impôt liées à l'amortissement fiscal (l'entreprise pourra réclamer l'amortissement fiscal si elle achète l'actif, ce qui diminuera le coût relatif à l'achat).

❹. Valeur résiduelle de l'actif (l'entreprise encaissera la valeur résiduelle de l'actif si elle l'achète, ce qui réduira le coût relatif à l'achat).

❺. Pertes d'économies d'impôt liées à l'amortissement fiscal suite à la revente de l'actif (cet élément aura pour effet d'augmenter le coût relatif à l'achat).

Dans ce contexte, le coût relatif à l'achat (CRA) se calcule ainsi :

$$
CRA = \begin{pmatrix} \text{Valeur actualisée des versements} \\ \text{périodiques nécessaires pour} \\ \text{rembourser l'emprunt} \end{pmatrix} - \begin{pmatrix} \text{Valeur actualisée des} \\ \text{économies d'impôt} \\ \text{liées aux intérêts} \end{pmatrix}
$$

$$
- \begin{pmatrix} \text{Valeur actualisée des économies} \\ \text{d'impôt liées à l'amortissement} \\ \text{fiscal} \end{pmatrix} - \begin{pmatrix} \text{Valeur de} \\ \text{revente actualisée} \end{pmatrix}
$$

$$
+ \begin{pmatrix} \text{Valeur actualisée des économies} \\ \text{d'impôt perdues suite à la revente de l'actif} \end{pmatrix}
$$

$$CRA = RA_{\overline{n}|k_d} - \sum_{t=1}^{n} \frac{T \cdot INT_t}{(1+k_d)^t}$$

$$- \frac{C \cdot d \cdot T(1+0,5k_d)}{(k_d+d)(1+k_d)} - \frac{PV}{(1+k_d)^n}$$

$$+ \frac{MIN(PV, C) \cdot d \cdot T}{(k_d+d)(1+k_d)^n}$$

(10.10)

où

R : Versement périodique uniforme de fin de période à effectuer pour rembourser l'emprunt

n : Nombre de versements périodiques à effectuer

k_d : Coût marginal de la dette après impôt de l'entreprise

$A_{\overline{n}|k_d}$: Facteur d'actualisation pour une annuité simple de fin de période de 1 \$ comportant au total n versements. Ce facteur équivaut à :

$$\left[\frac{1-(1+k_d)^{-n}}{k_d} \right].$$

T : Taux d'impôt marginal de l'entreprise

INT_t : Intérêts de la période t

C : Coût du bien

d : Taux d'amortissement fiscal dégressif

PV : Valeur résiduelle prévue de l'actif dans n années.

Si l'on veut appliquer l'équation précédente à l'entreprise MVB inc., on doit, en premier lieu, déterminer le versement périodique nécessaire pour rembourser l'emprunt de 50 000 \$. Pour ce faire, on procède ainsi :

$$50\ 000 = R\ A_{\overline{4}|12\%}$$

D'où : R = 16 461,72 \$

Par la suite, en utilisant comme taux d'actualisation le coût de la dette après impôt (soit 0,12(1−0,40) = 7,2%), on est en mesure de calculer la valeur du premier terme de l'expression (10.10) :

$$\begin{matrix}\text{Valeur actualisée des} \\ \text{versements périodiques}\end{matrix} = 16\ 461,72\ A_{\overline{4}|7,2\%} = 55\ 508,49\ \$$$

Le calcul de la valeur actualisée des économies d'impôt liées aux intérêts (second terme de l'équation (10.10)) est présenté au tableau 10.6 de la page suivante.

Tableau 10.6 — **Calcul de la valeur actualisée des économies d'impôt liées aux intérêts**

Année (1)	Soldu du prêt en début d'année (2)	Versement périodique (3)	Intérêts (4)=2·12%	Remboursement de capital (5) = (3) - (4)	Économie d'impôt liée aux intérêts (6) = (4)·40%	Facteur d'actualisation (7)=$(1+0{,}072)^{-t}$	Valeur actualisée de l'économie d'impôt liée aux intérêts 8=(6)·(7)
1	50 000,00 $	16 461,72 $	6 000,00 $	10 461,72 $	2 400,00 $	0,9328	2 238,72 $
2	39 538,28	16 461,72	4 744,59	11 717,13	1 897,84	0,8702	1 651,50
3	27 821,15	16 461,72	3 338,54	13 123,18	1 335,42	0,8117	1 083,96
4	14 697,97	16 461,72	1 763,76	14 697,96	705,50	0,7572	534,20

Comme le démontre le calcul précédent, la différence entre la valeur actualisée des versements périodiques et la valeur actualisée des économies d'impôt liées aux intérêts correspond au montant du prêt :

$$55\,508{,}49 - (2238{,}72 + 1651{,}50 + 1083{,}96 + 534{,}20) \approx 50\,000 \ \$$$

Dans une situation donnée, cette égalité sera vérifiée à condition que les trois hypothèses mentionnées ci-dessous soient satisfaites :

1. Les versements sont uniformes et de fin de période.

2. L'entreprise peut emprunter les fonds pour acquérir l'actif à un taux d'intérêt unique.

3. La valeur actualisée des versements périodiques et des économies d'impôt liées aux intérêts est calculée en utilisant le coût de la dette après impôt comme taux d'actualisation.

Lorsque les hypothèses précédentes sont vérifiées, l'équation (10.10) se simplifie ainsi :

$$CRA = \left(\begin{array}{c} \text{Montant} \\ \text{du prêt} \end{array}\right) - \frac{C \cdot d \cdot T(1 + 0{,}5k_d)}{(k_d + d)(1 + k_d)} - \frac{PV}{(1 + k_d)^n} \quad\quad (10.10a)$$
$$+ \frac{\text{MIN}(PV, C) \cdot d \cdot T}{(k_d + d)(1 + k_d)^n}$$

Dans le cas de l'entreprise MVB inc., on obtient :

$$CRA = 50\,000 - \frac{(50\,000)(0{,}30)(0{,}40)[1 + (0{,}50)(0{,}072)]}{(0{,}072 + 0{,}30)(1 + 0{,}072)}$$
$$- \frac{6000}{(1 + 0{,}072)^4} + \frac{(6000)(0{,}30)(0{,}40)}{(0{,}072 + 0{,}30)(1 + 0{,}072)^4} = 31\,334{,}89 \ \$$$

Coût relatif à la location

Dans le calcul du coût relatif à la location, on doit tenir compte des éléments suivants :

1. Les versements de loyers.

2. Économies d'impôt liées aux loyers (les loyers étant déductibles d'impôt, cela a pour effet de réduire le coût relatif à la location).

Le coût relatif à la location (CRL) se calcule ainsi :

$$CRL = \begin{pmatrix} \text{Valeur actualisée} \\ \text{des versements} \\ \text{de loyers} \end{pmatrix} - \begin{pmatrix} \text{Valeur actualisée} \\ \text{des économies d'impôt} \\ \text{liées aux loyers} \end{pmatrix}$$

$$CRL = L\ddot{A}_{\overline{n}|k_d} - L \cdot TA_{\overline{n}|k_d} \qquad (10.11)$$

où

L : Loyer périodique

$\ddot{A}_{\overline{n}|k_d}$: Facteur d'actualisation pour une annuité simple de début de période de 1\$ comportant au total n versements. Ce facteur équivaut à :

$$\left[\frac{1-(1+k_d)^{-n}}{k_d} \right](1+k_d).$$

Remarque. L'expression (10.11) suppose que les loyers sont exigibles en début de période et que les économies d'impôt relatives aux loyers sont réalisables en fin de période. Si l'on suppose que les loyers sont payables en fin de période et que les économies d'impôt relatives aux loyers sont également disponibles en fin de période, l'équation (10.11) devient :

$$CRL = L(1-T)A_{\overline{n}|k_d} \qquad (10.11a)$$

Pour l'entreprise MVB inc., on obtient :

$$CRL = 15\,000\ddot{A}_{\overline{4}|7,2\%} - (15\,000)(0,40)A_{\overline{4}|7,2\%}$$
$$CRL = 33\,989,50\ \$$$

D'un point de vue monétaire, l'achat apparaît pour MVB inc. préférable à la location puisque CRA < CRL. Autrement dit, l'avantage net de la location (ANL) est négatif.

$$ANL = CRA - CRL \qquad (10.12)$$
$$ANL = 31\,334,89 - 33\,989,50 = -2\,654,61\ \$$$

À l'annexe 1, nous montrons comment l'utilisation du tableur Excel peut faciliter ce genre d'analyse. Le recours à la fonctionnalité *Valeur cible* du tableur Excel nous permet également d'en arriver à la conclusion que le montant du loyer annuel devrait s'élever à 13 828,49 \$ pour que la compagnie MVB inc. soit indifférente entre l'achat et la location de l'actif.

Le choix entre l'emprunt et la location : considérations qualitatives

Dans un contexte pratique, des considérations autres que monétaires viendront également influer sur le choix entre l'achat financé par un emprunt et la location du bien. Ainsi, parmi les arguments souvent avancés en faveur de la location, mentionnons :

1. La location constitue un financement à 100%. Dans le cas d'un achat au moyen d'un emprunt, l'entreprise doit généralement effectuer une mise de fonds qui devra être financée. Cet argument a une certaine validité pour les petites entreprises qui ont un accès limité aux autres sources de financement externes et qui devront financer la mise de fonds de façon interne.

2. La location peut permettre à l'entreprise de se soustraire aux clauses restrictives associées à l'endettement. De telles clauses peuvent concerner notamment le montant des dividendes versés, le ratio du fonds de roulement minimal à maintenir et les emprunts additionnels qu'elle pourra effectuer.

3. La location peut être intéressante lorsque le bailleur peut faire un usage plus adéquat des économies d'impôt relatives à l'allocation du coût en capital que le preneur. Cette situation survient lorsque le taux d'impôt du bailleur excède celui du preneur et, de façon plus marquée, dans le cas où le preneur ne paie pas d'impôt. Dans ces conditions, il est probable que le bailleur fasse bénéficier le preneur, du moins en partie, de cet avantage fiscal par l'entremise de loyers plus faibles.

4. Un autre argument « populaire » en faveur de la location est qu'elle protégerait contre les risques de désuétude rapide. Dans plusieurs cas, il pourrait bien s'agir d'un avantage illusoire, puisque les risques de désuétude rapide seront probablement pris en considération dans la fixation du montant du loyer. Cependant, dans certaines situations, il est possible que le bailleur soit en meilleure position que l'utilisateur pour faire face au problème de la désuétude. En effet, un actif désuet pour un certain utilisateur peut très bien être reloué à un autre utilisateur dont les besoins ne sont pas les mêmes. Dans ce cas, le coût économique de la désuétude est moindre dans le cas d'une location que dans le cas où l'utilisateur achète le bien. Cela peut signifier pour le preneur des loyers moindres.

Dans le cas de l'achat, on pourrait penser, a priori, que lorsque la valeur résiduelle anticipée est élevée, cette option présente un avantage par rapport à la location. Toutefois, cet avantage pourrait bien être illusoire puisque l'existence d'une valeur résiduelle importante sera probablement reflétée dans le montant du loyer.

10.8   Le refinancement

Refinancement
Opération consistant à racheter des obligations ou des actions privilégiées actuellement en circulation dans le but d'en émettre des nouvelles à des conditions plus avantageuses

Le refinancement a trait à la vente de nouvelles obligations ou actions privilégiées dans le but de racheter une émission d'obligations ou d'actions privilégiées actuellement en circulation. L'objectif généralement poursuivi par l'entreprise lors d'une telle opération est de réduire ses charges financières. Ainsi, dans le cas où elle a émis des obligations rachetables par anticipation lorsque les taux d'intérêt étaient élevés et qu'ils se situent maintenant à un niveau plus bas, un refinancement peut s'avérer un choix judicieux. Un refinancement peut également être justifiable dans la mesure où il permet à l'entreprise d'obtenir des conditions plus avantageuses dans le contrat fiduciaire. Enfin, un refinancement peut se révéler intéressant pour l'entreprise lorsque celle-ci désire reporter le remboursement du principal de la dette.

Dans un contexte où seuls les avantages monétaires sont pris en compte, la décision de refinancement peut être analysée d'une façon analogue à la décision d'investissement à long terme. Il s'agit alors de comparer la valeur actualisée des différents coûts associés au refinancement avec la valeur actualisée des économies prévues d'intérêts ou de dividendes. Si les économies en cause excèdent les coûts, le refinancement s'avère alors s'avère un choix judicieux.

Refinancement d'obligations

Lorsqu'on évalue un refinancement d'obligations, on doit prendre en considération les éléments suivants :

1. Les coûts associés au refinancement se décomposent ainsi :

- La prime payée afin de pouvoir racheter l'émission actuellement en circulation avant son échéance. Cette prime n'est pas déductible pour fins d'impôt.

- Les frais d'émission et de souscription de la nouvelle émission. D'un point de vue fiscal, ces frais sont amortissables linéairement sur une période de cinq ans.

- Les intérêts payés sur la vieille émission durant la période de chevauchement des deux émissions. Ces intérêts sont déductibles pour fins d'impôt.

- Les intérêts gagnés sur le produit de la nouvelle émission pendant la période de chevauchement des deux émissions viennent réduire les coûts du refinancement. Ces intérêts sont imposables.

2. Les économies annuelles d'intérêt découlant d'un refinancement correspondent à la différence entre les intérêts à verser sur la vieille émission et les intérêts à payer dans le cas d'une nouvelle émission. Ces économies doivent être, bien entendu, considérées sur une base après impôt.

3. Pour calculer la valeur actualisée des économies d'intérêt après impôt, on utilise le plus souvent comme taux d'actualisation le coût marginal de la dette après impôt de l'entreprise. On peut justifier l'utilisation de ce faible taux d'actualisation par le fait que les économies en cause comportent un degré de risque relativement minime.

Exemple 10.9   **Analyse d'une décision de refinancement**

La compagnie Première Chance inc. a actuellement en circulation des obligations d'une valeur nominale de 10 000 000 $ possédant les caractéristiques suivantes :

- Taux de coupon : 11% (les intérêts sont payables annuellement)
- Échéance : 10 ans
- Remboursables par anticipation moyennant une prime de 6% de la valeur nominale (non déductible d'impôt)

Suite à une baisse des taux d'intérêt, la compagnie peut se refinancer en émettant des obligations possédant les caractéristiques suivantes :

- Taux de coupon : 9% (les intérêts sont payables annuellement)
- Échéance : 10 ans

On estime les frais d'émission et de souscription à 200 000 $ (avant impôt). La nouvelle émission serait faite deux mois avant le remboursement des anciennes obligations et son produit investi au taux annuel de 7%. Le taux d'imposition de la compagnie est de 40%.

a) La compagnie devrait-elle procéder à un refinancement?
b) Quelle est la valeur du taux de coupon de la nouvelle émission pour lequel l'entreprise serait indifférente entre se refinancer et ne pas se refinancer?

Solution

a) Le taux d'actualisation approprié dans l'analyse est le coût marginal de la dette après impôt, soit : $0,09\,(1-0,40) = 5,4\%$.

Calcul de la valeur actualisée des différents coûts associés au refinancement

Frais d'émission et de souscription	200 000 $
Moins : valeur actualisée des économies d'impôt liées aux frais d'émission et de souscription	
$(200\,000)(0,20)(0,40)\,A_{\overline{5}|5,4\%}$	(68 512)
Prime de rachat (6%) (10 000 000)	600 000
Intérêts après impôt sur la vieille émission pendant la période de chevauchement des deux émissions	
$(10\,000\,000)(0,11)(2/12)(1-0,40)$	110 000
Moins : revenus d'intérêts nets d'impôt liés au placement du produit de la nouvelle émission pendant deux mois	
$(10\,000\,000)(0,07)(2/12)(1-0,40)$	(70 000)
Valeur actualisée des coûts du refinancement	771 488 $

Calcul de la valeur actualisée des économies d'intérêt après impôt

$$\begin{pmatrix} \text{Valeur actualisée} \\ \text{des économies} \\ \text{d'intérêt après} \\ \text{impôt} \end{pmatrix} = \begin{pmatrix} \text{Taux de coupon} \\ \text{annuel de la} \\ \text{vieille} \\ \text{émission} \end{pmatrix} - \begin{pmatrix} \text{Taux de coupon} \\ \text{annuel de la} \\ \text{nouvelle} \\ \text{émission} \end{pmatrix} \begin{pmatrix} \text{Montant de} \\ \text{l'émission} \end{pmatrix} (1-T) \begin{pmatrix} \text{Facteur d'actuali-} \\ \text{sation pour une} \\ \text{annuité simple de} \\ \text{fin de période de 1\$} \end{pmatrix}$$

$$= (0,11 - 0,09)(10\,000\,000)(1-0,40)\,A_{\overline{10}|5,4\%} = 908\,870\ \$$$

Calcul de la VAN

$$\text{VAN} = \begin{pmatrix} \text{Valeur actualisée des} \\ \text{économies d'intérêt} \\ \text{après impôt} \end{pmatrix} - \begin{pmatrix} \text{Valeur actualisée} \\ \text{des coûts du} \\ \text{refinancement} \end{pmatrix}$$

$$= 908\,870 - 771\,488$$

$$= 137\,382\ \$$$

La compagnie devrait donc procéder au refinancement. Toutefois, si l'on anticipe que les taux d'intérêt baisseront davantage, il serait préférable de reporter à plus tard le refinancement. En effet, une baisse des taux d'intérêt aurait pour conséquence d'accroître la VAN.

Remarques. 1. Dans l'exemple ci-dessus, l'échéance des nouvelles obligations est identique à la durée de vie restante des obligations actuellement en circulation. Lorsque cette condition n'est pas satisfaite, on doit effectuer les calculs en considérant uniquement les flux monétaires prévus jusqu'à la date d'échéance des obligations actuellement en circulation.

2. Pour simplifier quelque peu l'analyse, nous avons supposé que les frais d'émission et de souscription non amortis sur les obligations actuellement en circulation étaient nuls.

b) Il s'agit de calculer le taux de coupon de la nouvelle émission (r) pour lequel la valeur actualisée des économies d'intérêt après impôt égale la valeur actualisée des coûts du refinancement. Pour ce faire, on doit résoudre l'équation suivante :

$$(0,11 - r)(10\,000\,000)(1 - 0,40)A_{\overline{10}|r(1-0,40)}$$
$$= 200\,000 - (200\,000)(0,20)(0,40)A_{\overline{5}|r(1-0,40)} + 600\,000 + 110\,000 - 70\,000$$

Par approximations successives, on trouve que la valeur de r qui permet de satisfaire l'égalité s'élève à 9,29%. On peut toutefois obtenir beaucoup plus rapidement ce dernier résultat en utilisant la fonctionnalité *Valeur cible* du tableur Excel. À l'annexe 2, nous illustrons la démarche à suivre pour analyser une décision de refinancement à l'aide de ce tableur et calculer le taux de coupon de la nouvelle émission d'obligations qui rend la VAN nulle.

Refinancement d'actions privilégiées

Le refinancement d'une émission d'actions privilégiées peut être analysé d'une façon similaire à celui d'une émission d'obligations. Il faut, toutefois, tenir compte des particularités suivantes :

1. Les dividendes versés aux actionnaires privilégiés ne sont pas déductibles d'impôt.

2. Compte tenu que les actions privilégiées n'ont pas de date d'échéance, les économies de dividendes se poursuivent, en théorie, perpétuellement. Pour déterminer la valeur actualisée de ces économies, il s'agit donc de diviser l'économie annuelle en dividendes par le taux d'actualisation approprié, soit le taux de dividende de la nouvelle émission.

3. Comme dans le cas d'une émission d'obligations, les frais d'émission et de souscription sont amortissables, d'un point de vue fiscal, linéairement sur 5 ans.

10.9 Concepts fondamentaux

- Les principales sources de financement externes à long terme auxquelles les entreprises ont accès pour financer leurs investissements en actifs réels sont : (1) les prêts hypothécaires, (2) les obligations, (3) les actions privilégiées, (4) les actions ordinaires et (5) les titres convertibles (obligations et actions privilégiées).

- Un prêt hypothécaires constitue un prêt à long terme consenti à une entreprise ou à un particulier pour lui permettre d'acquérir un actif immobilier. Ce type de prêt est habituellement remboursable par une série de versements mensuels égaux, comportant une partie capital ainsi qu'une partie intérêt.

- Une obligation représente un titre d'emprunt à long terme par lequel l'entreprise s'engage à verser périodiquement - généralement deux fois l'an - des intérêts au prêteur et à lui rembourser la valeur nominale ou de rachat des titres à la date d'échéance.

- Les obligations corporatives peuvent être classifiées en deux catégories : (1) selon la garantie qu'elles comportent et (2) selon les droits et privilèges qu'elles confèrent.

- Par opposition aux obligations, les débentures ne sont pas garanties par des actifs spécifiques de l'entreprise.

- Le détenteur d'une obligation encaissable par anticipation peut exiger le remboursement de son capital avant la date d'échéance prévue alors que celui qui possède une obligation prorogeable peut demander à l'émetteur qu'il allonge l'échéance du titre.

- Lorsqu'une obligation est assortie d'une clause de rachat par anticipation, l'émetteur peut racheter les titres avant la date d'échéance prévue à un prix stipulé d'avance. Comme cette option de remboursement par anticipation est nettement à l'avantage de l'émetteur, les investisseurs exigent un taux de rendement plus élevé sur ce genre d'obligation puisqu'ils ne pourront bénéficier pleinement d'un éventuel gain en capital qui résulterait d'une baisse des taux d'intérêt.

- Comparativement aux obligations libellées en dollars canadiens, les titres libellés en monnaie étrangère comportent un risque additionnel - appelé risque de change.

- Une action privilégiée est un titre hybride qui, comme un titre de créance, permet à l'investisseur de recevoir des revenus fixes - les dividendes - dont le montant est habituellement indépendant des bénéfices réalisés par l'entreprise.

- En cas de liquidation de la compagnie, les actionnaires privilégiés ont priorité sur les actionnaires ordinaires, mais pas sur les créanciers.

- En règle générale, l'action privilégiée canadienne est : (1) à dividendes cumulatifs, (2) non votante, (3) non participante, (4) rachetable par l'émetteur et (5) non convertible en actions ordinaires.

- Une action ordinaire représente une part de propriété dans une compagnie. Elle ne comporte pas de date d'échéance et confère à son détenteur le droit de voter sur diverses questions.

- Les droits des actionnaires ordinaires comprennent : (1) le droit d'élire les membres du conseil d'administration de la compagnie et de voter sur certains autres sujets, (2) le droit à l'information, (3) le droit de recevoir des dividendes si le conseil d'administration juge à propos d'en déclarer, (4) le droit aux actifs résiduels de la compagnie en cas de liquidation et (5) le droit de se départir de ses actions sans obtenir, au préalable, la permission de la compagnie.

- L'émission de nouvelles actions ordinaires provoque une baisse permanente - de l'ordre de 3% - du cours de l'action sur le marché secondaire.

- Contrairement aux intérêts versés aux créanciers, les dividendes distribués par l'entreprise à ses actionnaires ordinaires et privilégiés ne sont pas déductibles d'impôt.

- Du point de vue de l'entreprise, une nouvelle émission d'actions ordinaires constitue la source de financement la plus onéreuse.

- Les bons de souscription s'apparentent aux options d'achat négociées en Bourse. Ils permettent aux investisseurs d'acquérir, pendant une certaine période de temps, un nombre déterminé d'actions ordinaires d'une compagnie à un prix stipulé d'avance.

- Contrairement aux options d'achat négociées en Bourse qui sont émises par les investisseurs, les bons de souscription sont habituellement attachés aux nouvelles émissions d'actions ou d'obligations effectuées par les entreprises afin de leur permettre d'écouler les titres à des conditions plus avantageuses.

- La valeur marchande d'un bon de souscription est au moins égale à sa valeur intrinsèque (c.-à-d. la différence positive entre le cours de l'action sous-jacente et le prix d'exercice, multipliée par le nombre d'actions qu'il permet d'acheter).

- L'écart entre la valeur marchande d'un bon de souscription et sa valeur intrinsèque s'appelle la valeur-temps. Cette valeur temporelle du bon de souscription est surtout fonction du temps qu'il reste à courir d'ici son expiration et de la volatilité du prix de l'action sous-jacente.

- Le cours d'un bon de souscription est beaucoup plus volatil que celui de l'action sous-jacente.

- Les bons de souscription procurent aux investisseurs un effet de levier, tout en leur permettant de spéculer avec une mise de fonds réduite.

- Les obligations convertibles et les actions privilégiées convertibles sont des titres que l'investisseur peut échanger contre des actions ordinaires de la même compagnie. Le privilège de conversion permet à l'entreprise de vendre de nouvelles obligations ou actions privilégiées en offrant aux investisseurs un rendement moindre que celui exigé sur des titres non assortis d'une telle caractéristique.

■ Les obligations convertibles et les actions privilégiées convertibles permettent aux investisseurs de recevoir des revenus fixes - des intérêts ou des dividendes tout dépendant de l'actif détenu - et de réaliser un gain en capital si le cours de l'action ordinaire sous-jacente s'apprécie.

■ La valeur plancher d'une obligation convertible ou d'une action privilégiée convertible correspond au maximum entre la valeur standard (c.-à-d. le prix auquel l'obligation ou l'action privilégiée se négocierait en l'absence du privilège de conversion) et la valeur de conversion (c.-à-d. le nombre d'actions ordinaires que l'investisseur peut obtenir en échange d'une obligation convertible ou d'une action privilégiée convertible, multiplié par le cours boursier actuel de l'action ordinaire). Quant à la valeur marchande d'un titre convertible, elle s'obtient en ajoutant à sa valeur plancher une prime liée à l'option de conversion.

■ La location constitue une alternative à un achat financé par un emprunt. Elle permet à l'entreprise d'utiliser un actif, pendant une certaine période de temps, en échange d'un loyer versé périodiquement au locateur.

■ Un contrat de location-exploitation comporte habituellement une courte durée et laisse au locateur les risques et les avantages inhérents à la propriété de l'actif. Pour sa part, un contrat de location-acquisition est généralement à long terme et transfère pratiquement tous les risques et les avantages associés à la propriété du bailleur au preneur. Enfin, une opération de cession-bail permet à l'entreprise d'accroître ses liquidités en vendant à un tiers l'un de ses actifs pour le reprendre immédiatement en vertu d'un contrat de location.

■ Afin de déterminer s'il s'avère plus avantageux pour l'entreprise d'acquérir un actif en le finançant par un emprunt ou de signer un contrat de location, on doit procéder à une analyse quantitative impliquant une comparaison des coûts occasionnés par l'achat et de ceux associés à la location du bien. Dans le calcul des différents coûts liés à un achat financé par un emprunt, les éléments suivants sont à prendre en considération : (1) les versements périodiques nécessaires pour rembourser l'emprunt, (2) les économies d'impôt se rattachant aux intérêts sur la dette, (3) les économies d'impôt liées à l'amortissement fiscal, (4) la valeur résiduelle de l'actif et (5) les pertes d'économies d'impôt liées à l'amortissement fiscal suite à la revente de l'actif. Pour sa part, la location de l'actif entraîne des versements de loyers qui devront être calculés nets d'impôt. Tous les flux monétaires impliqués dans l'analyse sont habituellement actualisés au coût marginal de la dette après impôt de l'entreprise. De plus, certains facteurs qualitatifs sont normalement pris en compte pour en arriver à une décision finale.

■ Dans le but de diminuer ses charges financières, il peut s'avérer judicieux pour l'entreprise de procéder à un refinancement d'obligations ou d'actions privilégiées. Cette opération consiste essentiellement à racheter des obligations ou des actions privilégiées actuellement en circulation afin d'en émettre de nouvelles à un taux d'intérêt moindre ou à un taux de dividende plus avantageux.

■ D'un point de vue quantitatif, la décision de refinancement s'analyse d'une manière analogue à la décision d'investissement à long terme. Essentiellement, il s'agit de retrancher de la valeur actualisée des économies anticipées d'intérêt ou de dividendes après impôt la valeur actualisée des différents coûts qu'implique le refinancement. Si le résultat est positif, le refinancement constitue alors un choix judicieux.

10.10   Mots clés

10.11 Sommaire des principales formules

Évaluation d'un bon de souscription

(10.1) Valeur intrinsèque = MAX $[N \cdot (P-E), 0]$

> où N : Nombre d'actions que le bon de souscription permet d'acquérir
> P : Prix de l'action ordinaire
> E : Prix d'exercice du bon de souscription.

(10.2) Valeur marchande = Valeur intrinsèque + Valeur-temps

Évaluation d'un bon de souscription

(10.3) $VS = CA_{\overline{n}|i} + VN(1+i)^{-n}$

> où VS : Valeur standard d'une obligation convertible
> C : Coupon d'intérêt périodique
> n : Nombre de versements d'intérêt d'ici la date d'échéance de l'obligation
> i : Taux de rendement périodique exigé par le marché sur une obligation du même genre non convertible
> VN : Valeur nominale de l'obligation.

(10.4) $VC = (RC)\,(P)$

> où VC : Valeur de conversion d'une obligation convertible
> RC : Ratio de conversion
> P : Prix actuel de l'action ordinaire sur le marché secondaire.

(10.5) $VM = MAX[VS, VC]$ + Valeur de l'option de conversion

> où VM : Valeur marchande d'une obligation convertible
> MAX[VS, VC] : Valeur plancher d'une obligation convertible.

Évaluation d'une action privilégié convertible

(10.6) $VS = \dfrac{D_p}{k}$

> où VS : Valeur standard d'une action privilégiée convertible
> D_p : Dividende privilégié versé périodiquement aux investisseurs
> k : Taux de rendement périodique exigé par le marché sur une action privilégiée du même genre non convertible.

(10.7) $VC = (RC)\,(P)$

où VC : Valeur de conversion d'une action privilégiée convertible

RC : Ratio de conversion

P : Prix actuel de l'action ordinaire sur le marché secondaire.

(10.8) $VM = MAX[VS, VC] + $ Valeur de l'option de conversion

où VM : Valeur marchande d'une action privilégiée convertible

MAX[VS, VC] : Valeur plancher d'une action privilégiée convertible.

Décision achat-location

Coût relatif à l'achat (CRA)

$$(10.10) \quad CRA = RA_{\overline{n}|k_d} + \sum_{t=1}^{n} \frac{T \cdot INT_t}{(1+k_d)^t} - \frac{C \cdot d \cdot T(1+0,5k_d)}{(k_d+d)(1+k_d)} - \frac{PV}{(1+k_d)^n}$$

$$+ \frac{MIN(PV, C) \cdot d \cdot T}{(k_d+d)(1+k_d)^n}$$

où R : Versement périodique uniforme de fin de période nécessaire pour rembourser l'emprunt

n : Nombre de versements périodiques à effectuer

k_d : Coût marginal de la dette après impôt de l'entreprise

T : Taux d'impôt marginal de l'entreprise

INT_t : Intérêts de la période t

C : Coût du bien

d : Taux d'amortissement fiscal dégressif

PV : Valeur résiduelle prévue de l'actif dans n années.

Lorsque certaines hypothèses sont satisfaites, l'équation précédente se simplifie ainsi :

$$(10.10a) \quad CRA = \binom{Montant}{du\ prêt} - \frac{C \cdot d \cdot T(1+0,5k_d)}{(k_d+d)(1+k_d)} - \frac{PV}{(1+k_d)^n} + \frac{MIN(PV, C) \cdot d \cdot T}{(k_d+d)(1+k_d)^n}$$

Coût relatif à la location (CRL)

Lorsque les loyers sont exigibles en début de période et les économies d'impôt relatives aux loyers réalisables en fin de période, on utilise :

$$(10.11) \quad CRL = L\ddot{A}_{\overline{n}|k_d} - L \cdot TA_{\overline{n}|k_d}$$

où L : Loyer périodique.

D'autre part, si les loyers sont exigibles en fin de période et les économies d'impôt relatives aux loyers réalisables en fin de période, on procède ainsi :

$$(10.11a) \quad CRL = L(1-T)A_{\overline{n}|k_d}$$

Avantage net de la location (ANL)

$$(10.12) \quad ANL = CRA - CRL$$

10.12 Exercices

1. Vrai ou faux.

a) L'entreprise ne peut verser un dividende aux actionnaires privilégiés à moins d'en verser un aux actionnaires ordinaires.

b) L'investisseur détenant des bons de souscription d'une compagnie a le droit de voter.

c) Un inconvénient du financement par actions ordinaires, par rapport au financement par obligations, est que les frais d'émission et de souscription (en pourcentage) sont plus élevés.

d) Habituellement, les obligations convertibles sont assorties d'une clause de rachat anticipé.

e) Du point de vue de la compagnie, un des avantages du financement par dette, par rapport au financement par actions ordinaires, est que les versements d'intérêt sont déductibles d'impôt.

f) Du point de vue de la compagnie, un des avantages du financement par dette, par rapport au financement par actions ordinaires, est que la dilution du bénéfice par action est évitée.

g) Lorsqu'une compagnie décide de fractionner ses actions, le prix d'exercice du bon de souscription est augmenté.

h) Un des avantages du financement par actions privilégiées, par rapport au financement par dette, est que l'omission des dividendes privilégiés n'entraîne pas la faillite de l'entreprise.

i) Les bons de souscription attachés aux nouvelles émissions d'obligations et d'actions privilégiées visent à rendre l'émission plus attrayante.

j) Les droits de souscription, contrairement aux bons de souscription, sont valables pour plusieurs années.

k) Une obligation hypothécaire est garantie par des biens immobiliers de l'entreprise.

l) Habituellement, lorsqu'une compagnie effectue une nouvelle émission d'actions ordinaires, il en résulte une hausse permanente du prix de ses actions sur le marché secondaire.

m) Pour l'investisseur, une débenture est un placement plus risqué qu'une obligation de la même compagnie.

n) Dans le cas d'une émission d'obligations, la clause de rachat anticipé en est une qui joue en faveur du prêteur.

o) La valeur marchande d'un bon de souscription peut être inférieure à sa valeur intrinsèque.

p) Une émission d'actions assortie de bons de souscription amène une double rentrée de fonds pour l'entreprise si les investisseurs exercent leurs bons de souscription.

q) La valeur standard d'une obligation convertible varie inversement avec le taux de rendement exigé par les investisseurs.

r) Une émission d'obligations convertibles amène une double rentrée de fonds pour l'entreprise si les obligataires exercent leur privilège de conversion.

s) Lors de l'analyse d'une décision de refinancement, on utilise habituellement comme taux d'actualisation le coût moyen pondéré du capital (après impôt) de l'entreprise étant donné le faible risque associé aux flux monétaires en cause.

t) La valeur standard d'une obligation convertible est toujours inférieure à sa valeur nominale.

u) L'annonce d'une nouvelle émission de débentures convertibles provoque habituellement une hausse immédiate du cours de l'action ordinaire de l'entreprise.

2. La compagnie Iano inc. a actuellement en circulation des bons de souscription dont la valeur-temps est de 5 $. Chaque bon de souscription permet à son détenteur d'acheter 4 actions ordinaires au prix unitaire de 20 $. Le prix actuel de l'action ordinaire est de 24 $.

a) Déterminez la valeur marchande d'un bon de souscription.

b) Si le cours de l'action s'apprécie de 30%, quelle sera l'augmentation ou la diminution (en pourcentage) de la valeur intrinsèque du bon de souscription?

c) Refaites (b) en supposant que le prix de l'action baisse de 30%.

3. La compagnie Brick inc. a actuellement en circulation 4 000 000 de bons de souscription échéant dans 3 ans. Quatre bons de souscription sont nécessaires pour acquérir une action ordinaire de la compagnie au prix de 20 $. Le cours actuel de l'action ordinaire est de 23 $.

a) Quel est actuellement la valeur intrinsèque d'un bon de souscription de la compagnie Brick inc.?

b) Quelle sera la valeur intrinsèque du bon de souscription si le prix de l'action ordinaire diminue de 40% par rapport au prix actuel?

c) Déterminez la rentrée de fonds totale qui résulterait pour la compagnie de l'exercice de la totalité des bons de souscription actuellement en circulation.

d) Toutes choses étant égales par ailleurs, quel est l'effet anticipé (augmentation, diminution, aucun effet) de chacune des modifications suivantes sur la valeur au marché du bon de souscription de la compagnie Brick inc. :

1. La date d'échéance du bon de souscription est reportée d'un an.

2. L'action ordinaire de la compagnie devient plus volatile.

3. La compagnie déclare un bénéfice trimestriel par action sensiblement inférieur aux anticipations des analystes financiers.

4. La compagnie décide d'augmenter son dividende par action ordinaire.

5. Les taux d'intérêt augmentent.

4. Une obligation convertible possède les caractéristiques suivantes :

- Valeur nominale : 1 000 $
- Échéance : 10 ans
- Coupons semestriels
- Ratio de conversion : 25
- Rachetable à 1 040 $
- Valeur au marché : 904,06 $
- Taux exigé par le marché sur des obligations de qualité comparable non convertibles : 15% (intérêts capitalisés semestriellement).

Le prix des actions ordinaires est actuellement de 34 $. La valeur de l'option de conversion est estimée à 6 $.

a) Quel est le taux de coupon annuel de cette obligation?

b) Calculez le prix de l'action pour lequel la valeur de conversion de l'obligation serait identique à sa valeur standard.

c) Calculez la valeur marchande de l'obligation si le prix de l'action augmente de 20% et si la valeur de l'option de conversion est alors de 2 $.

d) À quel moment la compagnie devrait-elle racheter ses obligations?

5. L'entreprise Altex inc. a en circulation des obligations convertibles d'une valeur nominale de 1 000 $, rachetables à 1 200 $ et échéant dans 8 ans. Le taux de coupon annuel de ces obligations est de 8% (les intérêts sont versés semestriellement). Le ratio de conversion est de 50. L'action ordinaire de Altex inc. se transige actuellement à 28 $ sur le marché.

a) Actuellement, Altex inc. est-elle en mesure de forcer la conversion des obligations?

b) Déterminez le prix de l'action pour lequel le détenteur d'une obligation sera indifférent entre la conversion et le rachat de l'obligation.

6. Au début de l'année XX+1, l'entreprise Valmont inc. veut émettre 20 000 000 $ d'obligations convertibles, dont les caractéristiques seraient les suivantes :

- Prix d'émission = Valeur nominale = 1 000 $
- Échéance = 15 ans
- Taux de coupon annuel = 15% (intérêts payables semestriellement)
- Ratio de conversion = 50
- Les obligations seraient rachetables à 1 150 $ à partir de l'année XX+4. Toutefois, la plupart des analystes financiers pensent que la compagnie n'exercera pas son privilège de rachat avant que la valeur de conversion n'atteigne 1 200 $.
- Les investisseurs exigent un taux de rendement effectif annuel de 16% pour des obligations comparables à celles de Valmont inc. qui ne sont pas assorties du privilège de conversion.

Autres informations :

- La compagnie vient tout juste de verser à ses actionnaires ordinaires un dividende de 1,217$ par action. Les analystes financiers estiment que ce dividende devrait croître au taux annuel de 9% et ce, pour tout l'avenir prévisible.

- Le coefficient bêta de l'action ordinaire de Valmont inc. est de 1,50.

- Les bons du Trésor rapportent actuellement 10% sur une base effective annuelle.

- Dans le contexte actuel, une prime par unité de risque de l'ordre de 5% apparaît raisonnable.

- La valeur marchande d'une action ordinaire de Valmont inc. correspond à sa valeur intrinsèque.

a) Déterminez, au début de XX+1, la valeur de conversion d'une obligation de Valmont inc.

b) Selon les prévisions des analystes, dans combien d'années les obligations seront-elles rachetées par la compagnie?

c) Un investisseur achète une obligation de Valmont inc. au début de l'année XX+1 et prévoit revendre cette obligation au moment où la compagnie annoncera le rachat des obligations. Si les versements d'intérêt sont réinvestis au taux effectif annuel de 8%, quel taux de rendement effectif annuel cet investisseur réalisera-t-il sur son horizon de placement?

7. L'entreprise Centrex inc. a actuellement en circulation des actions privilégiées dont les caractéristiques sont les suivantes :

- Dividende annuel : 6 $
- Ratio de conversion : 3
- Valeur au marché : 48 $
- Taux de rendement exigé par le marché sur des actions privilégiées comparables mais non convertibles : 15%.

L'action ordinaire de Centrex inc. se transige actuellement à 15 $ à la Bourse de Toronto.

Calculez :

a) la valeur standard des actions privilégiées;

b) la valeur de conversion des actions privilégiées;

c) la valeur de l'option de conversion.

8. La compagnie Armatex inc. a actuellement des bons de souscription en circulation. Chaque bon de souscription permet d'acheter 2 actions de la compagnie au prix unitaire de 12 $. L'action ordinaire se transige actuellement à 16 $ sur le marché.

a) Quelle est la valeur intrinsèque d'un bon de souscription?

b) Si la compagnie décide de fractionner ses actions 4 pour 1, que deviendra :

   i) N : le nombre d'actions que le bon de souscription permet d'acheter;

   ii) E : le prix d'exercice du bon de souscription.

9. Pour l'an prochain, la compagnie Beaulieu inc. prévoit avoir besoin d'un financement externe évalué à 2 000 000 $. Actuellement, la direction de l'entreprise estime que le prix de l'action ordinaire ne reflète pas sa vraie valeur. De plus, compte tenu de son ratio d'endettement actuel, la compagnie peut difficilement émettre des titres de créances à un taux d'intérêt raisonnable. Dans ces conditions, les deux possibilités de financement suivantes sont considérées :

1. Une émission de débentures convertibles de 1 000 $, échéant dans 20 ans, au taux de coupon annuel de 12%. Le ratio de conversion serait de 50 et les débentures rachetables à 1 050 $ par la compagnie.

2. Une émission de débentures assorties de bons de souscription. Chaque débenture de 1 000 $ comporterait quatre bons de souscription et un bon de souscription permettrait d'acheter cinq actions ordinaires au prix unitaire de 30 $. Le taux de coupon annuel des débentures serait de 11%.

M. Beaulieu, fondateur et actionnaire principal de la compagnie, détient actuellement 70% des 500 000 actions ordinaires en circulation de la compagnie et n'envisage pas acheter de nouvelles débentures.

a) Si le premier mode de financement est retenu, quel pourcentage des actions de la compagnie M. Beaulieu détiendra-t-il après la conversion de toutes les débentures?

b) Si l'on opte plutôt pour le second mode de financement, quel pourcentage des actions de la compagnie M. Beaulieu détiendra-t-il après l'exercice de tous les bons de souscription?

10. La compagnie Belvédère inc. a en circulation 10 000 000 $ d'obligations dont les caractéristiques sont les suivantes :

- Taux de coupon : 12% (les intérêts sont payables annuellement)
- Remboursables par anticipation moyennant une prime de 7%
- Échéance : 20 ans.

L'entreprise peut se refinancer au moyen d'une nouvelle émission dont les caractéristiques seraient les suivantes :

- Taux de coupon : 11% (les intérêts sont payables annuellement)
- Échéance : 20 ans.

Les frais d'émission et de souscription sont évalués à 500 000 $ (avant impôt). Les deux émissions se chevaucheraient pendant un mois et l'on estime que le produit de la nouvelle émission pourrait être placé pour un mois au taux annuel de 8%. Belvédère inc. a payé, en moyenne, au cours des trois dernières années, un taux d'impôt de 40%. Actuellement, son taux d'imposition est de 35%. Son coût moyen pondéré du capital est évalué à 16%.

a) La compagnie devrait-elle se refinancer? Justifiez votre réponse.

b) Déterminez la valeur maximale du taux de coupon de la nouvelle émission afin que le refinancement s'avère intéressant.

11. TDX inc. a en circulation une émission d'actions privilégiées de 2 000 000 $ à un taux de dividende de 10%. Actuellement, des actions privilégiées de qualité comparable pourraient être émises à un taux de dividende de 9%. Les actions privilégiées actuellement en circulation sont rachetables à condition de verser une prime de rachat de 9%. Pour une nouvelle émission, on estime les frais d'émission et de souscription à 300 000 $ (avant impôt).

Les deux émissions se chevaucheraient pendant trois mois et le produit de la nouvelle émission serait placé pour trois mois dans des titres rapportant annuellement 8% (avant impôt). TDX inc. est imposée à 45%. Son coût de la dette avant impôt est de 10% et son coût moyen pondéré du capital de 15%.

a) TDX inc. a-t-elle avantage à se refinancer?

b) Déterminez la valeur maximale des frais d'émission et de souscription de la nouvelle émission afin que le refinancement soit attrayant.

12. La compagnie Ogivac inc. a la possibilité d'acheter un bien coûtant 70 000 $ qui, d'un point de vue fiscal, est amortissable au taux dégressif de 30%. La valeur résiduelle prévue au début de l'année 5 est nulle. Une autre possibilité qui s'offre à l'entreprise consiste à louer ce bien pour 4 ans en retour de loyers annuels de 23 000 $ exigibles en fin d'année (les économies d'impôt relatives aux loyers sont également réalisables en fin d'année). Si la compagnie achète le bien, elle contractera un emprunt bancaire de 70 000 $, à un taux annuel de 12%, en offrant le bien en garantie. Le remboursement de cet emprunt sera effectué au moyen d'une série de 4 versements uniformes de fin d'année. Le taux d'impôt de l'entreprise est de 40% et son coût du capital de 17%.

a) Quel mode de financement la compagnie devrait-elle retenir?

b) Si les loyers étaient exigibles en début d'année et les économies d'impôt relatives aux loyers réalisables en fin d'année, votre réponse serait-elle la même?

c) Refaites (a) en supposant que la valeur résiduelle du bien sera de 5 000 $ au début de l'année 5.

13. L'entreprise Omatec inc. envisage de louer ou d'acheter une nouvelle machine d'une valeur de 65 000 $ et qui est amortissable, pour fins fiscales, au taux dégressif de 20%. On peut en faire la location pour 5 ans, moyennant des loyers annuels de 19 000 $ exigibles au début de chaque année (les économies d'impôt relatives aux loyers sont réalisables en fin d'année). Si la compagnie décide d'acheter la machine, le financement nécessaire sera obtenu au moyen de deux emprunts. Un premier emprunt de 35 000 $ sera remboursé par un versement unique de 61 681,96 $ dans

5 ans. Un second emprunt, d'un montant de 30 000 $, sera remboursé au moyen d'une série de 5 versements de fin d'année de 8 738,51 $. On anticipe que la machine aura une valeur résiduelle de 4 000 $ au début de l'année 6. Le taux d'impôt de Omatec inc. est de 40% et son coût du capital de 16%.

a) Quel est le taux d'intérêt annuel de chacun des prêts?

b) Quel est le coût marginal de la dette après impôt de l'entreprise?

c) Quel mode de financement l'entreprise devrait-elle utiliser?

14. Dans le but d'assurer une meilleure gestion financière, la compagnie Toutvamal inc. vient de vous engager à titre d'adjoint au trésorier. Votre premier mandat consiste à déterminer s'il est préférable pour l'entreprise d'acheter ou de louer un nouvel ordinateur. À cette fin, vous avez rassemblé les renseignements suivants :

Achat financé par un emprunt :

1. Coût d'acquisition de l'ordinateur : 35 000 $
2. L'emprunt bancaire serait remboursé en 5 versements annuels égaux de fin de période. Le taux d'intérêt exigé par la banque est de 15%.
3. L'actif est amortissable, pour fins fiscales, au taux dégressif annuel de 30%. D'un point de vue comptable, on utilisera l'amortissement linéaire sur 5 ans.
4. Selon la directrice des services informatiques de la compagnie, la valeur résiduelle de l'ordinateur au début de l'année 6 devrait se situer aux environs de 5 000 $.
5. La revente de l'actif n'entraînera pas la fermeture de la catégorie.
6. La compagnie Infotek inc. offre un contrat d'entretien au coût annuel de 1 000 $. Ces frais sont payables en fin d'année et déductibles d'impôt à ce moment-là.

Location de l'actif :

1. Le loyer annuel exigé par le bailleur (la compagnie Infotek inc.) est de 9 500 $. Ce montant est payable en début d'année et déductible d'impôt en fin d'année.
2. Le contrat de location proposé par Infotek inc. est d'une durée de 5 ans. Il ne comporte aucune option d'achat et tient compte des frais d'entretien de l'actif.

Autres informations :

1. Le taux d'imposition actuel de Touvamal inc. est de 36%.
2. Le coût moyen pondéré du capital (après impôt) de Touvamal se situe actuellement aux environs de 16%. Il y a 2 ans, le coût moyen pondéré du capital (après impôt) de l'entreprise était d'environ 20%.

3. L'analyse de rentabilité effectuée par le trésorier a démontré que cet investissement est rentable. Il ne reste donc plus qu'à sélectionner le meilleur mode de financement.

   a) Que recommandez-vous à l'entreprise (l'achat financé par un emprunt ou la location du bien) si le taux d'actualisation utilisé est le coût de l'emprunt bancaire après impôt?

   b) Votre recommandation serait-elle la même si les flux monétaires résiduels (c'est-à-dire la valeur de revente prévue de l'actif et les pertes d'économies d'impôt) étaient actualisés au coût moyen pondéré du capital après impôt de l'entreprise?

   c) Comment pouvez-vous justifier l'utilisation d'un taux d'actualisation plus élevé pour les flux monétaires résiduels que celui utilisé pour les autres flux monétaires?

15. Choix multiples.

1. La valeur d'un bon de souscription est corrélée négativement avec :

   a) le niveau des taux d'intérêt;
   b) le prix d'exercice;
   c) la variabilité du prix de l'action;
   d) la valeur marchande de l'action;
   e) aucune de ces réponses.

2. Vous vous portez acquéreur d'une obligation convertible d'une valeur nominale de 1 000 $, rachetable par anticipation à 1 080 $. Le ratio de conversion est fixé à 40. Dans le cas d'un rachat, quel est le prix de l'action ordinaire pour lequel vous seriez indifférent entre le rachat et la conversion de l'obligation?

   a) 22 $
   b) 25 $
   c) 21 $
   d) 23 $
   e) 27 $
   f) 26 $

3. Une action privilégiée convertible se transige actuellement à 80 $. Elle rapporte à son détenteur un dividende trimestriel de 2 $. Le prochain dividende sera versé dans exactement trois mois. Le taux de rendement effectif annuel requis par le marché sur une action privilégiée du même genre non convertible est de 12%. Quelle est la valeur standard de cette action privilégiée convertible?

   a) 62,49 $
   b) 69,69 $
   c) 80 $
   d) 66,67 $
   e) 85 $

4. L'action ordinaire de la compagnie Mado inc. est actuellement cotée au prix P_0 à la Bourse de Toronto. La compagnie a actuellement en circulation des bons de souscription dont le prix d'exercice est E ($P_0 > E$) et qui permettent chacun d'acquérir 4 actions. Si le prix de l'action augmente de P_0 à P_1, quelle sera l'augmentation relative de la valeur intrinsèque du bon de souscription?

a) $(P_1 - P_0)/P_0$

b) $(P_1 - P_0)/(P_0 - E)$

c) $4(P_1 - P_0)/(P_0 - E)$

d) $4(P_1 - E)$

e) $P_1 - P_0$

f) $(P_1 - P_0)^2/(P_0 - E)$

Annexe 1 - Gestion financière avec Excel

Analyse de la décision achat-location

À partir des données de l'exemple de la section 10.7, nous montrons, dans un premier temps, comment calculer le coût relatif à l'achat (CRA) et le coût relatif à la location (CRL) à l'aide du tableur Excel. Par la suite, en utilisant la fonctionnalité *Valeur cible* dans le groupe *Analyse de scénarios* de l'onglet *Données*, nous illustrons la procédure à suivre pour calculer le montant du loyer annuel pour lequel l'avantage net de la location (ANL) est nul.

Calcul du coût relatif à l'achat (CRA) et du coût relatif à la location (CRL)

La feuille de calcul Excel utilisée pour déterminer le coût relatif à l'achat et le coût relatif à la location (CRL) est présentée ci-après. Nous indiquons, plus loin, les formules requises pour générer ces résultats.

	A	B
1	**Décision achat-location (exemple de la section 10.7)**	
2	**Calcul du coût relatif à l'achat**	
3	Montant du prêt	50 000,00 $
4	Coût d'acqustion de l'actif (C)	50 000,00 $
5	Taux d'amortissement fiscal dégressif (d)	0,30
6	Taux d'imposition marginal de l'entreprise (T)	0,40
7	Taux d'intérêt annuel de l'emprunt	0,12
8	Coût marginal de la dette après impôt (kd)	0,072
9	Facteur d'ajustement pour tenir compte de la règle du demi-taux	0,50
10	Valeur actualisée des économies d'impôt liées à l'amortissement fiscal	15 587,39 $
11	Valeur résiduelle de l'actif	6 000,00 $
12	Durée du projet, soit n années	4
13	Valeur résiduelle actualisée de l'actif	4 543,31 $
14	Somme soustraite à la classe	6 000,00 $
15	Valeur actualisée des pertes d'économies d'impôt liées à l'amortissement fiscal	1 465,58 $
16	Coût relatif à l'achat	31 334,89 $
17	**Calcul du coût relatif à la location**	
18	Montant du loyer annuel	15 000,00 $
19	Valeur actualisée des versements de loyers	54 221,34 $
20	Valeur actualisée des économies d'impôt liées aux loyers	20 231,84 $
21	Coût relatif à la location	33 989,50 $
22	**Avantage net de la location (ANL)**	-2 654,61 $
23	**L'achat est donc préférable à la location, car ANL est négatif.**	

	A	B	C	D	E	F
1	**Décision achat-location (exemple de la section 10.7)**					
2	**Calcul du coût relatif à l'achat**					
3	Montant du prêt	50 000,00 $				
4	Coût d'acquistion de l'actif (C)	50 000,00 $				
5	Taux d'amortissement fiscal dégressif (d)	0,30				
6	Taux d'imposition marginal de l'entreprise (T)	0,40				
7	Taux d'intérêt annuel de l'emprunt	0,12				
8	Coût marginal de la dette après impôt (kd)	=$B$7*(1-$B$6)				
9	Facteur d'ajustement pour tenir compte de la règle du demi-taux	0,50				
10	Valeur actualisée des économies d'impôt liées à l'amortissement fiscal	=(($B$4*$B$5*$B$6)*(1+($B$9)*($B$8))/(($B$8+$B$5)*(1+$B$8)))				
11	Valeur résiduelle de l'actif	6 000,00 $				
12	Durée du projet, soit n années	4				
13	Valeur résiduelle actualisée de l'actif	=$B$11*(1+$B$8)^-$B$12				
14	Somme soustraite à la classe	=MIN($B$11;$B$4)				
15	Valeur actualisée des pertes d'économies d'impôt liées à l'amortissement fiscal	=($B$14*$B$5*$B$6)/(($B$8+$B$5))*(1+$B$8)^-$B$12				
16	Coût relatif à l'achat	=$B$3-$B$10-$B$13+$B$15				
17	**Calcul du coût relatif à la location**					
18	Montant du loyer annuel	15 000,00 $				
19	Valeur actualisée des versements de loyers	=VA($B$8;$B$12;-$B$18;0;1)				
20	Valeur actualisée des économies d'impôt liées aux loyers	=VA($B$8;$B$12;-$B$18*$B$6)				
21	Coût relatif à la location	=$B$19-$B$20				
22	**Avantage net de la location (ANL)**	=$B$16-$B$21				
23	**L'achat est donc préférable à la location, car ANL est négatif.**					

Il est à noter que pour obtenir la « valeur actualisée des versements de loyers » (cellule B19) et la valeur actualisée des économies d'impôt liées aux loyers (cellule B20), nous avons eu recours à la fonction financière VA de Excel. La procédure à suivre est expliquée ci-après.

Fonction financière VA

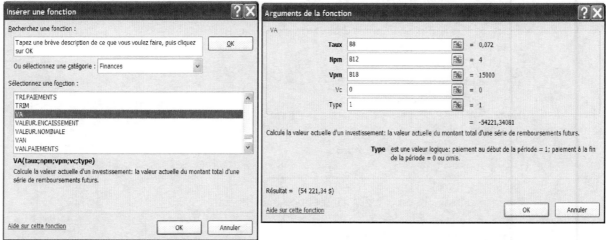

	A	B
17	**Calcul du coût relatif à la location**	
18	Montant du loyer annuel	15 000,00 $
19	Valeur actualisée des versements de loyers	54 221,34 $

B19 | f_x =VA($B$8;$B$12;-$B$18;0;1)

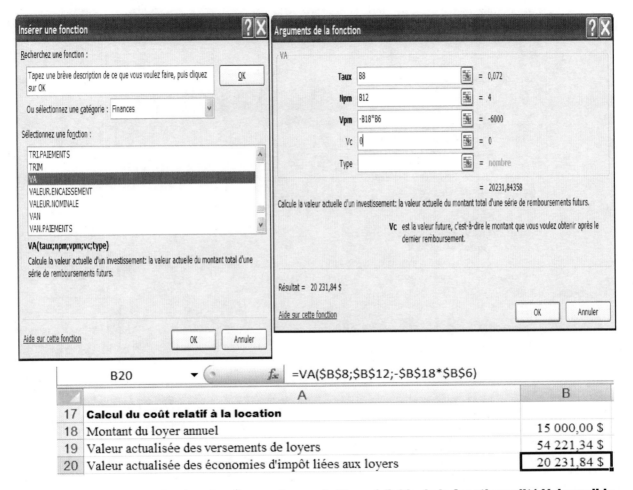

B20		=VA($B$8;$B$12;-$B$18*$B$6)

	A	B
17	**Calcul du coût relatif à la location**	
18	Montant du loyer annuel	15 000,00 $
19	Valeur actualisée des versements de loyers	54 221,34 $
20	Valeur actualisée des économies d'impôt liées aux loyers	20 231,84 $

Recherche d'une valeur spécifique à l'aide de la fonctionnalité Valeur cible

La fonctionnalité *Valeur cible* permet de spécifier un résultat pour une cellule contenant une formule (la cible ici, c'est ANL) ainsi qu'une cellule d'entrée qui doit être modifiée (dans cet exemple, cette cellule correspond au montant du loyer annuel) pour que la cellule cible atteigne le résultat souhaité.

Étapes à suivre

1. Sélectionnez la cellule cible B22 (cellule qui contient la formule servant au calcul de ANL).
2. Sélectionnez l'onglet *Données*, cliquez sur *Analyse de scénarios* et choisissez dans le menu déroulant *Valeur cible*. La boîte de dialogue s'affiche alors à l'écran. À noter que la zone *Cellule à définir* contient la cellule sélectionnée en 1.
3. Dans la zone *Valeur à atteindre*, entrez la valeur que vous souhaitez atteindre. Dans notre exemple, on veut que le ANL soit nul. Donc, il faut taper 0.
4. Dans la zone *Cellule à modifier*, sélectionnez la référence de la cellule d'entrée (ici, c'est la cellule contenant la valeur du montant du loyer annuel, soit B18).
5. Cliquez sur OK.

	A	B
1	**Calcul du montant du loyer annuel qui rend ANL = 0**	
2	**Calcul du coût relatif à la location**	
3	Montant du prêt	50 000,00 $
4	Coût d'acquistion de l'actif (C)	50 000,00 $
5	Taux d'amortissement fiscal dégressif (d)	0,30
6	Taux d'imposition marginal de l'entreprise (T)	0,40
7	Taux d'intérêt annuel de l'emprunt	0,12
8	Coût marginal de la dette après impôt (kd)	0,072
9	Facteur d'ajustement pour tenir compte de	0,50
10	Valeur actualisée des économies d'impôt lié	15 587,39 $
11	Valeur résiduelle de l'actif	6 000,00 $
12	Durée du projet, soit n années	4
13	Valeur résiduelle actualisée de l'actif	4 543,31 $
14	Somme soustraite à la classe	6 000,00 $
15	Valeur actualisée des pertes d'économies d'impôt liées à l'amortissement fiscal	1 465,58 $
16	Coût relatif à l'achat	31 334,89 $
17	**Calcul du coût relatif à la location**	
18	Montant du loyer annuel	15 000,00 $
19	Valeur actualisée des versements de loyers	54 221,34 $
20	Valeur actualisée des économies d'impôt liées aux loyers	20 231,84 $
21	Coût relatif à la location	33 989,50 $
22	**Avantage net de la location (ANL)**	-2 654,61 $

Boîte de dialogue « Valeur cible » :
Cellule à définir : B22
Valeur à atteindre : 0
Cellule à modifier : $B$18
OK   Annuler

La fonctionnalité *Valeur cible* se met à substituer les valeurs d'entrée dans la cellule B18 pour atteindre la valeur cible la plus proche que vous avez demandée. Une fois que *Valeur cible* a trouvé une solution, cliquez sur OK pour remplacer les valeurs dans la feuille de calcul d'origine par les nouvelles valeurs. Si vous voulez arrêter le processus d'itérations, cliquez sur *Annuler*. Les résultats obtenus sont présentés ci-après.

	A	B
1	**Calcul du montant du loyer annuel qui rend ANL = 0**	
2	**Calcul du coût relatif à la location**	
3	Montant du prêt	50 000,00 $
4	Coût d'acquistion de l'actif (C)	50 000,00 $
5	Taux d'amortissement fiscal dégressif (d)	0,30
6	Taux d'imposition marginal de l'e	0,40
7	Taux d'intérêt annuel de l'empru	0,12
8	Coût marginal de la dette après	0,072
9	Facteur d'ajustement pour tenir	0,50
10	Valeur actualisée des économies	15 587,39 $
11	Valeur résiduelle de l'actif	6 000,00 $
12	Durée du projet, soit n années	4
13	Valeur résiduelle actualisée de l'	4 543,31 $
14	Somme soustraite à la classe	6 000,00 $
15	Valeur actualisée des pertes d'économies d'impôt liées à l'amortissement fiscal	1 465,58 $
16	Coût relatif à l'achat	31 334,89 $
17	**Calcul du coût relatif à la location**	
18	Montant du loyer annuel	13 828,49 $
19	Valeur actualisée des versements de loyers	49 986,61 $
20	Valeur actualisée des économies d'impôt liées aux loyers	18 651,72 $
21	Coût relatif à la location	31 334,89 $
22	**Avantage net de la location (ANL)**	0,00 $

Boîte de dialogue « État de la recherche » :
Recherche sur la cellule B22 a trouvé une solution.
Valeur cible : 0
Valeur actuelle : 0,00 $
Pas à pas   Pause   OK   Annuler

	A	B
1	**Calcul du montant du loyer annuel qui rend ANL = 0**	
2	**Calcul du coût relatif à la location**	
3	Montant du prêt	50 000,00 $
4	Coût d'acquistion de l'actif (C)	50 000,00 $
5	Taux d'amortissement fiscal dégressif (d)	0,30
6	Taux d'imposition marginal de l'entreprise (T)	0,40
7	Taux d'intérêt annuel de l'emprunt	0,12
8	Coût marginal de la dette après impôt (kd)	0,072
9	Facteur d'ajustement pour tenir compte de la règle du demi-taux	0,50
10	Valeur actualisée des économies d'impôt liées à l'amortissement fiscal	15 587,39 $
11	Valeur résiduelle de l'actif	6 000,00 $
12	Durée du projet, soit n années	4
13	Valeur résiduelle actualisée de l'actif	4 543,31 $
14	Somme soustraite à la classe	6 000,00 $
15	Valeur actualisée des pertes d'économies d'impôt liées à l'amortissement fiscal	1 465,58 $
16	Coût relatif à l'achat	31 334,89 $
17	**Calcul du coût relatif à la location**	
18	Montant du loyer annuel	13 828,49 $
19	Valeur actualisée des versements de loyers	49 986,61 $
20	Valeur actualisée des économies d'impôt liées aux loyers	18 651,72 $
21	Coût relatif à la location	31 334,89 $
22	**Avantage net de la location (ANL)**	0,00 $

Annexe 2 - Gestion financière avec Excel

Analyse de la décision de refinancement

En utilisant les données de l'exemple de la section 10.8, nous montrons, dans un premier temps, comment calculer la valeur actualisée nette (VAN) d'un refinancement à l'aide du tableur Excel. Par la suite, en sélectionnant la fonctionnalité *Valeur cible* dans le groupe *Analyse de scénarios* de l'onglet *Données*, nous indiquons la procédure à suivre pour déterminer la valeur du taux de coupon de la nouvelle émission d'obligations qui rend la VAN nulle. Enfin, nous dressons un tableau montrant la valeur de la VAN pour différentes valeurs du taux de coupon de la nouvelle émission d'obligations. Le profil de la VAN en fonction du taux est également présenté sous forme graphique.

Calcul de la VAN d'un refinancement d'obligations

La feuille de calcul Excel utilisée pour déterminer la VAN d'un refinancement d'obligations ainsi que les formules requises pour aboutir à ces résultats sont présentées ci-après.

	A	B
1	**Calcul de la VAN d'un refinancement d'obligations**	
2	**Calcul de la valeur actualisée des différents coûts associés au refinancement**	
3	Frais d'émission	200 000,00 $
4	Taux d'imposition de l'entreprise	0,40
5	Taux d'amortissement fiscal linéaire	0,20
6	Période d'amortissement des frais d'émission	5
7	Taux de coupon annuel de la nouvelle émission	0,09
8	Taux de coupon annuel de la vieille émission	0,11
9	Taux d'actualisation	0,054
10	Valeur actualisée des économies d'impôt liées aux frais d'émission	68 512,32 $
11	Prime de rachat	600 000,00 $
12	Montant de l'émission	10 000 000,00 $
13	Période de chevauchement des deux émissions (en mois)	2
14	Nombre de mois dans une année	12
15	Taux de rendement annuel sur le produit de la nouvelle émission	0,07
16	Intérêts après impôt sur le vieille émission pendant la période de chevauchement des deux émissions	110 000,00 $
17	Revenus d'intérêts nets d'impôt liés au placement du produit de la nouvelle émission pendant deux mois	70 000,00 $
18	Valeur actualisée des coûts du refinancement	771 487,68 $
19	**Calcul de la valeur actualisée des économies d'intérêt après impôt**	
20	Échéance des obligations actuellement en circulation (en années)	10
21	Valeur actualisée des économies d'intérêt après impôt	908 869,50 $
22	**Calcul de la VAN**	
23	**Valeur actualisée nette (VAN) du refinancement**	137 381,82 $

Formules requises

	A	B
1	**Calcul de la VAN d'un refinancement d'obligations**	
2	**Calcul de la valeur actualisée des différents coûts associés au refinancement**	
3	Frais d'émission	200 000,00 $
4	Taux d'imposition de l'entreprise	0,40
5	Taux d'amortissement fiscal linéaire	0,20
6	Période d'amortissement des frais d'émission	5
7	Taux de coupon annuel de la nouvelle émission	0,09
8	Taux de coupon annuel de la vieille émission	0,11
9	Taux d'actualisation	=$B$7*(1-$B$4)
10	Valeur actualisée des économies d'impôt liées aux frais d'émission	=VA($B$9;$B$6;-$B$3*$B$4*$B$5)
11	Prime de rachat	600 000,00 $
12	Montant de l'émission	10 000 000,00 $
13	Période de chevauchement des deux émissions (en mois)	2
14	Nombre de mois dans une année	12
15	Taux de rendement annuel sur le produit de la nouvelle émission	0,07
16	Intérêts après impôt sur le vieille émission pendant la période de chevauchement des deux émissions	=$B$12*$B$8*($B$13/$B$14)*(1-$B$4)
17	Revenus d'intérêts nets d'impôt liés au placement du produit de la nouvelle émission pendant deux mois	=$B12*$B$15*($B$13/$B$14)*(1-$B$4)
18	Valeur actualisée des coûts du refinancement	=B3-B10+B11+B16-B17
19	**Calcul de la valeur actualisée des économies d'intérêt après impôt**	
20	Échéance des obligations actuellement en circulation (en années)	10
21	Valeur actualisée des économies d'intérêt après impôt	=VA($B$9;$B$20;-($B$8-$B$7)*$B$12*(1-$B$4))
22	**Calcul de la VAN**	
23	**Valeur actualisée nette (VAN) du refinancement**	=B21-B18

Recherche d'une valeur spécifique à l'aide de la fonctionnalité Valeur cible

	A	B
2	**Calcul de la valeur actualisée des différents coûts associés au refinancement**	
3	Frais d'émission	200 000,00 $
4	Taux d'imposition de l'entreprise	0,40
5	Taux d'amortissement fiscal linéaire	0,20
6	Période d'amortissement des frais d'émission	5
7	Taux de coupon annuel de la nouvelle émission	0,09
8	Taux de coupon annuel de la vieille émission	0,11
9	Taux d'actualisation	0,054
10	Valeur actualisée des économies d'impôt liées au	68 512,32 $
11	Prime de rachat	600 000,00 $
12	Montant de l'émission	10 000 000,00 $
13	Période de chevauchement des deux émissions (e	2
14	Nombre de mois dans une année	12
15	Taux de rendement annuel sur le produit de la nouvelle émission	0,07
16	Intérêts après impôt sur le vieille émission pendant la période de chevauchement des deux émissions	110 000,00 $
17	Revenus d'intérêts nets d'impôt liés au placement du produit de la nouvelle émission pendant deux mois	70 000,00 $
18	Valeur actualisée des coûts du refinancement	771 487,68 $
19	**Calcul de la valeur actualisée des économies d'intérêt après impôt**	
20	Échéance des obligations actuellement en circulation (en années)	10
21	Valeur actualisée des économies d'intérêt après impôt	908 869,50 $
22	**Calcul de la VAN**	
23	**Valeur actualisée nette (VAN) du refinancement**	137 381,82 $

Boîte de dialogue « Valeur cible » :
- Cellule à définir : B23
- Valeur à atteindre : 0
- Cellule à modifier : $B$7
- OK / Annuler

	A	B
1	**Calcul de la VAN d'un refinancement d'obligations**	
2	**Calcul de la valeur actualisée des différents coûts associés au refinancement**	
3	Frais d'émission	200 000,00 $
4	Taux d'imposition de l'entreprise	0,40
5	Taux d'amortissement fiscal linéaire	0,20
6	Période d'amortissement des frais d'émission	5
7	Taux de coupon annuel de la nouvelle émission	0,092874868
8	Taux de coupon annuel de la vieille émission	0,11
9	Taux d'actualisation	0,055724921
10	Valeur actualisée des économies d'impôt liées au	68 188,94 $
11	Prime de rachat	600 000,00 $
12	Montant de l'émission	10 000 000,00 $
13	Période de chevauchement des deux émissions (e	2
14	Nombre de mois dans une année	12
15	Taux de rendement annuel sur le produit de la nouvelle émission	0,07
16	Intérêts après impôt sur le vieille émission pendant la période de chevauchement des deux émissions	110 000,00 $
17	Revenus d'intérêts nets d'impôt liés au placement du produit de la nouvelle émission pendant deux mois	70 000,00 $
18	Valeur actualisée des coûts du refinancement	771 811,06 $
19	**Calcul de la valeur actualisée des économies d'intérêt après impôt**	
20	Échéance des obligations actuellement en circulation (en années)	10
21	Valeur actualisée des économies d'intérêt après impôt	771 811,06 $
22	**Calcul de la VAN**	
23	**Valeur actualisée nette (VAN) du refinancement**	0,00 $

Boîte de dialogue « État de la recherche » :
- Recherche sur la cellule B23 a trouvé une solution.
- Valeur cible : 0
- Valeur actuelle : 0,00 $
- Pas à pas / Pause / OK / Annuler

	A	B
1	**Calcul de la VAN d'un refinancement d'obligations**	
2	**Calcul de la valeur actualisée des différents coûts associés au refinancement**	
3	Frais d'émission	200 000,00 $
4	Taux d'imposition de l'entreprise	0,40
5	Taux d'amortissement fiscal linéaire	0,20
6	Période d'amortissement des frais d'émission	5
7	Taux de coupon annuel de la nouvelle émission	0,092874868
8	Taux de coupon annuel de la vieille émission	0,11
9	Taux d'actualisation	0,055724921
10	Valeur actualisée des économies d'impôt liées aux frais d'émission	68 188,94 $
11	Prime de rachat	600 000,00 $
12	Montant de l'émission	10 000 000,00 $
13	Période de chevauchement des deux émissions (en mois)	2
14	Nombre de mois dans une année	12
15	Taux de rendement annuel sur le produit de la nouvelle émission	0,07
16	Intérêts après impôt sur le vieille émission pendant la période de chevauchement des deux émissions	110 000,00 $
17	Revenus d'intérêts nets d'impôt liés au placement du produit de la nouvelle émission pendant deux mois	70 000,00 $
18	Valeur actualisée des coûts du refinancement	771 811,06 $
19	**Calcul de la valeur actualisée des économies d'intérêt après impôt**	
20	Échéance des obligations actuellement en circulation (en années)	10
21	Valeur actualisée des économies d'intérêt après impôt	771 811,06 $
22	**Calcul de la VAN**	
23	**Valeur actualisée nette (VAN) du refinancement**	0,00 $

Évolution de la VAN en fonction du taux de coupon de la nouvelle émission d'obligations

	A	B	C	D	E	F	G	H	I	J	K
1	**Calcul de la VAN du refinancement pour divers taux de coupon de la nouvelle émission**										
2	Frais d'émission	Taux d'imposition de l'entreprise	Taux d'amortissement fiscal linéaire	Période d'amortissement des frais d'émission	Taux de coupon annuel de la nouvelle émission	Taux de coupon annuel de la vieille émission	Taux d'actualisation	Valeur actualisée des économies d'impôt liées aux frais d'émission	Prime de rachat	Montant de l'émission	Période de chevauchement des deux émissions (en mois)
3	200 000,00 $	0,40	0,20	5	0,050	0,11	0,03	73 275,31 $	600 000,00 $	10 000 000,00 $	2
4	200 000,00 $	0,40	0,20	5	0,055	0,11	0,033	72 651,86 $	600 000,00 $	10 000 000,00 $	2
5	200 000,00 $	0,40	0,20	5	0,060	0,11	0,036	72 036,70 $	600 000,00 $	10 000 000,00 $	2
6	200 000,00 $	0,40	0,20	5	0,065	0,11	0,039	71 429,70 $	600 000,00 $	10 000 000,00 $	2
7	200 000,00 $	0,40	0,20	5	0,070	0,11	0,042	70 830,72 $	600 000,00 $	10 000 000,00 $	2
8	200 000,00 $	0,40	0,20	5	0,075	0,11	0,045	70 239,63 $	600 000,00 $	10 000 000,00 $	2
9	200 000,00 $	0,40	0,20	5	0,080	0,11	0,048	69 656,28 $	600 000,00 $	10 000 000,00 $	2
10	200 000,00 $	0,40	0,20	5	0,085	0,11	0,051	69 080,56 $	600 000,00 $	10 000 000,00 $	2
11	200 000,00 $	0,40	0,20	5	0,090	0,11	0,054	68 512,32 $	600 000,00 $	10 000 000,00 $	2
12	200 000,00 $	0,40	0,20	5	0,095	0,11	0,057	67 951,45 $	600 000,00 $	10 000 000,00 $	2
13	200 000,00 $	0,40	0,20	5	0,100	0,11	0,06	67 397,82 $	600 000,00 $	10 000 000,00 $	2
14	200 000,00 $	0,40	0,20	5	0,105	0,11	0,063	66 851,31 $	600 000,00 $	10 000 000,00 $	2
15	200 000,00 $	0,40	0,20	5	0,110	0,11	0,066	66 311,81 $	600 000,00 $	10 000 000,00 $	2
16	200 000,00 $	0,40	0,20	5	0,115	0,11	0,069	65 779,19 $	600 000,00 $	10 000 000,00 $	2
17	200 000,00 $	0,40	0,20	5	0,120	0,11	0,072	65 253,34 $	600 000,00 $	10 000 000,00 $	2
18	200 000,00 $	0,40	0,20	5	0,125	0,11	0,075	64 734,16 $	600 000,00 $	10 000 000,00 $	2
19	200 000,00 $	0,40	0,20	5	0,130	0,11	0,078	64 221,53 $	600 000,00 $	10 000 000,00 $	2
20	200 000,00 $	0,40	0,20	5	0,135	0,11	0,081	63 715,34 $	600 000,00 $	10 000 000,00 $	2

	L	M	N	O	P	Q	R	S
1								
2	Nombre de mois dans une année	Taux de rendement annuel sur le produit de la nouvelle émission	Intérêts après impôt sur la vieille émission pendant la période de chevauchement des deux émissions	Revenus d'intérêts nets d'impôt liés au placement du produit de la nouvelle émission pendant deux mois	Valeur actualisée des coûts du refinancement	Échéance des obligations actuellement en circulation (en années)	Valeur actualisée des économies d'intérêt après impôt	Valeur actualisée nette (VAN) du refinancement
3	12	0,07	110000	70000	766 724,69 $	10	3 070 873,02 $	2 304 148,34 $
4	12	0,07	110000	70000	767 348,14 $	10	2 772 355,47 $	2 005 007,33 $
5	12	0,07	110000	70000	767 963,30 $	10	2 482 453,21 $	1 714 489,91 $
6	12	0,07	110000	70000	768 570,30 $	10	2 200 884,48 $	1 432 314,18 $
7	12	0,07	110000	70000	769 169,28 $	10	1 927 377,65 $	1 158 208,37 $
8	12	0,07	110000	70000	769 760,37 $	10	1 661 670,82 $	891 910,45 $
9	12	0,07	110000	70000	770 343,72 $	10	1 403 511,44 $	633 167,72 $
10	12	0,07	110000	70000	770 919,44 $	10	1 152 655,97 $	381 736,53 $
11	12	0,07	110000	70000	771 487,68 $	10	908 869,50 $	137 381,82 $
12	12	0,07	110000	70000	772 048,55 $	10	671 925,45 $	(100 123,10 $)
13	12	0,07	110000	70000	772 602,18 $	10	441 605,22 $	(330 996,96 $)
14	12	0,07	110000	70000	773 148,69 $	10	217 697,91 $	(555 450,78 $)
15	12	0,07	110000	70000	773 688,19 $	10	0,00 $	(773 688,19 $)
16	12	0,07	110000	70000	774 220,81 $	10	(211 684,90 $)	(985 905,71 $)
17	12	0,07	110000	70000	774 746,66 $	10	(417 546,34 $)	(1 192 293,00 $)
18	12	0,07	110000	70000	775 265,84 $	10	(617 767,29 $)	(1 393 033,13 $)
19	12	0,07	110000	70000	775 778,47 $	10	(812 524,37 $)	(1 588 302,84 $)
20	12	0,07	110000	70000	776 284,66 $	10	(1 001 988,11 $)	(1 778 272,77 $)

À partir des données du tableau précédent (colonnes E et S), nous avons présenté l'évolution de la VAN du refinancement en fonction du taux de coupon de la nouvelle émission d'obligations. Pour créer cette courbe, nous devons sélectionner l'onglet *Insertion* et choisir le type de graphiques (nous avons choisi *Nuage de points avec courbes lissées*). Le graphique obtenu est montré ci-dessous.

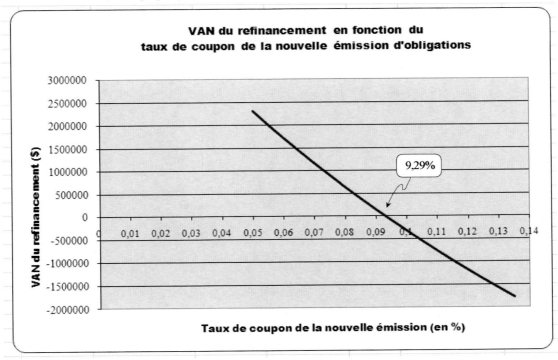

Chapitre 11
Le coût du capital

Lorsque vous aurez complété l'étude du chapitre 11,

1. vous saurez que le coût moyen pondéré du capital ne peut être utilisé dans le calcul de la VAN d'un projet que lorsque celui-ci présente un degré de risque comparable aux activités habituelles de l'entreprise;

2. vous serez sensibilisé au fait qu'il faut éviter d'évaluer la rentabilité d'un projet d'investissement en tenant compte de sa source de financement spécifique;

3. vous connaîtrez les principales hypothèses sous-jacentes au calcul du coût moyen pondéré du capital;

4. vous serez capable de calculer le coût de chacune des sources de financement à long terme de l'entreprise (dette, actions privilégiées, actions ordinaires et bénéfices non répartis);

5. vous serez en mesure d'estimer le coût moyen pondéré du capital d'une entreprise et d'interpréter le résultat obtenu;

6. vous saurez dans quel contexte il convient d'utiliser le coût d'une nouvelle émission d'actions ordinaires (k_e), plutôt que le coût des bénéfices non répartis (k_b), dans le calcul du coût du capital;

7. vous connaîtrez les principales variables qui exercent une influence sur le coût du capital d'une entreprise;

8. vous serez capable, à partir d'un graphique illustrant le comportement du coût du capital de l'entreprise en fonction de ses besoins de financement et de ses différentes occasions d'investissement, d'établir le budget optimal des investissements;

9. vous serez en mesure d'évaluer le coût du capital d'une division d'une entreprise;

10. vous serez sensibilisé aux problèmes que pose l'estimation du coût du capital dans un contexte pratique.

11.1 Introduction

Coût moyen pondéré du capital
Taux de rendement exigé par les pourvoyeurs de capitaux supplémentaires de l'entreprise (créanciers et actionnaires) pour financer ses projets d'investissement

De façon générale, les sources de financement utilisées par les entreprises sont multiples (dette, actions privilégiées, actions ordinaires, etc.). Le coût du capital de l'entreprise reflète simplement le taux de rendement requis (ajusté pour tenir compte de l'impôt et des frais d'émission des titres), en moyenne, par ses pourvoyeurs de capitaux additionnels.

Le coût du capital d'un projet d'investissement peut être défini de plusieurs façons. Dans la littérature financière, ce taux d'actualisation est souvent défini comme étant le taux de rendement minimum à exiger sur le projet de telle façon que la valeur au marché des actions de l'entreprise reste inchangée. Ainsi, l'acceptation d'un projet dont le taux de rendement excède le coût du capital a pour effet d'augmenter la richesse des actionnaires. De même, l'acceptation d'un projet dont le taux de rendement est inférieur au coût du capital a pour conséquence de diminuer la richesse des actionnaires. Dans ces conditions, on constate que l'estimation du coût du capital est d'une importance primordiale.

En plus de jouer un rôle décisif dans l'analyse de la rentabilité des investissements à long terme, d'autres décisions financières, telles la décision achat-location, peuvent nécessiter l'estimation du coût du capital. Pour l'établissement des tarifs des firmes opérant dans les secteurs réglementés (téléphonie, transports, etc.), la mesure du coût du capital revêt également une très grande importance. Dans ce contexte particulier, les agences de réglementation établissent d'abord le coût du capital de l'entreprise pour, par la suite, fixer les tarifs de telle façon qu'elle soit en mesure de payer ses différentes dépenses d'exploitation et procurer à ses pourvoyeurs de capitaux un rendement raisonnable compte tenu du niveau de risque qu'ils supportent. Si l'estimation du coût du capital est trop basse, la compagnie ne sera pas en mesure d'amasser les fonds nécessaires à son développement et, par conséquent, de satisfaire les besoins à long terme de ses clients. Par ailleurs, si la valeur estimée est trop haute, les consommateurs paieront un prix trop élevé pour les services offerts par la compagnie. Enfin, notons que le calcul du coût du capital du capital s'avère nécessaire pour apprécier la performance économique des gestionnaires de l'entreprise à l'aide de la valeur ajoutée économique[1] (VAE).

La majeure partie de ce chapitre porte sur l'estimation du coût du capital d'une entreprise considérée dans son ensemble. À cette fin, nous montrons comment estimer le coût de chacune des sources de financement à long terme de l'entreprise (dette, actions privilégiées, actions ordinaires, etc.) et la part que représente chacune de ces sources dans son financement. Le coût du capital ainsi calculé convient pour évaluer la rentabilité des projets d'investissement comportant un degré de risque comparable à celui des activités habituelles de l'entreprise. De plus, vers la fin du chapitre (section 11.9), nous proposons une approche pour mesurer le coût du capital des projets d'investissement présentant un niveau de risque différent du risque global de l'entreprise.

11.2 La logique sous-jacente au concept du coût moyen pondéré du capital

Supposons la situation suivante. Une entreprise, dont le coût de la dette (après impôt) est de 8% et le coût d'une nouvelle émission d'actions ordinaires de 16%, décide de financer ses investissements de l'année qui vient (rapportant 11%) par l'entremise d'un emprunt. Dans ces conditions, doit-on utiliser un taux de 8% pour actualiser les flux monétaires des investissements envisagés? La réponse à cette question est négative. En effet, en finançant plusieurs investissements par dette, l'entreprise utilise une partie de sa capacité d'emprunt. Lorsqu'elle prendra de l'expansion, elle devra probablement financer ses investissements par fonds propres dans le but d'éviter que son ratio d'endettement ne devienne excessif. Si, par exemple, l'année suivante l'entreprise se finance par actions ordinaires à un coût de 16%, elle devra rejeter des investissements rapportant 14% (ce qui est supérieur au taux de rendement des investissements

---

[1] La valeur ajoutée économique représente la différence entre le rendement des capitaux investis (ROI) par l'entreprise et son coût moyen pondéré du capital multipliée par le montant des capitaux investis. La notion de valeur ajoutée économique est discutée en détail dans notre ouvrage « Analyse financière et gestion du fonds de roulement », 2e édition, publié chez le même éditeur.

de la première année). Pour contourner cette difficulté, il est préférable d'utiliser comme taux d'actualisation le coût moyen pondéré du capital, c'est-à-dire un taux qui reflète la façon dont l'entreprise se finance dans une perspective à long terme et ce, peu importe le mode de financement spécifique retenu pour financer un investissement donné. Il faut donc éviter de comparer le taux de rendement d'un investissement avec le coût de sa source de financement immédiate.

11.3 Hypothèses fondamentales

Afin que l'on puisse utiliser comme taux d'actualisation dans le calcul de la VAN d'un projet le coût moyen pondéré du capital de l'entreprise, il faut que plusieurs hypothèses soient satisfaites. Les principales hypothèses en cause sont énumérées ci-dessous :

1. Le risque d'exploitation du projet doit être similaire à celui découlant des opérations normales de l'entreprise.

2. Le projet doit être financé en utilisant les mêmes modes de financement que l'entreprise et dans les mêmes proportions.

3. L'entreprise doit maintenir constante sa politique de dividende.

4. L'entreprise ne doit pas opérer dans des conditions de rationnement du capital.

Que faire lorsque le risque du projet à l'étude diffère du risque des opérations habituelles de l'entreprise? Dans ces conditions, on doit utiliser un taux d'actualisation qui tient compte du risque spécifique du projet. Ainsi, pour un projet moins risqué que les activités habituelles de l'entreprise, le taux d'actualisation approprié sera moins élevé que le coût du capital de l'entreprise. Inversement, pour un projet plus risqué que les opérations normales de l'entreprise, le taux d'actualisation utilisé devrait normalement, selon la relation risque-rendement, excéder le coût du capital de l'entreprise (voir, sur cette question, le chapitre 8 ainsi que la section 11.9 du présent chapitre).

11.4 Coût des diverses sources de financement à long terme

11.4.1 Coût de la dette

Pour combler ses besoins de financement, une entreprise peut emprunter de diverses façons. Ainsi, elle peut notamment émettre des obligations ou des débentures, contracter un prêt à terme auprès d'une banque ou d'une autre institution financière ou encore signer un contrat de location. Dans ce qui suit, nous abordons le calcul du coût du financement par dette à long terme lorsque celle-ci est sous la forme d'un emprunt bancaire remboursable par des versements périodiques uniformes ou d'obligations[2].

---

[2] Le financement par location a été décrit au chapitre précédent.

Coût d'un emprunt bancaire

• • • •
Coût d'un emprunt bancaire
Taux de rendement effectif exigé par la banque sur de nouveaux emprunts ajusté pour tenir compte du fait que l'entreprise peut déduire la dépense d'intérêt pour fins fiscales

Le coût du financement par emprunt bancaire correspond au taux de rendement effectif annuel actuellement exigé par la banque pour avancer des fonds additionnels à l'entreprise. Bien entendu, ce taux doit être ajusté pour tenir compte du fait que l'entreprise peut déduire pour fins fiscales ses charges d'intérêt et ainsi réduire substantiellement le coût de cette source de financement. Pour illustrer le calcul du coût d'un emprunt remboursable par une série de versements périodiques uniformes, analysons l'exemple suivant.

Exemple 11.1 | **Calcul du coût du financement par emprunt bancaire**

L'entreprise KSW inc. emprunte 100 000 $ à une banque. Cet emprunt est remboursable par une série de 60 versements mensuels égaux de fin de période de 2 100 $. Sachant que KSW inc. est imposée à 40%, quel est le coût de cette source de financement?

Solution

Le montant du prêt correspond à la valeur actualisée des 60 versements mensuels que devra effectuer KSW inc. pour le rembourser. On peut donc écrire :

$$100\ 000 = 2100\,\mathrm{A}_{\overline{60}|i}$$

À l'aide de la calculatrice financière SHARP EL-738, la valeur de i se calcule comme suit :

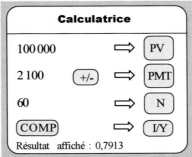

Le coût mensuel de l'emprunt avant impôt s'élève donc à 0,7913%. Par la suite, il s'agit de calculer le taux effectif annuel (r) équivalent. On obtient alors :

$$r = (1 + 0,007913)^{12} - 1 = 9,92\%$$

Finalement, le coût de la dette après impôt (k_d) se calcule à l'aide de l'expression suivante :

$$k_d = r(1 - T) \tag{11.1}$$

où r : Coût de la dette avant impôt

T : Taux d'imposition marginal de l'entreprise.

En effectuant les substitutions appropriées, on trouve :

$$k_d = 0,0992\,(1 - 0,40) = 5,95\%$$

Coût des obligations

Le coût de cette source de financement est le taux d'actualisation pour lequel le montant net par obligation que reçoit l'entreprise suite à une nouvelle émission correspond à la valeur actualisée des déboursés nets d'impôt qu'elle devra effectuer par la suite pour rembourser sa dette. Il s'agit en fait d'un taux de rendement interne (TRI) qui doit satisfaire l'égalité suivante :

$$PN_d = C(1-T)A_{\overline{n}|i} + VN(1+i)^{-n} \tag{11.2}$$

où PN_d : Produit net de l'émission par obligation. Le produit net de l'émission égale le produit brut de l'émission (P_b) moins les frais d'émission et de souscription après impôt. En posant l'hypothèse simplificatrice que les frais d'émission et de souscription (F) sont entièrement déductibles d'impôt au moment où l'émission est effectuée, le produit net de l'émission peut alors se calculer ainsi :

PN_d = Prix de vente d'une obligation aux investisseurs

− Frais d'émission et de souscription après impôt exprimés en dollars

= P_b − F(1 − T)

C : Coupon d'intérêt périodique - habituellement semestriel - à verser aux investisseurs

T : Taux d'imposition marginal de l'entreprise

$A_{\overline{n}|i}$: Valeur actualisée d'une annuité simple de fin de période de 1 $ comportant au total n versements périodiques

i : Coût périodique - habituellement semestriel - du financement par dette

n : Nombre de versements d'intérêt que devra effectuer l'entreprise d'ici la date d'échéance des obligations

VN : Valeur nominale de l'obligation.

Les flux monétaires en cause (rentrées et sorties de fonds) sont représentés à la figure 11.1.

Figure 11.1 | **Rentrées et sorties de fonds relatives à une émission d'obligations**

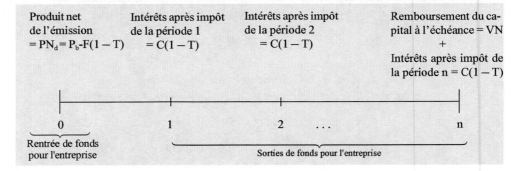

| Produit net de l'émission = PN_d = P_b-F(1 − T) | Intérêts après impôt de la période 1 = C(1 − T) | Intérêts après impôt de la période 2 = C(1 − T) | Remboursement du capital à l'échéance = VN + Intérêts après impôt de la période n = C(1 − T) |

0   1   2   . . .   n

Rentrée de fonds pour l'entreprise

Sorties de fonds pour l'entreprise

Une fois que l'on a calculé - de préférence à l'aide d'une calculatrice financière - le coût périodique du financement par dette, on détermine le coût effectif annuel équivalent de la façon suivante :

$$k_d = (1+i)^2 - 1 \tag{11.3}$$

où k_d : Coût effectif annuel du financement par obligations après impôt.

Pour illustrer le genre de calcul à effectuer, considérons l'exemple ci-dessous.

Exemple 11.2   **Calcul du coût du financement par obligations**

La compagnie KSW inc. a l'intention d'émettre des obligations dont l'échéance serait dans 20 ans et la valeur nominale de 1 000 $. Les obligations pourraient être vendues à leur valeur nominale en autant que le taux de coupon annuel offert aux investisseurs s'élève à 9%. Les intérêts seraient versés semestriellement. Les frais d'émission et de souscription avant impôt sont estimés à 3% de la valeur nominale des titres. En supposant que la compagnie est assujettie à un taux d'imposition marginal de 40% et que les frais d'émission et de souscription sont entièrement déductibles d'impôt dans l'année où ils sont encourus, calculez le coût de la dette.

Solution

Le produit net de l'émission se calcule ainsi :

$PN_d = 1000 - (0,03)(1000)(1 - 0,40) = 982$ $

Par la suite, il s'agit de résoudre l'équation suivante :

$$982 = 45(1 - 0,40)A_{\overline{40}|i} + 1000(1+i)^{-40}$$

À l'aide de la calculatrice financière SHARP EL-738, le coût de la dette sur une base semestrielle peut être obtenu de la façon suivante :

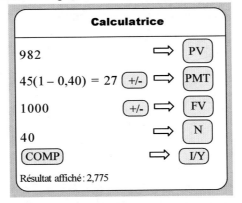

Le coût semestriel de la dette est donc de 2,775%. Quant au taux effectif annuel équivalent, il est égal à :

$k_d = (1 + 0,02775)^2 - 1 = 5,63\%$

Remarques. 1. Comme nous l'avons mentionné au chapitre 10, la législation fiscale en vigueur ne permet pas à l'entreprise de déduire de ses revenus la totalité des frais d'émission et de souscription dans l'année où ils sont encourus. L'entreprise doit plutôt amortir linéairement ces frais sur une période de 5 ans. Si l'on tient compte de ce raffinement dans le calcul du coût des obligations, on calculera alors le PN_d ainsi :

$$PN_d = P_b - F + (0{,}20)\, F \cdot T\, A_{\overline{5}|k_d}$$

où $(0{,}20)\, F \cdot T\, A_{\overline{5}|k_d}$: Valeur actualisée des économies d'impôt liées à l'amortissement fiscal sur 5 ans des frais d'émission et de souscription.

2. Dans l'exemple précédent, nous avons supposé une émission au pair des obligations. Si les titres étaient vendus à escompte, il faudrait idéalement tenir compte dans les calculs que la totalité (ou la moitié) de l'escompte est déductible au moment du rachat des obligations selon les règles suivantes : (1) si l'escompte n'excède pas 3% de la valeur nominale des titres et que le taux de rendement effectif des obligations lors de l'émission est inférieur à 4/3 du taux d'intérêt versé, la totalité de l'escompte est déductible par l'émetteur et (2) lorsque les conditions précédentes ne sont pas satisfaites, la moitié de l'escompte est déductible par l'entreprise. Dans le cas d'une émission à escompte, il faudrait, en principe, soustraire aux termes de droite de l'équation (11.2) la valeur actualisée de l'économie d'impôt liée à l'escompte, soit :

$$(\text{Escompte déductible})\,(T)\,(1 + i)^{-n}.$$

3. Dans la plupart des cas, les raffinements discutés ci-dessus n'affectent pas significativement la valeur de k_d et peuvent, par conséquent, être ignorés.

11.4.2 Coût des actions privilégiées

Coût du financement par actions privilégiées
Taux d'actualisation pour lequel le produit net de l'émission par action est égal à la valeur actualisée des dividendes privilégiées périodiques qui seront distribués aux détenteurs d'actions

Le coût des actions privilégiées (k_p) est le taux d'actualisation pour lequel le produit net de l'émission par action (PN_p) correspond à la valeur actualisée des dividendes périodiques (D_p) que devra verser l'entreprise pour satisfaire les exigences de rendement des actionnaires privilégiés. Comme le coût du financement par dette, il s'agit d'un taux de rendement interne (TRI) qui doit vérifier l'égalité suivante :

$$PN_p = D_p(1+k_p)^{-1} + D_p(1+k)^{-2} + D_p(1+k_p)^{-3} + ... + D_p(1+k_p)^{-\infty}$$

En tenant compte du fait que les dividendes privilégiés constituent une perpétuité de fin de période, l'expression précédente se simplifie ainsi :

$$PN_p = \frac{D_p}{k_p}$$

En isolant k_p dans l'équation ci-dessus, on obtient :

$$k_p = \frac{D_p}{PN_p} = \frac{D_p}{P - F(1-T)} = \frac{D_p}{P(1-f)} \tag{11.4}$$

où k_p : Coût du financement par actions privilégiées
D_p : Dividende périodique versé aux actionnaires privilégiés
PN_p : Produit net de l'émission par action
P : Prix de l'action privilégiée sur le marché secondaire
$F(1-T)$: Frais d'émission et de souscription après impôt exprimés en dollars
T : Taux d'imposition marginal de l'entreprise

f : Frais d'émission et de souscription après impôt exprimés en pourcentage du prix de l'action. Algébriquement, on a : $f = \dfrac{F(1-T)}{P}$.

Exemple 11.3 — **Calcul du coût du financement par actions privilégiées**

Les actions privilégiées de la compagnie KSW inc. se transigent actuellement à 45 $ à la Bourse de Toronto. Elles rapportent à leurs détenteurs un dividende annuel de 3 $ l'action. Une nouvelle émission d'actions entraînerait des frais d'émission et de souscription avant impôt de 1,50 $ par action, soit 2% du prix de l'action ($f = \dfrac{F(1-T)}{P} = \dfrac{1,50(1-0,40)}{45} = 2\%$). En supposant que la compagnie est imposée au taux marginal de 40% et que les frais d'émission et de souscription sont entièrement déductibles d'impôt dans l'année où ils sont encourus, calculez le coût du financement par actions privilégiées.

Solution

En utilisant l'expression (11.4), on trouve :

$$k_p = \frac{3}{45 - 1,50(1-0,40)} = \frac{3}{45(1-0,02)} = 6,80\%$$

Remarques. 1. Nous n'avons pas multiplié le dividende par le facteur $(1-T)$, puisque selon la législation fiscale en vigueur ce dividende n'est pas déductible d'impôt.
  2. Si l'on désire raffiner le calcul précédent et tenir compte du fait que les frais d'émission et de souscription doivent, pour fins fiscales, êtres amortis linéairement sur une période de 5 ans, on devra alors déterminer, par approximations successives, la valeur de k_p qui permet de satisfaire l'égalité suivante :

$$P - F + (0,20)\,F \cdot T\,A_{\overline{5}|k_p} = \frac{D_p}{k_p}.$$

En effectuant les substitutions appropriées, on obtient :

$$45 - 1,50 + (0,20)(1,50)(0,40)\,A_{\overline{5}|k_p} = \frac{3}{k_p}.$$

Par tâtonnements, on trouve $k_p \approx 6,82\%$. On constate que ce genre de raffinement n'affecte pas de façon significative la valeur de k_p et peut, par conséquent, être omis.
  3. Nous avons supposé que les actions privilégiées ne comportent pas d'échéance. Le cas des actions privilégiées rachetables est traité au chapitre 4 (section 4.4.2).

11.4.3 Coût d'une nouvelle émission d'actions ordinaires

En principe, le calcul du coût du financement par actions ordinaires s'effectue de la même manière que le calcul du coût de n'importe quelle autre source de fonds. En effet, il s'agit d'égaler le produit net de l'émission par action à la valeur actualisée des dividendes ordinaires que l'entreprise devrait verser dans l'avenir. Toutefois, en pratique, le calcul du coût d'une nouvelle émission d'actions ordinaires s'avère beaucoup plus complexe que le calcul du coût de la dette ou des actions privilégiées étant donné que les flux monétaires pertinents (les dividendes) sont difficilement prévisibles.

Dans ce qui suit, nous discutons de deux approches permettant d'obtenir une estimation du coût d'une nouvelle émission d'actions ordinaires. La première approche utilise un modèle d'évaluation basé sur l'actualisation des dividendes anticipés (voir le chapitre 4). En ce qui a trait à la seconde, elle est fondée sur le modèle d'équilibre des actifs financiers (CAPM) qui a été introduit au chapitre 5. Comme nous l'avons déjà mentionné, ce modèle permet d'obtenir une estimation du taux de rendement requis par le marché sur les actions ordinaires de l'entreprise.

Coût selon le modèle de Gordon

Coût d'une nouvelle émission d'actions ordinaires selon le modèle de Gordon
Taux d'actualisation pour lequel le produit net de l'émission par action est égal à la valeur actualisée des dividendes prévus jusqu'à l'infini

Selon cette approche, le coût d'une nouvelle émission d'actions ordinaires (k_e) est le taux d'actualisation pour lequel le produit net de l'émission par action (PN_e) égal la valeur actualisée des dividendes anticipés. Comme nous l'avons vu au chapitre 4, dans un contexte où l'on suppose que l'entreprise augmentera indéfiniment son dividende à un taux annuel constant g, la valeur actualisée des dividendes prévus constitue une perpétuité en croissance à taux constant dont la valeur actualisée est donnée par l'expression $D_1/(k_e - g)$. Par conséquent, on peut écrire :

$$PN_e = \frac{D_1}{k_e - g}$$

En isolant k_e dans l'expression précédente, on obtient :

$$k_e = \frac{D_1}{PN_e} + g = \frac{D_1}{P - F(1-T)} + g = \frac{D_1}{P(1-f)} + g \tag{11.5}$$

où k_e : Coût d'une nouvelle émission d'actions ordinaires
  D_1 : Dividende ordinaire qui sera versé par l'entreprise dans un an
  PN_e : Produit net de l'émission par action
  g : Taux de croissance annuel anticipé du dividende
  P : Prix de l'action ordinaire sur le marché secondaire
  $F(1-T)$: Frais d'émission et de souscription après impôt exprimés en dollars
  T : Taux d'imposition marginal de l'entreprise
  f : Frais d'émission et de souscription après impôt exprimés en pourcentage du prix de l'action $\left(f = \frac{F(1-T)}{P} \right)$.

Exemple 11.4

Calcul du coût d'une nouvelle émission d'actions ordinaires à partir du modèle de Gordon

Les renseignements suivants sont disponibles concernant les actions ordinaires de la compagnie KSW inc. :

- Dividende annuel le plus récent versé par la compagnie : 2 $ par action
- Taux de croissance annuel anticipé du dividende : 7%

- Cours actuel de l'action à la Bourse de Toronto : 32 $
- Frais d'émission et de souscription avant impôt : 2,70 $ par action
- Taux d'imposition marginal de l'entreprise : 40%

En supposant que les frais d'émission et de souscription sont entièrement déductibles d'impôt dans l'année où ils sont encourus, donnez une estimation du coût d'une nouvelle émission d'actions ordinaires.

Solution

À l'aide du modèle de Gordon, on obtient :

$$k_e = \frac{2(1+0,07)}{32 - 2,70(1 - 0,40)} + 0,07 = 14,04\%$$

Remarques. 1. En tenant compte du fait que le fisc autorise la déduction des frais d'émission et de souscription sur une période de 5 ans, le coût d'une nouvelle émission d'actions ordinaires est le taux d'actualisation (k_e) qui satisfait l'équation suivante :

$$P - F + (0,20) F \cdot T A_{\overline{5}|k_e} = \frac{D_1}{k_e - g}.$$

Comme nous l'avons déjà indiqué, la prise en considération de cette règle fiscale implique que l'on devra alors effectuer le calcul de k_e par approximations successives.

2. Il est utile de rappeler que le modèle de Gordon n'est applicable que si l'on pense que l'hypothèse d'une croissance constante du dividende constitue une bonne approximation de la réalité.

Coût selon le CAPM

Une autre approche permettant d'évaluer le coût d'une nouvelle émission d'actions ordinaires est d'utiliser le modèle d'équilibre des actifs financiers (CAPM). Selon ce modèle, le taux de rendement requis sur les actions de l'entreprise (k) est lié à son risque systématique, tel que mesuré par le coefficient bêta, de la façon suivante :

$$k = r + [E(R_M) - r]\beta_i = r + \lambda \beta_i$$

où r :   Taux de rendement d'un titre sans risque

    $E(R_M)$: Taux de rendement espéré du marché boursier

    λ :   Prime par unité de risque = $E(R_M)$ − r

    β_i :   Coefficient bêta du titre i.

Coût d'une nouvelle émission d'actions ordinaires selon le CAPM
Taux de rendement requis par les actionnaires ordinaires ajusté pour tenir compte des frais d'émission et de souscription nets d'impôt

Pour utiliser ce modèle, il faut, au préalable, estimer les valeurs de r, λ et β_i. Habituellement, r correspond au taux de rendement actuel des bons du Trésor du gouvernement fédéral. Pour une entreprise cotée en Bourse, le coefficient bêta peut être calculé à partir des rendements passés du titre et ceux d'un indice boursier représentatif. Si l'action de l'entreprise n'est pas listée en Bourse, on peut alors utiliser comme approximation le coefficient bêta d'une compagnie comportant un degré de risque similaire et dont les titres se négocient publiquement. La prime par unité de risque peut être évaluée à partir des écarts observés historiquement entre les rendements d'un indice boursier qui caractérise bien le marché concerné et ceux des bons du Trésor.

On sait, qu'en présence de frais d'émission et de souscription, le coût d'une nouvelle émission d'actions ordinaires excède le taux de rendement requis par les investisseurs sur les actions de l'entreprise. Une approche simple permettant d'incorporer l'incidence des frais d'émission et de souscription dans le calcul de k_e consiste à diviser le taux de rendement requis par les actionnaires odinaires par le facteur $1-f$. On obtient alors :

$$k_e = \frac{r + \lambda\beta_i}{1-f}$$
(11.6)

où f : Frais d'émission et de souscription exprimés en pourcentage du prix de l'action.

Exemple 11.5

Calcul du coût d'une nouvelle émission d'actions ordinaires à partir du CAPM

À partir des renseignements suivants, donnez une estimation du coût d'une nouvelle émission d'actions ordinaires de la compagnie KSW inc. :

- Taux de rendement actuel des bons du Trésor : 5,50%
- Coefficient bêta de KSW : 1,30
- Prime par unité de risque : 6%
- Frais d'émission et de souscription après impôt : 5% du prix de l'action

Solution

Dans ces conditions, le coût d'une nouvelle émission d'actions ordinaires vaut :

$$k_e = \frac{0,0550 + (0,06)(1,30)}{1-0,05} = 14\%$$

11.4.4 Coût des bénéfices non répartis[3]

Pour la plupart des entreprises, les bénéfices non répartis constituent une source de fonds interne très importante. Même si cette source de fonds, contrairement aux obligations notamment, n'entraîne aucune sortie de fonds pour l'entreprise, elle comporte un coût de renonciation dont on doit tenir compte dans l'estimation du coût du capital. En effet, en réinvestissant ses bénéfices, au lieu de les distribuer en dividendes à ses actionnaires, l'entreprise prive ces derniers du rendement qu'ils pourraient réaliser en réinvestissant personnellement cet argent. Dans ces conditions, on peut définir le coût des bénéfices non répartis comme étant le taux de rendement que pourraient réaliser les actionnaires sur un placement de risque équivalent aux actions de l'entreprise. Le coût des bénéfices non répartis équivaut donc au taux de rendement exigé par les

---

[3] Dans ce qui suit, les bénéfices non répartis représentent la partie des bénéfices courants de l'entreprise qui sont réinvestis - au lieu d'être versés sous forme de dividendes aux actionnaires - et non le montant des bénéfices non répartis apparaissant au bilan de l'entreprise (c.-à-d. la totalité des bénéfices qui ont été réinvestis par l'entreprise depuis ses débuts).

investisseurs sur les actions de l'entreprise[4]. De plus, comme il n'y a pas de frais d'émission et de souscription selon ce mode de financement, le coût des bénéfices non répartis sera inférieur au coût d'une nouvelle émission d'actions ordinaires.

Pour estimer le coût des bénéfices non répartis (k_b) ou le taux de rendement requis sur les actions de l'entreprise, on peut utiliser le modèle de Gordon ou le modèle d'équilibre des actifs financiers (CAPM). Si l'on a recours au modèle de Gordon, l'expression permettant d'estimer le coût des bénéfices non répartis est alors la suivante :

$$k_b = \frac{D_1}{P} + g \tag{11.7}$$

D'autre part, selon le CAPM, le coût des bénéfices non répartis se calcule ainsi :

$$k_b = r + \lambda\beta_i \tag{11.8}$$

Exemple 11.6 | **Calcul du coût des bénéfices non répartis à l'aide du modèle de Gordon et du CAPM**

À partir des renseignements fournis précédemment, estimez le coût des bénéfices non répartis de KSW inc. de deux façons différentes.

Solution

Selon le modèle de Gordon, le coût des bénéfices non répartis se calcule ainsi :

$$k_b = \frac{2(1+0,07)}{32} + 0,07 = 13,69\%$$

D'autre part, en utilisant le CAPM, on obtient :

$$k_b = 0,0550 + (0,06)(1,30) = 13,30\%$$

11.4.5 L'amortissement

Pour plusieurs entreprises, l'amortissement constitue une source importante de fonds qui, comme les bénéfices non répartis, n'exige pas de sortie de fonds comme telle. Comme pour les bénéfices non répartis, on doit cependant considérer le coût de renonciation associé à cette source de financement.

En effet, au lieu de réinvestir les fonds provenant de l'amortissement, l'entreprise a la possibilité d'utiliser cet argent pour rembourser, en proportion de leur implication respective, ceux qui l'ont financée initialement, c'est-à-dire ses

---

[4] Idéalement, on devrait ajuster le coût des bénéfices non répartis pour tenir compte de l'incidence de la fiscalité personnelle et des frais de courtage. En effet, si l'entreprise distribue ses bénéfices sous forme de dividendes à ses actionnaires, ceux-ci ne pourront réinvestir que le dividende net d'impôt. De plus, le réinvestissement des dividendes reçus entraîne des frais de courtage. Ce genre de raffinement est toutefois ignoré ici étant donné, qu'en pratique, il est assez difficile d'obtenir des estimations fiables des taux d'imposition personnels des actionnaires pour les entreprises dont les actionnaires sont nombreux.

créanciers et ses actionnaires. En remboursant ses bailleurs de fonds, à même ses fonds générés par l'amortissement, l'entreprise éviterait alors des coûts de financement dont la moyenne pondérée correspond à son coût moyen pondéré du capital. Dans ces conditions, on peut conclure que l'amortissement comporte un coût de renonciation correspondant au coût moyen pondéré du capital de l'entreprise. Il ne sera donc pas nécessaire d'inclure cet élément dans le calcul du coût moyen pondéré du capital puisqu'il n'en change pas la valeur.

11.4.6 Autres éléments du passif

En ce qui concerne les postes du passif à court terme (comptes fournisseurs, impôts à payer, etc.), des impôts différés, des réserves, etc., nous n'en tiendrons pas compte explicitement dans le calcul du coût du capital. Cela revient à supposer, comme dans le cas de l'amortissement, que ces différentes sources de financement comportent un coût équivalent au coût moyen pondéré du capital de l'entreprise.

11.5 Choix des pondérations

Pour calculer le coût moyen pondéré du capital, il faut déterminer la part de chacune des sources de financement dans la structure de capital de l'entreprise. À cette fin, il semble préférable, d'un point de vue théorique, d'utiliser les valeurs marchandes des titres de l'entreprise plutôt que d'avoir recours à leurs valeurs comptables. Toutefois, il arrive fréquemment, en pratique, que des valeurs marchandes fiables ne soient pas disponibles (entreprises non listées en Bourse, titres peu transigés, etc.). Dans une telle situation, on devra utiliser comme mesure approximative les valeurs comptables des titres. En outre, les valeurs marchandes des titres fluctuent beaucoup plus que leurs valeurs comptables, ce qui peut en rendre l'utilisation difficile.

11.6 Mesure du coût moyen pondéré du capital

Une fois déterminé le coût de chacune des sources de financement et la part relative de chacune de ces sources dans le financement futur de l'entreprise, on est en mesure de calculer le coût moyen pondéré du capital. Pour ce faire, on utilise l'équation suivante :

$$\rho = w_d k_d + w_p k_p + w_0 k_0 \qquad (11.9)$$

où ρ :   Coût moyen pondéré du capital de l'entreprise
    w_d :   Part du financement par dette
    w_p :   Part du financement par actions privilégiées
    w_0 :   Part du financement provenant des capitaux propres (bénéfices non répartis et nouvelles émissions d'actions ordinaires)
    k_d :   Coût de la dette après impôt (%)
    k_p :   Coût des actions privilégiées (%)

k_0 :   Coût du capital-actions ordinaire (%). Selon les besoins de financement requis par l'entreprise, k_0 est soit le coût des bénéfices non répartis (k_b) ou soit le coût d'une nouvelle émission d'actions ordinaires (k_e). (Voir les observations ci-dessous.)

Lorsque l'on procède à l'estimation du coût du capital d'une entreprise, on doit prendre en considération les points suivants :

1. La somme des pondérations doit nécessairement égaler 1: $w_d + w_p + w_0 = 1$.

2. ρ est en fait un coût marginal, c'est-à-dire qu'il représente le coût du dernier dollar réuni par l'entreprise pendant l'année courante de différentes sources et dans les mêmes proportions que sa structure de capital. Il est exprimé en pourcentage.

3. Les différents coûts de financement (k_d, k_p et k_0) représentent les coûts actuels en pourcentage - et non les coûts passés - de ces sources de financement. Par exemple, si le coût actuel du financement par dette s'élève à 10% et qu'il y a deux ans ce coût était de 8%, il faut utiliser 10% dans le calcul du ρ.

4. Le coût du capital d'une entreprise dépend du taux de rendement exigé par les investisseurs sur ses différents titres, de son taux d'imposition, des frais d'émission des titres et de ses besoins de financement (si les besoins de financement de l'entreprise sont substantiels, les investisseurs exigeront des taux de rendement plus élevés pour lui avancer des fonds additionnels et il en résultera une hausse de son coût du capital). De plus, dans un marché des capitaux imparfait, il est fonction de l'importance relative des sources de financement utilisées. Ainsi, dans un marché des capitaux imparfait, l'entreprise n'aura pas le même coût moyen pondéré du capital si elle se finance à 30% par dette et à 70% par capital-actions ordinaire que dans le cas où les proportions utilisées sont 50% de dettes et 50% de capitaux propres. Toutefois, comme nous en discutons au chapitre 12, dans un marché des capitaux parfait, le coût du capital d'une entreprise est indépendant de l'importance relative des sources de financement.

5. Dans le présent chapitre, nous supposons que l'entreprise a identifié sa structure optimale de capital (par exemple, 30% de dettes, 20% d'actions privilégiées et 50% de capital-actions ordinaire) et calculons son coût du capital en tenant compte de cette structure. Le choix d'une structure optimale de capital est discuté au prochain chapitre.

6. Nous supposons également que l'entreprise vise à maintenir une politique de dividende stable. Cela implique que les bénéfices disponibles pour fins de réinvestissement correspondent aux bénéfices de l'entreprise moins les dividendes réguliers qu'elle désire distribuer à ses actionnaires.

7. Étant donné que le coût des bénéfices non répartis (k_b) est inférieur au coût d'une nouvelle émission d'actions ordinaires (k_e), l'entreprise utilisera, dans un premier temps, les bénéfices disponibles pour fins de réinvestissement pour combler ses besoins de financement en capitaux propres. Si le montant des investissements le justifie, elle émettra ensuite de nouvelles actions ordinaires pour satisfaire ses besoins de financement en capitaux propres et il en résultera alors une hausse de son coût moyen pondéré du capital.

8. Dans le calcul du coût du capital (équation 11.9), k_0 correspond à k_b lorsque les bénéfices non répartis suffisent à satisfaire les besoins de financement en capitaux propres. Dans le cas contraire, k_0 correspond à k_e, puisque le dernier dollar financé par des capitaux propres coûte k_e.

Exemple 11.7

Calcul du coût du capital en fonction des besoins de financement requis et élaboration du budget optimal des investissements

Au cours de l'année qui vient, les bénéfices après impôt de la compagnie Lépine inc. seront de 15 000 000 $. L'entreprise distribue habituellement 20% de ses bénéfices en dividendes. Elle est financée à 40% par dette et à 60% par fonds propres. Le taux de rendement exigé par les créanciers est de 10%, le coût des bénéfices non répartis de 14% et le coût d'une nouvelle émission d'actions ordinaires de 15%. Son taux d'imposition s'élève à 36%.

L'entreprise considère six projets d'investissement indépendants dont le niveau de risque est comparable à celui de ses activités habituelles. Les caractéristiques de ces projets sont les suivantes :

Projet	Investissement initial requis	Taux de rendement interne espéré
A	5 000 000 $	19 %
B	4 000 000	18
C	6 000 000	16
D	9 000 000	14
E	4 000 000	11
F	8 000 000	9

a) Quel montant maximal l'entreprise peut-elle investir sans avoir à émettre de nouvelles actions ordinaires?

b) Quel est son coût du capital pour des investissements de 10 000 000 $?

c) Quel est son coût du capital pour des investissements de 35 000 000 $?

d) Représentez graphiquement l'évolution du coût du capital de l'entreprise en fonction de ses besoins de financement.

e) Déterminez le budget optimal des investissements de l'entreprise.

Solution

a) Compte tenu de la politique de dividende de l'entreprise, les bénéfices disponibles pour fins de réinvestissement se calculent ainsi :

$$\text{Bénéfices disponibles pour fins de réinvestissement} = \left(\begin{array}{c}\text{Bénéfices après} \\ \text{impôt}\end{array}\right)\left(1 - \begin{array}{c}\text{Ratio de} \\ \text{distribution} \\ \text{en dividendes}\end{array}\right)$$

$$= 15\ 000\ 000\,(1 - 0,20)$$

$$= 12\ 000\ 000\ \$$$

Considérant que l'entreprise se finance à 60% par fonds propres et à 40% par dette et qu'elle désire conserver sa structure de capital actuelle, le montant maximal qu'elle peut investir sans avoir à émettre de nouvelles actions ordinaires (X) doit satisfaire l'égalité suivante :

$$(0,60)\,(X) = 12\ 000\ 000$$

d'où : $X = \dfrac{12\ 000\ 000}{0,60} = 20\ 000\ 000\ \$$

b) Dans ce cas, on utilise k_b dans l'équation (11.9), puisque les bénéfices non répartis suffisent à combler les besoins de financement en capitaux propres qui s'élèvent à 6 000 000 $, soit (10 000 000)(60%). Par conséquent :

$$\rho = (0,40)(0,10)(1 - 0,36) + (0,60)(0,14) = 10,96\%$$

c) Dans une telle situation, l'entreprise devra émettre de nouvelles actions ordinaires pour satisfaire ses besoins de financement en capitaux propres. En effet, ses besoins de financement en capitaux qui s'élèvent à 21 000 000 $ (soit 35 000 000 $ × 60%) excèdent le montant des bénéfices non répartis (soit 12 000 000 $). Le dernier dollar amassé par l'entreprise dans les proportions de sa structure de capital coûte donc :

$$\rho = (0,40)(0,10)(1 - 0,36) + (0,60)(0,15) = 11,56\%$$

C'est ce taux d'actualisation qu'il convient d'utiliser pour évaluer la rentabilité de tous les projets d'investissement de risque équivalent aux activités habituelles de l'entreprise si le montant des fonds requis dépasse 20 000 000 $. On procède ainsi afin d'éviter que l'entreprise n'accepte des projets qui rapportent moins que leur coût de financement.

d) La figure 11.2 illustre le comportement du coût du capital de la compagnie Lépine inc. en fonction de ses besoins de financement. On y constate que son coût du capital augmentera si elle doit réunir plus de 20 000 000 $.

Figure 11.2

Le coût du capital de la compagnie Lépine en fonction de ses besoins de financement

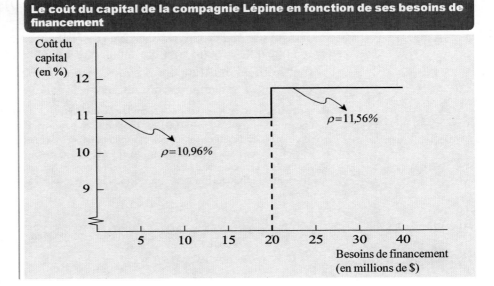

e) Pour déterminer le montant optimal à investir, il peut être utile de représenter sur un même graphique (voir la figure 11.3) l'évolution du coût du capital de l'entreprise en fonction de ses besoins de financement ainsi que ses différentes occasions d'investissement.

Figure 11.3

Le coût du capital de la compagnie Lépine en fonction de ses besoins de financement et de ses différentes occasions d'investissement

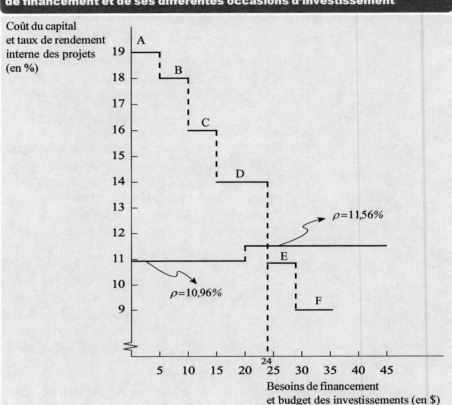

On observe, à la figure 11.3, que seuls les projets A, B, C et D ont un taux de rendement interne supérieur au coût du capital de l'entreprise. En conséquence, le budget optimal des investissements de l'entreprise s'élèvera à 24 000 000 $, soit 5 000 000 $ + 4 000 000 $ + 6 000 000 $ + 9 000 000 $. Les projets E et F seront refusés car ils rapportent moins que leur coût de financement. Leur acceptation entraînerait une diminution de la valeur marchande de l'entreprise.

Remarque. Dans l'exemple précédent, le coût du capital de la compagnie Lépine n'augmente qu'une seule fois, soit à 20 000 001 $. Toutefois, en pratique, il n'en est pas toujours ainsi. Par exemple, si la compagnie ne peut obtenir qu'un montant maximal de 4 500 000 $ de ses créanciers en leur offrant un taux de rendement de 10% et que ceux-ci exigent pour avancer des fonds additionnels un taux de rendement de 12%, on observera alors une hausse du coût du capital dès que le montant total des fonds à réunir dépassera 11 250 000 $. Ce dernier montant se calcule comme suit :

$$\frac{\text{Financement maximal par dette à un taux de 10\%}}{\text{Part de la dette dans le financement de l'entreprise}} = \frac{4\,500\,000}{0,40} = 11\,250\,000 \ \$$$

Dans un tel contexte, le coût du capital de l'entreprise pour des besoins de financement supérieurs à 11 250 000 $, mais inférieurs ou égaux à 20 000 000 $, se calculerait ainsi :

$$\rho = (0,40)\,(0,12)\,(1-0,36) + (0,60)\,(0,14) = 11,47\%$$

De plus, le coût du capital de l'entreprise pour des besoins de financement supérieurs à 20 000 000 $ serait égal à :

$$\rho = (0,40)\,(0,12)\,(1-0,36) + (0,60)\,(0,15) = 12,07\%$$

11.7 Signification de la notion de coût moyen pondéré du capital

Nous avons mentionné, au début de ce chapitre, que le coût du capital d'un projet d'investissement est le taux de rendement minimum à exiger sur le projet afin que la valeur au marché des actions de l'entreprise ou la richesse des actionnaires reste inchangée. Ainsi, si un projet rapporte x% et que le coût du capital de l'entreprise est de x%, les flux monétaires générés par l'investissement seront tout juste suffisants pour rémunérer adéquatement les bailleurs de fonds (créanciers et actionnaires). De plus, la VAN du projet sera nulle et les actionnaires seront, par conséquent, indifférents entre l'acceptation ou le refus du projet. C'est ce que montre l'exemple ci-dessous.

Exemple 11.8 — **Coût du capital, acceptation d'un projet d'investissement et impact sur la valeur des actions**

Supposons un investissement, dont le taux de rendement avant impôt (à perpétuité) est de 21% et le taux de rendement après impôt de 12,6%, soit $(21\%(1-0,40))$. La mise de fonds requise est de 100 000 $. Cet investissement est financé à 50% par dette à un coût de 12% (avant impôt) et à 50% par les actionnaires ordinaires à un coût de 18%. Le taux d'impôt de l'entreprise est de 40%. Par conséquent, le coût moyen pondéré du capital est :

$$\rho = (0,50)(0,12)(1-0,40) + (0,50)(0,18) = 12,6\%.$$

Le flux monétaire annuel (avant impôt et frais financiers) généré par le projet est : $(100\,000)(0,21) = 21\,000$ $.

Ce montant de 21 000 $ sera, après avoir tenu compte de l'impôt à payer, tout juste suffisant pour rémunérer adéquatement les bailleurs de fonds. En effet, on a :

Intérêts à payer $= (0,50)(100\,000)(0,12) = 6\,000$ $

Impôt à payer $= (21\,000 - 6000)(0,40) = 6\,000$ $

D'où :

$$\text{Taux de rendement des fonds propres} = \frac{\text{Montant disponible pour les actionnaires}}{\text{Mise de fonds des actionnaires}} = \frac{(21\,000 - 6000 - 6000)}{50\,000} = 18\%$$

Ce taux correspond exactement au taux de rendement exigé par les actionnaires. Par conséquent, les actionnaires de l'entreprise devraient être indifférents entre l'acceptation ou le refus du projet, puisqu'ils pourraient obtenir un rendement équivalent en investissant eux-mêmes les fonds dans un placement de risque identique.

À un taux d'actualisation de 12,6%, la VAN du projet devrait être nulle. En effet, on a :

$$VAN = \sum_{t=1}^{\infty} FM_t (1+\rho)^{-t} - I$$

Puisqu'il s'agit d'un projet générant un flux monétaire perpétuel stable, l'équation précédente se simplifie ainsi :

$$VAN = \frac{FM}{\rho} - I$$

$$VAN = \frac{21\,000(1-0,40)}{0,126} - 100\,000 = 0$$

Dans cet exemple, l'acceptation de tout projet dont le taux de rendement (après impôt) est inférieur à 12,6% aurait pour effet de diminuer la richesse des actionnaires (VAN < 0). En effet, dans ce cas, le taux de rendement des actionnaires serait inférieur à 18% et il s'ensuivrait une baisse du prix de l'action. À l'inverse, l'acceptation de tout projet dont le taux de rendement (après impôt) excède 12,6% aurait pour effet de faire augmenter la valeur au marché des actions de l'entreprise.

À ce stade, il est sans doute utile de donner un exemple complet de calcul du coût du capital.

11.8 Exemple complet de calcul du coût du capital

Au début de l'année 8, la structure financière de la compagnie Bélair inc. se présente ainsi :

Comptes fournisseurs	500 000 $
Emprunts à court terme	1 500 000
Impôts à payer	30 000
Obligations à payer	4 000 000
Impôts futurs	300 000
Actions privilégiées	2 000 000
Actions ordinaires	5 000 000
Bénéfices non répartis	6 000 000
	19 330 000 $

Les obligations actuellement en circulation ont été émises il y a 5 ans à 1 000 $ et offrent un taux de coupon annuel de 10% (les intérêts sont versés semestriellement). Elles se négocient à 1 172,92 $ et viennent à échéance dans 15 ans. Présentement on estime qu'une nouvelle émission entraînerait des frais avant impôt de l'ordre de 3% de la valeur nominale. Les nouvelles obligations seraient vendues au pair et comporteraient une échéance de 15 ans.

Les actions privilégiées se transigent à la Bourse à 30 $. Le dividende annuel versé aux actionnaires privilégiés est de 3 $ par action. Une nouvelle émission entraînerait des frais avant impôt évalués 1,50 $ par action.

Les actions ordinaires se négocient à la Bourse à 32 $ et l'on estime qu'une nouvelle émission provoquerait des frais avant impôt de 2 $ par action.

L'action ordinaire a été fractionnée 2 pour 1 au début de l'année 5. La direction de la compagnie prévoit que le taux de croissance annuel du dividende et du bénéfice par action observé au cours des six dernières années se maintiendra dans l'avenir.

On dispose également des données historiques suivantes :

Année	Dividende ordinaire par action versé par Bélair	Rendement de l'action ordinaire de Bélair	Rendement du marché boursier	Rendement des bons du Trésor
7	1,89 $	26%	15%	6%
6	1,80	8%	18%	7%
5	1,65	28%	20%	7%
4	2,90	26%	16%	8%
3	2,50	23%	21%	9%
2	2,30	16%	17%	10%
1	2,10	− 9%	− 2%	10%

Habituellement, le dividende par action ordinaire de la compagnie correspond à 45% de son bénéfice par action. À l'année 7, la compagnie a réalisé un bénéfice par action de 4,20 $. Les bénéfices non répartis de l'année 8 pourront financer, en partie, les investissements envisagés par la compagnie.

Il y a actuellement 500 000 actions ordinaires, 100 000 actions privilégiées et 4 000 obligations en circulation.

Le taux de rendement actuel des bons du Trésor s'élève à 6%.

Le taux d'imposition marginal de l'entreprise est de 40%. Au cours des 5 dernières années, Bélair a payé, en moyenne, un taux d'impôt de 36%.

On suppose que les fonds requis s'élèvent à 5 000 000 $.

a) Déterminez le coût du capital de la compagnie Bélair au début de l'année 8 en utilisant le modèle de Gordon pour évaluer le coût des fonds propres.

Supposez :

1. que les pondérations sont calculées à partir des valeurs comptables des titres;

2. que les pondérations sont calculées à partir des valeurs marchandes des titres.

b) La direction de l'entreprise désire savoir si l'utilisation du CAPM pour estimer le coût des fonds propres aurait pour effet d'influer sensiblement sur les résultats trouvés précédemment. Refaites (a) en utilisant cette fois le CAPM pour évaluer le coût des fonds propres.

Solution

a) 1. Déterminons, en premier lieu, la part de chacune des sources de financement à long terme sur une base comptable :

$$w_d = \frac{4\,000\,000}{17\,000\,000} = 0{,}2353$$

$$w_p = \frac{2\,000\,000}{17\,000\,000} = 0{,}1176$$

$$w_0 = \frac{5\,000\,000 + 6\,000\,000}{17\,000\,000} = 0{,}6471$$

Il faut maintenant déterminer si les bénéfices non répartis de l'année 8 suffiront à combler les besoins de financement en capitaux propres en supposant que les fonds requis s'élèvent à 5 000 000 $.

Le taux de croissance historique des dividendes, qui correspond également au taux de croissance du bénéfice par action, se calcule ainsi si l'on tient compte du fractionnement d'actions:

$$(1{,}89)\,(2) = 2{,}10\,(1 + g)^6$$

d'où : $g = 10{,}29\%$

Les bénéfices disponibles pour fins de réinvestissement de l'année 8, compte tenu de la politique de dividende de la compagnie qui est de distribuer 45% de son bénéfice par action en dividendes, se calculent comme suit :

$$\left(\begin{array}{c}\text{Bénéfice par action}\\ \text{de l'année 7}\end{array}\right)(1+g)\left(\begin{array}{c}\text{Nombre d'actions}\\ \text{ordinaires}\end{array}\right)\left(1 - \begin{array}{c}\text{Ratio de distribution}\\ \text{en dividendes}\end{array}\right)$$

$$= (4{,}20)(1 + 0{,}1029)(500\,000)(1 - 0{,}45) = 1\,273\,850\ \$$$

Le montant maximal que peut investir Bélair inc., compte tenu de sa structure de capital et sans avoir à émettre de nouvelles actions ordinaires, est donc :

$$\frac{1\,273\,850}{0{,}6471} = 1\,968\,552\ \$$$

Puisque les fonds requis excèdent ce montant, il faudra considérer k_e (le coût d'une nouvelle émission d'actions ordinaires) dans le calcul du coût du capital.

Passons maintenant au calcul des coûts des différentes sources de financement.

Coût des obligations (k_d)

Le taux de rendement semestriel actuellement exigé par le marché sur les obligations de l'entreprise est le taux d'actualisation qui permet de satisfaire l'équation suivante :

$$1172,92 = 50\,A_{\overline{30}|i} + 1000(1+i)^{-30}$$

À l'aide d'une calculatrice financière, on trouve rapidement que la valeur de i est de 4%. Ce résultat signifie que l'entreprise pourrait vendre de nouvelles obligations à leur valeur nominale en autant que le taux de coupon offert s'élève à 4% par semestre ou 8% par année. Dans ces conditions, on peut évaluer le coût d'une nouvelle émission d'obligations en résolvant l'équation ci-dessous :

$$1000 - (1000)(0,03)(1-0,40) = 40(1-0,40)\,A_{\overline{30}|i} + 1000(1+i)^{-30}$$
$$982 = 40(1-0,40)\,A_{\overline{30}|i} + 1000(1+i)^{-30}$$

d'où : $i = 2,49\%$

Le coût effectif annuel équivalent est donc :

$$k_d = (1 + 0,0249)^2 - 1 = 5,04\%$$

Remarque. Dans cet exemple, nous supposons que les frais d'émission et de souscription sont entièrement déductibles d'impôt dans l'année où ils sont encourus et ce, pour tous les titres. Sauf avis contraire, nous vous suggérons de poser cette hypothèse simplificatrice dans les problèmes de fin de chapitre.

Coût des actions privilégiées (k_p)

Le coût des actions privilégiées est :

$$k_p = \frac{D_p}{P - F(1-T)} = \frac{3}{30 - 1,50(1-0,40)} = 10,31\%$$

Coût d'une nouvelle émission d'actions ordinaires (k_e)

Selon le modèle de Gordon, le coût d'une nouvelle émission d'actions ordinaires s'évalue ainsi :

$$k_e = \frac{D_1}{P - F(1-T)} + g = \frac{1,89(1+0,1029)}{32 - 2(1-0,40)} + 0,1029 = 17,06\%$$

Coût du capital (ρ)

Le coût du capital de Bélair, pour des investissements de 5 000 000 $ et en utilisant des pondérations basées sur les valeurs comptables des titres, est donc :

$$(0,2353)(0,0504) + (0,1176)(0,1031) + (0,6471)(0,1706) = 13,44\%$$

2. Déterminons les pondérations à partir des valeurs marchandes des titres :

	Nombre $\times$	Valeur marchande	Total
Obligations	4 000	1172,92 \$	4 691 680 \$
Actions privilégiées	100 000	30,00	3 000 000
Actions ordinaires	500 000	32,00	16 000 000
			23 691 680 \$

d'où :

$$w_d = \frac{4\ 691\ 680}{23\ 691\ 680} = 0,1980$$

$$w_p = \frac{3\ 000\ 000}{23\ 691\ 680} = 0,1266$$

$$w_0 = \frac{16\ 000\ 000}{23\ 691\ 680} = 0,6753$$

Remarque. Le montant des bénéfices non répartis est reflété dans le prix au marché de l'action ordinaire. Par conséquent, lors du calcul des pondérations sur une base marchande, on ne doit pas ajouter à la valeur marchande totale des actions ordinaires le montant des bénéfices non répartis apparaissant au bilan de l'entreprise.

Le coût du capital est donc :

$(0,1980)\ (0,0504) + (0,1266)\ (0,1031) + (0,6753)\ (0,1706) = 13,82\%$

Remarque. Nous avons utilisé dans les calculs k_e (le coût d'une nouvelle émission d'actions ordinaires) car les bénéfices réinvestis ne suffisent pas à combler les besoins de financement en capitaux propres. En effet, on a :

$$5\ 000\ 000 > \frac{1\ 273\ 850\ \$}{0,6753} = 1\ 886\ 346,81\ \$$$

b) 1. Selon le CAPM, le coût d'une nouvelle émission d'actions ordinaires est :

$$k_e = \frac{r + \lambda\beta_i}{1 - f}$$

Pour utiliser ce modèle, on doit donc estimer les valeurs de r, λ, β_i et f.

La prime par unité de risque peut être évaluée de la façon suivante :

$$\lambda = \overline{R}_M - \overline{r}$$

où : $\overline{R}_M$: Rendement moyen du marché boursier au cours des dernières années

$\overline{r}$: Rendement moyen des bons du Trésor au cours des dernières années.

À l'aide des données disponibles, on trouve :

$$\overline{R}_M = \frac{0,15 + 0,18 + 0,20 + 0,16 + 0,21 + 0,17 - 0,02}{7} = 15,14\%$$

$$\overline{r} = \frac{0,06 + 0,07 + 0,07 + 0,08 + 0,09 + 0,10 + 0,10}{7} = 8,14\%$$

d'où : $\lambda = 0,1514 - 0,0814 = 7\%$.

Le coefficient bêta s'estime ainsi :

$$\beta_i = \frac{\text{Cov}(R_i, R_M)}{\sigma^2(R_M)}$$

À partir des rendements historiques de Bélair inc. et du marché, on obtient une estimation de la covariance à l'aide de l'expression suivante :

$$\text{Cov}(R_i, R_M) = \frac{\displaystyle\sum_{t=1}^{7}(R_{it} - \overline{R}_i)(R_{Mt} - \overline{R}_M)}{7 - 1}$$

Pour calculer la covariance, on doit, au préalable, obtenir les valeurs de $\overline{R}_i$ et de $\overline{R}_M$. On sait déjà que $\overline{R}_M = 15,14\%$. Le rendement annuel moyen de l'action ordinaire de Bélair inc. au cours des dernières années se calcule comme suit :

$$\overline{R}_i = \frac{0,26 + 0,08 + 0,28 + 0,26 + 0,23 + 0,16 - 0,09}{7} = 16,88\%$$

d'où :

$$\text{Cov}(R_i, R_M) = \frac{(0,26 - 0,1688)(0,15 - 0,1514) + \ldots + (-0,09 - 0,1688)(-0,02 - 0,1514)}{6}$$
$$= 0,1098$$

L'estimation de la variance du marché au cours des dernières années s'effectue ainsi :

$$\sigma^2(R_M) = \frac{\displaystyle\sum_{t=1}^{7}(R_{Mt} - \overline{R}_M)^2}{7 - 1}$$
$$= \frac{(0,15 - 0,1514)^2 + \ldots + (-0,02 - 0,1514)^2}{6} = 0,0779$$

Le coefficient bêta de l'action ordinaire de Bélair inc. est donc égal à :

$$\beta_i = \frac{0,1098}{0,0799} = 1,41$$

Remarque. Comme nous l'avons expliqué au chapitre 5, le coefficient bêta d'une action peut se calculer directement à l'aide de la calculatrice SHARP EL-738 (voir l'exemple 5.10 à ce sujet).

Finalement, les frais d'émission et de souscription exprimés en pourcentage du prix de l'action valent :

$$f = \frac{F(1-T)}{P} = \frac{2(1-0,40)}{32} = 3,75\%$$

Le coût d'une nouvelle émission d'actions ordinaires selon le CAPM est donc :

$$k_e = \frac{0,06 + (0,07)(1,41)}{1 - 0,0375} = 16,49\%$$

Le coût du capital de Bélair, calculé en utilisant des pondérations basées sur les valeurs comptables des titres, est :

$$\rho = (0,2353)(0,0504) + (0,1176)(0,1031) + (0,6471)(0,1649) = 13,03\%$$

2. Si l'on a plutôt recours aux valeurs marchandes des titres pour déterminer les pondérations, on obtient alors :

$$\rho = (0,1980)(0,0504) + (0,1266)(0,1031) + (0,6753)(0,1649) = 13,44\%$$

Nous avons obtenu quatre estimations du coût du capital de Bélair. Quelle valeur faut-il retenir? Compte tenu que l'on dispose ici des valeurs marchandes des titres, il nous semble que les estimations basées sur des pondérations calculées à partir des valeurs au marché soient théoriquement préférables. Le choix est donc réduit à deux estimations (a-2 et b-2).

Quelle estimation de k_e doit-on retenir (Gordon ou CAPM)? Bien qu'empruntant des voies divergentes, les deux approches, l'une basée sur l'actualisation des flux monétaires et l'autre sur l'équilibre risque-rendement devant normalement prévaloir sur les marchés financiers, fournissent des estimations parfaitement justifiables sur le plan de la théorie financière. Toutefois, ces deux modèles se fondent sur des hypothèses qui ne sont, au mieux, qu'approximativement vérifiées en pratique. Par exemple, pour la plupart des entreprises, le taux de croissance du dividende n'est pas stable d'une année à l'autre comme l'exige le modèle de Gordon[5]. De plus, les dividendes sont le plus souvent versés trimestriellement alors que nous avons supposé des dividendes annuels. En ce qui a trait au CAPM, le lecteur a pu constater au chapitre 5 que la plupart des suppositions majeures à la base de ce modèle ne constituent pas une description exacte de la réalité. Il semble également, selon certaines études empiriques, que

---

[5] Il existe des versions analytiquement plus sophistiquées du modèle d'évaluation basé sur l'actualisation des dividendes qui supposent plusieurs taux de croissance du dividende (deux ou même trois). Pour une description du modèle de croissance en deux étapes, voir le chapitre 4 (section 4.5). Toutefois, malgré les raffinements apportés, ces versions plus complexes ne permettent pas non plus de caractériser exactement le comportement temporel des dividendes. C'est pourquoi, le plus souvent en pratique, on utilise le modèle de Gordon dans sa version standard en supposant un taux de croissance annuel moyen g du dividende dans une perspective à long terme.

ce modèle n'expliquerait pas très bien les rendements des actifs financiers canadiens.

De plus, dans les deux cas, il s'agit de modèles « ex ante », c'est-à-dire de modèles basés sur les valeurs des paramètres que le marché anticipe pour l'avenir. Ne disposant pas des valeurs « ex ante » des paramètres g, λ et β, nous les avons estimés à partir des données « ex post ». Les valeurs obtenues sont peut-être représentatives de ce que sera l'avenir, mais ce n'est pas certain. En pratique, rien n'empêche d'ajuster les estimations « ex post » pour tenir compte des modifications susceptibles de se produire dans l'avenir.

Compte tenu des problèmes associés à l'utilisation de ces deux modèles dans un contexte pratique, une approche, qui en vaut bien une autre, consiste à considérer la moyenne des deux estimations comme valeur de k_e. Dans ces conditions, on obtient, si l'on utilise les valeurs marchandes des titres comme facteurs de pondération pour calculer le coût du capital, les résultats suivants :

$$k_e = \frac{k_e\,(\text{Gordon}) + k_e\,(\text{CAPM})}{2}$$

$$k_e = \frac{0,1706 + 0,1649}{2} = 16,78\%$$

et

$$\rho = (0,1980)\,(0,0504) + (0,1266)\,(0,1031) + (0,6753)\,(0,1678) = 13,63\%$$

Le coût du capital de Bélair, pour des investissements de 5 000 000 $, est donc de 13,63%.

11.9 Le coût du capital d'une division [6]

Coût du capital d'une division

Coût du capital qui tient compte du fait que chaque ligne d'activité de l'entreprise présente un degré de risque particulier et requiert, par conséquent, l'utilisation d'un taux d'actualisation différent lors de l'évaluation des projets d'investissement

Dans les sections précédentes, nous avons montré comment estimer le coût moyen pondéré du capital d'une entreprise. On ne peut cependant utiliser le taux d'actualisation ainsi obtenu que dans le contexte particulier où le risque du projet d'investissement à l'étude ne diffère pas significativement du risque global de l'entreprise. Il s'ensuit que, dans un contexte où une entreprise opère plusieurs divisions comportant des niveaux de risque inégaux, l'analyste devra utiliser un taux d'actualisation qui reflète le mieux possible le risque de la division en cause - et non celui de l'entreprise dans son ensemble - et ce, de façon à éviter de pénaliser injustement des projets dont le risque est inférieur au risque global de l'entreprise et de faire paraître plus attrayants qu'ils ne le sont en réalité certains projets comportant un risque plus élevé que le risque moyen de

---

[6] À propos de l'estimation du coût du capital d'une division, on peut notamment consulter :
Conine, T.E. et M. Tamarkin, « Divisional Cost of Capital Estimation : Adjusting for Leverage », *Financial Management*, printemps 1985, pp. 54-58.
Fuller, R.J. et H.S. Kerr, « Estimating the Divisional Cost of Capital : An Analysis of the Pure-Play Technique », *Journal of Finance*, décembre 1981, pp. 997-1009.

l'entreprise. La figure 11.4 montre le taux d'actualisation qu'il convient d'utiliser en fonction du degré de risque que présentent les différentes divisions d'une compagnie.

Figure 11.4

Relation entre le risque de la division et le taux d'actualisation approprié

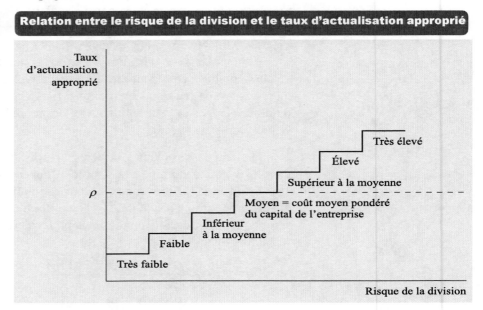

Procédure suggérée pour estimer le coût du capital d'une division

L'estimation du coût du capital d'une division peut s'effectuer de la façon suivante :

1. **Estimation du coût du financement par dette.** On calcule le coût du financement par dette après impôt de l'entreprise (k_d) de la façon habituelle et on utilise ce taux comme approximation du coût du financement par dette de chacune des divisions de l'entreprise.

2. **Estimation du coefficient bêta de la division.** On doit identifier une entreprise publique qui exerce ses activités exclusivement dans le même secteur industriel que la division de l'entreprise dont on cherche à évaluer le coût du capital. Si l'entreprise publique identifiée possède une structure de capital différente de la division, on ne pourra, dans un tel cas, utiliser directement le coefficient bêta de l'action de l'entreprise retenue comme estimation du coefficient bêta de la division étant donné que l'endettement exerce une influence sur le risque et, par conséquent, sur le coefficient bêta. Un ajustement s'avèrera alors nécessaire pour tenir compte de l'écart existant entre le ratio d'endettement de l'entreprise choisie et celui de la division dont on veut estimer le coût du capital. Cet ajustement peut notamment s'effectuer comme suit :

$$\beta_U = \frac{\beta_L}{1 + (1 - T)(B/S_L)} \tag{11.10}$$

où β_L : Coefficient bêta de l'action ordinaire de l'entreprise publique endettée. La valeur de ce coefficient tient compte à la fois du risque d'exploitation et du risque financier - attribuable à l'utilisation de l'endettement - de l'entreprise concernée.

T : Taux d'imposition marginal de l'entreprise publique

B : Valeur marchande de la dette de l'entreprise publique

S_L : Valeur marchande du capital-actions ordinaire de l'entreprise publique

B/S_L : Ratio dette/fonds propres de l'entreprise publique

β_U : Coefficient bêta qu'aurait l'action de l'entreprise publique si elle n'était pas endettée.

Une fois calculé le coefficient bêta qu'aurait l'entreprise publique si elle n'était pas endettée, on peut obtenir une estimation du coefficient bêta de la division, compte tenu de sa structure de capital, en procédant ainsi :

$$\beta_{L, \text{division}} = \beta_U \left[1 + (1-T)(B/S_L)\right] \tag{11.11}$$

❸ Estimation du coût du capital-actions ordinaire de la division. À l'aide du CAPM, on calcule le coût du capital-actions ordinaire de la division comme s'il s'agissait d'une entité distincte.

$$k_{0, \text{division}} = r + \left[E(R_M) - r\right]\beta_{L, \text{division}} \tag{11.12}$$

❹ Détermination de la structure optimale de capital de la division. On détermine la structure optimale de capital de la division comme s'il s'agissait d'une entité distincte. Compte tenu que les différentes divisions d'une entreprise comportent des niveaux de risque d'exploitation qui peuvent varier substantiellement de l'une à l'autre, il s'ensuit que certaines d'entre elles peuvent supporter un ratio d'endettement supérieur à d'autres. Le ratio d'endettement optimal d'une division donnée n'est donc pas nécessairement identique à celui de l'entreprise considérée globalement.

❺ Estimation du coût du capital de la division. On calcule le coût du capital de la division en utilisant la formule de la moyenne pondérée :

$$\rho_{\text{division}} = w_d k_d + w_0 k_{0, \text{division}} \tag{11.13}$$

où w_d : Ratio d'endettement optimal de la division.

| Exemple 11.9 | Estimation du coût du capital d'une division |

La directrice des finances de la compagnie MXX inc. veut estimer le coût du capital de l'une des nombreuses divisions de la compagnie, soit celui de la division A. Il s'agit d'une division présentant un risque d'exploitation supérieur au risque moyen de l'entreprise. Elle désire, par la même occasion, évaluer le coût du capital de l'entreprise dans son ensemble. À cette fin, elle a recueilli les renseignements suivants :

	Entreprise MXX	Division A de l'entreprise MXX	Entreprise ZRK (entreprise ayant le même risque d'exploitation que la division A de l'entreprise MXX)
Ratio d'endettement (B/SL)	0,45	0,30	0,40
Taux marginal d'imposition	38%	38%	38%
Coefficient bêta	0,90	?	1,20

Autres informations :

- Coût du financement par dette de MXX avant impôt : 10%
- Taux de rendement des bons du Trésor : 8%
- Taux de rendement espéré du portefeuille de marché : 15%

a) Quel est le coût moyen pondéré du capital de l'entreprise MXX inc.?

b) Quel est le coût du capital de sa division A?

Solution

a) On utilise l'expression (11.9), soit :

$$\rho_{entrep.} = w_d k_d + w_0 k_{0,entrep.}$$

Les proportions $\left(w_d = \dfrac{B}{B+S_L} \text{ et } w_0 = \dfrac{S_L}{B+S_L} \right)$ se calculent ainsi :

$$\frac{B}{B+S_L} + \frac{S_L}{B+S_L} = 1$$

Puisque $\dfrac{B}{S_L} = 0,45$, on peut écrire :

$$\frac{0,45\,S_L}{B+S_L} + \frac{S_L}{B+S_L} = 1$$

$$\frac{1,45\,S_L}{B+S_L} = 1$$

d'où : $\dfrac{S_L}{B+S_L} = w_0 = \dfrac{1}{1,45} = 69\%$ et $w_d = 1 - w_0 = 1 - 69\% = 31\%$

Quant au coût du financement par fonds propres, on peut l'estimer à l'aide du CAPM :

$$k_{0,\,entrep.} = 0,08 + (0,15 - 0,08)(0,90) = 14,30\%$$

Le coût du capital de l'entreprise est donc égal à :

$$\rho_{entrep.} = (0,31)(0,10)(1 - 0,38) + (0,69)(0,1430) = 11,79\%$$

b) On calcule, dans un premier temps, le coefficient bêta qu'aurait la compagnie ZRK inc. si elle se finançait exclusivement par fonds propres :

$$\beta_{U,ZRK} = \frac{1,20}{1 + (1 - 0,38)(0,40)} = 0,96$$

Par la suite, on est en mesure d'estimer le coefficient bêta de la division A de la compagnie MXX compte tenu de sa structure de capital :

$$\beta_{L,\ division} = 0,96\ [1 + (1 - 0,38)\ (0,30)] = 1,14$$

Le coût du financement par fonds propres de la division A vaut donc :

$$k_{0,\ division} = 0,08 + (0,15 - 0,08)\ (1,14) = 15,98\%$$

Les proportions $\left(w_d = \dfrac{B}{B + S_L} \text{ et } w_0 = \dfrac{S_L}{B + S_L} \right)$ se calculent ainsi :

$$\frac{B}{B + S_L} + \frac{S_L}{B + S_L} = 1$$

Puisque $\dfrac{B}{S_L} = 0,30$, on peut écrire :

$$\frac{0,30\ S_L}{B + S_L} + \frac{S_L}{B + S_L} = 1$$

$$\frac{1,30\ S_L}{B + S_L} = 1$$

d'où : $\dfrac{S_L}{B + S_L} = w_0 = \dfrac{1}{1,30} = 77\%$ et $w_d = 1 - 77\% = 23\%$

Finalement, on trouve que le coût du capital de la division A de la compagnie MXX vaut :

$$\rho_{division} = (0,23)\ (0,10)\ (1 - 0,38) + (0,77)\ (0,1598) = 13,73\%$$

C'est ce dernier taux d'actualisation qu'il convient d'utiliser pour analyser la rentabilité des projets d'investissement de la division A de la compagnie MXX, car les projets de cette division comportent un niveau de risque supérieur au risque moyen de l'ensemble des activités de l'entreprise.

Pour conclure sur l'estimation du coût du capital d'une division, il convient de souligner que l'approche proposée, tout en étant séduisante sur le plan théorique, n'en demeure pas moins assez souvent difficile à appliquer dans un contexte réel. En effet, il n'est pas toujours aisé de dénicher une entreprise publique non diversifiée présentant un risque d'exploitation comparable à celui de la division dont on cherche à estimer le coût du capital.

11.10 L'estimation du coût du capital dans un contexte pratique

Suite à la lecture de ce chapitre, le lecteur peut avoir l'impression que l'approche classique que nous avons décrite permet d'obtenir, dans un contexte pratique, une estimation précise et indiscutable du coût du capital d'une entreprise. Toutefois, compte tenu notamment que les estimations des différents coûts de financement sont imprécises et variables dans le temps - par exemple, le cours de l'action d'une entreprise n'a qu'à baisser de quelques dollars et il s'ensuit une hausse relativement importante de son coût des capitaux propres -, le résultat final obtenu (le ρ) est nécessairement lui aussi imprécis et, de plus, il fluctue constamment à travers le temps. Dans un contexte réel, il est donc utopique de chercher à obtenir une estimation du ρ précise à six décimales. La plupart du temps, le mieux que l'on puisse faire, c'est de générer un intervalle plausible de valeurs. Par exemple, dans le cas de la compagnie XYZ, on pourra conclure, suite aux calculs effectués, que son coût du capital se situe vraisemblablement entre 12 et 15%. Il s'agira, par la suite, lors du calcul de la VAN des projets d'investissement considérés par XYZ, de faire varier le taux d'actualisation entre 12 et 15%.

11.11 Concepts fondamentaux

- Le coût moyen pondéré du capital après impôt reflète les exigences de rendement des pourvoyeurs de capitaux de l'entreprise (créanciers et actionnaires) afin de lui permettre de financer ses nouveaux projets d'investissement. Il tient compte des conditions actuelles prévalant sur les marchés financiers et du fait que les intérêts constituent une dépense déductible d'impôt.

- Le coût moyen pondéré du capital peut être utilisé comme taux d'actualisation dans le calcul de la VAN d'un projet d'investissement si et seulement si ce dernier présente un degré de risque comparable aux activités habituelles de l'entreprise.

- Le coût d'une source de financement pour l'entreprise est fonction du degré de risque que comporte le titre du point de vue de l'investisseur, du traitement fiscal réservé aux flux monétaires distribués aux détenteurs des actifs financiers et des frais d'émission et de souscription nets d'impôt. Compte tenu de ces facteurs, il s'ensuit que les sources de financement les plus onéreuses pour l'entreprise sont, par ordre décroissant, les nouvelles émissions d'actions ordinaires, les bénéfices non répartis de l'année courante, les actions privilégiées, les obligations et les emprunts bancaires.

- Le coût d'une source de financement spécifique constitue en fait un taux de rendement interne (TRI). Pour obtenir la valeur cherchée, il s'agit simplement de déterminer le taux d'actualisation pour lequel le produit net d'émission par obligation ou action correspond à la valeur actualisée des sorties de fonds nettes d'impôt que devra effectuer l'entreprise pour satisfaire les exigences de rendement de ses pourvoyeurs de capitaux.

- Le coût du financement par capital-actions ordinaire peut être estimé à l'aide du modèle de Gordon - lorsque l'entreprise distribue des dividendes à ses actionnaires - ou en ayant recours au modèle d'équilibre des actifs financiers (CAPM).

- La présence des frais d'émission et de souscription explique pourquoi le coût du financement par l'entremise d'une nouvelle émission d'actions ordinaires excède le coût des bénéfices non répartis.

- Les fonds propres peuvent être d'origine interne ou externe. Lorsque l'entreprise doit émettre de nouvelles actions ordinaires pour satisfaire ses besoins de fiancement en capitaux propres, il en résulte alors une augmentation de son coût du capital. De plus, notons que, dans ce dernier cas, on doit utiliser k_e (c.-à-d. le coût d'une nouvelle émission d'actions ordinaires) dans le calcul du coût du capital. Cela est attribuable au fait que le dernier dollar financé par capitaux propres coûte k_e.

- De façon à estimer l'importance relative de chacune des sources de financement dans la structure de capital de l'entreprise, la vaste majorité des théoriciens recommandent de recourir aux valeurs marchandes des titres émis par l'entreprise plutôt que d'utiliser les données disponibles dans ses états financiers.

- Le budget optimal des investissements de l'entreprise est celui qui permet de maximiser la richesse de ses actionnaires. Afin de déterminer le montant optimal à investir, on représente sur un même graphique les rendements espérés des différentes occasions d'investissement qui s'offrent à l'entreprise et l'évolution de son coût du capital en fonction de ses besoins de financement. Le montant optimal à investir correspond alors à la coordonnée sur l'axe des ordonnées du point d'intersection des deux courbes.

- Une entreprise diversifiée doit déterminer pour chacune de ses divisions un coût du capital spécifique en prenant en considération le fait que celles-ci présentent un degré de risque différent.

11.12 Mots clés

11.13 Sommaire des principales formules

Coût de la dette (k_d)

Coût d'un emprunt bancaire

1. Calculer le taux d'intérêt périodique qui permet de satisfaire l'égalité suivante :

$$P = R\,A_{\overline{n}|i}$$

où P : Montant du prêt

R : Versement périodique

n : Nombre de versements à effectuer pour rembourser la dette

i : Taux d'intérêt périodique exigé par le prêteur

$A_{\overline{n}|i}$: Valeur actualisée d'une annuité de fin de période de 1 \$ comportant au total n versements.

2. Calculer le taux effectif annuel équivalent à partir de l'équation ci-dessous :

$$r = (1 + i)^c - 1$$

où r : Taux de rendement effectif annuel exigé par le prêteur

c : Fréquence de capitalisation des intérêts.

3. Calculer le coût de la dette après impôt à l'aide de l'expression suivante :

(11.1) $k_d = r(1 - T)$

où T : Taux d'imposition marginal de l'entreprise.

Coût des obligations

1. Calculer la valeur de *i* qui permet de satisfaire l'équation suivante :

(11.2) $PN_d = C(1 - T)A_{\overline{n}|i} + VN(1 + i)^{-n}$

où PN_d : Produit net de l'émission par obligation ($PN_d = P_b - F(1 - T)$)

P_b : Produit brut de l'émission par obligation

F : Frais d'émission et de souscription avant impôt (en dollars)

C : Coupon d'intérêt périodique - habituellement semestriel - versé aux investisseurs

i : Coût périodique - habituellement semestriel - du financement par dette

n : Nombre de versements d'intérêt que devra effectuer l'entreprise d'ici la date d'échéance des obligations

VN : Valeur nominale de l'obligation.

2. Calculer le coût effectif annuel équivalent à l'aide de l'expression suivante :

(11.3) $k_d = (1 + i)^2 - 1$

Coût des actions privilégiées (k_p)

(11.4) $k_p = \dfrac{D_p}{P - F(1 - T)} = \dfrac{D_p}{P(1 - f)}$

où D_p : Dividende périodique versé aux actionnaires privilégiées
P : Prix de l'action privilégiée
f : Frais d'émission et de souscription après impôt (en pour-centage) du prix de l'action $\left(f = \dfrac{F(1 - T)}{P} \right)$.

Coût d'une nouvelle émission d'actions ordinaires(k_e)

Coût selon le modèle de Gordon

(11.5) $k_e = \dfrac{D_1}{P - F(1 - T)} + g = \dfrac{D_1}{P(1 - f)} + g$

où D_1 : Dividende ordinaire qui sera versé par l'entreprise dans un an
P : Prix de l'action ordinaire
g : Taux de croissance annuel anticipé du dividende.

Coût selon le CAPM

(11.6) $k_e = \dfrac{r + \lambda \beta_i}{1 - f}$

où r : Taux de rendement d'un titre sans risque
λ : Prime par unité de risque $= E(R_M) - r$
β_i : Coefficient bêta de l'action.

Coût des bénéfices non répartis (k_b)

Coût selon le modèle de Gordon

(11.7) $k_b = \dfrac{D_1}{P} + g$

Coût selon le CAPM

(11.8) $k_b = r + \lambda \beta_i$

Coût moyen pondéré du capital de l'entreprise (ρ)

(11.9) $\rho = w_d k_d + w_p k_p + w_0 (k_b \text{ ou } k_e)$

où w_d : Part du financement par dette
w_p : Part du financement par actions privilégiées
w_0 : Part du financement par capitaux propres.

Coût du capital d'une division de l'entreprise (ρ_{division})

(11.13) $\rho_{\text{division}} = w_d k_d + w_0 k_{0,\text{division}}$

où w_d : Ratio d'endettement optimal de la division
k_d : Coût de la dette après impôt de la division
w_0 : Part du financement par capitaux propres de la division
$k_{0,\text{ division}}$: Coût du capital-actions ordinaire de la division.

Estimation du coefficient bêta d'une division

Lorsque l'entreprise publique identifiée possède une structure de capital différente de la division, on procède en deux étapes pour estimer le coefficient bêta d'une division :

Étape 1

(11.10) $\beta_U = \dfrac{\beta_L}{1 + (1 - T)(B/S_L)}$

où β_U : Coefficient bêta qu'aurait l'action de l'entreprise publique identifiée si elle n'était pas endettée
β_L : Coefficient bêta de l'action ordinaire de l'entreprise publique endettée
T : Taux d'imposition marginal de l'entreprise publique
B/S_L : Ratio dette/fonds propres de l'entreprise publique.

Étape 2

(11.11) $\beta_{L,\text{ division}} = \beta_U [1 + (1 - T)(B/S_L)]$

où β_U : Coefficient bêta qu'aurait la division si elle n'était pas endettée = coefficient bêta qu'aurait l'action de l'entreprise publique si elle n'était pas endettée (la valeur de ce coefficient est calculée à l'étape 1)
T : Taux d'imposition marginal de la division
B/S_L : Ratio dette/fonds propres optimal de la division.

Coût du capital-actions ordinaire de la division

(11.12) $k_{0,\text{ division}} = r + [E(R_M) - r] \beta_{L,\text{ division}}$

11.14   Exercices

1. La compagnie SGI inc. emprunte 200 000 $ à une institution financière. Cet emprunt est remboursable par une série de 48 versements mensuels égaux de fin de période de 4 882 $. Sachant que SGI inc. est imposée au taux marginal de 38%, quel est le coût effectif annuel de cette source de financement?

2. La compagnie MLNM inc. a l'intention d'émettre des obligations dont l'échéance serait dans 5 ans et la valeur nominale de 1 000 $. Les obligations pourraient être vendues au pair en autant que le taux de coupon annuel offert aux investisseurs s'élève à 8%. Les intérêts seraient versés annuellement. Les frais d'émission et de souscription sont estimés à 3% de la valeur nominale. L'entreprise est imposée au taux marginal de 40%.

   a) Calculez le coût de la dette en supposant que les frais d'émission et de souscription sont entièrement déductibles d'impôt dans l'année où ils sont encourus.

   b) Calculez le coût de la dette en supposant que les frais d'émission et de souscription sont, pour fins fiscales, amortis linéairement sur une période de 5 ans.

   c) Expliquez brièvement pourquoi le résultat obtenu en (a) est légèrement inférieur à celui trouvé en (b).

3. La compagnie Delta inc. prévoit émettre des débentures échéant dans 10 ans et dont la valeur nominale serait de 1 000 $. Les titres pourraient être vendus à 976 $ aux investisseurs en autant que le taux de coupon annuel offert s'élève à 8%. Les intérêts seraient payés semestriellement. Les frais d'émission et de souscription sont considérés comme négligeables. L'entreprise est assujettie à un taux d'imposition marginal de 40%.

   a) Calculez le coût de la dette en supposant que le montant de l'escompte est entièrement déductible d'impôt au moment de l'émission des titres.

   b) Calculez le coût de la dette en supposant que le montant de l'escompte sera déductible d'impôt au moment du rachat des titres.

   c) Expliquez brièvement pourquoi le résultat obtenu en (a) est légèrement inférieur à celui trouvé en (b).

4. Les renseignements suivants sont disponibles concernant les actions ordinaires de la compagnie Belleau inc. :

   - Dividende annuel le plus récent versé par la compagnie : 1,70 $
   - Taux de croissance annuel anticipé du dividende versé : 8%
   - Prix actuel de l'action à la Bourse de Toronto : 40 $
   - Frais d'émission et de souscription avant impôt : 2,50 $ par action
   - Taux d'imposition marginal de la compagnie : 40%

   a) En supposant que les frais d'émission et de souscription sont entièrement déductibles d'impôt dans l'année où ils sont encourus, donnez une estimation du coût d'une nouvelle émission d'actions ordinaires.

b) En supposant que les frais d'émission et de souscription sont amortis linéairement sur une période de 5 ans, donnez une estimation du coût d'une nouvelle émission d'actions ordinaires.

5. La compagnie Allo inc. envisage les 5 projets indépendants suivants :

Projet	VAN du projet (taux d'actualisation utilisé dans tous les cas : 12%)
A	- 80 000 $
B	45 000 $
C	-25 000 $
D	50 000 $
E	85 000 $

Le coût moyen pondéré du capital de l'entreprise est actuellement de 12%. Les projets A, D et E sont d'un niveau de risque équivalent aux opérations normales de l'entreprise, alors que le projet B est plus risqué. On sait également que le projet C est moins risqué que les opérations normales de l'entreprise. Dans ces conditions, que devrait faire l'entreprise?

6. La compagnie Malex inc. considère la possibilité de remplacer 4 de ses camions. Les camions actuels ont été acquis il y a 2 ans et on estime qu'ils ont une durée de vie restante de 3 ans. Ils pourraient être vendus chacun pour 1500 $ maintenant (au début de l'année 1) ou pour 400 $ chacun au début de l'année 4. L'amortissement sur les camions est calculé, pour fins fiscales, au taux dégressif de 30%.

La direction de la compagnie pense que 3 nouveaux camions pourraient remplacer adéquatement les 4 vieux camions. Les nouveaux camions ont un coût unitaire de 35 000 $, leur durée d'utilisation anticipée est de 3 ans et leur valeur de revente prévue est de 5 000 $ chacun au début de l'année 4. L'achat des nouveaux camions permettrait à l'entreprise d'économiser sur les frais d'entretien et sur l'essence. Pour les vieux camions, ces frais sont évalués à 2 300 $ par camion pour cette année. Par la suite, ils devraient augmenter au taux annuel de 5%. Si les nouveaux camions sont achetés, ces frais seront de 1 000 $ par camion pour cette année et augmenteront par la suite au taux annuel de 5%.

Chaque camion exige un chauffeur dont le salaire est estimé à 20 000 $ pour cette année. On estime que par la suite le salaire des chauffeurs devrait augmenter au taux annuel de 5%.

Le dernier bilan de la compagnie révèle les renseignements suivants :

Comptes fournisseurs	25 000 $
Impôts à payer	75 000
Obligations (10%)	1 000 000
Actions privilégiées	200 000
Actions ordinaires	700 000
Bénéfices réinvestis	900 000

L'entreprise considère que sa structure financière actuelle est optimale et ne désire pas la modifier.

L'an dernier, l'entreprise a réalisé un bénéfice après impôt de 165 000 $ et un bénéfice avant impôt de 300 000 $.

Les renseignements suivants sont disponibles concernant les titres à long terme de l'entreprise :

Obligations

- Valeur nominale : 1 000 $
- Valeur marchande : 1 020 $
- Échéance : 10 ans
- Taux de coupon annuel : 10%
- Les intérêts sur les obligations sont versés sur une base semestrielle (fin juin et fin décembre).
- Les obligations actuellement en circulation ont été émises à 1 000 $ il y a 5 ans. De nouvelles obligations (échéance 10 ans, coupons semestriels) seraient vendues au pair. Les frais d'émission et de souscription avant impôt sont estimés à 3% du prix de vente des titres.

Actions privilégiées

- Dividende versé annuellement : 2,90 $
- Prix de l'action sur le marché secondaire : 26 $
- Frais d'émission et de souscription avant impôt : 1,50 $ par action

Actions ordinaires

- Dividende annuel le plus récent : 0,85 $ par action
- Prix de l'action sur le marché secondaire : 16,25 $
- Il y a 10 ans, le dividende annuel par action s'élevait à 2,80 $. Au cours de la dernière décennie, la compagnie a fractionné ses actions ordinaires dans un rapport 3 pour 1 à deux reprises.
- Frais d'émission et de souscription avant impôt : 1 $ par action

a) Calculez le coût moyen pondéré du capital de Malex inc. au début de l'année 1.

b) La compagnie devrait-elle remplacer ses nouveaux camions?

Remarques. 1. La compagnie désire calculer son coût du capital en utilisant les pondérations comptables.

2. Cette année, la compagnie Malex inc. a de nombreux projets d'investissement et elle estime que les bénéfices non répartis ne suffiront pas à combler ses besoins de financement en capitaux propres.

7. Le dernier bilan de l'entreprise Alpha inc. permet de relever les renseignements suivants :

Passif à court terme	130 000 $
Obligations à payer	150 000
Actions privilégiées	120 000
Actions ordinaires	360 000
Bénéfices non répartis	140 000
	900 000 $

On dispose également des renseignements suivants concernant les titres à long terme de l'entreprise :

Obligations

- Valeur nominale : 1 000 $
- Valeur marchande : 980 $
- Taux de coupon annuel : 9% (les intérêts sont versés semestriellement)
- Échéance : 15 ans
- De nouvelles obligations (échéance 15 ans, coupons semestriels) seraient vendues au pair. Les frais d'émission et de souscription avant impôt sont estimés à 20 $ par obligation.

Actions ordinaires

- Prix au marché : 33 $
- Dernier dividende versé : 3 $ par action
- Valeur comptable : 6 $
- Frais d'émission et de souscription après impôt : 5% du prix de l'action
- Taux de croissance annuel anticipé du dividende : 6%

Actions privilégiées

- Prix au marché : 55 $
- Dividende annuel : 6 $ par action
- Frais d'émission et de souscription après impôt : 4% du prix de l'action

De plus, vous disposez des renseignements suivants concernant les rendements passés du marché, des bons du Trésor et de l'action ordinaire de l'entreprise Alpha inc. :

Année	Rendement du marché	Rendement de Alpha	Rendement des bons du Trésor
1	12 %	20 %	8 %
2	14 %	10 %	8 %
3	10 %	15 %	12 %
4	16 %	25 %	7 %
5	8 %	5 %	6 %

Le taux de rendement actuel des bons du Trésor s'élève à 6,50%. Le taux d'imposition marginal de l'entreprise est de 45%.

a) Calculez le coût du capital de l'entreprise en utilisant le CAPM pour estimer le coût du capital-actions ordinaire et les valeurs comptables pour déterminer les pondérations. Supposez, en outre, que les bénéfices non répartis ne suffiront pas à combler les besoins de financement en capital-actions ordinaire.

b) La politique de la compagnie est d'utiliser son coût moyen pondéré du capital pour évaluer la rentabilité de tous ses projets d'investissement. Discutez brièvement du bien-fondé de cette politique.

8. L'entreprise DCD inc. (services funéraires) envisage la possibilité de remplacer 10 de ses vieux corbillards par 10 corbillards d'un modèle plus récent dont le prix unitaire est évalué à 48 000 $. Les corbillards actuels ont été achetés il y a deux ans au prix de 35 000 $ chacun et ils ont encore 10 ans de vie utile. Ces corbillards pourraient être vendus 8 000 $ chacun maintenant (au début de l'année 1) ou pour 2 000 $ chacun au début de l'année 11 (sans fermeture de classe).

Le président de la compagnie, M. Aimé Lamarre, désireux de savoir si cet investissement est judicieux a demandé a son fils, M. Désiré Lamarre (comptable de profession), de procéder à une analyse de rentabilité. Dans ce but, M. Désiré Lamarre a calculé les recettes nettes annuelles (avant impôt et amortissement) du projet pour les années 1 à 10 inclusivement. Les résultats obtenus sont les suivants :

Années	Recettes nettes annuelles
1 à 5	100 000 $
6 et 7	140 000
8 à 10	220 000

Pour fins fiscales, les véhicules sont amortissables au taux dégressif de 30% par année. L'entreprise espère pouvoir revendre les nouveaux véhicules au prix de 5 000 $ chacun au début de l'année 11 (sans fermeture de classe).

Le bilan de la compagnie permet de relever les renseignements suivants :

Comptes fournisseurs	25 000 $
Dividendes à payer	35 000
Impôts à payer	40 000
Obligations	900 000
Actions privilégiées	300 000
Actions ordinaires	450 000
Bénéfices non répartis	650 000

La compagnie considère sa structure de capital actuelle optimale et ne désire pas la modifier.

Les renseignements suivants sont disponibles concernant les titres de la compagnie :

Obligations

- Valeur nominale : 1 000 $
- Valeur marchande : 980 $
- Échéance : 10 ans
- Taux de coupon annuel: 10% (les intérêts sont versés semestriellement)
- De nouvelles obligations (échéance 10 ans, coupons semestriels) pourraient être vendues à 980 $ en offrant aux investisseurs un taux de coupon équivalent à celui des titres actuellement en circulation. Les frais d'émission et de souscription avant impôt sont estimés à 30 $ par obligation. Pour simplifier, supposez que les frais ainsi que l'escompte sont entièrement déductibles d'impôt au moment de l'émission.

Actions privilégiées

- Dividende versé annuellement : 3 $
- Prix de l'action sur le marché secondaire : 31 $
- Frais d'émission et de souscription avant impôt : 1,80 $ par action

Actions ordinaires

- Dividende annuel le plus récent : 1,80 $ par action
- Prix de l'action sur le marché secondaire : 18 $
- Il y a 10 ans, le dividende par action ordinaire s'élevait à 3 $. L'année dernière, la compagnie a fractionné ses actions ordinaires dans un rapport 5 pour 1. On anticipe, pour tout l'avenir prévisible, que le taux de croissance annuel du dividende sera de 3% inférieur à celui observé au cours de la dernière décennie.

Le taux d'impôt actuel de la compagnie est de 40%. Au cours des 5 dernières années, DCD inc. a payé, en moyenne, un taux d'impôt de 36%.

Suite au décès imprévu de son fils Désiré, qui a été terrassé par une crise cardiaque la semaine dernière, le président de DCD inc., M. Aimé Lamarre, vous a engagé à titre de consultant en vue de compléter l'analyse de rentabilité amorcée par son fils. À cette fin, vous avez exigé des honoraires de 12 000 $. Le contrat que vous avez signé il y a deux jours avec la compagnie DCD prévoit que vos honoraires vous seront versés de la façon suivante :

6 000 $	maintenant (au début de l'année 1)
3 000	à la fin de l'année 2
1 800	à la fin de l'année 3
1 200	à la fin de l'année 4

Déterminez si l'investissement envisagé par DCD inc. au début de l'année 1 est rentable.

Remarques. 1. On estime que les pondérations, calculées à partir des valeurs comptables des titres, sont représentatives de la façon dont la compagnie a l'intention de se financer dans le futur.

2. Cette année, la compagnie DCD inc. a très peu d'investissements en vue. En conséquence, on pense que les bénéfices réinvestis de l'année suffiront à combler les besoins de financement en capitaux propres.

9. Les renseignement ci-dessous proviennent des états financiers les plus récents de la compagnie BGI inc. :

Dette à court terme	3 000 000 $
Obligations	6 000 000
Impôts différés	500 000
Actions privilégiées	2 000 000
Actions ordinaires	8 000 000
Bénéfices non répartis	4 000 000
	23 500 000 $

On dispose également des données suivantes :

(1) **Obligations**

- Valeur nominale : 1 000 $
- Valeur marchande : 1 030 $
- Taux de coupon annuel : 10% (les intérêts sont versés semestriellement)
- Échéance : 12 ans
- Il y a actuellement 6 000 obligations en circulation.
- De nouvelles obligations (échéance 12 ans, coupons semestriels) seraient vendues au pair.

(2) **Actions privilégiées**

- Dernier dividende versé : 7 $ par action
- Valeur au marché : 62 $
- Il y a actuellement 40 000 actions privilégiées en circulation.

(3) **Actions ordinaires**

- Dernier dividende versé : 5 $ par action
- Valeur au marché : 52 $
- La compagnie estime que le dividende croîtra au taux annuel de 7%. Il y a actuellement 320 000 actions ordinaires en circulation.

(4) Taux d'impôt actuel de la compagnie : 40%

(5) Taux d'impôt moyen de la compagnie au cours des 5 dernières années : 30%

(6) Rendement moyen des bons du Trésor au cours des 10 dernières années : 7,50%

(7) Rendement des bons du Trésor de cette semaine : 6,50%

(8) Rendement moyen du marché au cours des 10 dernières années : 12%

(9) Coefficient de corrélation entre les rendements de BGI inc. et du marché au cours des 10 dernières années : 0,75

(10) Variance des rendements de BGI inc. au cours des 10 dernières années : 0,41

(11) Variance des rendements du marché au cours des 10 dernières années : 0,04

(12) Les frais d'émission et de souscription après impôt sont les suivants :

Obligations : 2% du prix de vente

Actions privilégiées : 3% du prix de vente

Actions ordinaires : 4% du prix de vente

(13) Amortissement de l'exercice : 350 000 $

Estimez le coût du capital de BGI inc. en utilisant les valeurs marchandes des titres pour déterminer les pondérations et en supposant que les bénéfices réinvestis ne suffiront pas à combler les besoins de financement en capital-actions ordinaire. Pour le calcul du coût des fonds propres, utilisez le CAPM et, par la suite, le modèle de Gordon. Comparez les résultats obtenus.

10. Au début de l'année 1, on retrouve notamment les renseignements suivants au bilan de la compagnie Romex inc. :

Obligations	40 000 000 $
Actions privilégiées	20 000 000
Actions ordinaires	15 000 000
(3 000 000 d'actions)	
Bénéfices non répartis	30 000 000

Les obligations en circulation ont été émises à leur valeur nominale (soit 1 000 $) il y a 5 ans. Elles se négocient présentement au pair sur le marché hors Bourse et offrent aux investisseurs un taux de coupon annuel de 10% (les intérêts sont payés semestriellement). De nouvelles obligations comportant une échéance identique (soit 10 ans) pourraient être vendues à leur valeur nominale auprès d'investisseurs institutionnels. Les frais d'émission et de souscription peuvent être considérés comme étant négligeables.

La compagnie a deux émissions d'actions privilégiées en circulation. La première, série A, rapporte aux investisseurs un dividende annuel de 8 $. Ces actions se transigent actuellement à 86 $ sur le marché et il y en a 100 000 en circulation. La seconde, série B, rapporte aux investisseurs un dividende annuel de 7 $. Ces actions se négocient à 75,75 $ sur le marché et il y en a 100 000 en circulation. Les dividendes sont cumulatifs dans les deux cas. Une nouvelle émission entraînerait des frais d'émission et de souscription après impôt correspondant à 3% du prix de l'action.

Les actions ordinaires se négocient à 20 $ à la Bourse et une nouvelle émission rapporterait 18 $ nets à la compagnie. Le plus récent dividende ordinaire versé s'est élevé à 0,54 $ l'action. Pour tout l'avenir prévisible, la direction de l'entreprise pense que le taux de croissance annuel du dividende et du bénéfice par action se situera autour de 10%.

Le dividende par action ordinaire de la compagnie correspond normalement à 40% de son bénéfice par action. L'an dernier, la compagnie a réalisé un bénéfice par action de 1,35 $. Les bénéfices non répartis de cette année (année 1) pourront financer, en partie, les investissements envisagés par l'entreprise.

La compagnie considère que sa structure de capital actuelle est optimale. Son taux d'imposition marginal se situe 40%.

En utilisant des pondérations basées sur les valeurs marchandes des titres, déterminez, au début de l'année 1, le coût du capital de Romex inc. si :

a) les besoins de financement requis s'élèvent à 2 000 000 $;

b) les besoins de financement requis s'élèvent à 10 000 000 $.

11. La compagnie MKO inc., qui opère dans le secteur de la haute technologie depuis plusieurs années, envisage au début de l'année 1 de nombreux projets d'investissement dont le risque d'exploitation est à peu près équivalent à ses activités habituelles. De plus, les projets d'investissement considérés seraient financés dans les mêmes proportions que la structure de capital actuelle de l'entreprise. Dans le but d'évaluer la rentabilité des investissements envisagés, MKO inc. vous engage à titre de consultant afin d'obtenir une estimation de son coût du capital. À cette fin, vous avez recueilli les renseignements suivants :

Paramètres du marché
- Rendement annuel moyen de l'indice boursier au cours des 10 dernières années : 12%
- Rendement annuel moyen des bons du Trésor au cours des 10 dernières années : 7,50%
- Rendement actuel des bons du Trésor : 6,50%
- Taux d'inflation annuel prévu à long terme : 3%

Actions ordinaires
- Coefficient bêta : 1,80
- Nombre d'actions ordinaires en circulation : 800 000
- Dividende par action versé il y a 7 ans : 0,22 $
- Dividende par action le plus récent : 0,50 $
- Taux de croissance prévu du dividende à partir de maintenant (année 1) : taux d'inflation prévu + 5%
- L'action se transige actuellement à 9 $ à la Bourse de Toronto.
- Pour financer les investissements envisagés, il faudra émettre de nouvelles actions. Les courtiers pensent être en mesure de les vendre à leur cours boursier actuel aux investisseurs. Les frais d'émission et de souscription après impôt sont évalués à 6% du prix de l'action.

Obligations

Actuellement, il y a 5 000 obligations en circulation. Les intérêts sont versés à la fin de chaque année. Pour ce genre de titre, les investisseurs exigent un taux de rendement effectif annuel de 12%. De plus, de nouveaux titres pourraient être écoulés au pair et les frais d'émission et de souscription seraient négligeables.

Structure de capital de l'entreprise au début de l'année 1

Passif

Comptes fournisseurs	1 200 000 $
Impôts différés	300 000
Obligations	5 000 000
(valeur nominale : 1 000 $, taux de coupon	
annuel : 10%, échéance : dans 10 ans)	

Avoir des actionnaires

Actions ordinaires	3 000 000
Bénéfices non répartis	2 000 000
	11 500 000 $

Le taux d'impôt de la compagnie est de 40%.

a) Déterminez la part du financement par dette et la part du financement par capital-actions ordinaire en utilisant les valeurs marchandes des titres.

b) Quel est le coût marginal de la dette de l'entreprise?

c) Quel est le coût marginal du capital-actions ordinaire selon le modèle de Gordon?

d) Quel est le coût marginal du capital-actions ordinaire selon le CAPM?

e) Donnez une estimation du coût du capital de l'entreprise en utilisant :
   1) le modèle de Gordon pour évaluer le coût des fonds propres et
   2) le CAPM pour évaluer le coût des fonds propres.

12. Au début de l'année 1, la compagnie Valmont inc. envisage la possibilité d'acquérir un nouvel équipement au coût de 800 000 $ (cat. 8, amortissable pour fins fiscales au taux dégressif annuel de 20%). La valeur résiduelle prévue de cet équipement à la fin du projet (soit dans 5 ans) est nulle. L'achat de l'équipement serait financé par un prêt à terme remboursable sur 5 ans au moyen d'une série de 5 versements uniformes de fin d'année. Le taux annuel de l'emprunt serait de 10%. Selon le comptable de l'entreprise, le projet envisagé permettrait de générer des flux monétaires nets après impôt[1] de 200 000 $ et ce, pour chacune des 5 prochaines années. Sachant que le projet envisagé comporte un risque similaire aux

---

[1] Dans l'estimation des flux monétaires du projet, le comptable a tenu compte, en plus des éléments habituels, de la dépense annuelle d'intérêt (nette d'impôt) liée au financement du projet. Il a également tenu compte du remboursement du principal de la dette que devra effectuer l'entreprise à chacune des années.

activités habituelles de l'entreprise, que le coût moyen pondéré du capital (après impôt) de cette dernière est présentement de 14%[2] et que son taux d'imposition est de 36%, devrait-on acquérir le nouvel équipement?

13. Au début de l'année 1, la structure de capital de la compagnie Mira inc. se présente ainsi :

Passif

Comptes fournisseurs	2 000 000 $
Impôt à payer	300 000
Obligations, Série A	10 000 000
Obligations, Série B	12 000 000
Actions privilégiées	11 000 000
Actions ordinaires	15 000 000
Bénéfices non répartis	7 700 000
	58 000 000 $

Obligations

- Série A - Nombre d'obligations en circulation : 10 000
  - Prix au marché : 980 $
  - Intérêts versés semestriellement (fin juin et fin décembre)
  - Taux de coupon annuel : 10%
  - Échéance : dans 10 ans
- Série B - Nombre d'obligations en circulation : 12 000
  - Prix au marché : ?
  - Intérêts versés annuellement (fin décembre)
  - Taux de rendement effectif annuel exigé par le marché : taux de rendement effectif annuel des obligations de série A + 1%
  - Taux de coupon annuel : 11%
  - Échéance : dans 20 ans

Pour financer en partie ses nouveaux investissements, la compagnie prévoit émettre des obligations, à coupons semestriels, échéant dans 10 ans. Les titres seront vendus à leur valeur nominale et les frais d'émission et de souscription avant impôt sont estimés à 2,50% du prix de vente.

Actions privilégiées

- Nombre d'actions en circulation : 550 000
- Dividende annuel par action : 2,50 $
- Prix actuel à la Bourse de Toronto : 28 $
- Une nouvelle émission rapporterait net à la compagnie : 26 $ par action

---

[2] Il y a deux ans, le coût moyen pondéré du capital (après impôt) de l'entreprise était de l'ordre de 12%.

Actions ordinaires

- Prix à la Bourse de Toronto au début de l'année 1 : 8,50 $
- Valeur comptable d'une action ordinaire : 2,27 $
- Au cours des 6 dernières années, le dividende par action versé par la compagnie est passé de 0,15 $ à 0,32 $.
- Habituellement, le dividende par action ordinaire correspond à 40% du bénéfice par action de l'entreprise.
- Les dirigeants de la compagnie, ainsi que la plupart des analystes financiers, estiment que le taux de croissance annuel du dividende et du bénéfice par action s'élèvera, à partir de cette année, à 8% et ce, pour tout l'avenir prévisible.
- Bénéfice par action réalisé l'année dernière : 0,80 $
- Frais d'émission et de souscription après impôt : 7% du prix de l'action
- À partir des rendements mensuels du marché boursier et de ceux de la compagnie Mira inc. au cours des 5 dernières années, un ordinateur a calculé les valeurs suivantes :

$$\sum_{t=1}^{60} (R_{Mt} - \overline{R}_M)(R_{MIRA} - \overline{R}_{MIRA}) = 0,0386$$

$$\sum_{t=1}^{60} (R_{Mt} - \overline{R}_M)^2 = 0,0343$$

Paramètres du marché

- Rendement annuel moyen du marché boursier au cours de la dernière décennie : 12%
- Rendement annuel moyen des bons du Trésor au cours de la dernière décennie : 7,5%
- Rendement actuel des bons du Trésor : 6,50%

Autre information

- Taux d'impôt de la compagnie : 40%

a) Au début de l'année 1, l'action ordinaire de Mira inc. est-elle surévaluée, sous-évaluée ou correctement évaluée par le marché? Justifiez votre réponse.

b) Déterminez, au début de l'année 1, la part du financement par dette, la part du financement par actions privilégiées et la part du financement par capital-actions ordinaire en utilisant les valeurs marchandes des titres.

c) Quel est (au début de l'année 1):
  i)   le coût marginal de la dette de l'entreprise?
  ii)   le coût marginal du financement par actions privilégiées?
  iii) le coût d'une nouvelle émission d'actions ordinaires selon le CAPM?
  iv)   le coût d'une nouvelle émission d'actions ordinaires selon le modèle de Gordon?

d) Déterminez, au début de l'année 1, le coût du capital de la compagnie Mira inc. en utillisant des pondérations basées sur les valeurs marchandes des titres et en supposant que l'entreprise devra émettre de nouvelles actions ordinaires. Pour obtenir une estimation du coût du capital-actions ordinaire, faites la moyenne arithmétique des résultats obtenus selon le CAPM et selon le modèle de Gordon.

e) Déterminez l'augmentation d'actifs que la compagnie Mira inc. pourrait financer à l'année 1 sans avoir à émettre de nouvelles actions ordinaires et en ne modifiant pas sa structure actuelle de capital en valeurs marchandes.

f) Toutes choses étant égales par ailleurs, quel serait l'impact de chacun des faits suivants sur le coût du capital de l'entreprise Mira inc. :
   1. Le taux d'imposition de l'entreprise augmente.
   2. La Banque du Canada augmente son taux d'escompte.
   3. Le coût du capital est calculé en utilisant les valeurs comptables des titres au lieu des valeurs marchandes.
   4. Les frais d'émission et de souscription augmentent.
   5. Le risque d'exploitation de l'entreprise diminue.

14. Les données suivantes sont disponibles concernant la compagnie Investitek inc. :

Structure de capital optimale

- Dette : 40%
- Fonds propres (c.-à-d. bénéfices non répartis et nouvelles émissions d'actions ordinaires : 60%

Coûts actuels des différentes sources de financement

- Dette (avant impôt) : 9% pour les premiers 5 000 000 $ empruntés et 11% pour les emprunts additionnels
- Bénéfices non répartis : 14%
- Nouvelles émissions d'actions ordinaires : 16%

Investissements indépendants envisagés

Projet	Mise de fonds initiale requise	Taux de rendement interne espéré
A	3 000 000 $	20 %
B	5 000 000	18
C	4 000 000	16
D	7 000 000	15
E	3 000 000	13
F	6 000 000	11
G	4 000 000	10

Autres informations

- Taux d'impôt de l'entreprise : 36%
- Bénéfices disponibles pour fins de réinvestissement au cours de la prochaine année : 8 000 000 $

a) Représentez graphiquement l'évolution du coût du capital de la compagnie Investitek inc. en fonction de ses besoins de financement.

b) Déterminez le budget optimal des investissements de cette entreprise.

15. La compagnie RZT inc. comporte quatre divisions : A, B, C et D. Dans le but d'évaluer le coût du capital de chacune d'entre elles, le vice-président aux finances de la compagnie a estimé les paramètres suivants :

- $\beta_{L,A} = 0,50$
- $\beta_{L,B} = 0,80$
- $\beta_{L,C} = 1,20$
- $\beta_{L,D} = 1,50$

- Taux de rendement des bons du Trésor : 8%
- Taux de rendement espéré de l'indice boursier S&P/TSX : 15%
- Coût du financement par dette avant impôt : 10%
- Taux d'impôt marginal de l'entreprise : 40%

De plus, la structure du capital optimale de chacune de ces quatre divisions est la suivante :

	Division A	Division B	Division C	Division D
Dette	50%	40%	30%	20%
Fonds propres	50%	60%	70%	80%

En ignorant l'impact des frais d'émission des titres, déterminez le coût du capital de chacune de ces divisions.

16. Dans le but d'estimer le coût du financement par fonds propres d'une de ses divisions qui se spécialise dans le domaine de l'électronique, le directeur des finances de la compagnie Saganex inc. a identifié une entreprise publique (l'entreprise Amtex inc.) qui opère exclusivement dans ce domaine. Les données qu'il a pu recueillir sont les suivantes :

	Division électronique de la compagnie Saganex	Compagnie Amtex
Taux d'impôt marginal	35%	40%
Ratio dette/fonds propres	0,70	0,90
Coefficient bêta de l'action ordinaire	?	1,50

En supposant un taux de rendement des bons du Trésor de 8% et une prime par unité de risque de l'ordre de 10%, déterminez le coût des fonds propres de la division électronique de la compagnie Saganex inc.

Chapitre 12
La structure de capital

Sommaire

Lorsque vous aurez complété l'étude du chapitre 12,

1. vous serez sensibilisé au fait que l'utilisation de sources de financement nécessitant des déboursés fixes (dette et/ou actions privilégiées) a pour effet d'augmenter à la fois le rendement espéré et le risque des actions ordinaires;

2. vous maîtriserez la notion de risque financier;

3. vous serez en mesure d'effectuer une analyse d'indifférence BAII-BPA (de façon conventionnelle et à l'aide du tableur Excel) et connaîtrez les limites de ce genre d'analyse;

4. vous saurez que selon le modèle traditionnel il existe une structure optimale de capital et qu'une uilisation judicieuse de l'endettement permet d'accroître la valeur marchande de l'entreprise et de minimiser également son coût du capital;

5. vous maîtriserez les propositions 1 et 2 de Modigliani et Miller (M et M);

6. vous comprendrez l'incidence qu'exercent des facteurs tels que la fiscalité corporative, la fiscalité personnelle, les coûts de faillite, les coûts d'agence, le risque d'exploitation, la nature des actifs détenus par l'entreprise, etc. sur le choix d'une structure optimale de capital;

7. vous saurez que, selon la théorie des préférences de financement hiérarchisées, les entreprises utilisent, dans l'ordre, les sources de financement suivantes : (1) les fonds autogénérés, (2) la dette et (3) les nouvelles émissions d'actions ordinaires;

8. vous comprendrez pourquoi il semble y exister une relation inverse entre la rentabilité d'une entreprise et son ratio d'endettement.

12.1 Introduction

Pour financer ses investissements en actifs réels, l'entreprise peut émettre différents genres de titres (obligations, actions ordinaires, etc.). La répartition qu'elle fait entre les différents titres influence à la fois le rendement espéré et le risque de son capital-actions ordinaire. En effet, plus l'entreprise a recours à l'endettement, plus le rendement espéré des actionnaires sur leur mise de fonds est élevé ce qui, toutes choses étant égales par ailleurs, tend à faire hausser le prix de l'action. En contrepartie, la variabilité des rendements du capital-actions augmente également avec l'endettement ce qui, toutes choses étant égales par ailleurs, a pour conséquence de faire diminuer la valeur au marché de l'action. Dans ces conditions, il importe pour le gestionnaire financier de savoir s'il existe un niveau d'endettement pour lequel le prix de l'action est maximisé et, si oui, quel est-il?

Ce chapitre se divise en trois grandes parties. Dans un premier temps, nous montrons que l'utilisation de sources de financement nécessitant des déboursés fixes (dette et/ou actions privilégiées) a pour effet d'augmenter à la fois le rendement espéré et le risque des actionnaires ordinaires. Par la suite, nous traitons de l'analyse d'indifférence BAII-BPA. Cette méthode d'analyse, qui est basée sur des données comptables, peut s'avérer utile au gestionnaire lors-

Bénéfice par action (BPA)
Portion du bénéfice net de l'exercice revenant au détenteur d'une action ordinaire

Bénéfice avant intérêts et impôts (BAII)
Bénéfice réalisé par l'entreprise au cours de l'exercice en faisant abstraction de ses charges financières et des impôts à payer

Structure de capital
Importance relative de la dette (dette à court terme permanente et dette à long terme), des actions privilégiées et des fonds propres (actions ordinaires et bénéfices non répartis) dans le financement de l'entreprise

qu'il doit faire une sélection entre différents modes de financement permettant à l'entreprise de réaliser de nouveaux projets d'investissement. Finalement, nous abordons l'importante question suivante : est-ce que le choix d'une structure de capital inluence la valeur marchande de l'entreprise? Comme nous le verrons en détail plus loin dans ce chapitre, il s'agit là d'un sujet très controversé, qui fait l'objet de débats dans les milieux académiques depuis plusieurs années et qui, à ce jour, ne fait pas l'unanimité parmi les théoriciens de la finance.

12.2   L'impact de l'endettement sur le risque et la rentabilité du capital-actions ordinaire

Afin d'illustrer l'impact de l'endettement sur le risque et la rentabilité de la mise de fonds des actionnaires, nous considérerons trois entreprises (A, B et C), qui exercent leurs activités dans le même secteur industriel (les trois entreprises ont le même risque d'exploitation), et dont l'actif total est, dans les trois cas, de 500 000 $. Les entreprises considérées ne diffèrent donc qu'en ce qui concerne leur structure de capital (voir le tableau 12.1).

Tableau 12.1   **Structure de capital des entreprises A, B et C**

	A	Entreprise B	C
Ratio d'endettement	-	30%	60%
Structure de capital			
Dette	-	150 000 $	300 000 $
Capital-actions ordinaire	500 000 $	350 000	200 000
Total	500 000 $	500 000 $	500 000 $

Les valeurs possibles du bénéfice avant intérêts et impôts (BAII) et leur probabilité de réalisation sont indiquées au tableau 12.2.

Tableau 12.2   **Les valeurs possibles du BAII des entreprises A, B, et C et leur probabilité de réalisation**

Probabilité	Bénéfice avant intérêts et impôts (BAII)	Taux de rendement de l'actif avant intérêts et impôt
0,10	10 000 $	2% $\left(\dfrac{10\ 000\$}{500\ 000} = 2\% \right)$
0,20	60 000	12
0,40	125 000	25
0,20	200 000	40
0,10	240 000	48

On supposera, de plus, que le taux d'imposition des entreprises est de 40% et que le taux d'intérêt de la dette s'élève à 12%.

Le calcul du taux de rendement de l'avoir des actionnaires, pour chacun des BAII possibles, est présenté au tableau 12.3.

Tableau 12.3 — **Les différents taux de rendement possibles de l'avoir des actionnaires des entreprises A, B et C**

	Entreprise A (aucune dette)				
Probabilité	0,10	0,20	0,40	0,20	0,10
Bénéfice avant intérêts et impôts	10 000 $	60 000 $	125 000 $	200 000 $	240 000 $
Intérêt sur la dette	-	-	-	-	-
	10 000 $	60 000 $	125 000 $	200 000 $	240 000 $
Impôt (40%)	4 000	24 000	50 000	80 000	96 000
Montant disponible pour les actionnaires	6 000 $	36 000 $	75 000 $	120 000 $	144 000 $
Rendement de l'avoir des actionnaires	1,2%	7,2%	15,0%	24%	28,8%

Espérance de rendement
$$\begin{cases} E(R) = \sum_{k=1}^{n} P_k R_k = (0,10)(0,012) + (0,20)(0,072) \\ \qquad + (0,40)(0,15) + (0,20)(0,24) + (0,10)(0,288) \\ = 15,2\% \end{cases}$$

Risque
$$\begin{cases} \sigma(R) = \left[\sum_{k=1}^{n} P_k [R_k - E(R)]^2 \right]^{1/2} \\ = [(0,10)(0,012 - 0,152)^2 + (0,20)(0,072 - 0,152)^2 \\ \qquad + (0,40)(0,15 - 0,152)^2 + (0,20)(0,24 - 0,152)^2 \\ \qquad + (0,10)(0,288 - 0,152)^2]^{1/2} = 8,1\% \\ CV = \text{Coefficient de variation} = \dfrac{\sigma(R)}{E(R)} = \dfrac{0,081}{0,152} = 0,53 \end{cases}$$

Entreprise B				
(30% de dette)				
Probabilité	0,10	0,20	0,40	0,20	0,10

Bénéfice avant intérêts et impôts	10 000 $	60 000 $	125 000 $	200 000 $	240 000 $
Intérêts sur la dette (12%)	18 000	18 000	18 000	18 000	18 000
	(8 000) $	42 000 $	107 000 $	182 000 $	222 000 $
Impôt (40%) (crédit d'impôt)	(3 200)	16 800	42 800	72 800	88 800
Montant disponible pour les actionnaires	(4 800) $	25 200 $	64 200 $	109 200 $	133 200 $
Rendement de l'avoir des actionnaires	(1,4%)	7,2%	18,3%	31,2%	38,1%

E(R) = 18,7%,   σ(R) = 11,7%,   CV = 0,63

Entreprise C				
(60% de dette)				
Probabilité	0,10	0,20	0,40	0,20	0,10

Bénéfice avant intérêts et impôts	10 000 $	60 000 $	125 000 $	200 000 $	240 000 $
Intérêts sur la dette (12%)	36 000	36 000	36 000	36 000	36 000
	(26 000) $	24 000 $	89 000 $	164 000 $	204 000 $
Impôt (40%) (crédit d'impôt)	(10 400)	9 600	35 600	65 600	81 600
Montant disponible pour les actionnaires	(15 600) $	14 400 $	53 400 $	98 400 $	122 400 $
Rendement de l'avoir des actionnaires	(7,8%)	7,2%	26,7%	49,2%	61,2%

E(R) = 18,7%,   σ(R) = 11,7%,   CV = 0,63

À partir des résultats du tableau 12.3, on peut effectuer les constatations suivantes :

1. Dans le cas d'une entreprise qui ne s'endette pas (l'entreprise A dans notre exemple), les différents taux de rendement possibles de l'avoir des actionnaires correspondent évidemment aux différents taux de rendement possibles de l'actif après impôt. Par exemple, pour un BAII de 125 000 $, on a :

Taux de rendement de
l'avoir des actionnaires = 15%
de l'entreprise A

et

$$\text{Taux de rendement de l'actif après impôt de l'entreprise A} = \left(\frac{125\,000}{500\,000}\right)(1 - 0,40) = 15\%$$

2. Pour un BAII de 60 000 $, les trois entreprises considérées ont un taux de rendement de l'avoir des actionnaires qui est identique. Pour cette valeur du BAII - et seulement pour celle-ci -, la façon dont l'entreprise est financée n'exerce aucune incidence sur le taux de rendement de l'avoir des actionnaires. Ce résultat est attribuable uniquement au fait qu'un BAII de 60 000 $ représente un taux de rendement (avant impôt) de 12% $\left(\dfrac{60\,000}{500\,000}\right)$ sur l'actif de l'entreprise, soit exactement le même taux que le coût de la dette avant impôt.

3. En examinant les résultats obtenus pour des valeurs du BAII inférieures ou supérieures à 60 000 $, on constate que la structure de capital influence le taux de rendement réalisé par les actionnaires sur leur investissement dans l'entreprise. Ainsi, lorsque le BAII excède 60 000 $, l'entreprise a avantage à s'endetter alors que, dans le cas contraire, le mode de financement à privilégier est les capitaux propres.

4. De façon générale, le recours à l'endettement[1] permet d'accroître la rentabilité de l'avoir des actionnaires (effet de levier financier positif) lorsque :

$$\frac{\text{BAII}(1-T)}{\text{Actif}} > \left(\begin{array}{c}\text{Coût de la dette}\\\text{avant impôt}\end{array}\right)(1-T)$$

ou, en simplifiant :

$$\frac{\text{BAII}}{\text{Actif}} > \left(\begin{array}{c}\text{Coût de la dette}\\\text{avant impôt}\end{array}\right)$$

Ainsi, lorsque le BAII est de 125 000 $, l'endettement est avantageux pour les actionnaires puisque dans ce cas :

$$\left(\frac{125\,000}{500\,000} = 25\%\right) > 12\%$$

---

[1] Les dividendes privilégiés n'étant pas déductibles d'impôt, il faut, pour que l'émission de ce genre de titre contribue à accroître la rentabilité du capital-actions ordinaire, que l'inégalité suivante soit vérifiée :

$$\frac{\text{BAII}(1-T)}{\text{Actif}} > \left(\begin{array}{c}\text{Coût des actions}\\\text{privilégiées}\end{array}\right).$$

L'écart entre le taux de rendement de l'actif et le coût de la dette (25% - 12% = 13%) permet d'accroître la rentabilité de l'avoir des actionnaires. C'est ce qui permet d'expliquer que, pour un BAII de 125 000 $, le taux de rendement de l'avoir des actionnaires de l'entreprise B (18,3% d'après le tableau 12.3) dépasse celui de l'entreprise A (15% d'après le tableau 12.3). La différence de 3,3% entre les deux taux de rendement peut se calculer ainsi :

$$\frac{\left(\begin{array}{c}\text{Montant des actifs} \\ \text{financés par dette}\end{array}\right)\left(\begin{array}{c}\text{Taux de rendement} \\ \text{de l'actif}\end{array} - \begin{array}{c}\text{Coût de} \\ \text{la dette}\end{array}\right)(1-T)}{\text{Mise de fonds des actionnaires}}$$

$$= \frac{(150\ 000)(0,25-0,12)(1-0,40)}{350\ 000}$$

$$= 3,3\%$$

5. Le recours à l'endettement a pour effet d'accroître la rentabilité espérée du capital-actions. En effet, c'est le capital-actions de l'entreprise la plus fortement endettée (entreprise C) qui affiche la rentabilité espérée la plus élevée. En contrepartie, on observe que la variabilité des rendements du capital-actions augmente aussi avec le niveau d'endettement. Comme l'indique le tableau 12.3, ce sont les actionnaires de l'entreprise qui utilise le plus l'effet de levier financier (entreprise C) qui doivent assumer le risque le plus substantiel. À une augmentation du rendement espéré correspond donc une augmentation du risque, comme c'est généralement le cas en finance.

6. En plus d'accroître la variabilité des rendements du capital-actions, le recours à l'endettement crée ou augmente le risque de faillite de l'entreprise. En effet, plus l'entreprise s'endette, plus ses charges fixes sont importantes et plus grande est la probabilité de ne pas être en mesure d'y faire face dans une période économique difficile.

12.3 L'analyse d'indifférence BAII-BPA

Analyse d'indifférence BAII-BPA
Technique analytique qui peut être utilisée pour déterminer dans quelles circonstances l'entreprise devrait obtenir le nouveau financement requis par emprunt

L'analyse d'indifférence est un outil utilisé par le gestionnaire lorsqu'il doit décider s'il s'avère préférable d'émettre des obligations ou des actions pour combler les besoins de fonds de l'entreprise. Cette méthode d'analyse permet de quantifier l'impact anticipé des diverses possibilités de financement envisagées sur le bénéfice par action (BPA) de l'entreprise et de déterminer la valeur du BAII pour laquelle le BPA sera identique et ce, peu importe le mode de financement retenu.

Pour illustrer l'application de cette technique, supposons que l'entreprise C, dont il est question à la section 12.2, désire réaliser un projet d'investissement nécessitant une mise de fonds initiale de 200 000 $. Les deux possibilités de financement suivantes sont envisagées :

1. Une nouvelle émission d'actions rapportant net à la compagnie 10 $ l'action. L'entreprise a actuellement 50 000 actions ordinaires en circulation.

2. Une nouvelle émission d'obligations comportant un taux d'intérêt annuel de 13%.

Quel mode de financement l'entreprise C devrait-elle retenir?

La réponse à cette question est fonction du BAII que l'entreprise s'attend à réaliser dans l'avenir. Dans un premier temps, calculons le BAII pour lequel l'entreprise C serait indifférente entre émettre des actions ou des obligations. Ce niveau d'indifférence est celui où le bénéfice par action (BPA) est égal pour les deux modes de financement. Il s'agit donc de trouver la valeur du BAII qui permet de satisfaire l'égalité suivante :

$$\text{BPA}\begin{bmatrix} \text{si le nouveau financement} \\ \text{s'effectue par actions ordinaires} \end{bmatrix} = \text{BPA}\begin{bmatrix} \text{si le nouveau financement} \\ \text{s'effectue par obligations} \end{bmatrix}$$

$$\frac{(\text{BAII} - I_1)(1 - T) - \text{DP}}{A_2} = \frac{(\text{BAII} - I_2)(1 - T) - \text{DP}}{A_1} \tag{12.1}$$

où

I_1 : Intérêts à payer sans la nouvelle émission d'obligations
I_2 : Intérêts à payer avec la nouvelle émission d'obligations
A_1 : Nombre d'actions ordinaires en circulation sans la nouvelle émission d'actions
A_2 : Nombre d'actions ordinaires en circulation avec la nouvelle émission d'actions
DP : Dividendes à verser aux actionnaires privilégiés
T : Taux d'impôt de l'entreprise.

Pour l'entreprise C, on a :

I_1 = (300 000)(0,12) = 36 000 $
I_2 = 36 000 + (200 000)(0,13) = 62 000 $
A_1 = 50 000

A_2 = $50\,000 + \dfrac{200\,000}{10} = 70\,000$

T = 40%
DP = 0 (puisque l'entreprise n'a pas d'actions privilégiées en circulation).

En effectuant les substitutions appropriées, on obtient :

$$\frac{(\text{BAII} - 36\,000)(1 - 0,40)}{70\,000} = \frac{(\text{BAII} - 62\,000)(1 - 0,40)}{50\,000}$$

$$\left(\frac{50\,000}{70\,000}\right)(\text{BAII} - 36\,000)(1 - 0,40) = (\text{BAII} - 62\,000)(1 - 0,40)$$

$$\left(\frac{5}{7}\right)(\text{BAII} - 36\,000) = \text{BAII} - 62\,000$$

$$\left(\frac{5}{7}\right)\text{BAII} - \text{BAII} = -62\,000 + \left(\frac{5}{7}\right)(36\,000) - \left(\frac{2}{7}\right)\text{BAII} = -36\,285,71$$

d'où : BAII = 127 000 $

Pour un BAII de 127 000 $, l'entreprise est donc indifférente entre les deux modes de financement puisqu'à ce niveau son bénéfice par action sera le même, soit 0,78 $. Cependant, si l'entreprise anticipe un BAII supérieur à 127 000 $, elle devrait préconiser un financement par obligations et ce, afin de maximiser son BPA. Inversement, si l'on prévoit un BAII inférieur à 127 000 $, le financement par actions apparaît alors préférable. On peut visualiser ces conclusions à la figure 12.1, qui illustre l'évolution du BPA en fonction du BAII pour chacun des deux modes de financement envisagés.

Limites

Ce genre d'analyse, que l'on retrouve dans la plupart des textes de base en finance corporative, ne tient cependant pas compte du fait que l'utilisation de l'endettement a pour effet d'accroître le risque que doivent supporter les actionnaires et, par conséquent, le taux de rendement exigé par ces derniers. On suppose implicitement que l'objectif est de maximiser le bénéfice par action, sans égard au risque. Toutefois, comme nous l'avons mentionné au chapitre 1, l'entreprise doit plutôt chercher à maximiser la richesse de ses actionnaires. Compte tenu que la maximisation du bénéfice par action ne conduit pas nécessairement à la maximisation de la richesse des actionnaires, il n'est pas certain qu'une règle de décision basée uniquement sur la valeur du BPA (c.-à-d. une règle qui ignore le risque) s'avère optimale.

Figure 12.1 **Relation entre le bénéfice par action et le bénéfice avant intérêts et impôts de l'entreprise C selon les deux possibilités de financement envisagées**

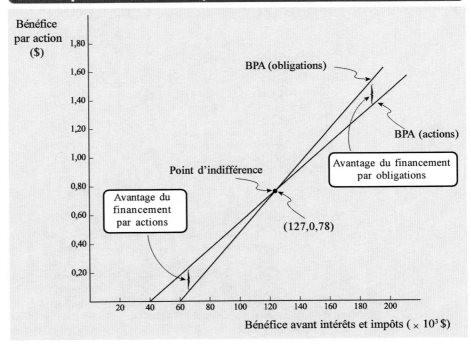

De plus, dans un contexte pratique, il est bien évident que des considérations autres que l'analyse BAII-BPA viendront également influer sur la décision relative au genre de titre à émettre à un moment précis pour financer des investissements en actifs réels. Parmi les facteurs qui doivent également être pris en compte, notons les suivants :

- le niveau des taux d'intérêt;
- les flux monétaires prévus de l'entreprise;
- la conjoncture économique;
- la nature des clauses restrictives que les créanciers voudraient bien faire inclure dans le contrat d'emprunt;
- le cours boursier de l'action;
- l'impact du nouveau financement sur la valeur du ratio cours/bénéfice;
- les considérations au niveau du contrôle (ce dernier facteur est surtout important dans le cas des petites et moyennes entreprises);
- le ratio d'endettement actuel de l'entreprise;
- le ratio de couverture des intérêts[2];
- le ratio de couverture des charges financières[3];
- l'impact du nouveau financement sur la cote de crédit de l'entreprise[4];
- le degré d'aversion à l'égard du risque des gestionnaires;
- l'avis des courtiers.

---

[2] Le ratio de couverture des intérêts indique le nombre de fois que le bénéfice avant imtérêts et impôts de l'entreprise couvre la dépense d'intérêt que doit rencontrer cette dernière pendant l'exercice financier. Il se calcule ainsi :

$$\text{Ratio de couverture des intérêts} = \frac{\text{Bénéfice avant intérêts et impôts}}{\text{Intérêts sur la dette}}$$

Toutes choses étant égales par ailleurs, plus ce ratio est bas, plus la probabilité de faillite de l'entreprise est élevée.

[3] Le ratio de couverture des charges financières est, quant à lui, un ratio plus global que le ratio de couverture des intérêts et tient compte, en plus des charges d'intérêt, d'autres charges fixes que doit rencontrer l'entreprise, comme les loyers, le remboursement du principal de la dette et les dividendes versés aux actionnaires privilégiés. Il se calcule ainsi :

$$\text{Ratio de couverture des charges financières} = \frac{\text{Bénéfice avant intérêts, loyers et impôts}}{\text{Intérêts sur la dette} + \text{Loyers} + \dfrac{\text{Remboursement du principal de la dette} + \text{Dividendes privilégiés}}{1 - T}}$$

Il est à noter que le remboursement du principal de la dette et les dividendes privilégiés doivent être divisés par le facteur (1 – T), puisque ces déboursés ne sont pas déductibles d'impôt et doivent, par conséquent, être payés à même le bénéfice après impôts.

[4] Au Canada, il existe deux agences professionnelles d'évaluation du crédit, soit *Standard & Poor's* (site Internet : www2.standardandpoors.com/portal) et *Dominion Bond Rating Service* (site Internet : http://www.dbrs.com). Ces deux agences fournissent à leurs abonnés une évaluation indépendante de la qualité de nombreux titres d'emprunt émis par les entreprises et les gouvernements. Elles résument les conclusions de leur analyse au moyen d'une cote. Par exemple, dans le cas de *Standard & Poor's*, celle-ci varie de AAA (qualité exceptionnelle, risque de défaut à peu près nul) à D (titres en défaut).

En annexe au présent chapitre, nous montrons comment effectuer une analyse d'indifférence BAII-BPA à l'aide du tableur Excel.

12.4 Théories relatives à la structure de capital

Dans cette section, nous tentons de répondre à une question qui a suscité beaucoup d'intérêt parmi les théoriciens de la finance depuis la fin des années cinquante : la décision de financement exerce-t-elle une influence sur la valeur au marché de l'entreprise ou, en d'autres termes, existe-t-il un ratio d'endettement qui maximise la valeur marchande des titres émis par l'entreprise?

La réponse à cette question revêt une importance primordiale. En effet, une réponse négative implique que les projets d'investissement peuvent être analysés sans tenir compte de la provenance des fonds requis pour les financer. Cela signifie que l'entreprise peut analyser la rentabilité de ses investissements comme si on les finançait en totalité par capitaux propres. Inversement, si le ratio d'endettement d'une entreprise exerce un impact sur sa valeur, les décisions d'investissement et de financement deviennent alors indissociables

Malheureusement, dans l'état actuel des connaissances, il n'existe pas de réponse claire et définitive à cette question. Comme nous le verrons, la réponse dépend des hypothèses posées. Dans ces conditions, nous présentons, ci-dessous, les différentes théories proposées dans la littérature financière, énumérons les hypothèses qui y sont sous-jacentes et analysons brièvement certaines imperfections du marché des capitaux qui pourraient, dans un contexte pratique, affecter les conclusions de ces théories.

12.4.1 Le modèle traditionnel

• • •
Modèle traditionnel
Modèle qui préconise un usage raisonnable de l'endettement, de façon à permettre à l'entreprise de minimiser son coût moyen pondéré du capital et ainsi maximiser sa valeur marchande

Selon le modèle traditionnel, il existe une structure optimale de capital et il est possible pour l'entreprise d'augmenter sa valeur marchande par une utilisation judicieuse de l'endettement.

À la figure 12.2 de la page suivante, nous avons représenté une des variantes - il en existe plusieurs - de ce modèle.

Comme l'indique la figure 12.2, le taux de rendement requis par les actionnaires ou le coût des fonds propres (k_0) croît avec le ratio d'endettement. Cela s'explique par le fait que les actionnaires exigent une rémunération qui augmente avec le niveau de risque financier qu'ils doivent supporter.

Quant au coût du financement par dette (k_d), il est stable jusqu'à un certain niveau d'endettement. Par la suite, le risque financier de l'entreprise devient relativement important et il s'ensuit une augmentation du taux de rendement requis par les créanciers pour avancer des fonds additionnels à l'entreprise.

Initialement, le coût moyen pondéré du capital de l'entreprise (ρ) décroît avec l'endettement, étant donné que l'augmentation de rendement exigé par les actionnaires n'est pas suffisante pour compenser le coût moindre de la dette. Par la suite, le coût du capital croît avec l'endettement, puisque la hausse de ren-

Figure 12.2 | **Relation entre k_0, k_d, ρ et le ratio d'endettement selon le modèle traditionnel**

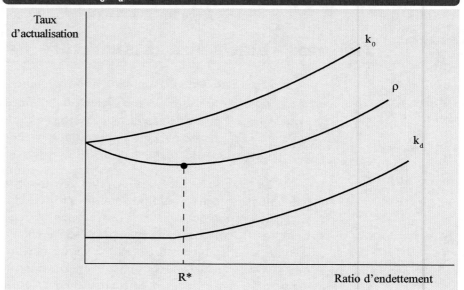

dement exigé par les actionnaires fait plus que contrebalancer le coût inférieur de la dette. Pour des niveaux élevés d'endettement, l'accroissement du coût du financement par fonds propres est associé à une majoration du coût du financement par dette, ce qui se traduit par une élévation rapide du coût du capital de l'entreprise.

À la figure 12.2, le ratio d'endettement optimal de l'entreprise se situe au point R*. Ce ratio d'endettement minimise le coût du capital de l'entreprise et maximise simultanément sa valeur au marché.

Une des faiblesses de cette approche est qu'elle n'est pas supportée par des arguments théoriques solides, comme celle de Modigliani et Miller que nous décrivons ci-dessous. De plus, cette approche ne nous indique pas quel est le niveau optimal d'endettement de l'entreprise. Tout ce qu'elle prétend, c'est qu'il existe un ratio d'endettement optimal.

12.4.2 Le modèle de Modigliani et Miller en l'absence d'impôt sur le revenu des sociétés

Modèle de Modigliani et Miller (1958)
En l'absence d'impôts corporatifs et d'autres imperfections du marché des capitaux, le ratio d'endettement n'exerce aucun impact sur la valeur de l'entreprise et sur son coût moyen pondéré du capital

Dans leur célèbre article de 1958[5], Modigliani et Miller (M et M) démontrent que la valeur de l'entreprise est indépendante de sa structure de capital. En d'autres termes, il n'existe aucune structure optimale de capital et une structure donnée est aussi bonne qu'une autre.

La clé du raisonnement de M et M est, comme nous le verrons en détail plus loin, la possibilité pour un investisseur de réaliser un profit certain (profit d'ar-

---

[5] Modigliani F. et M. H. Miller, « The Cost of Capital, Corporation Finance and the Theory of Investment », *American Economic Review*, juin 1958, pp. 261-297.

bitrage[6]) dans le cas où deux entreprises en tous points semblables, à l'exception de leur structure de capital, comportent des valeurs marchandes différentes. Comme on le sait, une telle possibilité de s'enrichir aussi facilement ne devrait pas persister bien longtemps dans un marché des capitaux efficient. En effet, l'intervention des arbitragistes aura tôt fait de rétablir l'équilibre.

Le raisonnement de M et M est basé sur de nombreuses hypothèses plutôt restrictives, dont les principales peuvent se résumer ainsi :

Hypothèses du modèle de M et M

1. Les marchés des capitaux sont parfaits : pas de frais de transaction, l'emprunt personnel et l'emprunt corporatif constituent des substituts parfaits, l'information est gratuite et accessible à tous simultanément, etc.

2. L'entreprise n'utilise que deux modes de financement : la dette à long terme et les fonds propres.

3. L'impôt sur le revenu n'existe pas. À la section 12.4.3, nous éliminerons cette hypothèse cruciale.

4. Les investisseurs ont des anticipations homogènes concernant les BAII espérés des entreprises et le risque de ces derniers.

5. Le BAII espéré est supposé constant d'une période à l'autre.

6. Tous les bénéfices sont versés en dividendes.

7. Tous les flux monétaires constituent des perpétuités.

8. L'actif total de l'entreprise est fixe. L'entreprise peut cependant modifier sa structure de capital en émettant des titres d'emprunt pour racheter des actions ou l'inverse.

9. Les coûts de faillite sont nuls.

En plus de ces hypothèses, nous aurons recours aux définitions suivantes.

Définitions

INT: Intérêts (en dollars) versés par l'entreprise.

r : Taux de rendement requis par les investisseurs sur la dette de l'entreprise. Notons, qu'en l'absence d'impôt et de frais d'émission, r correspond également au coût du financement par dette de l'entreprise (k_d).

B : Valeur marchande de la dette de l'entreprise. Comme on suppose ici que la dette est perpétuelle, la valeur marchande de celle-ci se calcule en divisant les

---

[6] La notion d'arbitrage est fondée sur le principe suivant : deux biens identiques doivent se vendre, à un moment donné dans le temps, au même prix dans un marché compétitif. Ainsi, deux titres de même risque et générant des flux monétaires espérés identiques doivent obligatoirement se vendre au même prix. Par exemple, si le prix de l'action de Barrick Gold à la Bourse de Toronto excédait le cours observé à la Bourse de New York (multiplié par le nombre de dollars canadiens qu'un dollar américain permet d'acquérir), un investisseur achèterait le titre à New York et le revendrait immédiatement à Toronto, ce qui lui permettrait de s'enrichir rapidement et sans risque. Compte tenu des frais de transaction impliqués, il n'arrive pratiquement jamais qu'il soit rentable pour un investisseur d'acheter un titre sur une Bourse donnée pour le revendre immédiatement sur un autre marché secondaire.

intérêts annuels versés par le taux de rendement requis par les investisseurs. On obtient alors :

$$B = \frac{INT}{r} \qquad (12.2)$$

Entreprise U : Entreprise non endettée.

Entreprise L : Entreprise endettée. Il s'agit d'une entreprise similaire à l'entreprise U, sauf en ce qui a trait à sa structure de capital.

E(BAII) : Bénéfice espéré avant intérêts et impôts de l'entreprise.

k_U : Taux de rendement requis par les investisseurs sur les actions de l'entreprise non endettée. Compte tenu des hypothèses de départ, k_U correspond également au coût des fonds propres de l'entreprise.

k_L : Taux de rendement requis par les investisseurs sur les actions de l'entreprise endettée.

S_U : Valeur marchande des actions de l'entreprise non endettée. On sait que la valeur des actions correspond à la valeur actualisée des dividendes anticipés. Dans le cadre des hypothèses mentionnées précédemment, tous les bénéfices sont distribués en dividendes, il n'y a aucune croissance des dividendes et pas d'impôt. Par conséquent, on peut écrire :

$$S_U = \frac{\text{Dividendes}}{\text{Taux de rendement requis par les actionnaires}}$$

$$S_U = \frac{E(BAII)}{k_U} \qquad (12.3)$$

S_L : Valeur marchande des actions de l'entreprise endettée.

$$S_L = \frac{\text{Dividendes}}{\text{Taux de rendement requis par les actionnaires}}$$

$$S_L = \frac{E(BAII) - INT}{k_L} \qquad (12.4)$$

ρ_U : Coût du capital de l'entreprise non endettée.

Puisque l'entreprise U est financée en totalité par fonds propres, on peut écrire :

$$\rho_U = k_U \qquad (12.5)$$

ρ_L : Coût du capital de l'entreprise endettée. ρ_L correspond à la moyenne pondérée du coût de la dette et des fonds propres, soit :

$$\rho_L = \left(\frac{B}{B + S_L} \right) r + \left(\frac{S_L}{B + S_L} \right) k_L \qquad (12.6)$$

V_U : Valeur marchande de l'entreprise non endettée. La valeur marchande d'une entreprise correspond à la valeur marchande de ses titres. Comme l'entreprise U n'a pas de dette, sa valeur marchande est égale à la valeur marchande de ses actions, ce qui peut s'exprimer ainsi :

$$V_U = S_U \qquad (12.7)$$

$$V_U = \frac{E(BAII)}{k_U} \qquad (12.7a)$$

$$V_U = \frac{E(BAII)}{\rho_U} \qquad (12.7b)$$

V_L : Valeur marchande de l'entreprise endettée.

V_L : Valeur marchande de la dette + Valeur marchande des actions.

$$V_L = B + S_L \qquad (12.8)$$

En utilisant les expressions (12.2) et (12.4), on peut réécrire l'équation (12.8) de la manière suivante :

$$V_L = \frac{INT}{r} + \frac{E(BAII) - INT}{k_L} \qquad (12.8a)$$

Il est également possible de déterminer V_L en suivant la démarche exposée ci-après. Premièrement, en substituant $B + S_L$ par V_L dans l''équation (12.6), on obtient :

$$\rho_L = \left(\frac{B}{V_L}\right)r + \left(\frac{S_L}{V_L}\right)k_L$$

Par la suite, en multipliant de chaque côté de l'égalité par V_L, on trouve :

$$V_L \cdot \rho_L = B \cdot r + S_L \cdot k_L$$

Sachant que l'équation (12.2) peut se reformuler ainsi :

$$INT = B \cdot r$$

et que, selon l'équation (12.4), la valeur des actions correspond à :

$$S_L = \frac{E(BAII) - INT}{k_L}$$

on peut écrire :

$$V_L \cdot \rho_L = INT + \left[\frac{E(BAII) - INT}{k_L}\right]k_L$$

$$V_L \cdot \rho_L = INT + E(BAII) - INT = E(BAII)$$

$$V_L = \frac{E(BAII)}{\rho_L} \qquad (12.9)$$

Cette dernière équation indique que la valeur marchande d'une entreprise peut se calculer en actualisant, à son coût moyen pondéré du capital, les BAII anticipés.

Sur la base des hypothèses mentionnées précédemment, M et M ont démontré deux propositions qui occupent une place fort importante en théorie financière moderne.

Proposition 1

Dans un monde sans impôt, la valeur de l'entreprise est indépendante de sa structure de capital. À partir des symboles définis précédemment, on peut écrire :

$$V_L = V_U \tag{12.10}$$

On peut montrer que si l'expression ci-dessus n'est pas vérifiée (par exemple, si $V_L > V_U$) un investisseur détenant des actions de l'entreprise L peut, par l'entremise de certaines transactions, augmenter le rendement total de son portefeuille, tout en laissant inchangé le niveau de risque. Pour illustrer la procédure à suivre, nous utiliserons les données ci-dessous concernant deux entreprises, U et L, qui sont identiques sur tous les aspects à l'exception de leur structure de capital. En effet, l'entreprise L a en circulation 2 000 $ de dettes à un taux d'intérêt de 10% alors que l'entreprise U est financée en totalité par fonds propres. Initialement, on supposera que les actionnaires des deux entreprises exigent un taux de rendement de 15%.

Tableau 12.4 — **Données relatives aux entreprises U et L**

	Entreprise U (à l'équilibre)	Entreprise L (avant l'équilibre)
Bénéfice espéré avant intérêts et impôts [E(BAII)]	1 000,00 $	1 000,00 $
Intérêts sur la dette (INT)	-	200
Bénéfice disponible pour les actionnaires ordinaires [E(BAII) - INT]	1 000,00 $	800,00 $
Taux de rendement requis par les actionnaires ordinaires (k)	15%	15%
Valeur marchande de la dette (B)	-	2 000,00 $
Valeur marchande des actions (S)	6 666,67 $	5 333,33 $
Valeur marchande de l'entreprise (V = B + S)	6 666,67 $	7 333,33 $
Coût du capital (r)	15%	13,64%
Ratio d'endettement (B/S)	0	37,5%

Selon les deux célèbres théoriciens, il s'agit là d'une situation de déséquilibre qui ne pourra persister bien longtemps. En effet, M et M soutiennent que l'entreprise L ne peut avoir une valeur au marché plus élevée que l'entreprise U simplement à cause du fait qu'elle n'a pas la même structure de capital. Si la situation décrite au tableau 12.4 prévaut, un investisseur astucieux peut facilement améliorer son sort.

Considérons, par exemple, le cas d'un investisseur détenant 20% des actions de l'entreprise L, soit un investissement total de 1 066,67 $. Cet investisseur a la possibilité d'effectuer les transactions suivantes :

1. Vendre ses actions de l'entreprise L, ce qui lui rapportera 1 066,67 $.

2. Emprunter de manière à obtenir le même ratio d'endettement que celui de l'entreprise L. L'investisseur devra donc emprunter 400 $ (soit 0,375 × 1 066,67 $) à 10%.

3. Acheter 20% des actions de l'entreprise U coûtant 1 333,33 $ (soit 20% × 6 666,67 $).

Avant ces transactions, le revenu annuel de l'investisseur s'élevait à :

$$\text{Revenu annuel de l'investisseur} = (0,20)\left(\begin{array}{c}\text{Bénéfice de l'entreprise L}\\\text{disponible pour les}\\\text{actionnaires}\end{array}\right) = (0,20)(800) = 160 \text{ \$}$$

S'il effectue les transactions décrites ci-dessus, son revenu annuel passera à :

$$\text{Revenu annuel de l'investisseur} = (0,20)\left(\begin{array}{c}\text{Bénéfice de l'entreprise U}\\\text{disponible pour les}\\\text{actionnaires}\end{array}\right) - \left(\begin{array}{c}\text{Intérêts sur}\\\text{l'emprunt}\end{array}\right)$$

$$= (0,20)(1000) - (0,10)(400) = 160 \text{ \$}$$

Son revenu annuel est donc le même qu'auparavant. Toutefois, il lui reste une somme de 133,34 $ (soit 1 066,67 $ + 400 $ − 1 333,33 $) qu'il peut investir dans des titres sûrs, ce qui lui rapportera annuellement 13,33 $ (soit 10% × 133,34 $). Par rapport à la situation initiale, son revenu annuel s'est donc accru mais son niveau de risque est demeuré inchangé. L'investisseur a simplement substitué un emprunt personnel de 400 $ à sa part dans la dette de l'entreprise L (20% × 2 000 $ = 400 $).

Dans le cadre des hypothèses mentionnées précédemment, on peut s'attendre à ce que plusieurs investisseurs tentent de profiter d'une telle occasion de s'enrichir aussi facilement. Il s'ensuivra donc une augmentation de l'offre pour les actions de l'entreprise L, ce qui fera diminuer son prix et augmenter le taux de rendement des actionnaires (k_L). Quant au prix de l'action de l'entreprise U, celui-ci ne bougera pas, puisqu'on suppose qu'il a déjà atteint son niveau d'équilibre. Le processus d'arbitrage cessera lorsque la valeur marchande des deux entreprises sera identique ($V_L = V_U$). À ce moment-là, il n'est plus possible pour un investisseur d'augmenter son rendement tout en laissant inchangé son niveau de risque.

De plus, à l'équilibre, on aura :

$$\rho_L = \rho_U \qquad (12.11)$$

Cette équation indique que, dans un monde sans impôt, le coût du capital de l'entreprise est indépendant de sa structure de capital. Autrement dit, que la structure de capital de l'entreprise comporte 10% ou 60% de dettes, cela n'affecte aucunement son coût moyen pondéré du capital.

Le modèle de M et M suppose que le processus d'arbitrage peut s'effectuer sans aucune contrainte. En pratique, il n'en va pas nécessairement ainsi à cause de certaines imperfections du marché des capitaux :

1. L'emprunt personnel et l'emprunt corporatif ne constituent pas des substituts parfaits. En effet, pour plusieurs investisseurs, le taux d'emprunt est plus élevé que celui des compagnies. De plus, le risque associé à un emprunt personnel n'est pas identique à celui d'un emprunt corporatif et ce, à cause de la responsabilité limitée dans le cas d'un emprunt corporatif.

2. L'existence des frais de transaction. En pratique, l'achat et la vente de titres entraînent des frais qui peuvent atteindre environ 2% du montant de la transaction dans le cas d'opérations effectuées par l'intermédiaire des courtiers traditionnels.

3. Les investisseurs institutionnels (compagnies d'assurance, caisses de retraite, etc.) qui, de nos jours, figurent parmi les principaux intervenants sur le marché boursier ne peuvent, pour la plupart, substituer l'effet de levier au niveau de l'investisseur (*homemade leverage*) à l'effet de levier au niveau corporatif.

Proposition 2

La proposition 2 de M et M indique que le taux de rendement requis par les actionnaires augmente au fur et à mesure que croît le ratio d'endettement de l'entreprise et ce, à cause du risque financier de plus en plus grand que doivent supporter ces derniers.

Plus précisément, M et M montrent que le taux de rendement des actionnaires d'une entreprise endettée (k_L) correspond à celui d'une entreprise non endettée (k_U) plus une prime de risque $[(k_U - r)B/S_L]$ proportionnelle au ratio d'endettement (B/S_L). La proposition 2 peut s'écrire ainsi :

$$k_L = k_U + (k_U - r)\, B/S_L \qquad (12.12)$$

Preuve de la proposition 2

Selon l'équation (12.4), on a :

$$S_L = \frac{E(BAII) - INT}{k_L} \qquad (12.4)$$

En isolant k_L, on trouve :

$$k_L = \frac{E(BAII) - INT}{S_L} = \frac{E(BAII) - r \cdot B}{S_L} \qquad (12.4a)$$

Les équations (12.7a), (12.8) et (12.10) nous permettent d'écrire :

$$V_L = V_U = B + S_L \frac{E(BAII)}{k_U}$$

En réarrangeant les différents termes, on obtient :

$$E(BAII) = k_U (B + S_L)$$

En remplaçant E(BAII) par $k_U (B + S_L)$ dans l'équation 12.4a), on trouve :

$$k_L = \frac{k_U(B+S_L) - r \cdot B}{S_L}$$

$$k_L = \frac{k_U \cdot B}{S_L} + \frac{k_U \cdot S_L}{S_L} - \frac{r \cdot B}{S_L}$$

$$k_L = k_U + (k_U - r) B / S_L$$

Pour illustrer la proposition 2 de M et M, calculons, à l'équilibre, le taux de rendement requis par les actionnaires de l'entreprise L en utilisant les données suivantes :

$k_U = 15\%$, B = 2 000 \$ et r = 10%.

À l'équilibre, l'égalité suivante doit être vérifiée :

$V_U = V_L = B + S_L$
6 666,67 = 2 000 + S_L
d'où : $S_L = 4\ 666,67$ \$ et
$k_L = 0,15 + (0,15 - 0,10)\ 2\ 000/4\ 666,67 = 17,14\%$

Compte tenu du risque d'exploitation et financier de l'entreprise L, ses actionnaires devraient donc exiger un taux de rendement de 17,14%.

À la figure 12.3, nous avons représenté, selon M et M et dans un monde sans impôt, le coût des fonds propres d'une entreprise endettée (k_L), le coût de sa dette (r) et son coût du capital en fonction de son ratio d'endettement (B/S_L).

Figure 12.3

Relation entre le coût des fonds propres (k_L), le coût de la dette (r), le coût du capital (ρ_L) et le ratio d'endettement (M et M sans impôt)

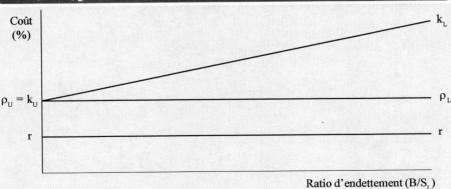

On observe que, dans le contexte proposé, le coût du capital de l'entreprise (ρ_L) n'est pas affecté par l'utilisation de l'endettement (B/S_L), étant donné que l'augmentation de rendement exigé par les actionnaires (k_L) compense exactement le coût moindre du financement par dette (r).

12.4.3 Le modèle de Modigliani et Miller en présence de l'impôt sur le revenu des sociétés

Modèle de Modigliani et Miller (1963)
En considérant l'incidence de l'impôt corporatif, mais en faisant abstraction des autres imperfections du marché des capitaux, la valeur marchande de l'entreprise augmente avec l'endettement alors que son coût moyen pondéré du capital décroît au fur et à mesure que son ratio d'endettement s'élève

Nous avons vu à la section précédente que, dans un monde sans impôt, la décision de financement n'a aucun impact sur la valeur au marché de l'entreprise et sur son coût du capital. Toutefois, en 1963[7], M et M reconnurent, qu'en présence de l'impôt corporatif, une entreprise endettée devrait avoir une valeur au marché supérieure à celle qui n'utilise pas l'effet de levier et ce, à cause de la déductibilité pour fins fiscales des intérêts. Plus précisément, selon M et M (1963), la valeur d'une entreprise endettée (V_L) devrait excéder celle d'une entreprise non endettée (V_U) d'un montant équivalent à la valeur actualisée des économies d'impôt liées aux emprunts ($T \times B$). À l'équilibre, l'équation suivante devrait être vérifiée :

$$V_L = V_U + T \cdot B \qquad (12.13)$$

Selon ce modèle, plus son taux d'imposition est élevé, plus l'entreprise a avantage à s'endetter. Ainsi, pour une entreprise imposée à 30%, la valeur actualisée des économies d'impôt générées par un emprunt perpétuel de 1 000 $ est de 300 $ (soit 30% $\times$ 1 000 $), tandis que pour une entreprise assujettie à un taux d'impôt de 40% les économies d'impôt actualisées attribuables à une dette identique valent davantage (soit 400 $ = 40% $\times$ 1 000 $).

Preuve du modèle de M et M (1963)

La valeur marchande d'une entreprise correspond à la valeur marchande de ses titres, soit :

$$V_L = B + S_L$$

La valeur marchande totale des titres peut se calculer en actualisant les revenus que recevront les obligataires et les actionnaires.

Le revenu annuel des obligataires est $r \cdot B$, tandis que celui des actionnaires vaut $[E(BAII) - r \cdot B]\,(1-T)$. Par conséquent, le revenu total annuel des bailleurs de fonds est égal à :

$$\begin{aligned}
\text{Revenu total annuel des bailleurs de fonds} &= [E(BAII) - r \cdot B](1-T) + r \cdot B \\
&= E(BAII)(1-T) - r \cdot B(1-T) + r \cdot B \\
&= E(BAII)(1-T) - r \cdot B + r \cdot B \cdot T + r \cdot B \\
&= E(BAII)(1-T) + T \cdot r \cdot B
\end{aligned}$$

[7] Modigliani F. et M.H. Miller, « Corporate Income Taxes and the Cost of Capital : a Correction », *American Economic Review*, juin 1963, pp. 433-443.

Le premier terme de l'équation précédente est identique au bénéfice annuel de l'entreprise U, tandis que le second représente les économies d'impôt annuelles liées à la dette.

La valeur au marché de l'entreprise s'obtient en actualisant les deux composantes de son flux monétaire perpétuel stable. Étant donné que la première composante comporte un niveau de risque identique au bénéfice de l'entreprise U, on utilisera comme taux d'actualisation k_U. Cependant, puisque les économies d'impôt liées aux emprunts présentent un niveau de risque identique à la dette de l'entreprise, on les actualisera au taux r. Par conséquent :

$$V_L = \frac{E(BAII)(1-T)}{k_U} + \frac{T \cdot r \cdot B}{r}$$

$$V_L = \qquad V_U \qquad + \quad T \cdot B \qquad \qquad (12.13)$$

Cette dernière expression représente, à l'équilibre, le modèle de M et M révisé.

Pour illustrer, reprenons les données précédentes concernant les entreprises U et L. Si l'on tient compte cette fois d'un taux d'impôt corporatif de 40%, on obtient alors :

$$V_U = \frac{E(BAII)(1-T)}{k_U} = \frac{1\,000(1-0,40)}{0,15} = 4\,000\ \$$$

et

$$V_L = V_U + T \cdot B = 4\,000 + (0,40)(2\,000) = 4\,800\ \$$$

On peut également déterminer le coût des fonds propres et le coût moyen pondéré du capital de l'entreprise L.

En considérant l'impact de l'impôt sur le revenu, on peut montrer[8] que le coût des fonds propres d'une entreprise endettée peut se calculer à l'aide de l'expression suivante :

$$k_L = k_U + [(1-T)(k_U - r)]\frac{B}{S_L} \qquad \qquad (12.15)$$

Ici, on a :

$$k_U = 15\%$$
$$T = 40\%$$
$$r = 10\%$$
$$B = 2\,000\ \$$$
$$S_L = V_L - B = 4\,800 - 2\,000 = 2\,800\ \$$$

---

[8] Nous laissons au lecteur le soin de s'assurer de la validité de l'expression (12.15). Indice : s'inspirer du développement de l'expression (12.12) en n'oubliant pas de tenir compte de l'impôt corporatif.

d'où :

$$k_L = 0,15 + [(1-0,40)(0,15-0,10)]\frac{2\,000}{2\,800} = 17,14\%$$

Notons que ce dernier résultat correspond à celui obtenu précédemment dans un monde sans impôt. La prise en compte de l'impôt corporatif n'affecte donc pas le coût des fonds propres de l'entreprise ou le taux de rendement requis par les actionnaires.

k_L peut également se calculer à l'aide de l'expression suivante :

$$k_L = \frac{\text{Dividendes}}{\substack{\text{Valeur marchande des actions de} \\ \text{l'entreprise L (à l'équilibre)}}}$$

$$k_L = \frac{[E(BAII) - INT](1-T)}{S_L} \qquad (12.16)$$

$$k_L = \frac{(1\,000 - 200)(1-0,40)}{2\,800} = 17,14\%$$

Le coût moyen pondéré du capital de l'entreprise L peut se calculer de plusieurs façons. Ainsi, à l'aide de la formule de la moyenne pondérée, on obtient :

$$\rho_L = \left(\frac{B}{V_L}\right)r(1-T) + \left(\frac{S_L}{V_L}\right)k_L \qquad (12.17)$$

$$\rho_L = \left(\frac{2\,000}{4\,800}\right)(0,10)(1-0,40) + \left(\frac{2\,800}{4\,800}\right)(0,1714)$$

$$\rho_L = 12,5\%$$

De plus, dans un monde avec impôt, M et M ont démontré que[9] :

$$\rho_L = \rho_U\left(1 - \frac{T \cdot B}{V_L}\right) \qquad (12.18)$$

---

[9] Selon la formule de la moyenne pondérée (expression 12.17), on a :

$\rho_L = \left(\frac{B}{V_L}\right)r(1-T) + \left(\frac{S_L}{V_L}\right)k_L$. En remplaçant k_L par $k_U + [(1-T)(k_U - r) B/S_L$ (voir l'expression (12.15)) dans la formule (12.17), on obtient alors :

$$\rho_L = \left(\frac{B}{V_L}\right)r(1-T) + \left(\frac{S_L}{V_L}\right)\left[k_U + (1-T)(k_U - r)\frac{B}{S_L}\right]$$

$$\rho_L = \left(\frac{B}{V_L}\right)r(1-T) + \frac{k_U \cdot S_L}{V_L} + \frac{(1-T)k_U \cdot B \cdot S_L}{V_L \cdot S_L} - \frac{(1-T)r \cdot B \cdot S_L}{V_L \cdot S_L}$$

$$\rho_L = \left(\frac{B}{V_L}\right)r(1-T) + \left(\frac{S_L}{V_L} + \frac{B}{V_L}\right) - \frac{k_U \cdot T \cdot B}{V_L} - \left(\frac{B}{V_L}\right)r(1-T)$$

Puisque $k_U = \rho_U$ et que $\frac{S_L}{V_L} + \frac{B}{V_L} = 1$, l'expression précédente se simplifie ainsi :

$$\rho_L = \rho_U\left(1 - \frac{T \cdot B}{V_L}\right).$$

Cette dernière équation indique que, dans un monde avec impôt, le coût du capital de l'entreprise décroît avec l'endettement.

Ici, on a :

$$\rho_U = k_U = 15\%$$

$$T = 40\%$$

$$B = 2\,000\,\$$$

$$V_L = 4\,800\,\$$$

Par conséquent :

$$\rho_L = 0,15\left(1 - \frac{(0,40)(2\,000)}{4\,800}\right) = 12,5\%$$

Le tableau 12.5 résume les résultats obtenus pour les entreprises U et L dans un monde avec impôt. Pour leur part, les figures 12.4 et 12.5 illustrent l'incidence de l'utilisation de l'endettement sur le coût du capital de l'entreprise et sur sa valeur au marché.

Tableau 12.5 — **Sommaire des résultas obtenus pour les entreprises U et L (M et M avec impôt)**

	Entreprise U (à l'équilibre)	Entreprise L (avant l'équilibre)
Valeur marchande de la dette (B)	-	2 000 $
Valeur marchande des actions (S)	4 000 $	2 800 $
Valeur marchande de l'entreprise (V)	4 000 $	4 800 $
Coût des fonds propres ou taux de rendement requis par les actionnaires (k)	15%	17,14%
Coût du capital (ρ)	15%	12,5%

Figure 12.4 — **L'effet de levier et le coût du capital de l'entreprise (M et M avec impôt)**

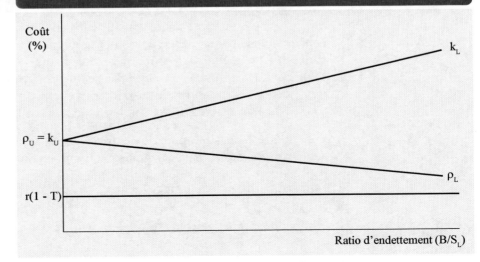

| Figure 12.5 | L'effet de levier et la valeur au marché de l'entreprise (M et M avec impôt) |

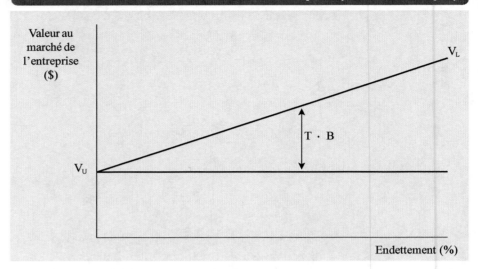

À partir du tableau et des figures précédentes, on peut tirer les conclusions suivantes :

1. Une entreprise endettée présente un coût du capital inférieur à une entreprise similaire non endettée.

2. Le taux de rendement requis par les actionnaires d'une entreprise endettée est supérieur à celui requis par les actionnaires d'une entreprise similaire non endettée. Cela est attribuable au fait que les actionnaires de l'entreprise endettée doivent supporter, en plus du risque d'exploitation, le risque financier.

3. Dans un monde assujetti à l'impôt corporatif seulement, la valeur au marché de l'entreprise croît avec l'endettement. Celle-ci aurait donc avantage à utiliser au maximum l'endettement, c'est-à-dire à se financer exclusivement par dette.

La politique financière sous-jacente au modèle de M et M (1963) ne concorde absolument pas avec les observations empiriques relativement aux structures de capital des entreprises canadiennes et américaines. En effet, selon ce modèle, toutes les entreprises devraient avoir un ratio d'endettement très élevé alors, qu'en pratique, de nombreuses entreprises réputées (Apple, Cisco Systems, Microsoft, etc.) utilisent peu ou pas l'effet de levier financier.

S'il est possible pour les entreprises d'accroître la richesse de leurs actionnaires simplement en augmentant la part du financement par emprunt, on peut alors se demander pourquoi elles n'agissent pas ainsi en pratique. Une explication simple et plausible est que le modèle de M et M (1963) repose sur un ensemble d'hypothèses plutôt restrictives, qui ne sont absolument pas conformes à la réalité. Dans ce contexte, il convient de discuter, dans les sections qui suivent, de l'impact que pourraient avoir certains autres facteurs (fiscalité personnelle, coûts de faillite, coûts d'agence, risque d'exploitation de l'entreprise, nature des actifs de l'entreprise, etc.) sur le choix d'une structure de capital.

12.4.4 L'impact de la fiscalité personnelle

Modèle de Miller (1977)
Modèle qui en arrive à la conclusion qu'il n'existe pas, pour une entreprise particulière, de structure optimale de capital lorsque les impôts corporatifs et personnels sont pris en considération dans l'analyse

Jusqu'à maintenant, nous avons ignoré l'impact de la fiscalité personnelle. Toutefois, comme l'a observé initialement M.H. Miller[10], il s'agit là d'une omission très importante. En effet, selon plusieurs études empiriques, le taux de rendement exigé (avant impôt) par les investisseurs sur un titre (et, par conséquent, sa valeur marchande) serait fonction, entre autres, du traitement fiscal qui est réservé aux revenus qu'il génère. La valeur marchande de l'entreprise (c.-à-d. la valeur marchande de sa dette plus la valeur marchande de son capital-actions) dépendrait donc, dans une certaine mesure, des règles fiscales auxquelles sont assujettis les investisseurs.

Pour pallier à une des lacunes du modèle de 1963 (équation 12.13), M.H. Miller proposa, dans son adresse présidentielle à *l'American Finance Association* en 1976, le modèle ci-dessous qui montre l'impact de l'endettement sur la valeur au marché de l'entreprise dans un contexte où l'on tient compte à la fois de la fiscalité corporative et personnelle :

$$V_L = V_U + \left[1 - \frac{(1-T)(1-T_{pS})}{(1-T_{pB})} \right] B \qquad (12.19)$$

où

T : Taux d'imposition de l'entreprise

T_{pS} : Taux d'imposition personnel sur les revenus d'actions. Il s'agit, en quelque sorte, d'une moyenne pondérée des taux d'imposition sur les dividendes et sur les gains en capital.

T_{pB} : Taux d'imposition personnel sur les revenus d'obligations

$[\cdot]\,B$: Avantage fiscal lié à l'endettement. Tout dépendant de la valeur des différents taux d'imposition, cet avantage fiscal peut être positif, négatif ou nul.

Remarque. Au Canada, étant donné que les revenus d'actions sont habituellement taxés à un taux moindre que les intérêts, l'inégalité suivante prévaut : $T_{pS} < T_{pB}$.

Preuve du modèle de Miller (1977)

Comme nous l'avons déjà indiqué, la valeur marchande d'une entreprise correspond à la valeur marchande de ses titres, soit :

$$V_L = B + S_L$$

---

[10] Miller, M. H., « Debt and Taxes », *Journal of finance*, mai 1977, pp.261-275.

La valeur marchande totale des titres peut se calculer en actualisant les revenus nets d'impôt que recevront les obligataires et les actionnaires.

Le revenu annuel net d'impôt des obligataires est égal à $r \cdot B(1 - T_{pB})$, tandis que celui des actionnaires vaut $[E(BAII) - r \cdot B](1 - T)(1 - T_{pS})$. Il s'ensuit que le revenu total annuel net d'impôt des bailleurs de fonds correspond à :

$$
\begin{aligned}
\text{Revenu total annuel net d'impôt des bailleurs de fonds} \quad &= [E(BAII) - r \cdot B](1 - T)(1 - T_{pS}) + r \cdot B(1 - T_{pB}) \\
&= [E(BAII)(1 - T)(1 - T_{pS}) - r \cdot B(1 - T)(1 - T_{pS}) + r \cdot B(1 - T_{pB})
\end{aligned}
$$

Le premier terme de l'équation précédente correspond au revenu annuel net d'impôt des actionnaires d'une entreprise non endettée. Par conséquent, on utilisera k_U comme taux d'actualisation pour déterminer la valeur actualisée de ce flux monétaire perpétuel stable. Les deuxième et troisième termes résultent des flux monétaires liés aux versements des intérêts. Puisque ces flux monétaires comportent un niveau de risque équivalent à celui de la dette de l'entreprise, on les actualisera au taux r. Par conséquent :

$$
V_L = \frac{E(BAII)(1 - T)(1 - T_{pS})}{k_U} - \frac{r \cdot B(1 - T)(1 - T_{pS})}{r} + \frac{r \cdot B(1 - T_{pB})}{r}
$$

$$
V_L = V_U - B(1 - T)(1 - T_{pS}) + B(1 - T_{pB})
$$

$$
V_L = V_U + \left[(1 - T_{pB}) - (1 - T)(1 - T_{pS}) \right] B
$$

$$
V_L = V_U + \left[\frac{(1 - T_{pB})}{(1 - T_{pB})} - \frac{(1 - T)(1 - T_{pS})}{(1 - T_{pB})} \right] B
$$

$$
V_L = V_U + \left[1 - \frac{(1 - T)(1 - T_{pS})}{(1 - T_{pB})} \right] B \tag{12.19}
$$

À partir de l'expression précédente, on peut tirer les conclusions suivantes :

1. S'il n'y a pas d'impôt (c.-à-d. si $T = T_{pS} = T_{pB} = 0$), l'équation (12.19) se réduit à $V_L = V_U$, ce qui correspond au résultat original de M et M de 1958.

2. Si les taux d'imposition des revenus d'obligations et d'actions sont identiques (c.-à-d. si $T_{pB} = T_{pS}$), l'équation (12.19) se simplifie ainsi : $V_L = V_U + T \cdot B$, Cette dernière équation correspond au modèle de M et M de 1963.

3. Si le taux d'imposition des revenus d'obligations est supérieur à celui des revenus d'actions (c.-à-d. si $T_{pB} > T_{pS}$), l'avantage fiscal lié à l'endettement corporatif est moins prononcé que ce que prévoit le modèle de M et M de 1963. En effet, dans une telle situation, on a :

$$
\left[1 - \frac{(1 - T)(1 - T_{pS})}{(1 - T_{pB})} \right] B < T \cdot B
$$

❹ Si $(1 - T)(1 - T_{pS}) < (1 - T_{pB})$, l'endettement corporatif est avantageux puisqu'il a pour conséquence d'accroître le revenu total annuel net d'impôt des bailleurs de fonds et, par conséquent, la valeur marchande de l'entreprise. Pour illustrer, considérons un emprunt corporatif de 1 000 $, au taux annuel de 10%, effectué dans le but de racheter des actions et supposons, en outre, les taux d'imposition suivants :

T = 40%
T_{pS} = 35%
T_{pB} = 50%

Dans ces conditions, on obtient :

$$\Delta \begin{pmatrix} \text{Revenu total annuel} \\ \text{net d'impôt des} \\ \text{bailleurs de fonds} \end{pmatrix} = \Delta[(BAII - r \cdot B)(1 - T)(1 - T_{pS}) + r \cdot B(1 - T_{pB})]$$

$$= -r \cdot \Delta B(1 - T)(1 - T_{pS}) + r \cdot \Delta B (1 - T_{pB})$$

$$= r \cdot \Delta B [(1 - T_{pB}) - (1 - T) (1 - T_{pB})]$$

$$= (0,10)(1000)[(1 - 0,50) - (1 - 0,40)(1 - 0,35)]$$

$$= 11 \text{ \$}$$

et

$$\Delta V_L = \left[1 - \frac{(1 - T)(1 - T_{pS})}{(1 - T_{pB})} \right] \Delta B$$

$$= \left[1 - \frac{(1 - 0,40)(1 - 0,35)}{(1 - 0,50)} \right] (1000)$$

$$= 220 \text{ \$}$$

Dans ce cas, l'avantage fiscal de l'endettement corporatif fait plus que compenser l'avantage fiscal des actions pour l'investisseur.

❺ Si $(1 - T)(1 - T_{pS}) > (1 - T_{pB})$, le recours à l'endettement corporatif exerce un impact négatif sur le revenu total annuel net d'impôt des bailleurs de fonds et, par conséquent, sur la valeur marchande de l'entreprise. Pour illustrer, considérons un emprunt corporatif de 1 000 $, au taux annuel de 10%, effectué pour racheter des actions et supposons, cette fois-ci, les taux d'imposition suivants :

T = 40%
T_{pB} = 50%
T_{pS} = 10%

On obtient alors les résultats présentés ci-dessous :

$$\Delta \begin{pmatrix} \text{Revenu total annuel} \\ \text{net d'impôt des} \\ \text{bailleurs de fonds} \end{pmatrix} = (0,10)(1000)[(1 - 0,50) - (1 - 0,40)(1 - 0,10)]$$

$$= -4 \text{ \$}$$

et

$$\Delta V_L = \left[1 - \frac{(1-0,40)(1-0,10)}{(1-0,50)} \right] 1000$$
$$= -80 \ \$$$

Dans une telle situation, l'avantage fiscal de l'endettement corporatif ne suffit pas à compenser l'avantage fiscal des actions pour l'investisseur.

6. Si $(1 - T)(1 - T_{pS}) = (1 - T_{pB})$, le recours à l'endettement corporatif n'entraîne aucun effet sur le revenu total annuel net d'impôt des bailleurs de fonds et, par conséquent, sur la valeur marchande de l'entreprise. Pour illustrer, considérons un emprunt corporatif de 1 000 \$, au taux annuel de 10%, visant à racheter des actions et supposons, cette fois-ci, les taux d'imposition suivants :

$$T \quad = \quad 40\%$$
$$T_{pS} = \quad 16 \, 2/3\%$$
$$T_{pB} = \quad 50\%$$

Avec ces taux d'imposition, on trouve :

$$\Delta \begin{pmatrix} \text{Revenu total annuel} \\ \text{net d'impôt des} \\ \text{bailleurs de fonds} \end{pmatrix} = (0,10)(1000)[(1-0,50)-(1-0,40)(1-0,1667)]$$
$$= 0$$

et

$$\Delta V_L = \left[1 - \frac{(1-0,40)(1-0,1667)}{(1-0,50)} \right] 1000$$
$$= 0$$

Ici, l'avantage fiscal de l'endettement corporatif est exactement annulé par l'avantage fiscal des actions pour l'investisseur.

7. Miller (1977) soutient, qu'à l'équilibre, on doit avoir $(1 - T)(1 - T_{pS}) = (1 - T_{pB})$. Cela implique que, pour une entreprise particulière, il n'existe pas de structure optimale de capital. Toutefois, il y aurait un ratio d'endettement optimal pour l'ensemble des entreprises sur le marché (équilibre macro-économique).

8. Au Canada, il est probable que l'on ait $(1 - T)(1 - T_{pS}) < (1 - T_{pB})$. Cela implique que l'avantage fiscal des emprunts serait positif, mais moins important que ce que prévoit le modèle de M et M 1963 (modèle qui ignore l'incidence de la fiscalité personnelle des investisseurs).

La figure 12.6 de la page suivante illustre les conclusions énoncées précédemment.

Figure 12.6

Impact de l'endettement sur la valeur marchande de l'entreprise dans un contexte où l'on tient compte à la fois de la fiscalité corporative et personnelle

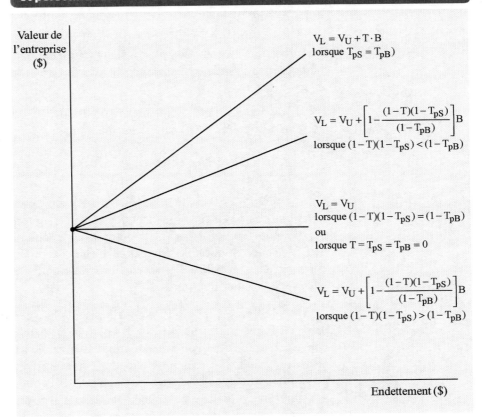

12.4.5 Les coûts de faillite

Comme nous l'avons vu à la section 12.4.3, le modèle de Modigliani et Miller (1963) montre que la valeur marchande d'une entreprise endettée (V_L) excède celle d'une entreprise qui n'utilise pas le levier financier V_U) d'un montant équivalent à la valeur actualisée des économies d'impôt liées aux emprunts ($T \cdot B$). Il est important de souligner que ce dernier modèle suppose implicitement que les coûts occasionnés par la faillite sont nuls (ce qui est le cas dans un marché des capitaux parfait où les actifs peuvent être revendus à leur valeur économique et ce, sans aucun frais de liquidation et légaux).

Cependant, dans un contexte réel, la faillite[11] entraîne des coûts directs et indirects qui ont pour conséquence de réduire l'importance des sommes d'argent que pourront recevoir les créanciers et les actionnaires de l'entreprise. Les coûts

---

[11] Certaines études tendent à démontrer que les coûts directs de faillite ne seraient pas très élevés, de l'ordre de 1 à 3% de la valeur de l'entreprise. Voir, par exemple: Warner J., « Bankruptcy Costs : Some Evidence », *Journal of Finance*, mai 1977, pp. 337-347. Toutefois, lorsqu'on considère l'ensemble des coûts de faillite - directs et indirects -, ceux-ci pourraient atteindre de 10 à 15% de la valeur de l'entreprise.

directs ont trait surtout aux frais légaux et administratifs occasionnés par la faillite alors que les coûts indirects concernent les ventes perdues, les projets d'investissement intéressants que l'entreprise ne pourra réaliser, les restrictions de crédit imposées par les créanciers, les difficultés d'approvisionnement, etc.

Évidemment, la faillite ne peut survenir que si l'entreprise s'endette. En pratique, plus l'entreprise utilise à l'endettement, plus ses frais fixes sont importants et plus grande est la probabilité de faillite et, par conséquent, la valeur espérée des coûts de faillite.

En incorporant l'incidence des coûts de faillite, la valeur au marché d'une entreprise endettée (V_{LF}) peut s'exprimer ainsi :

$$V_{LF} = V_U + T \cdot B - \left(\begin{array}{c} \text{Valeur actualisée des coûts} \\ \text{de faillite espérés} \end{array} \right) \qquad (12.20)$$

En pratique, la valeur actualisée des économies d'impôt attribuables aux emprunts peut se calculer assez facilement si l'on ignore l'incidence de la fiscalité personnelle. Toutefois, la valeur actualisée des coûts de faillite espérés est très difficile, sinon impossible, à mesurer. Cette valeur dépend des coûts de faillite à encourir, de la probabilité de les encourir, du moment où ils seront encourus et du taux d'actualisation approprié.

À la figure 12.7, nous avons représenté la valeur au marché d'une entreprise en fonction de son niveau d'endettement dans un contexte où l'on tient compte à la fois des économies d'impôt attribuables aux emprunts et des coûts de faillite. Cette figure montre que, dans un premier temps, la valeur de l'entreprise augmente avec l'endettement à cause des économies d'impôt attribuables aux emprunts. On observe également que, jusqu'au point B_1, les coûts de faillite sont négligeables. Par la suite, jusqu'en B_2, les coûts de faillite annulent en partie l'avantage fiscal des emprunts. En B_2, les coûts de faillite marginaux égalent les économies d'impôt marginales des emprunts. Pour l'entreprise, B_2 représente le niveau optimal d'endettement, c'est-à-dire le niveau d'endettement pour lequel sa valeur au marché est maximisée. À droite de B_2, c'est-à-dire pour des niveaux substantiels d'endettement, les coûts de faillite marginaux excèdent les économies d'impôt marginales attribuables à l'endettement et il en découle alors une diminution de la valeur au marché de l'entreprise.

De façon à maximiser la valeur de l'entreprise, le gestionnaire doit donc en quelque sorte procéder à un arbitrage entre les économies d'impôt générées par les intérêts et les pertes qu'entraînent les coûts de faillite. En théorie, cela est réalisable. Toutefois, dans un contexte réel, la mise en application de cette idée est très difficile à réaliser.

Figure 12.7

Impact de l'endettement sur la valeur marchande de l'entreprise dans un contexte où l'on tient compte à la fois des économies d'impôts lées aux emprunts et des coûts de faillite

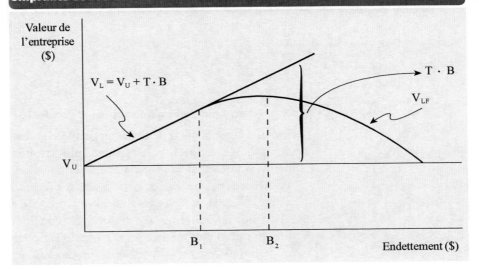

Notes explicatives

1. V_U : Valeur de l'entreprise si elle n'utilise pas l'endettement.

2. V_L : $V_U + T \cdot B$: valeur de l'entreprise en fonction de l'endettement si les coûts de faillite n'existaient pas (M et M, 1963).

3. $T \cdot B$: Valeur actualisée des économies d'impôt attribuables aux emprunts

$$= \sum_{t=1}^{\infty} \frac{T \cdot r \cdot B}{(1+r)^t}$$

4. B_1 : Niveau d'endettement à partir duquel les coûts de faillite commencent à exercer un impact sur la valeur de l'entreprise.

5. B_2 : Niveau optimal d'endettement.

6. V_{LF} : Valeur de l'entreprise dans un contexte où l'on tient compte à la fois des économies d'impôt attribuables aux emprunts et de l'existence des coûts de faillite.

12.4.6 Les coûts d'agence

Coûts d'agence
Coûts attribuables aux conflits d'intérêt entre certaines parties prenantes de l'entreprise (gestionnaires, actionnaires et créanciers)

Ces coûts résultent des conflits d'intérêt entre les gestionnaires, les actionnaires et les créanciers de l'entreprise. Selon Jensen et Mecking[11] (1976), ils coûts peuvent être subdivisés en deux catégories : ceux liés au financement par capitaux propres d'origine externe et ceux attribuables au financement par dette.

1. **Coûts d'agence liés au financement par fonds propres d'origine externe**

Le propriétaire unique d'une entreprise doit payer lui-même la totalité des dépenses non productives (décoration des bureaux, luxueuse voiture, avion

[11] Jensen, M.C. et W.H. Meckling, « Theory of the Firm : Managerial Behavior, Agency Costs and Ownership Structure », *Journal of Financial Economics*, octobre 1976, pp. 305-360.

personnel, etc.) qu'il encourt alors que le gestionnaire d'une grande entreprise peut les répartir sur un grand nombre d'actionnaires. En conséquence, on peut s'attendre à ce que les dépenses non productives augmentent avec la proportion du capital-actions qui est d'origine externe. De plus, ce dernier type de coûts entraîne des frais de surveillance - les frais de vérification interne et externe en sont un exemple - qui doivent être supportés par les actionnaires en vue de s'assurer que les gestionnaires agissent dans leur intérêt.

2. Coûts d'agence liés au financement par dette

Lorsque la proportion de dette augmente, on peut anticiper que les propriétaires choisiront des investissements plus risqués qu'ils ne le feraient autrement. En effet, si le projet s'avère rentable, les principaux bénéficiaires seront les actionnaires. À l'inverse, si le projet tourne mal, les obligataires seront les perdants s'ils ont fourni une proportion importante du financement. Pour bien comprendre cette idée, considérons les projets d'investissement décrits au tableau 12.6 (les deux projets nécessitent une mise de fonds initiale de 80 000 $, ont le même flux monétaire espéré en fin de période, le même risque systématique, mais des variances différentes).

Tableau 12.6 | **Flux monétaires de deux projets d'investissement**

Probabilité	Projet 1 (FM_1)	Projet 2 (FM_1)
0,50	90 000 $	20 000 $
0,50	110 000	180 000
	$E(FM_1) = 100\,000$ $	$E(FM_1) = 100\,000$ $

En supposant un financement effectué à 90% par dette (soit une mise de fonds de 72 000 $ de la part des créanciers) à un taux d'intérêt de 10%, il est clair que, du point de vue des propriétaires, le projet 2 s'avère le plus intéressant puisque c'est celui qui leur procure le flux monétaire espéré le plus élevé en fin de période (voir le tableau 12.7). Du point de vue des obligataires, c'est évidemment l'inverse. En effet, peu importe la valeur du flux monétaire du projet 1 en fin de période, il suffira à rembourser le capital ainsi que les intérêts.

Dans le contexte précédent, les propriétaires emprunteront avec l'intention d'entreprendre le projet 1 et plus tard, s'ils en ont la possibilité, ils opteront pour le projet 2. Si le projet 2 est entrepris, il s'ensuivra un transfert de richesse des obligataires aux actionnaires.

Pour éviter de telles manipulations de la part des propriétaires, les créanciers imposeront une série de clauses protectrices dans les contrats d'emprunt. Le financement par dette entraîne donc des coûts d'impression, de surveillance et d'exécution du contrat d'emprunt. De plus, ces coûts ont tendance à croître avec la part du financement par dette.

| Tableau 12.7 | Flux monétaires des actionnaires et des obligataires en fin de période selon chacun des deux projets d'investissement possibles |

État de la conjoncture	Projet 1	Projet 2
Favorable (probabilité : 50%)	Flux monétaire des obligataires = 72 000+(72 000)(10%) = 79 200 $ Flux monétaires des actionnaires = 110 000 − 79 200 = 31 800 $	Flux monétaire des obligataires = 79 200 $ Flux monétaire des actionnaires = 180 000 − 79 200 = 100 800 $
Défavorable (probabilité: 50%)	Flux monétaire des obligataires = 79 200 $ Flux monétaires des actionnaires = 90 000 − 79 200 = 10 800 $	Flux monétaire des obligataires = 20 000 $ Flux monétaire des actionnaires = 0
	Flux monétaire espéré des obligataires = 79 200 $	Flux monétaire espéré des obligataires = (0,50)(79 200) +(0,50)(20 000) =49 600 $
	Flux monétaire espéré des actionnaires = (0,50)(31 800) +(0,50)(10 800) =21 300 $	Flux monétaire espéré des actionnaires = (0,50)(100 800) +(0,50)(0) =50 400 $

En tenant compte du fait que les coûts d'agence croissent avec la proportion du capital-actions d'origine externe et qu'à une hausse de l'endettement est également associée une augmentation des coûts d'agence, il existerait, selon Jensen et Meckling, un ratio d'endettement optimal pour lequel les coûts d'agence totaux sont minimisés. Dans ce contexte, il est possible qu'il existe une structure de capital optimale et ce, même dans un monde où les impôts et les coûts de faillite n'existent pas.

12.4.7 La théorie des préférences de financement hiérarchisées

Proposée initialement par Myers[13] (1984), la théorie des préférences (*The Pecking Order Theory*) peut se résumer ainsi :

Théorie des préférences de financement hiérarchisées

Théorie selon laquelle l'entreprise priorise comme mode de financement les fonds autogénérés et, lorsque ces derniers s'avèrent insuffisants, émet des titres d'emprunt au détriment des actions ordinaires

1. Les entreprises préfèrent se financer par l'intermédiaire des fonds autogénérés (bénéfices non répartis et amortissement). Ce choix peut s'expliquer par les frais qu'entraîne l'émission de nouveaux titres et également par le contenu informatif négatif associé à une nouvelle émission d'actions ordinaires (voir la section 10.5 du chapitre 10 à ce sujet).

2. En tenant compte de leurs possibilités d'investissement, les entreprises établissent un ratio cible de distribution en dividendes. De plus, elles tentent d'éviter des changements soudains dans leur politique de dividende.

[13] Myers, S.C., « The Capital Structure Puzzle », *Journal of finance,* juillet 1984, pp. 575-592.

3. Cette rigidité de la politique de dividende, ainsi que les variations imprévisibles touchant les fonds autogénérés et les possibilités d'investissement, feront en sorte que, pour certaines périodes, les fonds autogénérés excéderont les sommes nécessaires pour réaliser les projets d'investissement alors qu'à d'autres moments l'inverse se produira. Lorsqu'elles disposent de fonds excédentaires, les entreprises augmentent leur encaisse, remboursent leurs emprunts ou rachètent une partie de leurs actions. Dans le cas contraire, elles vendent leurs titres à court terme et puisent à même leur encaisse.

4. Lorsqu'un financement externe s'avère quand même nécessaire, les entreprises émettent d'abord des titres d'emprunt. Elles ne procèdent à l'émission d'actions ordinaires qu'en dernier recours. En résumé, selon cette théorie, les entreprises utilisent, dans l'ordre, les sources de financement suivantes : (1) les fonds autogénérés, (2) la dette et (3) les nouvelles actions ordinaires.

La théorie des préférences de financement hiérarchisées soutient qu'il n'existe pas de ratio cible d'endettement et ce, parce qu'il y a deux catégories de fonds propres : les fonds autogénérés qui occupent le haut du classement et les nouvelles émissions d'actions ordinaires qui se retrouvent au bas. Dans ce contexte, la structure de capital d'une entreprise, à un moment donné, reflète simplement ses besoins cumulatifs de financement externe, compte tenu de sa rentabilité passée, de la politique de dividende qu'elle a choisie et des occasions d'investissement qui se sont présentées. Cette théorie nous apparaît très logique et elle explique très bien pourquoi les entreprises rentables ont souvent un faible ratio d'endettement (ces entreprises n'ont pas besoin de capitaux externes) et pourquoi celles dont la rentabilité est plutôt médiocre s'endettent davantage (ces entreprises ont recours à l'endettement avant d'émettre de nouvelles actions).

12.4.8 Choix d'une structure de capital : autres considérations

Dans un contexte pratique, il s'avère impossible de déterminer avec précision le ratio d'endettement optimal d'une entreprise. On ne peut, par exemple, affirmer que les entreprises devraient avoir un ratio d'endettement de 40%. Toutefois, la prise en compte des facteurs dont il a été question jusqu'à maintenant (fiscalité corporative et personnelle, coûts de faillite, coûts d'agence) et de certains autres qui sont abordés ci-dessous devrait permettre au gestionnaire financier d'établir une zone cible d'endettement pour l'entreprise.

1. **La stabilité des ventes et des bénéfices.** Généralement, une entreprise dont les ventes et les bénéfices sont relativement stables peut se permettre de présenter un ratio d'endettement et, par conséquent, de supporter des charges fixes plus substantielles que celle confrontée à une forte volatilité des ventes et des bénéfices. Ainsi, les entreprises opérant dans le secteur des services publics (risque d'exploitation faible) montrent habituellement à leur bilan un ratio d'endettement beaucoup plus élevé que celles du secteur technologique (risque d'exploitation élevé).

2. **La nature des actifs détenus.** Une entreprise dont les actifs peuvent facilement garantir les emprunts (une entreprise immobilière par exemple) présente habituellement un ratio d'endettement beaucoup plus élevé que celle dont les actifs sont surtout incorporels (personnel de vente expérimenté, marque de commerce, etc.). En effet, les créanciers sont très hésitants à avancer des fonds à une entreprise dont les actifs sont en majeure partie incorporels, puisque lors d'une faillite ces actifs ne comportent qu'une valeur minime.

3. **Les considérations au niveau du contrôle.** Dans le cas d'une petite entreprise, les propriétaires peuvent être portés à éviter l'émission d'actions ordinaires et ce, de façon à conserver le contrôle de l'entreprise. Si les fonds générés par l'entreprise s'avèrent insuffisants, on devra alors recourir à l'endettement sur une base régulière et il s'ensuivra un ratio d'endettement élevé.

4. **Les substituts à la dépense d'intérêt.** Comme l'ont observé DeAngelo et Masulis[14], l'allocation du coût en capital, le crédit d'impôt à l'investissement et les pertes reportées constituent, d'un point de vue fiscal, des substituts à la dépense d'intérêt. En conséquence, le ratio d'endettement d'une entreprise devrait être lié inversement à l'importance des abris fiscaux autres que la dépense d'intérêt dont elle peut bénéficier.

5. **La souplesse du financement futur.** Dans une perspective à long terme, la valeur marchande d'une entreprise dépend davantage de la rentabilité des investissements effectués que des modes de financement utilisés. Par ailleurs, on sait que le financement par dette entraîne des frais d'émission moins élevés que l'émission de nouvelles actions ordinaires et peut, en outre, s'effectuer beaucoup plus rapidement. Dans un tel contexte, les entreprises n'utilisent généralement pas au maximum leur capacité d'emprunt et ce, de façon à pouvoir saisir rapidement les occasions d'investissement intéressantes susceptibles de se présenter.

6. **L'attitude des prêteurs et des agences professionnelles d'évaluation du crédit.** Très souvent, l'attitude des prêteurs et des agences professionnelles d'évaluation du crédit joue un rôle important dans le choix d'une structure de capital. En effet, dans bien des cas, l'entreprise discute avec ses prêteurs et les agences professionnelles d'évaluation du crédit de sa structure de capital et accorde une grande importance à leur opinion et exigences. Par exemple, lorsqu'une agence professionnelle d'évaluation du crédit informe l'entreprise qu'un ratio d'endettement supérieur à x% aurait probablement pour effet d'abaisser sa cote de crédit (et, par conséquent, d'accroître son coût du financement par dette), il est fort probable que le gestionnaire financier tiendra compte de cet avis avant de suggérer une structure de capital dont le pourcentage de dettes dépasse x%. De la

---

14 DeAngelo, H. et R. Masulis, « Optimal Capital Structure Under Corporate and Personal Taxation », *Journal of Financial Economics*, mars 1980, pp. 3-30.

même façon, lorsque les prêteurs indiquent à l'entreprise que son ratio d'endettement ne doit pas excéder x% et que certains autres ratios (tels le ratio de couverture des intérêts et le ratio de couverture des charges financières) ne doivent pas être inférieurs à des valeurs déterminées, à défaut de quoi ils exigeront un taux d'intérêt plus élevé ou refuseront tout simplement d'avancer des fonds additionnels, il est hautement probable que le gestionnaire financier considérera les exigences de ces derniers lors de l'établissement de la structure optimale de capital de l'entreprise.

7. **La norme de l'industrie.** Plusieurs entreprises ont tendance à présenter un ratio d'endettement qui s'aligne passablement sur la norme qui est jugée acceptable pour l'industrie dans laquelle elle opère. Pour cette raison, on observe, en pratique, des ratios d'endettement moyens assez différents d'une industrie à l'autre.

12.4.9 Conclusion des différentes théories relativement à l'existence d'une structure optimale de capital

Dans ce chapitre, nous avons présenté différentes théories concernant la controversée question de la structure de capital. Certaines de ces théories prétendent qu'il existe une structure optimale de capital et, par conséquent, que la décision de financement exercice un impact sur la valeur marchande de l'entreprise alors que d'autres soutiennent le contraire. À l'heure actuelle, il est sans doute juste d'affirmer qu'il n'existe aucune théorie universellement acceptée à propos de la structure de capital.

Le tableau 12.8 présente la conclusion de chacune de ces théories concernant l'existence d'une structure optimale de capital.

Tableau 12.8

Existence d'une structure optimale de capital selon différentes théories

Théorie	Existe-il théoriquement une structure optimale de capital?
• Théorie traditionnelle	OUI
• M et M, 1958 (pas d'impôt)	NON
• M et M, 1963 (impôt des sociétés seulement)	OUI (endettement à 100%)
• M et M, 1963 (en tenant compte des coûts de faillite)	OUI
• Théorie des coûts d'agence (Jensen et Meckling)	OUI
• Miller, 1977 (impôt des sociétés et impôt personnel)	NON
• Théorie des préférences de financement hiérarchisées (Myers)	NON

12.5   Concepts fondamentaux

- La structure de capital réfère à l'importance relative accordée à la dette à court terme permanente, à la dette à long terme, aux actions privilégiées et aux fonds propres (actions ordinaires et bénéfices non répartis) dans le financement de l'entreprise.

- L'utilisation de l'endettement a pour effet d'accroître simultanément le rendement espéré et le risque du capital-actions ordinaire.

- L'analyse d'indifférence BAII-BPA permet de déterminer la valeur du BAII - appelée niveau d'indifférence - pour laquelle le BPA de l'entreprise sera identique et ce, peu importe le mode de financement retenu. Lorsque le BAII de l'entreprise dépasse le niveau d'indifférence, le recours à l'endettement permet d'engranger un BPA supérieur à celui que l'entreprise générerait en ayant recours à une nouvelle émission d'actions ordinaire pour réunir le nouveau financement requis. Inversement, dans le cas où le BAII s'avère inférieur au niveau d'indifférence, le BPA de l'entreprise sera plus élevé si elle émet de nouvelles actions ordinaires pour amasser les fonds nécessaires à son développement.

- La structure optimale de capital est celle qui permet de minimiser le coût du capital de l'entreprise et, du même coup, maximiser sa valeur marchande.

- Selon le modèle traditionnel, l'entreprise peut minimiser son coût du capital et accroître sa valeur marchande en utilisant judicieusement le levier financier.

- Modigliani et Miller (1958) ont démontré, qu'en l'absence des impôts, des coûts de faillite et autres imperfections du marché des capitaux, la valeur de l'entreprise et son coût de capital ne sont pas influencés par le choix de sa structure de capital. Toutefois, leurs travaux publiés quelques années plus tard suggèrent, qu'en présence de l'impôt corporatif seulement, la structure optimale de l'entreprise comprend uniquement de la dette. Enfin, Miller (1977) prétend qu'il n'existe pas, pour une entreprise particulière, de structure optimale de capital lorsque les impôts corporatifs et personnels sont pris en considération dans l'analyse.

- Selon la proposition 2 de Modigliani et Miller, le rendement des actionnaires d'une entreprise endettée est égal à celui d'une entreprise semblable non endettée plus une prime de risque proportionnelle au ratio d'endettement.

- Les coûts de faillite réfèrent à l'ensemble des frais - directs et indirects - que doit supporter l'entreprise lorsqu'elle s'avère incapable de rembourser ses dettes.

- Dans un contexte où l'on tient compte simultanément des économies d'impôts liées aux emprunts et des coûts de faillite, il existe un ratio d'endettement permettant de maximiser la valeur marchande de l'entreprise. Ce ratio optimal est obtenu lorsque les économies d'impôt marginales liées aux emprunts égalent les coûts de faillite marginaux.

■ La théorie de l'agence met en exergue les intérêts souvent discordants de diverses parties prenantes (gestionnaires, actionnaires et créanciers) de l'entreprise.

■ Selon la théorie de la préférene de financement hiérarchisées, les entreprises priorisent come mode de financement les fonds autogérés. Dans le cas où un financement externe s'avère nécessaire, elles émettent d'abord des titres d'emprunt et, en dernier ressort, de nouvelles actions ordinaires.

■ S'il s'avère pratiquement impossible pour le gestionnaire financier de déterminer exactement le ratio d'endettement optimal de l'entreprise, ce dernier peut toutefois établir une zone cible d'endettement en tenant compte de l'ensemble des facteurs suivants : (1) la fiscalité corporative, (2) la fiscalité personnelle, (3) les coûts de faillite, (4) les coûts d'agence, (5) la stabilité des ventes et des bénéfices, (6) la nature des actifs détenus, (7) les considérations au niveau du contrôle, (8) les substituts à la dépense d'intérêt, (9) la souplesse du financement futur, (10) l'attitude des prêteurs et des agences professionnelles d'évaluation du crédit et (11) la norme de l'industrie.

12.6 Mots clés

12.7   Sommaire des principales formules

Analyse d'indifférence BAII - BPA

$$(12.1)\quad \text{BPA}\begin{pmatrix} \text{si le nouveau financement} \\ \text{s'effectue par actions} \\ \text{ordinaires} \end{pmatrix} = \text{BPA}\begin{pmatrix} \text{si le nouveau financement} \\ \text{s'effectue par obligations} \end{pmatrix}$$

$$\frac{(\text{BAII} - I_1)(1-T) - DP}{A_2} = \frac{(\text{BAII} - I_2)(1-T) - DP}{A_1}$$

où   BPA : Bénéfice par action

BAII : Bénéfice avant intérêts et impôts

I_1 :   Intérêts à payer sans la nouvelle émission d'obligations

I_2 :   Intérêts à payer avec la nouvelle émission d'obligations

A_1 :   Nombre d'actions ordinaires en circulation sans la nouvelle émission d'actions

A_2 :   Nombre d'actions ordinaires en circulation avec la nouvelle émission d'actions

DP :   Dividendes à verser aux actionnaires privilégiés

T :   Taux d'impôt de l'entreprise.

Modèle de Modigliani et Miller en l'absence d'impôt sur le revenu des sociétés

Valeur marchande de la dette (B)

$$(12.2)\quad B = \frac{\text{INT}}{r}$$

où   INT : Intérêts annuels versés par l'entreprise

r :   Taux de rendement requis sur la dette de l'entreprise.

Valeur marchande des actions

Entreprise non endettée (S_U)

$$(12.3)\quad S_U = \frac{E(\text{BAII})}{k_U}$$

où   E(BAII) : BAII de l'entreprise

k_U :   Taux de rendement requis sur les actions de l'entreprise non endettée.

Entreprise endettée (S_L)

(12.4) $S_L = \dfrac{E(BAII) - INT}{k_L}$

où k_L :   Taux de rendement requis sur les actions de l'entreprise endettée.

Coût du capital

Entreprise non endettée (ρ_U)

(12.5) $\rho_U = k_U$

Entreprise endettée (ρ_L)

(12.6) $\rho_L = \left(\dfrac{B}{B + S_L}\right) r + \left(\dfrac{S_L}{B + S_L}\right) k_L$

Relation entre ρ_L et ρ_U

(12.11) $\rho_L = \rho_U$

Valeur marchande de l'entreprise

Entreprise non endettée (V_U)

(12.7) $V_U = S_U = \dfrac{E(BAII)}{k_U} = \dfrac{E(BAII)}{\rho_U}$

Entreprise endettée (V_L)

(12.8)

et

(12.9) $V_L = B + S_L = \dfrac{INT}{r} + \dfrac{E(BAII) - INT}{k_L} = \dfrac{E(BAII)}{\rho_L}$

Relation entre V_L et V_U

(12.10) $V_L = V_U$

Taux de rendement exigé par les actionnaires d'une entreprise endettée (k_L)

(12.12) $k_L = k_U + (k_U - r)\, B/S_L$

Modèle de Modigliani et Miller en présence de l'impôt sur le revenu des sociétés

Valeur marchande de l'entreprise

Entreprise non endettée (V_U)

$$(12.14) \quad V_U = \frac{E(BAII)(1-T)}{k_U}$$

Entreprise endettée (V_L)

$$(12.13) \quad V_L = V_U + T \cdot B$$

où $T \cdot B$: Valeur actualisée des économies d'impôt liées aux emprunts.

Taux de rendement requis par les actionnaires d'une entreprise endettée (k_L)

(12.15)
et
$$(12.16) \quad k_L = k_U + [(1-T)(k_U - r)]\frac{B}{S_L} = \frac{[E(BAII) - INT](1-T)}{S_L}$$

Coût du capital de l'entreprise endettée (ρ_L)

(12.17)
et
$$(12.18) \quad \rho_L = \left(\frac{B}{V_L}\right) r(1-T) + \left(\frac{S_L}{V_L}\right) k_L = \rho_U \left(1 - \frac{T \cdot B}{V_L}\right)$$

Modèle de Miller

Valeur de l'entreprise endettée (V_L)

$$(12.19) \quad V_L = V_U + \left[1 - \frac{(1-T)(1-T_{pS})}{(1-T_{pB})}\right] B$$

où T :   Taux d'imposition de l'entreprise

       T_{pS} :   Taux d'imposition personnel sur les revenus d'actions

       T_{pB} :   Taux d'imposition personnel sur les revenus d'obligations

       $[\cdot]B$:   Avantage fiscal lié à l'endettement.

> **Valeur marchande de l'entreprise en tenant compte de l'avantage fiscal lié à l'endettement et des coûts de faillite**

(12.20) $V_L = V_U + T \cdot B$

où V_L : Valeur marchande d'une entreprise endettée

V_U : Valeur marchande d'une entreprise similaire, non endettée

T : Taux d'imposition de l'entreprise

B : Dette de l'entreprise

$T \cdot B$: Valeur actualisée des économies d'impôt liées aux intérêts.

12.8 Exercices

1. Vrai ou faux.

a) Le levier financier résulte de l'utilisation de sources de financement nécessitant des déboursés fixes.

b) L'utilisation de l'endettement a pour effet d'accroître la rentabilité espérée du capital-actions ordinaire.

c) Le recours à l'endettement a pour conséquence de diminuer le risque du capital-actions ordinaire.

d) Selon la proposition II de Modigliani et Miller, le taux de rendement requis sur les actions d'une entreprise décroît au fur et à mesure qu'augmente son ratio d'endettement.

e) Selon Modigliani et Miller, dans un monde sans impôt, le coût du capital de l'entreprise est indépendant de sa structure de capital.

f) Selon Modigliani et Miller, dans un monde avec impôts corporatifs seulement, la valeur de l'entreprise augmente avec l'endettement.

g) Selon Miller (1977), la structure de capital d'une entreprise a une influence déterminante sur sa valeur au marché.

h) Si le coût du capital est indépendant de la structure du capital, il s'ensuit que les décisions d'investissement et de financement sont complètement dissociables.

i) La stabilité des ventes est un facteur susceptible d'inciter les gestionnaires à accroître la part du financement par dette.

j) Une hausse du ratio d'endettement de l'entreprise augmente la valeur actualisée des économies d'impôt liées aux emprunts mais a également pour effet d'accroître la valeur actualisée des coûts de faillite espérés.

k) Selon la théorie des préférences de financement hiérarchisées, l'entreprise utilise, dans l'ordre, les sources de financement suivantes : (1) la dette, (2) les fonds autogénérés et (3) les nouvelles émissions d'actions ordinaires.

l) Selon la théorie des préférences de financement hiérarchisées, le ratio optimal d'endettement de toutes les entreprises se situe entre 30% et 50%.

m) Les coûts d'agence liés au financement par dette croissent au fur et à mesure qu'augmente le ratio d'endettement de l'entreprise.

n) Dans un contexte réel, il est possible d'établir avec précision le ratio d'endettement optimal d'une entreprise.

o) Le genre d'actifs détenus par l'entreprise influence sa capacité d'emprunt.

2. Mme Julie Gagné étudie présentement la possibilité de mettre sur pied une entreprise spécialisée dans la vente d'équipements informatiques, dont le nom serait Microtek inc. En collaboration avec des spécialistes en prévisions financières, Mme Gagné a établi la distribution de probabilité suivante des valeurs possibles du BAII dans l'avenir :

BAII	Probabilité
150 000 $	0,10
200 000	0,20
400 000	0,35
600 000	0,20
800 000	0,15

Pour établir cette entreprise, Mme Gagné pense qu'elle aura besoin d'un financement de 2 000 000 $. Elle s'interroge actuellement sur l'impact que pourrait avoir les différentes formules de financement possibles sur la rentabilité et le risque de l'entreprise. Les possibilités de financement envisagées sont les suivantes :

- Émettre pour 2 000 000 $ d'actions ordinaires (1 000 000 d'actions rapportant net à la compagnie 2 $ l'action).

- Emprunter à long terme 1 000 000 $ à un taux d'intérêt annuel de 12% et émettre pour 1 000 000 $ d'actions ordinaires.

Le taux d'imposition prévu est de 40%.

a) Déterminez le rendement espéré de l'avoir des actionnaires ainsi que son risque (écart-type et coefficient de variation) pour chacune des possibilités de financement envisagées.

b) D'après les résultats obtenus en (a), quelle possibilité de financement est la plus risquée?

c) Si au lieu d'emprunter 1 000 000 $, on émettait des actions privilégiées à un taux de dividende de 12%, quels seraient le rendement espéré et le risque (écart-type et coefficient de variation) du capital-actions ordinaire?

d) Quels sont les avantages et les inconvénients pour l'entreprise d'émettre des actions privilégiées au lieu d'emprunter?

3. La compagnie Tanamex inc. a actuellement en circulation 1 000 000 d'actions ordinaires qui se transigent à la Bourse à 22 $ l'unité et des obligations d'une valeur nominale de 3 000 000 $ (taux de coupon annuel : 9%).

La compagnie envisage un important programme d'expansion de 5 000 000 $ et considère à cet effet les trois possibilités de financement suivantes :

- Une émission d'actions ordinaires rapportant net à la compagnie 20 $ l'action.
- Une émission d'actions privilégiées rapportant net à la compagnie 100 $ l'action et dont le dividende annuel par action serait de 11 $.
- Une émission d'obligations échéant dans 20 ans au taux de coupon annuel de 12%.

Le taux d'imposition de la compagnie est de 40%.

a) Pour un BAII de 2 500 000 $, calculez le bénéfice par action selon chacune des trois possibilités de financement décrites.

b) Représentez graphiquement, pour chacune de ces trois possibilités de financement, le bénéfice par action en fonction du BAII. Identifiez les points d'indifférence.

c) En supposant que l'objectif soit de maximiser le bénéfice par action, quel mode de financement la compagnie devrait-elle retenir si l'on estime que le BAII sera de 1 500 000 $? de 5 000 000 $?

4. La structure de capital de l'entreprise Moralex inc. est la suivante :

- 800 000 actions ordinaires. L'action ordinaire se transige présentement à 27 $ à la Bourse.
- 5 000 obligations d'une valeur nominale de 1 000 $ chacune. Ces obligations ont été émises au taux de coupon annuel de 11%.

Dans le but d'acquérir de nouveaux actifs à long terme, la compagnie a besoin d'un financement de 5 000 000 $. À cet effet, on considère les deux possibilités de financement suivantes:

- Une émission d'actions ordinaires rapportant net à la compagnie 25 $ l'action.
- Une émission d'obligations de 2 000 000 $ au taux de coupon annuel de 12% ainsi qu'une émission de 30 000 actions privilégiées rapportant net à l'entreprise 100 $ l'action et qui donnent droit à un dividende trimestriel par action de 2,50 $.

Le taux d'imposition de l'entreprise est de 35%.

a) Pour chacune de ces deux possibilités de financement, déterminez la valeur du BAII pour laquelle le bénéfice annuel par action sera nul.

b) Déterminez la valeur du BAII pour laquelle la compagnie serait indifférente entre les deux possibilités de financement.

c) Représentez graphiquement, pour chacune des deux possibilités de financement, le bénéfice par action en fonction du BAII.

d) En supposant que l'objectif soit de maximiser le bénéfice par action, quelle possibilité de financement la compagnie devrait-elle retenir si le BAII prévu est de 7 000 000 $?

5. La structure de capital actuelle de la compagnie Madore inc. se présente ainsi :

- 1 000 000 d'actions ordinaires. L'action ordinaire se négocie présentement à 32 $ à la Bourse. Depuis deux ans, la compagnie distribue à ses actionnaires ordinaires un dividende trimestriel de 0,30 $ par action. Elle prévoit maintenir le dividende ordinaire à ce niveau au cours des prochaines années.

- 17 000 débentures d'une valeur nominale de 1 000 $ chacune. Ces débentures ont été émises à leur valeur nominale il y a trois ans. Leur taux de coupon annuel s'élève à 9%. À la fin de chaque année, la compagnie rachète, par l'intermédiaire d'un fonds d'amortissement, 5% de l'émission en circulation. Jusqu'à maintenant, 3 000 débentures ont été rachetées de cette façon par l'émetteur. Le montant de l'émission initiale s'élevait à 20 000 000 $.

Afin de financer de nouveaux projets d'investissement, la compagnie prévoit recueillir une somme totale de 6 000 000 $. Les deux possibilités de financement suivantes sont envisagées par les gestionnaires :

- Une émission d'actions ordinaires rapportant net à la compagnie 30 $ par action.

- Une émission de débentures de 6 000 000 $ échéant dans 20 ans au taux de coupon annuel de 8%. Pour cette émission, aucun fonds d'amortissement n'est prévu.

Le taux d'imposition de la compagnie s'élève à 38%. De plus, la dépense d'amortissement annuel est de 400 000 $.

a) Pour chacune des deux possibilités de financement, déterminer la valeur du BAII pour laquelle le bénéfice annuel par action de la prochaine année sera nul.

b) Déterminez la valeur du BAII pour laquelle la compagnie serait indifférente entre les deux possibilités de financement.

c) Pour chacune des deux possibilités de financement, calculer le BAII que doit générer la compagnie pour payer les dividendes ordinaires et satisfaire la clause relative au fonds d'amortissement des débentures.

d) Représentez graphiquement, pour chacune des deux possibilités de financement, le bénéfice par action en fonction du BAII.

e) En supposant que l'objectif soit de maximiser le bénéfice par action, quelle possibilité de financement la compagnie devrait-elle retenir si le BAII prévu s'élève à 8 000 000 $?

6. Les renseignements suivants sont disponibles concernant la compagnie Ogivac inc. :

1. Bilan simplifié au 31/12/20XX + 1

Actif à court terme	5 000 000 $
Immobilisations nettes	26 000 000
Total de l'actif	31 000 000 $
Passif à court terme[1]	1 000 000 $
Débentures[2]	12 000 000
Actions ordinaires[3]	10 000 000
Bénéfices non répartis	8 000 000
Total du passif et de l'avoir des actionnaires	31 000 000 $

[1] Le passif à court terme est constitué en quasi-totalité de comptes fournisseurs.

[2] Il y a actuellement en circulation 12 000 débentures comportant chacune une valeur nominale de 1 000 $. Ces débentures ont été émises à leur valeur nominale il y a quatre ans. Leur taux de coupon annuel s'élève à 8%. À la fin de chaque année, la compagnie rachète, par l'intermédiaire d'un fonds d'amortissement, 5% de l'émission en circulation. Jusqu'à maintenant, 3 000 débentures ont été rachetées de cette façon par l'émetteur. Le montant de l'émission initiale s'élevait à 15 000 000 $.

[3] Il y a actuellement 1 000 000 d'actions ordinaires en circulation. Le contrôle de la compagnie appartient à Pierre Bergeron qui détient 67% des actions ordinaires en circulation. L'action ordinaire se transige présentement à 21 $ à la Bourse de Toronto. Depuis trois ans, la compagnie distribue à ses actionnaires ordinaires un dividende semestriel de 0,40 $ par action. Elle anticipe maintenir le dividende à ce niveau au cours des prochaines années.

En autant que le nouveau financement n'ait pas un impact trop négatif sur le cours de l'action ordinaire, Pierre préférerait demeurer actionnaire majoritaire.

2. État des résultats simplifié pour l'année se terminant le 31/12/20XX + 1

Ventes	30 000 000 $
Coûts variables	18 000 000
Coûts fixes d'exploitation	9 000 000 $
Bénéfice avant intérêts et impôts	3 000 000 $
Intérêts	1 020 000
Bénéfice avant impôts	1 980 000
Impôt (40%)	792 000
Bénéfice net	1 188 000 $

3. Projet d'investissement envisagé au début de l'année 20XX + 2

La compagnie envisage la possibilité de fabriquer un nouveau produit (le produit A) qui aurait pour conséquence d'augmenter ses ventes annuelles de 8 000 000 $. Les coûts variables associés à ce projet correspondent à 60% des ventes. De plus, il provoquerait une hausse des frais fixes annuels de 1 000 000 $. Ces frais fixes additionnels incorporent la dépense d'amortissement liée aux nouveaux actifs, mais ne tiennent pas compte des charges financières découlant du financement du projet. Le calcul de la VAN du projet a démontré qu'il était rentable.

4. Financement du projet

Afin de financer ce nouvel investissement, qui nécessite un déboursé annuel de 6 000 000 $, la direction de Ogivac inc. considère les deux possibilités suivantes :

i) Une émission d'actions ordinaires rapportant net à la compagnie 20 $ par action. La totalité des titres seraient achetés par un groupe d'investisseurs institutionnels.

ii) Une émission de débentures de 6 000 000 $ échéant dans 20 ans au taux de coupon annuel de 10%. Pour cette émission, aucun fonds d'amortissement n'est prévu. Les nouveaux créanciers exigent cependant que la compagnie respecte les normes du secteur en ce qui a trait au ratio d'endettement, au ratio de couverture des intérêts et au ratio de couverture des charges financières.

5. Les ratios moyens des principaux concurrents de Ogivac inc. sont les suivants :

- Ratio du passif total à l'actif total : 52%
- Ratio de couverture des intérêts : 4X
- Ratio de couverture des charges financières : 2X

a) Pour chacune des deux possibilités de financement, dressez l'état prévisionnel des résultats de Ogivac inc. pour l'année 20XX + 2. (Montrez la valeur du bénéfice par action dans les deux cas.)

b) Déterminez le niveau des ventes pour lequel le bénéfice par action de la compagnie sera identique et ce, peu importe le mode de financement retenu pour le nouveau projet.

c) Calculez, pour chacune des deux possibilités de financement, les ratios de la compagnie Ogivac inc. et comparez-les aux valeurs moyennes du secteur. (Les ratios à calculer sont ceux mentionnés à l'item 5.)

d) Quel est l'impact de chacune des deux possibilités de financement sur le contrôle de l'entreprise?

e) Pierre Bergeron pense que, si la compagnie se finance par actions ordinaires, le bénéfice par action sera moins élevé que si le mode de financement retenu est la dette et que, par conséquent, il en résultera nécessairement une chute du cours de l'action. Que pensez-vous de son raisonnement?

f) Compte tenu des résultats obtenus précédemment et des contraintes à respecter, quel mode de financement la compagnie Ogivac inc. devrait-elle utiliser? Expliquez brièvement votre choix.

7. La compagnie Milek inc.tente présentement de déterminer sa structure optimale de capital. Selon les estimations disponibles, le taux de rendement requis par les obligataires et le taux de rendement requis par les actionnaires augmentent avec le ratio d'endettement de la façon suivante :

Ratio d'endettement : Dette/(Dette+Fonds propres)	Taux de rendement requis par les obligataires	Taux de rendement requis par les actionnaires
0	-	11%
15%	8%	12%
30%	9%	13%
45%	10%	15%
60%	12%	18%
75%	15%	24%

Le taux d'impôt de la compagie est de 40%.

Quelle est la structure optimale de capital de Milek inc.?

8. Les compagnies A et B omportent un risque d'exploitation identique. La compagnie A est financée en totalité par fonds propres tandis que la compagnie B a en circulation 1 000 000 $ d'obligations, ce qui nécessite des versements annuels d'intérêts de 70 000 $. On suppose qu'il n'y a pas d'impôt. La valeur au marché des deux compagnies s'établit comme suit :

	Compagnie	
	A	B
	(à l'équilibre)	(avant l'équilibre)
E(BAII) : bénéfice espéré avant intérêts et impôts	200 000 $	200 000 $
INT : intérêts	-	70 000
E(BAII) - INT : bénéfice disponible pour les actionnaires	200 000 $	130 000 $
k : taux de rendement requis par les actionnaires	0,15	0,15
S : valeur au marché des actions	1 333 333 $	866 667 $
r : taux de rendement requis par les obligataires	-	7%
B : valeur au marché des obligations	-	1 000 000 $
V = B + S : valeur au marché de l'entreprise	1 333 333 $	1 866 667 $
B/S : ratio d'endettement	-	1,1538

a) Un investisseur détient 5% des actions de la compagnie B. Montrez-lui de quelle façon il peut accroître la rentabilité espérée de son portefeuille, sans en augmenter le risque. Quel gain certain peut-il réaliser?

b) Selon Modigliani et Miller, à quel moment le processus d'arbitrage cessera-t-il?

9. Les firmes U et L sont identiques sur tous les aspects, sauf que la firme U est non endettée alors que la firme L a des obligations de 12 000 000 $ en circulation à un taux de coupon de 10%. On suppose que :

i) le taux d'imposition des compagnies est de 40%;

ii) le BAII espéré de chacune des firmes est de 2 500 000 $;

iii) le taux de rendement exigé par les actionnaires de la firme U est de 14%;

iv) toutes les hypothèses de Modigliani et Miller sont satisfaites.

Déterminez la valeur marchande et le coût moyen pondéré du capital de chacune des deux firmes.

10. Le coût de la dette avant impôt de la firme XYZ inc.est de 14% et son coût des fonds propres de 21%. Le ratio dette/fonds propres est de 25% et le taux d'imposition de 40%. Quel serait le coût du capital de la compagnie XYZ si elle n'était pas endettée?

11. La firme U est non endettée et est évaluée sur le marché à 2 500 000 $. Pour sa part, la firme L présente un ratio dette/fonds propres de 1. Le coût de la dette avant impôt est de 9% et le taux d'impôt corporatif est de 40%.

a) Quel est le coût du financement par actions de chacune des deux firmes?

b) Quel est le coût moyen pondéré du capital de chacune des deux firmes?

12. Considérez deux entreprises, X et Y. L'entreprise X n'utilise pas l'endettement, tandis que le ratio dette/fonds propres de l'entreprise Y est de 1. Les deux entreprises ont le même BAII espéré, 200 000 $, qui est supposé demeurer constant indéfiniment. Le coût de la dette avant impôt est identique au taux de rendement sans risque (r). Le taux d'impôt des corporations est de 50%. Étant donné les paramètres suivants :

$E(R_M) = 15\%$

$r \quad = 8\%$

$\beta_X \quad = 1$

$\beta_Y \quad = 1,5$

Déterminez le coût du capital-actions, le coût du capital et la valeur marchande de chacune des entreprises.

13. M. Lee étudie présentement la possibilité de faire constituer une nouvelle compagnie sous le nom de Morand inc.. Cette compagnie se spécialiserait dans la fabrication de meubles. Le mise de fonds initiale requise est de 10 000 000 $. Compte tenu des ventes et des coûts de fabrication prévus, le bénéfice d'exploitation espéré de cette entreprise est de 3 000 000 $ par année et ce, pour tout l'avenir prévisible. On estime, en outre, que les profits de l'entreprise seront imposés au taux de 40%. Tous les profits après impôt seront immédiatement versés en dividendes.

Pour financer la mise de fonds requise, M. Lee considère les deux possibilités suivantes :

- Émettre des actions ordinaires pour 10 000 000 $ (2 000 000 d'actions rapportant net à la compagnie 5 $ l'action). Compte tenu du risque d'exploitation de l'entreprise, le taux de rendement exigé par les actionnaires serait de 16%.
- Emprunter 4 000 000 $ au taux d'intérêt annuel de 11% et émettre 1 200 000 actions rapportant net à la compagnie 5 $ l'action. On suppose que l'emprunt est permanent.

a) Selon Modigliani et Miller, si l'on ne tient compte que de l'impôt corporatif, quelle sera, pour chacune des possibilités de financement décrites, la valeur au marché de l'entreprise?

b) Selon Modigliani et Miller, si l'on ne tient compte que de l'impôt corporatif, quel taux de rendement les actionnaires de Morand inc. devraient-ils exiger si l'on opte pour la deuxième possibilité de financement?

14. Les renseignements suivants sont disponibles concernant la compagnie IMC inc. :

- Valeur marchande d'une action : 55 $
- Nombre d'actions ordinaires en circulation : 1 000 000
- Valeur marchande de la dette : 20 000 000 $

Dans un marché des capitaux parfait (pas d'impôt, pas de frais de transaction, pas de coûts de faillite), quel est l'effet anticipé d'une émission de 5 000 000 $ de dettes sur :

a) la valeur marchande totale de la dette de l'entreprise;

b) la valeur marchande d'une action;

c) la valeur marchande de l'entreprise.

15. La compagnie Brière inc., dont la valeur au marché est de 6 000 000 $, s'est toujours financée exclusivement par fonds propres. Son BAII annuel espéré est de 1 200 000 $ et ce, pour tout l'avenir prévisible. La compagnie est imposée au taux de 40%. Suite à la lecture de l'un des célèbres articles de Modigiani et Miller (celui de 1963), les dirigeants de l'entreprise considèrent sérieusement la possibilité d'émettre des obligations et d'utiliser le produit de l'émission pour racheter une partie des actions en circulation. Étant donné que les intérêts sur la dette sont déductibles d'impôt, il en résulterait, selon eux, une augmentation de la valeur au marché de l'entreprise. Toutefois, les dirigeants savent également qu'une des conséquences de l'endettement est d'accroître le risque de faillite. Selon les analystes de la compagnie, la valeur actualisée des coûts de faillite est de 5 000 000 $ et la probabilité de faillite augmente avec l'endettement de la façon suivante :

Dette	Probabilité de faillite
0	0
1 000 000 $	0,01
2 000 000	0,02
3 000 000	0,04
4 000 000	0,08
5 000 000	0,12
6 000 000	0,18
7 000 000	0,28
8 000 000	0,40
9 000 000	0,55
10 000 000	0,70

a) Selon Modigliani et Miller (1963), en ignorant l'incidence des coûts de faillite, quel est le niveau optimal d'endettement de la compagnie Brière inc.?

b) Si l'on tient compte de l'incidence des coûts de faillite, quel est alors le niveau optimal d'endettement de la compagnie Brière?

16. La compagnie Saphir inc. a actuellement en circulation 10 000 000 $ d'obligations perpétuelles. Le taux d'imposition de l'entreprise est de 40%. Quelle est, dans chacun des cas ci-dessous, la valeur actualisée des économies d'impôt attribuables aux emprunts?

a) Les investisseurs ne sont pas assujettis à l'impôt personnel.

b) Les investisseurs sont imposés à 30% sur les revenus d'obligations et à 30% sur les revenus d'actions.

c) Les investisseurs sont imposés à 60% sur les revenus d'obligations et à 20% sur les revenus d'actions.

d) Les investisseurs sont imposés à 40% sur les revenus d'obligations et ne sont pas imposés sur les revenus d'actions.

17. Les renseignements suivants sont disponibles concernant la compagnie BME inc. :

- Taux d'imposition : 40%
- Part du financement par dette : 50%
- Part du financement par capitaux propres : 50%

- Coût de la dette avant impôt : 12%
- Coût des capitaux propres : 18%
- Coût moyen pondéré du capital $= (0,50)(0,12)(1 - 0,40) + (0,50)(0,18)$
$$= 12,60\%$$

Étant donné que le coût de la dette est inférieur au coût des capitaux propres, la nouvelle directrice des finances pense qu'il serait possible de diminuer le coût moyen pondéré du capital de l'entreprise simplement en augmentant la part du financement par dette. Ainsi, si le ratio d'endettement de l'entreprise passait à 75%, son coût moyen pondéré du capital deviendrait alors égal à 9,90% (voir le calcul ci-dessous).

Coût moyen pondéré du capital pour un ratio d'endettement de 75% (selon la nouvelle directrice des finances de BME) $= (0,75)(0,12)(1 - 0,40) + (0,25)(0,18)$

$$= 9,90\%$$

Que pensez-vous du raisonnement de la nouvelle directrice des finances?

Annexe - Gestion financière avec Excel

L'analyse d'indifférence BAII-BPA

En utilisant les données de l'exemple de la page 579, nous montrons, dans la présente annexe, comment utiliser le tableur Excel pour effectuer une analyse d'indifférence BAII-BPA.

Calcul du bénéfice par action (BPA) à partir du bénéfice avant intérêts et impôts (BAII)

La feuille de calcul Excel servant au calcul du bénéfice par action à partir d'une valeur quelconque du bénéfice avant intérêts et impôts est présentée ci-après. Nous indiquons, par la suite, les formules nécessaires pour obtenir ces résultats.

	A	B
1	L'analyse d'indifférence BAII-BPA	
2	Calcul du BPA pour une valeur quelconque du BAII	
3	Montant du nouveau financement requis	200 000 $
4	Bénéfice avant intérêts et impôts (BAII) de l'entreprise (supposons 150 000 $)	150 000 $
5	Dette actuellement en circulation	300 000 $
6	Taux d'intérêt payé sur la dette actuellement en circulation	0,12
7	Intérêts à payer sans la nouvelle émission d'obligations (I_1)	36 000 $
8	Taux d'impôt de l'entreprise	0,4
9	Dividendes à verser aux actionnaires privilégiés (DP)	0
10	Nombre d'actions ordinaires actuellement en circulation (A_1)	50 000
11	Montant net par action que rapporte une nouvelle émission d'actions ordinaires	10 $
12	Nombre d'actions ordinaires en circulation avec la nouvelle émission d'actions (A_2)	70 000
13	Bénéfice par action si le nouveau financement s'effectue par actions ordinaires	0,98 $
14	Taux d'intérêt à payer sur la nouvelle dette	0,13
15	Intérêts à payer avec la nouvelle émission d'obligations (I_2)	62 000 $
16	Bénéfice par action si le nouveau financement s'effectue par obligations	1,06 $

Les variables qui influent sur la valeur du bénéfice par action sont entrées dans les cellules de la colonne A (montant du nouveau financement requis (A3), BAII de l'entreprise (A4), dette actuellement en circulation (A5), taux d'intérêt payé sur la dette actuellement en circulation (A6), taux d'impôt de l'entreprise (A8), dividendes à verser aux actionnaires privilégiés (A9), nombre d'actions ordinaires actuellement en circulation (A10), montant net par action que rapporte une nouvelle émission d'actions ordinaires (A11) et taux d'intérêt à payer sur la nouvelle dette (A14). Pour leur part, les cellules de la colonne B indiquent les valeurs prises par les variables concernées.

Formules requises

	A	B
1	**L'analyse d'indifférence BAII-BPA**	
2	**Calcul du BPA pour une valeur quelconque du BAII**	
3	Montant du nouveau financement requis	200 000 $
4	Bénéfice avant intérêts et impôts (BAII) de l'entreprise (supposons 150 000 $)	150 000 $
5	Dette actuellement en circulation	300 000 $
6	Taux d'intérêt payé sur la dette actuellement en circulation	0,12
7	Intérêts à payer sans la nouvelle émission d'obligations (I_1)	=$B$5*$B$6
8	Taux d'impôt de l'entreprise	0,4
9	Dividendes à verser aux actionnaires privilégiés (DP)	0
10	Nombre d'actions ordinaires actuellement en circulation (A_1)	50 000
11	Montant net par action que rapporte une nouvelle émission d'actions ordinaires	10 $
12	Nombre d'actions ordinaires en circulation avec la nouvelle émission d'actions (A_2)	=$B$10+$B$3/$B$11
13	Bénéfice par action si le nouveau financement s'effectue par actions ordinaires	=(($B$4-$B$7)*(1-$B$8)-$B$9)/$B$12
14	Taux d'intérêt à payer sur la nouvelle dette	0,13
15	Intérêts à payer avec la nouvelle émission d'obligations (I_2)	=$B$7+$B$3*$B$14
16	Bénéfice par action si le nouveau financement s'effectue par obligations	=(($B$4-$B$15)*(1-$B$8)-$B$9)/$B$10

Dans le but de déterminer la valeur du bénéfice par action si le nouveau financement s'effectue par actions ordinaires, nous calculons, au préalable, les intérêts à payer sans la nouvelle émission d'obligations (cellule B7) ainsi que le nombre d'actions ordinaires en circulation avec la nouvelle émission d'actions (cellule B12). L'expression qui apparaît dans la cellule B13 correspond au BPA en supposant un nouveau financement par actions ordinaires. Elle équivaut à $\dfrac{(BAII - I_1)(1 - T) - DP}{A_2}$. Pour leur part, les formules qui apparaissent dans les cellules B15 et B16 permettent de déterminer, dans l'ordre, les intérêts à payer si l'entreprise émet de nouvelles obligations pour satisfaire ses besoins de financement (cellule B15) et la valeur du bénéfice par action (cellule B16). La formule figurant dans la cellule B16 correspond à

$$\frac{(BAII - I_2)(1 - T) - DP}{A_1}.$$

Calcul du point d'indifférence à l'aide de la fonctionnalité Valeur cible

La fonctionnalité *Valeur cible* permet d'obtenir rapidement la valeur du BAII pour laquelle le BPA sera le même et ce, peu importe le mode de financement retenu. La procédure à suivre a été décrite à plusieurs endroits dans ce volume, notamment en annexe au chapitre 8 et à l'annexe 1 du chapitre 10. À ce stade, il suffit simplement de mentionner que la cellule à définir est B17 (on cherche à déterminer la valeur du BAII pour laquelle on a : BPA selon un financement par actions ordinaires - BPA selon un financement par obligations = 0), que la valeur à atteindre est 0 et que la cellule à modifier est celle qui contient la valeur du BAII, soit B4. Les résultats suivants indiquent que, si le BAII s'élève à 127 000 $, le BPA de l'entreprise C sera le même (soit 0,78 $) selon chacun des deux modes de financement envisagés. Il est à noter que la valeur initiale qui figure dans la cellule B17 (soit -0,08 $) représente l'écart entre le BPA selon un financement par actions ordinaires et le BPA selon un financement par obligations en supposant que le BAII de l'entreprise s'élève à 150 000 $.

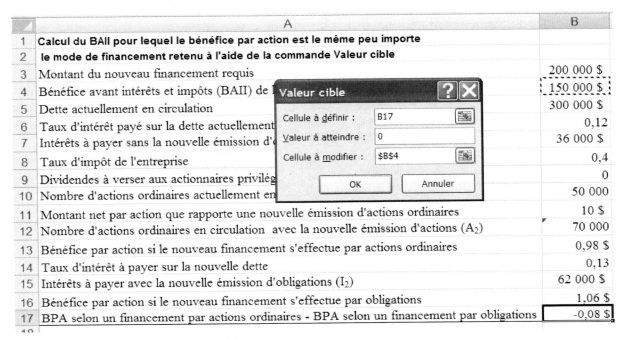

	A	B
1	**Calcul du BAII pour lequel le bénéfice par action est le même peu importe**	
2	**le mode de financement retenu à l'aide de la commande Valeur cible**	
3	Montant du nouveau financement requis	200 000 $
4	Bénéfice avant intérêts et impôts (BAII) de l	150 000 $
5	Dette actuellement en circulation	300 000 $
6	Taux d'intérêt payé sur la dette actuellement	0,12
7	Intérêts à payer sans la nouvelle émission d'é	36 000 $
8	Taux d'impôt de l'entreprise	0,4
9	Dividendes à verser aux actionnaires privilég	0
10	Nombre d'actions ordinaires actuellement en	50 000
11	Montant net par action que rapporte une nouvelle émission d'actions ordinaires	10 $
12	Nombre d'actions ordinaires en circulation avec la nouvelle émission d'actions (A_2)	70 000
13	Bénéfice par action si le nouveau financement s'effectue par actions ordinaires	0,98 $
14	Taux d'intérêt à payer sur la nouvelle dette	0,13
15	Intérêts à payer avec la nouvelle émission d'obligations (I_2)	62 000 $
16	Bénéfice par action si le nouveau financement s'effectue par obligations	1,06 $
17	BPA selon un financement par actions ordinaires - BPA selon un financement par obligations	-0,08 $

Cliquez sur OK.

	A	B
1	**Calcul du BAII pour lequel le bénéfice par action est le même peu importe**	
2	**le mode de financement retenu à l'aide de la commande Valeur cible**	
3	Montant du nouveau financement requis	200 000 $
4	Bénéfice avant intérêts et impôts (BAII) de l	127 000 $
5	Dette actuellement en circulation	300 000 $
6	Taux d'intérêt payé sur la dette actuellement	0,12
7	Intérêts à payer sans la nouvelle émission d'é	36 000 $
8	Taux d'impôt de l'entreprise	0,4
9	Dividendes à verser aux actionnaires privilég	0
10	Nombre d'actions ordinaires actuellement en	50 000
11	Montant net par action que rapporte une nouvelle émission d'actions ordinaires	10 $
12	Nombre d'actions ordinaires en circulation avec la nouvelle émission d'actions (A_2)	70 000
13	Bénéfice par action si le nouveau financement s'effectue par actions ordinaires	0,78 $
14	Taux d'intérêt à payer sur la nouvelle dette	0,13
15	Intérêts à payer avec la nouvelle émission d'obligations (I_2)	62 000 $
16	Bénéfice par action si le nouveau financement s'effectue par obligations	0,78 $
17	BPA selon un financement par actions ordinaires - BPA selon un financement par obligations	0,00 $

Cliquez sur OK.

	A	B
1	Calcul du BAII pour lequel le bénéfice par action est le même peu importe	
2	le mode de financement retenu à l'aide de la commande Valeur cible	
3	Montant du nouveau financement requis	200 000 $
4	Bénéfice avant intérêts et impôts (BAII) de l'entreprise (supposons 150 000 $)	127 000 $
5	Dette actuellement en circulation	300 000 $
6	Taux d'intérêt payé sur la dette actuellement en circulation	0,12
7	Intérêts à payer sans la nouvelle émission d'obligations (I_1)	36 000 $
8	Taux d'impôt de l'entreprise	0,4
9	Dividendes à verser aux actionnaires privilégiés (DP)	0
10	Nombre d'actions ordinaires actuellement en circulation (A_1)	50 000
11	Montant net par action que rapporte une nouvelle émission d'actions ordinaires	10 $
12	Nombre d'actions ordinaires en circulation avec la nouvelle émission d'actions (A_2)	70 000
13	Bénéfice par action si le nouveau financement s'effectue par actions ordinaires	0,78 $
14	Taux d'intérêt à payer sur la nouvelle dette	0,13
15	Intérêts à payer avec la nouvelle émission d'obligations (I_2)	62 000 $
16	Bénéfice par action si le nouveau financement s'effectue par obligations	0,78 $
17	BPA selon un financement par actions ordinaires - BPA selon un financement par obligations	0,00 $

Le bénéfice par action en fonction du bénéfice avant intérêts et impôts selon les deux possibilités de financement envisagées

Le tableau ci-dessous indique la valeur du bénéfice par action en fonction du bénéfice avant intérêts et impôts pour chacun des deux modes de financement considérés.

	A	B	C
20	Bénéfice avant intérêts et impôts	Bénéfice par action si le nouveau	Bénéfice par action si le nouveau
21		financement s'effectue par actions	financement s'effectue par dette
22	0 $	(0,31) $	(0,74) $
23	20 000 $	(0,14) $	(0,50) $
24	40 000 $	0,03 $	(0,26) $
25	60 000 $	0,21 $	(0,02) $
26	80 000 $	0,38 $	0,22 $
27	100 000 $	0,55 $	0,46 $
28	120 000 $	0,72 $	0,70 $
29	127 000 $	0,78 $	0,78 $
30	140 000 $	0,89 $	0,94 $
31	160 000 $	1,06 $	1,18 $
32	180 000 $	1,23 $	1,42 $
33	200 000 $	1,41 $	1,66 $

Pour générer rapidement ces différentes valeurs, il s'agit simplement de suivre les étapes suivantes :

1. Entrer, dans la cellule A22, la valeur du premier BAII, soit 0.

2. Calculer, à l'aide de l'expression apparaissant dans la cellule B22, la valeur du BPA en supposant que le nouveau financement s'effectue par actions ordinaires.

3. Calculer, à partir de l'expression apparaissant dans la cellule C22, la valeur du BPA en supposant que le nouveau financement s'effectue par dette.

4. Entrer, dans la cellule A23, un montant de 20 000 $. Les valeurs subséquentes du BAII sont obtenues à l'aide de l'*Incrémentation d'une série*.

5. L'*Incrémentation d'une série* permet de générer les valeurs du BPA pour les deux modes de financement envisagés et ce, pour toutes les valeurs du BAII indiquées dans la colonne A.

	A	B	C
20	Bénéfice avant intérêts et impôts	Bénéfice par action si le nouveau financement s'effectue par actions	Bénéfice par action si le nouveau financement s'effectue par dette
21			
22	0 $	=((A22-$B$7)*(1-$B$8)-$B$9)/$B$12	=((A22-$B$15)*(1-$B$8)-$B$9)/$B$10
23	20 000 $	(0,14) $	(0,50) $
24	40 000 $	0,03 $	(0,26) $
25	60 000 $	0,21 $	(0,02) $
26	80 000 $	0,38 $	0,22 $
27	100 000 $	0,55 $	0,46 $
28	120 000 $	0,72 $	0,70 $
29	127 000 $	0,78 $	0,78 $
30	140 000 $	0,89 $	0,94 $
31	160 000 $	1,06 $	1,18 $
32	180 000 $	1,23 $	1,42 $
33	200 000 $	1,41 $	1,66 $

Finalement nous avons représenté l'évolution du BPA en fonction du BAII pour chacun des deux modes de financement envisagés par l'entreprise C. Pour générer ces droites, vous devez cliquer sur l'onglet *Insertion* et choisir le type de graphique (nous avons sélectionné *Nuage de points avec courbes droites et marqueurs*).

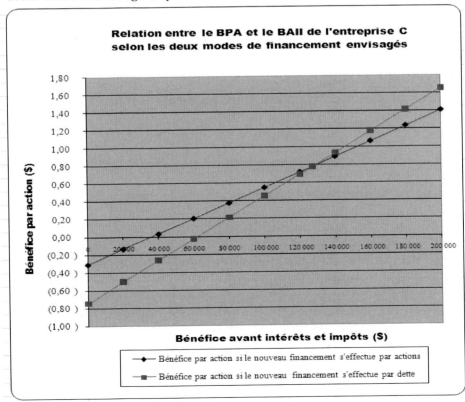

La relation entre les décisions d'investissement et de financement

Sommaire

13

Objectifs pédagogiques

Lorsque vous aurez complété l'étude du chapitre 13,

1. vous saurez que, dans un contexte où l'on considère l'impact de la fiscalité et des autres imperfections du marché des capitaux, les décisions d'investissement et de financement ne sont plus dissociables;

2. vous serez en mesure de calculer la VAN d'un projet d'investissement selon les quatre méthodes proposées dans ce chapitre;

3. vous pourrez calculer la VAN d'un emprunt subventionné;

4. vous saurez dans quelles circonstances les quatre méthodes de calcul de la VAN aboutissent à des résultats identiques;

5. vous serez sensibilisé au fait que, dans la vaste majorité des cas, la rentabilité d'un projet d'investissement dépend davantage des flux monétaires d'exploitation qu'il est censé généré que des avantages attribuables à son financement.

13.1 Introduction

Dans le cadre d'un marché des capitaux parfait (absence de frais de transaction, pas d'impôt, etc.), il a été démontré au chapitre précédent que la décision d'investissement peut être prise indépendamment de la décision de financement. Dans ce contexte particulier, il s'agit, pour déterminer si un investissement donné est rentable, de calculer ses flux monétaires comme s'il était financé à 100% par capitaux propres et d'utiliser comme taux d'actualisation le rendement requis par les actionnaires en supposant que le financement s'effectue en totalité par capitaux propres.

Toutefois, dans un contexte plus réaliste, les décisions d'investissement et de financement sont intimement liées. Afin de tenir compte de l'interaction existant entre ces deux décisions, quatre approches ont été proposées dans la littérature financière. Selon l'approche traditionnelle, qui est celle décrite en détail au chapitre 11 de ce volume ainsi que dans la majorité des ouvrages de base en finance corporative, on utilise comme taux d'actualisation, dans le calcul de la VAN, le coût moyen pondéré du capital après impôt (CMPCAPI) et l'on détermine les flux monétaires du projet comme si celui-ci était financé entièrement par fonds propres. Une seconde méthode, suggérée par Arditti et Levy, actualise au coût moyen pondéré du capital avant impôt (CMPCAVI) des flux monétaires tenant compte de l'avantage lié à la déductibilité pour fins fiscales des charges d'intérêt. Une troisième approche (la VAN calculée selon la valeur résiduelle pour les actionnaires ou VAN (VRA)) ne prend en considération que les fonds investis par les actionnaires et les flux monétaires revenant à ceux-ci. Finalement, Myers préconise l'utilisation de la méthode de la valeur actuelle nette ajustée (*Adjusted Present Value*) pour analyser la rentabilité d'un nouvel investissement. Selon cette méthode, on détermine, dans un premier temps, la VAN d'un projet comme si celui-ci était financé exclusivement par fonds propres (VAN de base). Par la suite, on ajoute (soustrait) à la VAN de base, la valeur actualisée des avantages (coûts) attribuables au financement du projet.

Dans ce chapitre, nous décrivons, dans un premier temps, les fondements de ces quatre approches. Par la suite, nous identifions les conditions nécessaires afin que la VAN d'un projet demeure insensible à la méthode de calcul utilisée.

13.2 Les méthodes de choix des investissements

Nous décrivons, ci-dessous, quatre méthodes de calcul de la VAN. Les modèles discutés diffèrent en ce qui a trait au calcul des flux monétaires pertinents et au taux d'actualisation utilisé. Avant de les aborder, mentionnons que certains d'entre eux exigent que l'on tienne compte, dans le calcul des flux monétaires, du montant de dette utilisé pour financer le projet. En pratique, ceci pose certaines difficultés étant donné que, de façon générale, les entreprises ne cherchent pas à rattacher un projet d'investissement à une décision spécifique en matière de financement. Dans ce contexte, on supposera que le montant d'endettement lié à un projet au début de la période t (B_{t-1}) correspond à la contribution du projet à la capacité d'emprunt de l'entreprise. B_{t-1} se calcule ainsi :

$$B_{t-1} = B_{t-1}^* - B_{t-1}^{**} \qquad (13.1)$$

où B_{t-1} : Montant d'endettement optimal de l'entreprise au début de la période t

B_{t-1}^* : Montant d'endettement optimal de l'entreprise au début de la période t si elle réalise le projet

B_{t-1}^{**} : Montant d'endettement optimal de l'entreprise au début de la période t si elle ne réalise pas le projet.

13.2.1   L'approche traditionnelle : coût moyen pondéré du capital après impôt (CMPCAPI)

VAN traditionnelle
VAN mesurée en actualisant, au coût moyen pondéré du capital après impôt, des flux monétaires faisant abstraction de l'avantage fiscal lié à la dépense d'intérêt

Cette méthode est, de loin, la mieux connue et la plus utilisée par les sociétés. C'est d'ailleurs la seule étudiée dans la majorité des textes de base en finance corporative. Elle est fondée sur un certain nombre d'hypothèses, notamment que le projet d'investissement considéré est de même niveau de risque que les activités habituelles de l'entreprise. La mise en application en est relativement simple. En effet, il s'agit d'actualiser, au coût du capital après impôt, des flux monétaires calculés en prenant pour acquis que l'entreprise n'utilise pas l'endettement. Le taux d'actualisation, en supposant que la compagnie n'a recours qu'à la dette à long terme et aux capitaux propres pour se financer, s'obtient à partir de l'expression suivante :

$$\rho = w_d k_d + w_0 k_0 \qquad (13.2)$$

où ρ : Coût moyen pondéré du capital après impôt

w_d : Part du financement par dette

w_0 : Part du financement provenant des capitaux propres

k_d : Coût de la dette après impôt

k_0 : Coût du capital-actions ordinaire.

La valeur actuelle nette du projet se calcule comme suit :

$$\text{VAN(CMPCAPI)} = \sum_{t=1}^{n} \frac{(R_t - D_t - A_t)(1-T) + A_t}{(1+\rho)^t} - I \tag{13.3}$$

où   VAN(CMPCAPI) : Valeur actuelle nette du projet selon l'approche traditionnelle

R_t : Recettes brutes du projet avant impôt pour la période t

D_t : Déboursés du projet avant impôt pour la période t

A_t : Amortissement fiscal pour la période t

T : Taux d'imposition marginal

I : Investissement initial.

On constate, à partir de l'équation (13.3), que les déboursés liés aux intérêts et au remboursement du principal de la dette ne sont pas considérés dans le calcul des flux monétaires. En effet, selon cette méthode, on tient compte de l'impact des charges financières dans le calcul du taux d'actualisation plutôt que dans l'estimation des flux monétaires.

13.2.2   Le coût moyen pondéré du capital avant impôt (CMPCAVI)

VAN selon la méthode de Arditti et Levy
VAN mesurée en actualisant, au coût moyen pondéré du capital avant impôt, des flux monétaires qui incorporent l'économie d'impôt liée à la dépense d'intérêt

Étant donné que l'intérêt est une dépense admise d'un point de vue fiscal, les flux monétaires calculés en utilisant la méthode du CMPCAPI surestiment (d'un montant équivalent à $T \times INT_t$) l'impôt que devra payer l'entreprise. Au lieu d'incorporer l'incidence de l'avantage fiscal lié à l'endettement dans le taux d'actualisation comme le préconise l'approche traditionnelle, Arditti et Levy[1] (A et L) suggèrent de considérer dans le calcul des flux monétaires les sommes d'argent que recevront les obligataires et les actionnaires de l'entreprise. Dans ce contexte, on obtient :

$$\rho_{AL} = w_d r + w_0 k_0 \tag{13.4}$$

et

$$\text{VAN(CMPCAVI)} = \sum_{t=1}^{n} \frac{(R_t - D_t - A_t - INT_t)(1-T) + A_t + INT_t}{(1+\rho_{AL})^t} - I \tag{13.5}$$

---

[1]   Arditti, F.D. et H. Levy, « The Weighted Average Cost of Capital as a Cutoff Rate : A Critical Examination of the Classical Textbook Weighted Average », *Financial Management*, automne 1977, pp. 24-34.

où $\qquad \rho_{AL}$: Coût moyen pondéré du capital selon A et L

$\qquad\qquad\qquad$ r : Coût de la dette avant impôt

$\qquad$ VAN(CMPCAVI) : Valeur actuelle nette du projet selon l'approche A et L

$\qquad\qquad\qquad$ INT_t : Intérêts pour l'année t.

L'équation (13.5) diffère de l'expression (13.3) à l'égard de deux aspects. Premièrement, les flux monétaires apparaissant au numérateur de l'expression (13.5) représentent le total des sommes d'argent que recevront les obligataires et les actionnaires de l'entreprise. En réarrangeant le numérateur de cette équation[2], on constate que les flux monétaires calculés en utilisant l'approche CMPCAVI excèdent ceux de l'approche traditionnelle d'un montant équivalent à l'économie d'impôt liée à la dépense d'intérêt ($T \times INT_t$). Deuxièmement, le taux d'actualisation utilisé dans le modèle de Arditti-Levy, ρ_{AL}, ne considère pas le fait que l'intérêt est une dépense admise par l'impôt étant donné que cet ajustement a déjà été incorporé dans le calcul des flux monétaires.

Exemple 13.1

Calcul de la VAN d'un projet selon l'approche traditionnelle et selon la méthode de Arditti-Levy

L'entreprise Romex inc. envisage un projet qui nécessiterait une mise de fonds initiale de 100 000 $ et dont les flux monétaires d'exploitation prévus après impôt sont de 20 000 $ par année pendant 10 ans.

La part du financement par dette correspond à 30% de la mise de fonds initiale. L'emprunt est remboursable par un versement unique à la fin de l'année 10 et les intérêts sont payés à la fin de chaque année. Le taux d'impôt de l'entreprise est de 40%, son coût de la dette avant impôt de 10% et son coût des fonds propres de 18%.

Calculez la VAN de ce projet selon la méthode traditionnelle et selon la méthode de Arditti-Levy.

Solution

Méthode traditionnelle (CMPCAPI)

Le coût du capital après impôt se calcule ainsi :

$$\rho = (0,30)(0,10)(1 - 0,40) + (0,70)(0,18) = 14,4\%$$

La VAN est donc égale à :

$$VAN(CMPCAPI) = 20\ 000\ A_{\overline{10}|14,4\%} - 100\ 000 = 2\ 714\ \$$$

---

[2] $\quad (R_t - D_t - A_t - INT_t)(1-T) + A_t + INT_t$

$\quad = (R_t - D_t - A_t)(1-T) - INT_t(1-T) + A_t + INT_t$

$\quad = (R_t - D_t - A_t)(1-T) - INT_t + T \cdot INT_t + A_t + INT_t$

$\quad = (R_t - D_t - A_t)(1-T) + A_t + T \cdot INT_t$

Méthode de Arditti-Levy (CMPCAVI)

Le coût du capital avant impôt se calcule de la façon suivante :

$$\rho_{AL} = (0,30)(0,10) + (0,70)(0,18) = 15,6\%$$

Selon cette méthode, le flux monétaire annuel vaut :

$$(R_t - D_t - A_t)(1 - T) + A_t + T \cdot INT_t$$
$$= \quad 20\ 000 \quad\quad + (0,40)(0,10)(30\ 000)$$
$$= \quad 21\ 200\ \$$$

d'où :

$$VAN(CMPCAVI) = 21\ 200\ A_{\overline{10}|15,6\%} - 100\ 000 = 4\ 009,02\ \$$$

On notera que les deux méthodes ne donnent pas la même VAN. En fait, pour la plupart des projets rencontrés en pratique, le résultat obtenu diffère d'une méthode à l'autre. Nous reviendrons sur ce point à la section 13.3.

13.2.3 La VAN selon la valeur résiduelle pour les actionnaires (VAN(VRA))

VAN selon la mise de fonds des actionnaires VAN mesurée en actualisant, au taux de rendement exigé par les actionnaires, des flux monétaires défalqués des sommes d'argent à verser aux créanciers - intérêts et remise de capital - et en soustrayant de l'investissement total la portion financée par dette

Cette méthode, que nous désignons dans la suite du texte par VAN(VRA), est couramment utilisée dans l'évaluation de projets d'investissement dans le secteur immobilier. Elle exige que l'on actualise, au coût des fonds propres, les flux monétaires revenant aux actionnaires ordinaires. De façon formelle, on a :

$$VAN(VRA) = \sum_{t=1}^{n} \frac{(R_t - D_t - A_t - INT_t)(1 - T) + A_t - RC_t}{(1 + k_0)^t} - (I - B_0) \quad (13.6)$$

où RC_t : Remboursement du principal de la dette au cours de la période t
B_0 : Montant de l'investissement financé par dette
k_0 : Coût du capital-actions ordinaire.

L'équation (13.6) diffère du modèle traditionnel (équation 13.3) à l'égard de trois aspects. Premièrement, l'équation (13.6) tient compte des intérêts payés (INT_t) ainsi que du remboursement du principal de la dette (RC_t). Deuxièmement, on soustrait de l'investissement initial la partie financée par les obligataires. Finalement, on actualise au taux k_0 les flux monétaires revenant aux actionnaires ordinaires. Dans un contexte où le mode de remboursement d'un emprunt est connu, l'équation (13.6) constitue une approche parfaitement justifiable pour évaluer la rentabilité d'un investissement, en autant que k_0 reflète à la fois le risque d'exploitation du projet ainsi que le risque additionnel associé à l'utilisation de l'endettement.

Pour illustrer l'application de cette méthode, reprenons les données de l'exemple précédent.

Le flux monétaire annuel est donné par :

$$(R_t - D_t - A_t - INT_t)(1 - T) + A_t - RC_t$$

En réarrangeant les différents termes, on trouve :

$$= (R_t - D_t - A_t)(1 - T) + A_t - INT_t(1 - T) - RC_t$$

En utilisant cette dernière expression, on obtient, pour les années 1 à 9, le flux monétaire annuel suivant :

$$20\ 000 - (0{,}10)(30\ 000)(1 - 0{,}40) = 18\ 200\ \$$$

Puisque l'emprunt est remboursable à la dixième année, on a pour cette année-là :

$$20\ 000 - (0{,}10)(30\ 000)(1 - 0{,}40) - 30\ 000 = -11\ 800\ \$$$

d'où :
$$VAN(VRA) = 18\ 200\ A_{\overline{9}|18\%} - \frac{11\ 800}{(1 + 0{,}18)^{10}} - (100\ 000 - 30\ 000)$$

$$= 6\ 060{,}44\ \$$$

La VAN étant positive, le projet devrait donc être accepté selon cette méthode.

13.2.4   La méthode de la valeur actuelle nette ajustée (VAN(A))

VAN ajustée
VAN mesurée en supposant un financement obtenu exclusivement par fonds propres à laquelle on ajoute (soustrait) la valeur actualisée des avantages (coûts) attribuables au financement du projet

Afin de tenir compte de l'interaction existant entre les décisions d'investissement et de financement, Myers[3] propose d'utiliser la méthode de la VAN ajustée. Selon cette approche, la VAN se calcule ainsi :

$$VAN(A) = VAN\ de\ base + \begin{pmatrix} \text{Somme des valeurs actualisées} \\ \text{des avantages et des coûts attri-} \\ \text{buables au financement du projet} \end{pmatrix} \quad (13.7)$$

La VAN de base représente la VAN du projet en supposant un financement à 100% par fonds propres. Le second terme concerne les avantages et les coûts attribuables au financement du projet. Ces avantages (coûts) ont trait notamment au financement subventionné[4], aux frais d'émission[5] des titres et aux économies d'impôt liées aux charges d'intérêt. En développant le second terme de l'expression (13.7), on peut réécrire ainsi la formule permettant de calculer la VAN ajustée d'un projet d'investissement :

$$VAN(A) = \sum_{t=1}^{n} \frac{(R_t - D_t - A_t)(1 - T) + A_t}{(1 + \rho_U)^t}$$

$$+ \sum_{t=1}^{n} \frac{T \cdot INT_t}{(1 + r)^t} \quad (13.7a)$$

$$- \begin{pmatrix} \text{Frais d'émission des} \\ \text{titres après impôt} \end{pmatrix} + \begin{pmatrix} \text{VAN d'un emprunt} \\ \text{subventionné} \end{pmatrix} - I$$

---

[3] Myers, S.C., « Interactions of Corporate Financing and Investment Decisions - Implications for Capital Budgeting », *Journal of Finance*, mars 1974, pp. 1-25.

[4] Selon l'approche traditionnelle (CMPCAPI), on tiendrait probablement compte du financement subventionné en réduisant le taux d'actualisation

[5] Selon l'approche traditionnelle (CMPCAPI), on incorpore l'incidence des frais d'émission en majorant le taux d'actualisation alors que selon la méthode de la VAN ajustée on les soustrait directement de la VAN de base du projet.

où ρ_U : Taux de rendement requis sur un projet en supposant un financement total par fonds propres[6]

r :   Coût de la dette avant impôt.

Le premier terme de la VAN(A) représente la valeur actualisée, au taux ρ_U, des flux monétaires d'exploitation du projet. Quant au second, il concerne la valeur actualisée des économies d'impôt relatives à l'endettement. Comme l'ont suggéré Modigliani et Miller (1963), il convient d'actualiser ces économies au coût de la dette avant impôt étant donné qu'elles comportent un degré de risque équivalent à celui de la dette de l'entreprise.

Contrairement à la méthode traditionnelle, la méthode de la VAN ajustée offre l'avantage d'être applicable pour des projets dont le risque d'exploitation diffère de celui des actifs actuels de l'entreprise et dont l'acceptation aurait pour conséquence de modifier le ratio cible d'endettement de l'entreprise. De plus, cette méthode, par rapport à la méthode du coût moyen pondéré du capital après impôt, permet de tenir compte plus facilement, s'il y a lieu, de facteurs tels que le financement subventionné dans l'évaluation de la rentabilité d'un projet d'investissement.

La méthode de la VAN ajustée, telle que décrite par l'équation (13.7a), suppose implicitement que la valeur de l'entreprise croît avec l'endettement de la façon dont le prévoit le modèle de Modigliani et Miller de 1963. L'équation (13.7a) suppose donc qu'il n'y a pas d'impôt personnel. La prise en compte des arguments avancés par Miller (1977) concernant l'impact de la fiscalité personnelle sur l'avantage fiscal lié à l'endettement implique que le second terme de la VAN aujstée devrait être nul. En pratique, lorsqu'on utilise la méthode de la VAN ajustée, on doit faire un choix entre Modigliani et Miller (1963) et Miller (1977), ce qui n'est pas le cas avec les autres approches.

Pour illustrer cette méthode de calcul de la VAN, reprenons les données de l'exemple précédent.

Pour appliquer cette méthode, on doit, en premier lieu, déterminer la valeur de ρ_U, c'est-à-dire le taux de rendement requis sur le projet en supposant un financement en totalité par fonds propres. On peut estimer ρ_U en utilisant la formule suivante de Modigliani et Miller` :

$$\rho_U = \frac{\rho}{(1 - T \cdot w_d)}$$

où ρ : Coût moyen pondéré du capital après impôt

w_d: Part du financement par dette.

---

[6]   Il existe une distinction fondamentale entre ρ_U et k_0. En effet, ρ_U est le taux de rendement requis par les actionnaires sur un projet en supposant un financement à 100% par capital-actions ordinaire, tandis que k_0 représente le taux de rendement requis par les actionnaires en considérant le fait que le projet est financé en partie par capital-actions ordinaire. Ainsi, compte tenu que le recours à l'endettement a pour effet d'accroître le risque et que le rendement exigé augmente avec le risque, on a $k_0 > \rho_U$.

Ici, on a $\rho = 14,4\%$, $T = 40\%$ et $w_d = 30\%$. Par conséquent :

$$\rho_U = \frac{0,144}{[1-(0,40)(0,30)]} = 16,36\%$$

Il est à noter que la formule de Modigliani et Miller n'est toutefois exacte que dans le cas particulier d'un projet générant un flux monétaire perpétuel stable et justifiant un emprunt permanent. De plus, cette équation suppose implicitement que la valeur de la firme croît avec l'endettement. Le résultat obtenu ici est donc approximatif.

La VAN ajustée est alors la suivante :

$$VAN(A) = 20\ 000\,A_{\overline{10}|16,36\%} + (0,40)(0,10)(30\ 000)\,A_{\overline{10}|10\%} - 100\ 000$$

$$= 2\ 756,46\ \$$$

On constate donc que ce projet est acceptable selon les quatre méthodes, mais que la résultat obtenu varie d'une méthode à l'autre.

Donnons maintenant un exemple un peu plus complexe.

Exemple 13.2 | **Analyse de la rentabilité d'un projet d'investissement selon l'approche traditionnelle et selon la méthode de la VAN ajustée**

La compagnie Tanamex inc. considère un projet d'investissement nécessitant une mise de fonds initiale de 750 000 $ et dont la durée de vie prévue est de 3 ans. L'acceptation de ce projet permettrait de générer des flux monétaires annuels d'exploitation après impôt de 300 000 $. Il s'agit d'un investissement comportant un degré de risque à peu près équivalent aux opérations normales de l'entreprise.

Le ratio cible d'endettement pour ce genre de projet correspond à 30% de l'investissement initial. Dans ce cas-ci, le montant emprunté sera sous forme d'un prêt à terme de 225 000 $ au taux annuel de 12%, remboursable en 3 versements uniformes de fin d'année.

Le taux actuel des bons du Trésor est de 10%. À partir des rendements historiques des bons du Trésor, de ceux des actions de Tanamex et de ceux de l'indice boursier S&P/TSX, on a estimé à 7% la prime par unité de risque et à 1,2 le coefficient bêta de Tanamex inc. D'autre part, on sait qu'une firme non endettée, dont le risque d'exploitation est semblable à celui de Tanamex inc., comporte un coefficient bêta de 0,95.

Le taux d'impôt de Tanamex inc. s'élève actuellement à 40%.

a) Déterminez la VAN de ce projet selon l'approche traditionnelle (coût moyen pondéré du capital après impôt).
b) Déterminez la VAN ajustée de ce projet.

Solution

a) **Calcul de VAN(CMPCAPI) : approche traditionnelle**

Le coût moyen pondéré du capital après impôt se calcule ainsi :
$$\rho = w_d k_d + w_0 k_0$$

Ici, on a :

$w_d = 30\%$
$w_0 = 70\%$
$k_d = 0,12(1 - 0,40) = 7,2\%$

k_0 peut être estimé à l'aide du CAPM. À partir de ce modèle, on obtient :

$k_0 = r_s + \lambda\beta_i$
$k_0 = 0,10 + (0,07)(1,2) = 18,4\%$

d'où :

$$\rho = (0,30)(0,072) + (0,70)(0,184) = 15,04\%$$

et

$$VAN(CMPCAPI) = 300\,000\,A_{\overline{3}|15,04\%} - 750\,000$$
$$= -65\,486,58\ \$$$

Selon cette approche, le projet n'est pas acceptable.

b) **Calcul de VAN(A) : VAN ajustée**

Le taux de rendement requis sur le projet en supposant un financement total par fonds propres peut notamment être évalué à partir du CAPM, en prenant bien soin d'utiliser le coefficient bêta qu'aurait Tanamex inc. si elle n'était pas endettée.

$\rho_U = 0,10 + (0,07)(0,95) = 16,65\%$
d'où :

$$VAN\ de\ base = 300\,000\,A_{\overline{3}|16,65\%} - 750\,000$$
$$= -83\,346,98\ \$$$

On doit maintenant ajouter à la VAN de base la valeur actualisée des économies d'impôt liées aux intérêts.

Le montant emprunté s'élève à :

$(750\,000)(30\%) = 225\,000\ \$.$

Le versement de fin d'année nécessaire pour rembourser l'emprunt se calcule ainsi :
$225\,000 = RA_{\overline{3}|12\%}$
d'où :

$R = 93\,678,52\ \$.$

Le tableau d'amortissement se présente comme suit :

Année	Solde de la dette en début d'année	Intérêt	Remboursement de capital	Solde de la dette en fin d'année
1	225 000,00 $	27 000,00 $	66 678,52 $	158 321,48 $
2	158 321,48	18 998,58	74 679,94	83 641,54
3	83 641,54	10 036,98	83 641,54	0,00

d'où :

$$\text{Valeur actualisée des économies d'impôt liées aux intérêts} = \frac{(27\,000)\,(0{,}40)}{(1+0{,}12)^1} + \frac{(18\,998{,}58)(0{,}40)}{(1+0{,}12)^2} + \frac{(10\,036{,}98)(0{,}40)}{(1+0{,}12)^3}$$

$$= 18\,558{,}73\ \$$$

et

$$\text{VAN(A)} = -\,83\,346{,}98 + 18\,558{,}73 = -\,64\,788{,}25\ \$$$

La méthode de la VAN ajustée indique également que le projet n'est pas rentable.

Exemple 13.3 — **Calcul de la VAN d'un emprunt subventionné**

Pour faire l'acquisition d'une certaine pièce d'équipement coûtant 200 000 $, le gouvernement est disposé à consentir à la compagnie Mika inc. un prêt au taux spécial de 5% par année. Les intérêts sur le prêt seraient payables à la fin de chaque année alors que le remboursement de capital serait exigible dans 4 ans. L'entreprise est actuellement en mesure de contracter un emprunt similaire sur le marché au taux annuel de 12%. Quelle est la VAN de l'emprunt subventionné si le taux d'impôt de Mika inc. s'élève à 36%?

Solution

La VAN de l'emprunt subventionné peut se mesurer ainsi :

$$\begin{pmatrix}\text{VAN de}\\\text{l'emprunt}\\\text{subventionné}\end{pmatrix} = \begin{pmatrix}\text{Montant du}\\\text{prêt subventionné}\end{pmatrix} - \begin{pmatrix}\text{Valeur actualisée, au taux}\\\text{d'intérêt du marché après impôt,}\\\text{des déboursés nets d'impôt nécessaires}\\\text{pour rembourser l'emprunt subventionné}\end{pmatrix}$$

Le calcul des déboursés annuels nets d'impôt est présenté au tableau ci-dessous.

	Années			
	1	2	3	4
Intérêts à payer sur le prêt subventionné	10 000 $	10 000 $	10 000 $	10 000 $
Économie d'impôt liée aux intérêts (36% × 10 000)	(3 600)	(3 600)	(3 600)	(3 600)
Remboursement du principal de la dette	-	-	-	200 000
Déboursé net d'impôt	6 400 $	6 400 $	6 400 $	206 400 $

De plus, le taux d'intérêt du marché après impôt vaut 7,68%, soit 12% $(1 - 0,36)$. Par conséquent, la VAN de l'emprunt subventionné est égale à :

$$\text{VAN de l'emprunt subventionné} = 200\,000 - 6\,400 A_{\overline{3}|7,68\%} - 206\,400(1 + 0,0768)^{-4}$$

$$= 200\,000 - 170\,110,73$$

$$= 29\,889,27\ \$$$

Ce dernier montant représente l'économie générée par l'emprunt subventionné. Il devrait, par conséquent, être ajouté à la VAN de base du projet de façon à obtenir sa VAN ajustée.

Remarque. 1. Nous avons utilisé dans les calculs un taux d'actualisation après impôt, car les déboursés sont après impôt.

2. Bien entendu, la valeur actualisée des déboursés nets d'impôt, calculée au taux d'intérêt subventionné après impôt (soit 3,2% = 5% $(1 - 0,36)$) correspond exactement au montant du prêt $(200\,000\ \$)$.

13.2.5   Résumé des méthodes de calcul de la VAN

Les quatre méthodes de calcul de la VAN abordées dans les sections précédentes sont résumées au tableau 13.1.

13.3   Comparaison des différentes méthodes

En pratique, dans la plupart des cas, les quatre méthodes n'aboutiront pas à la même valeur actuelle nette. Par conséquent, il peut très bien arriver qu'un projet soit acceptable (VAN > 0) selon une méthode et qu'il ne le soit pas (VAN < 0) selon une autre. De même, dans le classement des projets mutuellement exclusifs, les différentes approches ne concordent pas nécessairement. Il est possible de prouver mathématiquement que les trois premières méthodes donnent une VAN identique si le remboursement de l'emprunt est effectué de telle façon que :

$$B_{t-1} = w_d \cdot V_{t-1} \quad (t = 1,2,3,..., n) \tag{13.8}$$

où

w_d :   Une constante

V_{t-1} :   Valeur actualisée à $t - 1$ des flux monétaires du projet à recevoir de la période t jusqu'à la fin du projet

B_{t-1} :   Solde de la dette au début de la période t.

L'équation (13.8) indique que l'emprunt doit être remboursé de telle façon que le solde de la dette représente une proportion constante de la valeur actualisée des flux monétaires du projet qui restent à recevoir.

En pratique, il est plutôt exceptionnel qu'un emprunt soit remboursé de telle façon que l'équation (13.8) soit vérifiée. En effet, le plus souvent, la somme empruntée à t = 0 (B_0) correspond à $w_d \cdot I$ et est remboursable par une série de versements périodiques uniformes ou à la fin du projet (les intérêts étant paya-

Tableau 13.1 Les méthodes de calcul de la VAN

Méthode	Flux monétaire de l'année t	Investissement	Taux d'actualisation	Calcul de la VAN
Traditionnelle	$(R_t-D_t-A_t)(1-T)+A_t$	I	$\rho = w_d k_d + w_0 k_0$	$\text{VAN (CMPCAPI)} = \sum_{t=1}^{n} \dfrac{(R_t-D_t-A_t)(1-T)+A_t}{(1+\rho)^t} - I$
Arditti-Levy	$(R_t-D_t-INT_t)(1-T)$ $+A_t+INT_t =$ $(R_t-D_t-A_t)(1-T)$ $+A_t+T\cdot INT_t$	I	$\rho_{AL} = w_d r + w_0 k_0$	$\text{VAN (CMPCAVI)} = \sum_{t=1}^{n} \dfrac{(R_t-D_t-A_t)(1-T)+A_t+T\cdot INT_t}{(1+\rho_{AL})^t} - I$
Valeur résiduelle pour les actionnaires	$(R_t-D_t-A_t-INT_t)(1-T)$ $+A_t-RC_t =$ $(R_t-D_t-A_t)(1-T)$ $+A_t-RC_t-INT_t(1-T)$	$I-B_0$	k_0	$\text{VAN(VRA)} = \sum_{t=1}^{n} \dfrac{(R_t-D_t-A_t)(1-T)+A_t-RC_t-INT_t(1-T)}{(1+k_0)^t} - (1-B_0)$
VAN (ajustée)	$(R_t-D_t-A_t)(1-T)+A_t$ $+T\cdot INT_t$	I	ρ_U pour $(R_t-D_t-A_t)(1-T)+A_t$ r pour $T\cdot INT_t$ où $\rho_U = \rho/(1-T\cdot w_d)$	$\text{VAN(A)} = \sum_{t=1}^{n} \dfrac{(R_t-D_t-A_t)(1-T)+A_t}{(1+\rho_U)^t} + \sum_{t=1}^{n} \dfrac{T\cdot INT_t}{(1+r)^t} + \left(\begin{array}{c}\text{VAN d'un emprunt}\\ \text{subventionné}\end{array}\right) - I - \left(\begin{array}{c}\text{Frais}\\ \text{d'émission}\\ \text{des titres}\\ \text{après impôt}\end{array}\right)$

| Tableau 13.1 (suite) | Définition des symboles utilisés |

ρ	:	Coût moyen pondéré du capital après impôt.
ρ_{AL}	:	Coût moyen pondéré du capital avant impôt.
ρ_U	:	Taux de rendement requis par les actionnaires en supposant un financement total du projet par capital-actions ordinaire.
k_0	:	Taux de rendement requis par les actionnaires en supposant un financement du projet en partie par capital-actions ordinaire et en partie par dette.
r	:	Coût de la dette avant impôt.
k_d	:	Coût de la dette après impôt.
R_t	:	Recettes brutes du projet avant impôt pour la période t.
D_t	:	Déboursés du projet avant impôt pour la période t.
A_t	:	Amortissement fiscal pour la période t.
T	:	Taux d'imposition marginal de l'entreprise.
INT_t	:	Intérêt pour la période t.
$T \cdot INT_t$	:	Économie d'impôt liée à l'intérêt pour la période t.
RC_t	:	Remboursement du principal de la dette au cours de la période t.
I	:	Investissement initial.
B_0	:	Montant de l'investissement financé par dette.
w_d	:	Part du financement par dette.
w_0	:	Part du financement par fonds propres.

bles périodiquement). Notons également que, selon l'équation (13.8), on doit avoir $B_0 > w_d \cdot I$ si la VAN du projet est positive. En fait, la somme initiale empruntée doit égaler le montant de l'investissement effectué plus la VAN du projet, multiplié par le ratio d'endettement (c.-à-d. $B_0 = w_d (I + VAN)$).

En ce qui a trait à la méthode de la VAN ajustée, telle que décrite originalement par Myers (1974), il faut, en plus, pour que celle-ci donne une VAN identique à celle obtenue selon les trois autres approches que l'une ou l'autre des deux conditions suivantes soient satisfaites :

1. le projet dure une période[7] et que ρ, en fonction de ρ_U[8], se calcule ainsi :

$$\rho = \rho_U - \frac{(1+\rho_U)w_d \cdot r \cdot T}{(1+r)} \tag{13.9}$$

---

[7] L'équivalence entre la VAN ajustée et les trois autres méthodes dans le cas plus standard d'un projet multipériode - mais non perpétuel - suppose qu'il existe une relation entre ρ et ρ_U qui varie d'une période à l'autre et qui dépend des flux monétaires du projet analysé.

[8] Cette équation est valable pour un projet d'une période et en supposant que le modèle de Modigliani et Miller (1963) le soit également.

ou

2. le projet génère un flux monétaire perpétuel stable et que ρ, en fonction de ρ_U, s'exprime ainsi :

$$\rho = \rho_U (1 - T \cdot w_d) \qquad (13.10)$$

Les conditions nécessaires afin que la VAN soit insensible au mode de calcul utilisé sont plutôt restrictives et peu susceptibles d'être rencontrées en pratique. Dans un contexte réel, les écarts entre les résultats générés par les quatre méthodes sont notamment fonction du ratio d'endettement, du mode de remboursement de l'emprunt, de la durée de vie du projet et du taux d'impôt auquel est assujettie l'entreprise. De façon générale, on observe que, plus une entreprise a recours à l'effet de levier et plus la durée du projet est longue, plus les différences entre les résultats des quatre approches deviennent prononcées. De plus, lorsque le ratio d'endettement n'est pas trop élevé (de l'ordre de 30% ou moins) et que la durée du projet n'est pas trop longue, l'incertitude entourant l'estimation des flux monétaires est susceptible d'avoir un impact plus marqué sur la VAN que la méthode de calcul utilisée. En effet, dans plusieurs situations, une erreur de l'ordre de 5% dans l'estimation des flux monétaires peut affecter de façon plus significative la VAN du projet que la méthode de calcul. Dans ces conditions, le choix de la méthode de calcul de la VAN semble plutôt secondaire sauf si le recours à l'endettement est important, la durée du projet est relativement longue et/ou les flux monétaires peuvent être prévus de façon assez précise. En pratique, il est probablement plus important de tenir compte adéquatement des divergences de risque entre les projets que d'incorporer de façon précise dans l'analyse de la rentabilité d'un investissement l'impact du mode de financement.

13.4   Concepts fondamentaux

- En situation de marché parfait, la décision d'investissement est complètement dissociable de la décision de financement. Dans ce contexte particulier, la VAN d'un projet se mesure à partir de flux monétaires estimés comme s'il était financé en totalité par fonds propres et en utilisant comme taux d'actualisation le rendement exigé par les actionnaires ordinaires en l'absence de dette.

- Dans un contexte réel - notamment à cause de l'existence de la fiscalité - les décisions d'investissement et de financement ne sont plus dissociables. De façon à prendre en considération dans l'analyse de la rentabilité d'un projet d'investissement l'incidence du financement, il existe quatre méthodes, soit : (1) la méthode du coût moyen pondéré du capital après impôt (approche traditionnelle), (2) la méthode du coût moyen pondéré du capital avant impôt (approche proposée par Arditti et Levy), (3) la méthode de la VAN mesurée selon la valeur résiduelle pour les actionnaires et, (4) la méthode de la VAN ajustée (approche suggérée par Myers).

- La VAN traditionnelle se calcule en actualisant, au coût moyen pondéré du capital après impôt, les flux monétaires générés par le projet en supposant que l'entreprise se finance exclusivement par fonds propres. Cette méthode tient compte de l'avantage fiscal associé au recours à l'endettement en ajustant à la baisse le taux d'actualisation utilisé.

- Selon la méthode proposée par Arditti et Levy, la VAN d'un projet se mesure en actualisant, au coût moyen pondéré du capital avant impôt, les flux monétaires que recevront les actionnaires et les obligataires de l'entreprise. Cette approche incorpore l'économie d'impôt liée à la dépense d'intérêt dans le calcul des flux monétaires du projet, plutôt qu'en réduisant le taux d'actualisation.

- La VAN mesurée selon la valeur résiduelle pour les actionnaires se distingue de l'approche traditionnelle à trois égards : (1) dans le calcul des flux monétaires du projet, on doit tenir compte des sommes d'argent versées aux créanciers (intérêts et remboursement de capital), (2) seule la portion de l'investissement initial financée par les actionnaires est considérée dans le calcul de la VAN et (3) les flux monétaires revenant aux actionnaires ordinaires sont actualisés au taux de rendement exigé par ces derniers.

- La VAN ajustée d'un projet d'investissement correspond à sa VAN de base (c.-à-d. la valeur actualisée, au taux de rendement exigé par les actionnaires en l'absence de dette, des flux monétaires d'exploitation qu'il génère diminuée de la mise de fonds initiale) à laquelle on ajoute l'ensemble des avantages et des coûts actualisés attribuables à son financement. Les avantages (coûts) associés au financement concernent notamment les économies d'impôt découlant des charges d'intérêt, les frais d'émission des titres et le crédit subventionné que la réalisation du projet permet d'obtenir.

- L'avantage lié à un prêt subventionné est égal à l'écart entre les capitaux amassés à un taux de faveur et la valeur actualisée, au taux d'intérêt courant du marché après impôt, des déboursés nets d'impôt requis pour rembourser le crédit subventionné.

- Dans la plupart des situations rencontrées en pratique, les différentes méthodes de calcul de la VAN n'aboutissent pas au même résultat.

- Les trois premières méthodes de calcul de la VAN abordées dans ce chapitre (VAN selon l'approche traditionnelle, VAN selon la méthode de Arditti-Levy et VAN selon la valeur résiduelle pour les actionnaires) génèrent le même résultat en autant que l'emprunt soit remboursé de telle façon que le solde de la dette représente une proportion constante de la valeur actualisée des flux monétaires du projet restants à recevoir. Dans un contexte réel, cette condition est rarement satisfaite. Quant à la méthode de la VAN ajustée, elle impose des exigences additionnelles afin d'en arriver à la même VAN que celle obtenue avec les trois autres approches.

■ Pour la grande majorité des propositions d'investissement étudiées par les gestionnaires, il s'avère plus important de tenter d'estimer le plus précisément possible les flux monétaires anticipés que de s'éterniser sur le choix de la méthode de calcul de la VAN.

13.5 Mots clés

Coût du capital-actions ordinaire (p. 634)

Coût moyen pondéré du capital après impôt (p. 633)

Coût moyen pondéré du capital avant impôt (p. 634)

Économie d'impôt liée à la dépense d'intérêt (p. 635)

Financement subventionné (p. 637)

Frais d'émission des titres (p. 637)

Interaction entre les décisions d'investissement et de financement (p. 637)

VAN ajustée (p. 637)

VAN de base (p. 637)

VAN selon la méthode de Arditti-Levy ou VAN(CMPCAVI) (p. 634)

VAN selon la méthode traditionnelle ou VAN(CMPCAPI) (p. 634)

VAN selon la valeur résiduelle pour les actionnaires ou VAN(VRA) (p. 636)

13.6 Sommaire des principales formules

Voir le tableau 13.1 à la page 643.

13.7 Exercices

1. Vrai ou faux.

a) Selon la méthode de Arditti-Levy, on tient compte du fait que l'intérêt est une dépense admise par le fisc par l'intermédiaire du taux d'actualisation, plutôt que dans le calcul des flux monétaire d'un projet.

b) Selon la méthode de la VAN(VRA), on considère le remboursement du principal de la dette dans le calcul des flux monétaires.

c) Dans le calcul de la VAN ajustée d'un projet, on doit ignorer les frais d'émission des titres.

d) Dans le cas d'un projet générant un flux monétaire perpétuel stable et justifiant un emprunt à perpétuité, la VAN calculée selon la méthode du coût moyen pondéré du capital après impôt sera identique à celle obtenue selon la méthode du coût moyen pondéré du capital avant impôt (approche de Arditti-Levy).

e) Selon la méthode de la VAN(VRA), on actualise les flux monétaires revenant aux actionnaires ordinaires au coût moyen pondéré du capital après impôt.

f) Selon la méthode de la VAN ajustée, on actualise les économies d'impôt relatives à l'endettement au coût de la dette après impôt.

g) Dans un marché des capitaux parfait, la VAN ajustée d'un projet est identique à sa VAN de base.

h) Selon la méthode de la VAN(VRA), on doit soustraire de l'investissement initial la partie de cet investissement qui est financée par dette.

i) Selon la méthode de la VAN ajustée, il peut arriver qu'un projet dont la VAN de base est négative soit acceptable.

j) Toutes choses étant égales par ailleurs, la VAN ajustée sera plus élevée si le projet est financé à 50% par une émission d'obligations que s'il est financé à 50% par un emprunt hypothécaire.

k) Toutes choses étant égales par ailleurs, la VAN(CMPCAPI) sera plus élevée si le projet est financé à 50% par une émission d'obligations que s'il est financé à 50% par un emprunt hypothécaire.

l) Un prêt gouvernemental sans intérêt n'exerce aucune influence sur la VAN ajustée d'un projet.

m) Aux fins du calcul de la VAN ajustée d'un projet, on utilise un taux d'actualisation qui tient compte du risque inhérent de chacun des flux monétaires.

n) Aux fins du calcul de la VAN selon la méthode traditionnelle (VAN (CMPCAPI)), on estime les flux monétaires du projet comme si celui-ci était financé entièrement par fonds propres.

2. En utilisant les données suivantes :

- $T = 40\%$, $r = 10\%$, $k_o = 18\%$, $I = 1\ 000\ \$$

- $$\text{Flux monétaire net d'exploitation pour l'année } t = (R_t - D_t - A_t)(1 - T) + A_t$$
$$= 200\ \$, \ t = 1 \text{ à } \infty$$

- Le montant de l'emprunt correspond à 30% de la valeur actualisée des flux monétaires du projet (la dette est perpétuelle).

Calculez VAN(CMPCAPI), VAN(CMPCAVI) et VAN(VRA).

3. Pour financer un certain projet d'investissement, la compagnie Saphir inc. prévoit emprunter une somme de 300 000 $ au taux annuel de 9%. La compagnie est assujettie à un taux d'imposition de 38%.

a) Calculez la valeur actualisée des économies d'impôt liées aux intérêts en supposant que la dette est sous forme d'un prêt à terme remboursable par une série de cinq versements égaux de fin d'année.

b) Calculez la valeur actualisée des économies d'impôt liées aux intérêts en supposant que la dette est sous forme d'obligations échéant dans cinq ans (les intérêts sont versés en fin d'année).

c) Expliquez brièvement pourquoi le résultat obtenu en (b) est supérieur à celui obtenu en (a).

4. Considérez le projet suivant :
   - Investissement initial = 1 000 $
   - Flux monétaire net d'exploitation pour l'année t = 500 $ (t = 1, 2, 3)
   - Part du financement par dette = 30% de l'investissement initial. On sup pose que l'emprunt est remboursé au moyen de 3 versements uniformes de fin d'année.
   - T = 40%, r = 10% et k_o = 18%.

   Calculez VAN(CMPCAPI), VAN(CMPCAVI), VAN(VRA) et VAN(A).

5. Considérez le projet suivant :
   - Investissement initial = 1 000 $
   - Flux monétaire net d'exploitation pour l'année t = 400 $ (t = 1, 2, 3)
   - Part du financement par dette = 30%. On suppose que l'emprunt est remboursé de telle façon que l'équation (13.8) soit vérifiée, c.-à-d. :
     $$B_{t-1} = w_d \cdot V_{t-1}$$
   - T = 40%, r = 10% et k_o = 18%.

   Montrez que VAN(CMPCAPI) = (CMPCAVI) = VAN(VRA).

6. La compagnie Macbeth inc. envisage la possibilité d'entreprendre un projet d'investissement nécessitant une mise de fonds initiale de 1 000 000 $. Les flux monétaires nets d'exploitation prévus sont de 700 000 $ pour la première année et de 800 000 $ pour la seconde. Le taux de rendement exigé sur cet investissement en supposant un financement entièrement par fonds propres est de 14%. La compagnie peut emprunter au taux annuel de 10% et le ratio d'endettement pour un projet de cette catégorie s'élève à 30%. Le taux d'imposition corporatif s'élève à 40%. Quelle est la VAN ajustée de ce projet si :

   a) le montant emprunté correspond à 30% de l'investissement initial et est sous forme d'obligations dont l'échéance est de 2 ans (les intérêts sont versés à la fin de chaque année);

   b) le montant emprunté correspond à 30% de la valeur actualisée des flux monétaires nets d'exploitation et est sous forme d'obligations dont l'échéance est de 2 ans (les intérêts sont versés à la fin de chaque année).

7. Considérez le projet suivant :
   - Investissement initial = 1 000 $
   - Flux monétaire net d'exploitation pour l'année t, FM_t = 200 $ (t = 1 à 10)
   - Part du financement par dette = 30% de l'investissement initial. On suppose que l'emprunt est remboursé par un versement unique à la fin de l'année 10 et que les intérêts sont payés à la fin de chaque année.
   - T = 40%, r = 10% et k_o = 18%.

   a) Calculez VAN(CMPCAPI), VAN(CMPCAVI), VAN(VRA) et VAN(A). Pour déterminer ρ_U, utilisez l'équation (13.10) même si, en principe, elle n'est exacte que pour un projet générant un flux monétaire perpétuel stable.

   b) Calculez les écarts entre les différentes méthodes en % de l'investissement initial.

c) Refaites (a) en augmentant de 5% les flux monétaires d'exploitation.

d) Complétez le tableau suivant :

	$FM_t = 200\ \$$	$FM_t = 200(1 + 0{,}05)$	Écart
VAN(CMPCAPI)			
VAN(CMPCAVI)			
VAN(VRA)			
Écart maximal			

Qu'observez-vous quant à l'impact d'une hausse de 5% dans les flux monétaires d'exploitation sur la VAN du projet, comparativement à l'importance des écarts entre les résultats des quatre méthodes?

8. La compagnie Bristol inc. considère la possibilité d'acquérir une nouvelle machine destinée à la fabrication d'une nouvelle ligne de produits. On dispose des renseignements suivants concernant ce projet :

- Prix d'achat de la machine : 800 000 $
- Taux maximal d'amortissement dégressif : 20%
- Recettes nettes annuelles prévues avant amortissement et impôt : 200 000 $
- Durée du projet : 4 ans
- Au début de l'année 5, on estime pouvoir revendre la machinerie pour 50 000 $. La revente du bien n'entraînera pas la fermeture de la catégorie.
- Le ratio cible d'endettement pour ce genre de projet correspond à 40% de la mise de fonds initiale.
- 40% de l'investissement sera financé au moyen d'un prêt à terme au taux annuel de 12%, remboursable en 4 versements uniformes de fin d'année.
- 60% de l'investissement sera financé au moyen d'une émission d'actions ordinaires. Les frais d'émission (après impôt) sur les actions représentent 8% du produit brut de l'émission.
- Le taux d'impôt de la compagnie est de 46%.
- Le risque d'exploitation de ce projet requiert l'utilisation d'un taux d'actualisation de 16%.

Selon la méthode de la VAN ajustée, ce projet est-il acceptable?

9. La compagnie Mado inc. envisage la possibilité d'acquérir une nouvelle pièce d'équipement au coût de 100 000 $ (catégorie 8, 20% sur le solde dégressif). Selon les estimations disponibles, ce projet devrait générer des recettes nettes annuelles avant amortissement et impôt de 25 000 $ et ce, pendant cinq ans. Le taux de rendement exigé sur cet investissement en supposant un financement effectué exclusivement par fonds propres est de 16%. Toutefois, la compagnie a l'intention de le financer à 40% par dette à un taux d'intérêt annuel de 10% et à 60% par fonds propres. De façon à rembourser l'emprunt contracté, on prévoit effectuer à la fin de chaque année, pendant 5 ans, un versement incluant une remise de capital uniforme de 8 000 $ plus les intérêts. Les frais d'émission totaux s'élèvent à 2 500 $ (supposez que ces frais sont amortissables, pour fins fiscales, linéairement sur cinq ans). Le taux d'imposition de Mado inc. est de 38%. Au début de la sixième année, on prévoit revendre l'équipement pour un montant de 15 000 $ (sans fermeture de classe). Selon la méthode de la VAN ajustée, la compagnie devrait-elle accepter ce projet?

10. Le gouvernement d'un certain pays d'Afrique du Sud est disposé à consentir à la compagnie Bokus inc. un prêt de 5 000 000 $ au taux d'intérêt annuel de 4%. Cet emprunt devrait être remboursé par une série de quatre versements égaux de fin d'année. Le taux d'intérêt du marché pour un emprunt similaire est actuellement de 10%. Quelle est la VAN de cet emprunt subventionné si le taux d'impôt de Bakus inc. s'élève à 40%?

Chapitre 14
La politique de dividende

Sommaire

14.1 Introduction

Le choix d'une politique de dividende constitue le troisième grand axe de décision de l'entreprise. Cette décision financière détermine la portion des bénéfices versés aux actionnaires ordinaires et, par conséquent, celle réinvestie dans l'entreprise. Elle concerne également la stabilité temporelle des dividendes ainsi que la pertinence de distribuer des dividendes en actions et de procéder à des rachats d'actions.

Comme au chapitre 12, où nous avons abordé la décision de financement, la question importante est de savoir s'il existe une politique de dividende optimale, c'est-à-dire une politique pour laquelle la richesse des actionnaires est maximisée. Dans des conditions idéales (pas d'impôt, pas de frais de transaction, etc.), on peut démontrer que la politique de dividende est sans importance. Autrement dit, les dirigeants de l'entreprise ne peuvent augmenter la richesse des actionnaires en modifiant simplement le ratio de distribution, c'est-à-dire le pourcentage des bénéfices distribués en dividendes. Cependant, en pratique, certaines imperfections du marché des capitaux pourraient bien justifier l'existence d'une politique de dividende optimale.

Plusieurs facteurs sont susceptibles d'influencer la politique de dividende d'une entreprise dans une situation réelle. Les principaux facteurs en cause sont discutés à la section suivante.

14.2 Facteurs susceptibles d'influencer la politique de dividende d'une entreprise

1. Contraintes légales. Il existe des restrictions légales limitant le versement des dividendes et qui ont pour objectif de protéger les créanciers de l'entreprise. Ainsi, la loi interdit à une compagnie de distribuer des dividendes à même son capital ou lorsque celle-ci se retrouve dans une situation d'insolvabilité. Les dividendes doivent donc être versés à même les bénéfices passés et actuels de l'entreprise.

2. Engagements envers les obligataires et les actionnaires privilégiés. Il arrive fréquemment que les engagements pris envers les obligataires et les actionnaires privilégiés imposent des contraintes à l'entreprise relativement aux dividendes qui peuvent être versés. Par exemple, le contrat d'emprunt peut stipuler que l'entreprise ne peut distribuer de dividendes à moins que son ratio du fonds de roulement, son ratio de couverture des intérêts, etc. n'excèdent certaines valeurs. Avant de distribuer des dividendes, l'entreprise doit donc s'assurer que de tels versements ne vont pas à l'encontre des clauses du contrat fiduciaire.

3. Liquidités de l'entreprise. Une entreprise ne disposant pas de liquidités suffisantes ne pourra distribuer de dividendes, à moins qu'elle n'ait facilement accès au marché des capitaux.

4. Occasions d'investissement. Une entreprise ayant plusieurs occasions d'investissement intéressantes sera portée à retenir une proportion élevée de ses bénéfices et aura, par conséquent, un faible ratio de distribution. À l'inverse, une entreprise dont les possibilités d'investissement intéressantes sont peu nombreuses aura généralement un ratio de distribution élevé.

5. Frais associés à l'émission de nouvelles actions. Une entreprise désirant financer une partie de ses investissements par capitaux propres a le choix entre réinvestir ses bénéfices ou émettre de nouvelles actions. Lorsque les frais d'émission sont élevés, le coût d'une nouvelle émission d'actions ordinaires est sensiblement supérieur au coût des bénéfices non répartis et l'entreprise sera alors portée à se financer à même ses bénéfices plutôt qu'émettre de nouvelles actions ordinaires. On peut donc s'attendre à ce que le ratio de distribution varie inversement avec l'importance des frais d'émission.

6. Contrôle de l'entreprise. Si l'on veut conserver le contrôle de l'entreprise, on limitera alors les nouvelles émissions d'actions qui ont pour effet de diluer le contrôle exercé par les actionnaires actuels. Dans un contexte où les considérations relatives au contrôle sont importantes, on peut donc s'attendre à ce que le ratio de distribution soit faible. Ce dernier facteur est susceptible d'avoir une plus grande importance dans le cas des petites entreprises dont le contrôle est peu répandu que dans le cas des grandes entreprises.

7. Stabilité temporelle des bénéfices. Une entreprise dont les bénéfices sont relativement constants d'une année à l'autre (par exemple, la Banque Royale) peut se permettre d'avoir un ratio de distribution plus élevé qu'une entreprise opérant dans un secteur où les profits sont sujets à de fortes fluctuations.

8. Considérations fiscales. Compte tenu que les revenus sous forme de gains en capital et les revenus de dividendes ne sont pas taxés de la même façon, il est possible que la fiscalité personnelle des actionnaires exerce une certaine influence sur la politique de dividende d'une entreprise. Ainsi, un investisseur assujetti à un taux d'imposition plus élevé sur les dividendes que sur les gains en capital préférera que l'entreprise réinvestisse ses bénéfices, plutôt que de les verser en dividendes, afin d'accroître la valeur marchande de l'action et lui permettre ainsi de réaliser un gain en capital. À l'inverse, un investisseur moins imposé sur les dividendes que sur les gains en capital préférera recevoir des dividendes substantiels, plutôt que de réaliser un gain en capital, afin de maximiser ses flux monétaires après impôt.

Dans l'établissement de sa politique de dividende, l'entreprise devrait donc idéalement tenir compte des préférences fiscales de ses actionnaires entre les dividendes et les gains en capital. Cela est réalisable dans le cas d'une petite entreprise dont le nombre d'actionnaires est restreint. Toutefois, il est évidemment plus difficile de prendre en considération les préférences fiscales des actionnaires dans le cas d'une entreprise dont le contrôle est largement répandu. Dans ces conditions, on peut supposer que ce sont les investisseurs qui s'adaptent aux politiques des entreprises plutôt que les entreprises aux préférences fiscales de leurs actionnaires. Si cette hypothèse est valable, on devrait alors observer un certain « effet de clientèle », c'est-à-dire qu'il devrait exister un lien entre la politique de dividende de l'entreprise et le statut fiscal de ses actionnaires. Les résultats de certaines études empiriques américaines suggèrent l'existence d'un tel « effet de clientèle ».

9. Contenu informatif. Les dividendes possèdent un certain contenu informatif. En effet, dans la mesure où l'entreprise maintient une politique de dividende

Contenu informatif
Les dividendes véhicu-
lent de l'information concernant les perspectives
de l'entreprise

stable, une hausse du dividende est souvent perçue par le marché comme étant une indication que les gestionnaires anticipent que les flux monétaires de l'entreprise devraient croître dans l'avenir et il s'ensuit une appréciation du cours de l'action. À l'inverse, une diminution du dividende est souvent interprétée par les investisseurs comme étant un signe que les flux monétaires de l'entreprise devraient diminuer dans le futur et il en découle alors une baisse du cours de l'action.

Étant donné que le cours de l'action réagit aux variations de dividendes, on pourrait être tenté, à première vue, de conclure que la valeur de l'entreprise dépend des dividendes versés. Toutefois, Miller et Modigliani proposent une explication différente. Selon ces derniers, les mouvements du prix de l'action, suite à une modification de la politique de dividende, s'expliquent par le fait que les dividendes véhiculent de l'information concernant les flux monétaires à venir de l'entreprise.

10. Besoins de revenus stables. Certaines catégories d'investisseurs - c'est notamment le cas des personnes âgées - tirent une partie des revenus dont ils ont besoin pour leur consommation courante des dividendes qu'ils reçoivent. Pour ces investisseurs, il est préférable que l'entreprise maintienne une certaine stabilité dans les dividendes versés.

11. Contraintes institutionnelles. Certains investisseurs institutionnels n'achètent que les actions des entreprises qui maintiennent une certaine stabilité des dividendes versés. L'avantage pour une entreprise d'avoir une politique de dividende susceptible d'attirer les investisseurs institutionnels est d'accroître la demande pour ses actions et, par conséquent, sa valeur marchande.

14.3 La politique de dividende des entreprises canadiennes

La politique de dividende des entreprises canadiennes se caractérise par les particularités suivantes :

1. La plupart des entreprises ont tendance à verser des dividendes stables ou d'augmenter ces derniers d'un pourcentage relativement constant d'une année à l'autre et ce, dans le but de contrer les effets de l'inflation. Cette constance au niveau de la politique de dividende pourrait s'expliquer par certains facteurs que nous avons mentionnés précédemment : contenu informatif des dividendes, contraintes institutionnelles et besoins de revenus stables de certains investisseurs.

Il est également possible que le marché perçoive comme étant moins risquée une entreprise qui maintient une politique de dividende facilement prévisible, ce qui peut entraîner un effet bénéfique sur le cours de l'action.

2. Les dividendes versés par les entreprises sont beaucoup plus stables que les bénéfices. Ainsi, lorsque les bénéfices d'une entreprise augmentent substantiellement au cours de l'année, il est peu probable que l'on observe une hausse proportionnelle des dividendes. En effet, on constate généralement que ce n'est qu'au moment où l'augmentation des bénéfices apparaît comme permanente que la direction de l'entreprise accroît les dividendes versés. De même, si l'enterprise connaît une mauvaise performance financière au cours de l'année, les dividendes ne seront pas coupés pour autant. Habituellement, ces derniers ne seront diminués que lorsqu'il deviendra évident que la baisse des bénéfices devrait persister.

Ratio de distribution des dividendes
Ratio qui met en relation le dividende par action versé par l'entreprise et le bénéfice par action qu'elle dégage

3. Le pourcentage des bénéfices distribués en dividendes varie considérablement d'un secteur industriel à l'autre. En effet, le ratio de distribution peut être de l'ordre de 60% dans certains secteurs industriels et nul dans certains autres. C'est dans les secteurs où les bénéfices sont les plus stables et où la croissance est lente ou moyenne (services publics, banques, etc.) que l'on observe les ratios de distribution les plus élevés. Inversement, dans les secteurs où les bénéfices sont volatils et qui affichent une forte croissance (biotechnologie, Internet, etc.), les ratios de distribution sont généralement assez faibles et inexistants dans bien des cas.

4. En plus de varier considérablement d'un secteur industriel à l'autre, les ratios de distribution en dividendes des entreprises peuvent également différer substantiellement à l'intérieur d'une même industrie. Ainsi, il n'est pas exceptionnel d'observer une entreprise qui ne verse aucun dividende alors qu'une autre, qui exerce ses activités dans le même secteur industriel, distribue plus de la moitié de ses bénéfices en dividendes.

14.4 Types de politiques de dividende

Il existe principalement quatre types de politiques de dividende.

1. Dividendes stables ou qui augmentent à un taux annuel relativement constant. Comme nous l'avons mentionné précédemment, il s'agit de la politique suivie par la majorité des entreprises canadiennes. À titre d'exemple de cette politique, nous reproduisons à la page suivante les dividendes annuels par action versés par la Banque de Montréal au cours de la dernière année.

2. Ratio de distribution constant. En pratique, cette politique est suivie par un nombre très restreint de compagnies. Pour une entreprise dont les bénéfices fluctuent, le principal désavantage d'une telle politique est qu'elle occasionnerait des dividendes plutôt instables et possiblement des variations substantielles dans le cours de l'action. Pour illustrer, supposons que les bénéfices par action d'une entreprise pour les trois dernières années se sont élevés respectivement à 3 $, 6 $ et 1 $ et que son ratio de distribution a été fixé à 50%.

Tableau 14.1   **Dividendes historiques distribués par la Banque de Montréal**

Année	Dividende annuel par action ordinaire
2010	2,80 $
2009	2,80
2008	2,80
2007	2,71
2006	2,26
2005	1,85
2004	1,59
2003	1,34
2002	1,20
2001	1,12

Source des données : http://www2.bmo.com

Dans ces conditions, les dividendes par action auraient été plutôt instables, soit respectivement 1,50 $, 3 $ et 0,50 $. Une telle volatilité des dividendes aurait sans doute incommodé plusieurs actionnaires.

Notons toutefois que plusieurs entreprises ont un ratio cible de distribution qui est établi à partir d'une politique résiduelle des dividendes appliquée dans une perspective à long terme (voir, plus loin dans cette section, pour la description de ce genre de politique). Ainsi, dans une perspective à long terme, une entreprise peut avoir comme objectif de distribuer environ 40% de ses bénéfices en dividendes à ses actionnaires. Avec un tel objectif axé sur le long terme, il en résultera fort probablement des fluctuations annuelles importantes dans le ratio de distribution.

3. Dividendes réguliers et spéciaux. Pour une entreprise dont les flux monétaires sont plutôt volatils, cette politique peut s'avérer appropriée. Il s'agit pour l'entreprise de fixer le dividende régulier à un niveau relativement bas, de façon à pouvoir le maintenir lorsqu'elle traverse des périodes difficiles, et de distribuer des dividendes spéciaux lorsqu'elle connaît temporairement d'excellents résultats financiers et que ses besoins d'autofinancement sont plutôt minimes.

Toutefois, les dividendes spéciaux ne doivent pas être distribués trop fréquemment si l'entreprise veut éviter que les investisseurs les considèrent comme des dividendes réguliers.

• • •
Politique résiduelle de dividende
Le montant des dividendes égal le bénéfice net après impôt moins les besoins de financement en capitaux propres

4. Politique résiduelle. Selon cette politique, les dividendes correspondent à ce qui reste des bénéfices une fois satisfaits les besoins de financement en capitaux propres de l'entreprise. Ainsi, l'entreprise versera des dividendes à chaque année où ses bénéfices excèdent ses besoins de financement en capitaux propres et ne paiera aucun dividende lorsque ses bénéfices ne suffiront pas à combler ses besoins de financement en capitaux propres. Ce genre de politique se fonde sur le principe qu'il est plus avantageux pour les actionnaires que l'entreprise réinvestisse ses bénéfices, au lieu de les distribuer en dividendes, lorsque le taux de rendement prévu des bénéfices réinvestis excède le taux de rendement que les actionnaires pourraient personnellement obtenir sur un placement de risque comparable. Ainsi, si l'entreprise peut réinvestir ses bénéfices à un taux de rendement de 25% et que les actionnaires ne peuvent obtenir qu'un taux de rendement de 18% sur un placement de risque identique, il est alors préférable qu'elle réinvestisse ses bénéfices.

En théorie, dans un marché des capitaux parfait, toutes les entreprises devraient s'orienter vers une politique résiduelle de dividende dans le but de maximiser la richesse de leurs actionnaires. Toutefois, en pratique, à cause de l'existence de certaines imperfections du marché des capitaux (revenus de dividendes et de gains en capital taxés différemment, frais de transaction, information imparfaite, etc.), il n'est pas certain qu'une politique résiduelle de dividende appliquée sur une base annuelle soit la ligne de conduite optimale à adopter. En effet, cette politique provoque des fluctuations annuelles importantes des dividendes versés, ce qui risque de déplaire à certaines catégories d'investisseurs et d'avoir un impact négatif sur le cours de l'action. Dans ce contexte, il nous semble préférable d'appliquer ce genre de politique dans une perspective à long terme, c'est-à-dire de tenter de prévoir les bénéfices et les investissements de l'entreprise sur un horizon de plusieurs années et, à partir de ces prévisions, d'établir une politique permettant aux investisseurs de recevoir des dividendes relativement stables d'une année à l'autre.

Pour appliquer une politique résiduelle de dividende, on procède ainsi :

1. On détermine le budget optimal des investissements.

2. On finance les nouveaux investissements selon la structure optimale de capital de l'entreprise. Ainsi, en supposant un ratio d'endettement optimal de 50%, on financera les nouveaux investissements à 50% par dette et à 50% par capitaux propres.

3. On recourt, en premier lieu, aux bénéfices pour combler les besoins de financement en capitaux propres. Compte tenu que le coût d'une nouvelle émission d'actions ordinaires excède le coût des bénéfices non répartis, l'entreprise ne devrait émettre de nouvelles actions que lorsque les bénéfices ne suffisent pas à combler les besoins de financement en capitaux propres.

4. Si les bénéfices dépassent les besoins de financement en capitaux propres, on distribue l'excédent en dividendes aux actionnaires. Dans le cas où les bénéfices ne suffisent pas à satisfaire les besoins de financement en capitaux propres, les actionnaires ne recevront aucun dividende.

Pour illustrer cette politique, considérons l'exemple suivant.

Exemple 14.1

Calcul du montant du dividende annuel selon que l'entreprise applique une politique résiduelle de dividende sur une base annuelle ou dans une perspective à long terme

Pour les quatre prochaines années, le directeur financier de la société Amex inc. a établi les projections indiquées au tableau ci-dessous concernant le budget des investissements et les bénéfices annuels. La structure de capital de la société est composée à 30% de dettes et à 70% de capitaux propres. Il y a actuellement 100 000 actions ordinaires en circulation.

Années	Budget des investissements	Bénéfices
1	100 000 $	150 000 $
2	200 000	160 000
3	50 000	175 000
4	500 000	180 000

a) Si la société applique sur une base annuelle une politique résiduelle de dividende, quel sera, pour chacune des années, le dividende par action?

b) En supposant que la société désire appliquer une politique résiduelle de dividende dans une perspective à long terme (sur 4 ans), quel sera alors le dividende fixe par action versé annuellement?

Solution

a) Compte tenu de la structure de capital de l'entreprise, le dividende annuel par action peut se calculer à l'aide de l'expression suivante :

$$D_t = MAX\left[0, \frac{B_t - (w_0 \cdot I_t)}{N}\right] \qquad (14.1)$$

où

D_t : Dividende par action pour l'année t si l'entreprise adopte une politique de dividende de type résiduelle

B_t : Bénéfice de l'entreprise pour l'année t

I_t : Budget des investissements pour l'année t

w_0 : Part du financement par capitaux propres (bénéfices non répartis et nouvelles émissions d'actions ordinaires)

$w_0 \cdot I_t$: Besoins de financement en capitaux propres

N : Nombre d'actions ordinaires en circulation.

À partir de l'équation (14.1), on obtient les dividendes annuels suivants :

$$D_1 = MAX\left[0, \frac{150\,000 - (0,70)(100\,000)}{100\,000}\right] = MAX(0, 0,80) = 0,80\ \$$$

$$D_2 = MAX\left[0, \frac{160\,000 - (0,70)(200\,000)}{100\,000}\right] = MAX(0, 0,20) = 0,20\ \$$$

$$D_3 = MAX\left[0, \frac{175\ 000 - (0,70)(50\ 000)}{100\ 000}\right] = MAX(0, 1,40) = 1,40\ \$$$

$$D_4 = MAX\left[0, \frac{180\ 000 - (0,70)(500\ 000)}{100\ 000}\right] = 0$$

Afin de maintenir sa structure optimale de capital, l'entreprise devra émettre à l'année 4 pour 170 000 $ d'actions ordinaires, soit (500 000 $)(0,70) − 180 000 $.

On observe que, selon cette politique, les dividendes annuels versés fluctuent en fonction des possibilités d'investissement qui se présentent à l'entreprise à chaque année. Dans un marché des capitaux imparfait, des dividendes annuels aussi instables risqueraient de déplaire à certaines catégories d'investisseurs et d'engendrer des fluctuations importantes dans le cours de l'action.

b) Compte tenu de la structure de capital de l'entreprise, le dividende annuel stable par action peut se calculer ainsi si l'on applique une politique résiduelle de dividende dans une perspective à long terme :

$$D = \frac{1}{n}\left[\frac{\sum_{t=1}^{n} B_t - \left(w_0 \sum_{t=1}^{n} I_t\right)}{N}\right] \qquad (14.2)$$

où

D : Dividende annuel stable par action
n : Nombre d'années.

Ici, on a :

$$\sum_{t=1}^{4} B_t = 150\ 000 + 160\ 000 + 175\ 000 + 180\ 000 = 665\ 000\ \$$$

$$w_0 \sum_{t=1}^{4} I_t = 0,70(100\ 000 + 200\ 000 + 50\ 000 + 500\ 000) = 595\ 000\ \$$$

d'où :

$$D = \frac{1}{4}\left[\frac{665\ 000 - 595\ 000}{100\ 000}\right] = 0,175\ \$$$

Compte tenu des bénéfices et des investissements prévus au cours des quatre prochaines années, la société Amex inc. peut donc se permettre de verser un dividende annuel stable de 0,175 $ par action. Ce montant correspond à la moyenne des résultats obtenus précédemment pour déterminer la valeur du dividende annuel, soit $\frac{0,80 + 0,20 + 1,40 - 1,70}{4}$.

14.5   Politique de dividende et valeur de l'entreprise

Depuis plusieurs décennies, on a assisté à de nombreux débats dans les milieux académiques sur la question de l'importance à accorder à la politique de dividende. Pour certains, la politique de dividende influe sensiblement sur la valeur au marché de l'entreprise tandis que pour d'autres la politique de dividende n'a absolument aucun effet sur cette valeur. Dans ce qui suit, nous discutons de trois théories concurrentes concernant l'impact de la politique de dividende sur la valeur au marché de l'entreprise. Mentionnons dès maintenant que, compte tenu des problèmes économétriques rencontrés, les résultats des études empiriques effectuées à ce jour sur cette question ne nous permettent pas de faire un choix définitif en faveur de l'une ou l'autre de ces trois théories.

Théorie de la préférence pour des dividendes élevés

Théorie de la préférence pour des dividendes élevés
Les actionnaires préfèrent des dividendes immédiats élevés à des dividendes futurs incertains

Une première théorie, dont le plus ardent défenseur est sans doute Myron J. Gordon[1], soutient que les investisseurs préfèrent les entreprises qui versent des dividendes élevés. Selon ce dernier, toutes choses étant égales par ailleurs, plus le ratio de distribution d'une entreprise est élevé, plus sa valeur au marché sera grande. De plus, selon les partisans de cette théorie, étant donné qu'un faible ratio de distribution occasionne une augmentation du risque du point de vue de l'actionnaire, il devrait exister une relation inverse entre le taux de rendement requis par les actionnaires et le ratio de distribution de l'entreprise.

Le raisonnement à la base de cette théorie est le suivant. Puisque les investisseurs ont de l'aversion à l'égard du risque, ils préfèrent un dividende sûr maintenant à des dividendes espérés plus élevés dans les années à venir qui résulteraient du réinvestissement des bénéfices par l'entreprise. Une entreprise aurait donc intérêt à distribuer dès maintenant une proportion élevée de ses bénéfices en dividendes afin de maximiser sa valeur au marché.

Pour mieux comprendre le raisonnement de Gordon, analysons l'exemple suivant.

Exemple 14.2

Impact de la répartition temporelle des dividendes sur le cours de l'action selon la théorie de la préférence pour des dividendes immédiats élevés

La compagnie Malex inc. est financée entièrement par fonds propres et a en circulation 50 000 actions ordinaires qui se transigent actuellement à 20 $ l'action. À partir des éléments d'actif dont elle dispose actuellement, Malex inc. s'attend à réaliser un bénéfice de 120 000 $ cette année (année XX+1). La politique habituelle de la compagnie est de distribuer tous ses profits en dividendes. Par conséquent, le dividende prévu à la fin de l'année XX+1 est de

---

[1]   Gordon, M.J., « Dividends, Earnings and Stock Prices », *Review of Economics and Statistics*, vol. 41, mai 1959, pp. 99-105.

2,40 $ par action. Le taux de rendement exigé par les actionnaires s'élève à 12%.

Au début de l'année prochaine (XX+2), Malex inc. aura besoin d'un montant de 120 000 $ pour financer de nouveaux investissements qui rapporteront 14 400 $ par année et ce, indéfiniment. La compagnie envisage de financer en totalité les investissements projetés par fonds propres. Dans ce contexte, supposons que les deux plans de financement suivants sont possibles :

1. Maintenir le dividende par action à 2,40 $ pour l'année XX+1 et émettre pour 120 000 $ d'actions ordinaires, c'est-à-dire 6 000 actions ordinaires (120 000 $/20 $).

2. Ne pas verser de dividendes en XX+1 et financer les investissements envisagés à même les bénéfices de l'année XX+1. Dans ce cas, les actionnaires recevront à partir de la fin de l'année XX+2 un dividende annuel par action de 2,688 $, soit (120 000 $ + 14 400 $)/50 000.

Le taux de rendement requis par les actionnaires restera à 12% si la compagnie opte pour le plan 1. Toutefois, si elle choisit le plan 2, les actionnaires exigeront un taux de rendement plus élevé que 12%. Cela peut s'expliquer par le fait que les augmentations futures de dividendes (0,288 $ par action) sont, selon Gordon et certains autres auteurs, plus risquées que le dividende par action de 2,40 $ qui doit être sacrifié pour entreprendre les nouveaux investissements. Supposons que le taux de rendement exigé par les actionnaires passera à 14% si la compagnie opte pour le plan 2.

Dans ces conditions, quel est le mode de financement optimal?

Solution

Il s'agit de choisir la répartition temporelle des dividendes qui maximise la valeur de l'action. Nous avons mentionné au chapitre 4 que la valeur d'une action peut se calculer en actualisant tous les dividendes en espèces futurs prévus, soit :

$$V = \frac{D_1}{(1+k)^1} + \frac{D_2}{(1+k)^2} + \frac{D_3}{(1+k)^3} + ... + \frac{D_\infty}{(1+k)^\infty}$$

Selon le plan 1, on a :

$$V = \frac{2,40}{(1+0,12)^1} + \frac{2,40}{(1+0,12)^2} + \frac{2,40}{(1+0,12)^3} + ... + \frac{2,40}{(1+0,12)^\infty}$$

Puisqu'il s'agit d'une perpétuité simple de fin de période, l'expression précédente se simplifie ainsi :

$$V = \frac{2,40}{0,12} = 20 \text{ \$}$$

Selon le plan 2, on a :

$$V = 0 + \frac{2,688}{(1+0,14)^2} + \frac{2,688}{(1+0,14)^3} + ... + \frac{2,688}{(1+0,14)^\infty}$$

$$V = \frac{2,688}{0,14}(1+0,14)^{-1} = 16,84 \text{ \$}$$

On observe que, si l'entreprise opte pour le plan 2, la valeur de l'action diminuera étant donné que l'on suppose que le taux de rendement requis par les actionnaires passera à 14% et que les nouveaux investissements ne rapportent que 12%. Il est donc préférable, si l'on considère pour valables les arguments avancés par Myron J. Gordon, que l'entreprise verse des dividendes élevés au cours de la période actuelle (plan 1), plutôt que de réinvestir ses bénéfices dans l'espoir de distribuer dans l'avenir des dividendes plus importants (plan 2).

Voyons maintenant ce que soutiennent d'autres auteurs, non moins célèbres, à propos de la pertinence de la répartition temporelle des dividendes.

Théorie de la non-pertinence de la politique de dividende

· · ·
Théorie de la non-pertinence de la politique de dividende
La politique de dividende suivie par l'entreprise n'exerce aucune influence sur la richesse de ses actionnaires

Pour plusieurs auteurs, en particulier Miller et Modigliani[2], la politique de dividende n'a aucun impact sur la valeur au marché de l'entreprise et sur le taux de rendement requis par les actionnaires. En d'autres termes, une fois fixée la politique d'investissement de l'entreprise, le ratio de distribution importe peu aux yeux des investisseurs.

Pour prouver mathématiquement la non-pertinence de la politique de dividende, Miller et Modigliani ont dû cependant poser certaines hypothèses assez restrictives dont les suivantes :

1. Il n'y a pas de frais de transaction pour l'investisseur.
2. L'entreprise n'encourt aucuns frais lorsqu'elle émet des titres.
3. Les dividendes et les gains en capital sont taxés de la même façon.
4. Les décisions d'investissement de l'entreprise sont indépendantes de sa politique de dividende.
5. Les investisseurs et les gestionnaires disposent de la même information concernant les occasions d'investissement futures de l'entreprise. En d'autres termes, le problème de l'asymétrie de l'information ne se pose pas.

Comme ces hypothèses ne sont évidemment pas vérifiées dans un contexte réel, on ne peut affirmer catégoriquement que la politique de dividende est sans importance. Cependant, il est clair et admis de tous qu'il n'existe pas de politique de dividende optimale dans un marché des capitaux parfait.

---

[2] Miller, M.H. et F. Modigliani, « Dividend Policy, Growth, and the Valuation of Shares », *Journal of Business*, vol. 34, octobre 1961, pp. 411-433.

Il est tout à fait logique qu'il en soit ainsi dans un tel contexte idéal. En effet, dans un marché des capitaux parfait, un actionnaire a la possibilité, par l'intermédiaire de ses transactions financières personnelles, d'annuler les décisions prises par la firme en ce qui a trait à la politique de dividende et ce, sans aucuns frais. Dans ces conditions, il ne faut pas s'attendre à ce que les investisseurs soient disposés, toutes choses étant égales par ailleurs, à payer plus ou moins cher les actions d'une entreprise ayant une politique de dividende particulière.

Ainsi, un actionnaire jugeant que les dividendes versés par l'entreprise ne sont pas assez substantiels, compte tenu de ses préférences personnelles, n'a qu'à vendre une partie de ses actions pour créer son propre dividende (*homemade dividend*). Inversement, un actionnaire, pour qui le ratio de distribution de l'entreprise semble trop élevé, n'a qu'à utiliser une partie de l'argent provenant des dividendes reçus pour acheter des actions supplémentaires de l'entreprise.

Pour illustrer, supposons le cas d'un actionnaire détenant 100 actions de l'entreprise XYZ inc. valant au marché 50 $ l'action. L'entreprise verse habituellement un dividende annuel de 2 $ par action. L'actionnaire détenant 100 actions de cette compagnie recevra donc à chaque année des dividendes de 200 $. Supposons que cet actionnaire préférerait plutôt un revenu annuel de 400 $. Pour obtenir un tel revenu, il n'a qu'à vendre sur le marché secondaire quatre actions au prix total de 200 $ (4 × 50 $), ce qui ajouté aux dividendes de 200 $ lui procurera un revenu annuel de 400 $. Inversement, supposons maintenant que l'investisseur aimerait mieux recevoir un revenu annuel de seulement 100 $. Pour obtenir ce revenu, il n'a qu'à utiliser une partie de l'argent provenant des dividendes reçus pour acheter des actions supplémentaires de l'entreprise XYZ inc. En effet, si l'on soustrait des dividendes reçus (200 $) le coût total de deux actions (100 $ = 2 × 50 $), on obtient 100 $, soit le revenu annuel désiré.

Revenons maintenant à l'exemple de la compagnie Malex inc. qui, pour financer les investissements du début de l'année 2, doit choisir entre omettre le dividende de l'année XX+1 ou émettre de nouvelles actions ordinaires. Nous avons vu que, selon Gordon, l'entreprise ne devrait pas couper les dividendes de l'année XX+1 dans l'espoir que les flux monétaires générés par le réinvestissement des bénéfices de l'année XX+1 lui permettront de verser des dividendes plus importants à partir de l'année XX+2. Mais qu'en pensent Miller et Modigliani? Selon eux, les deux plans envisagés sont strictement équivalents. Dans les deux cas, la valeur de l'action devrait donc être le même. En effet, on a :

$$V(\text{selon le plan 1}) = \frac{2,40}{(1+0,12)^1} + \frac{2,40}{(1+0,12)^2} + \frac{2,40}{(1+0,12)^3} + ... + \frac{2,40}{(1+0,12)^\infty}$$

$$= \frac{2,40}{0,12}$$

$$= 20 \text{ \$}$$

$$V(\text{selon le plan 2}) = 0 + \frac{2,688}{(1+0,12)^2} + \frac{2,688}{(1+0,12)^3} + ... + \frac{2,688}{(1+0,12)^\infty}$$

$$= \frac{2,688}{0,12}(1+0,12)^{-1}$$

$$= 20\ \$$$

Remarques. 1. Dans les deux cas, on doit actualiser les dividendes prévus à 12% puisque, contrairement à Gordon, Miller et Modigliani soutiennent que le taux de rendement requis par les actionnaires est indépendant de la politique de dividende de l'entreprise.

2. Lorsque nous affirmons que la politique de dividende est sans importance, nous ne voulons pas dire par là que la valeur de l'action de l'entreprise est indépendante des dividendes qu'elle distribuera à ses actionnaires de l'année 1 jusqu'à l'infini, mais plutôt que leur répartition temporelle importe peu. En autant que la valeur actualisée de ces derniers - ce qui, en principe, correspond à la valeur de l'action - demeure inchangée, on peut affirmer que la politique de dividende est sans importance.

Théorie de la préférence pour de faibles dividendes

Théorie de la préférence pour de faibles dividendes
Les investisseurs préfèrent les gains en capital aux dividendes élevés pour des motifs fiscaux

Une troisième théorie soutient que les investisseurs préfèrent les entreprises qui versent de faibles dividendes. De plus, selon cette théorie, le taux de rendement requis avant impôt sur les actions d'une entreprise devrait être lié directement à la proportion du rendement total (dividende et gain en capital) provenant du dividende. Cette position est en quelque sorte l'inverse de celle défendue par Gordon.

Cette théorie est basée sur l'idée que, d'un point de vue fiscal, le gain en capital est plus avantageux que le dividende pour l'investisseur et ce, pour les deux raisons suivantes. Premièrement, depuis octobre 2000, le gain en capital au Canada est assujetti à un taux d'imposition moins élevé que le dividende. De plus, en autant qu'il ne revende pas ses actions, l'investisseur peut différer indéfiniment l'impôt à payer sur ses gains en capital. Et comme un dollar à payer dans l'avenir a une valeur moindre qu'un dollar exigible maintenant, cette possibilité de reporter le paiement de l'impôt procure au gain en capital un avantage par rapport au dividende. Compte tenu que le dividende est, pour la majorité des investisseurs, taxé à un taux supérieur au gain en capital, certains soutiennent que les investisseurs devraient normalement exiger, à risques égaux, un rendement total avant impôt croissant avec la proportion de ce rendement provenant du dividende et ce, de façon à compenser pour le désavantage fiscal de ce dernier.

Dans une importante étude empirique réalisée à partir des données de la Bourse de New York entre 1936 et 1977, Litzenberger et Ramaswamy[3] (1979) ont conclu, qu'à risques égaux, ce sont effectivement les titres ayant les rendements en dividendes les plus élevés qui ont procuré aux investisseurs les rende-

---

[3] Litzenberger R.H. et K. Ramaswamy, « The Effect of Personal Taxes and Dividends on Capital Asset Prices : Theory and Empirical Evidence », *Journal of Financial Economics*, vol. 7, juin 1979, pp. 163-195.

ments avant impôt les plus substantiels. Ces résultats empiriques sont donc en accord avec la troisième théorie. Cependant, dans une autre importante étude empirique, Black et Scholes[4] (1974), en utilisant une méthodologie différente, ont conclu quelques années auparavant qu'il n'existait aucun lien statistique significatif entre le rendement en dividendes et le rendement total d'un titre, ce qui est en accord avec la théorie de Miller et Modigliani.

Compte tenu des importants problèmes économétriques rencontrés dans ce genre d'étude, il n'est guère étonnant de constater que les résultats des tests empiriques effectués ne concordent pas. Il s'avère difficile, par conséquent, sur la base de l'évidence empirique disponible, d'opter définitivement pour l'une ou l'autre des trois théories discutées ci-dessus.

14.6   Déclaration des dividendes et modalités de paiement

Déclaration des dividendes

Les dividendes sont déclarés par le conseil d'administration de la compagnie. Ils sont habituellement versés sur une base trimestrielle (parfois ils le sont sur une base semestrielle ou même annuelle). De plus, rappelons que, contrairement au versement des intérêts, le paiement des dividendes ne constitue pas pour l'entreprise une obligation légale. Une entreprise ne disposant pas de liquidités suffisantes ou désirant réinvestir ses bénéfices peut donc omettre le versement d'un dividende ordinaire sans pour autant risquer la faillite.

Modalités de paiement

En ce qui concerne les modalités de paiement d'un dividende, il y a quatre dates importantes à considérer :

1. **Date de déclaration.** Date à laquelle le conseil d'administration de l'entreprise émet un communiqué dans lequel il indique la catégorie d'actions visée par le dividende, le montant par action, la date de clôture des registres et la date de paiement.

Par exemple, le conseil d'administration de la Banque de Montréal a déclaré le 26 mai 2009 en faveur de ses actionnaires ordinaires un dividende trimestriel de 0,70 $ par action, payable le 27 août 2009, aux actionnaires inscrits le 7 août 2009.

2. **Date de clôture des registres.** Afin de recevoir le dividende déclaré par le conseil d'administration, le nom de l'investisseur doit figurer sur la liste des propriétaires d'actions de l'entreprise à la date de clôture des registres. Ainsi, dans l'exemple ci-dessus, les investisseurs dont les noms apparaîtront

---

[4]   Black, F. et M. Scholes, « The Effects of Dividend Yield and Dividend Policy on Common Stock Prices and Returns », *Journal of Financial Economics*, vol. 1, mai 1974, pp. 1-22.

sur la liste des actionnaires de la Banque de Montréal le 7 août 2009 recevront un dividende de 0,70 $ par action.

L'intervalle de temps séparant la date de clôture des registres (le 7 août dans notre exemple) et la date de paiement du dividende (le 27 août dans notre exemple) permettra au fiduciaire de l'entreprise d'effectuer la mise à jour de la liste des actionnaires et de préparer les chèques de dividendes.

3. **Date ex-dividende.** Date à partir de laquelle l'acheteur du titre n'a plus droit au dernier dividende déclaré par la compagnie. Afin d'éviter toute confusion résultant des transactions effectuées dans les jours avoisinant la date de clôture des registres, la Bourse de Toronto a établi une convention selon laquelle l'action se négocie sur une base ex-dividende (dividende détaché) à partir du deuxième jour ouvrable précédant la date de clôture des régistres.

Dans l'exemple précédent, la date ex-dividende est donc le mercredi 5 août 2009.

4. **Date de versement.** Date où les chèques sont expédiés aux actionnaires. Dans l'exemple ci-dessus, cette date est le 27 août 2009.

La figure 14.1 résume notre discussion concernant le versement d'un dividende.

Figure 14.1	**Dates relatives au versement d'un dividende**

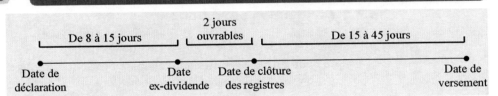

14.7 Les régimes de réinvestissement des dividendes et d'achat d'actions

Régime de réinvestissement des dividendes
Régime permettant à un actionnaire d'acquérir des actions additionnelles de la compagnie avec le montant des dividendes auxquels il a droit

Plusieurs grandes compagnies canadiennes (Bell Canada, Banque de Montréal, Banque Scotia, Banque Canadienne Impériale de Commerce (CIBC), Imperial Oil, etc.) ont mis sur pied en faveur de leurs actionnaires un régime de réinvestissement automatique des dividendes. Ce genre de régime permet à l'actionnaire d'acquérir avec les dividendes auxquels il a droit des actions additionnelles de la compagnie. Les actions peuvent être acquises par le fiduciaire sur le marché secondaire ou il peut s'agir de nouvelles actions émises par la compagnie. Dans la plupart des cas, l'actionnaire n'a pas à payer de frais de courtage ni de frais de service. Périodiquement, il reçoit un relevé lui indiquant le nombre d'actions acquises en vertu du plan et à quel prix elles l'ont été. Notons que, d'un point de vue fiscal, les dividendes sont imposés de la même façon que ceux reçus en espèces et ce, même si l'actionnaire ne les perçoit pas réellement.

Lorsqu'il s'agit d'actions nouvellement émises par la compagnie, le coût d'acquisition des actions est, en général, basé sur la moyenne arithmétique des prix observés du titre pendant les derniers jours de transaction - habituellement, on retient une période variant entre trois et cinq jours - précédant la date d'achat des nouvelles actions. Quelques compagnies - mais cela est de plus en plus rare - accordent en outre à leurs actionnaires un escompte - de l'ordre de 2 à 5% - par rapport au cours de l'action sur le marché secondaire. Elles peuvent, dans le cadre d'un tel régime, se permettre de vendre de nouvelles actions à un prix quelque peu inférieur à celui du marché car elles n'ont pas à rémunérer de preneur ferme.

Mentionnons finalement que certaines compagnies offrent à leurs actionnaires la possibilité de déposer dans leur régime des sommes d'argent additionnelles qui ne peuvent toutefois excéder une limite précise par trimestre ou par année (par exemple, 5 000 $ par trimestre dans le cas de Imperial Oil et 20 000 $ par exercice financier dans le cas de la Banque Scotia).

14.8   Dividendes en actions et fractionnements d'actions

14.8.1   Dividendes en actions

Dividendes en actions
Dividende payable sous forme d'actions ordinaires plutôt qu'en argent

Un dividende en actions est un dividende payable sous forme d'actions plutôt qu'en espèces. Les nouvelles actions sont distribuées proportionnellement au nombre d'actions initialement détenues, ce qui a pour effet de laisser inchangée la part relative de chacun des actionnaires dans la propriété de l'entreprise. Par exemple, si la compagnie XYZ inc. décide de distribuer un dividende en actions de 5%, un actionnaire détenant initialement 100 actions de cette compagnie recevra 5 actions supplémentaires. Aux fins de l'impôt, les dividendes en actions sont traités comme des dividendes en espèces.

Les dividendes en actions sont souvent versés par de jeunes entreprises en croissance qui ont besoin des fonds autogénérés à des fins de réinvestissement et qui ne désirent pas émettre de nouvelles actions ou s'endetter pour payer des dividendes.

Théoriquement, un dividende en actions n'affecte pas la richesse de l'actionnaire. En effet, suite à un dividende en actions, ce dernier détiendra un plus grand nombre d'actions de la compagnie, mais chaque action aura une valeur au marché moins élevée qu'initialement. Pour illustrer, analysons l'exemple suivant.

Exemple 14.3

Impact d'un dividende en actions sur le cours de l'action et la richesse de l'actionnaire

La compagnie BGI inc. a 200 000 actions ordinaires en circulation. Le bénéfice net est de 500 000 $ et le ratio cours/bénéfice de 10. La direction envisage un dividende en actions de 15%.

a) Quel est le cours prévisible de l'action suite au dividende en actions?

b) Montrez que la richesse d'un actionnaire détenant initialement 100 actions de BGI inc. restera inchangée suite au dividende en actions.

Solution

a) Avant le dividende en actions, le cours de l'action se calcule ainsi :

$$\text{Cours de l'action (avant le dividende en actions)} = \left(\frac{\text{Bénéfice}}{\text{par action}}\right) \times \left(\frac{\text{Ratio}}{\text{cours/bénéfice}}\right)$$

$$= \left(\frac{500\ 000}{200\ 000}\right)(10) = 25\ \$$$

Suite au dividende en actions de 15%, l'action vaut en principe :

$$\text{Cours de l'action (suite au dividende en actions)} = \left(\frac{500\ 000}{230\ 000}\right) \times 10 = 21,74\ \$$$

b)

$$\text{Richesse de l'actionnaire (avant le dividende en actions)} = (100)(25) = 2\ 500\ \$$$

$$\text{Richesse de l'actionnaire (suite au dividende en actions)} = (115)(21,74) = 2\ 500\ \$$$

14.8.2 Fractionnements d'actions

• • •
Fractionnement d'actions
Division de l'action dans une proportion déterminée par l'entreprise

Un fractionnement d'actions[5] est une division de l'action dans une proportion fixée par la compagnie. Par exemple, dans le cas d'un fractionnement 3 pour 1 réalisé par la compagnie ABC inc., un investisseur détenant initialement 100 actions de cette compagnie valant 30 $ l'unité se retrouvera avec 300 actions de ABC inc. valant chacune 10 $.

Généralement, l'entreprise a recours à un fractionnement d'actions pour réduire substantiellement le prix de l'action de façon à la rendre plus accessible

---

[5] L'inverse d'un fractionnement d'actions est un regroupement d'actions. Une telle opération vise à réduire le nombre d'actions en circulation de façon à ramener le prix de l'action à un seuil plus acceptable par le marché. Un regroupement d'actions peut avoir pour effet d'accroître la demande potentielle pour le titre de l'entreprise et, par conséquent, d'exercer un impact bénéfique sur son prix. En effet, il nous semble utile de rappeler que plusieurs investisseurs institutionnels ne peuvent pas détenir des actions qui se négocient à moins de 5$. Par ailleurs, les frais de transaction que doivent supporter plusieurs investisseurs qui transigent des actions à faible prix sont proportionnellement plus élevés.

à l'ensemble des investisseurs. Ainsi, peu de petits investisseurs peuvent se permettre d'acquérir un lot régulier de 100 actions d'une compagnie lorsque l'action se transige à 150 $ l'unité. Dans ce cas, un fractionnement d'actions pourrait s'avérer bénéfique puisqu'il ferait baisser le prix de l'action à un niveau accessible à un plus grand nombre d'investisseurs.

En théorie, un fractionnement d'actions, tout comme un dividende en actions, n'affecte en rien les flux monétaires anticipés de l'entreprise. En conséquence, ces opérations ne devraient pas modifier la richesse des actionnaires. Toutefois, plusieurs études empiriques[6] constatent la présence de rendements anormaux positifs dans les jours entourant l'annonce d'un fractionnement d'actions ou d'un dividende en actions. Certains soutiennent que cela pourrait être attribuable au fait que le fractionnement a pour effet de ramener le cours de l'action à un niveau plus accessible à l'investisseur moyen, que ces annonces font connaître davantage l'entreprise auprès des courtiers et investisseurs ou encore qu'elles véhiculent de l'information concernant les perspectives d'avenir de l'entreprise.

14.9 Le rachat d'actions

Rachat d'actions
Opération qui provoque une diminution du nombre d'actions en circulation et une augmentation du cours de l'action

Le rachat d'actions constitue pour l'entreprise une alternative au paiement des dividendes. Une telle opération peut s'effectuer de trois façons : (1) par une offre publique d'achat à tous les actionnaires, (2) par une intervention directe sur le marché secondaire et (3) en offrant à un actionnaire important de lui racheter, à un prix à être négocié entre les parties, le bloc d'actions qu'il détient.

Suite au rachat d'une certaine quantité d'actions, il y aura nécessairement moins d'actions en circulation. Par conséquent, le bénéfice par action et le cours de l'action devraient augmenter. Pour illustrer, considérons l'exemple suivant.

Exemple 14.4 | **Impact d'un rachat d'actions sur le bénéfice par action et le cours de l'action**

On dispose des renseignements suivants concernant la compagnie KSW inc. :

- Bénéfice net après impôt : 6 000 000 $

- Nombre d'actions ordinaires en circulation : 2 000 000

- Somme disponible pour le rachat d'actions ou le versement de dividendes : 4 000 000 $

- Dividende par action que pourrait verser l'entreprise : 2 $ $\left(\text{soit } \dfrac{4\ 000\ 000\ \$}{2\ 000\ 000} \right)$

- Valeur marchande d'une action : 18 $

---

[6] Voir notamment à ce sujet: Grinblatt, M.S., Masulis, W.R. et S. Titman, « The Valuation Effects of Stocks Splits and Stock Dividends », *Journal of Financial Economics*, décembre 1984.

Montrez l'impact d'un rachat d'actions sur le bénéfice par action (BPA) et le cours de l'action.

Solution

En supposant que les actions seront rachetées au prix unitaire de 20 $ et que le ratio cours/bénéfice demeurera constant suite au rachat d'actions, on peut effectuer les calculs suivants[7] :

- BPA actuel $= \dfrac{6\ 000\ 000\ \$}{2\ 000\ 000} = 3\ \$$

- Ratio cours/bénéfice actuel $= \dfrac{18\ \$}{3\ \$} = 6X$

- BPA suite au rachat de

  200 000 actions $= \left(\dfrac{4\ 000\ 000\ \$}{20\ \$}\right) = \dfrac{6\ 000\ 000\ \$}{1\ 800\ 000\ \$} = 3{,}333\ \$$

- Prix prévu de l'action suite au rachat de 200 000 actions $= \left(\dfrac{\text{Ratio}}{\text{cours/bénéfice}}\right)(\text{BPA})$

  $= (6)(3{,}333) = 20\ \$$

- Augmentation prévue du prix de l'action si 200 000 actions sont rachetées $= 20\ \$ - 18\ \$ = 2\ \$$

On constate, à partir des données de l'exemple ci-dessus que, peu importe le choix effectué par l'entreprise (c.-à-d. le rachat d'actions ou le versement d'un dividende en argent), les investisseurs se retrouveront avec exactement la même richesse[8]. En effet, si un dividende en espèces est versé, ils recevront directement une somme de 2 $ par action détenue. Par contre, si le rachat de 200 000 actions a lieu, la valeur de l'action s'accroîtra de 2 $. Notons aussi que, si les actions peuvent être rachetées à un prix inférieur à 20 $, cela avantagera les actionnaires restants. Par contre, si l'entreprise doit payer plus que 20 $, ces derniers seront alors désavantagés par le rachat.

Raisons pouvant motiver un rachat d'actions

Une entreprise peut vouloir racheter une partie de ses actions pour l'une ou l'autre des raisons suivantes :

1. Lorsqu'elle possède des excédents temporaires de liquidités et qu'elle ne désire pas déclarer un dividende en espèces qu'il lui serait impossible de maintenir dans l'avenir.

---

[7] Nous avons choisi un prix de 20 $ (soit le cours actuel de l'action plus le montant du dividende) parce qu'à ce prix les investisseurs qui conserveront leurs actions seront ni avantagés ni désavantagés par rapport à ceux qui les céderont à l'entreprise.

[8] Cela est vrai dans un marché parfait. Toutefois, dans un contexte réel, à cause de certaines imperfections du marché des capitaux (existence des impôts, frais de transaction, etc.), les deux possibilités ne sont pas nécessairement équivalentes.

2. Pour indiquer aux investisseurs qu'elle est convaincue que ses actions sont présentement sous-évaluées.

3. Pour modifier sa structure de capital (en procédant à une importante émission d'obligations et en utilisant cet argent pour racheter une partie de ses actions, l'entreprise peut accroître rapidement son ratio d'endettement).

4. Pour diminuer les sommes d'argent qu'elle aura à consacrer aux versements de dividendes dans l'avenir ou encore pour augmenter le dividende par action sans augmenter le montant total à débourser.

5. Pour les réutiliser lors de l'acquisition d'une autre entreprise ou au moment de l'exercice des bons de souscription, des options d'achat ou de la conversion des obligations.

6. Pour contrer une tentative de prise de contrôle.

14.10 Concepts fondamentaux

- La politique de dividende détermine la part des bénéfices de l'entreprise qui est réinvestie et celle distribuée en espèces aux actionnaires ordinaires. Le réinvestissement des bénéfices permet d'assurer la croissance de l'entreprise alors que la distribution des dividendes permet aux investisseurs de recevoir immédiatement une partie des flux monétaires générés par l'exploitation de cette dernière.

- Dans l'établissement de leur politique de dividende, les entreprises tiennent principalement compte des facteurs suivants : (1) les contraintes légales, (2) les engagements envers les obligataires et les actionnaires privilégiés, (3) les liquidités disponibles, (4) les possibilités d'investissement permettant de soutenir la croissance, (5) les frais associés à l'émission de nouvelles actions, (6) les considérations relatives au contrôle, (7) la stabilité temporelle des bénéfices, (8) les aspects fiscaux, (9) le contenu informatif, (10) les besoins de revenus stables de certaines catégories d'investisseurs et (11) les contraintes institutionnelles.

- Le gestionnaire peut opter pour l'une ou l'autre des politiques de dividende suivantes : (1) la distribution d'un montant fixe par action, (2) le versement d'un montant calculé selon un ratio dividendes sur bénéfices stable temporellement, (3) la distribution de dividendes réguliers et spéciaux et (4) la distribution de dividendes selon une politique résiduelle.

- La politique résiduelle de dividende est basée sur l'idée que l'entreprise devrait réinvestir ses bénéfices dans la mesure où ses occasions d'investissement présentent une rentabilité supérieure au taux de rendement exigé par les investisseurs. Le choix d'une telle politique implique que les dividendes distribués aux actionnaires ordinaires pourront varier substantiellement d'une année à l'autre en fonction des occasions d'investissement disponibles.

■ Il existe plusieurs théories contradictoires sur l'importance à accorder à la politique de dividende. Ainsi, selon Gordon et certains autres, des dividendes immédiats élevés s'avèrent préférables à des dividendes supérieurs - mais hypothétiques - dans l'avenir qui découleraient du réinvestissement des bénéfices de l'entreprise. Pour leur part, Modigliani et Miller soutiennent que, dans le cadre d'un marché des capitaux parfait, la politique de dividende est neutre. Cela signifie, qu'une fois fixée la politique d'investissement de l'entreprise, la proportion des bénéfices versés en dividendes n'exerce aucune influence sur la richesse des actionnaires. Enfin, les partisans de la théorie de la préférence pour de faibles dividendes prétendent que, pour des motifs fiscaux, les investisseurs préfèrent peu ou pas de dividendes et sont plutôt à la recherche de rendements élevés sous forme de gains en capital attribuables au réinvestissement des bénéfices de l'entreprise.

■ Les dividendes sont déclarés par le conseil d'administration de la compagnie et sont habituellement versés sur une base trimestrielle. Concernant les modalités de paiement, les dates importantes à considérer sont les suivantes : (1) la date de déclaration du dividende, (2) la date de clôture des registres, (3) la date ex-dividende et (4) la date de versement du dividende. Rappelons, qu'à la date ex-dividende, le cours de l'action chute approximativement du montant du dividende.

■ Par l'entremise des régimes de réinvestissement des dividendes, plusieurs entreprises canadiennes permettent à leurs actionnaires d'acquérir des actions additionnelles avec les dividendes auxquels ils ont droit.

■ Un dividende en actions est un dividende payable sous forme d'actions ordinaires plutôt qu'en espèces.

■ Un fractionnement d'actions représente une division de l'action dans une proportion fixée par la compagnie. Généralement, le cours de l'action réagit favorablement à l'annonce d'une telle opération.

■ Un rachat d'actions constitue une alternative au versement de dividendes en espèces. Compte tenu qu'un rachat d'actions provoque une appréciation du cours de l'action et que les gains en capital sont imposés à un taux moindre que les dividendes, cette opération permet notamment de maximiser le rendement après impôt de l'investisseur. En outre, le contenu informatif véhiculé par un rachat d'actions influe positivement sur le cours de l'action en Bourse.

14.11 Mots clés

14.12 Sommaire des principales formules

Politique résiduelle de dividende

Politique résiduelle appliquée sur une base annuelle

$$(14.1) \quad D_t = MAX \left[0, \frac{B_t - (w_0 \cdot I_t)}{N} \right]$$

où D_t : Dividende par action pour l'année t si l'entreprise adopte une politique résiduelle de dividende

B_t : Bénéfice de l'entreprise pour l'année t

I_t : Budget des investissements pour l'année t

w_0 : Part du financement par capitaux propres (bénéfices non répartis et nouvelles émissions d'actions ordinaires)

$w_0 \cdot I_t$: Besoins de financement en capitaux propres

N : Nombre d'actions ordinaires en circulation.

Politique résiduelle appliquée dans une perspective à long terme

$$(14.2) \quad D = \frac{1}{n} \left[\frac{\sum_{t=1}^{n} B_t - \left(w_0 \sum_{t=1}^{n} I_t \right)}{N} \right]$$

où D : Dividende annuel stable par action

N : Nombre d'années.

14.13   Exercices

1. La compagnie Halex inc. considère 5 projets d'investissement indépendants. Les données concernant ces projets figurent au tableau ci-dessous. L'entreprise finance ses investissements à 30% par dette et à 70% par fonds propres. Son coût du capital est de 11% et les bénéfices de l'année s'élèvent à 800 000 $.

Investissement	Mise de fonds initiale	Taux de rendement interne
A	150 000 $	17,12 %
B	400 000	14,18
C	300 000	9,18
D	200 000	12,21
E	300 000	14,39

a) Quels projets devraient être acceptés?

b) Si la compagnie suit une politique résiduelle de dividende, quel sera le montant des dividendes versés aux actionnaires?

2. Pour les cinq prochaines années, le directeur financier de la société Gamma inc. a établi les projections présentées au tableau ci-dessous concernant le budget des investissements et les bénéfices annuels. La structure de capital de la société est composée à 40% de dettes et à 60% de capitaux propres. Il y a actuellement 100 000 actions ordinaires en circulation.

Années	Budget des investissements	Bénéfices
1	170 000 $	280 000 $
2	600 000	360 000
3	250 000	400 000
4	800 000	500 000
5	200 000	550 000

a) Si la société applique sur une base annuelle une politique résiduelle de dividende de type résiduelle, quel sera, pour chacune des années, le dividende par action?

b) En supposant que la société désire adopter une politique résiduelle de dividende dans une perspective à long terme (sur 5 ans), quel sera alors le dividende fixe par action versé annuellement?

c) Pourquoi pourrait-il être préférable de suivre une politique résiduelle de dividende dans une perspective à long terme plutôt que sur une base annuelle?

3. Pour l'année qui vient (XX+8), la compagnie Kalex inc. considère les cinq projets d'investissement indépendants suivants :

Projet	Mise de fonds requise	Valeur actualisée des flux monétaires anticipés
A	400 000 $	456 000 $
B	200 000	188 000
C	300 000	314 000
D	500 000	412 000
E	200 000	258 000

La compagnie a actuellement en circulation 125 000 actions ordinaires et ne désire pas en émettre de nouvelles. Les investissements envisagés seront financés au moyen des bénéfices non répartis ou en émettant des actions privilégiées qui rapporteraient net à la compagnie 100 $ chacune.

Les bénéfices réalisés et les dividendes payés par Kalex inc. au cours des dernières années ont été les suivants :

Année	Bénéfice net	Dividende par action
XX+8	400 000 $ prévu	?
XX+7	390 000	1,80 $
XX+6	380 000	1,80
XX+5	350 000	1,80
XX+4	290 000	1,40
XX+3	285 000	1,40
XX+2	280 000	1,40
XX+1	265 000	1,40

a) Quel sera le budget des investissements pour l'année XX+8?

b) Quel dividende par action peut-on prévoir pour l'année XX+8 si la compagnie maintient sa politique de dividende actuelle? Dans ce cas, combien d'actions privilégiées la compagnie devra-t-elle émettre?

c) Quel sera le dividende par action pour l'année XX+8 si la compagnie adopte une politique résiduelle de dividende? Dans ce cas, combien d'actions privilégiées devra-t-elle émettre?

4. Au début de l'année XX+1, l'action ordinaire de la compagnie JWR inc. se transige à 40 $ à la Bourse. La compagnie a 200 000 actions ordinaires en circulation. Depuis plusieurs années, JWR inc. réalise un bénéfice annuel par action de 4$ qui est entièrement distribué en dividendes aux actionnaires. Les actionnaires, compte tenu du risque de la compagnie, exigent un rendement annuel de 10%.

La compagnie envisage de couper son dividende habituel de 4 $ par action à la fin de l'année XX+1 et de réinvestir les bénéfices totaux de 800 000 $ (c.-à-d. 4 $ × 200 000) dans un projet qui rapporterait 200 000 $ par année (taux de rendement annuel de 25%) et ce, indéfiniment. À partir de la fin de l'année XX+2, tous les bénéfices seront distribués en dividendes aux actionnaires.

a) En supposant que :
  i. le taux de rendement requis par les actionnaires demeurera à 10% suite au changement de la politique de dividende de l'entreprise; et
  ii. les investisseurs disposent, au début de l'année XX+1, d'une information complète sur les occasions d'investissement de JWR inc.;

calculez le cours de l'action au début de l'année XX+1 si JWR inc. entreprend les investissements projetés.

b) Dans un marché des capitaux imparfait, où les investisseurs ne disposent parfois que d'une information incomplète sur les occasions d'investissement d'une entreprise, quel sera le comportement probable du prix de l'action de JWR lorsque celle-ci annoncera qu'elle coupe son dividende régulier pour l'année XX+1?

5. Depuis plusieurs années, la compagnie Nordico inc. verse la totalité de ses bénéfices en dividendes à ses actionnaires ordinaires, soit 2,90 $ par action. Pour financer des investissements prévus au début de l'année XX+2, la compagnie envisage de diminuer le montant des dividendes versés aux actionnaires (plan A) ou d'émettre de nouvelles actions ordinaires (plan B). Les dividendes anticipés selon chacun des deux plans de financement envisagés sont les suivants :

Année	Plan A	Plan B
XX+1	2,00 $	2,90 $
XX+2	3,08	2,90
XX+3	3,08	2,90
XX+4	3,08	2,90
.	.	.
.	.	.
.	.	.
∞	3,08	2,90

La direction de l'entreprise pense que si elle adopte le plan A le rendement requis par les actionnaires passera à 25%, tandis que si elle opte pour le plan B le rendement exigé demeurera à son niveau actuel, soit 20%.

a) Déterminez le prix de l'action selon chacun de ces deux plans.

b) À quelle théorie relative aux dividendes les dirigeants de l'entreprise croient-ils (Gordon ou Miller et Modigliani)?

c) Selon Miller et Modigliani, quel plan de financement est le meilleur?

6. Le lundi 29 juin 2009, les membres du conseil d'administration de la compagnie ALP inc. ont déclaré un dividende trimestriel régulier de 0,25 $ par action, payable le mercredi 5 août 2009, aux actionnaires inscrits le vendredi 24 juillet 2009.

a) Si vous désirez recevoir le dividende déclaré par la compagnie ALP inc. le 29 juin 2009, quelle est la date limite pour acquérir des actions de cette compagnie sur le marché secondaire?

b) À quelle date le cours de l'action de cette compagnie devrait-il normalement chuter d'un montant approximativement égal au dividende?

7. M. Gordon a acheté 200 actions de la compagnie BVR inc. en 2002. L'action ordinaire de cette compagnie a été fractionnée 3 pour 1 en 2005 et, de nouveau, 3 pour 1 en 2008. En 2008, BVR inc. a distribué à ses actionnaires un dividende en actions de 20%. Finalement, en 2009, l'entreprise a versé un dividende en espèces de 0,40 $ par action.

Déterminez, pour l'année 2009, les revenus de dividendes de M. Gordon provenant de la détention d'actions de la compagnie BVR inc.

8. L'entreprise KLE inc. a actuellement 2 000 000 d'actions ordinaires en circulation et réalise un bénéfice par action de 0,80 $. L'entreprise distribue habituellement 50% de ses bénéfices en dividendes. Les dirigeants de KLE inc. considèrent la possibilité de fractionner les actions ordinaires dans une proportion 4 pour 1, ce qui aurait pour effet de rendre plus accessible l'action qui se transige actuellement à 120 $. Toutes choses étant égales par ailleurs, quel serait l'impact d'un fractionnement 4 pour 1 sur :

a) le dividende par action?

b) le prix de l'action?

c) la valeur au marché de l'entreprise?

d) la richesse d'un actionnaire détenant actuellement 100 actions de KLE inc.?

9. Les renseignements suivants sont disponibles concernant la compagnie Boileau inc.
- Bénéfice net après impôt : 4 000 000 $
- Nombre d'actions ordinaires en circulation : 800 000
- Valeur marchande d'une action : 35 $
- Dividende par action : 5 $

a) Calculez le bénéfice par action de l'entreprise ainsi que son ratio cours/bénéfice.

b) Pierre, qui détient 100 000 actions de cette entreprise, a manifesté son profond désaccord concernant la façon dont elle est gérée. Suite à cette mésentente, la direction de l'entreprise lui a proposé de lui racheter la totalité des actions qu'il détient. Si l'entreprise rachète les actions de Pierre à 40 $ l'unité, au lieu de verser un dividende par action de 5 $, est-ce que la richesse des actionnaires restants augmentera, diminuera ou demeurera inchangée? Supposez que le ratio cours/bénéfice restera le même.

Annexe A

Tables financières et Excel

Table 1. Valeur définitive de 1\$ ou valeur de $(1+i)^n$

Table 2. Valeur présente de 1\$ ou valeur de $(1+i)^{-n}$

Table 3. Valeur définitive (acquise) d'une annuité de 1\$

ou valeur de $S_{\overline{n}|i} = \dfrac{(1+i)^n - 1}{i}$

Table 4. Valeur présente d'une annuité de 1\$

ou valeur de $A_{\overline{n}|i} = \dfrac{1-(1+i)^{-n}}{i}$

Table 1. Valeur définitive de 1$ ou valeur de $(1+i)^n$

n \ i	0,5%	1,0%	1,5%	2,0%	2,5%	3,0%	3,5%	4,0%	4,5%	5,0%
1	1,005000	1,010000	1,015000	1,020000	1,025000	1,030000	1,035000	1,040000	1,045000	1,050000
2	1,010025	1,020100	1,030225	1,040400	1,050625	1,060900	1,071225	1,081600	1,092025	1,102500
3	1,015075	1,030301	1,045678	1,061208	1,076891	1,092727	1,108718	1,124864	1,141166	1,157625
4	1,020151	1,040604	1,061364	1,082432	1,103813	1,125509	1,147523	1,169859	1,192519	1,215506
5	1,025251	1,051010	1,077284	1,104081	1,131408	1,159274	1,187686	1,216653	1,246182	1,276282
6	1,030378	1,061520	1,093443	1,126162	1,159693	1,194052	1,229255	1,265319	1,302260	1,340096
7	1,035529	1,072135	1,109845	1,148686	1,188686	1,229874	1,272279	1,315932	1,360862	1,407100
8	1,040707	1,082857	1,126493	1,171659	1,218403	1,266770	1,316809	1,368569	1,422101	1,477455
9	1,045911	1,093685	1,143390	1,195093	1,248863	1,304773	1,362897	1,423312	1,486095	1,551328
10	1,051140	1,104622	1,160541	1,218994	1,280085	1,343916	1,410599	1,480244	1,552969	1,628895
11	1,056396	1,115668	1,177949	1,243374	1,312087	1,384234	1,459970	1,539454	1,622853	1,710339
12	1,061678	1,126825	1,195618	1,268242	1,344889	1,425761	1,511069	1,601032	1,695881	1,795856
13	1,066986	1,138093	1,213552	1,293607	1,378511	1,468534	1,563956	1,665074	1,772196	1,885649
14	1,072321	1,149474	1,231756	1,319479	1,412974	1,512590	1,618695	1,731676	1,851945	1,979932
15	1,077683	1,160969	1,250232	1,345868	1,448298	1,557967	1,675349	1,800944	1,935282	2,078928
16	1,083071	1,172579	1,268986	1,372786	1,484506	1,604706	1,733986	1,872981	2,022370	2,182875
17	1,088487	1,184304	1,288020	1,400241	1,521618	1,652848	1,794676	1,947900	2,113377	2,292018
18	1,093929	1,196147	1,307341	1,428246	1,559659	1,702433	1,857489	2,025817	2,208479	2,406619
19	1,099399	1,208109	1,326951	1,456811	1,598650	1,753506	1,922501	2,106849	2,307860	2,526950
20	1,104896	1,220190	1,346855	1,485947	1,638616	1,806111	1,989789	2,191123	2,411714	2,653298
21	1,110420	1,232392	1,367058	1,515666	1,679582	1,860295	2,059431	2,278768	2,520241	2,785963
22	1,115972	1,244716	1,387564	1,545980	1,721571	1,916103	2,131512	2,369919	2,633652	2,925261
23	1,121552	1,257163	1,408377	1,576899	1,764611	1,973587	2,206114	2,464716	2,752166	3,071524
24	1,127160	1,269735	1,429503	1,608437	1,808726	2,032794	2,283328	2,563304	2,876014	3,225100
25	1,132796	1,282432	1,450945	1,640606	1,853944	2,093778	2,363245	2,665836	3,005434	3,386355
26	1,138460	1,295256	1,472710	1,673418	1,900293	2,156591	2,445959	2,772470	3,140679	3,555673
27	1,144152	1,308209	1,494800	1,706886	1,947800	2,221289	2,531567	2,883369	3,282010	3,733456
28	1,149873	1,321291	1,517222	1,741024	1,996495	2,287928	2,620172	2,998703	3,429700	3,920129
29	1,155622	1,334504	1,539981	1,775845	2,046407	2,356566	2,711878	3,118651	3,584036	4,116136
30	1,161400	1,347849	1,563080	1,811362	2,097568	2,427262	2,806794	3,243398	3,745318	4,321942
31	1,167207	1,361327	1,586526	1,847589	2,150007	2,500080	2,905031	3,373133	3,913857	4,538039
32	1,173043	1,374941	1,610324	1,884541	2,203757	2,575083	3,006708	3,508059	4,089981	4,764941
33	1,178908	1,388690	1,634479	1,922231	2,258851	2,652335	3,111942	3,648381	4,274030	5,003189
34	1,184803	1,402577	1,658996	1,960676	2,315322	2,731905	3,220860	3,794316	4,466362	5,253348
35	1,190727	1,416603	1,683881	1,999890	2,373205	2,813862	3,333590	3,946089	4,667348	5,516015
36	1,196681	1,430769	1,709140	2,039887	2,432535	2,898278	3,450266	4,103933	4,877378	5,791816
37	1,202664	1,445076	1,734777	2,080685	2,493349	2,985227	3,571025	4,268090	5,096860	6,081407
38	1,208677	1,459527	1,760798	2,122299	2,555682	3,074783	3,696011	4,438813	5,326219	6,385477
39	1,214721	1,474123	1,787210	2,164745	2,619574	3,167027	3,825372	4,616366	5,565899	6,704751
40	1,220794	1,488864	1,814018	2,208040	2,685064	3,262038	3,959260	4,801021	5,816365	7,039989
41	1,226898	1,503752	1,841229	2,252200	2,752190	3,359899	4,097834	4,993061	6,078101	7,391988
42	1,233033	1,518790	1,868847	2,297244	2,820995	3,460696	4,241258	5,192784	6,351615	7,761588
43	1,239198	1,533978	1,896880	2,343189	2,891520	3,564517	4,389702	5,400495	6,637438	8,149667
44	1,245394	1,549318	1,925333	2,390053	2,963808	3,671452	4,543342	5,616515	6,936123	8,557150
45	1,251621	1,564811	1,954213	2,437854	3,037903	3,781596	4,702359	5,841176	7,248248	8,985008
46	1,257879	1,580459	1,983526	2,486611	3,113851	3,895044	4,866941	6,074823	7,574420	9,434258
47	1,264168	1,596263	2,013279	2,536344	3,191697	4,011895	5,037284	6,317816	7,915268	9,905971
48	1,270489	1,612226	2,043478	2,587070	3,271490	4,132252	5,213589	6,570528	8,271456	10,401270
49	1,276842	1,628348	2,074130	2,638812	3,353277	4,256219	5,396065	6,833349	8,643671	10,921333
50	1,283226	1,644632	2,105242	2,691588	3,437109	4,383906	5,584927	7,106683	9,032636	11,467400

Table 1. Valeur définitive de 1$ ou valeur de $(1+i)^n$ (suite)

n \ i	6,0%	7,0%	8,0%	9,0%	10,0%	11,0%	12,0%	13,0%	14,0%	15,0%
1	1,060000	1,070000	1,080000	1,090000	1,100000	1,110000	1,120000	1,130000	1,140000	1,150000
2	1,123600	1,144900	1,166400	1,188100	1,210000	1,232100	1,254400	1,276900	1,299600	1,322500
3	1,191016	1,225043	1,259712	1,295029	1,331000	1,367631	1,404928	1,442897	1,481544	1,520875
4	1,262477	1,310796	1,360489	1,411582	1,464100	1,518070	1,573519	1,630474	1,688960	1,749006
5	1,338226	1,402552	1,469328	1,538624	1,610510	1,685058	1,762342	1,842435	1,925415	2,011357
6	1,418519	1,500730	1,586874	1,677100	1,771561	1,870415	1,973823	2,081952	2,194973	2,313061
7	1,503630	1,605781	1,713824	1,828039	1,948717	2,076160	2,210681	2,352605	2,502269	2,660020
8	1,593848	1,718186	1,850930	1,992563	2,143589	2,304538	2,475963	2,658444	2,852586	3,059023
9	1,689479	1,838459	1,999005	2,171893	2,357948	2,558037	2,773079	3,004042	3,251949	3,517876
10	1,790848	1,967151	2,158925	2,367364	2,593742	2,839421	3,105848	3,394567	3,707221	4,045558
11	1,898299	2,104852	2,331639	2,580426	2,853117	3,151757	3,478550	3,835861	4,226232	4,652391
12	2,012196	2,252192	2,518170	2,812665	3,138428	3,498451	3,895976	4,334523	4,817905	5,350250
13	2,132928	2,409845	2,719624	3,065805	3,452271	3,883280	4,363493	4,898011	5,492411	6,152788
14	2,260904	2,578534	2,937194	3,341727	3,797498	4,310441	4,887112	5,534753	6,261349	7,075706
15	2,396558	2,759032	3,172169	3,642482	4,177248	4,784589	5,473566	6,130394	7,137938	8,137062
16	2,540352	2,952164	3,425943	3,970306	4,594973	5,310894	6,130394	6,866041	7,986078	8,137249	9,276464
17	2,692773	3,158815	3,700018	4,327633	5,054470	5,895093	6,866041	7,986078	9,276464	10,761264
18	2,854339	3,379932	3,996019	4,717120	5,559917	6,543553	7,689966	9,024268	10,575169	12,375454
19	3,025600	3,616528	4,315701	5,141661	6,115909	7,263344	8,612762	10,197423	12,055693	14,231772
20	3,207135	3,869684	4,660957	5,604411	6,727500	8,062312	9,646293	11,523088	13,743490	16,366537
21	3,399564	4,140562	5,033834	6,108808	7,400250	8,949166	10,803848	13,021089	15,667578	18,821518
22	3,603537	4,430402	5,436540	6,658600	8,140275	9,933574	12,100310	14,713831	17,861039	21,644746
23	3,819750	4,740530	5,871464	7,257874	8,954302	11,026267	13,552347	16,626629	20,361585	24,891458
24	4,048935	5,072367	6,341181	7,911083	9,849733	12,239157	15,178629	18,788091	23,212207	28,625176
25	4,291871	5,427433	6,848475	8,623081	10,834706	13,585464	17,000064	21,230542	26,461916	32,918953
26	4,549383	5,807353	7,396353	9,399158	11,918177	15,079865	19,040072	23,990513	30,166584	37,856796
27	4,822346	6,213868	7,988061	10,245082	13,109994	16,738650	21,324881	27,109279	34,389906	43,535315
28	5,111687	6,648838	8,627106	11,167140	14,420994	18,579901	23,883866	30,633486	39,204493	50,065612
29	5,418388	7,114257	9,317275	12,172182	15,863093	20,623691	26,749930	34,615839	44,693122	57,575454
30	5,743491	7,612255	10,062657	13,267678	17,449402	22,892297	29,959922	39,115898	50,950159	66,211772
31	6,088101	8,145113	10,867669	14,461770	19,194342	25,410449	33,555113	44,200965	58,083181	76,143538
32	6,453387	8,715271	11,737083	15,763329	21,113777	28,205599	37,581726	49,947090	66,214826	87,565068
33	6,840590	9,325340	12,676050	17,182028	23,225154	31,308214	42,091533	56,440212	75,484902	100,699829
34	7,251025	9,978114	13,690134	18,728411	25,547670	34,752118	47,142517	63,777439	86,052788	115,804803
35	7,686087	10,676581	14,785344	20,413968	28,102437	38,574851	52,799620	72,068506	98,100178	133,175523
36	8,147252	11,423942	15,968172	22,251225	30,912681	42,818085	59,135574	81,437412	111,834203	153,151852
37	8,636087	12,223618	17,245626	24,253835	34,003949	47,528074	66,231843	92,024276	127,490992	176,124630
38	9,154252	13,079271	18,625276	26,436680	37,404343	52,756162	74,179664	103,987432	145,339731	202,543324
39	9,703507	13,994820	20,115298	28,815982	41,144778	58,559340	83,081224	117,505798	165,687293	232,924823
40	10,285718	14,974458	21,724521	31,409420	45,259256	65,000867	93,050970	132,781552	188,883514	267,863546
41	10,902861	16,022670	23,462483	34,236268	49,785181	72,150963	104,217087	150,043153	215,327206	308,043078
42	11,557033	17,144257	25,339482	37,317532	54,763699	80,087569	116,723137	169,548763	245,473015	354,249540
43	12,250455	18,344355	27,366640	40,676110	60,240069	88,897201	130,729914	191,590103	279,839237	407,386971
44	12,985482	19,628460	29,555972	44,336960	66,264076	98,675893	146,417503	216,496816	319,016730	468,495017
45	13,764611	21,002452	31,920449	48,327286	72,890484	109,530242	163,987604	244,641402	363,679072	538,769269
46	14,590487	22,472623	34,474085	52,676742	80,179532	121,578568	183,666116	276,444784	414,594142	619,584659
47	15,465917	24,045707	37,232012	57,417649	88,197485	134,952211	205,706050	312,382606	472,637322	712,522358
48	16,393872	25,728907	40,210573	62,585237	97,017234	149,796954	230,390776	352,992345	538,806547	819,400712
49	17,377504	27,529930	43,427419	68,217908	106,718957	166,274619	258,037669	398,881350	614,239464	942,310819
50	18,420154	29,457025	46,901613	74,357520	117,390853	184,564827	289,002190	450,735925	700,232988	1083,657442

Expression générale pour le calcul avec Excel : =$(1+i)^{\wedge}n$

Pour i=5% et n=5, on obtient 1,276282

D45		=	=(1+0,05)^5	
	A	B	C	D	E
44					
45				1,276282	

Table 2. Valeur présente de 1$ ou valeur de (1+i)^{-n}

n	0,5%	1,0%	1,5%	2,0%	2,5%	3,0%	3,5%	4,0%	4,5%	5,0%
1	0,995025	0,990099	0,985222	0,980392	0,975610	0,970874	0,966184	0,961538	0,956938	0,952381
2	0,990075	0,980296	0,970662	0,961169	0,951814	0,942596	0,933511	0,924556	0,915730	0,907029
3	0,985149	0,970590	0,956317	0,942322	0,928599	0,915142	0,901943	0,888996	0,876297	0,863838
4	0,980248	0,960980	0,942184	0,923845	0,905951	0,888487	0,871442	0,854804	0,838561	0,822702
5	0,975371	0,951466	0,928260	0,905731	0,883854	0,862609	0,841973	0,821927	0,802451	0,783526
6	0,970518	0,942045	0,914542	0,887971	0,862297	0,837484	0,813501	0,790315	0,767896	0,746215
7	0,965690	0,932718	0,901027	0,870560	0,841265	0,813092	0,785991	0,759918	0,734828	0,710681
8	0,960885	0,923483	0,887711	0,853490	0,820747	0,789409	0,759412	0,730690	0,703185	0,676839
9	0,956105	0,914340	0,874592	0,836755	0,800728	0,766417	0,733731	0,702587	0,672904	0,644609
10	0,951348	0,905287	0,861667	0,820348	0,781198	0,744094	0,708919	0,675564	0,643928	0,613913
11	0,946615	0,896324	0,848933	0,804263	0,762145	0,722421	0,684946	0,649581	0,616199	0,584679
12	0,941905	0,887449	0,836387	0,788493	0,743556	0,701380	0,661783	0,624597	0,589664	0,556837
13	0,937219	0,878663	0,824027	0,773033	0,725420	0,680951	0,639404	0,600574	0,564272	0,530321
14	0,932556	0,869963	0,811849	0,757875	0,707727	0,661118	0,617782	0,577475	0,539973	0,505068
15	0,927917	0,861349	0,799852	0,743015	0,690466	0,641862	0,596891	0,555265	0,516720	0,481017
16	0,923300	0,852821	0,788031	0,728446	0,673625	0,623167	0,576706	0,533908	0,494469	0,458112
17	0,918707	0,844377	0,776385	0,714163	0,657195	0,605016	0,557204	0,513373	0,473176	0,436297
18	0,914136	0,836017	0,764912	0,700159	0,641166	0,587395	0,538361	0,493628	0,452800	0,415521
19	0,909588	0,827740	0,753607	0,686431	0,625528	0,570286	0,520156	0,474642	0,433302	0,395734
20	0,905063	0,819544	0,742470	0,672971	0,610271	0,553676	0,502566	0,456387	0,414643	0,376889
21	0,900560	0,811430	0,731498	0,659776	0,595386	0,537549	0,485571	0,438834	0,396787	0,358942
22	0,896080	0,803396	0,720688	0,646839	0,580865	0,521893	0,469151	0,421955	0,379701	0,341850
23	0,891622	0,795442	0,710037	0,634156	0,566697	0,506692	0,453286	0,405726	0,363350	0,325571
24	0,887186	0,787566	0,699544	0,621721	0,552875	0,491934	0,437957	0,390121	0,347703	0,310068
25	0,882772	0,779768	0,689206	0,609531	0,539391	0,477606	0,423147	0,375117	0,332731	0,295303
26	0,878380	0,772048	0,679021	0,597579	0,526235	0,463695	0,408838	0,360689	0,318402	0,281241
27	0,874010	0,764404	0,668986	0,585862	0,513400	0,450189	0,395012	0,346817	0,304691	0,267848
28	0,869662	0,756836	0,659099	0,574375	0,500878	0,437077	0,381654	0,333477	0,291571	0,255094
29	0,865335	0,749342	0,649359	0,563112	0,488661	0,424346	0,368748	0,320651	0,279015	0,242946
30	0,861030	0,741923	0,639762	0,552071	0,476743	0,411987	0,356278	0,308319	0,267000	0,231377
31	0,856746	0,734577	0,630308	0,541246	0,465115	0,399987	0,344230	0,296460	0,255502	0,220359
32	0,852484	0,727304	0,620993	0,530633	0,453771	0,388337	0,332590	0,285058	0,244500	0,209866
33	0,848242	0,720103	0,611816	0,520229	0,442703	0,377026	0,321343	0,274094	0,233971	0,199873
34	0,844022	0,712973	0,602774	0,510028	0,431905	0,366045	0,310476	0,263552	0,223896	0,190355
35	0,839823	0,705914	0,593866	0,500028	0,421371	0,355383	0,299977	0,253415	0,214254	0,181290
36	0,835645	0,698925	0,585090	0,490223	0,411094	0,345032	0,289833	0,243669	0,205028	0,172657
37	0,831487	0,692005	0,576443	0,480611	0,401067	0,334983	0,280032	0,234297	0,196199	0,164436
38	0,827351	0,685153	0,567924	0,471187	0,391285	0,325226	0,270562	0,225285	0,187750	0,156605
39	0,823235	0,678370	0,559531	0,461948	0,381741	0,315754	0,261413	0,216621	0,179665	0,149148
40	0,819139	0,671653	0,551262	0,452890	0,372431	0,306557	0,252572	0,208289	0,171929	0,142046
41	0,815064	0,665003	0,543116	0,444010	0,363347	0,297628	0,244031	0,200278	0,164525	0,135282
42	0,811009	0,658419	0,535089	0,435304	0,354485	0,288959	0,235779	0,192575	0,157440	0,128840
43	0,806974	0,651900	0,527182	0,426769	0,345839	0,280543	0,227806	0,185168	0,150661	0,122704
44	0,802959	0,645445	0,519391	0,418401	0,337404	0,272372	0,220102	0,178046	0,144173	0,116861
45	0,798964	0,639055	0,511715	0,410197	0,329174	0,264439	0,212659	0,171198	0,137964	0,111297
46	0,794989	0,632728	0,504153	0,402154	0,321146	0,256737	0,205468	0,164614	0,132023	0,105997
47	0,791034	0,626463	0,496702	0,394268	0,313313	0,249259	0,198520	0,158283	0,126338	0,100949
48	0,787098	0,620260	0,489362	0,386538	0,305671	0,241999	0,191806	0,152195	0,120898	0,096142
49	0,783182	0,614119	0,482130	0,378958	0,298216	0,234950	0,185320	0,146341	0,115692	0,091564
50	0,779286	0,608039	0,475005	0,371528	0,290942	0,228107	0,179053	0,140713	0,110710	0,087204

Table 2. Valeur présente de 1$ ou valeur de $(1+i)^{-n}$ (suite)

n \ i	6,0%	7,0%	8,0%	9,0%	10,0%	11,0%	12,0%	13,0%	14,0%	15,0%
1	0,943396	0,934579	0,925926	0,917431	0,909091	0,900901	0,892857	0,884956	0,877193	0,869565
2	0,889996	0,873439	0,857339	0,841680	0,826446	0,811622	0,797194	0,783147	0,769468	0,756144
3	0,839619	0,816298	0,793832	0,772183	0,751315	0,731191	0,711780	0,693050	0,674972	0,657516
4	0,792094	0,762895	0,735030	0,708425	0,683013	0,658731	0,635518	0,613319	0,592080	0,571753
5	0,747258	0,712986	0,680583	0,649931	0,620921	0,593451	0,567427	0,542760	0,519369	0,497177
6	0,704961	0,666342	0,630170	0,596267	0,564474	0,534641	0,506631	0,480319	0,455587	0,432328
7	0,665057	0,622750	0,583490	0,547034	0,513158	0,481658	0,452349	0,425061	0,399637	0,375937
8	0,627412	0,582009	0,540269	0,501866	0,466507	0,433926	0,403883	0,376160	0,350559	0,326902
9	0,591898	0,543934	0,500249	0,460428	0,424098	0,390925	0,360610	0,332885	0,307508	0,284262
10	0,558395	0,508349	0,463193	0,422411	0,385543	0,352184	0,321973	0,294588	0,269744	0,247185
11	0,526788	0,475093	0,428883	0,387533	0,350494	0,317283	0,287476	0,260698	0,236617	0,214943
12	0,496969	0,444012	0,397114	0,355535	0,318631	0,285841	0,256675	0,230706	0,207559	0,186907
13	0,468839	0,414964	0,367698	0,326179	0,289664	0,257514	0,229174	0,204165	0,182069	0,162528
14	0,442301	0,387817	0,340461	0,299246	0,263331	0,231995	0,204620	0,180677	0,159710	0,141329
15	0,417265	0,362446	0,315242	0,274538	0,239392	0,209004	0,182696	0,159891	0,140096	0,122894
16	0,393646	0,338735	0,291890	0,251870	0,217629	0,188292	0,163122	0,141496	0,122892	0,106865
17	0,371364	0,316574	0,270269	0,231073	0,197845	0,169633	0,145644	0,125218	0,107800	0,092926
18	0,350344	0,295864	0,250249	0,211994	0,179859	0,152822	0,130040	0,110812	0,094561	0,080805
19	0,330513	0,276508	0,231712	0,194490	0,163508	0,137678	0,116107	0,098064	0,082948	0,070265
20	0,311805	0,258419	0,214548	0,178431	0,148644	0,124034	0,103667	0,086782	0,072762	0,061100
21	0,294155	0,241513	0,198656	0,163698	0,135131	0,111742	0,092560	0,076798	0,063826	0,053131
22	0,277505	0,225713	0,183941	0,150182	0,122846	0,100669	0,082643	0,067963	0,055988	0,046201
23	0,261797	0,210947	0,170315	0,137781	0,111678	0,090693	0,073788	0,060144	0,049112	0,040174
24	0,246979	0,197147	0,157699	0,126405	0,101526	0,081705	0,065882	0,053225	0,043081	0,034934
25	0,232999	0,184249	0,146018	0,115968	0,092296	0,073608	0,058823	0,047102	0,037790	0,030378
26	0,219810	0,172195	0,135202	0,106393	0,083905	0,066314	0,052521	0,041683	0,033149	0,026415
27	0,207368	0,160930	0,125187	0,097608	0,076278	0,059742	0,046894	0,036888	0,029078	0,022970
28	0,195630	0,150402	0,115914	0,089548	0,069343	0,053822	0,041869	0,032644	0,025507	0,019974
29	0,184557	0,140563	0,107328	0,082155	0,063039	0,048488	0,037383	0,028889	0,022375	0,017369
30	0,174110	0,131367	0,099377	0,075371	0,057309	0,043683	0,033378	0,025565	0,019627	0,015103
31	0,164255	0,122773	0,092016	0,069148	0,052099	0,039354	0,029802	0,022624	0,017217	0,013133
32	0,154957	0,114741	0,085200	0,063438	0,047362	0,035454	0,026609	0,020021	0,015102	0,011420
33	0,146186	0,107235	0,078889	0,058200	0,043057	0,031940	0,023758	0,017718	0,013248	0,009931
34	0,137912	0,100219	0,073045	0,053395	0,039143	0,028775	0,021212	0,015680	0,011621	0,008635
35	0,130105	0,093663	0,067635	0,048986	0,035584	0,025924	0,018940	0,013876	0,010194	0,007509
36	0,122741	0,087535	0,062625	0,044941	0,032349	0,023355	0,016910	0,012279	0,008942	0,006529
37	0,115793	0,081809	0,057986	0,041231	0,029408	0,021040	0,015098	0,010867	0,007844	0,005678
38	0,109239	0,076457	0,053690	0,037826	0,026735	0,018955	0,013481	0,009617	0,006880	0,004937
39	0,103056	0,071455	0,049713	0,034703	0,024304	0,017077	0,012036	0,008510	0,006035	0,004293
40	0,097222	0,066780	0,046031	0,031838	0,022095	0,015384	0,010747	0,007531	0,005294	0,003733
41	0,091719	0,062412	0,042621	0,029209	0,020086	0,013860	0,009595	0,006665	0,004644	0,003246
42	0,086527	0,058329	0,039464	0,026797	0,018260	0,012486	0,008567	0,005898	0,004074	0,002823
43	0,081630	0,054513	0,036541	0,024584	0,016600	0,011249	0,007649	0,005219	0,003573	0,002455
44	0,077009	0,050946	0,033834	0,022555	0,015091	0,010134	0,006830	0,004619	0,003135	0,002134
45	0,072650	0,047613	0,031328	0,020692	0,013719	0,009130	0,006098	0,004088	0,002750	0,001856
46	0,068538	0,044499	0,029007	0,018984	0,012472	0,008225	0,005445	0,003617	0,002412	0,001614
47	0,064658	0,041587	0,026859	0,017416	0,011338	0,007410	0,004861	0,003201	0,002116	0,001403
48	0,060998	0,038867	0,024869	0,015978	0,010307	0,006676	0,004340	0,002833	0,001856	0,001220
49	0,057546	0,036324	0,023027	0,014659	0,009370	0,006014	0,003875	0,002507	0,001628	0,001061
50	0,054288	0,033948	0,021321	0,013449	0,008519	0,005418	0,003460	0,002219	0,001428	0,000923

Expression générale pour le calcul avec Excel : $=(1+i)^{\wedge}-n$

Pour i=2% et n=25, on obtient 0,609531

	D45	▼		=	$=(1+0,02)^{\wedge}-25$	
	A	B	C	D	E	
44						
45				0,609531		

Table 3. Valeur définitive d'une annuité de 1$ ou valeur de $S_{\overline{n}|i} = \dfrac{(1+i)^n - 1}{i}$

n \ i	0,5%	1,0%	1,5%	2,0%	2,5%	3,0%	3,5%	4,0%	4,5%	5,0%
1	1,000000	1,000000	1,000000	1,000000	1,000000	1,000000	1,000000	1,000000	1,000000	1,000000
2	2,005000	2,010000	2,015000	2,020000	2,025000	2,030000	2,035000	2,040000	2,045000	2,050000
3	3,015025	3,030100	3,045225	3,060400	3,075625	3,090900	3,106225	3,121600	3,137025	3,152500
4	4,030100	4,060401	4,090903	4,121608	4,152516	4,183627	4,214943	4,246464	4,278191	4,310125
5	5,050251	5,101005	5,152267	5,204040	5,256329	5,309136	5,362466	5,416323	5,470710	5,525631
6	6,075502	6,152015	6,229551	6,308121	6,387737	6,468410	6,550152	6,632975	6,716892	6,801913
7	7,105879	7,213535	7,322994	7,434283	7,547430	7,662462	7,779408	7,898294	8,019152	8,142008
8	8,141409	8,285671	8,432839	8,582969	8,736116	8,892336	9,051687	9,214226	9,380014	9,549109
9	9,182116	9,368527	9,559332	9,754628	9,954519	10,159106	10,368496	10,582795	10,802114	11,026564
10	10,228026	10,462213	10,702722	10,949721	11,203382	11,463879	11,731393	12,006107	12,288209	12,577893
11	11,279167	11,566835	11,863262	12,168715	12,483466	12,807796	13,141992	13,486351	13,841179	14,206787
12	12,335562	12,682503	13,041211	13,412090	13,795553	14,192030	14,601962	15,025805	15,464032	15,917127
13	13,397240	13,809328	14,236830	14,680332	15,140442	15,617790	16,113030	16,626838	17,159913	17,712983
14	14,464226	14,947421	15,450382	15,973938	16,518953	17,086324	17,676986	18,291911	18,932109	19,598632
15	15,536548	16,096896	16,682138	17,293417	17,931927	18,598914	19,295681	20,023588	20,784054	21,578564
16	16,614230	17,257864	17,932370	18,639285	19,380225	20,156881	20,971030	21,824531	22,719337	23,657492
17	17,697301	18,430443	19,201355	20,012071	20,864730	21,761588	22,705016	23,697512	24,741707	25,840366
18	18,785788	19,614748	20,489376	21,412312	22,386349	23,414435	24,499691	25,645413	26,855084	28,132385
19	19,879717	20,810895	21,796716	22,840559	23,946007	25,116868	26,357180	27,671229	29,063562	30,539004
20	20,979115	22,019004	23,123667	24,297370	25,544658	26,870374	28,279682	29,778079	31,371423	33,065954
21	22,084011	23,239194	24,470522	25,783317	27,183274	28,676486	30,269471	31,969202	33,783137	35,719252
22	23,194431	24,471586	25,837580	27,298984	28,862856	30,536780	32,328902	34,247970	36,303378	38,505214
23	24,310403	25,716302	27,225144	28,844963	30,584427	32,452884	34,460414	36,617889	38,937030	41,430475
24	25,431955	26,973465	28,633521	30,421862	32,349038	34,426470	36,666528	39,082604	41,689196	44,501999
25	26,559115	28,243200	30,063024	32,030300	34,157764	36,459264	38,949857	41,645908	44,565210	47,727099
26	27,691911	29,525631	31,513969	33,670906	36,011708	38,553042	41,313102	44,311745	47,570645	51,113454
27	28,830370	30,820888	32,986678	35,344324	37,912001	40,709634	43,759060	47,084214	50,711324	54,669126
28	29,974522	32,129097	34,481479	37,051210	39,859801	42,930923	46,290627	49,967583	53,993333	58,402583
29	31,124395	33,450388	35,998701	38,792235	41,856296	45,218850	48,910799	52,966286	57,423033	62,322712
30	32,280017	34,784892	37,538681	40,568079	43,902703	47,575416	51,622677	56,084938	61,007070	66,438848
31	33,441417	36,132740	39,101762	42,379441	46,000271	50,002678	54,429471	59,328335	64,752388	70,760790
32	34,608624	37,494068	40,688288	44,227030	48,150278	52,502759	57,334502	62,701469	68,666245	75,298829
33	35,781667	38,869009	42,298612	46,111570	50,354034	55,077841	60,341210	66,209527	72,756226	80,063771
34	36,960575	40,257699	43,933092	48,033802	52,612885	57,730177	63,453152	69,857909	77,030256	85,066959
35	38,145378	41,660276	45,592088	49,994478	54,928207	60,462082	66,674013	73,652225	81,496618	90,320307
36	39,336105	43,076878	47,275969	51,994367	57,301413	63,275944	70,007603	77,598314	86,163966	95,836323
37	40,532785	44,507647	48,985109	54,034255	59,733948	66,174223	73,457869	81,702246	91,041344	101,628139
38	41,735449	45,952724	50,719885	56,114940	62,227297	69,159449	77,028895	85,970336	96,138205	107,709546
39	42,944127	47,412251	52,480684	58,237238	64,782979	72,234233	80,724906	90,409150	101,464424	114,095023
40	44,158847	48,886373	54,267894	60,401983	67,402554	75,401260	84,550278	95,025516	107,030323	120,799774
41	45,379642	50,375237	56,081912	62,610023	70,087617	78,663298	88,509537	99,826536	112,846688	127,839763
42	46,606540	51,878989	57,923141	64,862223	72,839808	82,023196	92,607371	104,819598	118,924789	135,231751
43	47,839572	53,397779	59,791988	67,159468	75,660803	85,483892	96,848629	110,012382	125,276404	142,993339
44	49,078770	54,931757	61,688868	69,502657	78,552323	89,048409	101,238331	115,412877	131,913842	151,143006
45	50,324164	56,481075	63,614201	71,892710	81,516131	92,719861	105,781673	121,029392	138,849965	159,700156
46	51,575785	58,045885	65,568414	74,330564	84,554034	96,501457	110,484031	126,870568	146,098214	168,685164
47	52,833664	59,626344	67,551940	76,817176	87,667885	100,396501	115,350973	132,945390	153,672633	178,119422
48	54,097832	61,222608	69,565219	79,353519	90,859582	104,408396	120,388257	139,263206	161,587902	188,025393
49	55,368321	62,834834	71,608698	81,940590	94,131072	108,540648	125,601846	145,833734	169,859357	198,426663
50	56,645163	64,463182	73,682828	84,579401	97,484349	112,796867	130,997910	152,667084	178,503028	209,347996

Table 3. Valeur de $S_{\overline{n}|i} = \dfrac{(1+i)^n - 1}{i}$ (suite)

n	6,0%	7,0%	8,0%	9,0%	10,0%	11,0%	12,0%	13,0%	14,0%	15,0%
1	1,000000	1,000000	1,000000	1,000000	1,000000	1,000000	1,000000	1,000000	1,000000	1,000000
2	2,060000	2,070000	2,080000	2,090000	2,100000	2,110000	2,120000	2,130000	2,140000	2,150000
3	3,183600	3,214900	3,246400	3,278100	3,310000	3,342100	3,374400	3,406900	3,439600	3,472500
4	4,374616	4,439943	4,506112	4,573129	4,641000	4,709731	4,779328	4,849797	4,921144	4,993375
5	5,637093	5,750739	5,866601	5,984711	6,105100	6,227801	6,352847	6,480271	6,610104	6,742381
6	6,975319	7,153291	7,335929	7,523335	7,715610	7,912860	8,115189	8,322706	8,535519	8,753738
7	8,393838	8,654021	8,922803	9,200435	9,487171	9,783274	10,089012	10,404658	10,730491	11,066799
8	9,897468	10,259803	10,636628	11,028474	11,435888	11,859434	12,299693	12,757263	13,232760	13,726819
9	11,491316	11,977989	12,487558	13,021036	13,579477	14,163972	14,775656	15,415707	16,085347	16,785842
10	13,180795	13,816448	14,486562	15,192930	15,937425	16,722009	17,548735	18,419749	19,337295	20,303718
11	14,971643	15,783599	16,645487	17,560293	18,531167	19,561430	20,654583	21,814317	23,044516	24,349276
12	16,869941	17,888451	18,977126	20,140720	21,384284	22,713187	24,133133	25,650178	27,270749	29,001667
13	18,882138	20,140643	21,495297	22,953385	24,522712	26,211638	28,029109	29,984701	32,088654	34,351917
14	21,015066	22,550488	24,214920	26,019189	27,974983	30,094918	32,392602	34,882712	37,581065	40,504705
15	23,275970	25,129022	27,152114	29,360916	31,772482	34,405359	37,279715	40,417464	43,842414	47,580411
16	25,672528	27,888054	30,324283	33,003399	35,949730	39,189948	42,753280	46,671735	50,980352	55,717472
17	28,212880	30,840217	33,750226	36,973705	40,544703	44,500843	48,883674	53,739060	59,117601	65,075093
18	30,905653	33,999033	37,450244	41,301338	45,599173	50,395936	55,749715	61,725138	68,394066	75,836357
19	33,759992	37,378965	41,446263	46,018458	51,159090	56,939488	63,439681	70,749406	78,969235	88,211811
20	36,785591	40,995492	45,761964	51,160120	57,274999	64,202832	72,052442	80,946829	91,024928	102,443583
21	39,992727	44,865177	50,422921	56,764530	64,002499	72,265144	81,698736	92,469917	104,768418	118,810120
22	43,392290	49,005739	55,456755	62,873338	71,402749	81,214309	92,502584	105,491006	120,435996	137,631638
23	46,995828	53,436141	60,893296	69,531939	79,543024	91,147884	104,602894	120,204837	138,297035	159,276384
24	50,815577	58,176671	66,764759	76,789813	88,497327	102,174151	118,155241	136,831465	158,658620	184,167841
25	54,864512	63,249038	73,105940	84,700896	98,347059	114,413307	133,333870	155,619556	181,870827	212,793017
26	59,156383	68,676470	79,954415	93,323977	109,181765	127,998771	150,333934	176,850098	208,332743	245,711970
27	63,705766	74,483823	87,350768	102,723135	121,099942	143,078636	169,374007	200,840611	238,499327	283,568766
28	68,528112	80,697691	95,338830	112,968217	134,209936	159,817286	190,698887	227,949890	272,889233	327,104080
29	73,639798	87,346529	103,965936	124,135356	148,630930	178,397187	214,582754	258,583376	312,093725	377,169693
30	79,058186	94,460786	113,283211	136,307539	164,494023	199,020878	241,332684	293,199215	356,786847	434,745146
31	84,801677	102,073041	123,345868	149,575217	181,943425	221,913174	271,292606	332,315113	407,737006	500,956918
32	90,889778	110,218154	134,213537	164,036987	201,137767	247,323624	304,847719	376,516078	465,820186	577,100456
33	97,343165	118,933425	145,950620	179,800315	222,251544	275,529222	342,429446	426,463168	532,035012	664,665524
34	104,183755	128,258765	158,626670	196,982344	245,476699	306,837437	384,520979	482,903380	607,519914	765,365353
35	111,434780	138,236878	172,316804	215,710755	271,024368	341,589555	431,663496	546,680819	693,572702	881,170156
36	119,120867	148,913460	187,102148	236,124723	299,126805	380,164406	484,463116	618,749325	791,672881	1014,345680
37	127,268119	160,337402	203,070320	258,375948	330,039486	422,982490	543,598690	700,186738	903,507084	1167,497532
38	135,904206	172,561020	220,315945	282,629783	364,043434	470,510564	609,830533	792,211014	1030,998076	1343,622161
39	145,058458	185,640292	238,941221	309,066463	401,447778	523,266726	684,010197	896,198445	1176,337806	1546,165485
40	154,761966	199,635112	259,056519	337,882445	442,592556	581,826066	767,091420	1013,704243	1342,025099	1779,090308
41	165,047684	214,609570	280,781040	369,291865	487,851811	646,826934	860,142391	1146,485795	1530,908613	2046,953854
42	175,950545	230,632240	304,243523	403,528133	537,636992	718,977896	964,359478	1296,528948	1746,235819	2354,996933
43	187,507577	247,776496	329,583005	440,845665	592,400692	799,065465	1081,082615	1466,077712	1991,708833	2709,246473
44	199,758032	266,120851	356,949646	481,521775	652,640761	887,962666	1211,812529	1657,667814	2271,548070	3116,633443
45	212,743514	285,749311	386,505617	525,858734	718,904837	986,638559	1358,230032	1874,164630	2590,564800	3585,128460
46	226,508125	306,751763	418,426067	574,186021	791,795321	1096,168801	1522,217636	2118,806032	2954,243872	4123,897729
47	241,098612	329,224386	452,900152	626,862762	871,974853	1217,747369	1705,883752	2395,250816	3368,838014	4743,482388
48	256,564529	353,270093	490,132164	684,280411	960,172338	1352,699580	1911,589803	2707,633422	3841,475336	5456,004746
49	272,958401	378,999000	530,342737	746,865648	1057,189572	1502,496533	2141,980579	3060,625767	4380,281883	6275,405458
50	290,335905	406,528929	573,770156	815,083556	1163,908529	1668,771152	2400,018249	3459,507117	4994,521346	7217,716277

Expression générale pour le calcul avec Excel : =((1+i)^n-1)/i

Pour i=7% et n=30, on obtient 94,460786

	C115	▼		=((1+0,07)^30-1)/0,07	
	A	**B**	**C**	**D**	**E**	**F**
114						
115			94,460786			

Table 4. Valeur présente d'une annuité de 1\$ ou valeur de $A_{\overline{n}|i} = \dfrac{1-(1+i)^{-n}}{i}$

n\i	0,5%	1,0%	1,5%	2,0%	2,5%	3,0%	3,5%	4,0%	4,5%	5,0%
1	0,995025	0,990099	0,985222	0,980392	0,975610	0,970874	0,966184	0,961538	0,956938	0,952381
2	1,985099	1,970395	1,955883	1,941561	1,927424	1,913470	1,899694	1,886095	1,872668	1,859410
3	2,970248	2,940985	2,912200	2,883883	2,856024	2,828611	2,801637	2,775091	2,748964	2,723248
4	3,950496	3,901966	3,854385	3,807729	3,761974	3,717098	3,673079	3,629895	3,587526	3,545951
5	4,925866	4,853431	4,782645	4,713460	4,645828	4,579707	4,515052	4,451822	4,389977	4,329477
6	5,896384	5,795476	5,697187	5,601431	5,508125	5,417191	5,328553	5,242137	5,157872	5,075692
7	6,862074	6,728195	6,598214	6,471991	6,349391	6,230283	6,114544	6,002055	5,892701	5,786373
8	7,822959	7,651678	7,485925	7,325481	7,170137	7,019692	6,873956	6,732745	6,595886	6,463213
9	8,779064	8,566018	8,360517	8,162237	7,970866	7,786109	7,607687	7,435332	7,268790	7,107822
10	9,730412	9,471305	9,222185	8,982585	8,752064	8,530203	8,316605	8,110896	7,912718	7,721735
11	10,677027	10,367628	10,071118	9,786848	9,514209	9,252624	9,001551	8,760477	8,528917	8,306414
12	11,618932	11,255077	10,907505	10,575341	10,257765	9,954004	9,663334	9,385074	9,118581	8,863252
13	12,556151	12,133740	11,731532	11,348374	10,983185	10,634955	10,302738	9,985648	9,682852	9,393573
14	13,488708	13,003703	12,543382	12,106249	11,690912	11,296073	10,920520	10,563123	10,222825	9,898641
15	14,416625	13,865053	13,343233	12,849264	12,381378	11,937935	11,517411	11,118387	10,739546	10,379658
16	15,339925	14,717874	14,131264	13,577709	13,055003	12,561102	12,094117	11,652296	11,234015	10,837770
17	16,258632	15,562251	14,907649	14,291872	13,712198	13,166118	12,651321	12,165669	11,707191	11,274066
18	17,172768	16,398269	15,672561	14,992031	14,353364	13,753513	13,189682	12,659297	12,159992	11,689587
19	18,082356	17,226008	16,426168	15,678462	14,978891	14,323799	13,709837	13,133939	12,593294	12,085321
20	18,987419	18,045553	17,168639	16,351433	15,589162	14,877475	14,212403	13,590326	13,007936	12,462210
21	19,887979	18,856983	17,900137	17,011209	16,184549	15,415024	14,697974	14,029160	13,404724	12,821153
22	20,784059	19,660379	18,620824	17,658048	16,765413	15,936917	15,167125	14,451115	13,784425	13,163003
23	21,675681	20,455821	19,330861	18,292204	17,332110	16,443608	15,620410	14,856842	14,147775	13,488574
24	22,562866	21,243387	20,030405	18,913926	17,884986	16,935542	16,058368	15,246963	14,495478	13,798642
25	23,445638	22,023156	20,719611	19,523456	18,424376	17,413148	16,481515	15,622080	14,828209	14,093945
26	24,324018	22,795204	21,398632	20,121036	18,950611	17,876842	16,890352	15,982769	15,146611	14,375185
27	25,198028	23,559608	22,067617	20,706898	19,464011	18,327031	17,285365	16,329586	15,451303	14,643034
28	26,067689	24,316443	22,726717	21,281272	19,964889	18,764108	17,667019	16,663063	15,742874	14,898127
29	26,933024	25,065785	23,376076	21,844385	20,453550	19,188455	18,035767	16,983715	16,021889	15,141074
30	27,794054	25,807708	24,015838	22,396456	20,930293	19,600441	18,392045	17,292033	16,288889	15,372451
31	28,650800	26,542285	24,646146	22,937702	21,395407	20,000428	18,736276	17,588494	16,544391	15,592811
32	29,503284	27,269589	25,267139	23,468335	21,849178	20,388766	19,068865	17,873551	16,788891	15,802677
33	30,351526	27,989693	25,878954	23,988564	22,291881	20,765792	19,390208	18,147646	17,022862	16,002549
34	31,195548	28,702666	26,481728	24,498592	22,723786	21,131837	19,700684	18,411198	17,246758	16,192904
35	32,035371	29,408580	27,075595	24,998619	23,145157	21,487220	20,000661	18,664613	17,461012	16,374194
36	32,871016	30,107505	27,660684	25,488842	23,556251	21,832252	20,290494	18,908282	17,666041	16,546852
37	33,702504	30,799510	28,237127	25,969453	23,957318	22,167235	20,570525	19,142579	17,862240	16,711287
38	34,529854	31,484663	28,805052	26,440641	24,348603	22,492462	20,841087	19,367864	18,049990	16,867893
39	35,353089	32,163033	29,364583	26,902589	24,730344	22,808215	21,102500	19,584485	18,229656	17,017041
40	36,172228	32,834686	29,915845	27,355479	25,102775	23,114772	21,355072	19,792774	18,401584	17,159086
41	36,987291	33,499689	30,458961	27,799489	25,466122	23,412400	21,599104	19,993052	18,566109	17,294368
42	37,798300	34,158108	30,994050	28,234794	25,820607	23,701359	21,834883	20,185627	18,723550	17,423208
43	38,605274	34,810008	31,521232	28,661562	26,166446	23,981902	22,062689	20,370795	18,874210	17,545912
44	39,408232	35,455454	32,040622	29,079963	26,503849	24,254274	22,282791	20,548841	19,018383	17,662773
45	40,207196	36,094508	32,552337	29,490160	26,833024	24,518713	22,495450	20,720040	19,156347	17,774070
46	41,002185	36,727236	33,056490	29,892314	27,154170	24,775449	22,700918	20,884654	19,288371	17,880066
47	41,793219	37,353699	33,553192	30,286582	27,467483	25,024708	22,899438	21,042936	19,414709	17,981016
48	42,580318	37,973959	34,042554	30,673120	27,773154	25,266707	23,091244	21,195131	19,535607	18,077158
49	43,363500	38,588079	34,524683	31,052078	28,071369	25,501657	23,276564	21,341472	19,651298	18,168722
50	44,142786	39,196118	34,999688	31,423606	28,362312	25,729764	23,455618	21,482185	19,762008	18,255925

Table 4. Valeur de $A_{\overline{n}|i} = \dfrac{1-(1+i)^{-n}}{i}$ (suite)

n \ i	6,0%	7,0%	8,0%	9,0%	10,0%	11,0%	12,0%	13,0%	14,0%	15,0%
1	0,943396	0,934579	0,925926	0,917431	0,909091	0,900901	0,892857	0,884956	0,877193	0,869565
2	1,833393	1,808018	1,783265	1,759111	1,735537	1,712523	1,690051	1,668102	1,646661	1,625709
3	2,673012	2,624316	2,577097	2,531295	2,486852	2,443715	2,401831	2,361153	2,321632	2,283225
4	3,465106	3,387211	3,312127	3,239720	3,169865	3,102446	3,037349	2,974471	2,913712	2,854978
5	4,212364	4,100197	3,992710	3,889651	3,790787	3,695897	3,604776	3,517231	3,433081	3,352155
6	4,917324	4,766540	4,622880	4,485919	4,355261	4,230538	4,111407	3,997550	3,888668	3,784483
7	5,582381	5,389289	5,206370	5,032953	4,868419	4,712196	4,563757	4,422610	4,288305	4,160420
8	6,209794	5,971299	5,746639	5,534819	5,334926	5,146123	4,967640	4,798770	4,638864	4,487322
9	6,801692	6,515232	6,246888	5,995247	5,759024	5,537048	5,328250	5,131655	4,946372	4,771584
10	7,360087	7,023582	6,710081	6,417658	6,144567	5,889232	5,650223	5,426243	5,216116	5,018769
11	7,886875	7,498674	7,138964	6,805191	6,495061	6,206515	5,937699	5,686941	5,452733	5,233712
12	8,383844	7,942686	7,536078	7,160725	6,813692	6,492356	6,194374	5,917647	5,660292	5,420619
13	8,852683	8,357651	7,903776	7,486904	7,103356	6,749870	6,423548	6,121812	5,842362	5,583147
14	9,294984	8,745468	8,244237	7,786150	7,366687	6,981865	6,628168	6,302488	6,002072	5,724476
15	9,712249	9,107914	8,559479	8,060688	7,606080	7,190870	6,810864	6,462379	6,142168	5,847370
16	10,105895	9,446649	8,851369	8,312558	7,823709	7,379162	6,973986	6,603875	6,265060	5,954235
17	10,477260	9,763223	9,121638	8,543631	8,021553	7,548794	7,119630	6,729093	6,372859	6,047161
18	10,827603	10,059087	9,371887	8,755625	8,201412	7,701617	7,249670	6,839905	6,467420	6,127966
19	11,158116	10,335595	9,603599	8,950115	8,364920	7,839294	7,365777	6,937969	6,550369	6,198231
20	11,469921	10,594014	9,818147	9,128546	8,513564	7,963328	7,469444	7,024752	6,623131	6,259331
21	11,764077	10,835527	10,016803	9,292244	8,648694	8,075070	7,562003	7,101550	6,686957	6,312462
22	12,041582	11,061240	10,200744	9,442425	8,771540	8,175739	7,644646	7,169513	6,742944	6,358663
23	12,303379	11,272187	10,371059	9,580207	8,883218	8,266432	7,718434	7,229658	6,792056	6,398837
24	12,550358	11,469334	10,528758	9,706612	8,984744	8,348137	7,784316	7,282883	6,835137	6,433771
25	12,783356	11,653583	10,674776	9,822580	9,077040	8,421745	7,843139	7,329985	6,872927	6,464149
26	13,003166	11,825779	10,809978	9,928972	9,160945	8,488058	7,895660	7,371668	6,906077	6,490564
27	13,210534	11,986709	10,935165	10,026580	9,237223	8,547800	7,942554	7,408556	6,935155	6,513534
28	13,406164	12,137111	11,051078	10,116128	9,306567	8,601622	7,984423	7,441200	6,960662	6,533508
29	13,590721	12,277674	11,158406	10,198283	9,369606	8,650110	8,021806	7,470088	6,983037	6,550877
30	13,764831	12,409041	11,257783	10,273654	9,426914	8,693793	8,055184	7,495653	7,002664	6,565980
31	13,929086	12,531814	11,349799	10,342802	9,479013	8,733146	8,084986	7,518277	7,019881	6,579113
32	14,084043	12,646555	11,434999	10,406240	9,526376	8,768600	8,111594	7,538299	7,034983	6,590533
33	14,230230	12,753790	11,513888	10,464441	9,569432	8,800541	8,135352	7,556016	7,048231	6,600463
34	14,368141	12,854009	11,586934	10,517835	9,608575	8,829316	8,156564	7,571696	7,059852	6,609099
35	14,498246	12,947672	11,654568	10,566821	9,644159	8,855240	8,175504	7,585572	7,070045	6,616607
36	14,620987	13,035208	11,717193	10,611763	9,676508	8,878594	8,192414	7,597851	7,078987	6,623137
37	14,736780	13,117017	11,775179	10,652993	9,705917	8,899635	8,207513	7,608718	7,086831	6,628815
38	14,846019	13,193473	11,828869	10,690820	9,732651	8,918590	8,220993	7,618334	7,093711	6,633752
39	14,949075	13,264928	11,878582	10,725523	9,756956	8,935666	8,233030	7,626844	7,099747	6,638045
40	15,046297	13,331709	11,924613	10,757360	9,779051	8,951051	8,243777	7,634376	7,105041	6,641778
41	15,138016	13,394120	11,967235	10,786569	9,799137	8,964911	8,253372	7,641040	7,109685	6,645025
42	15,224543	13,452449	12,006699	10,813366	9,817397	8,977397	8,261939	7,646938	7,113759	6,647848
43	15,306173	13,506962	12,043240	10,837950	9,833998	8,988646	8,269589	7,652158	7,117332	6,650302
44	15,383182	13,557908	12,077074	10,860505	9,849089	8,998780	8,276418	7,656777	7,120467	6,652437
45	15,455832	13,605522	12,108402	10,881197	9,862808	9,007910	8,282516	7,660864	7,123217	6,654293
46	15,524370	13,650020	12,137409	10,900181	9,875280	9,016135	8,287961	7,664482	7,125629	6,655907
47	15,589028	13,691608	12,164267	10,917597	9,886618	9,023545	8,292822	7,667683	7,127744	6,657310
48	15,650027	13,730474	12,189136	10,933575	9,896926	9,030221	8,297163	7,670516	7,129600	6,658531
49	15,707572	13,766799	12,212163	10,948234	9,906296	9,036235	8,301038	7,673023	7,131228	6,659592
50	15,761861	13,800746	12,233485	10,961683	9,914814	9,041653	8,304498	7,675242	7,132656	6,660515

Expression générale pour le calcul avec Excel :=(1-(1+i)^-n)/i

Pour i=10% et n=50, on obtient 9,914814

	D116	▼		=(1-(1+0,1)^-50)/0,1	
	A	B	C	D	E
115					
116				9,914814	

Annexe B

Table statistique

Table 5. Loi normale centrée réduite

Table 5. Loi normale centrée réduite

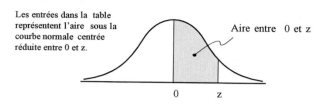

Les entrées dans la table représentent l'aire sous la courbe normale centrée réduite entre 0 et z.

Aire entre 0 et z

Z	0,00	0,01	0,02	0,03	0,04	0,05	0,06	0,07	0,08	0,09
0,0	0,0000	0,0040	0,0080	0,0120	0,0160	0,0199	0,0239	0,0279	0,0319	0,0359
0,1	0,0398	0,0438	0,0478	0,0517	0,0557	0,0596	0,0636	0,0675	0,0714	0,0753
0,2	0,0793	0,0832	0,0871	0,0910	0,0948	0,0987	0,1026	0,1064	0,1103	0,1141
0,3	0,1179	0,1217	0,1255	0,1293	0,1331	0,1368	0,1406	0,1443	0,1480	0,1517
0,4	0,1554	0,1591	0,1628	0,1664	0,1700	0,1736	0,1772	0,1808	0,1844	0,1879
0,5	0,1915	0,1950	0,1985	0,2019	0,2054	0,2088	0,2123	0,2157	0,2190	0,2224
0,6	0,2257	0,2291	0,2324	0,2357	0,2389	0,2422	0,2454	0,2486	0,2517	0,2549
0,7	0,2580	0,2611	0,2642	0,2673	0,2704	0,2734	0,2764	0,2794	0,2823	0,2852
0,8	0,2881	0,2910	0,2939	0,2967	0,2995	0,3023	0,3051	0,3078	0,3106	0,3133
0,9	0,3159	0,3186	0,3212	0,3238	0,3264	0,3289	0,3315	0,3340	0,3365	0,3389
1,0	0,3413	0,3438	0,3461	0,3485	0,3508	0,3531	0,3554	0,3577	0,3599	0,3621
1,1	0,3643	0,3665	0,3686	0,3708	0,3729	0,3749	0,3770	0,3790	0,3810	0,3830
1,2	0,3849	0,3869	0,3888	0,3907	0,3925	0,3944	0,3962	0,3980	0,3997	0,4015
1,3	0,4032	0,4049	0,4066	0,4082	0,4099	0,4115	0,4131	0,4147	0,4162	0,4177
1,4	0,4192	0,4207	0,4222	0,4236	0,4251	0,4265	0,4279	0,4292	0,4306	0,4319
1,5	0,4332	0,4345	0,4357	0,4370	0,4382	0,4394	0,4406	0,4418	0,4429	0,4441
1,6	0,4452	0,4463	0,4474	0,4484	0,4495	0,4505	0,4515	0,4525	0,4535	0,4545
1,7	0,4554	0,4564	0,4573	0,4582	0,4591	0,4599	0,4608	0,4616	0,4625	0,4633
1,8	0,4641	0,4649	0,4656	0,4664	0,4671	0,4678	0,4686	0,4693	0,4699	0,4706
1,9	0,4713	0,4719	0,4726	0,4732	0,4738	0,4744	0,4750	0,4756	0,4761	0,4767
2,0	0,4772	0,4778	0,4783	0,4788	0,4793	0,4798	0,4803	0,4808	0,4812	0,4817
2,1	0,4821	0,4826	0,4830	0,4834	0,4838	0,4842	0,4846	0,4850	0,4854	0,4857
2,2	0,4861	0,4864	0,4868	0,4871	0,4875	0,4878	0,4881	0,4884	0,4887	0,4890
2,3	0,4893	0,4896	0,4898	0,4901	0,4904	0,4906	0,4909	0,4911	0,4913	0,4916
2,4	0,4918	0,4920	0,4922	0,4925	0,4927	0,4929	0,4931	0,4932	0,4934	0,4936
2,5	0,4938	0,4940	0,4941	0,4943	0,4945	0,4946	0,4948	0,4949	0,4951	0,4952
2,6	0,4953	0,4955	0,4956	0,4957	0,4959	0,4960	0,4961	0,4962	0,4963	0,4964
2,7	0,4965	0,4966	0,4967	0,4968	0,4969	0,4970	0,4971	0,4972	0,4973	0,4974
2,8	0,4974	0,4975	0,4976	0,4977	0,4977	0,4978	0,4979	0,4979	0,4980	0,4981
2,9	0,4981	0,4982	0,4982	0,4983	0,4984	0,4984	0,4985	0,4985	0,4986	0,4986
3,0	0,4987	0,4987	0,4987	0,4988	0,4988	0,4989	0,4989	0,4989	0,4990	0,4990
3,1	0,4990	0,4991	0,4991	0,4991	0,4992	0,4992	0,4992	0,4992	0,4993	0,4993
3,2	0,4993	0,4993	0,4994	0,4994	0,4994	0,4994	0,4994	0,4995	0,4995	0,4995
3,3	0,4995	0,4995	0,4995	0,4996	0,4996	0,4996	0,4996	0,4996	0,4996	0,4997
3,4	0,4997	0,4997	0,4997	0,4997	0,4997	0,4997	0,4997	0,4997	0,4997	0,4998
3,5	0,4998	0,4998	0,4998	0,4998	0,4998	0,4998	0,4998	0,4998	0,4998	0,4998
3,6	0,4998	0,4998	0,4999	0,4999	0,4999	0,4999	0,4999	0,4999	0,4999	0,4999
3,7	0,4999	0,4999	0,4999	0,4999	0,4999	0,4999	0,4999	0,4999	0,4999	0,4999
3,8	0,4999	0,4999	0,4999	0,4999	0,4999	0,4999	0,4999	0,4999	0,4999	0,4999
3,9	0,5000	0,5000	0,5000	0,5000	0,5000	0,5000	0,5000	0,5000	0,5000	0,5000

Bibliographie

Arditti, F.D. et H. Levy, « The Weighted Average Cost of Capital as a Cutoff Rate : A Critical Examination of the Classical Textbook Weighted Average », *Financial Management*, automne 1977, pp. 24-34.

Banz, R.W., « The Relationship Between Return and Market Value of Common Stocks », *Journal of Financial Economics*, mars 1981, pp. 3-18.

Basu, S., « Investment Performance of Common Stocks in Relation to Their Price-Earnings Ratios : A Test of the Efficient Markets Hypothesis », *Journal of Finance*, juin 1977, pp. 663-682.

Basu, S., « The Relationship Between Earnings Yield, Market Value and Return for NYSE Common Stocks », *Journal of Financial Economics*, juin 1983, pp. 129-156.

Black, F. et M. Scholes, « The Effects of Dividend Yield and Dividend Policy on Common Stock Prices and Returns », *Journal of Financial Economics*, vol. 1, mai 1974, pp. 1-22.

Black, F., M.C. Jensen et M. Scholes, « The Capital Asset Pricing Model : Some Empirical Tests », publié dans *Studies in the Theory of Capital Markets*, Praeger, New York, 1972, pp. 79-124.

Brealey, R., Myers, S., Sick, G. et R. Giammarino, *Principles of Corporate Finance*, 2e édition canadienne, McGraw-Hill, 1992.

Brigham, E.F., Kahl, A.L., Rentz, W.F. et L.C. Gapenski, *Canadian Financial Management*, 3e édition, Holt, Rinehart et Winston, 1991.

Charest, G., Lusztig, P. et B. Schwab, *Gestion financière*, 2e édition, Éditions du Renouveau Pédagogique, 1990.

Clark, J.J., Hinderlang, T.J. et Pritchard, R.E., *Capital Budgeting*, Prentice-Hall, 1979.

Conine, T.E. et M. Tamarkin, « Divisional Cost of Capital Estimation : Adjusting for Leverage », *Financial Management*, printemps 1985, pp. 54-58.

Copeland, T.E. et J.F. Weston, *Financial Theory and Corporate Policy*, 3e édition, Addison-Wesley, 1988.

Davis, A.H. et G.E. Pinches, *Canadian Financial Management*, 2e édition, Harper Collins, 1991.

DeAngelo, H. et R. Masulis, « Optimal Capital Structure Under Corporate and Personal Taxation », *Journal of Financial Economics*, mars 1980, pp. 3-30.

Fama, E.F. et J. MacBeth, « Risk, Return and Equilibrum : Empirical Tests », *Journal of Political Economy*, mai-juin 1973, pp. 607-636.

Fama, E.F. et K.R. French, « The Cross-Section of Expected Stock Returns », *Journal of Finance*, juin 1992, pp. 427-465.

Fama, E.F., « Efficient Capital Markets : A Review of Theory and Empirical Work », *Journal of Finance*, mai 1970, pp. 383-417.

Fowler, D.J. et C.H. Rorke, « Insiders' Trading Profits on the Toronto Stock Exchange, 1967-1977 », *Revue Canadienne des Sciences de l'Administration*, mars 1988, pp. 13-25.

French, K. R., « Stock Returns and the Weekend Effect », *Journal of Financial Economics*, novembre 1980, pp. 55-69.

Fuller, R.J. et H.S. Kerr, « Estimating the Divisional Cost of Capital : An Analysis of the Pure-Play Technique », *Journal of Finance*, décembre 1981, pp. 997-1009.

Gibbons, M.R. et P. Hess, « Day of the Week Effects and Asset Returns », *Journal of Business*, octobre 1981, pp. 579-596.

Grinblatt, M.S., Masulis, R.M. et S. Titman, « The Valuation Effects of Stock Splits and Stock Dividends », *Journal of Financial Economics*, décembre 1984, pp. 461-490.

Hawawini, G.A. et A. Vora, « Yield Approximations : A Historical Perspective », *Journal of Finance*, mars 1982, pp. 145-156.

Hertz, D.B., « Risk Analysis in Capital Investments », *Harvard Business Review*, janvier-février 1964, pp. 95-106.

Ibbotson, R.G. et R.A. Sinquefield, « Stocks, Bonds, Bills, and Inflation : The Past and the Future », *Financial Analysts Research Foundation*, Charlottesville, VA, 1982.

Jaffe, J.J., « Special Information and Insider Trading », *Journal of Business*, juillet 1974, pp. 410-428.

Jensen, M.C. et W.H. Meckling, « The Theory of the Firm: Managerial Behavior, Agency Costs and Ownership Structure », *Journal of Financial Economics*, octobre 1976, pp. 305-360.

Jorion, P. « Value at Risk : The New Benchmark for Managing Financial Risk » McGraw Hill, 2001.

Keim, D.B., « Size-Related Anomalies and Stock-Market Seasonality : Further Empirical Evidence », *Journal of Financial Economics*, juin 1983, pp. 13-32.

L'Institut canadien des valeurs mobilières, « Comment placer son argent dans des valeurs mobilières au Canada », 1988.

Lintner, J., « Security Prices, Risk and the Maximal Gains from Diversification », Journal of *Finance*, décembre 1965, pp. 587-615.

Litzenberger, R. et K. Ramaswamy, « The Effect of Personal Taxes and Dividends on Capital Asset Prices : Theory and Empirical Evidence », *Journal of Financial Economics*, juin 1979, pp. 163-195.

Lorie, J.H. et L.J. Savage, « Three Problems in Capital Rationing », *Journal of Business*, octobre 1955, pp. 229-239.

Markowitz, H.M. « Portfolio Selection », *Journal of Finance*, mars 1952, pp. 77-91.

Masulis, R.W. et A.N. Korwar, « Seasoned Equity Offerings : An Empirical Investigation », *Journal of Financial Economics*, janvier-février 1986, pp. 91-118.

Miller, M.H., « Debt and Taxes », *Journal of Finance*, mai 1977, pp. 261-275.

Miller, M.H. et F. Modigliani, « Dividend Policy, Growth and the Valuation of Shares », *Journal of Business*, vol. 34, octobre 1961, pp. 411-433.

Modigliani, F. et M.H. Miller, « The Cost of Capital, Corporation Finance and the Theory of Investment », *American Economic Review*, juin 1958, pp. 261-297.

Modigliani, F. et M.H. Miller, « Corporate Income Taxes and the Cost of Capital : a Correction », *American Economic Review*, juin 1963, pp. 433-443.

Morin, R., « Market Line Theory and the Canadian Equity Market », *Journal of Business Administration*, automne 1980, pp. 57-76.

Morissette, D., *Valeurs mobilières et gestion de portefeuille*, 4ᵉ édition, Les éditions SMG, 2005.

Myers, S.C., « The Capital Structure Puzzle », *Journal of Finance*, juillet 1984, pp. 575-592.

Myers, S.C., « Interactions of Corporate Financing and Investment Decisions - Implications for Capital Budgeting », *Journal of Finance*, mars 1974, pp. 1-25.

O'Shaughnessy, W., *Mathématiques financières - finance personnelle et finance corporative*, Les éditions SMG, 1991.

Reinganum, M.R., « Misspecification of Capital Asset Pricing : Empirical Anomalies Based on Earnings Yield and Market Values », *Journal of Financial Economics*, mars 1981, pp. 19-46.

Ritter, J.R., « The Costs of Going Public », Journal of Financial Economics, décembre 1987, pp. 269-281.

Robichek, A.A. et J.C. Van Horne, « Abandonment Value and Capital Budgeting », *Journal of Finance*, décembre 1967, pp. 577-589.

Roll, R., « A Possible Explanation of the Small Firm Effect », *Journal of Finance*, septembre 1981, pp. 879-888.

Roll, R., « A Critique of the Asset Pricing Theory's Tests : Part I : On Past and Potential Testability of the Theory », *Journal of Financial Economics*, mars 1977, pp. 129-176.

Ross, S.A., « The Arbitrage Theory of Capital Asset Pricing », *Journal of Economic Theory*, décembre 1976, pp. 341-360.

Royer, P. et J. Drew, *Impôt et planification*, 30ᵉ édition, Béliveau éditeur, 2010.

Rubinstein, M.E., « Mean-Variance Synthesis of Corporate Financial Theory », *Journal of Finance*, mars 1973, pp. 167-181.

Seyhun, H.N., « Insiders' Profits, Costs of Trading and Market Efficiency », *Journal of Financial Economics*, juin 1986, pp. 189-212.

Sharpe, W.F., « Capital Asset Prices : A Theory of Market Equilibrum Under Conditions of Risk », *Journal of Finance*, septembre 1964, pp. 425-442.

Sociétés des comptables en management du Canada, *Le choix des investissements : processus décisionnel*, 1981.

Warner, J., « Bankruptcy Costs : Some Evidence », *Journal of Finance*, mai 1977, pp. 337-347.

Réponses aux exercices

Chapitre 1 - L'objectif financier de l'entreprise et la fonction finance

1. a) F b) F c) F d) V e) V f) V g) F h) V i) V j) V k) F l) F
m) F n) V

Chapitre 2 - Mathématiques financières I : l'intérêt composé

Série A

1. 4124,13 $
2. 5515,76 $
3. 8,84 années
4. d
5. b
6. a) 12% b) 12,36% c) 318,77 $ d) 13,48 $ e) 100 $ f) 3% g) 12%
h) 3,18 $ i) 1 j) 8 k) 10% l) 60,50 $
7. 18 000 $ comptant
8. 7,85%
9. 10 528,94 $
10. Investir dans une obligation d'épargne du Canada (la valeur définitive de son placement s'élèvera à 123 916,57 $ dans 5 ans).

Série B

11. 22,94 années
12. 3 123,19 $
13. 13 626,62 $
14. 4,16%
15. 11,58%
16. 10 833,87 $
17. 799,35 $ 18. 10,01%   19. 8,51
20. a) F b) V c) V d) V e) V f) V g) V h) V

Chapitre 3 - Mathématiques financières II : les annuités

Série A

1. a) $i_4 = 10,72\%$ b) 11,16%
2. a) 2,5% b) 10,38%
3. Celle du concessionnaire XYZ (le paiement mensuel est moins élevé que celui de la banque A qui est de 455,06 $).
4. 446 647,52 $
5. 6 887,66 $
6. 7 282,09 $

Chapitre 3 (suite)

7. a) 10%   b) 87 655,84 $ c) 69 450,82 $ d) 54 999,96 $

8. a) 2 865,72 $ b) 932,97 $

c)

Mois	Solde au début du mois	Versement mensuel	Intérêts	Remboursement de capital	Solde à la fin du mois
10	392 050,24 $	2 865,72 $	1 960,25 $	905,47 $	341 144,77 $

d) 37 247,92 $

e) 144 386,13 $

9. 31 396,92 $

10. 268,82 $

11. 24 810,33 $

12. 3,3049%

13. 11 732,95 $

14. 1 697,30 $

15. a) 16 666,67 $ b) 17 166,67 $ c) 10 083,61 $

16. a) F   b) V   c) V   d) V   e) F   f) V   g) V   h) V   i) V   j) V   k) V

Série B

17. 17,42 %

18. -10,67 %

19. c

20. e

21. c

22. b

23. a

24. e

25. 15,42%

26. 4 857,83 $

27. 172 860,50 $

28. 1172,51 $ (prestations indexées à 8%)

1022,93 $ (prestations indexées à 6%)

29. 529,76 $

30. a) 16,06%   b) 15,47%   c) 880,41 $ d) 72 451,24 $

e) 0,8963393%   f) 735,84 $ g) 897,88 $

31. a) 109 941,23 $ b) 30 636 $

32. a) 89 348,72 $ b) 1,75 année

33. 982 055,93 $

34. a) 624 512,53 $

b) Non. Elle devra investir 8 635,92 $ à la fin de chaque année pour atteindre son objectif.

35. 799 289 $

36. ATD = 32,67%. Le prêt sera fort probablement octroyé.

37. a) 758,52 $

b) Somme mensuelle qu'elle peut placer dans son REÉR = 464,38 $

Valeur accumulée des cotisations dans 15 ans = 156 777,61 $

c) 114 versements seront nécessaires pour amortir la dette.

Valeur accumulée des contributions dans 15 ans = 157 507,26 $

38. 6 751,20 $

39. 330 $

40. 1 200 000 $

41. 388,25 $

42. 1124,95 $

43. 3076,65 $

44. 211 450,40 $

45. 8,12%

46. 22 870,13 $

47. 8,84%

48. 10,82%

49. 11 952,80 $

50. 505,82 $

Chapitre 4 - L'évaluation des actifs financiers

Série A

1. a) F b) F c) V d) F e) F f) F g) F h) F
i) F j) V k) F l) F m) V n) V o) F p) V

2. 6,60%

3. 9891,60 $

4. 765,66 $

5. 10,58%

6. a) Non, car leur taux de rendement n'est que de 12,36%.
b) 792,83 $ c) 1 000 $

7. 10%

8. 967,69 $

9. 9,71%

10. 9 506,02 $

11. a) 14,71 $ b) 39,29 $ c) 12,13 $ d) 32,73 $ e) 42,50 $

12. 21,08 $

13. 13,70%

14. 8,47%

15. a) 26 $ b) 4,57 $ c) La VAOC augmenterait.

Chapitre 4 (suite)

Série B

16. 699,07 $

17. 9,14%

18. 7,63%

19. 7,40%

20. 12,80%

21. Valeur de l'action = 13,73 $. Elle est donc surévaluée.

22. 17,53 $

23. Prix maximum = 36,38 $, prix minimum = 22,53 $

24. 27,34 $

25. Valeur de l'action = 18,06 $. Elle est donc surévaluée.

26. 87,21 $

27. Valeur de l'action = 26,01 $. Elle est donc sous-évaluée.

28. Valeur de l'action = 45,78 $. Elle est donc sous-évaluée.

29. a) Valeur de l'action = 11,58 $. Elle est donc surévaluée.

   b) 1. Diminution
   2. Augmentation
   3. La valeur de l'action serait infinie.

Chapitre 5 - La relation risque-rendement

Série A

1. a) F   b) V   c) V   d) V   e) V   f) F   g) F   h) V   i) F   j) F   k) F
l) V   m) F   n) F   o) V   p) F   q) V   r) V   s) F   t) V   u) F   v) F
w) V   x) F

2. e

3. b

4. c

5. a

6. a

7. b

8. a) 6,29%   b) 0,0053   c) 0,7477   d) i) 4,46%   ii) 0,0063

9. a) 0,00367   b) 0,00098   c) 0,00023

   d) i) 10,48%   ii) 0,00046   e) 2 148 $

10. a) $E(R_p) = 12\%$ et $\sigma(R_p) = 28,5\%$

   b) $E(R_p) = 12\%$ et $\sigma(R_p) = 20,3\%$

   c) $E(R_p) = 12\%$ et $\sigma(R_p) = 3,5\%$

11. 105,04 $

12. A et C

13. a) 16,67%   b) 13 333 $

14. a) 15,87%   b) -98 000 $ c) Elle aurait avantage à diversifier son portefeuille.

15. a) -94 860 $ b) -519 569,62 $

Chapitre 5 (suite)

Série B

16. a) 30% b) 21% c) 34,57% d) 32,29% e) 0,9921

f) 1. 30% 2. 34,57% 3. 27,75% 4. 33,95% 5. 25,50% 6. 33,36%

g) 1. 33,60% 2. 59,38%

17. a) TFP: 25,33% (XX+1), 12% (XX+2)

-3,68% (XX+3), 27,43% (XX+4)

XUP: -25,89% (XX+1), 77,54% (XX+2)

-23,15% (XX+3), 21,54% (XX+4)

b) 68 056,86 $

18. 8,76 $

19. $\rho(R_A, R_M) = 1$, $\beta_A = 2$, $E(R_B) = 20\%$, $\sigma(R_B) = 0,80$

$\rho(R_C, R_M) = 0,40$, $\beta_C = 0,40$

20. 160%

21. a) i) 0,1960 ii) 1,60 iii) 0,1280

b) $E(R_p) = 0,10 + 0,75\sigma(R_p)$

c) 0,75 d) 0,1450 e) légèrement sous-évalué

22. a) 21,50% b) 26,34 $ c) surévalué

d) 1. le prix baisserait 2. le prix baisserait

23. a) surévaluée (la valeur intrinsèque (14 $) est inférieure au prix du marché (18 $)).

b) 20,83 $

24. $\sigma(R_p) = [x_1^2 \ \sigma^2(R_1) + x_2^2 \ \sigma^2(R_2) + x_3^2 \ \sigma^2(R_3) + x_4^2 \ \sigma^2(R_4)$

$+ 2x_1x_2Cov(R_1, R_2) + 2x_1x_3Cov(R_1, R_3) + 2x_1x_4Cov(R_1, R_4)$

$+ 2x_2x_3Cov(R_2, R_3) + 2x_2x_4Cov(R_2, R_4) + 2x_3x_4Cov(R_3, R_4)]^{1/2}$

25. a) Fonds Alpha : $E(R) = 15,80\%$, $\sigma(R) = 19,98\%$

Fonds Gamma : $E(R) = 17,05\%$, $\sigma(R) = 24,03\%$

En se basant sur le critère de Markowitz, on ne peut pas faire de choix car le fonds qui comporte le rendement espéré le plus élevé (le fonds Gamma) est également le plus risqué.

b) Fonds Alpha = 14,99%

Fonds Gamma = 19,61%

c) 0,046441

d) Le fonds Gamma.

e) 44 000 $ dans le fonds Alpha et 56 000 $ dans le fonds Gamma.

f) Le taux de rendement diminuerait.

Chapitre 6 - Choix des investissements à long terme I

Série A

1. a) F b) V c) F d) V e) V f) F g) F h) F i) V j) V k) V

l) F m) F n) F o) F p) F q) V r) V

2. a) 8 000 $ b) 11 520 $ c) 119 385,60 $

Chapitre 6 (suite)

3. Année 1: investissement dans le fonds de roulement = 50 000 000 $

Année 2: investissement dans le fonds de roulement = 10 000 000 $

Année 3: récupération d'une partie de l'investissement dans le fonds de roulement = 20 000 000 $

Année 4: récupération de l'investissement résiduel dans le fonds de roulement = 40 000 000 $

4. a) $TRI_A = 12,17\%$ $TRI_B = 11,20\%$

b) Le TRI suppose que les flux monétaires du projet A sont réinvestis à 12,17% et que ceux du projet B sont réinvestis à 11,20%.

c) 9,54%

e) Pour des taux d'actualisation supérieurs à 9,54%.

f) Le projet B, car à 9% on a $VAN_B > VAN_A$.

5. a) 1 917,21 $ b) 16%

6. a) Le projet B. $VAN_A = 87,76$ $ et $VAN_B = 112,91$ $

b) Le projet A. $TRI_A = 24,86\%$ et $TRI_B = 21,35\%$

c) Le projet B.

d) 16,60%

e) i) V   ii) F   iii) F   iv) V   v) F

7. a) Projet X, $DR_X = 2,17$ ans et $DR_Y = 2,86$ ans.

b) Projet X, $VAN_X = 966,01$ $ et $VAN_Y = 630,72$ $.

c) Projet X, $IR_X = 1,10$ et $IR_Y = 1,06$.

d) Projet X, $TRI_X = 18,03\%$ et $TRI_Y = 14,96\%$.

e) Projet X, $TRI_X^* = 14,61\%$ et $TRI_Y^* = 13,73\%$.

f) 6,22%

h) Projet X, puisque la VAN du projet X est plus élevée que celle du projet Y.

i) Projet Y, puisque la VAN du projet Y est plus élevée que celle du projet X.

8. a) VAN(X) = 14,97 $, VAN(Y) = -6,26 $

b) TRI(X) = 13,79%, TRI(Y) = 7,72%

d) $TRI_X^* = 11,94\%$, $TRI_Y^* = 7,72\%$

e) Le projet X, car VAN(X) > VAN(Y).

9. a) Projet C (VAN = 396,49 $)   b) Projet A (TRI = 39,88%)   c) 27,71%

d) 30,28%

e) Tous les projets devraient être refusés.

f) Accepter les projets B et C (VAN totale = 637,08 $).

10. a) 1   b) 4   c) 5   d) 4   e) 4   f) 4   g) 4   h) 5   i) 3

j) 2   k) 1   l) 3   m) 1   n) 1   o) 3   p) 3

11. a) 2   b) 2   c) 1   d) 4   e) 2   f) 5

12. Projet A, $RAE_A = 238,10$ $ et $RAE_B = 205,44$ $.

Série B

13. a) Oui, car VAN > 0.   b) Non, car VAN < 0.

14. a) V   b) V   c) V

Chapitre 6 (suite)

15. a) V   b) F   c) V   d) V

16. On ne peut pas calculer la VAN de ce projet puisqu'on ne connaît pas le taux d'actualisation pertinent.

17. a) -35,08 % et 285,06 %.

18. a) 1   b) 5   c) 3   d) 2

19. 4

20. a) 4   b) 4   c) 6

Chapitre 7 - Choix des investissements à long terme II

Série A

1. 8 771,04 $

2. 20 469,98 $

3. 13 498,93 $

4. 58 913,93 $

5. a) 3972,37 $ b) -14 479,71 $

6. VAN = -3876,66 $

7. VAN (si la classe ne ferme pas) = -9 080,83 $
VAN (si la classe ferme) = -8 157,71 $

8. VAN = 3 001,89 $

9. VAN = 18,63 $

10. e

11. VAN = -95 055 $

Série B

12. 5 000,43 $

13. 21 149,55 $

14. 18 290,36 $

15. a) 247 750,45 $ b) Nouvelle VAN = 215 247,60 $

16. a) -35 770,60 $ b) VAN corrigée = 33 767,61 $

17. a) 3,74 années   b) VAN = 108 470,11 $

18. a) 13,85 %   b) 77 099,62 $ c) VAN = 80 853,73 $
d) 1. diminution   2. augmentation   3. aucun effet.   4. diminution
5. augmentation   6. diminution   7. augmentation

19. a) 27 216 $ b) -6 447,92 $ c) 14,05 %

20. VAN = 9 758,37 $

21. a) 16,60 %   b) 116 805,50 $ c) 351 977,87 $ d) VAN = -117 711,29 $

22. a) 169 472 $ b) VAN = -104 855,45 $

23. a) Les projets B, C, D, E, F, G et H.   b) Les projets B, C, D et E.

24. 4 ans

Chapitre 8 - Choix des investissements à long terme III

1. a) F b) F c) F d) F e) F f) V g) F h) F i) F j) F k) F
l) V m) F n) V o) V p) V

2. a) -66 $ b) 660 $ c) $\alpha_1 = 0,9554$, $\alpha_2 = 0,9127$, $\alpha_3 = 0,8720$

3. a) VAN selon la méthode du taux d'actualisation ajusté = -3 010 $

VAN selon la méthode de l'équivalence de certitude = 3 248 $

b) $\alpha_1 = 0,9237$, $\alpha_2 = 0,8533$, $\alpha_3 = 0,7882$, $\alpha_4 = 0,7281$, $\alpha_5 = 0,6725$

4. VAN = 15 039 $

5. $CV_A = 0,70$, $CV_B = 0,33$

6. a) Scénario pessimiste : VAN = -10 358 046 $

Scénario réaliste : VAN = 1 770 606 $

Scénario optimiste : VAN = 19 573 000 $

b)

Variable étudiée	Variation pour laquelle on obtient une VAN = 0	Importance relative des variables étudiées en terme de sensibilité
Taille du marché et part du marché	- 9,5%	3
Prix de vente unitaire	- 2,46%	1
Frais variables/unité	3,36%	2
Frais fixes	28,71%	4

7. a) VAN = -2 461 321,27 $ b) VAN = 2 473 051,04 $

8. a) E(VAN) = 5 755 $, σ(VAN) = 12 642 $

b) CV = 2,20 (refuser le projet)

9. a) E(VAN) = 256 $ b) σ(VAN) = 902 $

c) Refuser le projet car la probabilité d'obtenir une VAN négative est d'environ 39%.

d) Plus élevé.

10. a) Corrélé positivement (il s'agit d'une situation de dépendance partielle).

b) E(VAN) = 14 218 $, σ(VAN) = 13 084 $

c) 14%

d) Non

e) 20,37%

11. Investir dans le projet X. L'écart-type est de 721 $.

12. Entreprendre les projets W et Y. Le coefficient de variation est de 0,16 et le risque total de l'entreprise [σ(VAN)] de 6 176 $.

13. a) E(VAN) = 14 479 $, σ(VAN) = 31 996 $

b) CV = 2,21 (refuser le projet)

c) $CV_W = 1,25$, $CV_M = 1,23$ (aucun de ces deux projets ne devrait être accepté).

d) Accepter Milamlec et le projet M. Le coefficient de variation est de 0,50.

14. a) 0,1840   b) 0,1720   c) Oui.

15. a) VAN = 9 062,89 $ b) 2,20

Chapitre 9 - Les marchés financiers

1. a) F   b) F   c) V   d) F   e) F   f) F   g) F   h) F   i) F   j) F   k) V

    l) V   m) F   n) V   o) F   p) F   q) V   r) F   s) F   t) F

2. 49 100 000 $

3. 1 344 086

4. a) Prix maximal = 11,60 $, Prix minimal = 7,88 $

    b) Prix maximal = 11 $, Prix minimal = 8,80 $

5. a) 400 000   b) 10   c) 1 $

    e) Il devrait acheter des droits de souscription. Le profit anticipé est de 22 000 $.

6. a) 4   b) 850 000 $ c) 4 650 000 $ d) 125 000   e) 37,20 $

    f) 0,80 $ g) Les deux stratégies sont équivalentes.

7. a) 2 $ b) Avant l'offre = 500 000, après l'offre = 625 000.

Chapitre 10 - Les modes de financement à long terme

1. a) F   b) F   c) V   d) V   e) V   f) V   g) F   h) V   i) V   j) F   k) V

    l) F   m) V   n) V   o) F   p) V   q) V   r) F   s) F   t) F   u) F

2. a) 21%   b) 180%   c) -100%

3. a) 0,75 $ b) 0   c) 20 000 000 $

    d) 1. Augmentation   2. Augmentation   3. Diminution   4. Diminution   5. Augmentation

4. a) 13%   b) 35,92 $ c) 1 022 $

    d) Lorsque leur valeur marchande atteindra le prix de rachat, soit 1 040 $.

5. a) Oui, car la valeur de conversion excède le prix de rachat.

    b) 24 $

6. a) 780,50 $ b) 5 ans   c) 15,96%

7. a) 40 $ b) 45 $ c) 3 $

8. a) 8 $ b) i) 8   ii) 3 $

9. a) 58,33%   b) 64,81%

10. a) Non, car VAN du refinancement = -398 078,99 $.

    b) 10,46%

11. a) Non, car VAN du refinancement = -180 757,20 $.

    b) 21 882,65 $

12. a) La location. CRL = 46 533,24 $ et CRA = 48 177,66 $.

    b) L'achat est alors préférable à la location. CRL = 52 117,23 $ et le CRA ne change pas.

    c) L'achat est préférable à la location. CRL = 46 533,24 $ et CRA = 45 612,89 $.

13. a) Prêt de 35 000 $: 12%; Prêt de 30 000 $: 14%   b) 8,40%

    c) L'achat est préférable à la location. CRL = 51 346,79 $ et CRA = 44 560,08 $.

14. a) L'achat est légèrement préférable à la location. CRL = 26 778,27 $ et CRA = 26 024,29 $.

    b) La recommandation demeure la même. Le CRL ne change pas et le CRA = 26 502,04 $.

    c) Ils sont plus risqués.

15. 1. b   2. e   3. b   4. b

Chapitre 11 - Le coût du capital

1. 5,14%
2. a) 5,22%   b) 5,26%
3. a) 5,04%   b) 5,10%
4. a) 12,77%   b) 12,81%
5. Les projets D et E devraient être acceptés. Le projet A devrait être refusé. En ce qui a trait aux projets B et C, l'information est insuffisante pour prendre une décision.
6. a) $k_d = 5,62\%$, $k_p = 11,52\%$, $k_e = 16,56\%$ et $\rho = 12,29\%$ b) VAN = -26 630,04 $
7. a) $k_d = 5,25\%$, $k_p = 11,36\%$, $k_e = 13,84\%$ et $\rho = 11,78\%$
   b) La politique de la compagnie est inappropriée.
8. a) $k_d = 6,52\%$, $k_p = 10,03\%$, $k_b = 19,47\%$, $\rho = 13,17\%$ et VAN = 127 197,04 $
9. a) $k_d = 6,07\%$, $k_p = 11,64\%$, k_e (Gordon) = 17,72%, k_e (CAPM) = 18,02%
   ρ (si k_e est calculé selon Gordon) = 14,28%
   ρ (si k_e est calculé selon le CAPM) = 14,47%
10. a) $k_d = 6,09\%$, $k_p = 9,56\%$, $k_b = 12,97\%$ et $\rho = 10,13\%$
    b) $k_e = 13,30\%$ et $\rho = 10,30\%$
11. a) $w_d = 38,1\%$ et $w_0 = 61,9\%$ b) 7,2%   c) 14,38%   d) 15,53%
    e) 1°. 11,64%   2°. 12,36%
12. VAN = 575 621,69 $
13. a) Valeur intrinsèque de l'action = 9,71 $. Le titre est sous-évalué.
    b) $w_d = 17,47\%$, $w_p = 12,66\%$ et $w_0 = 69,87\%$
    c) i. 6,50%   ii. 9,62%   iii. 12,43%   iv. 12,37%
    d) 11,02%   e) 7 419 493 $
    f) 1. diminution   2. augmentation   3. diminution   4. augmentation   5. diminution
14. b) 22 000 000 $ (on accepte les projets A, B, C, D et E).
15. Division A : 8,75%   Division B : 10,56%   Division C : 13,28%   Division D : 16%
16. 22,20%

Chapitre 12 - La structure de capital

1. a) V   b) V   c) F   d) F   e) V   f) V   g) F   h) V   i) V   j) V   k) F
   l) F   m) V   n) F   o) V
2. a) Actions ordinaires : E(R) = 0,1305, $\sigma(R)$ = 0,0637 et CV = 0,49.
      Dette et actions ordinaires : E(R) = 0,189, $\sigma(R)$ = 0,1273 et CV = 0,67.
   b) La deuxième possibilité (financement par dette et actions ordinaires).
   c) E(R) = 0,144, $\sigma(R)$ = 0,1235 et CV = 0,86
3. a) Actions ordinaires : BPA = 1,07 $ Actions privilégiées : BPA = 0,79 $
      Obligations : BPA = 0,98 $
   c) Si le BAII = 1 500 000 $, on devrait se financer par actions ordinaires.
      Si le BAII = 5 000 000 $, on devrait se financer par obligations.

Chapitre 12 (suite)

4. a) Actions ordinaires : BAII = 550 000 $

Obligations et actions privilégiées : BAII = 1 251 538 $

b) 4 057 692 $

d) La deuxième possibilité (financement par obligations et actions privilégiées).

5. a) Actions ordinaires : BAII = 1 530 000 $

Débentures : BAII = 2 010 000 $

b) 4 410 000 $

c) Actions ordinaires : BAII = 5 465 484 $

Débentures : BAII = 5 558 387 $

e) Financement par débentures

6. a) Actions ordinaires : BPA = 1,96 $

Débentures : BPA = 2,18 $

b) 33 899 890 $

c)

Ratio	Financement par actions ordinaires	Financement par débentures
Passif total/Actif total	32,43%	51,35%
Couverture des intérêts	5,42X	3,33X
Couverture des charges financières	2,35X	1,85X

d) Actions ordinaires : Pierre Bergeron détiendra 51,54% des actions.

Débentures : Pierre Bergeron détiendra 67% des actions.

e) Le cours de l'action ne chutera pas nécessairement.

f) Se financer par actions ordinaires.

7. Ratio d'endettement optimal = 30%.

8. a) Gain certain = 1 866 $ b) Lorsque $V_A = V_B = 1$ 333 333 $

9. $V_U = 10$ 714 286 $ et $\rho_U = 14\%$
$V_L = 15$ 514 286 $ et $\rho_L = 9,67\%$

10. $\rho_U = 20,09\%$

11. a) $k_U = 12\%$ et $k_L = 13,80\%$ b) $\rho_U = 12\%$ et $\rho_L = 9,60\%$

12. $k_X = 15\%$, $\rho_X = 15\%$ et $V_X = 666$ 666,67 $
$k_Y = 18,50\%$, $\rho_Y = 11,25\%$ et $V_Y = 888$ 888,89 $

13. a) Actions : $V_U = 11$ 250 000 $

Dette et actions : $V_L = 12$ 850 000 $

b) $k_L = 17,36\%$

14. a) Augmentation de 5 000 000 $ b) aucun effet
c) Augmentation de 5 000 000 $

15. a) B = 10 000 000 $ b) B = 6 000 000 $

16. a) 4 000 000 $ b) 4 000 000 $ c) -2 000 000 $ d) 0

17. Son raisonnement est incorrect.

Chapitre 13 - La relation entre les décisions d'investissement et de financement

1. a) F b) V c) F d) V e) F f) F g) V h) V i) V j) V k) F
   l) F m) V n) V

2. VAN(CAMPCAPI) = 388,89 $, VAN(CMPCAVI) = 388,89 $,
   VAN(VRA) = 388,89 $

3. a) 26 621,37 $ b) 39 907,82 $

4. VAN(CMPCAPI) = 153,07 $, VAN(CMPCAVI) = 149,84 $,
   VAN(VRA) = 143,71 $

5. VAN(CMPCAPI) = VAN(CMPCAVI) = VAN(VRA) = 153,07 $

6. a) 250 435,56 $ b) 255 217,50 $

7. a) VAN(CMPCAPI) = 27,14 $, VAN(CMPCAVI) = 40,09 $,
   VAN(VRA) = 60,60 $, VAN(A) = 27,56 $

   b)

	VAN(CMPCAPI)	VAN(CMPCAVI)	VAN(VRA)	VAN(A)
VAN(CMPCAPI)	-	1,30%	3,35%	0,04%
VAN(CMPCAVI)		-	2,05%	1,25%
VAN(VRA)			-	3,30%
VAN(A)				-

   c) VAN(CMPCAPI) = 78,50 $, VAN(CMPCAVI) = 89,15 $
   VAN(VRA) = 105,55 $, VAN(A) = 75,26 $

   d)

	$FM_t = 200$	$FM_t = 200(1+0,05)$	Écart
VAN(CMPCAPI)	27,14 $	78,50 $	51,36 $
VAN(CMPCAVI)	40,09	89,15	49,06
VAN(VRA)	60,60	105,55	44,95
VAN(A)	27,56	75,26	47,70
Écart maximal	33,46	30,29	

   Une hausse de 5% dans les flux monétaires d'exploitation a un impact plus considérable sur la VAN du projet que le choix de la méthode de calcul.

8. VAN(A) = -291 430,82 $

9. VAN(A) = -19 047,63 $. On devrait donc refuser le projet.

10. 408 581,07 $

Chapitre 14 - La politique de dividende

1. a) A, B, D et E b) 65 000 $

2. a) D_1 = 1,78 $, D_2 = 0, D_3 = 2,50 $, D_4 = 0,20 $, D_5 = 4,30 $
   b) 1,76 $

3. a) 900 000 $
   b) Dividende par action = 1,80 $. Nombre d'actions privilégiées à émettre = 7 250
   c) Dividende par action = 0.
   Nombre d'actions privilégiées à émettre = 5 000

4. a) 45,45 $ b) Le prix de l'action va probablement baisser.

Chapitre 14 (suite)

5. a) Plan A : $P_0 = 11,46$ \$, Plan B : $P_0 = 14,50$ \$. b) Celle de Gordon.

c) Selon M et M, les deux plans sont équivalents.

6. a) Le lundi 21 juillet 2009. b) À la date ex-dividende (le 22 juillet 2009).

7. 864 \$

8. a) 0,10 \$ b) 30 \$ c) Aucun impact d) Aucun impact

9. a) BPA = 5 \$ et Ratio C/B = 7X b) Elle restera inchangée.

Index